HILARY MANTEL

Hilary Mantel, née en 1952, est une romancière anglaise. Elle est notamment l'auteur d'une trilogie historique consacrée à Cromwell : *Le Conseiller*. Le premier tome, *Dans l'ombre des Tudors* (Sonatine, 2013) a obtenu le Booker Prize 2009 et le deuxième, *Le Pouvoir* (Sonatine, 2014) est un best-seller du *New York Times* et du *Washington Post* et a été récompensé par le Booker Prize 2012, le prix Costa du meilleur roman 2012 et le grand prix Costa du livre de l'année 2012. Elle est la première femme à obtenir le Booker Prize deux fois.
La série *Le Conseiller* est en cours d'adaptation par la BBC en partenariat avec HBO.

D1280871

LE CONSEILLER

Tome 1

Dans l'ombre des Tudors

HILARY MANTEL

LE CONSEILLER

Tome 1

Dans l'ombre des Tudors

Traduit de l'anglais
par Fabrice Pointeau

SONATINE ÉDITIONS

Titre original :
WOLF HALL

Éditeur original : Fourth Estate

© Hilary Mantel, 2009

L'Arithmétique le la romancière
par Hilary Mantel
© Hilary Mantel, 2010

© Sonatine, 2013, pour la traduction française
ISBN : 978-2-266-24036-9

Que ceci soit offert à ma singulière amie
Mary Robertson.

Sommaire

Dates clés

1485 Henri Tudor devient roi après avoir vaincu Richard III à Bosworth. Année de naissance probable de Thomas Cromwell.

Env. 1500 Thomas Cromwell rejoint l'armée française.

1503 Thomas Cromwell à la bataille de Garigliano, en Italie.

1509 Henri VIII devient roi, à l'âge de 17 ans, et épouse Catherine d'Aragon, la veuve de son frère.

Env. 1512 Thomas Cromwell, de retour à Londres, s'installe en tant que marchand d'étoffes et avocat ; devient un protégé de Thomas Wolsey, par la suite cardinal et lord-chancelier, et épouse Elizabeth Wykys.

1516 Naissance de Marie Tudor, le seul enfant d'Henri et Catherine à survivre à la petite enfance.

1529 Le cardinal Wolsey tombe en disgrâce et est exilé de la cour après avoir échoué à faire annuler le mariage d'Henri.

1530 Mort de Wolsey. Thomas Cromwell entre au Conseil du roi.

1533 Henri épouse Anne Boleyn.

1534 Henri rompt avec Rome et se proclame chef de l'Église d'Angleterre.

Thomas Cromwell devient secrétaire principal du roi.

Anne et Henri ont une fille, la future Élisabeth Iʳᵉ.

1535 Thomas More et l'évêque John Fisher sont exécutés après s'être opposés au nouvel ordre d'Henri.

Personnages

À Putney, 1500

Walter Cromwell, forgeron et brasseur.
Thomas, son fils.
Bet, sa fille.
Kat, sa fille.
Morgan Williams, mari de Kat.

À Austin Friars, à partir de 1527

Thomas Cromwell, avocat.
Liz Wykys, sa femme.
Gregory, leur fils.
Anne, leur fille.
Grace, leur fille.
Henry Wykys, père de Liz, négociant en laine.
Mercy, sa femme.
Johane Williamson, sœur de Liz.
John Williamson, son mari.
Johane (Jo), leur fille.
Alice Wellyfed, nièce de Cromwell, fille de Bet Cromwell.
Richard Williams, plus tard appelé Richard Cromwell, fils de Kat et Morgan.

Rafe Sadler, clerc principal de Cromwell, élevé à Austin Friars.

Thomas Avery, comptable de la maison.

Helen Barre, femme pauvre recueillie par la famille.

Thurston, cuisinier.

Christophe, serviteur.

Dick Purser, garde-chiens.

À Westminster

Thomas Wolsey, archevêque de York, cardinal, légat papal, lord-chancelier : le protecteur de Thomas Cromwell.

George Cavendish, huissier puis biographe de Wolsey.

Stephen Gardiner, maître de Trinity Hall, secrétaire du cardinal, plus tard secrétaire principal d'Henri VIII : l'ennemi le plus fidèle de Cromwell.

Thomas Wriothesley, greffier du Sceau, diplomate, protégé à la fois de Cromwell et de Gardiner.

Richard Riche, avocat, puis avocat général.

Thomas Audley, avocat, président de la Chambre des communes, lord-chancelier après la démission de Thomas More.

À Chelsea

Thomas More, avocat et érudit, lord-chancelier après la disgrâce de Wolsey.

Alice, son épouse.

Sir John More, son vieux père.

Margaret Roper, sa fille aînée, mariée à Will Roper.

Anne Cresacre, sa belle-fille.

Henry Pattinson, serviteur.

En ville

Humphrey Monmouth, marchand, emprisonné pour avoir abrité William Tyndale, le traducteur de la Bible en anglais.

John Petyt, marchand, soupçonné d'hérésie et emprisonné.

Lucy, son épouse.

John Parnell, marchand, adversaire de longue date de Thomas More.

« Petit » Bilney, érudit brûlé pour hérésie.

John Frith, érudit brûlé pour hérésie.

Antonio Bonvisi, marchand, originaire de Lucques, en Italie.

Stephen Vaughan, marchand à Anvers, ami de Cromwell.

À la cour

Henri VIII.

Catherine d'Aragon, sa première épouse, plus tard connue comme la princesse douairière de Galles.

Marie, leur fille.

Anne Boleyn, sa deuxième épouse.

Mary, sa sœur, veuve de William Carey et ancienne maîtresse d'Henri.

Thomas Boleyn, son père, plus tard comte de Wiltshire et lord du sceau privé : aime se faire appeler « Monseigneur ».

George, frère d'Anne, plus tard lord Rochford.

Jane Rochford, épouse de George.

Thomas Howard, duc de Norfolk, oncle d'Anne.

Mary Howard, sa fille.

Mary Shelton, dame de compagnie.

Jane Seymour, dame de compagnie.

Charles Brandon, duc de Suffolk, vieil ami d'Henri, marié à sa sœur Mary.

Henry Norris, gentilhomme au service du roi.

Francis Bryan, gentilhomme au service du roi.

Francis Weston, gentilhomme au service du roi.

William Brereton, gentilhomme au service du roi.

Nicholas Carew, gentilhomme au service du roi.

Mark Smeaton, musicien.

Henry Wyatt, courtisan.

Thomas Wyatt, son fils.

Henry Fitzroy, duc de Richmond, fils illégitime du roi.

Henry (Harry) Percy, comte de Northumberland.

Le clergé
William Warham, vieil archevêque de Canterbury.

Cardinal Campeggio, émissaire du pape.

John Fisher, évêque de Rochester, conseiller légal de Catherine d'Aragon.

Thomas Cranmer, érudit de Cambridge, évêque réformiste de Canterbury, successeur de Warham.

Hugh Latimer, prêtre réformiste, par la suite évêque de Worcester.

Rowland Lee, ami de Cromwell, par la suite évêque de Coventry et de Lichfield.

À Calais
Lord Berners, gouverneur, érudit et traducteur.

Lord Lisle, nouveau gouverneur.

Honor, son épouse.

William Stafford, attaché à la garnison.

À Hatfield

Lady Bryan, mère de Francis, en charge de la jeune princesse Élisabeth.

Lady Anne Shelton, tante d'Anne Boleyn, en charge de l'ancienne princesse, Marie.

Les ambassadeurs

Eustache Chapuys, diplomate originaire de Savoie, ambassadeur à Londres de l'empereur Charles Quint.

Jean de Dinteville, ambassadeur de François Ier.

Les prétendants au trône de la maison de York

Henry Courtenay, marquis d'Exeter, descendant d'une des filles d'Édouard IV.

Gertrude, son épouse.

Margaret Pole, comtesse de Salisbury, nièce d'Édouard IV.

Lord Montague, son fils.

Geoffrey Pole, son fils.

Reginald Pole, son fils.

La famille Seymour à Wolf Hall

Le vieux sir John, qui a une liaison avec l'épouse de son fils aîné, Edward.

Edward Seymour, son fils.

Thomas Seymour, son fils.

Jane, sa fille : à la cour.

Lizzie, sa fille, mariée au gouverneur de Jersey.

William Butts, médecin.

Nikolaus Kratzer, astronome.

Hans Holbein, artiste.

Sexton, idiot de Wolsey.

Elizabeth Barton, prophétesse.

Tous les passages en italique suivis d'un astérisque sont en français dans le texte. *(N.d.T.)*

L'orthographe anglaise des noms a été conservée, à l'exception de ceux des membres de la famille royale, qui sont donnés dans leur version francisée.

Les Tudors

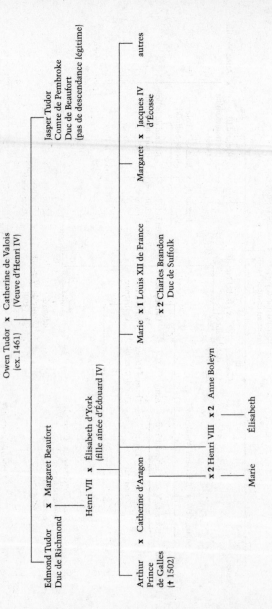

Owen Tudor **x** Catherine de Valois
(ex. 1461)   (Veuve d'Henri IV)

Edmond Tudor **x** Margaret Beaufort
Duc de Richmond

Jasper Tudor
Comte de Pembroke
Duc de Beaufort
(pas de descendance légitime)

Henri VII **x** Élisabeth d'York
(fille aînée d'Édouard IV)

Arthur   **x** Catherine d'Aragon
Prince
de Galles
(† 1502)

x 2 Henri VIII **x 2** Anne Boleyn

Marie   Élisabeth

Marie **x 1** Louis XII de France
       x 2 Charles Brandon
           Duc de Suffolk

Margaret **x** Jacques IV d'Écosse

autres

Les Prétendants yorkistes

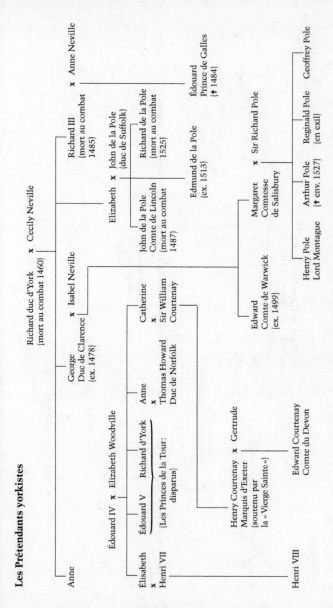

Si Édouard IV était illégitime, les Pole, qui descendaient de George le Duc de Clarence, étaient les prétendants les mieux placés.

Il y a trois sortes de scènes : la première qu'on appelle tragique, la deuxième comique, la troisième satyrique. Leurs décorations sont très différentes pour diverses raisons : la scène tragique est décorée de colonnes, de frontons, de statues et d'autres éléments dignes d'un roi ; la scène comique représente des maisons particulières avec des balcons et des fenêtres dont la disposition imite celle des bâtiments ordinaires ; la scène satyrique est ornée d'arbres, de grottes, de montagnes et de tout ce qui compose un paysage.

VITRUVE, *De Architectura*,
« Des théâtres des Grecs », vers 25 av. J.-C.

Voici les noms des interprètes :

Félicité   *Connivence masquée*
Liberté   *Tromperie courtoise*
Mesure   *Folie*
Magnificence   *Adversité*
Fantaisie   *Pauvreté*
Expression feinte   *Désespoir*
Ruse   *Malice*

Espoir
Réparation
Circonspection
Persévérance

Magnificence, interlude
John SKELTON, vers 1520

PREMIÈRE PARTIE

I

À travers la mer étroite

Putney, 1500

« Maintenant, lève-toi. »

Terrassé, hébété, silencieux, il est à terre, étendu de tout son long sur les pavés de la cour. Sa tête pivote sur le côté, ses yeux se tournent vers le portail, comme si quelqu'un allait lui venir en aide. Un seul coup, correctement asséné, suffirait désormais à l'achever.

Depuis l'entaille qu'il a à la tête – résultat du premier assaut de son père – du sang ruisselle sur son visage. Ajoutez à cela que son œil gauche est aveugle ; mais s'il plisse le droit, il peut voir que la couture de la botte de son père s'est défaite. La ficelle s'est arrachée du cuir, et un nœud dur dans la ficelle a accroché son sourcil et ouvert une autre entaille.

« Lève-toi ! » rugit Walter, se demandant où il pourrait maintenant le frapper.

Il soulève la tête de quelques centimètres et rampe sur le ventre, tentant de ne pas exposer ses mains, car Walter aime les piétiner.

« Tu es une anguille ou quoi ? » demande son père.

Il recule en trottinant, prend son élan et assène un nouveau coup de pied.

Celui-là lui coupe le souffle, et il songe que c'est peut-être le dernier. Son front retombe sur le sol ; il gît par terre, attendant que Walter lui saute dessus. La chienne, Bella, aboie dans la remise où elle est enfermée. Ma chienne me manquera, pense-t-il. La cour sent la bière et le sang. Quelqu'un crie, près des quais. Rien ne fait mal, ou peut-être est-ce tout qui fait mal, car il ne parvient pas à isoler une seule douleur distincte. Mais il sent le froid, à un endroit précis : à travers sa pommette qui repose sur les pavés.

« Regarde, regarde ! » beugle Walter. Il sautille sur un pied, comme s'il dansait. « Regarde ce que j'ai fait. J'ai bousillé ma botte en te donnant un coup de pied dans la tête ! »

Lentement. Avance lentement. Qu'importe qu'il te traite d'anguille, de ver ou de serpent. Tête baissée, ne le provoque pas. Il a le nez plein de sang et doit ouvrir la bouche pour respirer. Son père est momentanément distrait par la perte de sa chère botte, ce qui lui laisse le loisir de vomir.

« C'est ça ! hurle Walter. Dégueule partout ! » Dégueule partout sur mes chers pavés. « Allez, garçon, debout. Lève-toi. Par le sang du Christ rampant, mets-toi debout ! »

Le Christ rampant ? songe-t-il. Que veut-il dire ? Sa tête pivote sur le côté, ses cheveux se mêlent à son vomi, la chienne aboie, Walter rugit et des cloches carillonnent de l'autre côté de la rivière. Il a une sensation de mouvement, le sol crasseux semble se dérober et osciller sous lui comme la Tamise. Il expulse

30

l'air de ses poumons, pousse un dernier grand râle. Il entend quelqu'un dire à Walter, tu l'as tué cette fois. Mais il se bouche les oreilles, ou Dieu les bouche à sa place. Il est entraîné par le courant, sur une grande vague noire.

La première chose dont il se souvient ensuite : il est près de midi et il est appuyé au montant de la porte de la taverne *Pegasus the Flying Horse*. Sa sœur Kat arrive de la cuisine avec un plateau de tourtes chaudes entre les mains. En le voyant, elle le lâche presque, la bouche béante de stupéfaction.

« Regarde-toi !

— Kat, ne crie pas, ça me fait mal. »

Elle appelle son mari en beuglant : « Morgan Williams ! » Elle cherche de l'aide autour d'elle, les yeux enfiévrés, le visage rougi par la chaleur du four. « Viens prendre ce plateau ! Corbleu, où êtes-vous tous passés ? »

Il tremble de la tête aux pieds, exactement comme Bella la fois où elle est tombée du bateau.

Une fille arrive en courant.

« Le maître est parti en ville.

— Je le sais, idiote. » La vue de son frère l'a mise dans un tel état qu'elle avait en fait complètement oublié. Elle tend le plateau à la fille. « Si tu les laisses à un endroit où les chats peuvent les voler, je te flanquerai une telle raclée que tu verras des étoiles. »

Maintenant que ses mains sont vides, elle les joint un moment en une fervente prière.

« Tu t'es encore battu, ou est-ce que c'était ton père ? »

Oui, dit-il, acquiesçant vigoureusement, faisant jaillir des gouttes de sang de son nez ; oui, répète-t-il, montrant ses ecchymoses, comme pour dire : c'est Walter qui m'a fait ça. Kat demande une bassine, de l'eau, un chiffon, elle ordonne à Satan de venir, sur-le-champ, et de reprendre avec lui son suppôt Walter. « Assieds-toi avant de tomber. » Il tente d'expliquer qu'il vient de se relever. Dans la cour. Ç'a pu se passer il y a une heure, ou peut-être une journée, et, pour autant qu'il sache, aujourd'hui pourrait être demain ; sauf que s'il était resté étendu dehors toute une journée, Walter l'aurait sûrement achevé sous prétexte qu'il était en travers de son chemin, ou alors ses plaies auraient séché, et il aurait désormais mal partout et serait presque incapable du moindre mouvement ; il a assez goûté aux poings de Walter pour savoir que le deuxième jour peut être pire que le premier.

« Assieds-toi. Ne parle pas », dit Kat.

Quand la bassine arrive, elle se tient au-dessus de lui et se met au travail, tamponnant son œil fermé, progressant par petits cercles jusqu'à atteindre la bordure de ses cheveux. Elle respire difficilement et sa main libre est posée sur l'épaule de son frère. Elle jure tout bas, parfois elle pleure, et elle lui frotte la nuque en murmurant : « Là, chut, là », comme si c'était lui qui pleurait. Il a l'impression de flotter, et qu'elle le retient au sol ; il aimerait mettre son bras autour d'elle, enfoncer son visage dans son tablier, et rester là à écouter son cœur battre. Mais il ne veut pas la salir, tacher ses vêtements avec son sang.

Quand Morgan Williams arrive, il porte son beau manteau de ville. Il a une tête de Gallois, une expression pugnace : il est clair qu'il a appris la nouvelle. Il se tient à côté de Kat, les yeux baissés, cherchant ses mots ; puis il s'écrie :

« Tu vois ! » Il serre le poing, et l'agite trois fois en l'air. « Voilà ! dit-il. Voilà à quoi il aurait droit. Walter. Voilà à quoi il aurait droit. De ma part.

— Écarte-toi, lui conseille Kat. Tu ne veux pas de morceaux de Thomas sur ton beau manteau. »

Et Thomas non plus ne veut pas laisser de morceaux de lui sur Morgan, alors il s'écarte.

« Moi, ça m'est égal, mais regarde-toi, garçon. Tu pourrais démolir cette brute dans un combat loyal.

— Ce n'est jamais un combat loyal, déclare Kat. Habituellement il arrive par-derrière, avec quelque chose dans la main, n'est-ce pas, Thomas ?

— Cette fois-ci, on dirait que c'était une bouteille en verre, observe Morgan Williams. Est-ce que c'était une bouteille ? »

Il secoue la tête. Son nez se remet à saigner.

« Ne fais pas ça, frère », dit Kat.

Elle a les mains couvertes de sang ; elle les essuie sur son tablier, met du sang partout. Il aurait finalement aussi bien fait d'y poser la tête.

« Je suppose que tu n'as pas vu, demande Morgan, ce qu'il brandissait exactement ?

— C'est tout l'intérêt d'une attaque par-derrière, réplique Kat. Espèce de magistrat du dimanche. Écoute, Morgan, veux-tu que je te parle de mon père ? Il prend la première chose qui lui tombe sous la main. C'est parfois une bouteille, certes. Je l'ai vu faire avec ma mère. Même avec notre petite Bet, que je l'ai vu frapper à la tête. Il m'est aussi arrivé de ne *pas* le voir, ce qui est encore pire car, dans ce cas, c'est que les coups m'étaient destinés.

— Je me demande dans quelle famille j'ai mis les pieds », lance Morgan Williams.

Mais en réalité, c'est une simple façon de parler ; certains hommes reniflent constamment, certaines femmes ont toujours la migraine : Morgan Williams, lui, se répète inlassablement cette même question. Le garçon ne l'écoute pas ; il se dit, si mon père a fait ça à ma mère, qui est morte depuis bien longtemps, alors peut-être l'a-t-il tuée ? Non, il aurait sûrement payé pour ça : Putney est peut-être sans loi, mais on n'assassine pas impunément. Désormais, c'est Kat qui lui fait office de mère : elle pleure pour lui, lui masse la nuque.

Il ferme les yeux ; essaie de les rouvrir en même temps. « Kat, demande-t-il, j'ai toujours mon œil, n'est-ce pas ? Parce que je n'y vois rien. » Oui, oui, oui, répond-elle, pendant que Morgan Williams continue d'essayer de comprendre ce qui s'est passé, et avec quel objet le garçon a été frappé. Il penche pour un objet dur, assez lourd, coupant, mais peut-être pas une bouteille *brisée*, autrement Thomas aurait aperçu son bord tranchant avant que Walter ne lui fende l'arcade en cherchant à l'aveugler. Thomas entend Morgan élaborer sa théorie et il voudrait lui parler de la botte, du nœud, du nœud dans la ficelle, mais ouvrir la bouche semble demander trop d'efforts comparé au moindre bénéfice qu'il y aurait à mettre les choses au clair. Dans l'ensemble, il est d'accord avec les conclusions de Morgan ; il essaie de hausser les épaules, mais ça lui fait si mal, il se sent si broyé et désarticulé qu'il se demande s'il a le cou brisé.

« Quoi qu'il en soit, dit Kat, qu'as-tu donc fait, Tom, pour le rendre si furieux ? D'ordinaire, il ne cherche pas la bagarre avant la tombée de la nuit, du moins pas sans une bonne raison.

— C'est vrai, renchérit Morgan Williams, avait-il une raison ?

— Hier. Je me suis battu.

— Tu t'es battu hier ? Et contre qui, grands dieux, t'es-tu battu ?

— Je ne sais pas. »

Le nom de son adversaire – de même que le motif de la bagarre – lui est sorti de la tête ; et il a l'impression que, ce faisant, cela lui a arraché un bout de crâne. Il se touche la tête, précautionneusement. Une bouteille ? Possible.

« Oh, s'écrie Kat, ils se battent tout le temps. Les garçons. Près de la rivière.

— Soit. Maintenant, dis-moi si j'ai bien compris, reprend Morgan. Hier, il rentre à la maison avec ses vêtements déchirés et les poings écorchés, et son père lui dit, qu'est-ce que c'est que ça, tu t'es battu ? Puis il attend une journée avant de le frapper avec une bouteille. Et après il l'assomme dans la cour, il le roue de coups de pied, il lui martèle tout le corps avec une planche de bois qui traînait là…

— Il a fait ça ?

— On en parle dans toute la paroisse ! Ils m'attendaient tous sur le quai pour me raconter, ils s'égosillaient avant même que j'aie amarré le bateau. Morgan Williams, écoute, le père de ta femme a battu Thomas et il a rampé agonisant jusque chez sa sœur, ils ont appelé le prêtre… As-tu appelé le prêtre ?

— Oh, vous autres, Williams ! s'écrie Kat. Vous vous croyez si importants, par ici. Les gens font la queue pour vous raconter des choses, mais pourquoi, d'après toi ? Parce que vous gobez n'importe quoi.

— Mais tout était vrai ! hurle Morgan. Ou presque !

Hein ? Si on met de côté le prêtre. Et le fait qu'il n'est pas encore mort.

— Tu feras un bon magistrat, pour sûr, réplique Kat, vu que tu n'es pas fichu de faire la différence entre un cadavre et mon frère.

— Quand je serai magistrat, je mettrai ton père directement au pilori. Lui donner une amende ? Aucune amende ne suffirait. À quoi bon donner une amende à quelqu'un qui ira dépouiller ou escroquer de la même somme le premier innocent qui croisera son chemin ? »

Thomas gémit : il essaie de le faire sans les importuner.

« Là, là, là, murmure Kat.

— Il me semble que les magistrats en ont plus qu'assez de ton père, poursuit Morgan. Quand il ne dilue pas sa bière avec de l'eau, il laisse ses bêtes paître illégalement sur le terrain communal, quand il ne saccage pas le terrain communal, il attaque un agent de la paix, quand il n'est pas ivre, il est ivre mort, et s'il ne meurt pas avant son heure, c'est qu'il n'y a pas de justice dans ce monde.

— C'est bon, tu as fini ? » demande Kat. Elle se tourne de nouveau vers son frère. « Tom, tu ferais bien de rester avec nous. Morgan Williams, qu'est-ce que tu en dis ? Il pourra accomplir les tâches pénibles, quand il sera guéri. Il pourra faire les comptes à ta place, il connaît les additions et… comment s'appelle l'autre chose, déjà ? D'accord, ne te moque pas de moi, tu crois que j'ai eu le temps d'apprendre à compter, avec un père pareil ? Si je suis capable d'écrire mon nom, c'est grâce à Tom.

— Il ne sera pas d'accord, dit-il. »

C'est tout ce qu'il parvient à prononcer : des phrases courtes, simples, déclaratives.

« Pas d'accord ? Il devrait surtout avoir honte », réplique Morgan.

Kat dit : « Dieu n'a pas octroyé cette faculté à mon père. »

Il dit : « Parce que. À quelques kilomètres seulement. Il peut facilement.

— Venir te chercher ? Qu'il essaie. »

Morgan lève de nouveau le poing : son petit poing de Gallois nerveux.

Après que Kat a fini de le nettoyer et que Morgan Williams a cessé de fanfaronner et de reconstituer l'agression, il s'allonge une heure ou deux pour récupérer. Pendant ce temps, Walter arrive avec une de ses connaissances, ce qui occasionne bon nombre de cris et de coups de pied dans les portes, qui lui parviennent de façon étouffée, comme dans un rêve. La question qui le préoccupe désormais est : que vais-je faire si je dois quitter Putney ? Ceci est en partie dû au fait que ses souvenirs de la bagarre de la veille sont en train de lui revenir, et qu'il croit se rappeler la présence d'un couteau : s'il a été utilisé, ce n'était pas contre lui, alors s'en serait-il lui-même servi ? Tout est confus dans son esprit. En revanche, ce qui est clair, c'est ce qu'il pense de Walter : j'en ai assez. S'il s'en prend encore à moi, je le tue, et si je le tue, on me pendra, et si je dois finir pendu, je veux que ce soit pour une meilleure raison.

Au rez-de-chaussée, des éclats de voix. Il ne distingue pas chaque mot. Morgan dit, cette fois-ci, c'en est trop. Kat revient sur sa proposition de garder Thomas chez eux, car Morgan Williams dit : « Walter débarquera toujours ici, n'est-ce pas ? Et il dira : "Où est Tom, renvoyez-le à la maison, qui a payé le foutu prêtre pour lui apprendre à lire et à écrire, moi, et c'est toi qui en tires tous les bénéfices maintenant, espèce de Gallois suceur de poireau." »

Il descend au rez-de-chaussée. Morgan lui lance d'un ton enjoué : « Tu as bonne mine, vu ce qui t'est arrivé. »

La vérité concernant Morgan Williams – et il ne l'en aime ni plus ni moins – la vérité, c'est qu'il ne flanquera jamais une raclée à son beau-père. De fait, Morgan a peur de Walter, comme beaucoup de gens à Putney – et aussi à Mortlake, et à Wimbledon.

Il annonce : « Je m'en vais. »

Kat rétorque : « Tu dois rester cette nuit. Tu sais que le deuxième jour est le pire.

— Qui frappera-t-il quand je ne serai pas là ?

— Ça ne nous regarde pas, répond Kat. Bet est mariée et tirée d'affaire, Dieu merci. »

Morgan Williams déclare : « Si Walter était mon père, je te le dis, je m'en irais de ce pas. » Il marque un temps. « D'ailleurs, nous avons économisé un peu d'argent. »

Une pause.

« Je vous rembourserai. »

Morgan réplique en riant, soulagé : « Et comment t'y prendras-tu, Tom ? »

Il ne sait pas. Il peine à respirer, mais ça ne veut rien dire, c'est simplement parce qu'il a du sang séché dans les narines. Son nez n'a pas l'air cassé : il le palpe pour s'en assurer, et Kat dit, attention, c'est un tablier neuf. Elle esquisse un sourire peiné, elle ne veut pas qu'il parte, mais elle ne va pas contredire Morgan Williams, n'est-ce pas ? Les Williams sont des gens importants, à Putney, à Wimbledon. Morgan est fou d'elle ; il lui rappelle parfois qu'elle a des employées pour faire la cuisine et brasser la bière, alors pourquoi ne va-t-elle pas se reposer et coudre à l'étage comme une lady, et prier pour sa réussite lorsqu'il se rend à Londres en manteau de ville pour conclure quelques affaires ? Deux fois par jour elle pourrait faire le tour du *Pegasus* dans une belle robe et remettre en ordre ce qui ne l'est pas : c'est ce que pense Morgan. Et même si, pour autant qu'il sache, elle travaille toujours aussi dur que lorsqu'elle était enfant, il devine qu'elle apprécie ses exhortations à se reposer et à se comporter comme une lady.

« Je vous rembourserai, répète-t-il. Je pourrais devenir soldat. Je pourrais vous envoyer une partie de ma solde et je rapporterais peut-être un butin. »

Morgan dit : « Mais il n'y a pas de guerre.

— Il y en aura une quelque part, réplique Kat.

— Ou alors je pourrais être mousse. Mais, pour Bella : vous croyez que je devrais aller la chercher ? Elle hurlait. Il l'avait enfermée.

— Il avait peur qu'elle lui morde les orteils ? » demande Morgan. Il aime se moquer de Bella.

« J'aimerais l'emmener avec moi.

— J'ai déjà entendu parler de chats de navire, mais jamais de chiens de navire.

— Elle est toute petite.

— Elle ne passera jamais pour un chat, dit Morgan en riant. Et puis tu es trop robuste pour être mousse. Ils doivent grimper aux gréements comme des petits singes. As-tu déjà vu un singe, Tom ? Tu feras un meilleur soldat. Sois honnête, tel père tel fils, tu n'as pas été le dernier servi quand Dieu a distribué les poings.

— Bon, fait Kat. Voyons voir si nous nous comprenons bien. Tom se bat. Pour le punir, son père s'approche en douce par-derrière et le frappe avec un objet, quelque chose de lourd et probablement tranchant, et après, quand il est au sol, il lui arrache presque l'œil, lui donne des coups de pied dans les côtes, le frappe avec une planche de bois qu'il a sous la main, lui esquinte tellement le visage que si je n'étais pas sa sœur, j'aurais eu du mal à le reconnaître : et la réponse de mon mari c'est, Thomas, deviens soldat, va arracher un œil à quelqu'un que tu ne connais pas, donne-lui des coups de pied dans les côtes, tue-le et fais-toi payer pour ça.

— C'est toujours mieux, réplique Morgan, qu'aller se battre sur les quais sans le moindre profit pour qui que ce soit. Regarde-le. Si ça dépendait de moi, je déclarerais une guerre rien que pour l'enrôler. »

Morgan sort sa bourse. Il pose quelques pièces sur la table : clac, clac, clac, avec une lenteur calculée.

Lui effleure sa pommette. Elle est contusionnée, intacte : mais si froide.

« Écoute, dit Kat, nous avons grandi ici, il y a probablement des gens qui accepteraient d'aider Tom… »

Morgan lui lance un regard éloquent qui dit : crois-tu qu'il y ait beaucoup de gens qui aimeraient se mettre Walter Cromwell à dos ? Qu'il vienne défoncer leur porte ? Et elle répond, comme s'il avait parlé à voix haute : « Non. Peut-être pas… Peut-être pas. Tom, crois-tu que ce soit ce qu'il y a de mieux pour toi ? »

Il se lève.

Elle dit : « Morgan, regarde-le, il ne devrait pas partir ce soir.

— Si, réplique Tom. Dans une heure il sera ivre et il reviendra. Il mettra le feu à la maison s'il me croit à l'intérieur. »

Morgan demande : « As-tu tout ce qu'il te faut pour la route ? »

Il voudrait se tourner vers Kat et répondre non.

Mais elle a détourné le visage et pleure. Elle ne pleure pas pour lui, car personne, pense-t-il, ne pleurera jamais pour lui, Dieu ne l'a pas créé pour cela. Elle pleure pour l'idée qu'elle se fait de la vie : le dimanche après l'église, toutes les sœurs, les belles-sœurs, les femmes s'embrassant et se congratulant, chacune réprimandant affectueusement les enfants des autres en caressant leurs petites têtes rondes, les femmes comparant leurs bébés et se les passant de mains en mains pendant que les hommes rassemblés parlent affaires et discutent de laine, de fil, de longueurs, de transport, de ces foutus Flamands, des droits de pêche, du brassage, du rendement annuel, échangent de petites informations opportunes, une faveur contre une autre, de petits pots-de-vin, de petits services, mon avocat affirme que... Voilà comment ça devrait être quand on est l'épouse de Morgan Williams, vu que les Williams sont une famille importante à Putney... Mais ça n'est pas comme ça. Walter a tout gâché.

Précautionneusement, péniblement, il se redresse. Chaque partie de son corps le fait désormais souffrir, mais pas autant que demain. Le troisième jour, les bleus apparaissent et il faut trouver quelque chose à répondre aux gens qui demandent comment on se les est faits. Il sera alors loin d'ici, et il est vraisemblable que personne ne l'interrogera, car personne ne le connaîtra et ne se souciera de lui. Ils croiront que c'est son habitude d'avoir le visage en bouillie.

Il ramasse les pièces et dit : « *Hwyl, Morgan Williams. Diolch am yr arian.* » Merci pour l'argent. « *Gofalwch am Katheryn. Gofalwch am eich busnes. Wela i chi eto rhywbryd. Pow lwc.* »

Veille sur ma sœur. Veille sur tes affaires. Nous nous reverrons.

Morgan Williams le regarde fixement.

Thomas sourit presque ; il le ferait vraiment si son visage ne risquait de se déchirer. Tout ce temps qu'il a passé chez les Williams : croyaient-ils qu'il venait juste pour se faire offrir à dîner ?

« *Pow lwc* », répond doucement Morgan. Bonne chance.

Il dit : « Si je suis la rivière, ça me mènera quelque part ?

— Où veux-tu aller ?

— À la mer. »

Pendant un moment, Morgan Williams semble désolé qu'ils en soient arrivés là.

Il demande : « Ça va aller, Tom ? » Puis ajoute : « Je te promets que si Bella vient te chercher, je ne la renverrai pas chez elle le ventre vide. Kat lui donnera une tourte. »

Il doit faire durer son argent. Il pourrait travailler en chemin ; mais il a peur d'être repéré, et que Walter le rattrape grâce à ses contacts et à ses amis, le genre d'hommes qui vendraient père et mère en échange d'un verre. Il commence par envisager de se glisser à bord de l'un des navires de contrebande en partance de

Barking ou de Tilbury. Mais il songe alors que c'est en France qu'il y a la guerre. Quelques personnes à qui il s'adresse – il parle très facilement aux inconnus – sont du même avis. Ce sera donc Douvres. Il se met en route.

Si vous aidez à charger une charrette, vous pouvez, la plupart du temps, espérer être du voyage. Il en arrive à la conclusion que les gens ne sont pas doués pour charger leur charrette. Des hommes qui essaient de passer tout droit à travers une porte étroite en portant une large malle en bois. Une simple rotation de l'objet résout de nombreux problèmes. Et il y a les chevaux. Il a toujours été proche des chevaux, même des plus effarouchés, car les matins où Walter ne cuvait pas la bière très alcoolisée qu'il gardait pour lui et ses amis, il s'adonnait à son deuxième métier : forgeron ; et que ce soit à cause de sa mauvaise haleine, ou de sa voix tonitruante, ou de son attitude générale, même les chevaux qui avaient besoin d'être ferrés s'ébrouaient et cherchaient à s'éloigner du feu. Les bêtes tremblaient, leurs sabots accrochaient les mains de Walter ; alors Thomas devait leur tenir la tête et leur parler tout en caressant la zone entre leurs oreilles, qui était aussi douce que du velours, leur disant que leur mère les aimait et qu'elle pensait encore à eux, et que Walter en aurait bientôt fini.

Il reste environ une journée sans manger ; ça fait trop mal. Mais lorsqu'il atteint Douvres, la grosse entaille sur son cuir chevelu s'est refermée et, à l'intérieur de son corps, ses organes endoloris sont, pense-t-il, réparés : reins, poumons et cœur.

Il devine, à la manière dont les gens le regardent,

que son visage est toujours tuméfié. Morgan Williams l'a examiné avant son départ : dents miraculeusement toujours dans sa bouche, et deux yeux qui, miraculeusement, voient toujours. Deux bras, deux jambes : que demander de plus ?

Il fait le tour des docks en demandant aux gens, savez-vous où il y a une guerre en ce moment ?

Chaque homme à qui il pose cette question observe son visage, recule et répond : « Vous devez mieux le savoir que moi ! »

Ils sont si amusés par leur repartie, rient tellement de leur mot d'esprit, qu'il continue de demander, rien que pour leur faire plaisir.

Étonnamment, il s'avère qu'il va quitter Douvres plus riche qu'il n'y est arrivé. Il a observé un joueur de bonneteau et, après avoir appris l'astuce, s'y est mis à son tour. Comme ce n'est qu'un garçon, les gens s'arrêtent pour tenter leur chance. À leurs risques et périls.

Il additionne ce qu'il possède et ce qu'il a dépensé. Déduit la petite somme que lui a coûté une brève étreinte avec une demoiselle de la nuit. Pas le genre de chose qu'on pourrait faire à Putney, Wimbledon ou Mortlake. Pas sans que la famille Williams l'apprenne et se mette à parler de vous en gallois.

Il voit trois Hollandais âgés qui se débattent avec leur chargement, et s'approche d'eux pour les aider. Les paquets sont mous et volumineux, des échantillons d'étoffe en laine. Un officier du port leur cause du souci à cause de leurs papiers, leur crie au visage. Il se glisse derrière l'homme, faisant mine d'être un Hollandais un peu rustre, et indique aux marchands avec ses doigts levés qu'un pot-de-vin semblerait approprié en la circonstance. « S'il vous plaît, dit l'un d'eux à l'officier dans un anglais laborieux, garderiez-vous ces pièces anglaises pour moi ? Je viens de les trouver. » Soudain l'officier est tout sourire. Les Hollandais sont tout sourire ; ils auraient été prêts à payer bien plus encore. En montant à bord ils déclarent : « Le garçon est avec nous. »

En attendant qu'on largue les amarres, ils lui demandent son âge. Il répond dix-huit ans, mais ils s'esclaffent et répondent : enfant, tu mens. Il propose quinze ans, ils confèrent et décident que ça fera l'affaire ; ils le croient plus jeune, mais ne veulent pas l'embarrasser. Ils lui demandent ce qui est arrivé à son visage. Il a le choix entre plusieurs réponses, mais opte pour la vérité. Il ne veut pas qu'ils le prennent pour quelque voleur raté. Ils s'entretiennent à l'écart, puis celui qui est en mesure de traduire se tourne vers lui : « Nous disons que les Anglais sont cruels avec leurs enfants. Et sans pitié. L'enfant doit se lever quand le père entre dans une pièce. Toujours l'enfant doit dire, très correctement, "monsieur mon père" et "madame ma mère". »

Il est surpris. Il y a donc dans ce monde des gens qui ne sont pas cruels envers leurs enfants ? Pour la première fois, le poids qu'il a sur le cœur s'allège un peu ; il pense qu'il pourrait y avoir d'autres endroits, des endroits meilleurs. Il s'ouvre à eux ; il leur parle de Bella, et ils ont l'air navrés, et ils ne disent pas de bêtises comme, tu pourras prendre un autre chien. Il leur parle du *Pegasus*, et de la brasserie de Walter et des amendes qu'il a reçues au moins deux fois l'année passée pour avoir servi de la bière diluée. Il leur explique qu'il reçoit des amendes parce qu'il vole du bois, parce qu'il abat les arbres des autres, et à cause des trop nombreux moutons qu'il fait paître sur le terrain communal. Ils sont intéressés ; ils lui montrent les échantillons de laine et discutent entre eux de leur poids et de leur tissage, se tournant de temps à autre vers lui pour l'inclure et l'instruire. Ils n'ont généralement pas une haute opinion des étoffes anglaises, même si ces échantillons pourraient les faire changer d'avis… Il perd le fil de la conversation lorsqu'ils essaient de lui expliquer la raison de leur voyage à Calais et énumèrent les différentes personnes qu'ils y connaissent.

Il leur explique que son père est aussi forgeron, et celui qui parle anglais demande, intéressé, sais-tu fabriquer un fer à cheval ? Il leur mime à quoi ça ressemble, le métal chaud et un père de mauvaise humeur dans un espace confiné. Ils rient ; ils aiment le voir raconter une histoire. Un bon conteur, déclare l'un d'eux. Avant de quitter le navire, le plus silencieux des trois se lèvera et prononcera un discours étrangement formel auquel chacun acquiescera et que celui qui parle anglais traduira. « Nous sommes trois frères. Voici où nous habitons. Si jamais tu visites notre ville, il y aura un lit et un feu et de la nourriture pour toi. »

Au revoir, leur dira-t-il. Au revoir et bonne chance pour l'avenir. *Hwyl*, marchands d'étoffes. *Gofalwch eich busnes*. Il ne s'arrêtera pas tant qu'il n'aura pas trouvé une guerre.

Il fait froid mais la mer est plate. Kat lui a donné une médaille sacrée. Il l'a accrochée à son cou avec une ficelle. Elle provoque une sensation glacée sur sa gorge. Il l'ôte, la porte à ses lèvres pour qu'elle lui porte chance, puis la lance. Elle s'enfonce dans l'eau dans un murmure. Il se souviendra de la première fois qu'il a vu le large : une immensité grise et ridée, comme le vestige d'un rêve.

II

Paternité

1527

Donc : Stephen Gardiner. Il sort à l'instant où Cromwell entre. Il fait humide et, pour une nuit d'avril, étonnamment chaud, mais Gardiner porte des fourrures qui ressemblent à des plumes noires, denses et huileuses ; il est debout, passe les mains sur ses vêtements, les resserrant autour de sa longue silhouette droite telles les ailes d'un ange noir.

« En retard », dit maître Stephen d'un ton déplaisant. Il demeure impassible.

« Moi, ou vous-même ?

— Vous. »

Gardiner attend.

« Des ivrognes sur la rivière. Les bateliers disent qu'on célèbre l'une de leurs saintes patronnes demain.

— Lui avez-vous offert une prière ?

— Je pourrais prier n'importe qui, Stephen, si cela m'assurait d'atteindre la terre ferme.

— Je suis surpris que vous n'ayez pas vous-même

pris une rame. Vous avez dû travailler sur la rivière dans votre jeunesse. »

Avec Stephen, c'est toujours la même rengaine. Votre père dépravé. Votre basse extraction. Stephen est lui-même censé être une sorte d'enfant illégitime semi-royal : élevé moyennant finance, comme leur propre enfant, par des gens discrets dans une petite ville. Ce sont des marchands de laine à qui maître Stephen en veut et qu'il souhaite oublier ; et comme Thomas connaît tout le monde dans le commerce de la laine, il en sait trop sur le passé de Stephen au goût de celui-ci. Le pauvre petit orphelin !

Maître Stephen déteste tout de sa propre situation. Il déteste être le cousin non reconnu du roi. Il déteste le fait qu'il a été envoyé dans les ordres, même si l'Église s'est montrée généreuse envers lui. Il déteste le fait que quelqu'un d'autre ait des entretiens nocturnes avec le cardinal, dont il est le secrétaire particulier. Il déteste être l'un de ces hommes de grande taille à la poitrine creuse qui ne pèsent pas bien lourd ; il déteste savoir que s'ils se rencontraient dans une ruelle obscure, c'est maître Thomas Cromwell qui s'écarterait en essuyant la poussière de ses mains et en souriant.

« Dieu vous bénisse », dit Gardiner en s'enfonçant dans la nuit étonnamment chaude.

Cromwell répond : « Merci. »

Le cardinal, qui est en train d'écrire, dit sans lever les yeux : « Thomas. Il pleut toujours ? Je vous attendais plus tôt. »

Batelier. Rivière. Sainte. Il voyage depuis tôt ce matin après avoir passé l'essentiel des deux dernières semaines en selle pour une affaire du cardinal, et il est revenu par étapes – mais sans traîner – du York-shire. Il est allé voir ses employés à Gray's Inn et a emprunté des habits de rechange. Il s'est rendu en ville pour apprendre quels navires étaient arrivés et s'enquérir de la progression d'un paquet qui lui a été envoyé clandestinement. Mais il n'a pas mangé, et il n'est pas encore passé chez lui.

Le cardinal se lève. Il ouvre une porte, s'adresse aux serviteurs qui attendent derrière.

« Des cerises ! Quoi, pas de cerises ? Avril, dites-vous ? Nous sommes seulement en avril ? Nous aurons donc grand-peine à apaiser mon visiteur. » Il soupire. « Apportez ce que vous avez. Mais ça ne fera jamais l'affaire, vous savez. Pourquoi suis-je si mal servi ? »

Toute la pièce s'agite alors : nourriture, vin, un feu est allumé. Un homme lui prend son vêtement humide avec un murmure prévenant. Tous les serviteurs du cardinal sont ainsi : efficaces, effacés, constamment contrits et sujets aux railleries. Et tous les visiteurs du cardinal sont traités de la même manière. Vous pourriez le déranger chaque soir pendant dix ans et rester là à bouder en lui lançant des regards mauvais, vous seriez toujours son invité d'honneur.

Les serviteurs s'effacent, se massent au niveau de la porte.

« Que voudriez-vous d'autre ? demande le cardinal.

— Que le soleil apparaisse.

— Si tard ? Vous mettez mes pouvoirs à rude épreuve.

— Il pourrait apparaître à l'aube. »

Le cardinal incline la tête vers les serviteurs.

« Je m'occuperai moi-même de cette requête », déclare-t-il gravement.

Et gravement, les domestiques murmurent et se retirent.

Le cardinal joint les mains. Il pousse un profond soupir satisfait, tel un léopard se prélassant au soleil. Il a de l'estime pour son homme d'affaires ; son homme d'affaires a de l'estime pour lui. Le cardinal, à cinquante-cinq ans, demeure aussi bel homme que lorsqu'il était dans la fleur de l'âge. Ce soir il ne porte pas son habituelle écarlate, mais un vêtement d'un pourpre presque noir et de fine dentelle blanche. Sa taille impressionne ; son ventre, qui en toute justice devrait appartenir à un homme plus sédentaire, n'est qu'un autre aspect de sa splendeur sur lequel il pose souvent, d'un air confiant, une grande main blanche ornée de bagues. Sa grosse tête – sûrement conçue par Dieu pour porter la tiare papale – est superbement soutenue par ses larges épaules : épaules sur lesquelles repose (quoique pas à ce moment précis) la grande chaîne de lord-chancelier d'Angleterre. La tête s'incline ; le cardinal dit, de son ton mielleux célèbre d'ici à Vienne : « Alors, dites-moi, comment était le Yorkshire ?

— Dégoûtant. » Il s'assied. « Le temps. Les gens. Les manières. Les mœurs.

— Eh bien, je suppose que vous êtes au bon endroit pour vous plaindre. Même si je dois déjà demander à Dieu de faire apparaître le soleil.

— Oh, et la nourriture. Cinq miles de la côte, et pas de poisson frais.

— Et pas plus de citron, j'imagine. Que mangent-ils ?

— Des Londoniens, quand ils parviennent à en attraper. Vous n'avez jamais vu de tels sauvages. Ils ont une opinion élevée d'eux-mêmes, mais sont pourtant bien bas du front. Ils vivent dans des grottes, et passent cependant pour des gens convenables dans ces contrées. » Le cardinal devrait aller voir par lui-même ; il est archevêque de York, mais n'a jamais visité son siège. « Et quant à l'affaire de Votre Excellence...

— J'écoute, dit le cardinal. Je dirais même plus. Je suis captivé. »

Tandis qu'il écoute, le cardinal plisse les yeux et prend son expression affable, concentrée. De temps à autre il note un chiffre qui lui est donné tout en sirotant un verre de très bon vin. Il finit par demander : « Thomas... qu'avez-vous fait, monstrueux serviteur ? Une abbesse est enceinte ? Deux, trois abbesses ? Ou alors, laissez-moi deviner... Avez-vous mis le feu à Whitby, sur un coup de tête ? »

Le cardinal a deux plaisanteries sur Cromwell, qui parfois s'unissent pour n'en faire qu'une. La première est qu'il exige des cerises en avril et de la laitue en décembre. La deuxième est qu'il arpente la campagne en commettant des outrages dont le cardinal doit par la suite, de sa poche, dédommager les victimes. Et le cardinal a d'autres plaisanteries, de temps à autre : en fonction de la situation.

Il est près de dix heures du soir. Les flammes des bougies de cire s'inclinent poliment devant le cardinal, puis se redressent. La pluie – il pleut depuis septembre – éclabousse la vitre.

« Dans le Yorkshire, annonce Cromwell, votre projet déplaît. »

Le projet du cardinal : ayant obtenu la permission du pape, il compte amalgamer une trentaine de petits monastères mal gérés à de plus grosses institutions, et détourner les revenus desdites fondations – délabrées, mais souvent très anciennes – au profit des deux universités qu'il finance : Cardinal College à Oxford, et une autre dans sa ville natale d'Ipswich, où l'on se souvient bien de lui, lui le fils érudit d'un maître boucher prospère et pieux, un homme de la guilde qui possédait également une grande auberge bien tenue, du genre de celles que fréquentent les meilleurs voyageurs. La difficulté est... Non, en fait, il y a plusieurs difficultés. Le cardinal, licencié en droit à quinze ans, puis en théologie alors qu'il avait une vingtaine d'années, connaît la loi mais n'aime pas ses lenteurs ; il a du mal à accepter qu'un bien foncier ne puisse être transformé en argent aussi rapidement qu'il transforme une hostie en corps du Christ. Lorsque, pour le tester, Cromwell lui a un jour expliqué un point de droit mineur concernant... eh bien, qu'importe, c'était un point mineur, il a vu le cardinal se mettre à transpirer et dire, Thomas, que puis-je vous offrir pour vous persuader de ne plus jamais mentionner cela ? Trouvez un moyen, faites-le, dit-il quand un obstacle est évoqué ; et lorsqu'il entend que quelque personne sans importance s'oppose à son grand dessein, il dit, Thomas, donnez-lui de l'argent pour qu'il nous laisse en paix.

Cromwell a le loisir de songer à tout cela, car le cardinal a les yeux rivés sur son bureau, sur la lettre qu'il a à moitié rédigée. Il relève la tête.

« Tom... » Et puis : « Non, qu'importe. Qu'est-ce qui vous fait grimacer de la sorte ?

— Les gens là-haut disent qu'ils vont me tuer.

— Vraiment ? » demande le cardinal. Son visage exprime l'étonnement et la déception. « Et vous tueront-ils ? Qu'en pensez-vous ? »

Derrière le cardinal il y a une tapisserie qui couvre le mur sur toute sa longueur. Le roi Salomon, les mains tendues dans l'obscurité, accueille la reine de Saba.

« Je pense : si vous voulez vraiment tuer un homme, alors faites-le. Ne lui écrivez pas une lettre. Ne fanfaronnez pas, ne le menacez pas, ne le mettez pas sur ses gardes.

— Si vous comptez un jour baisser la garde, faites-le-moi savoir. C'est une chose que j'aimerais voir. Savez-vous qui… Non, je suppose qu'ils ne signent pas leurs lettres. Mais je n'abandonnerai pas mon projet. J'ai personnellement et soigneusement sélectionné ces institutions, et Sa Sainteté les a officiellement approuvées. Ceux qui protestent comprennent mal mon intention. Personne ne propose de jeter de vieux moines à la rue. »

C'est la vérité. Des mutations peuvent avoir lieu ; des pensions et des compensations peuvent être versées. Les choses peuvent être négociées, si les deux parties font preuve de bonne volonté. Inclinez-vous devant l'inévitable, conseille-t-il. Respectez le cardinal. Considérez sa bienveillance vigilante et paternelle ; soyez sûr que son œil perçant ne vise qu'au bien ultime de l'Église. Telles sont les phrases qu'il utilise pour négocier. Pauvreté, chasteté et obéissance : voilà les mots que l'on emploie lorsque l'on veut convaincre quelque prieur sénile.

« Ils ne comprennent pas mal, objecte-t-il. Ils veulent simplement garder les recettes pour eux.

— Il vous faudra une garde armée la prochaine fois que vous irez dans le Nord. »

Le cardinal, en prévision de la fin de sa vie terrestre, a déjà fait dessiner son tombeau par un sculpteur de Florence. Son corps reposera sous des ailes d'ange déployées, dans un sarcophage de porphyre. La pierre veinée sera son monument quand ses propres veines auront été vidées par l'embaumeur ; quand ses membres seront aussi rigides que du marbre, la liste de ses vertus sera rehaussée d'or. Mais les universités seront son véritable monument, elles fonctionneront et vivront bien après son départ : des garçons pauvres, des érudits pauvres, portant dans le monde l'esprit du cardinal, son sens de l'émerveillement et de la beauté, son instinct pour le décorum et les plaisirs, son raffinement. Pas étonnant qu'il secoue la tête. Il n'est d'ordinaire pas nécessaire de fournir une garde armée à un avocat. Le cardinal déteste toute démonstration de force. Il trouve cela grossier. Parfois l'un de ses hommes – Stephen Gardiner, par exemple – vient le voir en dénonçant quelque nid d'hérétiques en ville. Et le cardinal répond avec ferveur, pauvres âmes égarées dans les ténèbres. Priez pour elles, Stephen, et je prierai également, et nous verrons si à nous deux nous ne parvenons pas à les remettre dans le droit chemin. Et dites-leur de surveiller leurs manières, ou Thomas More s'emparera d'elles et les enfermera dans sa cave. Et alors nous n'entendrons plus que leurs hurlements.

« Bon, Thomas. » Il lève les yeux. « Parlez-vous espagnol ?

— Un peu. Quelques termes militaires, vous savez. Des rudiments.

— Je croyais que vous aviez servi dans les armées espagnoles.

— Françaises.

— Ah. C'est vrai. Et vous n'avez pas fraternisé ?

— Pas au-delà d'un certain point. Je peux insulter quelqu'un en castillan.

— Je garderai cela à l'esprit, dit le cardinal. Votre heure arrive peut-être. Pour le moment... je songeais qu'il serait bon d'avoir plus d'amis dans la maison de la reine. »

Des espions, voilà ce qu'il veut dire. Pour voir comment elle prendra la nouvelle. Pour voir ce que la reine Catalina[1] dira, en privé et sans retenue, quand elle aura déchiffré le message en latin diplomatique dans lequel on lui fera savoir que le roi – après quelque vingt années de vie commune – aimerait épouser une autre femme. N'importe quelle femme. N'importe quelle princesse bien née qui pourra lui donner un fils.

Le menton du cardinal est posé sur sa main ; avec le pouce et l'index il se frotte les yeux.

« Le roi m'a fait venir ce matin, déclare-t-il, exceptionnellement tôt.

— Que voulait-il ?

— Ma pitié. Et de si bonne heure. J'ai assisté à une messe à l'aube avec lui, et il a parlé tout du long. J'aime le roi. Dieu sait que je l'aime. Mais parfois ma compassion a des limites. » Il lève son verre, regarde par-dessus le bord. « Imaginez, Tom. Imaginez ça. Vous êtes un homme d'environ trente-cinq ans. Vous êtes en bonne santé et doté d'un appétit solide, vous allez à la selle chaque jour, vos articulations sont souples, vos os vous soutiennent, et en plus vous êtes roi d'Angleterre. Mais. » Il secoue la tête. « Mais !

---

1. Catherine d'Aragon, ancienne épouse d'Arthur, le frère aîné d'Henri VIII, décédé en 1502. Au moment du récit, reine d'Angleterre et épouse d'Henri VIII. *(N.d.T.)*

Si seulement il voulait quelque chose de simple. La pierre philosophale. L'élixir de jouvence. L'un de ces coffres comme on en voit dans les romans, pleins de pièces d'or.

— Et quand vous en prenez, il se remplit de nouveau ?

— Exactement. Bon, pour ce qui est du coffre rempli d'or, j'ai bon espoir, ainsi que pour l'élixir et tout le reste. Mais où suis-je censé chercher un fils pour gouverner son pays après lui ? »

Derrière le cardinal, remuant légèrement dans le courant d'air, le roi Salomon s'incline, le visage plongé dans l'ombre. La reine de Saba – souriante, leste – lui rappelle la jeune veuve avec qui il logeait lorsqu'il vivait à Anvers. Puisqu'ils avaient partagé un lit, aurait-il dû l'épouser ? L'honneur l'aurait exigé. Mais s'il avait épousé Anselma, il n'aurait pas pu épouser Liz ; et ses enfants ne seraient pas ceux qu'il a maintenant.

« Si vous ne pouvez pas lui trouver un fils, dit-il, vous devez lui trouver un passage des Saintes Écritures. Pour apaiser son esprit. »

Le cardinal semble chercher le passage en question sur son bureau.

« Eh bien, le Deutéronome. Qui recommande formellement qu'un homme épouse la femme de son frère défunt. Comme le roi l'a fait. » Le cardinal soupire. « Mais il n'apprécie pas le Deutéronome. »

Inutile de demander pourquoi. Inutile de suggérer que, si le Deutéronome conseille d'épouser la veuve de votre frère alors que le Lévitique préconise le contraire au risque de ne pas avoir de descendance, il faut essayer de vivre avec cette contradiction et accepter le fait que la question a été débattue à Rome, contre de gras appointements, par d'importants prélats, il y a vingt ans, quand les dispenses ont été acceptées et promulguées avec le sceau papal.

« Je ne vois pas pourquoi le Lévitique lui tient tant à cœur. Il a une fille qui est en vie.

— Mais je crois qu'il est généralement admis, dans les Saintes Écritures, qu'*enfant* signifie *fils*. »

Le cardinal justifie le texte en se référant à l'hébreu ; sa voix est douce, apaisante. Il aime instruire ceux qui veulent être instruits. Ils se connaissent désormais depuis quelques années, et bien que le cardinal soit un personnage éminent, leurs entretiens sont informels.

« J'ai un fils, dit-il. Vous le savez, naturellement. Dieu me pardonne. Une faiblesse de la chair. »

Le fils du cardinal – Thomas Winter, ainsi qu'on l'appelle – semble aspirer au savoir et à une vie paisible ; même si son père a probablement d'autres idées pour lui. Le cardinal a aussi une fille, une demoiselle que personne n'a jamais vue. Avec assez d'à-propos, il l'a nommée Dorothea, le don de Dieu ; elle a déjà été placée dans un couvent, où elle prie pour ses parents.

« Et vous avez un fils, poursuit le cardinal. Ou, devrais-je dire, vous avez un fils auquel vous avez donné votre nom. Mais je soupçonne qu'il y en a d'autres, dont vous ignorez l'existence, qui errent sur les berges de la Tamise ?

— J'espère que non. Je n'avais pas quinze ans quand je me suis enfui. »

Ça amuse Wolsey qu'il ne connaisse pas son âge. Le cardinal regarde à travers les couches de la société jusqu'à une strate bien inférieure à la sienne, lui le fils de boucher nourri à la viande ; une strate où son serviteur est né, en un jour inconnu, dans une profonde obscurité. Son père était certainement ivre à sa naissance ; sa mère, naturellement, était préoccupée par d'autres choses. Kat lui a inventé une date d'anniversaire ; ce dont il lui est reconnaissant.

« Quinze ans… dit le cardinal. Mais à quinze ans, je suppose que vous pouviez faire la chose ? Je sais que moi, je le pouvais. J'ai un fils, chaque batelier sur la rivière à un fils, chaque mendiant dans la rue a un fils, vos assassins en puissance du Yorkshire ont certainement des fils qui jureront de vous traquer dans la génération prochaine, et vous-même, comme nous sommes convenus, avez enfanté toute une tribu de mioches au bord de la rivière – mais le roi est le seul à ne pas avoir de fils. À qui la faute ?

— À Dieu ?

— Plus proche que Dieu ?

— À la reine ?

— Avec plus de responsabilités que la reine ? » Cromwell ne peut réprimer un large sourire.

« À vous-même, Votre Excellence.

— Moi-même, en effet. Et que vais-je y faire ? Je vais vous le dire. J'envisage d'envoyer maître Stephen à Rome pour sonder la curie. Mais j'ai aussi besoin de lui ici… »

Wolsey observe son expression et rit. Chamailleries de sous-fifres ! Il sait très bien que, insatisfaits de leurs origines, Cromwell et Gardiner se battent pour être son fils préféré.

« Quoi que vous pensiez de maître Stephen, il est très au fait du droit canonique, et c'est un homme très persuasif, sauf lorsqu'il s'agit de vous persuader vous. Laissez-moi vous dire… » Il s'interrompt, se penche en avant et pose sa grosse tête de lion entre ses mains, cette tête qui aurait porté la tiare papale si, lors de la dernière élection, la bonne somme d'argent avait été versée aux bonnes personnes. « Je l'ai supplié. Thomas, je me suis mis à genoux, et dans cette humble posture j'ai tenté de le dissuader. Majesté, ai-je dit, laissez-moi vous guider. Si vous désirez vous débarrasser de votre épouse, il n'en résultera que bien des ennuis et des dépenses.

— Et il a répondu… ?

— Il a levé un doigt. En signe d'avertissement. "N'appelez jamais, a-t-il dit, cette chère femme mon épouse, à moins que vous ne puissiez me montrer pourquoi elle l'est, et comment une telle chose est possible. En attendant, appelez-la ma sœur, ma chère sœur. Puisqu'elle était fort assurément l'épouse de mon frère avant de connaître une sorte de mariage avec moi." »

Vous ne tirerez jamais de Wolsey une parole déloyale à l'égard du roi.

« Tout cela est… » Le cardinal hésite sur le choix du mot. « C'est, à mon avis… ridicule. Même si mon avis, naturellement, ne sort pas de cette pièce. Oh, n'en doutez pas, il en est qui, à l'époque, ont désapprouvé la dispense. Et année après année il y a eu des gens qui ont murmuré à l'oreille du roi ; mais il n'écoutait pas, même si je suis bien forcé de croire aujourd'hui qu'il a fini par les entendre. Mais vous savez que le roi était l'homme le plus dévoué qui soit à sa femme. Le moindre doute était aussitôt écrasé. » Il pose une main, doucement mais fermement, sur son bureau. « Écrasé et écrasé. »

Mais ce qu'Henri veut désormais ne fait aucun

doute. Une annulation. Un acte déclarant que son mariage n'a jamais existé.

« Pendant dix-huit années, reprend le cardinal, il a vécu dans l'erreur. Il a confié à son confesseur qu'il avait dix-huit années de péchés à expier. »

Il attend une petite réaction flatteuse. Mais son serviteur se contente de le regarder, sachant pertinemment que le cardinal n'hésite pas à trahir le secret de la confession quand cela l'arrange.

« Donc si vous envoyez maître Stephen à Rome, dit-il, cela donnera au caprice du roi, si je puis… »

Le cardinal acquiesce : vous pouvez appeler ça ainsi.

« … une portée internationale.

— Maître Stephen pourrait rester discret. Prétexter une bénédiction papale privée, par exemple.

— Vous ne connaissez pas Rome. »

Wolsey ne peut le contredire. Il n'a jamais ressenti le frisson sur la nuque qui vous fait regarder par-dessus votre épaule quand, quittant la lumière dorée du Tibre, vous pénétrez dans une grande zone obscure. Près de quelque colonne effondrée, près de quelque ruine sobre, les voleurs d'intégrité attendent, la putain de quelque évêque, le neveu de quelque neveu, quelque séducteur argenté à l'haleine chargée ; il se dit, parfois, qu'il a de la chance d'avoir échappé à cette ville en préservant son âme intacte.

« Pour dire les choses simplement, poursuit-il, les espions du pape devineront les mobiles de Stephen avant même qu'il finisse de faire ses bagages, et les cardinaux et les secrétaires auront le temps de fixer leur prix. Si vous devez l'envoyer, donnez-lui beaucoup d'argent. Ces cardinaux n'acceptent pas les promesses ; ce qu'ils aiment par-dessus tout, c'est un sac d'or pour apaiser leur banquier, parce qu'ils sont pour la plupart à court de crédit. » Il hausse les épaules. « Je le sais.

— C'est vous que je devrais envoyer, déclare le cardinal d'un ton enjoué. Vous pourriez proposer un prêt au pape Clément. »

Pourquoi pas ? Il connaît les marchés financiers ; cela pourrait probablement être arrangé. S'il était Clément, il emprunterait lourdement cette année pour engager des troupes afin d'encercler ses territoires. Mais il est probablement trop tard ; pour les batailles d'été, il faut recruter à la Chandeleur.

Il dit : « Pourquoi ne pas entamer la procédure au sein de votre propre juridiction ? Faites faire au roi les premières démarches, et il verra alors s'il veut vraiment ce qu'il prétend vouloir.

— Telle est mon intention. Ce que je compte faire, c'est réunir un petit tribunal ici même à Londres. Nous aborderons la chose avec gravité : roi Henri, il semble que vous ayez vécu toutes ces années dans l'illégalité, avec une femme qui n'est pas votre épouse. Il déteste – sans vouloir vexer Sa Majesté – apparaître dans l'erreur : et c'est là que nous devons le placer, résolument. Peut-être oubliera-t-il que ce sont ses scrupules qui sont à l'origine de nos problèmes. Peut-être nous criera-t-il dessus avant de retourner, indigné, auprès de la reine. Dans le cas contraire, je serai obligé de faire révoquer la dispense, ici ou à Rome, et si je parviens à le séparer de Catherine, je prendrai soin de le marier à une princesse française. »

Inutile de demander si le cardinal a une princesse précise en tête. Il n'en a pas une, mais deux ou trois. Il ne vit pas dans une unique réalité, mais dans un univers sombre et changeant de possibilités diplomatiques.

Tout en se démenant pour que le roi reste uni à la reine Catherine et à sa famille impériale espagnole, suppliant Henri d'oublier ses scrupules, il planifiera aussi un autre monde dans lequel les scrupules du roi devront être pris en compte et dans lequel le mariage avec Catherine sera nul. Une fois cette nullité reconnue – et les dernières dix-huit années de péché et de souffrance effacées –, il recomposera l'équilibre de l'Europe, alliant l'Angleterre à la France, formant un bloc puissant pour s'opposer à l'empereur Charles, le neveu de Catherine. Toutes les issues sont possibles, toutes les issues sont gérables, et peuvent même devenir désirables : prière et pression, pression et prière, tout ce qui se produira sera la volonté de Dieu, une volonté opportunément repensée et redessinée par le cardinal. Il avait l'habitude de dire : « Le roi fera ceci et cela. » Puis il a commencé à dire : « Nous ferons ceci et cela. » Maintenant il dit : « Voici ce que je vais faire. »

« Mais qu'adviendra-t-il de la reine ? demande-t-il. S'il la renvoie, où ira-t-elle ?

— Les couvents peuvent être confortables.

— Peut-être retournera-t-elle chez elle en Espagne.

— Non, je ne crois pas. C'est un autre pays désormais. Cela fait – quoi ? – vingt-sept ans qu'elle a accosté en Angleterre. » Le cardinal soupire. « Je me souviens d'elle à son arrivée. Ses navires, comme vous le savez, avaient été retardés par le mauvais temps, et elle avait été jour après jour ballottée sur la Manche. L'ancien roi était allé à sa rencontre. Elle se trouvait alors à Dogmersfield, dans le palais de l'évêque de Bath, et progressait lentement vers Londres ; c'était le mois de novembre et, oui, il pleuvait. Lorsqu'il est arrivé, la princesse et sa maisonnée avaient respecté la coutume espagnole : la future reine devait demeurer voilée jusqu'à ce que le roi la voie le jour de son mariage. Mais vous connaissez l'ancien roi ! »

Il ne l'a naturellement pas connu ; il est né à l'époque où l'ancien roi, un renégat et un réfugié toute sa vie, a conquis un trône qui ne lui était pas promis[1]. Wolsey parle comme si lui-même avait été le témoin de tout, le témoin oculaire, et dans un sens il l'a été, car le passé récent n'obéit qu'aux règles qui sont reconnues par son esprit supérieur, et qui lui sont agréables à l'œil. Il sourit.

« L'ancien roi, dans ses dernières années, était devenu très soupçonneux. Il a fait mine de reculer pour s'entretenir avec son escorte, a alors bondi de sa selle – c'était encore un homme svelte – et a fait savoir sans détour aux Espagnols qu'il avait intérêt à la voir. Ma terre et mes lois, a-t-il dit ; nous ne voulons pas de voiles ici. Pourquoi ne pourrais-je pas la voir, m'a-t-on trompé, est-elle difforme, proposez-vous de marier mon fils Arthur à un monstre ? »

Un comportement typique d'un Gallois, songe Thomas.

« En attendant, ses femmes avaient mis la petite créature au lit ; ou c'est du moins ce qu'ils prétendaient, car ils croyaient qu'elle y serait à l'abri. Que nenni ! Le roi Henri a traversé les pièces à grandes enjambées comme s'il avait eu l'intention d'arracher

_____

1. Henri VII (1457-1509) s'empare du trône d'Angleterre le 22 août 1485 lors de la bataille de Bosworth, durant laquelle son prédécesseur Richard III est tué. Il régnera jusqu'à sa mort, le 21 avril 1509. *(N.d.T.)*

les draps. Les femmes ont passé quelques vêtements à la princesse pour qu'elle soit décente. Il a fait irruption dans la chambre. Et en la voyant, il a perdu son latin. Il a bafouillé et est ressorti comme un enfant incapable d'articuler un mot. » Le cardinal glousse. « Et la première fois qu'elle a dansé à la cour – notre pauvre prince Arthur était assis, souriant, sur l'estrade, mais la demoiselle ne tenait pas en place – personne ne connaissait les danses espagnoles, alors elle a dansé avec l'une de ses dames de compagnie. Je n'oublierai jamais ce port de tête, ce moment où ses magnifiques cheveux roux ont glissé sur son épaule... Pas un seul des hommes qui l'ont vue ne s'est imaginé... même si la danse était à vrai dire très convenable... Ah, mon cher. Elle avait seize ans. »

Le cardinal regarde dans le vide et Thomas dit : « Que Dieu vous pardonne ?

— Que Dieu nous pardonne tous. Chaque fois qu'il se confessait, l'ancien roi avouait qu'il la désirait. Le prince Arthur est mort, bientôt suivi par la reine, et quand le vieux roi s'est retrouvé veuf, il a songé à épouser lui-même Catherine. Mais alors... » Il redresse ses épaules majestueuses. « Ils ne sont pas parvenus à s'accorder sur la dot, vous savez. Le vieux renard, Ferdinand, le père de Catherine. Il s'accrochait à son argent. Mais notre roi actuel n'avait que dix ans lorsqu'il a dansé au mariage de son frère, et, d'après moi, c'est à cet instant qu'il s'est épris de la mariée. »

Ils réfléchissent un moment. C'est triste, ils savent tous deux que c'est triste. Le vieux roi maintenant Catherine à l'écart, la gardant au sein du royaume dans un état de pauvreté, refusant de passer l'éponge sur la partie de la dot qu'il considérait comme due, et tout aussi réticent à lui payer sa part de veuve et à la laisser partir[1]. Mais c'est également intéressant, les nombreux contacts diplomatiques que la jeune fille a établis durant ces années, son habileté à faire jouer les intérêts des uns contre ceux des autres. Quand Henri l'a épousée, c'était un jeune homme candide de dix-huit ans. Dès que son père est mort il a mis la main sur Catherine. Elle était plus âgée que lui, les années d'angoisse l'avaient émoussée et elle avait perdu un peu de sa beauté. Mais surtout, la véritable femme était moins lumineuse que l'image qu'Henri s'en faisait ; il désirait avidement ce que son frère avait possédé. Il sentait toujours le petit tremblement de sa main lorsqu'elle l'avait posée sur son bras alors qu'il n'avait que dix ans. C'était comme si elle lui avait fait confiance, comme si – disait-il à ses intimes – elle avait compris qu'elle n'était pas censée être la femme d'Arthur, sauf de nom ; son corps lui était réservé à lui, le deuxième fils, vers qui elle avait tourné ses superbes yeux gris-bleu, son sourire docile. Elle m'a toujours aimé, affirmait le roi. Environ sept années de diplomatie, si on peut appeler ça comme ça, m'ont éloigné d'elle. Mais je ne crains plus personne. Rome a accordé la dispense. Les papiers sont en ordre. Les alliances sont en place. J'ai épousé une vierge, puisque mon pauvre frère ne l'a pas touchée ; j'ai épousé une alliance, sa famille espagnole ; mais, par-dessus tout, je me suis marié par amour.

Et maintenant ? Fini. Ou pratiquement fini : une

---

1. Après le décès de son premier mari, le prince Arthur, en 1502, Catherine vécut en quasi-prisonnière à Durham House, à Londres, jusqu'à la mort d'Henri VII et son mariage avec Henri VIII. *(N.d.T.)*

moitié de vie sur le point d'être effacée, supprimée des registres.

« Ah, dit le cardinal. Quelle sera l'issue ? Le roi s'attend à voir son désir exaucé, mais elle sera dure à convaincre. »

Il y a une autre histoire à propos de Catherine, une histoire différente. Henri est allé en France pour s'offrir une petite guerre ; il a laissé Catherine faire office de régente. Les Écossais sont arrivés ; ils ont été battus à plate couture, et à Flodden leur roi a été décapité. C'est Catherine, cet ange rose et blanc, qui a proposé d'envoyer sa tête dans un sac par le premier navire pour remonter le moral de son mari dans son campement. On l'a dissuadée ; on lui a fait comprendre qu'un Anglais ne ferait pas une telle chose. À la place, elle a envoyé une lettre. Accompagnée du surcot dans lequel le roi écossais avait péri, un surcot raide, noir et craquelé à cause du sang qu'il avait perdu.

Le feu s'éteint, une bûche calcinée est sur le point de s'affaisser ; le cardinal, plongé dans ses rêveries, se lève de sa chaise et l'écrase lui-même du pied. Puis il se tient là, yeux baissés, faisant tourner ses bagues autour de ses doigts, perdu dans ses pensées. Il sort de sa torpeur et déclare : « La journée a été longue. Rentrez chez vous. Et tâchez de ne pas rêver de ces habitants du Yorkshire. »

Thomas Cromwell a désormais un peu plus de quarante ans. C'est un homme à la charpente solide, pas très grand. Son visage peut revêtir diverses expressions, et l'une d'elles est facile à interpréter : une expression d'amusement contenu. Sa chevelure est sombre, lourde et ondulée, et ses petits yeux, dont la vue est perçante, s'illuminent lors des conversations :

c'est ce que l'ambassadeur impérial nous confirmera très bientôt. On dit qu'il connaît par cœur l'intégralité du Nouveau Testament en latin, et qu'il est donc qualifié pour travailler pour le cardinal – qu'il a toujours une citation de prête au cas où un abbé s'emmêlerait les pinceaux. Son débit est bas et rapide, ses manières sont assurées ; il est aussi à l'aise dans une salle d'audience que sur les quais, dans le palais d'un évêque que dans la cour d'une auberge. Il est capable de rédiger des contrats, dresser des faucons, dessiner des cartes, faire cesser des bagarres de rue, meubler une maison et influencer un jury. Il vous citera des passages plaisants tirés des auteurs classiques, de Platon à Plaute. Il connaît la poésie moderne et peut la dire en italien. Il travaille à toute heure, est le premier levé et le dernier couché. Il gagne de l'argent et le dépense. Il est prêt à parier sur tout.

Il se lève pour partir et dit : « Si vous vous entreteniez avec Dieu et que le soleil apparaissait, alors le roi pourrait faire une sortie à cheval avec ses gentilshommes, et s'il oubliait ses soucis en prenant un peu l'air, il retrouverait son entrain, et il ne penserait peut-être plus au Lévitique, et votre vie serait plus simple.

— Vous ne le comprenez qu'en partie. Il aime la théologie, presque autant que les sorties à cheval. »

Il est à la porte.

« Au fait, reprend Wolsey, les rumeurs à la cour… Monsieur le duc de Norfolk prétend que j'aurais fait naître un mauvais esprit à qui j'aurais ordonné de le suivre partout. Si quelqu'un vous en parle… niez. »

Il se tient dans l'entrebâillement, sourit lentement. Le cardinal sourit également, comme pour dire : j'ai gardé le meilleur pour la fin. Je sais comment vous rendre heureux, n'est-ce pas ? Puis le cardinal baisse la tête vers ses papiers. C'est un homme qui, lorsqu'il s'agit de servir l'Angleterre, a besoin de très peu de sommeil ; quatre heures le rafraîchiront, et il sera levé quand les cloches de Westminster annonceront une nouvelle journée d'avril humide, brumeuse et sans lumière.

« Bonne nuit, dit-il. Dieu vous bénisse, Tom. »

Dehors ses gens l'attendent avec des torches pour le ramener chez lui. Il a une maison à Stepney, mais ce soir il regagne sa maison de ville. Une main sur son bras : Rafe Sadler, un jeune homme menu aux yeux pâles. Celui-ci lui demande : « Comment était le Yorkshire ? »

Le sourire de Rafe tremblote, le vent étire la flamme de la torche en une vague tache pluvieuse.

« Je ne dois pas en parler ; le cardinal craint que ça nous fasse faire des cauchemars. »

Rafe fronce les sourcils. En vingt et un ans, il n'a jamais fait de cauchemar ; comme il vit chez Cromwell depuis l'âge de sept ans, d'abord dans Fenchurch Street et maintenant à Austin Friars, il a grandi avec un esprit posé, et ses inquiétudes nocturnes sont toutes rationnelles : voleurs, chiens errants, nids-de-poule sur la route.

« Le duc de Norfolk... » commence-t-il. Puis : « Non, oublie. Qui s'est enquis de moi en mon absence ? »

Les rues humides sont désertes ; la brume rampe depuis la rivière. Les étoiles sont étouffées par l'humidité et les nuages. Dans la ville flotte la puanteur douceâtre des péchés oubliés de la veille. Norfolk est agenouillé, claquant des dents, près de son lit ; la plume nocturne du cardinal gratte, gratte, comme un rat sous son matelas. Pendant que Rafe, à ses côtés, lui donne les dernières nouvelles du bureau, il formule son démenti, à l'intention de quiconque se sentirait concerné : « Son Excellence le cardinal réfute totalement toute allégation selon laquelle il aurait envoyé un mauvais esprit surveiller le duc de Norfolk. Il s'élève contre cette insinuation avec la plus grande force. Nul veau sans tête, nul ange déchu en forme de chien à langue pendante, nul vieux linceul rampant, nul Lazare, nul cadavre animé n'ont été envoyés par Son Excellence pour traquer monsieur le duc : et nulle traque de la sorte n'est prévue. »

Quelqu'un hurle près des quais. Les bateliers chantent. Le bruit faible d'une chute dans l'eau retentit au loin : peut-être sont-ils en train de noyer quelqu'un. « Monseigneur le cardinal effectue cette déclaration sans toutefois renoncer à son droit de harceler et tourmenter monsieur de Norfolk au moyen de tout *fantasma* qu'il pourra dans sa sagesse choisir ; à toute date à venir, et sans préavis ; uniquement en fonction de ce que Son Excellence jugera opportun. »

Ce temps humide réveille la douleur des vieilles cicatrices. Mais il pénètre dans sa maison comme s'il était midi : souriant, et imaginant le duc tremblant. Il est une heure du matin. Dans son esprit, Norfolk est toujours à genoux, et un diablotin au visage noir pique avec son trident ses talons calleux.

III

À Austin Friars

1527

Lizzie n'est pas couchée. Lorsqu'elle entend les serviteurs lui ouvrir la porte, elle arrive en portant sous son bras sa petite chienne qui se débat et hurle.

« Tu as oublié où tu habites ? »

Il pousse un soupir.

« Comment était le Yorkshire ? »

Il hausse les épaules.

« Le cardinal ? »

Il acquiesce.

« Tu as mangé ?

— Oui.

— Fatigué ?

— Pas vraiment.

— Quelque chose à boire ?

— Oui.

— Vin du Rhin ?

— Pourquoi pas. »

Les boiseries ont été repeintes. Il pénètre dans la lueur tamisée aux tons verts et dorés.

« Gregory…

— Une lettre ?

— Si l'on peut dire. »

Elle lui tend la lettre et la chienne, et va chercher le vin. Elle s'assied, se sert également une coupe.

« Il nous salue. Comme si nous n'étions qu'une seule et même personne. Mauvais latin.

— Ah, que veux-tu, dit-elle.

— Tiens, écoute. Il espère que tu vas bien. Espère que je vais bien. Espère que ses adorables sœurs Anne et la petite Grace vont bien. Lui-même va bien. Et rien de plus faute de temps, votre fils dévoué, Gregory Cromwell.

— Dévoué ? dit-elle. C'est tout ?

— C'est ce qu'on leur enseigne. »

La chienne Bella lui mordille le bout des doigts, ses yeux ronds et innocents le regardent en brillant comme des lunes étranges. Liz a bonne mine, quoique fatiguée par sa longue journée ; de longs cierges se dressent derrière elle. Elle porte le collier de perles et de grenats qu'il lui a offert à la nouvelle année.

« Tu es plus agréable à regarder que le cardinal, dit-il.

— C'est le plus petit compliment qu'une femme ait jamais reçu.

— Dire que je le prépare depuis que j'ai quitté le Yorkshire. » Il secoue la tête. « Ah, enfin ! » Il attrape Bella et la hausse à bout de bras au-dessus de lui ; elle agite les pattes de joie. « Comment vont les affaires ? »

Liz fait un peu de passementerie. Des étiquettes pour les cachets des documents ; des résilles pour les femmes de la cour. Elle a deux apprenties à la maison, et garde un œil sur la mode ; mais elle se plaint, comme toujours, des intermédiaires et du prix du fil.

« Nous devrions aller à Gênes, dit-il. Je t'apprendrai à regarder les fournisseurs dans le blanc des yeux.

— J'aimerais bien. Mais tu ne t'éloigneras jamais du cardinal.

— Ce soir, il a tenté de me persuader qu'il fallait que je commence à fréquenter des gens de la maison de la reine. Ceux qui parlent espagnol.

— Ah ?

— Je lui ai dit que mon espagnol n'était pas formidable.

— Pas formidable ? » Elle s'esclaffe. « Hypocrite.

— Il n'a pas besoin de savoir tout ce que je sais.

— Je suis allée à Cheapside », dit-elle. Elle nomme l'une de leurs vieilles amies, l'épouse d'un maître joaillier. « Tu veux savoir la nouvelle ? Une grosse émeraude a été commandée, ainsi qu'une monture, pour une bague, une bague de femme. » Elle lui montre la taille de l'émeraude, grosse comme l'ongle de son pouce. « Elle est arrivée, après des semaines d'angoisse, et ils étaient en train de la tailler à Anvers.

— Et qui paye ?

— Le tailleur affirme qu'il s'est fait escroquer et qu'elle a un défaut caché. L'importateur s'offusque, s'il était caché, comment aurais-je pu le savoir ? Le tailleur réplique, faites-vous rembourser le préjudice par votre fournisseur...

— Ils vont être en procès pendant des années. Ne peuvent-ils pas s'en procurer une autre ?

— Ils essaient. C'est le roi qui a dû la commander, d'après nous. Personne d'autre à Londres ne chercherait à acheter une pierre de cette taille. Mais pour qui est-elle ? Certainement pas pour la reine. »

La minuscule Bella est désormais étendue le long de son bras, clignant des yeux, remuant doucement la queue. Je serais curieux de voir si et quand une émeraude apparaîtra, songe-t-il. Le cardinal me préviendra. Le cardinal dit, c'est bien joli, cette manière de tenir le roi à distance et de réclamer des cadeaux, mais elle sera dans son lit cet été, c'est certain, et à l'automne il sera lassé d'elle, et il la rejettera ; s'il ne le fait pas, je m'en chargerai. Si Wolsey doit faire venir une princesse française fertile, il ne voudra pas que son arrivée soit gâchée par des disputes avec des concubines éconduites. Le roi, estime Wolsey, devrait être plus intransigeant avec ses femmes.

Liz attend un moment, jusqu'à être tout à fait certaine qu'il ne lui fera aucune révélation. « Bon, et Gregory, dit-elle. L'été arrive. Ici, ou ailleurs ? »

Gregory aura bientôt treize ans. Il est à Cambridge, auprès de son tuteur. Il a envoyé ses neveux, les fils de sa sœur Bet, dans la même école que lui ; c'est une chose qu'il est heureux de faire pour la famille. Mais l'été doit être consacré aux loisirs ; que feraient-ils en ville ? Gregory ne s'intéresse guère aux livres pour le moment, même s'il aime qu'on lui raconte des histoires, des histoires de dragons, des histoires de bonshommes verts qui vivent dans les bois ; pour arriver à lui faire lire un passage en latin, il faut le persuader qu'au verso de la page il y a un serpent de mer ou un fantôme. Il aime être dans les bois et les champs et il aime chasser. Il doit encore grandir, et nous espérons qu'il deviendra grand. Le grand-père maternel du roi, comme vous le diront les anciens, mesurait six pieds et quatre pouces (son père, cependant, était plutôt de la taille de Morgan Williams). Le roi mesure six pieds et deux pouces, et le cardinal peut le regarder dans les yeux. Henri aime être entouré d'hommes comme son beau-frère Charles Brandon, dotés d'une taille impressionnante et de larges épaules rembourrées. Mais une grande taille n'est pas un atout dans les petites ruelles sombres, ni, de toute évidence, dans le Yorkshire.

Il sourit. Ce qu'il dit de Gregory, c'est, au moins il n'est pas comme moi à son âge ; et quand on lui demande, comment étiez-vous ? il répond, oh, j'avais l'habitude de planter des couteaux dans les gens. Gregory ne ferait jamais une telle chose ; alors ça ne le dérange pas – ou ça le dérange moins que les gens ne l'imaginent – qu'il n'ait guère de talent pour les déclinaisons et les conjugaisons. Quand on lui rapporte ce que Gregory n'a pas réussi à faire, il rétorque : « Il est occupé à grandir. » Il comprend qu'il ait besoin de dormir ; il n'a lui-même jamais beaucoup dormi avec Walter qui faisait du raffut, et, après sa fuite, il a toujours été à bord d'un navire ou sur la route, puis il s'est retrouvé dans l'armée. Ce que les gens ne comprennent pas à propos de l'armée, ce sont les longues périodes d'inaction ininterrompue : vous devez faire les poubelles pour vous nourrir, vous campez dans des endroits inondés parce que votre cinglé de capitaine en a décidé ainsi, vous êtes brusquement transféré en pleine nuit jusqu'à une position indéfendable, si bien que vous ne dormez jamais vraiment, le matériel est défectueux, les artilleurs n'arrêtent pas de provoquer de petites explosions involontaires, les archers sont soit ivres soit en train de prier, les flèches ont été commandées mais ne sont pas encore arrivées, et tout votre esprit est occupé par l'angoisse fébrile que les choses tournent mal parce que *il principe*, ou Dieu sait quel petit dignitaire en charge ce jour-là, n'est pas très doué pour une tâche aussi simple que réfléchir. Il ne lui a pas fallu de nombreux hivers pour abandonner le combat et passer à l'approvisionnement. En Italie, vous pouviez toujours vous battre l'été, si vous en aviez envie. Si vous vouliez prendre l'air.

« Tu dors ? demande Liz.

— Non. Mais je rêve.

— Le savon de Castille est arrivé. Et ton livre d'Allemagne. L'emballage ne permettait vraiment pas de deviner ce que c'était. J'ai failli renvoyer le garçon qui l'a livré. »

Dans le Yorkshire, où flottait une odeur d'hommes sales vêtus de peaux de mouton et transpirant de colère, il a rêvé du savon de Castille.

Plus tard elle demande : « Alors, qui est la femme ? »

Sa main, posée sur le sein gauche, familier mais adorable, de Liz, s'écarte de stupéfaction. « Quoi ? » S'imagine-t-elle qu'il s'est acoquiné avec une femme dans le Yorkshire ? Il retombe sur le dos et se demande comment la convaincre qu'elle se trompe ; au besoin, il l'emmènera là-bas, et elle verra par elle-même.

« La femme à l'émeraude, précise-t-elle. Je te demande juste parce que les gens disent que le roi veut faire une chose très étrange, et je ne peux vraiment y croire. Mais c'est la rumeur qui court en ville. »

Vraiment ? La rumeur a fait des progrès durant les deux semaines qu'il a passées dans le Nord parmi les bas du front.

« S'il essaie de faire ça, poursuit-elle, alors la moitié de la population y sera opposée. »

Il avait uniquement pensé, et Wolsey avait uniquement pensé, que seuls l'empereur et l'Espagne y seraient opposés. Il sourit dans le noir, les mains derrière la tête. Il ne demande pas qui, mais attend que Liz lui dise.

« Toutes les femmes, reprend-elle. Toutes les femmes d'Angleterre. Toutes les femmes qui ont une fille mais pas de fils. Toutes les femmes qui ont perdu un enfant. Toutes les femmes qui ont perdu tout espoir d'avoir un enfant. Toutes les femmes de quarante ans. »

Elle pose la tête sur son épaule. Trop fatigués pour parler, ils restent allongés l'un à côté de l'autre dans les draps de lin fin, sous l'édredon de satin turc jaune. Leurs corps exhalent le faible parfum emprunté au soleil et aux herbes. En castillan, se souvient-il, il peut insulter les gens.

« Tu dors maintenant ?

— Non. Je réfléchis.

— Thomas, dit-elle, manifestement surprise, il est trois heures. »

Et puis il est six heures. Il rêve que toutes les femmes d'Angleterre sont dans son lit, en train de le bousculer et de le pousser pour qu'il en sorte. Alors il se lève pour aller lire son livre allemand à l'insu de Liz.

Non pas qu'elle s'y oppose ; ou alors, s'il la provoque, elle répond simplement : « Mon livre de prières me suffit. » Et de fait, elle lit son livre de prières, le saisissant distraitement au milieu de la journée – interrompant à peine ce qu'elle est en train de faire –, ponctuant sa lecture à voix basse d'instructions à ses domestiques ; c'est un cadeau de mariage, un livre d'heures que lui a offert son premier époux, à l'intérieur duquel celui-ci a inscrit son nouveau nom de femme mariée : Elizabeth Williams. Parfois, par jalousie, il aimerait y inscrire d'autres choses, des sentiments contraires : il connaissait le premier mari de Liz, mais ça ne signifie pas qu'il l'appréciait. Il lui arrive de dire, Liz, il y a le livre de Tyndale, son Nouveau Testament, dans le coffre fermé à clé, lis-le, voici la clé ; elle répond, tu peux me le lire si tu y tiens tant, et lui réplique, il est en anglais, lis-le toute seule : c'est le but, Lizzie. Lis-le, tu seras surprise de voir ce qui ne figure pas dedans.

Il pensait que cette allusion attiserait sa curiosité : manifestement, non. Mais il ne peut s'imaginer faisant la lecture à sa maisonnée ; il n'est pas, contrairement à Thomas More, une sorte de prêtre raté, un prédicateur frustré. Il ne voit jamais More – une étoile dans un autre firmament qui le salue d'un sinistre signe de tête – sans avoir envie de lui demander, qu'est-ce qui cloche chez vous ? Ou qu'est-ce qui cloche chez moi ? Pourquoi tout ce que vous savez, et tout ce que vous avez appris, vous conforte-t-il dans vos certitudes ? Alors que, dans mon cas, ce avec quoi j'ai grandi, et ce que je pensais croire, s'effrite petit à petit, par fragments puis par pans entiers. À chaque mois qui passe mes certitudes relatives à ce monde et au suivant s'émoussent. Montrez-moi où il est dit dans la Bible « purgatoire ». Montrez-moi où il est dit « reliques », « moines », « nonnes ». Montrez-moi où il est dit « pape ».

Il revient à son livre allemand. Le roi, avec l'aide de Thomas More, a écrit un livre contre Luther, ce qui lui a valu de recevoir du pape le titre de Défenseur de la foi. Ce n'est pas que lui-même aime le frère Martin ; le cardinal et lui s'accordent à dire qu'il vaudrait mieux que Luther ne soit jamais né, où qu'il soit né doté d'un esprit plus subtil. Pourtant, il se tient au courant de ce qui est écrit, de ce qui arrive clandestinement par les ports de la Manche et par les petites criques des Angles, les estuaires où un petit bateau au chargement douteux peut accoster sur une plage puis être repoussé, au clair de lune, vers la mer. Il tient le cardinal informé, de sorte que lorsque More et ses amis du clergé font irruption, s'enflammant contre la dernière hérésie, le cardinal peut les apaiser d'un geste et déclarer : « Messieurs, je suis déjà informé. » Wolsey brûlera des livres, mais pas des hommes. Il l'a déjà fait, ne serait-ce qu'en octobre dernier, à la croix de Saint-Paul : un holocauste de la langue anglaise, et tant de riche papier consumé, et tant d'encre d'imprimerie noire.

Le Testament qu'il conserve dans le coffre est l'édition clandestine d'Anvers, qui est plus facile à se procurer que l'impression allemande originale. Il connaît William Tyndale ; avant que Londres ne devienne trop risqué pour lui, ce dernier a logé pendant six mois chez Humphrey Monmouth, le maître drapier, en ville. C'est un homme de principes, un homme dur, et Thomas More l'appelle la Bête ; on dirait qu'il n'a jamais ri de sa vie, mais bon, pourquoi rire quand on est forcé de fuir sa terre natale ? Son Testament est un in-octavo en affreux papier bon marché : sur la page de titre sont inscrits les mots « IMPRIMÉ EN UTOPIE ». Il espère que Thomas More en a eu un exemplaire entre les mains. Il est tenté de lui montrer le sien, juste pour voir la tête qu'il fera.

Il referme le livre neuf. L'heure n'est plus à la lecture. Il sait qu'il n'a pas le temps de traduire lui-même le texte en latin afin de le faire circuler discrètement ; il devrait demander à quelqu'un de s'en charger à sa place, par amour de l'argent. C'est étonnant de voir à quel point cet amour est fréquent ces temps-ci, parmi ceux qui lisent l'allemand.

À sept heures il est rasé, a pris son petit déjeuner, et il porte une magnifique tenue de lin propre et de fine laine sombre qu'il n'a pas eu à emprunter à quelqu'un d'autre. Parfois, à cette heure, le père de Liz lui manque ; ce brave vieil homme qui était toujours debout aux aurores, et qui posait la main sur sa tête en lui disant, passe une bonne journée, Thomas, fais-le pour moi.

Il aimait le vieux Wykys. Il était venu le voir la première fois pour une question juridique. À l'époque – il avait, quoi, vingt-six, vingt-sept ans ? – il venait de rentrer de l'étranger et avait tendance à commencer une phrase dans une langue et à la finir dans une autre. En homme habile, Wykys avait amassé une jolie fortune dans le commerce de la laine. Il était originaire de Putney, mais ce n'était pas pour ça qu'il l'avait embauché ; c'était parce qu'il avait une recommandation et qu'il ne coûtait pas cher. Lors de leur premier entretien, tout en étalant ses papiers, Wykys avait déclaré : « Tu es le fils de Walter, n'est-ce pas ? Alors, qu'est-ce qui s'est passé ? Parce que, nom de Dieu, il n'y avait pas plus coriace que toi quand tu étais enfant. »

Il aurait expliqué, s'il avait su quel genre d'explication Wykys était capable de comprendre : j'ai cessé de me battre parce que, quand je vivais à Florence, je regardais les fresques chaque jour. Mais il avait simplement répondu : « J'ai trouvé un mode de vie plus simple. »

Ça faisait quelque temps que Wykys était fatigué et avait délaissé ses affaires. Il continuait d'envoyer des draps de laine sur le marché du nord de l'Allemagne, alors que – avec la longueur des toisons ces temps-ci, et la difficulté qu'il y avait à tisser de bons draps – il aurait mieux fait de se lancer dans le *kersey*, ou ce genre d'étoffes plus légères, et de les exporter via Anvers jusqu'en Italie. Mais Thomas avait écouté – il était doué pour écouter – les jérémiades du vieil homme, puis il avait déclaré : « Les temps changent. Laissez-moi vous emmener aux foires aux tissus cette année. »

Wykys savait qu'il ferait bien de se montrer à Anvers et à Bergen op Zoom, mais il n'aimait pas la traversée.

« Il sera en sécurité avec moi, avait-il expliqué à Mercy, l'épouse de Wykys. Je connais une bonne famille chez qui il pourra loger.

— Très bien, Thomas Cromwell, avait-elle répondu. Mais faites attention. Pas de boissons hollandaises étranges. Pas de femmes. Pas de prédicateurs interdits dans des caves. Je vous connais.

— Je ne sais pas si je pourrai éviter les caves.

— Alors je vous propose un marché. Vous pouvez l'emmener à un sermon si vous ne l'emmenez pas au bordel. »

Mercy, soupçonne-t-il, vient d'une famille où l'on conserve et cite les écrits de John Wycliffe, où l'on connaît depuis toujours les Écritures saintes en anglais ; des bribes de textes amassées en cachette, des versets interdits calfeutrés dans les mémoires. Ces choses se transmettent d'une génération à l'autre, comme les yeux et le nez, comme la docilité ou la propension à la passion, comme la force musculaire ou le goût du risque. Si vous devez prendre des risques ces temps-ci, mieux vaut le prédicateur que la putain ; évitez la syphilis, surnommée à Florence la fièvre napolitaine, et à Naples, sans doute, la pourriture florentine. Le bon sens impose l'abstinence – dans toutes les parties de l'Europe, y compris dans ces îles. Nos vies sont limitées dans ce sens, contrairement à celles de nos aïeux.

Sur le bateau, il avait écouté les doléances habituelles des autres passagers : ces canailles de marins, les couloirs de navigation non marqués, les monopoles anglais. Les commerçants de la Hanse auraient préféré que leurs propres hommes mènent les navires à Gravesend : les Allemands sont une bande de voleurs, mais ils savent naviguer à contre-courant. Le vieux Wykys avait eu le mal de mer. Lui était resté sur le pont, se rendant utile ; vous avez dû être mousse, maître, lui avait dit un membre d'équipage. Une fois à Anvers, ils s'étaient dirigés vers l'enseigne du Saint-Esprit. Le serviteur qui avait ouvert la porte s'était écrié : « C'est maître Thomas qui revient nous voir ! », comme s'il revenait du royaume des morts. Et les trois hommes âgés, les trois frères hollandais qu'il avait rencontrés sur le bateau, étaient sortis en s'exclamant : « Thomas, notre pauvre enfant errant, notre fugueur, notre petit ami maltraité. Bienvenue, entre et réchauffe-toi ! »

C'est aujourd'hui le seul endroit où il est toujours considéré comme un fugueur, un petit garçon battu.

Leurs femmes, leurs filles, leurs chiens l'avaient couvert de baisers. Puis il avait laissé le vieux Wykys près de la cheminée – le langage des vieillards est universel, toujours les mêmes conseils pour soulager les douleurs, les mêmes apitoiements mesquins, les mêmes radotages sur les caprices et les exigences de leurs épouses. Le plus jeune des frères traduisait, comme d'habitude, conservant un visage impassible, même quand les termes devenaient anatomiques.

Il était pour sa part allé boire avec les trois fils des trois frères. « *War wil je ?* avaient-ils plaisanté. L'affaire du vieux ? Sa femme quand il mourra ?

— Non, avait-il répondu, se surprenant lui-même. Je crois que je veux sa fille.

— Jeune ?

— Veuve. Relativement jeune. »

À son retour à Londres, il savait qu'il pouvait remettre l'affaire de Wykys sur pied. Il lui restait cependant à réfléchir à son fonctionnement au quotidien. « J'ai vu votre stock, avait-il dit à Wykys. J'ai vu vos comptes. Maintenant, montrez-moi vos employés. »

C'était la clé, naturellement, la clé qui mènerait à la réussite. Les personnes sont toujours la clé, et si l'occasion vous est donnée de les regarder dans les yeux, vous pouvez voir si elles sont honnêtes et à la hauteur de la tâche. Il avait renvoyé le commis principal – lui disant, soit vous partez, soit nous allons au tribunal – et l'avait remplacé par un subalterne bègue, un garçon qu'on lui avait décrit comme idiot. Timide, voilà ce qu'il était ; Cromwell avait inspecté son travail chaque soir, désignant doucement et sans un mot chaque erreur et omission, et au bout de quatre semaines le garçon s'était avéré à la fois compétent et enthousiaste, et il s'était mis à le suivre partout comme un chiot. Un investissement de quatre semaines, plus quelques jours sur les quais à vérifier qui s'en mettait plein les poches, et, à la fin de l'année, Wykys avait recommencé à faire des bénéfices.

Quand il lui avait montré les chiffres, Wykys s'était éloigné d'un pas lourd et avait hurlé : « Lizzie ? Lizzie ? Descends. »

Elle les avait rejoints.

« Tu veux un nouveau mari. Celui-ci fera-t-il l'affaire ? »

Elle l'avait scruté de la tête aux pieds.

« Eh bien, père, vous ne l'avez pas choisi pour sa beauté. » Puis à Cromwell, arquant les sourcils, elle avait demandé : « Voulez-vous une femme ?

— Je ferais peut-être mieux de vous laisser discuter de tout ça ? » avait observé le vieux Wykys.

Il paraissait confus, semblait estimer qu'ils feraient bien de s'asseoir et de rédiger un contrat sur-le-champ.

Et c'est presque ce qu'ils avaient fait. Lizzie voulait des enfants ; lui voulait une épouse avec des contacts en ville et un peu d'argent. Et quelques semaines plus tard ils étaient mariés. Gregory était arrivé dans l'année qui avait suivi. Une heure après sa naissance, Cromwell avait tiré du berceau l'enfant qui hurlait et se débattait avec force, il avait embrassé son crâne duveteux et lui avait dit, je serai aussi tendre avec toi que mon père ne l'a pas été avec moi. Car à quoi bon élever des enfants si chaque génération n'est pas meilleure que la précédente ?

Donc ce matin – levé tôt, ruminant ce que Liz lui a dit la veille – il se demande, pourquoi mon épouse se soucierait-elle des femmes qui n'ont pas de fils ? Peut-être les femmes sont-elles ainsi : peut-être passent-elles leur temps à s'imaginer ce que ça fait d'être une autre.

Ça peut être instructif, songe-t-il.

Il est huit heures. Lizzie est descendue. Ses cheveux sont ramassés sous un calot de lin et ses manches sont retroussées.

« Oh, Liz, dit-il en riant. Tu ressembles à une femme de boulanger.

— Surveille tes manières, garçon de salle. »

Rafe entre dans la pièce : « Nous retournons chez monseigneur le cardinal ?

— Où voudrais-tu aller ? » dit-il. Il rassemble ses papiers pour la journée. Donne une tape affectueuse à sa femme, embrasse sa chienne. Il sort. C'est un matin bruineux mais le ciel s'éclaircit, et, avant qu'ils atteignent York Place, il est clair que le cardinal a tenu parole. Un flot de lumière baigne la rivière, aussi pâle que la chair d'un citron.

Deuxième partie

I

La visite

1529

Ils vident la maison du cardinal. Pièce après pièce, les hommes du roi débarrassent York Place de son propriétaire. Ils empaquettent des parchemins et des rouleaux de manuscrit, des missels et des mémorandums et les volumes de ses comptes rendus personnels ; ils emportent même l'encre et les plumes. Ils arrachent des murs les panneaux de bois sur lesquels sont peintes les armoiries du cardinal.

Ils sont arrivés un dimanche, deux dignitaires vengeurs : le duc de Norfolk, un faucon à l'œil vif, et le duc de Suffolk, tout aussi déterminé. Ils ont informé le cardinal qu'il était démis de sa fonction de lord-chancelier, et ont exigé qu'il restitue le grand sceau d'Angleterre. Lui, Cromwell, a touché le bras du cardinal. Un bref aparté. Puis le cardinal revient auprès des hommes, courtois : il semble qu'une requête écrite du roi soit nécessaire ; en avez-vous une ? Oh : quelle négligence de votre part. Il faut beaucoup d'aplomb pour rester aussi calme ; mais le cardinal n'en manque pas.

« Vous voulez que nous retournions à Windsor ? » Charles Brandon est incrédule. « Pour un bout de papier ? Alors que la situation est claire ? »

Ça, c'est bien le duc de Suffolk ; considérer que la lettre de la loi est une sorte de luxe. Cromwell murmure de nouveau à l'oreille du cardinal, et le cardinal répond : « Non, je crois que nous ferions mieux de leur dire, Thomas… inutile de prolonger inutilement cette affaire… Messieurs, mon avocat ici présent affirme que je ne peux pas vous donner le sceau, que vous ayez ou non une demande écrite. Il dit, plus précisément, que je ne peux le remettre qu'au maître des Rouleaux[1]. Vous feriez donc bien de l'amener avec vous. »

Lui déclare, d'un ton léger : « Soyez heureux que nous vous ayons prévenus, messieurs. Sinon vous auriez sûrement dû effectuer trois voyages, n'est-ce pas ? »

Norfolk sourit. Il aime la confrontation. « Je vous suis obligé, maître », dit-il.

Quand ils s'en vont, Wolsey se retourne et l'étreint avec jubilation. Même s'ils savent que c'est la dernière de leurs victoires, il est important de faire preuve d'ingéniosité ; vingt-quatre heures sont toujours bonnes à prendre quand le roi est si inconstant. De plus, ils se sont amusés. « Maître des Rouleaux, dit Wolsey. Le saviez-vous, ou est-ce une invention de votre part ? »

Lundi matin les ducs reviennent. Ils ont pour ordre d'expulser les occupants le jour même, car le roi veut

---

1. Deuxième juge le plus important du pays après le *Lord Chief Justice*. (N.d.T.)

envoyer ses propres maçons et décorateurs afin que le palais soit prêt pour recevoir lady Anne Boleyn, qui a besoin d'une résidence à Londres.

Il s'est préparé à leur faire face et à parlementer ; quelque chose m'a-t-il échappé ? Ce palais appartient à l'archidiocèse de York. Depuis quand lady Anne est-elle archevêque ?

Mais la marée d'hommes qui déferle dans les escaliers les emporte. Les deux ducs se sont faits discrets, et il n'y a personne avec qui parlementer. Quelle vision terrible, dit quelqu'un : maître Cromwell privé d'un combat. Et maintenant le cardinal est prêt à partir, mais où ? Par-dessus son écarlate habituelle, il porte une cape de voyage qui appartient à quelqu'un d'autre ; on confisque sa garde-robe vêtement après vêtement, il doit donc prendre ce qu'il trouve. C'est l'automne, et malgré sa carrure Wolsey sent le froid.

On retourne les coffres et on renverse leur contenu. Le sol est jonché de lettres de papes, de lettres d'érudits de toute l'Europe : d'Utrecht, de Paris, de Saint-Jacques-de-Compostelle ; d'Erfurt, de Strasbourg, de Rome. On empaquette ses évangiles pour les porter aux bibliothèques du roi. Les volumes sont lourds, et aussi délicats que s'ils respiraient ; leurs pages sont en vélin, rehaussées par les enlumineurs de teintes lapis et vert feuille.

On arrache les tapisseries et on laisse les murs nus. On roule Salomon et Saba, les monarques de laine ; et tandis que leurs corps se rapprochent, leurs yeux se remplissent de l'image de l'autre et leurs minuscules poumons inhalent des fibres de ventres et de cuisses. Puis c'est au tour des scènes de chasse du cardinal, les scènes de plaisir séculier : les paysans folâtres pataugeant dans des mares, les cerfs aux abois, les meutes hurlantes, les épagneuls retenus par des laisses en soie et les mastiffs avec leurs colliers à pointes, les chasseurs avec leurs ceintures à clous et leurs couteaux, les femmes à cheval avec leurs toques coquettes, la mare bordée de joncs, les agneaux dociles en pâture, et les cimes des arbres floues et bleuâtres, s'étirant au loin en un long panache, jusqu'à un paysage d'à-pics calcaires sous un vaste ciel blanc.

Le cardinal regarde les charognards accomplir leur travail. « Avons-nous des rafraîchissements pour nos visiteurs ? »

Dans les deux grandes salles qui jouxtent la galerie, on a installé de grandes tables. Chacune mesure six mètres de long et on en apporte d'autres. Dans la chambre dorée ont été étalés la vaisselle d'or du cardinal, ses bijoux et ses pierres précieuses, et on déchiffre ses inventaires en annonçant le poids de chaque assiette. Dans la chambre du Conseil on empile ses objets en argent et ceux qui sont plaqués d'or. Comme tout est répertorié, jusqu'à la moindre casserole cabossée, on a placé des paniers sous les tables pour y jeter tout ce qui ne retiendra probablement pas l'attention du roi. Sir William Gascoigne, le trésorier du cardinal, va constamment d'une pièce à l'autre, préoccupé, parlant, dirigeant l'attention des hommes vers le moindre recoin, le moindre placard ou coffre qu'ils auraient pu négliger.

Derrière lui trottine George Cavendish, l'huissier du cardinal ; son visage trahit son désarroi. On apporte les habits de cérémonie du cardinal, ses chapes. Raidies par les broderies, cousues de perles, incrustées de pierres précieuses, elles semblent tenir debout toutes seules. Les pilleurs tapent dessus comme s'ils tapaient sur Thomas Becket. Ils les consignent dans leur registre, et après les avoir mises à genoux et leur avoir brisé le dos, ils les balancent dans des caisses. Cavendish tressaillit.

« Pour l'amour de Dieu, messieurs, garnissez ces malles d'une double épaisseur de batiste. Voudriez-vous anéantir le beau travail que des nonnes ont mis leur vie à accomplir ? » Il se retourne. « Maître Cromwell, pensez-vous que nous pourrons faire partir ces gens avant la tombée de la nuit ?

— Seulement si nous les aidons. Puisque cela doit être fait, autant nous assurer qu'ils le font convenablement. »

C'est un spectacle indécent : l'homme qui a gouverné l'Angleterre, rabaissé. Ils ont sorti des rouleaux de fine toile hollandaise, de velours et de gros-grain, de soie souple et de taffetas, de précieuses étoffes au mètre : la soie écarlate dans laquelle il affronte les chaleurs de l'été londonien, le brocart cramoisi qui lui tient chaud quand la neige tombe sur Westminster et tourbillonne en fondant au-dessus de la Tamise. En public le cardinal porte du rouge, rien que du rouge, en diverses épaisseurs, divers tissages, divers degrés de pigmentation et de teinture, mais à chaque fois le meilleur en son genre, toujours le meilleur rouge que l'on puisse acheter. Il y a eu des jours où, sortant fièrement de sa maison, il déclarait : « Alors, maître Cromwell, évaluez donc mon prix au mètre ! »

Et lui répondait : « Voyons voir. » Il tournait lentement autour du cardinal. « Je peux ? » Il pinçait alors une manche entre ses doigts experts ; puis, reculant, il le toisait pour évaluer sa circonférence – année après année, le cardinal s'épaississait – et il proposait un chiffre. Le cardinal applaudissait, ravi.

« Que les envieux nous admirent ! Allons, en route ! »

Sa procession se formait, ses croix d'argent, ses huissiers d'armes avec leurs haches dorées : car le cardinal ne se rendait nulle part en public sans une procession.

Donc, jour après jour, à sa demande et pour l'amuser, Cromwell estimait le prix de son maître. Maintenant, c'est le roi qui a envoyé une armée pour le faire. Mais il aimerait leur arracher leurs plumes des mains et écrire sur leurs inventaires : *Thomas Wolsey est un homme qui n'a pas de prix*.

« Thomas, dit le cardinal en lui donnant une petite tape. Tout ce que j'ai, je le tiens du roi. Le roi me l'a donné, et s'il lui plaît de reprendre York Place et tous les meubles qu'il contient, je suis certain que nous possédons d'autres maisons, que nous avons d'autres toits pour nous abriter. » Le cardinal s'accroche à lui. « Donc je vous interdis de frapper qui que ce soit. »

Le cardinal fait mine de maintenir les bras de Cromwell serrés contre ses flancs tout en souriant. Ses doigts tremblent.

Le trésorier Gascoigne arrive et dit : « J'entends que Votre Excellence êtes censée se rendre directement à la Tour de Londres.

— Vraiment ? demande Cromwell. Où avez-vous entendu cela ?

— Sir William Gascoigne, intervient le cardinal en étirant chaque syllabe de son nom, qu'ai-je fait d'après vous qui puisse pousser le roi à vouloir m'emprisonner à la Tour ?

— Ça vous ressemble bien, dit Cromwell à Gascoigne, de propager chaque ragot que vous entendez. Est-ce là tout le réconfort que vous avez à offrir – pénétrer ici avec d'affreuses rumeurs ? Personne ne va à la Tour. Nous allons... » Tout le monde attend tandis qu'il improvise. « À Esher. Et votre tâche, ajoute-t-il en lui donnant une légère chiquenaude, est de garder un œil sur tous ces étrangers et de vous assurer que chaque chose qui est prise ici va bien là où elle est censée aller, et que rien ne disparaît en cours de route, car sinon c'est vous qui irez frapper aux portes de la Tour en suppliant qu'on vous laisse entrer, pour échapper à mon courroux. »

Parmi les bruits divers, des sortes d'acclamations étouffées, au fond de la pièce. Il est difficile d'échapper à l'impression que tout cela est une pièce de théâtre, et que le cardinal y tient le rôle principal : *Le Cardinal et ses serviteurs*. Et c'est une tragédie.

Cavendish le tire par le bras, anxieux, en sueur.

« Mais, maître Cromwell, la maison à Esher est vide, nous n'y avons pas une marmite, pas un couteau ni une broche. Et où dormira monseigneur le cardinal, car je doute que nous ayons un lit propre, et pas plus de draps ni de bois pour le feu... et comment nous rendrons-nous là-bas ?

— Sir William, dit le cardinal à Gascoigne, pardonnez à maître Cromwell, qui est, en l'occasion, excessivement brutal ; mais écoutez ce qu'il dit. Puisque tout ce que je possède provient du roi, tout doit lui être rendu en bon ordre. » Il se retourne, la lèvre tremblante. À l'exception du moment où il a défié le duc la veille, il n'a pas souri depuis un mois. « Tom, dit-il, j'ai passé des années à vous apprendre à ne pas parler ainsi. » Cavendish déclare : « Ils n'ont pas encore saisi la barge de monseigneur le cardinal. Ni ses chevaux.

— Non ? » Cromwell pose une main sur l'épaule de Cavendish. « Nous remonterons la rivière. Autant de personnes que la barge pourra en accueillir. Les chevaux pourront nous rejoindre à... en réalité, à Putney, et après cela nous... emprunterons ce dont nous aurons besoin. Allez, George Cavendish, faites preuve d'ingéniosité, nous avons fait au cours de ces dernières années des choses plus difficiles que déménager à Esher. »

Est-ce vrai ? Il n'a jamais trop prêté attention à Cavendish, un homme plutôt sensible qui parle beaucoup de serviettes de table. Mais il essaie de trouver le moyen de lui insuffler un peu de fermeté militaire, et le meilleur moyen d'y parvenir est de suggérer qu'ils ont partagé en frères d'armes quelque campagne par le passé.

« Oui, oui, répond Cavendish, nous allons faire venir la barge. »

Bien, dit-il, et le cardinal s'étonne, Putney ? et tente de rire. Il ajoute, eh bien, Thomas, vous avez remis Gascoigne à sa place ; il y a quelque chose en lui que je n'ai jamais aimé, et lui de demander, alors pourquoi l'avez-vous gardé ? et le cardinal répond, oh, vous savez, c'est comme ça, avant de répéter, Putney, hein ?

Cromwell dit : « Quoi que nous réserve ce voyage, nous n'oublierons jamais comment, il y a neuf ans, pour la rencontre de deux rois, Votre Excellence a créé une ville d'or dans de tristes champs humides de Picardie[1].

---

1. Allusion à l'entrevue entre François Ier et Henri VIII qui s'est tenue dans le Camp du Drap d'or en 1520. *(N.d.T.)*

Depuis, Votre Excellence n'a fait que croître en sagesse et dans l'estime du roi. »

Il parle fort pour que tout le monde l'entende ; et il pense, il était alors question de paix, théoriquement, alors qu'aujourd'hui est le premier jour d'une campagne qui s'avérera soit longue soit courte ; nous ferions mieux de nous retrancher et d'espérer que nos voies de ravitaillement résistent.

« Je crois que nous parviendrons à trouver des accessoires pour la cheminée et des marmites pour la soupe et tout ce que George Cavendish jugera indispensable. Quand je songe que Votre Excellence a approvisionné les grandes armées du roi qui sont allées se battre en France.

— Oui, dit le cardinal, et nous savons tous ce que vous pensiez de nos campagnes, Thomas. »

Cavendish demande : « Que voulez-vous dire ? » Et le cardinal répond : « George, ne vous rappelez-vous pas ce que mon fidèle Cromwell a dit à la Chambre des communes, il doit y avoir cinq ans de cela, alors que nous demandions des subsides pour la nouvelle guerre ?

— Il a pris position contre Votre Excellence ! »

Gascoigne – qui écoute attentivement la conversation – déclare : « Vous n'avez pas agi dans votre intérêt, maître, en parlant contre le roi et monseigneur le cardinal, car je me souviens de votre discours, et je vous assure que les autres s'en souviendront également, et vous ne vous êtes pas fait que des amis, Cromwell. »

Lui hausse les épaules. « Je ne cherchais pas à plaire. Nous ne sommes pas tous comme vous, Gascoigne. Je voulais que les Communes tirent quelques leçons de la fois précédente. Qu'elles repensent au passé.

— Vous avez dit que nous perdrions.

— J'ai dit que nous ferions faillite. Mais je vais vous dire, toutes nos guerres se seraient terminées encore plus mal si monseigneur le cardinal ne les avait pas approvisionnées.

— En l'année 1523…, commence Gascoigne.

— Devons-nous reparler de tout cela maintenant ? coupe le cardinal.

— … le duc de Suffolk n'était qu'à cinquante miles de Paris.

— Oui, dit Cromwell, et savez-vous ce que représentent cinquante miles pour un fantassin à moitié affamé en hiver, quand il dort sur un sol humide et se réveille transi ? Savez-vous ce que représentent cinquante miles pour un train d'équipage, avec des charrettes enfoncées jusqu'aux essieux dans la boue ? Et quant aux triomphes de 1513, n'en parlons pas.

— Tournai ! Thérouanne ! s'écrie Gascoigne. Ne voyez-vous pas ce qui s'est passé ? Deux villes françaises ont été prises ! Le roi si vaillant sur le champ de bataille ! »

Si nous étions sur le champ de bataille en ce moment, pense-t-il, je cracherais à vos pieds.

« Si vous aimez tellement le roi, allez travailler pour lui. Ou le faites-vous déjà ? »

Le cardinal s'éclaircit doucement la voix.

« Nous le faisons tous », déclare Cavendish.

Et le cardinal dit : « Thomas, nous sommes l'ouvrage de sa main. »

Lorsqu'ils gagnent la barge du cardinal, ses drapeaux flottent : la rose Tudor, les craves des Cornouailles. Cavendish dit, écarquillant les yeux : « Regardez tous ces petits bateaux sur le fleuve. » Pendant un moment, le cardinal songe que les Londoniens sont venus lui souhaiter bonne chance. Mais comme il grimpe à bord, des sifflets et des huées jaillissent des embarcations ; des spectateurs se massent sur la rive, et bien que les hommes du cardinal les tiennent à l'écart, leurs intentions ne font aucun doute. Quand la barge commence à remonter le fleuve, dans la direction opposée de la Tour de Londres, des grondements et des cris de menace s'élèvent.

C'est alors que le cardinal s'effondre, se laissant tomber sur son siège, et il se met à parler, et parler, parler, parler, durant tout le trajet jusqu'à Putney.

« Me détestent-ils donc tant ? Qu'ai-je fait si ce n'est promouvoir leur commerce et leur montrer ma bonne volonté ? Ai-je semé la haine ? Non. Je n'ai poursuivi personne en justice. J'ai cherché des remèdes chaque année quand le blé était rare. Quand les apprentis se sont soulevés, j'ai imploré à genoux et en larmes le roi d'épargner les émeutiers alors qu'ils se tenaient devant les cordes auxquelles ils devaient être pendus.

— La multitude, observe Cavendish, souhaite toujours le changement. Elle ne voit jamais un grand homme établi sans vouloir précipiter sa chute – juste pour la nouveauté de la chose.

— Quinze années chancelier. Vingt à son service. À celui de son père avant cela. Je ne me suis jamais économisé... me levant tôt, veillant tard...

— Tenez, vous voyez, dit Cavendish, à quoi ça mène de servir un prince ! Il faut se méfier de leurs sautes d'humeur.

— Les princes n'ont pas à être cohérents », observe Cromwell.

Il songe, je vais peut-être m'oublier, me pencher et te pousser par-dessus bord.

Le cardinal ne s'est pas oublié, loin de là ; il regarde en arrière, repense à l'avènement du jeune roi vingt ans plus tôt.

« Mettez-le au travail, disaient certains. Mais j'ai dit, non, c'est un jeune homme. Laissons-le chasser, jouter, faire voler ses faucons…

— Jouer sa musique, ajoute Cavendish. Toujours en train de pincer un instrument ou un autre. Et de chanter.

— On dirait que vous parlez de Néron.

— Néron ? » Cavendish sursaute. « Je n'ai jamais rien dit de tel.

— Le prince le plus doux et le plus sage de toute la chrétienté, dit le cardinal. Je ne laisserai personne dire du mal de lui.

— Vous avez parfaitement raison, dit Cromwell.

— Ce que je ne ferais pas pour lui ! Je traverserais la Manche aussi légèrement qu'on enjambe une rigole de pisse dans la rue. » Le cardinal secoue la tête. « De jour comme de nuit, à cheval ou en prières… vingt années…

— Est-ce une particularité des Anglais ? » demande sincèrement Cavendish. Il pense encore au tumulte lorsqu'ils ont embarqué ; et, même maintenant, des gens courent encore sur les berges en faisant des gestes obscènes et en sifflant. « Dites-nous, maître Cromwell, vous qui êtes allé à l'étranger, les Anglais sont-ils particulièrement ingrats ? Il me semble qu'ils aiment le changement pour le simple plaisir de changer.

— Je ne crois pas qu'il s'agisse des Anglais. Je

crois qu'il s'agit des gens en général. Ils espèrent toujours quelque chose de meilleur.

— Mais que leur apporte le changement ? insiste Cavendish. Un chien repu de viande est remplacé par un chien affamé qui mord l'os le plus proche. L'homme repu d'honneurs part, et l'homme affamé et maigre prend sa place. »

Il ferme les yeux. Le fleuve s'agite sous eux, des silhouettes sombres dans une allégorie de la Fortune. La Splendeur déchue se trouve en son centre. Cavendish, penché sur sa droite tel un Vertueux Conseiller, marmonne des conseils superflus et tardifs que l'éminence, accablée, écoute en inclinant la tête ; Cromwell, tel un Tentateur, est assis sur la gauche, tandis que le cardinal lui broie la main avec ses doigts ornés de grenat et de tourmaline. George finirait probablement dans le fleuve, si ce qu'il disait, malgré les platitudes, ne faisait pas si tristement sens. Et pourquoi ? Stephen Gardiner, songe-t-il. Il n'est peut-être pas convenable de qualifier le cardinal de chien repu, mais Stephen est assurément maigre et affamé, et le roi a fait de lui son secrétaire particulier. Il n'est pas inhabituel que le personnel du cardinal soit ainsi promu, après avoir consciencieusement appris auprès de Wolsey la compétence et le zèle ; et, s'il s'acquitte convenablement de sa tâche, Stephen pourrait devenir l'homme le plus proche du roi, à l'exception tout de même du porte-coton qui l'accompagne à la selle et lui tend un linge pour s'essuyer. Ça ne me dérangerait guère, songe-t-il, que Stephen obtienne ce poste-là.

Le cardinal ferme les yeux. Des larmes suintent de sous ses paupières.

« Car il est vrai, dit Cavendish, que la fortune est inconstante, capricieuse et changeante… »

Tout ce qu'il aurait à faire, c'est étrangler Cavendish, rapidement, pendant que le cardinal a les yeux fermés. Cavendish devine ses pensées et porte la main à sa gorge. Et alors ils se regardent, penauds. L'un d'eux en a trop dit ; l'un d'eux s'est trop ému. Il n'est pas aisé de savoir où se situe l'équilibre. Il balaie du regard la berge de la Tamise. Le cardinal continue de sangloter et de lui serrer la main.

Tandis qu'ils remontent le fleuve, la rive cesse d'être une source d'inquiétude. Non pas parce qu'à Putney les Anglais sont moins inconstants. C'est juste qu'ils n'ont pas encore appris la nouvelle.

Les chevaux attendent. Le cardinal, en tant qu'homme d'Église, a toujours monté un grand mulet robuste ; mais comme il chasse avec les rois depuis vingt ans, son écurie rend tous les nobles envieux. La bête est là, agitant ses longues oreilles, avec son habituel harnachement écarlate, et à côté d'elle M. Sexton, l'idiot du cardinal.

« Pour l'amour de Dieu, que fait-il ici ? » demande Cavendish.

Sexton s'approche et prononce quelque chose à l'oreille du cardinal ; celui-ci s'esclaffe. « Très drôle, Patch. Maintenant, sois gentil, aide-moi à monter en selle. »

Mais Patch – Sexton – n'est pas à la hauteur de la tâche. Le cardinal semble affaibli ; comme s'il sentait le poids de la chair accrochée à ses os. Cromwell met pied à terre, adresse un geste de tête aux trois serviteurs les plus robustes. « Monsieur Patch, tenez la tête de Christopher. » Quand Patch fait mine de ne pas savoir que Christopher est le mulet et cravate l'homme qui se tient à côté de lui, il s'écrie, oh pour l'amour de Dieu, Sexton, écartez-vous, ou je vous jette dans un sac et je vous noie.

L'homme qui a failli se faire arracher la tête se relève, se masse la nuque ; il dit, merci maître Cromwell, et s'avance en clopinant pour saisir la bride. Cromwell et deux autres hissent le cardinal sur sa selle. Le cardinal semble honteux.

« Merci, Tom. » Il lâche un rire tremblant. « Je te reconnais bien là, Patch. »

Ils sont prêts à partir. Cavendish lève les yeux.

« Que les saints nous protègent ! » Un cavalier solitaire descend la colline au galop. « Une arrestation !

— Par un homme seul ?

— Un éclaireur, répond Cavendish », et Cromwell réplique, Putney est certes dangereux mais ils n'ont pas besoin d'envoyer des éclaireurs.

Quelqu'un s'écrie alors : « C'est Henry Norris ! »

Henry saute de sa monture. Quelle que soit la raison de sa venue, il est dans tous ses états. Henry Norris est l'un des meilleurs amis du roi ; il est, pour être exact, le porte-coton du roi, l'homme qui lui tend le linge pour s'essuyer.

Wolsey comprend immédiatement que le roi n'enverrait pas Norris pour l'arrêter.

« Allons, sir Harry, reprenez votre souffle. Qu'y a-t-il de si urgent ? »

Norris répond, je vous demande pardon, monseigneur, monseigneur le cardinal, il ôte vivement son chapeau à plume, s'essuie le visage du bras, sourit de la façon la plus avenante possible. Il répond au cardinal de bonne grâce : le roi lui a ordonné de se lancer à la poursuite de Son Excellence et de la rattraper, de la rassurer et de lui donner cette bague qu'elle connaît bien – bague qu'il tend dans la paume de son gant.

Le cardinal descend difficilement de son mulet et tombe à terre. Il saisit la bague et la porte à ses lèvres. Il prie. Il prie, remercie Norris, implore la bénédiction de son souverain. « Je n'ai rien à lui envoyer. Rien de valeur à envoyer au roi. » Il regarde autour de lui, comme s'il cherchait des yeux quelque chose à envoyer : un arbre, peut-être ? Norris essaie de le remettre sur pied, finit par s'agenouiller à côté de lui – cet homme soigné et charmant – dans la boue de Putney. Le message qu'il porte au cardinal semble être que, si le roi paraît mécontent, il ne l'est pas réellement ; qu'il sait que le cardinal a des ennemis ; que lui-même, Henricus Rex, n'est pas l'un d'eux ; que cette démonstration de force a pour seul objectif de satisfaire ces ennemis ; qu'il peut récompenser le cardinal en lui offrant deux fois plus que ce qu'on lui a pris.

Le cardinal se met à pleurer. Il commence à pleuvoir, et la pluie leur fouette le visage. Le cardinal parle à Norris, vite, à voix basse, puis tire une chaîne qu'il porte autour du cou et tente de la placer autour de celui de Norris, mais elle s'emmêle dans les attaches de sa cape et plusieurs personnes se précipitent pour l'aider vainement, et Norris se lève et s'époussette avec un gant tout en serrant la chaîne dans l'autre.

« Passez-la, implore le cardinal, et quand vous la regarderez pensez à moi, et recommandez-moi auprès du roi. »

Cavendish sursaute, approche sa monture de celle de Norris.

« Son reliquaire ! » George est contrarié, étonné. « S'en séparer ainsi ! Il provient de la Sainte Croix !

— Nous lui en trouverons un autre, intervient Cromwell. Je connais un homme à Pise qui en fabrique dix pour cinq florins et vous en donnera une douzaine si vous payez d'avance. Et il vous fournit un certificat avec l'empreinte du pouce de saint Pierre pour attester son authenticité.

— Quelle honte ! » s'indigne Cavendish, et il éloigne sèchement son cheval.

Maintenant qu'il a livré son message, Norris s'écarte également, et on essaie de remettre le cardinal en selle. Cette fois, quatre hommes puissants s'avancent, comme si c'était un numéro. La pièce de théâtre s'est transformée en une sorte d'interlude comique ; c'est, songe Cromwell, la raison pour laquelle Patch est ici. Il s'approche sur son cheval, regardant vers le sol.

« Norris, pouvons-nous avoir tout cela par écrit ? »

Norris sourit, répond : « J'en doute, maître Cromwell ; il s'agit d'un message confidentiel à l'intention de monseigneur le cardinal. Les paroles de mon maître étaient destinées à lui seul.

— Et cette récompense que vous évoquez ? »

Norris éclate de rire – comme il le fait à chaque fois, pour désarmer l'hostilité – et murmure : « Je crois que c'était une métaphore.

— C'est aussi ce que je crois. » Doubler la richesse du cardinal ? Pas avec les revenus d'Henri. « Rendez-nous ce qui a été pris. Nous ne demandons pas le double. »

La main de Norris monte jusqu'à la chaîne, qu'il porte désormais autour du cou.

« Mais tout provient du roi. Vous ne pouvez pas appeler ça du vol.

— Je n'ai pas parlé de vol. »

Norris acquiesce, songeur.

« Non, en effet.

— Ils n'auraient pas dû prendre les tenues de cérémonie. Elles appartiennent à monseigneur en tant qu'homme d'Église. Que prendront-ils ensuite ? Ses bénéfices ?

— Esher – où vous vous rendez en ce moment même, n'est-ce pas ? – est bien entendu l'une des maisons que monseigneur le cardinal détient en tant qu'évêque de Winchester.

— Et ?

— Il conserve pour le moment cette propriété et ce titre, mais… disons… le roi doit y réfléchir. Vous savez que monseigneur le cardinal est accusé au titre des statuts de *praemunire*[1], pour avoir soutenu une juridiction étrangère sur le territoire.

— Ne m'apprenez pas la loi. »

Norris incline la tête.

Cromwell songe, l'été dernier, quand les choses ont commencé à aller de travers, j'aurais dû persuader monseigneur le cardinal de me laisser gérer ses revenus, et mettre de l'argent en sécurité à l'étranger où ils n'auraient pu le prendre ; mais il n'aurait jamais admis que les choses allaient mal. Pourquoi l'ai-je laissé profiter tranquillement du moment présent ?

Norris a la main posée sur la bride de son cheval.

---

1. Loi qui interdisait d'affirmer ou de soutenir la suprématie de l'autorité du pape, ou de toute autre autorité étrangère, sur celle du monarque anglais. *(N.d.T.)*

« J'ai toujours admiré votre maître, dit-il, et j'espère que dans cette adversité il s'en souviendra.

— Je pensais qu'il n'était pas dans l'adversité ? À vous en croire. »

Comme ce serait simple s'il était autorisé à l'empoigner et à le secouer pour lui arracher des réponses franches. Mais ce n'est pas si simple ; c'est ce que le monde et le cardinal concourent à lui apprendre. Bon sang, songe-t-il, à mon âge je devrais savoir. On ne réussit pas en étant original. On ne réussit pas en étant brillant. On ne réussit pas en étant fort. On réussit en étant un escroc subtil ; ce que, dans un sens, Norris est à ses yeux, et il sent une antipathie irrationnelle prendre racine en lui. Mais après tout, les circonstances sont extraordinaires – le cardinal dans la boue, les efforts humiliants pour le remettre en selle, les radotages incessants de Wolsey sur la barge, et pire encore, quand il était à genoux, il parlait sans discontinuer comme s'il s'effilochait, tel un grand fil d'écarlate qui se détisserait et vous entraînerait dans un labyrinthe écarlate au cœur duquel se trouverait un monstre agonisant.

« Maître Cromwell ? » dit Norris.

Il ne sait pas vraiment ce qu'il pense ; alors il baisse les yeux vers Norris avec une expression plus douce et dit : « Merci pour tout ce réconfort.

— Eh bien, mettez monseigneur le cardinal à l'abri de la pluie. Je dirai au roi comment je l'ai trouvé.

— Dites-lui que vous vous êtes agenouillés dans la boue ensemble. Il sera peut-être amusé.

— Oui. » Norris a l'air triste. « On ne sait jamais ce qui l'amusera. »

C'est à cet instant que Patch se met à hurler. Le

cardinal, apparemment – cherchant désespérément un cadeau –, a offert Patch au roi. Il a souvent dit qu'il valait mille livres. Il doit donc partir avec Norris, sur-le-champ ; et il faut le renfort de quatre hommes du cardinal pour le soumettre. Il se débat. Il mord. Il donne des coups de poing et de pied. Jusqu'au moment où il est balancé sur une mule d'équipage ; jusqu'au moment où il se met à pleurer, hoquetant, ses côtes se soulevant, ses pieds pendouillant stupidement, son manteau déchiré et la plume de son chapeau brisée en deux.

« Mais, Patch, dit le cardinal, mon cher ami. Tu me verras souvent, une fois que le roi et moi nous comprendrons de nouveau. Mon cher Patch, je t'écrirai une lettre, une lettre rien que pour toi. Je l'écrirai ce soir, promet-il, et je mettrai mon gros cachet dessus. Le roi t'adorera ; c'est l'âme la plus douce de toute la chrétienté. »

Patch hurle une unique note, tel un homme attrapé par les Turcs et empalé.

Regardez, dit Cromwell à Cavendish, c'est vérita-blement un idiot. Il n'aurait pas dû attirer l'attention sur lui.

Esher : le cardinal met pied à terre à l'ombre de l'an-cien siège de l'évêque Waynflete, dominé par quatre tours octogonales. La porte est encastrée dans un mur défensif surmonté d'une promenade ; plutôt austère à première vue, mais le bâtiment est en briques, avec des ornements et de jolies incrustations. « Impossible à fortifier », déclare Cromwell. Cavendish est silencieux. « George, vous êtes censé dire : "Mais le besoin ne s'en présentera jamais." »

Le cardinal n'est pas venu ici depuis qu'il a fait construire Hampton Court. Ils ont envoyé des messages prévenant de leur arrivée, mais sont-ils vraiment attendus ? Mettez monseigneur à l'aise, dit-il, et il se rend directement aux cuisines. À Hampton Court, les cuisines ont l'eau courante ; mais ici, rien ne coule à part le nez des cuisiniers. Cavendish avait raison. En fait, c'est même pire qu'il ne le croyait. Les garde-manger sont presque vides et le matériel a été mal entretenu ou pillé. Il y a des charançons dans la farine. Il y a des excréments de souris à l'endroit où la pâte est censée être roulée. C'est presque la Saint-Martin, et ils n'ont même pas songé à saler le bœuf. La *batterie de cuisine** est dans un état lamentable, et la marmite pour le bouillon est moisie. Il y a plusieurs petits garçons assis près du foyer. Il parvient, contre des espèces sonnantes et trébuchantes, à les persuader de récurer et d'astiquer ; les enfants acceptent de bon cœur toute activité nouvelle, et le nettoyage en est apparemment une pour ceux-là.

Monseigneur, dit-il, a besoin de manger et de boire *sur-le-champ* ; et il aura besoin de manger et de boire pendant… je ne sais pas pendant combien de temps. Cette cuisine doit être remise en ordre pour l'hiver qui arrive. Il trouve quelqu'un qui sait écrire, et dicte ses instructions. Ses yeux sont fixés sur l'employé de cuisine. Sur les doigts de sa main gauche il énumère ses ordres : vous faites ceci, puis ceci, puis troisièmement ceci. Avec sa main droite, il casse des œufs dans un bol, d'un geste sec et assuré, et entre ses doigts le blanc visqueux se détache lentement du jaune. « Quel âge a cet œuf ? Changez de fournisseur. Je veux une noix de muscade. Noix de muscade ? Safran ? » Ils le regardent comme s'il parlait chinois. Le hurlement grêle de Patch lui fait encore mal aux oreilles. Des anges poussiéreux l'observent tandis qu'il retourne d'un pas lourd dans l'entrée.

Il est déjà tard quand ils peuvent enfin proposer au cardinal d'aller se coucher dans un lit digne de ce nom. Où est son intendant ? Où est son administrateur ? À cet instant, il a réellement l'impression que Cavendish et lui sont les vieux survivants d'une campagne militaire. Il reste avec Cavendish – s'ils avaient voulu se coucher, ils n'auraient de toute manière pas trouvé de lit – et dresse la liste de ce dont ils ont besoin pour maintenir le cardinal dans un confort raisonnable ; ils ont besoin d'assiettes, sans quoi monseigneur sera contraint de manger dans des gamelles d'étain cabossées, ils ont besoin de draps, de linge de table, de bois pour le feu.

« Je vais faire venir des gens, dit-il, pour arranger les cuisines. Ils seront italiens. Ce sera violent au début, mais après trois semaines, tout fonctionnera. » Trois semaines ? Il veut faire nettoyer les cuivres par les enfants. « Pouvons-nous nous procurer des citrons ? »

Au même instant Cavendish s'enquiert : « Alors, qui sera chancelier maintenant ? »

Je me demande, songe-t-il, s'il y a des rats ici.

Cavendish poursuit : « On va rappeler Son Excellence de Canterbury ? »

Le rappeler – quinze ans après que le cardinal lui a fait perdre son poste ?

« Non, Warham est trop vieux. » Et trop entêté, trop peu enclin à assouvir les désirs du roi. « Ni le duc de Suffolk. » Car, selon lui, Charles Brandon n'est pas plus malin que Christopher le mulet, bien qu'il soit

110

plus doué pour se battre et fanfaronner. « Pas Suffolk, le duc de Norfolk ne l'acceptera pas.

— Et vice versa, renchérit Cavendish. L'évêque Tunstall ?

— Non. Thomas More.

— Quoi, un laïque et un roturier ? Alors qu'il est si opposé à l'annulation du mariage du roi ? »

Il acquiesce, oui, oui, ce sera More. On sait que le roi aime confier son âme au plus offrant. Peut-être espère-t-il être sauvé de lui-même.

« Si le roi le propose – et je vois bien que, en signe de bonne volonté, il risque de le faire –, Thomas More n'acceptera certainement pas.

— Si, il acceptera.

— On parie ? » dit Cavendish.

Ils s'accordent sur les termes du pari et le scellent d'une poignée de main. Cela les aide à oublier les problèmes plus urgents, à savoir les rats et le froid, et comment entasser plusieurs centaines d'employés retenus à Westminster dans l'espace beaucoup plus restreint d'Esher. Le personnel du cardinal, si l'on inclut ses demeures principales, depuis les prêtres et les juristes jusqu'aux balayeurs et aux blanchisseuses, s'élève à environ six cents âmes. Ils s'attendent à ce que trois cents d'entre elles les rejoignent immédiatement.

« Dans la situation actuelle, nous allons devoir nous séparer d'une partie du personnel, déclare Cavendish. Mais nous n'avons pas d'argent pour régler leur salaire.

— Que je sois damné s'ils partent sans être payés ! » s'offusque-t-il, et Cavendish réplique : « Je crois que vous l'êtes déjà. Après ce que vous avez dit à propos de la relique. »

Il croise le regard de George. Ils éclatent de rire.

Au moins ils ont à boire ; les caves sont pleines, et c'est une chance, remarque Cavendish, parce que nous allons en avoir besoin dans les semaines à venir.

« D'après vous, que voulait *vraiment* dire Norris ? demande George. Comment le roi peut-il penser une chose et son contraire ? Comment le cardinal peut-il être renvoyé s'il ne veut pas le renvoyer ? Comment le roi peut-il céder aux ennemis de Son Excellence ? Le roi n'est-il pas le maître de tous les ennemis ?

— On pourrait le croire.

— Ou bien est-ce *elle* ? Ça doit être ça. Il a peur d'elle, vous savez. C'est une sorcière. »

Lui réplique, ne faites pas l'enfant. Mais George persiste, si, c'est une sorcière : le duc de Norfolk l'affirme, et c'est son oncle, il doit savoir de quoi il parle.

Il est deux heures, puis trois ; il est parfois libérateur de songer qu'on n'a pas besoin d'aller se coucher pour la bonne raison qu'on n'a pas de lit. Il n'a pas besoin de songer à rentrer chez lui car il n'a plus de maison, ni de famille. Il préfère être ici à boire avec Cavendish, recroquevillé dans le coin de la grande salle d'Esher, transi et fatigué, et inquiet pour l'avenir, plutôt que de penser à sa famille et à ce qu'il a perdu.

« Demain, dit-il, je ferai venir mes juristes de Londres et nous essaierons de déterminer quels biens il reste à Son Excellence, ce qui ne sera pas facile car ils ont emporté tous les papiers. Ses débiteurs ne seront pas enclins à payer quand ils apprendront ce qui s'est passé. Mais le roi français lui verse une pension et, si je me souviens bien, elle est toujours en retard… Peut-être aimerait-il envoyer un sac d'or, dans l'attente du retour en grâce de Son Excellence. Et vous, vous pourriez vous livrer à des pillages. »

Cavendish a les joues creuses et les yeux caves quand Cromwell l'aide à monter sur un cheval frais aux premières lueurs du jour.

« Faites-vous aider. Il n'est pas un gentilhomme dans ce royaume qui n'ait une dette envers le cardinal. »

C'est la fin octobre, le soleil est comme une pièce lancée au-dessus de l'horizon.

« Égayez-le, dit Cavendish. Faites-le parler. Faites-le parler de ce que Norris a dit...

— Allez-y. Si vous tombez sur les charbons sur lesquels saint Laurent a grillé, rapportez-les-nous, ils nous seront bien utiles.

— Oh, je vous en prie », implore Cavendish. Il a évolué depuis hier, et il est désormais capable de plaisanter sur les saints martyrs ; mais il a trop bu pendant la nuit, et rire le fait souffrir. Mais ne pas rire est également douloureux. George baisse la tête, ses yeux sont pleins de confusion, le cheval s'agite sous lui. « Comment en sommes-nous arrivés là ? demande-t-il. Monseigneur le cardinal agenouillé dans la boue. Comment est-ce arrivé ? Comment est-ce possible ?

— Du safran. Du raisin sec. Des pommes. Et des chats, rapportez-nous des chats, énormes et affamés. Mais je ne sais pas, George, où vous en trouverez. Oh, attendez ! Croyez-vous que nous puissions nous procurer des perdreaux ? »

— Si nous trouvons des perdreaux, nous pourrons les découper et les braiser à table. Nous cuisinerons nous-mêmes tout ce que nous pourrons ; ainsi nous pourrons empêcher que Son Excellence ne soit empoisonnée.

II

Une histoire occulte de la Grande-Bretagne

1521-1529

Il était une fois, en des temps immémoriaux, un roi de Grèce qui avait trente-trois filles. Chacune de ces filles se révolta et assassina son mari. Se demandant comment il avait pu engendrer de telles rebelles, mais refusant de tuer la chair de sa chair, leur noble père les condamna à l'exil et les laissa dériver à bord d'un navire sans gouvernail.

Celui-ci contenait suffisamment de vivres pour six mois. À la fin de cette période, les vents et les marées les avaient poussées jusqu'aux limites du monde connu. Elles accostèrent sur une île enveloppée de brume. Comme celle-ci n'avait pas de nom, l'aînée des tueuses lui donna le sien : Albina.

Lorsqu'elles touchèrent terre, elles étaient affamées et avides d'hommes. Mais elles n'en trouvèrent aucun. L'île n'abritait que des démons.

Les trente-trois princesses s'accouplèrent avec les démons et donnèrent naissance à une race de géants, qui à leur tour s'accouplèrent avec leurs mères et engendrèrent d'autres créatures de la même espèce. Ces géants se répandirent sur tout le territoire de la Grande-Bretagne. Il n'y avait pas de prêtres, ni d'Église, ni de loi. Il n'y avait même pas moyen de savoir l'heure qu'il était.

Après huit siècles de règne, ils furent renversés par Brutus de Troie.

Brutus, l'arrière-petit-fils d'Énée, avait vu le jour en Italie ; sa mère était morte en lui donnant naissance, et il avait accidentellement tué son père d'une flèche. Après avoir fui son pays natal, il devint le meneur d'une bande d'anciens esclaves troyens avec lesquels il embarqua pour un voyage vers le nord. Les caprices des vents et des marées les menèrent jusqu'à la côte d'Albina, comme les sœurs avant eux. Lorsqu'ils touchèrent terre ils furent forcés de se battre contre les géants menés par Gogmagog. Les géants furent vaincus et leur meneur fut jeté à la mer.

De quelque manière que vous considériez les choses, tout commence par un massacre. Brutus de Troie et ses descendants gouvernèrent jusqu'à l'arrivée des Romains. Et avant de s'appeler Lud's Town, la ville de Lud, Londres s'appelait New Troy, la Nouvelle Troie. Les Anglais étaient des Troyens.

D'aucuns prétendent que les Tudors transcendent cette histoire, aussi sanglante et diabolique soit-elle, qu'ils descendent de Brutus par la lignée de Constantin, le fils de sainte Hélène, qui était breton. Arthur, le Grand Roi de Bretagne, était le petit-fils de Constantin. On lui attribue jusqu'à trois épouses, toutes nommées Guenièvre, et son tombeau se trouve à Glastonbury.

Mais vous devez comprendre qu'il n'est pas réellement mort, qu'il attend simplement l'heure de son retour.

Son bienheureux descendant, le prince Arthur d'Angleterre, naquit en l'an 1486. C'était le fils aîné d'Henri VII, le premier roi Tudor. Cet Arthur, qui épousa Catherine, princesse d'Aragon, mourut à quinze ans et fut enterré dans la cathédrale de Worcester. S'il était encore en vie, il serait roi d'Angleterre aujourd'hui. Son jeune frère Henri était censé devenir archevêque de Canterbury, et non (c'est du moins ce que nous espérons de tout cœur) s'enticher d'une femme dont le cardinal ne pense aucun bien : une femme à qui, plusieurs années avant que les ducs ne viennent le dépouiller, il sera obligé de s'intéresser ; une femme dont il devra, avant que la ruine ne s'abatte sur lui, comprendre l'histoire.

Sous chaque histoire, une autre histoire.

La femme est apparue à la cour en 1521, le jour de Noël, dansant dans une robe jaune. Elle avait, quoi, environ vingt ans. Fille du diplomate Thomas Boleyn, elle avait été élevée depuis son enfance à la cour de Bourgogne, à Malines et à Bruxelles, et plus récemment à Paris, accompagnant la suite de la reine Claude d'un joli château de la Loire à un autre. Elle parle désormais sa langue natale avec un léger accent indéfinissable, parsemant ses phrases de mots français lorsqu'elle fait mine de ne pouvoir réfléchir en anglais. Le jour de Mardi gras, elle danse au sein d'une mascarade. Les femmes sont déguisées en Vertus, et elle joue le rôle de la Persévérance. Elle danse avec grâce, mais également avec vivacité, arborant sur son visage une expression amusée, un sourire insolent, dur et impersonnel.

Bientôt un cortège d'hommes insignifiants la suit ; et aussi un gentilhomme pas si insignifiant que ça. La rumeur court qu'elle va épouser Harry Percy, l'héritier du comte de Northumberland.

Le cardinal convoque son père.

« Sir Thomas Boleyn, dit-il, parlez à votre fille Anne, ou je m'en chargerai personnellement. Nous l'avons fait revenir de France pour la marier à une famille irlandaise, à l'héritier des Butler. Pourquoi tarde-t-elle ?

— Les Butler…, commence sir Thomas.

— Oui ? coupe le cardinal. Les Butler quoi ? Si ça vous pose un problème, je le réglerai. Ce que je veux savoir, c'est : est-ce vous qui avez manigancé ça ? S'acoquiner en secret avec cet imbécile de garçon ? Sir Thomas, laissez-moi être clair : je ne le tolérerai pas. Le roi ne le tolérera pas. Cela doit cesser.

— Je n'ai quasiment pas été en Angleterre ces derniers mois. Votre Excellence ne peut croire que je suis mêlé à un tel plan.

— Non ? Vous seriez surpris de savoir ce que je peux croire. Est-ce là votre meilleure excuse ? Que vous ne pouvez gouverner vos propres enfants ? »

Sir Thomas fait la grimace et écarte les mains. Il est sur le point de dire, les jeunes d'aujourd'hui… Mais le cardinal l'interrompt. Le cardinal soupçonne – et il ne s'en cache pas – que la jeune femme n'est pas tentée par la perspective du château de Kilkenny et de ses aménagements spartiates, ni par le genre de vie sociale qui l'attendra lorsque, pour les grands événements, elle devra emprunter les misérables routes de terre jusqu'à Dublin.

« Qui est-ce ? demande Boleyn. Dans le coin là-bas ? »

Le cardinal agite la main.

« Juste un de mes juristes.

— Renvoyez-le. » Le cardinal soupire. « Prend-il des notes de cette conversation ?

— En prenez-vous, Thomas ? lance le cardinal. Si c'est le cas, arrêtez immédiatement. »

La moitié du monde s'appelle Thomas. Par la suite, Boleyn ne saura jamais avec certitude si c'était bien lui.

« Écoutez, monseigneur », dit-il, avec des intonations de diplomate. Il est franc, c'est un homme du monde, et son sourire dit, allons Wolsey, allons, nous sommes entre hommes du monde. « Ils sont jeunes. » Il fait un geste censé illustrer sa franchise. « Elle a tapé dans l'œil de ce garçon. C'est naturel. Mais je l'ai prévenue. Elle sait que cela ne peut pas continuer. Elle connaît sa place.

— Bien, dit le cardinal, car c'est indigne d'un Percy. Je veux dire, ajoute-t-il, d'un point de vue dynastique. Je ne parle pas de ce qu'on peut faire dans une meule de foin par une chaude nuit d'été.

— Mais le jeune Percy s'entête. On lui dit d'épouser Mary Talbot, mais... » Boleyn lâche un petit rire insouciant. « Il ne veut pas épouser Mary Talbot. Il se croit libre de choisir sa femme.

— Choisir sa... ! s'étouffe le cardinal. Je n'ai jamais rien entendu de tel. Ce n'est pas un simple laboureur. C'est l'homme qui devra un jour nous indiquer la direction à suivre, et s'il ne comprend pas sa position dans le monde, alors il doit soit l'apprendre, soit y renoncer. L'alliance déjà conclue avec la fille de Shrewsbury est parfaite pour lui, et c'est moi qui l'ai conclue, avec l'accord du roi. Et laissez-moi vous dire que le comte de Shrewsbury n'apprécie pas ce genre de batifolage de la part d'un garçon qui est promis à sa fille.

— La difficulté, c'est que… » Boleyn marque une discrète pause diplomatique. « Je crois qu'Harry Percy et ma fille sont peut-être allés un peu loin.

— Quoi ? Vous êtes en train de me dire qu'il est *réellement* question d'une meule de foin par une chaude nuit d'été ? »

Il les observe dans l'ombre ; il songe que Boleyn est l'homme le plus froid et le plus doucereux qu'il ait jamais vu.

« D'après ce qu'on m'a dit, ils ont pris des engagements devant témoins. Comment revenir en arrière ? »

Le cardinal abat son poing sur la table.

« Je vais vous dire comment. Je vais faire venir son père de la frontière, et si le fils prodigue le défie, son héritage lui passera sous le nez. Le comte a d'autres fils, et des meilleurs. Et si vous ne voulez pas que l'alliance avec les Butler soit annulée, et que votre fille croupisse dans le Sussex sans la moindre chance de mariage et en vous coûtant le gîte et le couvert pour le restant de ses jours, vous oublierez ces histoires d'engagements et de témoins. Et qui sont-ils, ces témoins ? Je connais ce genre de témoins qui ne montrent jamais leur visage quand je les envoie chercher. Alors ne me parlez plus jamais de ça. Engagements. Témoins. Contrats. Pour l'amour de Dieu ! »

Boleyn continue de sourire. C'est un homme plein d'aplomb, élancé ; il doit faire appel à chaque muscle parfaitement affûté de son corps pour conserver son sourire.

« Je ne vous demande pas, poursuit Wolsey, implacable, si, pour imaginer un tel plan, vous êtes allé chercher conseil auprès de vos parents du côté Howard. Je n'ose croire que c'est avec leur accord que vous vous êtes lancé dans ce projet. Je serais désolé d'apprendre que le duc de Norfolk en était informé : oui, vraiment désolé. Alors faites en sorte que je ne l'apprenne pas, hein ? Allez demander à vos parents de *bons* conseils. Mariez votre fille aux Butler avant que ceux-ci n'apprennent que c'est une deuxième main. Ce n'est pas moi qui irai le révéler. Mais la cour, elle, parle beaucoup. »

Sir Thomas a deux taches rouge vif sur les pommettes. Il demande : « En avons-nous fini, monsieur le cardinal ?

— Oui. Partez. »

Boleyn se retourne, dans un tourbillon de soies sombres. Sont-ce des larmes de colère dans ses yeux ? La lumière est faible, mais Cromwell a une très bonne vue.

« Oh, un instant, sir Thomas… » dit le cardinal. Sa voix rebondit à travers la pièce et retient sa victime. « Sir Thomas, n'oubliez pas vos origines. La famille Percy compte en son sein, je crois, les gens les plus nobles du pays. Alors que, nonobstant la chance remarquable que vous avez eue d'épouser une Howard, les Boleyn étaient autrefois dans le commerce, n'est-ce pas ? Une personne de votre nom était maire de Londres, non ? Ou aurais-je mélangé votre lignée à celle de Boleyn plus distingués ? »

Le visage de sir Thomas est blême ; les taches rouges ont disparu de ses joues, et il s'évanouirait presque de rage. En quittant la pièce il murmure :

« Fils de boucher. » Et, en passant devant le juriste, dont la main charnue repose mollement sur son bureau, il lance : « Chien de boucher. »

La porte claque. Le cardinal lance : « Approchez, chien. » Il rit, les coudes posés sur son bureau et la tête entre les mains. « Notez et apprenez, dit-il. On ne peut rien changer à ses origines – et Dieu sait, Tom, que vous êtes né dans des conditions plus déshonorantes que moi –, l'astuce est donc de toujours les ramener à leurs critères. Ils ont établi les règles ; ils ne peuvent pas se plaindre si je les applique de la manière la plus stricte qui soit. Les Percy sont au-dessus des Boleyn. Pour qui se prend-il ?

— Est-ce une bonne chose de mettre les gens en colère ?

— Oh, non. Mais ça m'amuse. Ma vie est difficile et j'ai besoin d'amusement. » Le cardinal pose sur lui un œil bienveillant ; il se dit qu'il sera peut-être le divertissement de la soirée, maintenant que Boleyn a été taillé en pièces et jeté au sol comme une pelure d'orange. « Qui mérite le respect ? Les Percy, les Stafford, les Howard, les Talbot : oui. Maniez-les avec des pincettes, si vous y êtes obligé. Quant à Boleyn, eh bien, le roi l'apprécie, et c'est un homme compétent. C'est la raison pour laquelle j'ouvre chacune de ses lettres, et ce depuis des années.

— Donc Votre Excellence a entendu… non, pardonnez-moi, ce n'est pas digne de vos oreilles.

— Quoi ? demande le cardinal.

— Ce n'est qu'une rumeur. Je ne voudrais pas induire Votre Excellence en erreur.

— Vous en avez trop dit. Vous devez aller jusqu'au bout.

— C'est simplement le bruit qui court parmi les femmes. Les passementières. Et les épouses des marchands d'étoffes. » Il attend, souriant. « Ce qui, j'en suis sûr, ne vous intéresse nullement. »

Le cardinal rit et repousse sa chaise en arrière. Son ombre se lève en même temps que lui. À la lueur du feu, elle bondit. Son bras se tend vivement, loin devant lui, sa main est comme la main de Dieu.

Mais quand Dieu referme sa main, son sujet est de l'autre côté de la pièce, dos au mur.

Le cardinal se ravise. Son ombre vacille. Elle vacille et se fige. Il est immobile. Le mur enregistre le mouvement de son souffle. Sa tête s'incline. Dans un halo de lumière il semble marquer une pause, examiner sa main vide à la lueur du feu. Il écarte les doigts de sa main gigantesque. Il la pose à plat sur le bureau. Elle disparaît, avalée par l'étoffe de damas. Sa tête est penchée ; son visage, à demi plongé dans l'ombre.

Thomas, ou encore Tomos, Tommaso et Thomaes Cromwell, dissimule ses vies précédentes dans son corps actuel. Il retourne lentement à l'endroit où il se trouvait quelques instants plus tôt. Son ombre solitaire glisse sur le mur, un visiteur incertain d'être le bienvenu. Lequel de ces Thomas a vu le coup venir ? Il est des moments où un souvenir vous traverse soudain. Vous vous dérobez, vous esquivez, vous vous enfuyez ; ou alors le passé s'empare de votre poing et l'actionne, malgré vous. Et supposez que vous serriez un couteau dans votre main ? C'est ainsi que se produisent les meurtres.

Il dit quelque chose, le cardinal dit quelque chose.

Ils se taisent. Deux phrases qui ne vont nulle part. Le cardinal saisit sa chaise. Il hésite devant Cromwell, se rassied, puis il déclare : « J'aimerais vraiment entendre le ragot qui court à Londres. Mais je n'avais pas l'intention de vous l'arracher de force. »

Le cardinal baisse la tête, fixe en fronçant les sourcils un papier sur son bureau ; il attend que le moment de gêne passe, et quand il parle de nouveau, c'est d'un ton mesuré et léger, tel un homme racontant une anecdote après le souper.

« Quand j'étais enfant, mon père avait un ami – un client, à vrai dire – qui avait le teint rougeaud. » Il touche sa manche en guise d'illustration. « Comme cette... écarlate. Revell était son nom, Miles Revell. » Sa main se pose de nouveau à plat sur le damas noirâtre. « Curieusement, je croyais... même si je puis affirmer que c'était un honnête citoyen avec un penchant pour le vin blanc du Rhin... je croyais que c'était un buveur de sang. Je ne sais pas... sans doute quelque histoire idiote entendue de la bouche de ma nurse, ou de celle d'un autre enfant... et quand les apprentis de mon père l'ont appris – puisque j'étais suffisamment stupide pour gémir et pleurnicher –, ils se sont mis à crier : "Voici Revell qui vient chercher son verre de sang, cours, Thomas Wolsey..." Alors je m'enfuyais comme si le diable avait été à mes trousses. J'allais me cacher de l'autre côté de la place du marché. C'est un miracle que je ne sois pas passé sous les roues d'une charrette. Je courais sans regarder où j'allais. Même aujourd'hui... » Il saisit un cachet de cire sur le bureau, le tourne et le retourne entre ses doigts, le repose. « Même aujourd'hui, quand je vois un brave homme rougeaud – disons, le duc de Suffolk –, j'ai envie de fondre en larmes. » Il marque une pause. Son regard se fige. « Alors, Thomas... un ecclésiastique ne peut-il pas se lever sans que vous pensiez qu'il cherche à vous saigner ? » Il saisit de nouveau le cachet ; il le retourne entre ses doigts ; il évite le regard de Cromwell ; il commence à jouer avec les mots. « Évitez-vous les évêques ? Craignez-vous les curés ? Doutez-vous des diacres ? »

Lui dit : « Quel est le mot ? Je ne le connais pas en anglais... un *estoc**. »

Peut-être n'y a-t-il pas de mot anglais pour désigner cette épée à lame courte que, de près, on enfonce sous les côtes.

Le cardinal demande : « Et c'était... ? »

C'était il y a une vingtaine d'années. La leçon est apprise et bien apprise. La nuit, glaciale, le cœur immobile de l'Europe ; une forêt, des lacs argentés sous une nuée d'étoiles hivernales ; une pièce, la lueur du feu, une silhouette glissant sur un mur. Il n'a pas vu son assaillant, mais il a vu son ombre bouger.

« Quoi qu'il en soit..., dit le cardinal. Je n'ai plus vu maître Revell depuis quarante ans. Il doit être mort depuis longtemps, je suppose. Et votre homme ? » Il hésite. « Également mort depuis longtemps ? »

C'est la façon la plus délicate qu'il trouve de demander à Cromwell s'il a tué cet assaillant.

« Mort et en enfer, je suppose. Si Votre Excellence n'y voit pas d'objection. »

Ça fait sourire Wolsey ; pas la mention de l'enfer, mais l'hommage à l'étendue de son autorité.

« Donc si on attaquait le jeune Cromwell, on finissait directement dans les flammes de l'enfer ?

— Si vous l'aviez vu, monseigneur. Il était trop

sale pour le purgatoire. Le sang de l'agneau a bien des pouvoirs, nous dit-on, mais je doute qu'il eût pu nettoyer cet homme.

— Je suis tout à fait favorable à un monde sans taches », déclare Wolsey. Il paraît triste. « Vous êtes-vous bien confessé ?

— C'était il y a longtemps.

— Vous êtes-vous bien confessé ?

— Monsieur le cardinal, j'étais soldat.

— Les soldats peuvent prétendre au paradis. » Il lève les yeux vers le visage de Wolsey. Impossible de savoir ce qu'il croit.

« Nous le pouvons tous », dit-il.

Soldats, mendiants, marins, rois.

« Donc vous étiez une canaille dans votre jeunesse, reprend le cardinal. *Ça ne fait rien*[*]. » Il réfléchit. « Cet homme sale qui vous a attaqué… il n'appartenait pas aux ordres ? »

Cromwell sourit.

« Je ne lui ai pas demandé.

— Ces tours que joue la mémoire…, dit le cardinal. Thomas, j'essaierai dorénavant de ne pas bouger sans vous en avertir. Et ainsi nous nous entendrons très bien. »

Mais le cardinal continue de l'examiner ; il est encore intrigué. Leur association est récente et le jugement du cardinal sur la personnalité de Cromwell n'est pas encore arrêté ; d'ailleurs, peut-être cette soirée sera-t-elle déterminante ? Des années plus tard, le cardinal dira : « Je m'interroge souvent sur l'idéal monastique – surtout en ce qui concerne les jeunes. Mon serviteur Cromwell, par exemple – sa jeunesse a été solitaire, il l'a passée presque entièrement à jeûner, prier et étudier les Pères de l'Église. C'est pourquoi il est si indomptable aujourd'hui. »

Et quand les gens s'étonneront – se rappelant, au mieux, un homme d'une extrême discrétion –, quand ils diront, vraiment ? Votre dévoué Cromwell ? Le cardinal secouera la tête et dira, mais j'essaie d'arranger les choses, naturellement. Quand il brise des fenêtres, nous faisons venir les vitriers et nous payons. Quant aux processions de jeunes femmes éplorées… Les pauvres créatures, je leur donne de l'argent…

Mais ce soir une autre affaire le préoccupe ; il a les mains jointes sur le bureau, comme s'il y retenait la soirée qui vient de s'écouler.

« Allons, Thomas, vous me parliez d'une rumeur.

— Les femmes pensent, à en croire les commandes passées auprès des marchands de soie, que le roi a une nouvelle… » Il s'interrompt et demande : « Monseigneur, comment appelle-t-on une catin lorsqu'elle est fille de chevalier ?

— Ah, dit le cardinal, percevant le problème. En sa présence, on l'appelle "madame". Dans son dos… eh bien, quel est son nom ? Quel chevalier ? »

Il désigne de la tête l'endroit où, dix minutes plus tôt, se tenait Boleyn.

Le cardinal paraît alarmé.

« Pourquoi n'avez-vous rien dit ?

— Comment aurais-je pu aborder le sujet ? »

Le cardinal s'incline devant la difficulté.

« Mais il ne s'agit pas de la Boleyn qui vient d'arriver à la cour. Pas la maîtresse d'Harry Percy. Il s'agit de sa sœur.

— Je vois. » Le cardinal se laisse retomber sur son siège. « Bien sûr. »

Mary Boleyn est une gentille petite blonde, dont on dit qu'elle est passée entre de nombreuses mains à la cour de France avant de revenir prodiguer ses largesses à celle d'Angleterre, sa petite sœur renfrognée trottinant toujours sur ses talons.

« Bien sûr, j'ai suivi la direction du regard de Sa Majesté, reprend le cardinal en opinant imperceptiblement du chef. Sont-ils désormais proches ? La reine est-elle au courant ? Ou bien l'ignorez-vous ? »

Cromwell acquiesce. Le cardinal soupire.

« Catherine est une sainte. Cependant, si j'étais une sainte, et une reine, je ne craindrais peut-être pas Mary Boleyn. Des cadeaux ? De quelle sorte ? Rien d'excessif, dites-vous ? Alors je suis désolé pour elle ; elle devrait profiter de son avantage tant qu'il dure. Non pas que notre roi ait tant d'aventures, mais on dit… on dit que quand Sa Majesté était jeune, avant de devenir roi, c'est la femme de Boleyn qui l'a soulagé de sa virginité.

— Elizabeth Boleyn ? » Il en faut pourtant beaucoup pour le surprendre. « La *mère* de Mary ?

— Elle-même. Peut-être le roi manque-t-il d'imagination dans ce domaine. Non que j'y aie jamais cru… Si nous étions de l'autre côté, vous savez, dit-il en faisant un geste dans la direction de Douvres, nous ne chercherions même pas à tenir le compte de toutes ses aventures. Mon ami le roi François – on dit qu'il s'est un jour glissé auprès d'une femme avec qui il avait passé la nuit précédente, lui a poliment baisé la main et demandé son nom avant de lui faire part de son espoir qu'ils deviendraient meilleurs amis. » Il dodeline de la tête, ravi de son anecdote. « Mais Mary ne causera pas de difficultés. C'est un fardeau facile à gérer. Le roi pourrait faire pire.

— Mais sa famille voudra en tirer quelque chose. Qu'ont-ils obtenu auparavant ?

— La possibilité de se rendre utile. » Wolsey s'interrompt et rédige une note. Cromwell imagine son contenu : ce que Boleyn pourra obtenir, s'il le demande gentiment. Le cardinal relève les yeux. « Alors, aurais-je dû être, durant mon entretien avec sir Thomas – comment dire – plus doux ?

— Je ne crois pas que monseigneur aurait pu être plus doux. Il n'y avait qu'à voir son visage quand il nous a quittés. C'était l'expression même de la satisfaction et de l'apaisement.

— Thomas, dorénavant, rapportez-moi tous les ragots qui circuleront à Londres, dit-il en touchant l'étoffe de damas. Ne vous souciez pas de la source. C'est mon problème. Et je jure de ne jamais vous attaquer physiquement. Promis.

— C'est oublié.

— J'en doute. Pas si vous avez retenu la leçon pendant toutes ces années. » Le cardinal s'enfonce sur son siège ; il réfléchit. « Au moins, elle est mariée. » Il parle de Mary Boleyn. « Donc si elle a un petit, le roi pourra le reconnaître ou non, comme il lui plaira. Il a déjà un fils de la fille de John Blount et il ne voudra pas d'un bâtard de plus. »

Une nursery trop grande peut être encombrante pour un roi. L'histoire de l'Angleterre et d'autres nations a montré que les mères veulent se faire une situation et qu'elles tentent de placer leurs marmots dans la ligne de succession. Le fils qu'Henri a reconnu s'appelle Henry Fitzroy ; c'est un bel enfant blond qui lui ressemble beaucoup. Son père l'a fait duc de Somerset et de Richmond ; il n'a pas dix ans, et il est le plus grand noble du pays.

La reine Catherine, dont les fils sont tous morts, prend ça avec patience : autrement dit, elle souffre en silence.

Lorsqu'il quitte le cardinal, il est triste et furieux. Quand il repense à sa jeunesse – ce garçon à moitié mort gisant sur les pavés de Putney –, il n'éprouve aucune tendresse pour lui, juste une légère impatience : pourquoi ne se relève-t-il pas ? Pour l'homme qu'il sera par la suite – toujours enclin à se battre, ou du moins à se trouver à l'endroit où une bagarre risque d'éclater –, il éprouve une sorte de mépris, teinté d'un désagréable sentiment d'anxiété. Le monde était ainsi : un couteau dans l'obscurité, un mouvement à la périphérie du champ de vision, une série d'avertissements qui sont restés marqués dans sa chair. Il a fait peur au cardinal, ce qui ne fait pas partie de ses fonctions : ses fonctions, telles qu'il les a définies jusqu'à présent, sont de fournir des informations au cardinal, d'apaiser ses colères, de le comprendre et de rire de ses plaisanteries. Mais c'était simplement le mauvais moment. Si le cardinal n'avait pas bougé si vite ; si lui-même n'avait pas été aussi nerveux, ne sachant comment lui faire savoir qu'il devait être moins tyrannique avec Boleyn. Le problème avec l'Angleterre, pense-t-il, c'est qu'on y manque de gestes. Nous devrions créer un signe des mains pour dire : « Attention, notre prince couche avec la fille de cet homme. » Il est surpris que les Italiens n'en aient pas un. Mais peut-être qu'ils en ont un et qu'il ne l'a jamais su.

En l'an 1529, juste avant la mise en disgrâce du cardinal, il repensera à cette soirée.

Il est à Esher ; c'est une nuit sans lumière, sans feu ; le grand homme est parti se coucher dans son lit (probablement humide) ; il n'y a que George Cavendish pour réconforter un peu Cromwell. Qu'est-ce qui s'est passé ensuite, demande-t-il à George, entre Harry Percy et Anne Boleyn ?

Il ne connaît l'histoire que d'après le récit froid et laconique que le cardinal lui en a fait.

Mais George répond : « Je vais vous le dire. Tout de suite. Levez-vous, maître Cromwell. » Il se lève. « Un peu sur la gauche. Bon, lequel voulez-vous être ? Son Excellence le cardinal, ou le jeune héritier ?

— Oh, je vois, est-ce une pièce de théâtre ? Je ne me sens pas à la hauteur. »

Cavendish ajuste sa position, le détournant imperceptiblement de la fenêtre derrière laquelle se tiennent la nuit et les arbres dénudés, leur public de ce soir-là. Cromwell regarde dans le vide, comme s'il voyait le passé : des corps ombrageux se déplaçant dans la pièce obscure.

« Pouvez-vous prendre un air contrarié ? demande George. Comme si vous rongiez votre frein sans toutefois oser parler ? Non, non, pas comme ça. Vous êtes jeune, dégingandé, vous baissez la tête, vous rougissez. » Cavendish soupire. « Je crois que vous n'avez jamais rougi de votre vie, maître Cromwell. Écoutez. » Cavendish pose doucement les mains sur le haut de ses bras. « Échangeons nos rôles. Asseyez-vous ici. Vous êtes le cardinal. »

Il voit aussitôt Cavendish se transformer. George

s'agite, se tortille, sanglote presque ; il devient un Harry Percy tremblant, un jeune homme amoureux.

« Pourquoi ne l'épouserais-je pas ? s'écrie-t-il. Elle n'est peut-être qu'une simple jeune fille…

— Simple ? interrompt Cromwell. Une jeune fille ? »

George lui lance un regard noir.

« Le cardinal n'a jamais dit ça !

— Pas sur le moment, je vous l'accorde.

— Bon, je redeviens Harry Percy. Elle n'est peut-être qu'une simple jeune fille, et son père un simple chevalier, mais elle est de bonne famille…

— Elle est une sorte de cousine du roi, n'est-ce pas ?

— Une sorte de cousine ? » Cavendish sort une fois de plus de son rôle, indigné. « Son Excellence le cardinal devait avoir leur arbre généalogique sous les yeux, dessiné par ses hérauts.

— Alors qu'est-ce que je fais ?

— Faites semblant ! Bon, ses aïeux ne sont pas sans mérite, argue le jeune Percy. Mais plus il argumente, plus Son Excellence le cardinal s'irrite. Le garçon dit, nous avons établi un contrat matrimonial, ce qui a autant de valeur qu'un véritable mariage…

— Vraiment ? Je veux dire, il a dit ça ?

— Oui, c'était l'idée. Autant de valeur qu'un véritable mariage.

— Et qu'a fait le cardinal ?

— Il a dit, seigneur Dieu, qu'est-ce que vous me racontez ? Si vous avez entamé une telle démarche frauduleuse, le roi doit l'apprendre. Je vais faire chercher votre père, et nous nous arrangerons pour annuler cette folie.

— Et Harry Percy a dit ?

— Pas grand-chose. Il a baissé la tête.

— Je m'étonne que la fille ait eu le moindre respect pour lui.

— Elle n'en avait pas. C'est son titre qu'elle aimait.

— Je vois.

— Donc son père est venu du nord – voulez-vous être le comte, ou le garçon ?

— Le garçon. Je sais comment faire, maintenant. »

Il bondit sur ses pieds et feint la repentance. Apparemment, le comte et le cardinal ont longuement discuté dans la longue galerie ; puis ils ont bu un verre de vin. Quelque chose de fort, sans doute. Le comte a longé la galerie d'un pas lourd et il s'est assis, explique Cavendish, sur un banc où les serviteurs avaient l'habitude de se reposer en attendant les ordres. Il a appelé son héritier, l'a fait se tenir devant lui et l'a taillé en pièces devant les domestiques.

« Monsieur, dit Cavendish, imitant le comte, vous avez toujours été un propre à rien fier, présomptueux, dédaigneux et extrêmement dépensier. C'était un bon début, non ?

— J'aime, répond-il, le don que vous avez pour vous souvenir de leurs paroles exactes. Les avez-vous notées sur le coup ? Ou vous autorisez-vous des libertés ? »

Cavendish prend un air entendu.

« Personne n'a une meilleure mémoire que vous, dit-il. Son Excellence demande la comptabilité d'une chose ou une autre, et vous connaissez tous les chiffres sur le bout des doigts.

— Je les invente peut-être.

133

— Oh, je ne crois pas, réplique Cavendish, choqué. Vous ne pourriez pas faire ça bien longtemps.

— J'ai une méthode de mémorisation. Je l'ai apprise en Italie.

— Il y a des gens, dans cette maison et ailleurs, qui donneraient beaucoup pour savoir tout ce que vous avez appris en Italie. »

Cromwell acquiesce. Il le sait pertinemment.

« Bon, où en sommes-nous ? Harry Percy, qui est pratiquement marié, dites-vous, à lady Anne Boleyn, se tient devant son père, et le père dit…

— Que s'il hérite du titre, il sera la mort de cette noble maison – qu'il sera le dernier comte de Northumberland. Mais, Dieu soit loué, ajoute-t-il, j'ai le choix entre plusieurs garçons… Et il est reparti d'un pas lourd. Et le garçon est resté là à pleurer. Il voulait lady Anne. Mais le cardinal l'a marié à Mary Talbot, et maintenant ils sont aussi misérables que l'aube du mercredi des Cendres. Et lady Anne a dit – ah, nous avons bien ri – elle a dit que si elle pouvait causer au cardinal le moindre déplaisir, elle le ferait. Imaginez-vous comme nous avons ri ? Une gamine blafarde, pardonnez-moi, la fille d'un chevalier, menacer Son Excellence ! Fâchée que son comte lui échappe ! Mais nous ne pouvions pas deviner qu'elle s'élèverait dans le monde. »

Cromwell sourit.

« Alors dites-moi, poursuit Cavendish, où nous sommes-nous trompés ? Je vais vous le dire. Tout du long nous avons été induits en erreur, le cardinal, le jeune Harry Percy, son père, vous, moi – parce que quand le roi a dit, Anne n'épousera pas un Northumberland, je crois… je crois qu'il avait des visées sur elle, depuis tout ce temps.

— Alors qu'il était proche de Mary, il pensait à sa sœur Anne ?

— Oui, oui !

— Je me demande, dit Cromwell, comment il est possible que, malgré toutes ces personnes qui croient connaître ses désirs, le roi se retrouve constamment entravé. »

Constamment contrarié, exaspéré et déconcerté. Cette lady Anne qu'il a choisie pour le divertir, pendant que son ancienne femme est répudiée, refuse de satisfaire à ses demandes. Comment peut-elle refuser ? Personne ne le sait.

Cavendish semble déçu qu'ils n'aient pas continué la pièce de théâtre.

« Vous devez être fatigué, dit-il.

— Non, je réfléchis simplement, répond Cromwell. Comment monseigneur le cardinal a-t-il pu… » Il voudrait dire, rater le coche. Mais ça n'est pas une manière respectueuse de parler d'un cardinal. Il lève les yeux. « Continuez. Qu'est-il arrivé ensuite ? »

En mai 1527, se sentant assiégé et de mauvaise humeur, le cardinal ouvre une commission d'enquête pour vérifier la validité du mariage du roi. C'est une commission secrète ; on ne demande pas à la reine de comparaître, ni même d'être représentée ; elle n'est même pas censée savoir, mais l'Europe entière sait. C'est Henri qui doit comparaître et produire la dispense qui lui a permis d'épouser la veuve de son frère. Il fait, avec la certitude que la commission découvrira que le document est d'une manière ou d'une autre invalide. Wolsey est prêt à dire qu'il plane un doute sur le mariage. Mais il ne sait pas, informe-t-il Henri, ce que le tribunal légatin pourra faire pour lui, après cette démarche préparatoire ; car Catherine, c'est certain, en appellera à Rome.

Six fois (pour autant que l'on sache) Catherine et le roi ont vécu dans l'espoir d'un héritier.

« Je me rappelle l'enfant de l'hiver, dit Wolsey. Je suppose, Thomas, que vous n'étiez pas rentré en Angleterre à l'époque. La reine a été soudain prise de douleurs et le prince est arrivé prématurément, juste pour la nouvelle année. Il était né depuis moins d'une heure quand je l'ai tenu dans mes bras pour la première fois. Il neigeait dehors, un feu brûlait dans la chambre, la nuit tombait à trois heures et ce soir-là les empreintes des oiseaux et des bêtes avaient été recouvertes de neige, toutes les marques de l'ancien monde avaient été effacées, et toutes nos douleurs avaient été abolies. Nous l'avions baptisé le prince de la Nouvelle Année. Nous disions qu'il serait le plus riche, le plus beau, le plus dévoué des enfants. Tout Londres avait été illuminé pour les célébrations... Il a respiré pendant cinquante-deux jours, et j'ai compté chacun d'entre eux. Je crois que s'il avait vécu, notre roi aurait peut-être été... je ne dis pas un meilleur roi, car ce ne serait guère possible, mais un chrétien plus heureux. »

L'enfant suivant, un garçon, est mort moins d'une heure après sa naissance. En 1516, une fille est née, la princesse Marie, petite mais vigoureuse. L'année suivante, la reine a perdu un garçon. Une autre petite princesse n'a vécu que quelques jours ; elle se serait prénommée Élisabeth, comme la mère du roi.

Parfois, affirme le cardinal, le roi parle de sa mère, Élisabeth Plantagenêt, et les larmes lui montent aux yeux. C'était, vous savez, une femme d'une grande beauté et d'un grand calme, qui a supporté docilement les malheurs que Dieu lui a envoyés. L'ancien roi et elle ont eu la chance d'avoir de nombreux enfants, et certains d'entre eux sont morts. Mais, explique le roi, mon frère Arthur est né un an après le mariage de mon père et de ma mère, et il a été suivi, peu après, par un autre bel enfant, à savoir moi-même. Pourquoi me retrouvé-je donc, au bout de vingt ans, avec une frêle enfant que le moindre vent capricieux risque d'anéantir ?

Mais aujourd'hui ce couple depuis longtemps marié prend conscience avec effroi du péché que représente cette union. Peut-être, disent certains, serait-ce leur rendre service que de les libérer ? « Je doute que Catherine soit d'accord, déclare le cardinal. Si la reine a conscience d'un péché, croyez-moi, elle le fera confesser et l'absoudra. Même si ça doit prendre vingt ans. »

Qu'ai-je fait ? demande Henri au cardinal. Qu'ai-je fait, qu'a-t-elle fait, qu'avons-nous fait ensemble ? Le cardinal n'a pas de réponse, même si son cœur saigne pour son bienveillant prince ; il n'a pas de réponse, et il détecte une certaine hypocrisie dans la question ; il pense, même s'il ne veut pas l'avouer, sauf dans une petite pièce avec son confident, qu'aucun homme rationnel ne peut vénérer un Dieu si absolument vengeur, or il estime que le roi est un homme rationnel. « Regardez les exemples que nous avons, dit-il. Le doyen Colet, ce grand érudit. Il venait d'une fratrie de vingt-deux, et il a été le seul à survivre à la petite enfance. Certains suggéreraient que, pour s'attirer un tel châtiment divin, sir Henry Colet et sa femme devaient être des monstres d'iniquité connus de toute la chrétienté. Et pourtant, sir Henry était maire de Londres...

— Par deux fois.

— ... et il a amassé une fortune considérable. Je dirais donc qu'il n'a en aucun cas été délaissé par le Tout-Puissant ; il a au contraire reçu toutes les marques de la grâce divine. »

Ce n'est pas la main de Dieu qui tue nos enfants. Ce sont la maladie, la faim et la guerre, les morsures de rat, le mauvais air et les miasmes des fosses de pestiférés ; les mauvaises récoltes comme celles de cette année et de l'année dernière ; les nurses négligentes.

Cromwell demande à Wolsey : « Quel âge a la reine ?

— Elle doit avoir quarante-deux ans, je suppose.

— Et le roi affirme qu'elle ne peut plus avoir d'enfants ? Ma mère avait cinquante-deux ans à ma naissance. » Le cardinal le dévisage.

« En êtes-vous sûr ? » demande-t-il.

Et il éclate alors d'un rire franc et joyeux qui donne à penser qu'il est agréable d'être un prince de l'Église.

« Enfin, dans ces eaux-là, en tout cas. Plus de cinquante ans. »

On n'attachait guère d'importance à ces détails dans la famille Cromwell.

« Et a-t-elle survécu à l'épreuve ? Oui ? Je vous félicite tous deux. Mais gardez ça pour vous, vous voulez bien ? »

Le résultat vivant des grossesses de la reine est la chétive Marie – pas vraiment une princesse entière, peut-être simplement les deux tiers. Il l'a vue lorsqu'il est allé à la cour avec le cardinal, et elle fait à peu près la même taille que sa fille Anne, qui a deux ou trois ans de moins.

Anne Cromwell est une fillette robuste. Elle pourrait manger une princesse au petit déjeuner. Comme le Dieu de saint Paul, elle ne s'en laisse conter par personne, et ses yeux, aussi petits et perçants que ceux de son père, se posent froidement sur quiconque croise son chemin ; la plaisanterie dans la famille, c'est : à quoi ressemblera Londres quand Anne en sera maire ? Marie Tudor est une poupée aux cheveux roux pâle et intelligente, qui parle avec plus de gravité qu'un évêque. Elle avait à peine dix ans quand son père l'a envoyée à Ludlow pour tenir cour en tant que princesse de Galles. C'est là que l'on a emmené Catherine lorsqu'elle était jeune mariée ; là que son mari Arthur est mort ; là qu'elle a elle-même failli mourir la même année, durant l'épidémie, et s'est retrouvée démunie, affaiblie et oubliée, jusqu'à ce que la femme de l'ancien roi paie avec ses propres deniers pour la rapatrier à Londres, dans un long périple douloureux, allongée sur une litière. Catherine a dissimulé – elle dissimule tant de choses – son chagrin lorsqu'elle a été séparée de sa fille. Elle-même est fille d'une reine régnante. Pourquoi Marie ne régnerait-elle pas sur l'Angleterre ? Elle pensait que le roi était satisfait.

Mais elle sait maintenant qu'il n'en est rien.

Dès que la commission secrète s'est réunie, Catherine, qui en a été écartée, déverse les griefs qu'elle a emmagasinés depuis si longtemps. D'après elle, toute l'affaire est la faute du cardinal. « Je vous l'avais dit, observe Wolsey. Je vous avais dit qu'il en serait ainsi. Chercher la main du roi dans tout ça ? Y déceler la volonté du roi ? Non, elle en est incapable. Car le roi, à ses yeux, est blanc comme neige. »

Depuis que Wolsey est entré au service du roi, la reine affirme qu'il a tout fait pour l'écarter de la place qui est légitimement la sienne en tant que confidente et conseillère d'Henri. Il a utilisé tous les moyens possibles, affirme-t-elle, pour m'éloigner du roi, fait en sorte que je ne sache rien de ses projets, et que lui, le cardinal, dirige tout. Il m'a empêchée de rencontrer l'ambassadeur d'Espagne. Il a placé des espions dans ma maison – mes femmes sont toutes ses espionnes.

Le cardinal réplique, avec lassitude, je n'ai jamais favorisé ni les Français, ni l'empereur : j'ai favorisé la paix. Je ne l'ai pas empêchée de voir l'ambassadeur espagnol, j'ai seulement exprimé la requête tout à fait raisonnable qu'elle ne le voie pas seule mais en ma présence, pour me faire une idée des insinuations et des mensonges qu'il lui ferait. Les femmes de sa maison sont des dames anglaises qui ont le droit de servir leur reine ; après bientôt trente ans en Angleterre, ne voudrait-elle que des Espagnoles ? Quant à l'éloigner du roi, comment aurais-je pu faire ça ? Des années durant, la conversation d'Henri s'est limitée à « La reine doit voir ceci » et « Catherine aimera entendre cela, nous devons aller la trouver sur-le-champ ». Jamais une femme n'a mieux connu les besoins de son mari.

Elle les connaît ; et, pour la première fois, elle ne veut pas s'y soumettre.

Une femme est-elle tenue d'obéir à son mari quand elle risque de perdre son statut d'épouse ? Lui, Cromwell, admire Catherine : il aime la voir se déplacer dans les palais royaux, aussi large que haute, engoncée dans des robes si couvertes de joyaux qu'elles semblent avoir été conçues moins pour être belles que pour résister aux coups d'épée. Ses cheveux auburn ont perdu leur couleur et commencent à grisonner, ramassés sous son chaperon telles les modestes ailes d'un moineau. Sous sa robe elle porte une tenue de nonne franciscaine. Essayez toujours, dit Wolsey, de découvrir ce que les gens portent sous leurs habits. Fut un temps où il aurait été surpris ; lui qui croyait que sous leurs habits les gens portaient leur peau.

Il y a de nombreux précédents, affirme le cardinal, qui peuvent aider le roi à résoudre son souci du moment. Le roi Louis XII a été autorisé à écarter sa première femme. Plus près de nous, la propre sœur du roi, Margaret, qui avait tout d'abord épousé le roi d'Écosse, a divorcé de son deuxième époux et s'est remariée. Et le grand ami du roi, Charles Brandon, qui est désormais marié à sa sœur cadette, a eu une alliance précédente qui a été annulée dans des circonstances pour le moins douteuses.

Mais d'un autre côté, l'Église n'a pas pour vocation de briser les mariages établis ni de faire des enfants bâtards. Si la dispense est d'une manière ou d'une autre invalide, pourquoi ne pourrait-elle être corrigée par une nouvelle dispense ? C'est ce que le pape Clément pense peut-être, dit Wolsey.

Quand il suggère cette possibilité, le roi hurle. Le cardinal peut ignorer ses cris ; on s'y habitue, et Cromwell observe le comportement du cardinal tandis que la tempête se déchaîne sur lui ; souriant à demi, poli, contrit, attendant l'accalmie. Mais Wolsey commence à en avoir assez d'attendre que la fille de Boleyn – pas le fardeau facile à gérer, mais la cadette, celle qui a la poitrine plate – abandonne ses négociations de sainte-nitouche et fasse plaisir au roi. Si elle le faisait, le roi verrait la vie sous un meilleur angle et il parlerait moins de sa conscience ; après tout, comment pourrait-il, absorbé qu'il serait par cette liaison ? Mais certains suggèrent qu'elle marchande avec le roi ; certains disent qu'elle veut être sa nouvelle femme ; ce qui est risible, affirme Wolsey, mais bon, le roi est épris, alors peut-être n'objecte-t-il pas, du moins pas franchement. Cromwell a alors attiré l'attention du cardinal sur l'émeraude que lady Anne porte désormais au doigt et il lui en a dit la provenance et le prix. Le cardinal en est resté abasourdi.

Après la débâcle Harry Percy, le cardinal a fait envoyer Anne dans sa maison de famille à Hever, mais elle a réussi à s'immiscer de nouveau à la cour, parmi les femmes de la reine, et maintenant il ne sait jamais où elle sera, ni si Henri lui glissera des mains parce qu'il se sera lancé à sa poursuite à travers le pays. Il songe à convoquer son père, sir Thomas, et à le réprimander de nouveau, mais – même sans évoquer la vieille rumeur sur Henri et Mary Boleyn – comment expliquer à un homme que, puisque sa première fille est une catin, la seconde doit aussi en être une, comment insinuer que c'est une sorte de tradition familiale dont il est responsable ?

« Boleyn n'est pas riche, dit Cromwell. Je le convoquerai. J'évaluerai le coût pour lui. Le crédit. Le débit.

— Ah oui, dit le cardinal, mais vous êtes le maître des solutions pratiques, alors que moi, en tant qu'homme d'Église, je dois veiller à ne pas recommander à mon monarque de s'embarquer dans un adultère calculé. » Il déplace les plumes sur son bureau, feuillette quelques papiers. « Thomas, si jamais vous... Comment formuler ça ? »

Il n'a aucune idée de ce que le cardinal va dire.

« Si jamais vous vous rapprochez du roi, si vous deviez découvrir, peut-être après mon départ... » Ce n'est pas facile de parler de sa mort, même quand on a déjà commandé son tombeau. Wolsey n'imagine pas un monde sans Wolsey. « Ah, enfin. Vous savez, je vous ferai entrer à son service, et ne vous retiendrai pas auprès de moi, mais la difficulté est... »

Sa naissance à Putney, voilà ce qu'il veut dire. C'est un fait. Et comme ce n'est pas un homme d'Église, il ne possède pas les titres ecclésiastiques qui pourraient la faire oublier, alors que ceux du cardinal ont adouci le fait qu'il était né à Ipswich.

« Je me demande, dit Wolsey, si vous seriez patient avec notre souverain. Quand il est minuit et qu'il est en train de boire et de ricaner avec Brandon, ou de chanter, et les papiers du jour qui ne sont pas encore signés, et si vous insistez, il dit, je vais me coucher maintenant, nous allons à la chasse demain... Si l'opportunité se présente de le servir, vous devrez le prendre tel qu'il est, un prince qui aime les plaisirs. Et lui devra vous prendre tel que vous êtes, c'est-à-dire un peu comme l'un de ces chiens de combat trapus que les rustres traînent au bout de cordes. Non que vous soyez dénué d'un certain charme imprévisible, Tom. »

L'idée que lui-même ou quiconque puisse un jour avoir autant d'emprise sur le roi que Wolsey est à peu près aussi improbable qu'Anne Cromwell devenant maire de Londres. Mais il ne la rejette pas totalement. On connaît l'exemple de Jeanne d'Arc ; et ça ne se termine pas nécessairement au bûcher.

Il rentre à la maison et raconte à Liz cette histoire de chien de combat. Elle aussi trouve la comparaison particulièrement pertinente. Il ne lui parle pas de son charme imprévisible, au cas où le cardinal serait le seul à le voir.

La commission d'enquête est sur le point de se séparer, remettant la question à plus tard, quand de Rome arrive la nouvelle que les soldats espagnols et allemands de l'empereur, qui n'ont pas été payés depuis des mois, se sont déchaînés dans la Ville sainte, se payant eux-mêmes, pillant les trésors et jetant des pierres sur les œuvres d'art. Satiriquement vêtus d'habits de cérémonie volés, ils ont violé les femmes et les vierges de Rome. Ils ont mis à terre statues et nonnes, et leur ont fracassé la tête contre le sol. Un simple soldat a volé la pointe de la lance qui pénétrait le flanc du Christ et l'a attachée à la hampe de sa propre arme meurtrière. Ses camarades ont mis à sac des tombeaux antiques et répandu aux quatre vents les poussières humaines. Le Tibre déborde de corps frais, les cadavres poignardés ou étranglés ballottant contre la rive. Mais le plus inquiétant, c'est que le pape a été fait prisonnier. Comme le jeune empereur Charles est théoriquement en charge de ces soldats, il réaffirmera sans doute son autorité et tirera avantage de la situation, et la cause matrimoniale du roi Henri passera à la trappe. Charles est le neveu de la reine Catherine, et il y a peu de chances que, tant qu'il sera entre les mains de l'empereur, le pape Clément considère favorablement une requête provenant du légat d'Angleterre.

Thomas More affirme que les soldats de l'empereur, pour s'amuser, font rôtir des nouveau-nés sur des broches. Oh, ça lui ressemble bien ! s'irrite Thomas Cromwell. Voyons, les soldats ne font pas ça. Ils sont trop occupés à emporter tout ce qu'ils pourront convertir en espèces sonnantes et trébuchantes.

Sous ses vêtements, c'est bien connu, More porte un justaucorps en crin de cheval. Il se flagelle avec un petit fouet, du genre de ceux qu'on utilise dans certains ordres religieux. Ce qui l'interpelle, Thomas Cromwell, c'est que quelqu'un fabrique ces instruments de torture quotidienne. Que quelqu'un peigne les crins de chevaux pour former des touffes rêches, les noue et coupe les extrémités émoussées afin qu'elles se brisent sous la peau et créent des plaies suintantes. Sont-ce des moines qui les fabriquent, nouant et coupant dans une fureur vertueuse, ricanant à l'idée de la douleur qu'ils infligeront à des inconnus ? Sont-ce de simples villageois qui sont payés – comment, à la douzaine ? – pour fabriquer des fouets avec des nœuds couverts de cire ? Cette activité occupe-t-elle les ouvriers agricoles pendant les longs mois d'hiver ? Quand ils ont entre les mains l'argent de leur honnête labeur, ces hommes songent-ils aux mains qui saisiront l'objet qu'ils ont fabriqué ?

Nous n'avons pas besoin de provoquer la douleur, songe Cromwell. Elle saura nous trouver d'elle-même : plus tôt qu'on ne le souhaite. Demandez aux vierges de Rome.

Il songe aussi que les gens devraient se trouver de meilleurs métiers.

Prenons, dit à ce stade le cardinal, un peu de distance par rapport au problème. Il est sincèrement alarmé ; il a toujours été clair à ses yeux que l'une des clés de la stabilité en Europe est d'avoir une papauté indépendante, qui ne soit entre les griffes ni de la France ni de l'empereur. Mais son esprit vif perçoit déjà un avantage pour Henri.

Supposons, dit-il – car dans l'urgence ce sera vers moi que le pape Clément se tournera pour maintenir la cohésion de la chrétienté – supposons que je traverse la Manche, fasse escale à Calais pour rassurer nos gens là-bas et mettre un terme à toutes les rumeurs inutiles, puis que je pénètre en France et mène des entretiens en face à face avec leur roi, avant de poursuivre jusqu'à Avignon, où l'on sait comment accueillir une cour papale et où les bouchers et les boulangers, les fabricants de cierges et les aubergistes, et même les prostituées, ont vécu dans l'espoir pendant toutes ces années. J'inviterai les cardinaux à me rejoindre et organiserai une assemblée, de sorte que les affaires du gouvernement de l'Église continueront d'être traitées pendant que Sa Sainteté endurera l'hospitalité de l'empereur. Si les affaires présentées à cette assemblée devaient inclure le problème privé du roi, ferions-nous attendre un monarque aussi chrétien sous prétexte que des événements militaires en Italie ne sont pas résolus ? Ne prendrions-nous pas une décision ? Des hommes ou des anges auront certainement la présence d'esprit d'envoyer un message au pape Clément, même en captivité, et ces mêmes hommes ou anges rapporteront un message en retour – appuyant à coup sûr notre décision, car nous aurons entendu les faits dans leur

intégralité. Et quand, naturellement, le moment venu
– et nous attendons tous ce jour –, le pape Clément
retrouvera toute sa liberté, il sera si reconnaissant que
l'ordre ait été maintenu en son absence que toutes
les petites questions de signature et de cachet seront
une simple formalité. *Voilà**, le roi d'Angleterre sera
célibataire.

Mais avant ça, le roi doit parler à Catherine ; il ne
peut pas toujours aller chasser ailleurs pendant qu'elle
l'attend, patiente, implacable, lui gardant une place
pour le souper dans ses appartements privés. C'est le
mois de juin 1527 ; le roi, grand et toujours mince
sous certains angles, arborant une barbe bien taillée
et bouclée, et vêtu de soie blanche, se dirige vers
les appartements de son épouse. Il avance dans un
nuage parfumé d'essence de rose : comme s'il possédait toutes les roses, possédait toutes les nuits d'été.

Sa voix est basse, douce, persuasive, et pleine de
regret. S'il était libre, dit-il, s'il n'y avait aucun obstacle, c'est elle, plus que toute autre, qu'il choisirait
comme épouse. L'absence de fils n'aurait pas d'importance ; ce serait la volonté de Dieu. Il n'aimerait
rien tant que l'épouser de nouveau ; légalement, cette
fois. Mais c'est ainsi : il n'y a rien à faire. Elle a été
l'épouse de son frère. Leur union a violé la loi divine.

On peut entendre ce que Catherine dit. Cette épave
de corps, maintenue par des lacets et des corsets, renferme une voix que l'on entend jusqu'à Calais ; elle
résonne d'ici à Paris, d'ici à Madrid, à Rome. Elle
revendique sa position, elle revendique ses droits ; les
fenêtres vibrent d'ici à Constantinople.

Quelle femme ! remarque Thomas Cromwell en espagnol, sans s'adresser à personne en particulier.

À la mi-juillet le cardinal prépare sa traversée de la mer étroite. Les chaleurs ont apporté la fièvre à Londres, et la ville se vide. Certains ont déjà péri et de nombreux autres s'imaginent qu'ils l'ont contractée, se plaignant de maux de tête et de douleurs dans les membres. Dans les boutiques on ne parle que de pilules et d'infusions, et les moines exercent dans les rues un commerce lucratif de médailles sacrées. Cette épidémie est arrivée en l'an 1485 avec les armées qui nous ont amené le premier Henri Tudor. Désormais elle remplit avec plus ou moins de régularité les cimetières. Elle tue en un jour. Gai au petit déjeuner, dit-on, mort à midi.

Le cardinal est donc soulagé de quitter la ville, même s'il ne peut embarquer sans l'entourage qui sied à un prince de l'Église. Il doit convaincre le roi François de lancer une action militaire en Italie pour libérer le pape Clément ; il doit assurer François de l'amitié et de l'assistance du roi d'Angleterre, sans toutefois engager de troupes ni de fonds. Si Dieu est de son côté, il rapportera non seulement une annulation, mais aussi un traité d'aide mutuelle entre l'Angleterre et la France, traité qui fera trembler la grande mâchoire du jeune empereur et arrachera une larme à son œil étroit de Habsbourg.

Alors pourquoi n'est-il pas plus enjoué tandis qu'il fait les cent pas dans son salon privé de York Place ? « Quel bénéfice pour moi, Cromwell, si j'obtiens tout ce que je demande ? La reine, qui ne m'aime pas, sera rejetée et, si le roi persiste dans sa folie, les Boleyn s'imposeront, et eux non plus ne m'aiment pas ; la fille a une dent contre moi, son père, je le ridiculise depuis des années, et son oncle, Norfolk, aimerait me voir mort dans un fossé. Croyez-vous que cette épidémie sera terminée à mon retour ? On dit que ces fléaux nous viennent de Dieu, mais je ne prétends pas connaître ses raisons. Pendant mon absence vous devriez vous aussi quitter la ville. »

Il soupire ; ne travaille-t-il que pour le cardinal ? Non, c'est juste le client qui demande l'assiduité la plus constante. Les affaires se développent sans cesse. Quand il travaille pour le cardinal, à Londres ou ailleurs, il paie ses propres dépenses et celles de son personnel sur les deniers de Wolsey. Le cardinal dit, remboursez-vous, et il sait qu'il s'octroie un bon pourcentage en plus ; mais il ne chicane pas, car ce qui est bon pour Thomas Cromwell est bon pour Thomas Wolsey – et vice versa. Son cabinet d'avocat est florissant, et il est en mesure de prêter de l'argent avec intérêt, et d'organiser des prêts plus conséquents, sur le marché international, en s'octroyant des honoraires de courtier. Le marché est volatil – les nouvelles d'Italie ne sont jamais bonnes deux jours de suite – mais de la même manière que certains hommes savent flairer quelles bêtes engraisser, lui sait flairer les risques. Un certain nombre de nobles sont endettés auprès de lui, pas uniquement parce qu'ils ont contracté des prêts, mais parce qu'ils lui ont demandé conseil pour améliorer le rendement de leurs propriétés. Il ne s'agit pas de faire payer les métayers, mais, tout d'abord, de fournir au propriétaire une évaluation exacte de la valeur de ses terres, de sa production agricole, de ses réserves d'eau, de ses biens bâtis, puis d'estimer le potentiel de chacun de ces éléments ; il faut ensuite nommer des gens intelligents pour gérer la propriété, et mettre en place un système comptable cohérent qui puisse être contrôlé annuellement. Chez les marchands de la ville, on recherche ses conseils pour trouver des partenaires commerciaux à l'étranger. Il effectue également des arbitrages, principalement dans le cas de litiges commerciaux, car on a confiance ici, comme à Calais et à Anvers, en sa capacité à évaluer les tenants et les aboutissants d'une affaire et à prendre rapidement une décision impartiale. Si vous et votre adversaire vous entendez pour éviter les frais et les délais inhérents à une audience au tribunal, alors Cromwell est, contre rémunération, votre homme ; et il a assez souvent le privilège rare de satisfaire les deux parties.

C'est une bonne période pour lui : chaque jour est une bataille qu'il peut remporter. « Vous servez toujours votre Dieu hébreu, à ce que je vois, observe sir Thomas More. Votre idole Usure, j'entends. » Mais quand More, un érudit vénéré à travers l'Europe, se réveille à Chelsea avec la perspective de prières matinales en latin, lui se dévoue à un créateur qui parle le patois vif des marchés ; quand More se prépare à une session de flagellation, Rafe et lui courent jusqu'à Lombard Street pour découvrir les taux de change du jour. Non pas qu'il coure, à vrai dire ; une vieille blessure l'en empêche parfois, et quand il est fatigué l'un de ses pieds se tourne vers l'intérieur, comme s'il marchait vers lui-même. Certains laissent entendre que c'est l'héritage d'un été passé avec César Borgia. Il aime les histoires qu'on raconte à son sujet. Mais où est César aujourd'hui ? Il est mort.

« Thomas Cromwell ? disent les gens. Voilà un homme ingénieux. Savez-vous qu'il connaît la totalité du Nouveau Testament par cœur ? » Il est l'homme de la situation si une querelle à propos de Dieu éclate ; il est l'homme de la situation si vous devez donner à vos métayers douze bonnes raisons pour justifier le montant du bail. Il est l'homme qui démêlera l'imbroglio juridique qui vous empoisonne depuis trois générations, ou qui persuadera votre pleurnicheuse de fille de consentir à un mariage qu'elle jure de ne jamais accepter. Avec les animaux, les femmes et les plaignants timides, ses manières sont douces et aimables ; mais il fait pleurer vos créanciers. Il peut discuter avec vous des Césars ou vous procurer des verreries vénitiennes à un prix très raisonnable. Personne n'a le dernier mot sur lui, s'il a envie de parler. Personne ne garde mieux son sang-froid quand les marchés s'effondrent et que des hommes en larmes déchirent leurs lettres de crédit dans la rue. « Liz, dit-il un soir, je crois que dans un an ou deux nous serons riches. »

Elle est occupée à broder des chemises pour Gregory avec un canevas ; c'est le même que celui qu'utilise la reine, qui confectionne elle-même les chemises du roi.

« Si j'étais Catherine, je laisserais l'aiguille dans ses chemises », dit-il.

Elle sourit.

« Je sais que c'est ce que tu ferais. »

Lizzie est devenue silencieuse et sévère quand il lui a rapporté les propos qu'a tenus le roi durant son entretien avec Catherine. Henri a annoncé qu'ils devaient se séparer, qu'un jugement sur leur mariage était en instance ; peut-être quitterait-elle la cour ? Catherine a répondu non ; elle a dit que ce n'était pas possible, qu'elle demanderait conseil à des avocats experts en droit canon, et que lui-même ferait bien de se doter de meilleurs avocats, et de meilleurs prêtres ; et alors, une fois les cris passés, tous ceux qui avaient l'oreille collée aux murs ont entendu Catherine pleurer.

« Il n'aime pas qu'elle pleure.

— Les hommes disent, réplique Liz en attrapant ses ciseaux : "Je ne supporte pas de voir une femme pleurer", de la même manière qu'on dirait : "Je ne supporte pas ce temps pluvieux." Comme si elles n'avaient absolument rien à voir avec les hommes, toutes ces larmes. Comme si c'était juste une de ces choses qui arrivent toutes seules.

— Je ne t'ai jamais fait pleurer, si ?

— Seulement de rire », répond-elle.

La conversation s'enfonce dans un silence paisible ; elle brode ses propres pensées, lui prévoit ce qu'il fera de son argent. Il soutient deux jeunes étudiants, qui ne sont pas de la famille, à l'université de Cambridge ; en donnant, le donneur assure sa propre bénédiction. Je pourrais augmenter leurs pensions, songe-t-il – « Je suppose que je ferais bien de rédiger un testament », dit-il.

Elle lui saisit la main. « Tom, ne meurs pas.

— Grands dieux non, telle n'est pas mon intention. »

Il pense, je ne suis peut-être pas encore riche, mais j'ai de la chance. Voyez comment j'ai échappé aux bottes de Walter, à l'été avec César, et à vingt mauvaises nuits dans des ruelles sombres. Les hommes, suppose-t-on, veulent transmettre leur sagesse à leurs fils ; lui donnerait beaucoup pour protéger le sien d'un quart de ce qu'il sait. D'où vient la nature douce de Gregory ? Elle doit être le résultat des prières de sa mère. Richard Williams, le fils de Kat, est vif, enthousiaste et précoce. Christopher, le fils de sa sœur Bet, est intelligent et lui aussi plein de bonne volonté. Et puis il y a Rafe Sadler, en qui il a autant confiance qu'en un fils ; ce n'est pas une dynastie, songe-t-il, mais c'est un début. Et les moments de calme comme celui-ci sont rares, car sa maison est chaque jour pleine de gens, des gens qui veulent être menés au cardinal. Il y a des artistes qui cherchent un sujet. Il y a de graves savants hollandais avec des livres sous chaque bras, et des marchands de Lübeck qui débitent longuement de graves plaisanteries germaniques ; il y a des musiciens de passage qui accordent d'étranges instruments, et des agents de banques italiennes qui confèrent bruyamment ; il y a des alchimistes qui offrent des recettes, et des astrologues qui offrent des destins favorables, et des marchands de fourrure polonais solitaires qui passent au hasard pour voir si quelqu'un parle leur langue ; il y a des imprimeurs, des graveurs, des traducteurs et des cryptologues ; et des poètes, des paysagistes, des cabalistes et des géomètres. Où sont-ils tous ce soir ?

« Chut, dit Liz. Écoute la maison. »

Tout d'abord, il n'y a pas de bruit. Puis le bois craque, respire. Dans les cheminées, des oiseaux s'affairent dans leur nid. Une brise souffle depuis la rivière, faisant frissonner faiblement la cime des arbres. Ils s'imaginent entendre le souffle assoupi des enfants dans d'autres chambres.

« Viens te coucher », dit-il.

Le roi ne peut pas dire ça à sa femme. Ni, sans s'attirer d'ennuis, à la femme qu'il prétend aimer.

Maintenant les nombreux bagages du cardinal sont prêts ; son entourage le cède à peine en splendeur à celui avec lequel il a effectué la traversée sept ans plus

tôt pour se rendre au Camp du Drap d'or. Il gagne la
côte à une allure paisible : Dartford, Rochester, Favers-
ham, Canterbury pour trois ou quatre jours, prières au
sanctuaire de Becket.

Donc, Thomas, dit-il, si vous apprenez que le roi
a possédé Anne, faites-moi parvenir une lettre le jour
même. Je ne le croirai que si c'est vous qui me le
dites. Comment saurez-vous que ça s'est produit ? Je
pense que vous le devinerez à son visage. Et si vous
n'avez pas l'honneur de le voir ? Bonne remarque.
J'aurais dû vous présenter ; j'aurais dû saisir l'opportunité quand je l'avais.

« Si le roi ne se lasse pas rapidement d'Anne, dit-il
au cardinal, je ne vois pas ce que vous pourrez faire.
Nous savons que les princes se font plaisir, et qu'il
est d'ordinaire possible de donner un peu d'éclat à
leurs actes. Mais que pourrez-vous dire en faveur de la
fille de Boleyn ? Que lui apporte-t-elle ? Aucun traité.
Aucune terre. Comment êtes-vous censé présenter cela
comme une alliance honorable ? »

Wolsey s'assied et pose les coudes sur son bureau,
tapote du bout des doigts ses paupières fermées. Il
prend une grande inspiration et commence à parler ;
il commence à parler de l'Angleterre.

Vous ne connaissez pas Albion, dit-il, à moins de
pouvoir remonter à une époque où Albion n'existait
pas encore. Vous devez remonter avant les légions de
César, quand les os d'animaux et d'hommes gigantesques gisaient sur le sol où un jour Londres serait
bâtie. Vous devez remonter à la Nouvelle Troie, à
la Nouvelle Jérusalem, et aux péchés et crimes des
rois qui ont chevauché sous les bannières loqueteuses
d'Arthur et épousé des femmes venues de la mer ou

154

écloses d'un œuf, des femmes avec des écailles, des nageoires et des plumes, à côté desquelles, dit-il, l'alliance avec Anne semble moins incongrue. Ce sont de vieilles histoires, ajoute-t-il, mais certaines personnes, ne l'oublions pas, y croient.

Il parle de la mort des rois : comment le deuxième Richard disparut dans le château de Pontefract et y mourut, de faim ou assassiné ; comment le quatrième Henri, l'usurpateur, succomba à la lèpre qui avait tellement meurtri et contracté son corps qu'il avait la taille d'un mannequin ou d'un enfant. Il parle des victoires du cinquième Henri en France, et de ce qu'il en coûta à la France. Il parle de la princesse française à qui ce grand prince était marié ; c'était une femme douce, mais son père était fou et se croyait fait de verre. De son mariage – celui du cinquième Henri et de la Princesse de verre – naquit un autre Henri qui gouverna une Angleterre aussi sombre que l'hiver, froide, vide, calamiteuse. Édouard Plantagenêt[1], fils du duc de York, arriva comme le premier signe du printemps : il était du Bélier, le signe sous lequel le monde entier avait été créé.

À dix-huit ans, Édouard s'empara du royaume d'Angleterre à cause d'un présage qu'il avait reçu. Ses troupes étaient confuses et lasses de se battre, c'était l'époque la plus sombre de l'une des années les plus sombres, et il venait d'apprendre une nouvelle qui aurait dû le briser : son père et son plus jeune frère avaient été capturés, humiliés et massacrés par les forces lancastriennes. C'était la Chandeleur ;

---

1. Édouard IV (1442-1483), roi de mars 1461 à octobre 1470, puis d'avril 1471 à sa mort. *(N.d.T.)*

recroquevillé dans sa tente avec ses généraux, il pria pour l'âme des morts. La Saint-Blaise arriva : un 3 février noir et glacial. À dix heures du matin, trois soleils s'élevèrent dans le ciel : trois disques d'argent brumeux, étincelants et flous à travers les particules de givre. Leur guirlande de lumière se répandit au-dessus des champs désolés, des forêts détrempées de la frontière galloise, de ses troupes démoralisées et sans solde. Ses hommes s'agenouillèrent pour prier sur le sol gelé. Ses chevaliers se prosternèrent devant le ciel. Toute sa vie prit son envol, et dans ce déluge de lumière vibrante il vit son avenir. Là où personne ne voyait rien, lui il vit : voilà ce que cela signifie d'être roi. À la bataille de Mortimer's Cross, il fit prisonnier un certain Owen Tudor[1]. Il le décapita sur la place du marché d'Hereford et déposa sa tête sur la croix du marché pour qu'elle y pourrisse. Une inconnue vint avec une bassine d'eau et lava la tête tranchée ; elle peigna les cheveux ensanglantés.

À partir de cet instant – la Saint-Blaise, les trois soleils étincelants –, chaque fois qu'il saisit son épée, ce fut pour remporter la bataille. Trois mois plus tard il était à Londres et il était roi. Mais il ne vit plus jamais l'avenir, pas aussi clairement que cette année-là. Aveuglé, il traversa sa royauté en titubant comme dans une brume. Il était la proie des astrologues, des hommes saints et des fantaisistes. Il ne se maria pas à une étrangère comme il aurait dû le faire afin d'en tirer l'avantage d'une alliance, mais s'empêtra dans une série de promesses mi-exaucées mi-trahies faites

---

1. Grand-père d'Henri VII, arrière-grand-père d'Henri VIII. *(N.d.T.)*

à un nombre inconnu de femmes. L'une d'elles était une Talbot, Eleanor de son prénom, et qu'avait-elle de spécial ? On disait qu'elle descendait – par sa lignée maternelle – d'une femme qui était un cygne. Et pourquoi se prit-il d'affection, finalement, pour la veuve d'un chevalier lancastrien[1] ? Était-ce parce que, comme certains le pensaient, sa beauté froide de blonde faisait s'emballer son pouls ? Non, pas exactement ; c'était parce qu'elle prétendait descendre de la femme serpent, Mélusine, qu'on peut voir sur de vieux parchemins, enroulant ses torsades autour de l'arbre de la connaissance et présidant à l'union de la lune et du soleil. Mélusine faisait mine de vivre comme une princesse ordinaire, une mortelle, mais un jour son mari l'avait vue nue et avait aperçu sa queue de serpent. En prenant la fuite, elle avait prédit que ses enfants fonderaient une dynastie qui régnerait à jamais : un pouvoir sans limites, garanti par le diable. Puis elle avait disparu, dit le cardinal, et personne ne l'avait jamais revue. Quelques bougies se sont éteintes ; Wolsey ne demande pas plus de lumière. « Donc vous voyez, dit-il, les conseillers du roi Édouard prévoyaient de le marier à une princesse française. Comme je… comme je comptais le faire avec Henri. Et regardez ce qui est arrivé à la place. Regardez comment il a fait son choix.

— Ça remonte à quand ? Mélusine ? »

Il est tard ; le majestueux palais de York Place est parfaitement silencieux, la ville dort ; la rivière rampe

---

1. Elizabeth Woodville (1437-1492), veuve de sir John Grey (1432-1461) décédé lors de la deuxième bataille de Saint Albans en combattant aux côtés des Lancastre contre Édouard IV (maison de York). *(N.d.T.)*

dans ses canaux, couvrant les rives de vase. Lorsqu'il s'agit de ces questions, dit le cardinal, le temps ne se mesure pas ; ces esprits nous glissent des mains et traversent les âges tels des serpents, changeants, sournois.

« Mais la femme qu'a épousée le roi Édouard avait un lien, n'est-ce pas, avec le trône de Castille ? Très ancien, très obscur ? »

Le cardinal acquiesce.

« C'était la signification des trois soleils. Le trône d'Angleterre, le trône de France, le trône de Castille. Aussi, en épousant Catherine, notre roi actuel se rapprochait de ses anciens droits. Même si personne, j'imagine, n'a osé le présenter en ces termes à la reine Isabelle et au roi Ferdinand. Mais autant se souvenir, et rappeler de temps à autre, que notre roi serait le souverain de trois royaumes. Si chacun avait ce qui lui revenait.

— À vous en croire, monseigneur, le grand-père Plantagenêt de notre roi a décapité son arrière-grand-père Tudor.

— Une chose bonne à savoir. Mais pas à rappeler.

— Et les Boleyn ? Je croyais que c'étaient des marchands, mais aurais-je dû savoir qu'ils avaient des crochets de serpent, ou des ailes ?

— Vous vous moquez de moi, maître Cromwell.

— Pas du tout. Il me faut simplement les meilleures informations si vous me confiez la mission d'observer la situation pour vous. »

Le cardinal parle ensuite de meurtres. Il parle de péché : de ce qui doit être expié. Il parle du sixième roi Henri, assassiné à la Tour de Londres ; du roi Richard, né sous le signe du Scorpion, le signe des transactions secrètes, des tribulations et du vice. À

Bosworth, où mourut le Scorpion, de mauvais choix furent faits ; le duc de Norfolk combattit du mauvais côté, et ses héritiers perdirent leur titre[1]. Ils durent travailler dur, et longtemps, pour le récupérer. Alors cela vous étonne-t-il, demande le cardinal, que Norfolk[2] aujourd'hui tremble à la moindre colère du roi ? C'est parce qu'il craint de perdre tout ce qu'il possède, au moindre caprice de cet homme irascible.

Le cardinal voit Cromwell noter mentalement ses propos ; et il parle des os qui s'entrechoquent sous les pavés de la Tour de Londres, ces os qui sont emmurés dans les escaliers et qui tapissent le fond de la Tamise. Il parle des deux fils disparus du roi Édouard[3], dont le plus jeune avait un penchant obstiné pour la résurrection, qui faillit coûter son trône à Henri Tudor[4]. Il parle des pièces de monnaie émises par le prétendant à sa relève, que ce dernier avait fait frapper d'un message à l'intention du roi Tudor : « Vos jours sont comptés. Vous avez été mis dans la balance et on vous a trouvé trop léger. »

---

1. Le premier duc de Norfolk, John Howard, perdit la vie à la bataille de Bosworth (22 août 1485) en combattant aux côtés de Richard III (maison de York) contre Henri Tudor, héritier autoproclamé des Lancastre et futur Henri VII. *(N.d.T.)*

2. Thomas Howard, troisième duc de Norfolk, petit-fils de John Howard. *(N.d.T.)*

3. Édouard V d'Angleterre et son frère Richard de Shrewsbury, duc de York, aussi appelés les princes de la Tour. C'étaient les derniers fils d'Elizabeth Woodville et d'Édouard IV encore vivants à la mort de ce dernier. Enfermés à la Tour de Londres par leur oncle Richard III, ils y auraient été assassinés. *(N.d.T.)*

4. Dans les années 1490, un certain Perkins Warbeck prétendit être Richard, le duc de York emprisonné dans la Tour, et revendiqua le trône. Henri Tudor désigne ici Henri VII. *(N.d.T.)*

Il parle de la crainte qui régnait alors du retour à la guerre civile. Catherine était destinée à se marier en Angleterre, on l'appelait « princesse de Galles » depuis qu'elle avait trois ans ; mais, avant de la laisser embarquer à La Corogne, sa famille fit payer le prix du sang. Elle demanda à Henri de s'occuper du principal prétendant Plantagenêt, le neveu du roi Édouard et du cruel roi Richard, qu'il détenait à la Tour de Londres depuis qu'il avait dix ans. Face à cette douce pression, le roi Henri capitula, et la Rose blanche[1], âgée de vingt-quatre ans, ne retrouva la lumière et l'air de Dieu que le temps de se faire couper la tête[2]. Mais il y a toujours une autre Rose blanche : les Plantagenêts se reproduisent, mais toujours sous surveillance. D'autres meurtres seront nécessaires ; il faut avoir, dit le cardinal, l'estomac bien accroché, je suppose, et je ne crois pas l'avoir jamais eu ; je suis toujours malade quand il y a une exécution. Je prie pour eux, tous ces vieux morts. Je prie même parfois pour le cruel roi Richard, bien que Thomas More me dise qu'il brûle en enfer.

Wolsey regarde ses mains, fait tourner les bagues sur ses doigts.

---

1. La rose blanche est le symbole de la maison royale de York. La rose rouge, celui de la maison royale de Lancastre. À la fin de la Guerre des Deux Roses (1455-1485), qui se conclut par l'avènement de la maison Tudor, Henri VII adopte la rose Tudor qui combine le rouge des Lancastre et le blanc des York. *(N.d.T.)*

2. Édouard Plantagenêt, 17e comte de Warwick (maison de York), prétendant potentiel au trône d'Angleterre sous les règnes de Richard III et d'Henri VII. Après la mort de Richard III en 1485, Henri VII le fait emprisonner à la Tour de Londres où il sera exécuté en 1499. *(N.d.T.)*

« Je me demande, murmure-t-il. Je me demande laquelle c'est. »

Ceux qui jalousent le cardinal affirment qu'il possède une bague qui permet à son propriétaire de voler, et de provoquer la mort de ses ennemis. Elle détecte les poisons, rend les bêtes féroces inoffensives, assure des faveurs des princes et protège de la noyade.

« Je suppose que d'autres le savent, monseigneur. Car ils ont employé des magiciens pour tenter de la copier.

— Si je savais, je la copierais moi-même. Je vous en donnerais une.

— J'ai ramassé un serpent un jour. En Italie.

— Pourquoi avez-vous fait ça ?

— Un pari.

— Était-il venimeux ?

— Nous l'ignorions. C'était le but du pari.

— Vous a-t-il mordu ?

— Bien entendu.

— Pourquoi bien entendu ?

— Ce ne serait pas une anecdote très intéressante, n'est-ce pas ? Si je l'avais reposé indemne et qu'il s'était échappé ? »

Malgré lui, le cardinal rit.

« Que vais-je faire sans vous, demande-t-il, parmi ces fourbes de Français ? »

Dans la maison d'Austin Friars, Liz est couchée mais elle dort d'un sommeil agité. Elle se réveille à demi, prononce le nom de Cromwell et se glisse entre ses bras. Il embrasse ses cheveux et dit : « Le grand-père de notre roi a épousé un serpent. »

Liz murmure : « Suis-je éveillée ou endormie ? »

Un battement de cœur et elle s'écarte de lui, se retourne, rejetant un bras sur le côté ; il se demande de quoi elle rêvera. Il reste éveillé, réfléchit. Tout ce qu'Édouard a accompli, ses batailles, ses conquêtes, il l'a accompli grâce à l'argent des Médicis ; leurs lettres de crédit étaient plus importantes que les présages et les merveilles. Si le roi Édouard n'était pas, comme l'affirment de nombreuses personnes, le fils de son père, s'il n'était pas le fils du duc de York ; si la mère du roi Édouard, comme le pensent certains, l'avait conçu avec un honnête soldat anglais, un archer nommé Blaybourne[1] ; alors, si Édouard a épousé une femme serpent, sa descendance doit être pour le moins… douteuse, voilà le mot qui lui vient à l'esprit. S'il faut croire toutes les vieilles histoires, et certaines personnes, ne l'oublions pas, les croient, alors notre roi est en partie bâtard d'archer, en partie serpent caché, en partie gallois, et le tout est endetté auprès des banques italiennes… Lui aussi glisse, sombre dans le sommeil. Ses calculs s'interrompent ; le monde spectral remplace les pages de chiffres. Essayez toujours, dit le cardinal, de découvrir ce que les gens portent sous leurs habits, car ce n'est pas que leur peau. Retournez le roi, et vous découvrirez ses ancêtres à écailles : sa chair de serpent chaude et solide.

Quand il était en Italie, il a ramassé un serpent suite à un pari. Il devait le tenir jusqu'à ce que ses compagnons aient compté jusqu'à dix. Ils ont compté, plutôt lentement, dans les langues les plus lentes : *Eins,*

---

1. La rumeur a couru qu'Édouard IV n'était pas le fils de Richard Plantagenêt, duc de York, mais le fruit d'une liaison adultère entre sa mère, Cecily Neville, et un archer nommé Blaybourne. *(N.d.T.)*

zwei, drei… À quatre, le serpent effarouché a vivement pivoté la tête et l'a mordu. Entre quatre et cinq il a resserré son emprise. Désormais, certains criaient : « Par le sang du Christ, lâchez-le ! » Certains priaient et certains juraient, d'autres continuaient simplement de compter. Le serpent avait l'air malade ; quand ils ont tous atteint dix, et pas avant, il a doucement reposé l'animal enroulé sur lui-même et l'a laissé onduler vers son avenir.

Il n'y avait pas de douleur, mais on distinguait clairement la morsure. Instinctivement, il l'a goûtée, mordant presque son propre poignet. Il a observé avec surprise la chair intime, blanche, anglaise, à l'intérieur de son bras ; il a vu les étroites veines bleu-vert dans lesquelles le serpent avait injecté son venin.

Il a récupéré ses gains et attendu de mourir, mais il n'est pas mort. En fait, il est devenu plus fort, plus prompt à se cacher et à frapper. Il n'était pas un intendant milanais qui pût hurler plus fort que lui, pas un capitaine bernois vendu qui ne reculât face à sa sinistre réputation d'homme prompt à faire couler le sang d'abord et à négocier ensuite. Cette nuit il fait chaud, c'est juillet ; il dort ; il rêve. Quelque part en Italie, un serpent a des enfants. Il appelle ses enfants Thomas ; ils ont dans la tête des images de la Tamise, de berges boueuses et basses hors de portée des marées, hors de portée des flots.

Le lendemain matin lorsqu'il se réveille, Liz est toujours endormie. Les draps sont moites. Elle est brûlante et rouge, son visage aussi doux que celui d'une jeune fille. Il embrasse la naissance de ses cheveux. Elle a un goût de sel. Elle murmure : « Préviens-moi quand tu rentreras.

— Liz, je ne pars pas, répond-il. Je ne pars pas avec Wolsey. »

Il la laisse. Son barbier vient le raser. Il voit ses propres yeux dans un miroir brillant. Ils ont l'air vivants ; des yeux de serpent. Quel rêve étrange, se dit-il.

Lorsqu'il descend au rez-de-chaussée il croit voir Liz le suivre. Il croit voir l'éclat de son bonnet blanc. Il se retourne et dit : « Liz, retourne te coucher… » Mais elle n'est pas là. Il s'est trompé. Il récupère ses papiers et se rend à Gray's Inn.

Ce sont les vacances. L'heure n'est pas aux discussions juridiques ; on parle de textes, de l'endroit où se trouve Tyndale (quelque part en Allemagne), et le problème le plus pressant est un collègue avocat (qui dira qu'il n'a rien à faire à Gray's Inn ?) nommé Thomas Bilney, qui est également prêtre et membre de Trinity Hall. On l'appelle « Petit Bilney » à cause de sa petite taille et de son allure de ver ; il se tortille sur un banc et parle de sa mission auprès des lépreux.

« Les Saintes Écritures sont, à mes yeux, aussi douces que le miel, dit Bilney en remuant son maigre postérieur et en agitant ses jambes rabougries. Je m'enivre de la parole divine.

— Pour l'amour de Dieu, s'écrie Cromwell. N'allez pas croire que vous pouvez sortir en rampant de votre trou sous prétexte que le cardinal est absent. Car maintenant l'évêque de Londres a les mains libres, sans parler de notre ami à Chelsea.

— Messes, jeûnes, vigiles, pardons… autant de dogmes inutiles, déclare Bilney. Tout ce qu'il reste à faire, en vérité, c'est aller à Rome et en discuter avec Sa Sainteté. Je suis sûr qu'elle se ralliera à ma façon de penser.

— Vous croyez votre point de vue original, n'est-ce pas ? dit-il d'une voix sombre. Tout ce qu'il a d'original, père Bilney, c'est que vous pensez pouvoir convaincre le pape. »

Il sort en s'exclamant, en voici un qui se jettera au feu si on l'y invite. Messieurs, soyez prudents avec lui.

Il n'emmène pas Rafe à ces réunions. Il n'exposera aucun membre de sa maison à une compagnie dangereuse. La maison Cromwell est aussi orthodoxe que toutes les autres à Londres, et aussi pieuse. Ils doivent être, dit-il, irréprochables.

Le restant de la journée n'est pas inoubliable. Il serait rentré de bonne heure s'il n'avait pas prévu de rencontrer, dans l'enclave allemande, le Steelyard, un homme de Rostock venu avec un ami de Szczecin qui a offert de lui enseigner des bases de polonais.

C'est pire que le gallois, déclare-t-il à la fin de la soirée. Je vais devoir beaucoup m'entraîner. Venez chez moi un de ces jours, suggère-t-il. Prévenez-nous à l'avance et nous mettrons des harengs à mariner ; sinon, ce sera à la fortune du pot.

Il y a quelque chose qui cloche quand vous arrivez chez vous au crépuscule mais que des torches brûlent. L'air est doux et vous vous sentez si bien quand vous entrez, vous vous sentez jeune, intact. Et alors vous voyez les visages consternés ; ils se détournent à votre vue.

Mercy vient se poster devant lui, mais aujourd'hui le monde est sans merci.

« Dites-moi », implore-t-il.

Elle détourne les yeux lorsqu'elle dit, je suis sincèrement désolée.

Il croit qu'il s'agit de Gregory ; il croit que son fils est mort. Puis il commence à comprendre, car où est Liz ? Il supplie : « Dites-moi.

— Nous vous avons cherché. Nous avons dit, Rafe, va voir s'il est à Gray's Inn, ramène-le, mais les gardiens ont affirmé ne pas vous avoir vu de la journée. Rafe a dit, faites-moi confiance, je vais le trouver, même si je dois parcourir toute la ville : mais nulle trace de vous. »

Il se rappelle ce matin : les draps moites, son front moite. Liz, songe-t-il, n'as-tu pas lutté ? Si j'avais vu ta mort arriver, je lui aurais enfoncé le crâne ; je l'aurais crucifiée sur le mur.

Les petites filles sont toujours debout, bien qu'on leur ait passé une chemise de nuit, comme si c'était un soir ordinaire. Elles ont les jambes et les pieds nus, et leurs bonnets de nuit, des bonnets ronds en dentelle confectionnés par leur mère, ont été noués sous leur menton par une main déterminée. Le visage d'Anne est comme de la pierre. Elle serre la main de Grace. Grace lève les yeux vers lui, dubitative. Elle ne le voit presque jamais ; pourquoi est-il ici ? Mais elle lui fait confiance et le laisse, sans protester, la soulever et la prendre dans ses bras. Sur son épaule elle s'endort aussitôt, les bras passés autour de son cou, le sommet de sa tête sous son menton.

« Allons, Anne, dit-il, maintenant nous devons mettre Grace au lit, car elle est petite. Je sais que tu n'es pas encore prête à dormir, mais tu dois aller te coucher avec elle, parce qu'elle risque de se réveiller et d'avoir froid.

— Moi aussi je risque d'avoir froid », répond Anne.

Mercy le précède jusqu'à la chambre des enfants. On couche Grace sans la réveiller. Anne pleure, mais elle pleure en silence. Je vais rester avec elles, dit Mercy, mais lui réplique : « Non, je vais rester. » Il attend que les larmes d'Anne cessent de couler et que sa main se détende dans la sienne.

Ces choses arrivent ; mais pas à nous.

« Maintenant laissez-moi voir Liz », dit-il.

La pièce – qui ce matin n'était que leur chambre – est emplie de l'odeur des herbes qu'on brûle pour prévenir la contagion. On a allumé des cierges à sa tête et à ses pieds. On a enveloppé sa mâchoire de linges, si bien qu'elle ne se ressemble déjà plus. Elle ressemble aux morts ; elle semble sans peur, et prête à vous juger ; elle semble plus plate et plus morte que les cadavres qu'il a vus sur les champs de bataille, avec leurs entrailles qui débordaient de leur ventre.

Il redescend pour qu'on lui fasse le récit de ses derniers instants, pour s'occuper de la maisonnée. À dix heures ce matin, explique Mercy, elle s'est assise : Jésus, je suis si lasse. Au beau milieu de la journée. Ça ne me ressemble pas, n'est-ce pas ? J'ai posé la main sur son front et j'ai dit, Liz, ma chère… Je lui ai dit, étends-toi, mets-toi au lit, tu dois te débarrasser de cette fièvre. Elle a répondu, non, laissez-moi quelques minutes, j'ai la tête qui tourne, peut-être ai-je besoin de manger un petit quelque chose, mais nous nous sommes assises à table et elle a repoussé sa nourriture…

Il aimerait qu'elle écourte son récit, mais il comprend

son besoin de le raconter dans le détail, moment après moment, de le dire à haute voix. C'est comme si elle empaquetait des mots, pour les lui offrir : tenez, ils sont à vous maintenant.

À midi Elizabeth s'est couchée. Elle frissonnait, pourtant sa peau était brûlante. Elle a demandé, Rafe est-il à la maison ? Dites-lui d'aller chercher Thomas. Et Rafe est parti, et d'autres personnes l'ont imité, mais ils ne vous ont pas trouvé.

À midi et demi, elle a dit, dites à Thomas de s'occuper des enfants. Et après ? Elle s'est plainte de maux de tête. Mais rien à mon intention, pas de message ? Non ; elle a dit qu'elle avait soif. Rien de plus. Mais bon, Liz ne parlait jamais beaucoup.

À une heure, elle a demandé un prêtre. À deux heures, elle s'est confessée. Elle a dit qu'elle avait un jour ramassé un serpent, en Italie. Le prêtre a affirmé que c'était la fièvre qui parlait. Il lui a donné l'absolution. Et il avait hâte, dit Mercy, il avait hâte de sortir de la maison tant il avait peur d'attraper la contagion et de mourir.

À trois heures de l'après-midi, elle a décliné. À quatre heures, elle a déposé le fardeau de cette vie.

Je suppose, dit-il, qu'elle voudra être enterrée avec son premier mari.

Qu'est-ce qui vous fait croire ça ?

Parce que je suis arrivé après. Il s'éloigne. Inutile de rédiger les recommandations habituelles concernant les habits de deuil, les prieurs, les cierges. Comme toutes les victimes de la maladie, Liz doit être enterrée rapidement. Il n'aura pas le temps de faire venir Gregory ni de rassembler la famille. La règle veut qu'on accroche une botte de paille à la porte de la maison en signe d'infection, puis qu'on y restreigne l'accès pendant quarante jours, et qu'on sorte aussi peu que possible.

Mercy entre dans la pièce et déclare, une fièvre, ce pourrait être n'importe quelle fièvre, nous ne sommes pas forcés d'admettre qu'elle a transpiré... Si tout le monde restait chez soi, Londres serait paralysée.

« Non, répond-il. Nous devons le faire. Son Excellence le cardinal a instauré ces règles et il ne serait pas convenable de ma part de les ignorer. »

Mercy demande, mais où étiez-vous ? Il scrute son visage ; il dit, connaissez-vous le Petit Bilney ? J'étais avec lui ; je l'ai prévenu, j'ai dit qu'il se jetterait au feu.

Et après ? Après, j'ai appris le polonais.

Bien sûr. C'est bien vous, dit-elle.

Elle ne s'attend pas à comprendre. Lui pense déjà comprendre tout ce qu'il y a à comprendre. Il connaît l'intégralité du Nouveau Testament par cœur, mais il doit trouver un passage. Un passage pour l'occasion.

Plus tard, quand il repensera à ce matin-là, il voudra apercevoir de nouveau l'éclat de ce bonnet blanc ; même si lorsqu'il s'est retourné il n'y avait personne. Il aimerait se la représenter avec l'activité et la chaleur de la maison derrière elle, debout à la porte, disant : « Préviens-moi quand tu rentreras. » Mais il n'arrive qu'à se la représenter seule, à la porte ; et derrière elle tout est désert, baigné d'une lumière bleutée.

Il pense au soir de leur mariage ; sa robe de taffetas à traîne, la façon dont elle se tenait timidement les coudes. Le lendemain elle a dit : « Bon, tout va bien. »

Et elle a souri. C'est tout ce qu'elle lui a laissé. Liz qui ne parlait jamais beaucoup.

Pendant un mois il est cantonné chez lui : il lit. Il lit son testament, même s'il sait déjà ce qu'il dit. Il lit Pétrarque qu'il adore, la manière dont il a défié les médecins : quand ils l'ont condamné, il a survécu, et quand ils sont revenus le lendemain, il était assis en train d'écrire. Le poète n'a plus jamais fait confiance à un seul médecin après ça ; mais Liz est partie trop vite pour recevoir les conseils d'un médecin, bon ou mauvais, ou pour que l'apothicaire vienne avec sa cannelle, son galanga, son armoise, ses cartes sur lesquelles sont imprimées des prières.

Il a le livre de Nicolas Machiavel, *Le Prince* ; c'est une édition latine, grossièrement imprimée à Naples et qui semble être passée entre de nombreuses mains. Il pense à Nicolas sur le champ de bataille ; Nicolas dans la salle de torture. Il a l'impression d'être lui-même dans la salle de torture, mais il sait qu'un jour il trouvera la porte de sortie, car c'est lui qui a la clé. Quelqu'un lui demande, qu'y a-t-il dans votre petit livre ? et lui répond, quelques aphorismes, quelques truismes, rien que nous ne sachions déjà.

Chaque fois qu'il lève les yeux de son livre, Rafe Sadler est là. Rafe est un garçon frêle, et le grand jeu de Richard et des autres est de faire mine de ne pas le voir et de dire : « Je me demande où est Rafe ? » Ils sont aussi ravis de cette plaisanterie que des enfants de trois ans. Les yeux de Rafe sont bleus, ses cheveux, châtain roux, et il est impossible de le prendre pour un Cromwell. Mais il est néanmoins à l'image de l'homme qui l'a élevé : tenace, sardonique, vif d'esprit.

Rafe et lui lisent un livre sur les échecs. C'est un livre qui a été imprimé avant sa naissance, mais il comporte des images. Ils les étudient en plissant les yeux, perfectionnant leurs mouvements. Pendant ce qui semble des heures, ni l'un ni l'autre ne bouge.

« J'ai été idiot, dit Rafe, l'index posé sur un pion. J'aurais dû vous trouver. Quand ils ont dit que vous n'étiez pas à Gray's Inn, j'aurais dû savoir où vous étiez.

— Comment aurais-tu pu le savoir ? Je n'ai pas l'habitude d'être là où je ne suis pas censé être. Vas-tu déplacer ce pion ou vas-tu te contenter de le tapoter ?

— J'adoube*. »

Rafe ôte vivement la main.

Pendant un long moment ils observent leurs pièces, la configuration qui les empêche d'avancer. Ils voient le pat arriver.

« Nous sommes trop bons l'un pour l'autre.

— Peut-être devrions-nous jouer contre d'autres adversaires.

— Plus tard. Quand nous pourrons les battre tous. »

Rafe s'exclame : « Ah, attendez ! »

Il saisit son cavalier et le fait bondir. Puis il observe le résultat, atterré.

« Rafe, tu es *foutu**.

— Pas nécessairement. » Rafe se masse le front. « Vous pourriez encore faire une erreur.

— C'est ça. L'espoir fait vivre. »

Des voix murmurent. Le soleil brille au-dehors. Il sent qu'il pourrait presque dormir, mais quand il dort, Liz Wykys revient, joyeuse et animée, et à son réveil il doit réapprendre son absence.

Dans une pièce distante un enfant pleure. Des bruits de pas au-dessus. Les pleurs cessent. Il soulève son roi et en examine la base, comme pour voir comment il est fabriqué. Il murmure : « *J'adoube*[*]. » Il le repose à sa place initiale.

Anne Cromwell est assise avec lui tandis que la pluie tombe, elle rédige ses devoirs de latin dans son cahier. À la Saint-Jean elle connaît tous les verbes courants. Elle est plus rapide que son frère et il le lui dit. « Laisse-moi voir », demande-t-il en tendant la main vers le cahier. Il découvre alors qu'elle a écrit son nom encore et encore. « Anne Cromwell, Anne Cromwell… »

De France arrive la nouvelle des triomphes du cardinal, de parades, de messes publiques et de discours improvisés en latin. Il semblerait que, sitôt débarqué, il se soit tenu devant chaque hôtel de Picardie et ait accordé aux fidèles la rémission de leurs péchés. Ce qui fait quelques milliers de Français prêts à repartir de zéro.

Le roi est principalement à Beaulieu, une maison dans l'Essex qu'il a récemment achetée à sir Thomas Boleyn, qu'il a fait vicomte de Rochford. Toute la journée il chasse, sans se laisser décourager par le temps pluvieux. Le soir il reçoit. Le duc de Suffolk et le duc de Norfolk se joignent à lui lors de soupers privés qu'ils partagent avec le nouveau vicomte. Le duc de Suffolk est son vieil ami, et si le roi disait, tricotez-moi des ailes pour que je puisse voler, l'autre répondrait, de quelle couleur ? Le duc de Norfolk est, bien sûr, le chef de la famille Howard et le beau-frère de Boleyn : un petit nerveux agité qui ne pense qu'à son intérêt.

Cromwell n'écrit pas au cardinal pour lui confirmer que tout le monde en Angleterre dit que le roi compte épouser Anne Boleyn. Comme il n'a pas l'information qu'attend Wolsey, il n'écrit rien. Il demande à ses employés de le faire à sa place, pour tenir le cardinal au courant de ses affaires juridiques, de ses finances. Dites-lui que nous nous portons tous bien, dit-il. Faites-lui part de mon respect et de mon obligeance. Dites-lui combien nous aimerions le revoir.

Personne d'autre à la maison ne tombe malade. Cette année Londres s'en tire à bon compte – c'est du moins ce que tout le monde prétend. Des prières d'action de grâce sont prononcées dans les églises de la ville ; ou peut-être devrait-on les appeler des prières d'apaisement ? Dans les petits conclaves qui se réunissent le soir, on s'interroge sur les mobiles de Dieu. Londres sait qu'elle vit dans le péché. Comme nous l'enseigne la Bible : « Un marchand pourra difficilement se retenir de mal agir. » Et ailleurs il est dit : « Celui qui se hâtera d'être riche ne sera pas innocent. » C'est le signe sûr d'un esprit troublé, cette manie des citations. « Celui que le Seigneur aime, Il le corrige. »

Au début du mois de septembre, l'épidémie a passé son chemin et la famille peut se réunir pour prier pour Liz. Maintenant elle a droit aux cérémonies qui lui ont été refusées quand elle les a quittés si brusquement. Des manteaux noirs sont donnés à douze hommes pauvres de la paroisse, ceux-là même qui auraient suivi son cercueil ; et chaque homme de la famille a promis sept années de messes pour son âme. Le jour désigné, le ciel s'éclaircit brièvement, et l'air est un peu frais. « La moisson est passée, l'été est terminé, et nous ne sommes pas sauvés. »

La petite Grace se réveille en pleine nuit et dit qu'elle voit sa mère dans son linceul. Elle ne pleure pas comme une enfant, avec de gros sanglots bruyants, mais comme une femme adulte, des larmes d'effroi.

« Toutes les rivières se jettent dans la mer, mais la mer n'est pas encore pleine. »

Morgan Williams se rabougrit d'année en année. Aujourd'hui particulièrement, il semble petit, gris, épuisé, tandis qu'il agrippe le bras de Cromwell et demande : « Pourquoi les meilleurs partent-ils toujours les premiers ? Hein, pourquoi ? » Puis : « Je sais que tu étais heureux avec elle, Thomas. »

Ils sont de retour à Austin Friars, une nuée de femmes, d'enfants et d'hommes robustes à qui le deuil permet rarement de quitter leur habituelle tenue noire, la tenue des avocats et des marchands, des comptables et des courtiers. Il y a sa sœur, Bet Wellyfed ; ses deux garçons, sa fille Alice. Et il y a Kat. Ses sœurs ont la tête sur les épaules et elles décident qui va emménager dans la maison pour aider Mercy avec les fillettes, « jusqu'à ce que tu te remaries, Tom ».

Ses deux petites nièces continuent de serrer leur chapelet. Elles regardent autour d'elles, se demandant ce qu'elles sont censées faire. Ignorées par les adultes qui parlent au-dessus de leur tête, elles s'adossent au mur et se lancent de petits coups d'œil. Lentement, elles se laissent glisser vers le sol, dos droit, jusqu'à avoir la taille de fillettes de deux ans, et se balancent sur leurs talons. « Alice ! Johane ! » s'écrie quelqu'un. Lentement, elles se redressent, la mine grave, et retrouvent leur taille normale. Grace s'approche d'elles ; silencieusement, elles la piègent, lui ôtent son bonnet, agitent ses cheveux blonds et commencent à les tresser. Pendant que ses beaux-frères parlent de ce que le cardinal fait en France, Cromwell porte son attention sur Grace. Elle écarquille les yeux alors que ses cousines lui tirent les cheveux en arrière. Sa bouche s'ouvre tandis qu'elle halète en silence, comme un poisson. Quand un petit cri lui échappe, c'est la sœur aînée de Liz, elle aussi prénommée Johane, qui traverse la pièce, la soulève et la prend dans ses bras. En la regardant, il songe, comme il l'a souvent fait, que les deux sœurs se ressemblent : se ressemblaient.

Sa fille Anne tourne le dos aux femmes, se glisse entre les bras de son oncle.

« Nous parlons du commerce des Pays-Bas, lui dit Morgan.

— Une chose est certaine, mon oncle, ils ne seront pas heureux à Anvers si Wolsey signe un traité avec les Français.

— C'est ce que nous disons à ton père. Mais, que veux-tu, il soutient le cardinal. Allons, Thomas ! Tu n'aimes pas plus les Français que nous. »

Il sait, contrairement à eux, combien le cardinal a besoin de l'amitié du roi François ; si aucune grande puissance d'Europe n'accepte de lui parler, comment le roi obtiendra-t-il son divorce ?

« Un traité de paix perpétuelle ? Voyons voir, quand a eu lieu la dernière paix perpétuelle ? Je lui donne trois mois. »

C'est son beau-frère Wellyfed qui parle, en riant ; et John Williamson, le mari de Johane, demande s'ils sont prêts à parier : trois mois, six ? Puis il se souvient que l'occasion est solennelle.

« Désolé, Tom », dit-il, et il est pris d'une quinte de toux.

La voix de Johane la recouvre : « Si le vieux parieur

175

continue de tousser ainsi, l'hiver l'achèvera, et alors je t'épouserai, Tom.

— Vraiment ?

— Oh, certainement. Si j'obtiens le bon bout de papier de Rome. »

Les invités sourient et dissimulent leur sourire. Ils se lancent des regards entendus. Gregory demande, qu'y a-t-il de drôle ? On ne peut pas épouser la sœur de sa femme, si ? Il se retire avec ses cousins dans un coin pour discuter de sujets privés. Ses cousins sont les fils de Bet, Christopher et Will, et ceux de Kat, Richard et Walter. Pourquoi ont-ils appelé cet enfant Walter ? Avaient-ils besoin de se rappeler leur père, même après sa mort, pour qu'il les empêche d'être parfaitement heureux ? La famille ne se réunit jamais, mais il remercie Dieu que Walter ne soit plus là. Il se dit qu'il devrait être plus bienveillant envers son père, mais sa bienveillance se limite aux messes qu'il finance pour le salut de son âme.

L'année qui a précédé son retour définitif en Angleterre, il a traversé et retraversé la mer, indécis ; il avait tant d'amis à Anvers, sans compter de bons contacts d'affaires, et plus la ville s'étendait chaque année, plus elle semblait être l'endroit où il fallait être. Mais si un pays lui manquait, c'était bien l'Italie : la lumière, la langue, Tommaso comme on l'appelait là-bas. Venise l'avait guéri de sa nostalgie des rives de la Tamise. Florence et Milan avaient développé son agilité intellectuelle. Mais quelque chose l'attirait – l'envie de savoir qui était mort et qui était né, le besoin de revoir ses sœurs et de rire de leur enfance –, on trouve toujours le moyen de rire de son enfance. Il a donc écrit à Morgan Williams pour lui annoncer, j'envisage d'aller à Londres. Mais ne le dis pas à mon père. Ne lui dis pas que je rentre.

Durant les premiers mois ils ont tenté de l'amadouer. Écoute, Walter s'est assagi, tu ne le reconnaîtrais pas. Il s'est calmé avec la boisson. Évidemment, il savait que ça le tuait. Il évite les tribunaux ces temps-ci. Il a même exercé en tant que bedeau.

Quoi ? s'est-il exclamé. Et il ne s'est pas soûlé au vin de messe ? Il ne s'est pas enfui avec le produit de la vente des cierges ?

Rien de ce qu'ils disaient ne pouvait le convaincre de retourner à Putney. Il a attendu plus d'une année, jusqu'à être mari et père. Alors il s'est senti suffisamment en sécurité pour y aller.

Ça faisait plus de douze ans qu'il avait quitté l'Angleterre et il avait été surpris par la façon dont les gens avaient changé. Il les avait quittés jeunes, et ils s'étaient adoucis ou endurcis avec l'âge. Les potelés l'étaient encore plus. Les traits fins s'étaient estompés. Les yeux vifs étaient plus ternes. Il y avait même des gens qu'il ne reconnaissait pas, du moins pas au premier coup d'œil.

Mais il aurait reconnu Walter n'importe où. Tandis que son père marchait vers lui, il se disait, je me vois, dans vingt, trente ans, si tout se passe bien. On disait que l'alcool l'avait presque tué, mais il semblait loin d'être mourant. Il était comme il avait toujours été : capable de vous assommer, et peut-être disposé à le faire. Son petit corps puissant s'était élargi et épaissi. Ses épais cheveux bouclés avaient à peine une touche de gris. Son regard vous transperçait ; de petits yeux vifs d'un brun doré. Il faut de bons yeux dans une forge, disait-il souvent. Il faut de bons yeux où qu'on soit, sinon on se fait dépouiller.

« Où étais-tu ? » a demandé Walter.

Alors qu'il aurait autrefois parlé avec colère, il semblait désormais simplement agacé. C'était comme si son fils était allé porter un message à Mortlake et avait pris son temps pour rentrer.

« Oh… ici et là, a-t-il répondu.

— Tu as une allure d'étranger.

— Je suis un étranger.

— Alors, qu'est-ce que tu as fait ? »

Il s'est imaginé disant : « Ceci et cela », et c'est ce qu'il a dit.

« Et quel genre de ceci et cela fais-tu désormais ?

— J'apprends le droit.

— Le droit ! s'est écrié Walter. S'il n'y avait pas ce soi-disant droit, nous serions des seigneurs. Des seigneurs du manoir. Avec tout un tas de propriétés dans la région. »

C'est, pense-t-il, une idée intéressante. Si on devenait seigneur en se battant, en hurlant, en étant plus grand, plus fort, plus hardi et plus éhonté que les autres, alors Walter devrait être lord. Mais c'est pire que ça ; Walter croit mériter le titre. Il lui a répété pendant toute son enfance : les Cromwell étaient jadis une famille riche, nous avions des propriétés. « Quand ? Où ? » demandait-il. Et Walter répondait : « Quelque part là-haut dans le nord ! » et il lui hurlait dessus sous prétexte qu'il chicanait. Son père n'aimait pas qu'on mette sa parole en doute, même quand il mentait effrontément. « Alors comment sommes-nous tombés si bas ? » demandait-il, et Walter répondait que c'était la faute des avocats et des escrocs, des avocats qui sont tous des escrocs et qui dépouillent les propriétaires de leurs terres. Comprends-le si tu peux, disait Walter, parce que moi, je n'y arrive pas – et je ne suis pas idiot, mon garçon. Comment osent-ils me traîner au tribunal sous prétexte que je laisse mes bêtes sur le soi-disant terrain communal ? Si chacun avait ce qu'il mérite, ce terrain m'appartiendrait.

Mais si les terres de la famille sont dans le Nord, comment pourrait-il t'appartenir ? Inutile de poser cette question – de fait, ce serait le meilleur moyen de goûter aux poings de Walter. « Mais n'y avait-il pas d'argent ? insistait-il. Où est-il passé ? »

Juste une fois, alors qu'il était sobre, Walter a dit une chose qui semblait vraie, d'un ton qui se voulait éloquent : je suppose, a-t-il dit, je suppose qu'on a tout dilapidé. Et je suppose que quand y en a plus, y en a plus. Je suppose que la fortune, quand elle est perdue, elle revient jamais.

Il y a souvent repensé au fil des années. Et le jour où il est retourné à Putney, il lui a demandé : « Si les Cromwell étaient riches et que j'essayais de récupérer ce qui reste, cela te satisferait-il ? »

Son ton se voulait apaisant, mais Walter était difficile à apaiser.

« Ah oui, pour partager le magot, je suppose ? Avec toi et ce foutu Morgan avec qui tu t'entends si bien. C'est mon argent, un point c'est tout.

— Ce serait l'argent de la famille. » Pourquoi nous querellons-nous, pensait-il, à propos d'une fortune qui n'existe pas ? « Tu as désormais un petit-fils. » Puis il a ajouté, dans sa barbe : « Et tu ne t'approcheras pas de lui.

— Oh, j'en ai déjà, a répondu Walter. Des petits-fils. Elle est quoi, hollandaise ? »

Il lui a parlé de Liz Wykys, admettant par là même occasion qu'il avait été en Angleterre suffisamment longtemps pour se marier et avoir un enfant.

« Tu t'es dégoté une riche veuve, a répliqué Walter en ricanant. Je suppose que c'était plus important que venir me voir. Ça m'étonne pas. Je suppose que tu me croyais mort. Avocat, hein ? Tu as toujours été un bavard. Une claque sur la bouche ne suffisait pas à te faire taire.

— Et Dieu sait que tu as essayé.

— Je suppose que tu ne serais plus prêt à travailler à la forge. Ni à aider ton oncle John et à dormir au milieu des navets.

— Pour l'amour de Dieu, père, a-t-il répliqué, on ne mangeait pas de navets à Lambeth Palace[1]. Il n'y avait que le cardinal Morton qui en mangeait ! Qu'est-ce que tu crois ? »

Quand il était enfant et que son oncle John travaillait comme cuisinier pour le grand homme, il avait l'habitude de s'enfuir à Lambeth Palace car il avait plus de chances d'y trouver à manger. Il s'attardait près de l'entrée la plus proche de la rivière – Morton n'avait pas encore fait bâtir sa grande porte à l'époque – et il regardait les gens aller et venir, demandant qui ils étaient et les reconnaissant la fois suivante à la couleur de leurs vêtements ou grâce aux animaux et aux objets peints sur leurs boucliers.

---

1. Résidence londonienne officielle de l'archevêque de Canterbury. John Morton fut nommé archevêque de Canterbury en 1486, et ne devint cardinal qu'en 1493. *(N.d.T.)*

« Ne traîne pas là sans rien faire, lui criait-on, rends-toi utile ! »

D'autres enfants se rendaient utiles dans la cuisine en portant diverses charges, en plumant des oiseaux chanteurs et en équeutant des fraises avec leurs petits doigts. À l'heure du dîner les domestiques formaient une procession dans les couloirs qui desservaient les cuisines, apportant les nappes et la grande salière. Son oncle John mesurait les pains, et s'ils n'étaient pas parfaits il les plaçait dans un panier pour les domestiques. Ceux qui passaient le test avec succès étaient comptés au fur et à mesure ; et c'est ainsi, tandis qu'il faisait mine d'être son assistant, qu'il avait appris à compter. Les viandes et les fromages, les fruits confits et les gaufrettes aux épices étaient portés dans la grande salle, à la table de l'archevêque – il n'était pas encore cardinal. Quand les restes revenaient, ils étaient répartis. Le premier choix était pour le personnel de cuisine. Puis on donnait à l'hospice et à l'hôpital, aux mendiants qui attendaient dehors. Ce que même eux ne voulaient pas était pour les enfants et les cochons.

Chaque matin et chaque soir les garçons gravissaient l'escalier de derrière pour aller mettre la bière et le pain dans les placards à l'intention des jeunes pages du cardinal. Les pages étaient des gentilshommes de bonne famille. Ils servaient à table et côtoyaient donc intimement de grands hommes. Ils les entendaient parler et apprenaient beaucoup. Quand ils ne servaient pas, ils étudiaient les imposants volumes prêtés par leurs professeurs, qui arpentaient la maison en portant de petits bouquets et des sachets parfumés, qui parlaient grec. L'un des pages lui avait été désigné : maître Thomas More, dont l'archevêque disait qu'il serait lui-même un grand homme, tant ses connaissances était déjà vastes et son esprit plaisant.

Un jour que Cromwell s'était attardé après avoir rangé une miche de pain au froment dans un placard, maître Thomas avait demandé : « Pourquoi traînes-tu ici ? », mais il ne lui avait rien jeté à la figure. « Qu'y a-t-il dans ce magnifique livre ? » avait-il alors demandé, et maître Thomas avait répondu en souriant : « Des mots, des mots, rien que des mots. »

Maître More a quatorze ans cette année, dit-on, et il doit aller à Oxford. Il ne sait pas où se trouve Oxford, ni s'il veut y aller. Mais peut-être y sera-t-il envoyé de force. Les jeunes garçons n'ont pas toujours le choix ; et maître Thomas n'est pas encore un homme.

Quatorze, c'est deux fois sept. Ai-je sept ans ? demande-t-il. Ne te contente pas de me dire oui. Dis-moi si j'ai sept ans. Son père s'écrie, pour l'amour de Dieu, Kat, invente-lui un anniversaire. Dis-lui n'importe quoi, mais fais-le taire.

Quand son père dit, j'en ai assez de te voir, il quitte Putney et se rend à Lambeth. Quand l'oncle John dit, nous avons déjà trop de garçons cette semaine, et l'oisiveté est la mère de tous les vices, il retourne à Putney. Parfois il rapporte un cadeau à la maison. Parfois c'est une paire de pigeons attachés par les pattes, bec ouvert et ensanglanté. Il marche le long de la rivière en les faisant tournoyer au-dessus de sa tête, et on dirait qu'ils volent, jusqu'à ce que quelqu'un lui crie, arrête de faire ça ! Il ne peut rien faire sans que quelqu'un lui crie dessus. Faut-il s'en étonner, dit John, avec ta manie de faire des bêtises, de répondre, d'être là où tu ne devrais pas être ?

Dans une petite pièce froide proche de la cuisine,

il y a une femme nommée Isabelle. Elle fabrique des figurines en pâte d'amande avec lesquelles l'archevêque et ses amis s'amusent à créer de petites saynètes après le dîner. Certaines représentent des héros, comme le prince Alexandre, le prince César. D'autres, des saints : aujourd'hui je fais un saint Thomas, dit-elle. Un jour elle fabrique des animaux en pâte d'amande et lui donne un lion. Tu peux le manger, dit-elle ; il préférerait le garder, mais Isabelle dit qu'il tombera bientôt en morceaux. Elle lui demande : « N'as-tu pas de mère ? »

Il a appris à lire à partir des commandes de farine et de haricots secs, d'orge et d'œufs de canard, qui sont adressées à l'intendant. Pour Walter, savoir lire sert à profiter de ceux qui ne savent pas lire ; pour le même motif, il faut apprendre à écrire. Alors son père l'envoie au prêtre. Mais une fois encore il fait tout de travers, car les prêtres ont des règles très étranges : il doit venir spécialement pour sa leçon, et non en passant tandis qu'il se rend ailleurs ; il ne doit pas avoir de crapaud dans son sac, ni de couteaux à aiguiser ; et il ne doit pas avoir de coupures ni de bleus à cause des portes (des portes nommées Walter) auxquelles il se cogne constamment. Le prêtre crie et oublie de lui donner à manger, alors il retourne à Lambeth.

Les jours où il réapparaît à Putney, son père demande, par tous les saints où étais-tu ? Sauf lorsqu'il est occupé à l'intérieur avec une femme. Certaines femmes durent si peu de temps que son père les a mises à la porte avant même que son fils soit rentré, mais Kat et Bet lui en parlent, riant aux larmes. Un jour qu'il rentre, sale et trempé, la femme qui se trouve là demande : « À qui est ce garçon ? » et tente de le mettre dehors à coups de pied.

Un jour, alors qu'il est presque à la maison, il trouve la première Bella dans la rue, et il voit que personne ne veut d'elle. Elle n'est pas plus longue qu'un rat et est si effrayée et transie qu'elle ne gémit même pas. Il la ramène à la maison en la portant dans une main, tenant dans l'autre un petit fromage enveloppé dans des feuilles de sauge.

La chienne meurt. Sa sœur dit, tu pourras toujours en prendre un autre. Il cherche dans la rue mais n'en trouve pas. Il y a bien des chiens, mais ils appartiennent tous à quelqu'un.

Le trajet de Lambeth à Putney peut être long, et parfois il mange le cadeau en route, tant que ce n'est pas quelque chose de cru. Mais si on ne lui a donné qu'un chou, il donne des coups de pied dedans, le fait rouler et tape dessus jusqu'à ce qu'il soit totalement, totalement détruit.

À Lambeth il suit les intendants partout, et quand ils disent un chiffre il le retient ; ainsi en vient-on à dire, si tu n'as pas le temps de le noter, dis-le au neveu de John. Il jette un coup d'œil à telle ou telle provision qui a été commandée, puis avertit au besoin son oncle qu'il ferait bien de vérifier qu'on ne les a pas trompés sur le poids.

Le soir à Lambeth, quand il fait encore jour et que toutes les casseroles ont été récurées, les garçons vont jouer au football sur les pavés. Leurs cris s'élèvent dans les airs. Ils jurent et se bousculent, et tant que quelqu'un ne leur a pas hurlé d'arrêter, ils se battent avec leurs poings et se mordent parfois. De la fenêtre ouverte à l'étage s'échappe la polyphonie que les jeunes gentilshommes entonnent d'une voix aiguë et appliquée.

Parfois le visage de maître Thomas More apparaît. Cromwell lui fait signe de la main, mais maître Thomas regarde sans les reconnaître les enfants en contrebas. Il sourit avec indifférence ; sa main blanche d'érudit referme le volet. La lune se lève. Les pages regagnent leurs lits gigognes. Les enfants des cuisines s'enveloppent dans de grands sacs et dorment près du foyer.

Il se souvient d'une nuit d'été où les enfants qui jouaient au football s'étaient tenus en silence, levant les yeux vers le ciel. C'était le crépuscule. La note d'une flûte à bec tremblotait dans l'air, fine et perçante. Un merle l'avait reprise dans un buisson près de la rivière. Puis c'était un batelier qui l'avait sifflée à son tour depuis son embarcation.

1527 : dès son retour de France, le cardinal organise des banquets. Des ambassadeurs français sont attendus pour apposer leur sceau à son concordat. Rien, dit-il, rien ne sera trop somptueux pour eux.

La cour quitte Beaulieu le 27 août. Peu après, Henri rencontre le cardinal, c'est leur premier face-à-face depuis début juin. « Vous entendrez dire que le roi m'a reçu froidement, déclare Wolsey, mais c'est un mensonge. Elle – lady Anne – était présente… c'est vrai. »

À première vue, sa mission a été en grande partie un échec. Les cardinaux ont refusé de le rencontrer en Avignon, prétextant qu'il faisait trop chaud dans le Sud. « Mais maintenant, dit-il, j'ai un meilleur plan.

Je vais demander au pape de m'envoyer un colégat, et je soumettrai l'affaire du roi en Angleterre. »

Pendant que vous étiez en France, annonce Cromwell, ma femme Elizabeth est morte.

Le cardinal lève les yeux. Il porte les mains à son cœur. Sa main droite descend lentement vers le crucifix qu'il porte autour du cou. Il demande comment c'est arrivé. Il écoute. Son pouce va et vient sur le corps torturé de Dieu : encore et encore, comme si c'était un simple bout de métal. Il baisse la tête. Il murmure : « Car le Seigneur châtie ceux qu'Il aime… » Ils restent silencieux. Pour rompre le silence, il commence à poser au cardinal des questions sans intérêt.

Il n'a pas réellement besoin d'un compte rendu des négociations de l'été qui vient de s'écouler. Le cardinal a promis de financer une armée française qui ira en Italie et tentera d'expulser l'empereur. Le pape, qui a non seulement perdu le Vatican, mais également les États pontificaux, et qui a vu les membres de la famille Médicis se faire renvoyer de Florence, en sera reconnaissant envers le roi Henri. Mais pour ce qui est d'un rapprochement à long terme avec les Français, lui, Cromwell, partage le scepticisme de ses amis en ville. Si vous vous êtes déjà trouvé dans les rues de Paris ou de Rouen et avez vu une mère tirer son enfant par la main en menaçant : « Arrête de brailler, ou je vais chercher un Anglais », vous êtes enclin à croire que tout accord entre ces deux pays sera pour la forme et éphémère. On ne pardonnera jamais aux Anglais le talent pour la destruction qu'ils ont manifesté chaque fois qu'ils ont quitté leur île. Les armées anglaises ont dévasté les contrées qu'elles ont traversées. Quasi systématiquement, elles ont commis tous les actes proscrits par le code de la chevalerie et enfreint chacune des règles de la guerre. Les batailles n'étaient rien ; c'est ce qu'elles ont fait entre les batailles qui a marqué les esprits. Les soldats ont volé et violé à des dizaines de kilomètres à la ronde durant leur progression. Ils ont brûlé les récoltes dans les champs, et les maisons avec les habitants à l'intérieur. Ils ont accepté des pots-de-vin en espèces et en nature, et dès qu'ils campaient quelque part ils forçaient chaque jour les gens à payer pour qu'on ne leur fasse pas de mal. Ils ont tué des prêtres et les ont pendus nus sur les places des villages. Tels des infidèles, ils ont pillé les églises, emporté les calices dans leurs bagages, alimenté leurs feux avec des livres précieux ; ils ont dispersé les reliques et dépouillé les autels. Ils ont traqué les familles des morts et exigé des rançons ; si les vivants ne pouvaient pas payer, ils brûlaient les cadavres sous leurs yeux, sans cérémonie, sans une prière, se débarrassant des corps comme on le ferait des carcasses d'un troupeau malade.

Face à cette situation, les rois peuvent se pardonner ; les peuples, plus difficilement. Il ne le dit pas à Wolsey, que d'autres mauvaises nouvelles attendent. Durant son absence, le roi a envoyé son propre émissaire à Rome pour des négociations secrètes. Le cardinal l'a découvert ; et ça n'a rien donné, naturellement. « Mais si le roi est moins franc avec moi, ça n'aidera pas notre cause. »

Il n'a jamais jusqu'alors observé de telles manigances. De fait, le roi sait que son affaire a peu de chances d'être résolue légalement. Il le sait, mais il ne veut pas le savoir. Dans son esprit, il s'est convaincu qu'il n'a jamais été marié et qu'il est désormais libre d'épouser qui lui plaît. Il connaît le droit canon, et ce qu'il ignorait, il l'a appris. Henri, en tant que frère cadet, était destiné à occuper les plus hautes fonctions au sein de l'Église. « Si le frère de Sa Majesté avait vécu, dit Wolsey, alors c'est Sa Majesté qui aurait été cardinal, et pas moi. Voilà qui donne à réfléchir. Savez-vous, Thomas, que je n'ai pas eu une journée de repos depuis… depuis que j'ai pris le bateau, je pense. Depuis le jour où j'ai eu le mal de mer, quand nous avons quitté Douvres. »

Ils ont déjà traversé ensemble la mer étroite. Le cardinal était allongé dans la cale, s'en remettant à Dieu, tandis que Cromwell, habitué à la traversée, avait passé son temps sur le pont, dessinant les voiles et les gréements, esquissant des navires imaginaires avec des gréements imaginaires, et tentant de persuader le capitaine – « sans vouloir vous offenser », avait-il précisé – qu'il était possible d'aller plus vite.

Le capitaine avait réfléchi et répliqué :

« Quand vous équiperez votre propre navire marchand, vous pourrez naviguer à votre guise. Bien sûr, n'importe quel navire chrétien vous prendra pour des pirates, alors n'allez pas demander de l'aide quand vous rencontrerez des difficultés. Les marins, avait-il expliqué, n'aiment pas la nouveauté.

— Personne ne l'aime, avait répondu Cromwell. Pour autant que je puisse en juger. »

Il ne peut pas y avoir de nouveauté en Angleterre. Il peut y avoir de vieilles choses présentées sous un jour nouveau, ou de nouvelles choses faisant mine d'être anciennes. Pour qu'on lui fasse confiance, un homme nouveau doit s'inventer un pedigree ancien, comme Walter, ou entrer au service de vieilles familles.

N'essayez pas de vous lancer seul, ou on vous prendra pour un pirate.

Maintenant que le cardinal est de retour sur la terre ferme, Cromwell se rappelle cette traversée. Il attend que l'ennemi approche, et que s'engage le combat à mains nues.

Mais pour le moment il descend aux cuisines, curieux de voir où en sont les chefs-d'œuvre censés impressionner les émissaires français. Les cuisiniers ont placé le clocher sur leur cathédrale Saint-Paul en pâte de sucre, mais ils ont du mal avec la croix et la boule sur le dôme. Il dit : « Faites des lions en pâte d'amande, le cardinal en veut. »

Eux roulent les yeux et disent, cela ne s'arrêtera-t-il donc jamais ?

Depuis qu'il est rentré de France leur maître fait preuve d'une aigreur inhabituelle. Ce ne sont pas simplement les échecs flagrants qui le mettent de mauvaise humeur, mais les intrigues en coulisse. Des pamphlets et des calomnies ont été imprimés à son encontre, et il a eu beau les acheter tous le plus vite possible, il y en avait toujours de nouveaux pour prendre le relais. Tous les voleurs de France ont semblé s'intéresser à ses bagages ; à Compiègne, bien que sa vaisselle d'or ait été gardée nuit et jour, un petit garçon a été découvert montant et descendant l'escalier de derrière et passant les assiettes à quelque grand voleur qui l'avait entraîné.

« Que s'est-il passé ? L'avez-vous attrapé ?

— Le voleur a été mis au pilori. Le garçon s'est enfui. Puis un soir, une canaille s'est glissée dans ma chambre et a gravé quelque chose dans le mur près de la fenêtre… »

Et le lendemain matin, un rai de lumière fendant la brume et la pluie avait illuminé une potence, à laquelle pendait un chapeau de cardinal.

Encore une fois, l'été a été pluvieux. Il pourrait jurer qu'il n'y a jamais eu de soleil. La récolte sera gâchée. Le roi et le cardinal échangent des recettes de remèdes. Le roi renonce aux affaires de l'État de crainte de s'enrhumer, et se prescrit une journée de musique et de promenade – si la pluie cesse – dans ses jardins. L'après-midi, Anne et lui se retirent dans un endroit privé. La rumeur dit qu'elle l'autorise à la déshabiller. Le soir, le bon vin leur tient chaud, et Anne, qui lit la Bible, relève à son intention les commandements sacrés les plus fondamentaux. Après le souper il est pensif, il dit qu'il suppose que le roi de France se moque de lui ; qu'il suppose que l'empereur se moque également. Une fois la nuit tombée, le roi se meurt d'amour. Il est mélancolique, parfois inaccessible. Il boit et dort comme une masse, seul ; à son réveil, comme il est fort et jeune, il a les idées claires et il est optimiste, prêt pour la journée qui commence. De jour, il a bon espoir pour sa cause.

Le cardinal ne s'arrête pas de travailler s'il est malade. Il s'installe à son bureau et reste là à éternuer, à souffrir, à se plaindre.

Avec le recul, il est aisé d'identifier le moment où a commencé son déclin, mais sur le coup ce n'était pas si facile. Regardez en arrière, et vous vous rappelez avoir été en mer. L'horizon qui s'affaissait de façon vertigineuse, et la côte qui était perdue dans la brume.

Octobre arrive, et ses sœurs aidées de Mercy et Johane emportent les habits de sa femme défunte et les découpent soigneusement pour créer de nouveaux motifs. Rien n'est gaspillé. Chaque bon morceau de tissu est transformé en autre chose.

À Noël la cour chante :

> Quand le houx devient vert
> Et ne change plus de teinte
> Je reste moi aussi, comme toujours,
> Fidèle à ma femme.
>
> Le houx devient vert, de même que le lierre.
> Bien que les rafales d'hiver soufflent si haut.
>
> Quand le houx devient vert
> Avec le lierre seul,
> Quand les fleurs ne peuvent être vues
> Et que les feuilles de la forêt ont disparu,
> Le houx devient vert.[1]

Printemps 1528 : Thomas More, allant d'un pas tranquille, avenant, miteux.

« Tiens, tiens, dit-il. Thomas, Thomas Cromwell. Précisément l'homme que je veux voir. » Il est avenant, toujours avenant ; le col de sa chemise est sale. « Allez-vous à Francfort cette année, maître Cromwell ? Non ? Je pensais que le cardinal vous enverrait peut-être à la foire, afin de vous mêler aux libraires hérétiques. Il dépense beaucoup d'argent pour acheter leurs écrits, mais le déluge d'ordures ne faiblit jamais. »

---

1. Tiré de *Green Groweth the Holly*, chant de Noël écrit par Henri VIII. *(N.d.T.)*

More, dans ses pamphlets contre Luther, traite les Allemands de merdes. Il dit que sa bouche est comme l'anus du monde. On ne s'attendrait pas à de tels mots de la part de Thomas More, mais il les prononce pourtant. Personne n'a rendu la langue latine plus obscène.

« Pas vraiment mon affaire, répond Cromwell, les livres d'hérétiques. Les hérétiques étrangers sont le problème des étrangers. L'Église est universelle.

— Oh, mais une fois que ces hommes arrivent à Anvers, vous savez... Quelle ville ! Pas d'évêque, pas d'université, pas de vrai haut lieu du savoir pour empêcher la prolifération de prétendues traductions, des traductions des textes saints qui, d'après moi, sont malveillantes et délibérément mensongères... Mais vous le savez, bien entendu, vous avez passé quelques années là-bas. Et maintenant Tyndale a été vu à Hambourg, dit-on. Vous le reconnaîtriez, n'est-ce pas, si vous le voyiez ?

— L'évêque de Londres aussi. Et vous aussi, probablement.

— Certes. Certes. » More réfléchit. Il se mordille la lèvre. « Et vous me direz, eh bien, ce n'est pas le travail d'un avocat de traquer les traductions trompeuses. Mais j'espère trouver un moyen de poursuivre les frères pour sédition, voyez-vous ? » *Les frères*, dit-il ; sa petite plaisanterie ; il dégouline de mépris. « S'il y a un crime contre l'État, nos traités entrent en vigueur, et je peux les faire extrader. Pour qu'ils répondent d'eux-mêmes devant une juridiction plus sévère.

— Avez-vous trouvé une marque de sédition dans les écrits de Tyndale ?

— Ah, maître Cromwell ! » More se frotte les mains. « Vous me réjouissez, sincèrement. Grâce à vous, maintenant je me sens comme doit se sentir une noix de muscade quand on la râpe. Un homme moins subtil – un avocat moins subtil – aurait dit : "J'ai lu le travail de Tyndale, et je n'y trouve rien à redire." Mais Cromwell ne trébuchera pas – il préfère me retourner la question et me demander, avez-*vous* lu Tyndale ? Et je l'avoue. J'ai étudié ses écrits. J'ai disséqué ses prétendues traductions, et je l'ai fait lettre par lettre. Je le lis, bien sûr que je le lis. Avec l'autorisation de mon évêque.

— Il est dit dans le Siracide, "celui qui touche la poix s'englue". À moins qu'il ne s'appelle Thomas More.

— Allons bon, je savais que vous lisiez la Bible ! Très pertinent. Mais si un prêtre entend une confession, et que le sujet est licencieux, cela fait-il du prêtre un individu licencieux ? » Pour se distraire, More ôte son chapeau et le triture d'un air absent entre ses mains ; il le plie en deux ; ses yeux vifs et fatigués regardent autour d'eux, comme s'il craignait d'être contredit de toutes parts. « Et je crois que le cardinal de York lui-même a autorisé ses jeunes théologiens de Cardinal College à lire les pamphlets sectaires. Peut-être vous a-t-il également accordé une dérogation. Est-ce le cas ? »

Ce serait étrange que le cardinal accorde une dérogation à son avocat ; mais le travail des avocats est un travail étrange.

« Nous tournons en rond », dit-il.

More lui fait un sourire radieux.

« Eh bien, après tout, c'est le printemps. Nous danserons bientôt tous autour du mât de mai. Le temps est idéal pour un voyage en mer. Vous pourriez saisir l'opportunité pour faire un peu de commerce de laine, à moins que vous ne préfériez tondre les hommes ces temps-ci ? Et si le cardinal vous demandait d'aller à Francfort, je suppose que vous iriez ? Quand il veut démolir un petit monastère dont il pense qu'il dispose de bons revenus, que ses moines sont vieux et, Dieu les bénisse, qu'ils n'ont plus toute leur tête ; quand il croit que les granges sont pleines et que les mares regorgent de poissons, que le bétail est gras et les abbés, vieux et maigres… vous y allez, Thomas Cromwell. Nord, sud, est ou ouest. Vous et vos petits apprentis. »

Si n'importe quel autre homme disait ça, ce serait le signe qu'il cherche la bagarre. Mais sitôt ces paroles prononcées, Thomas More l'invite à dîner.

« Venez à Chelsea, dit-il. La conversation est excellente, et nous aimerions que vous y contribuiez. Notre nourriture est simple, mais savoureuse. »

Tyndale affirme que Dieu prend autant de plaisir à voir un garçon qui fait la vaisselle dans une cuisine qu'un prédicateur à un pupitre ou un apôtre sur les côtes de Galilée. Peut-être, songe Cromwell, ne mentionnerai-je pas l'opinion de Tyndale.

More lui tapote le bras.

« N'avez-vous pas le projet de vous remarier, Thomas ? Non ? C'est peut-être sage. Mon père dit toujours, choisir une femme, c'est comme enfoncer la main dans un sac plein de créatures visqueuses comprenant une anguille et six serpents. Quelles sont les chances d'attraper l'anguille ?

— Votre père s'est marié, quoi, trois fois ?

— Quatre. » Il sourit. Le sourire est sincère. Le coin de ses yeux se plisse. « À votre service, Thomas », dit-il en s'éloignant.

Quand la première épouse de More est morte, sa remplaçante était dans la maison avant que le corps soit froid. More aurait voulu être prêtre, mais l'appel de la chair était trop fort. Comme il ne voulait pas être un mauvais prêtre, il est devenu un mari. Il est tombé amoureux d'une fille de seize ans, mais sa sœur, âgée de dix-sept ans, n'était pas encore mariée ; il a donc pris l'aînée pour ne pas la vexer. Il ne l'aimait pas ; elle ne savait ni lire ni écrire ; il espérait pouvoir y remédier, mais apparemment non. Il a essayé de lui faire apprendre les sermons par cœur, mais elle bredouillait et s'obstinait dans son ignorance ; il l'a ramenée chez son père, qui a suggéré de la battre, ce qui l'a tellement effrayée qu'elle a juré de ne plus se plaindre. « Et elle ne l'a plus jamais fait, dira More. Mais elle n'a pas non plus appris les sermons. » Il semblait néanmoins satisfait de ces négociations : l'honneur était sauf. La femme obstinée lui a donné des enfants, et quand elle est morte à vingt-quatre ans, il a épousé une veuve de la ville, plus âgée, et tout aussi têtue : encore une qui ne savait pas lire. Moralité : si vous avez la faiblesse de vouloir vivre avec une femme, pour le repos de votre âme, faites-le avec une femme que vous n'aimez vraiment pas.

Le cardinal Campeggio, que le pape envoie en Angleterre à la demande de Wolsey, était marié avant de devenir prêtre. Il est donc l'homme idéal pour aider Wolsey – qui n'a naturellement aucune expérience des questions maritales – à contrecarrer les désirs du roi. Bien que l'armée impériale se soit retirée de Rome, un printemps de négociations a échoué à produire le moindre résultat définitif. Stephen Gardiner est allé à Rome avec une lettre du cardinal qui faisait l'éloge de lady Anne et tentait de convaincre le pape que le roi ne l'avait pas choisie par obstination ni par caprice. Le cardinal avait longuement travaillé à la lettre, énumérant ses vertus, la rédigeant de sa propre main. « Modestie féminine… chasteté… puis-je dire chasteté ?

— Vous feriez mieux. »

Le cardinal avait levé les yeux.

« Vous savez quoi ? » Il avait hésité, puis était retourné à sa lettre. « Apte à avoir des enfants ? Enfin, sa famille est fertile. Fille de l'Église aimante et fidèle… peut-être une exagération… on dit qu'elle a les Saintes Écritures en français dans sa chambre, et qu'elle laisse ses femmes les lui lire, mais je n'ai aucune preuve de cela…

— Le roi François autorise la Bible en français. Elle a appris les Saintes Écritures là-bas, je suppose.

— Ah, mais les femmes, vous savez. Les femmes qui lisent la Bible, voilà encore un sujet de discorde. Sait-elle quelle est, selon le frère Martin, la place d'une femme ? Il affirme que nous ne devons pas pleurer si notre femme ou notre fille meurt en couches, car elle fait simplement ce pour quoi Dieu l'a conçue. Très dur, le frère Martin, très intraitable. Et peut-être ne lit-elle pas la Bible. Peut-être est-ce une calomnie. Peut-être a-t-elle simplement perdu patience avec les hommes d'Église. J'aimerais qu'elle ne me blâme pas pour ses difficultés. Qu'elle me blâme moins. »

Lady Anne envoie des messages amicaux au cardinal, mais il ne croit pas en sa sincérité.

« Si, avait dit Wolsey, je sentais qu'une annulation est envisageable, j'irais au Vatican en personne, je me ferais ouvrir les veines et autoriserais qu'on rédige les documents avec mon sang. Pensez-vous, si Anne savait cela, qu'elle serait satisfaite ? Non, je ne crois pas, mais si vous voyez quiconque de la famille Boleyn, faites-lui la proposition. Au fait, je suppose que vous connaissez un certain Humphrey Monmouth ? C'est l'homme qui a logé Tyndale pendant six mois avant qu'il s'enfuie Dieu sait où. On dit qu'il continue de lui envoyer de l'argent, mais cela ne peut être vrai, car comment saurait-il où l'envoyer ? Monmouth… Je mentionne simplement son nom. Mais, tiens… pourquoi donc ? » Le cardinal avait fermé les yeux. « Sans raison particulière. »

L'évêque de Londres a déjà rempli ses geôles. Il enferme les luthériens et les sectaires dans les prisons de Newgate et de Fleet, avec les criminels ordinaires. Ils y restent jusqu'à ce qu'ils abjurent leur foi et se repentent en public. S'ils récidivent, ils sont brûlés ; il n'y a pas de deuxième chance.

Quand la maison de Monmouth est fouillée, elle est vidée de tous les écrits suspects qu'elle contient. Mais c'est presque comme s'il avait été prévenu. Aucun livre ni aucune lettre ne le relient à Tyndale et à ses amis. Il est tout de même emmené à la Tour. Sa famille est terrifiée. Monmouth est un homme doux et paternel, un maître drapier très apprécié dans sa guilde et dans la ville en général. Il aime les pauvres et achète de l'étoffe même quand le marché va mal, pour que les tisserands aient toujours du travail. Son emprisonnement est censé le briser, et son affaire commence à péricliter. Mais ils sont forcés de le relâcher, faute de preuves, parce qu'on ne peut rien faire d'un tas de cendre dans une cheminée.

Monmouth lui-même serait un tas de cendres, si ça dépendait de Thomas More.

« Toujours pas venu nous voir, maître Cromwell ? dit-il. Toujours au pain sec ? Allons, je plaisante. Nous devons être amis, vous savez ? » Ça ressemble à une menace. More s'éloigne en secouant la tête : « Nous devons être amis. »

Des cendres, du pain sec. L'Angleterre a toujours été, affirme le cardinal, un pays malheureux qui abrite un peuple exclu et abandonné, un peuple qui avance lentement vers sa délivrance et auquel Dieu inflige des souffrances spéciales. Si l'Angleterre est la victime de quelque châtiment divin, ou de quelque sort diabolique, il semblerait depuis quelque temps que le merveilleux roi et son merveilleux cardinal aient rompu la malédiction. Mais ces années bénies touchent à leur fin, et cet hiver la mer va geler ; ceux qui la verront s'en souviendront toute leur vie.

Johane a emménagé dans la maison d'Austin Friars avec son mari John Williamson et sa fille, la petite Johane – Jo, comme l'appellent les enfants, vu qu'elle est trop petite pour avoir droit à un prénom complet. Cromwell a besoin de John Williamson pour ses affaires.

« Thomas, demande Johane, en quoi consiste exactement ton métier ces temps-ci ? »

En le faisant parler elle le retient un peu.

« Notre métier, répond-il, est de rendre les gens riches. Il y a de nombreuses façons d'y parvenir, et John va m'aider.

— Mais John n'aura pas à traiter avec monseigneur le cardinal, n'est-ce pas ? »

La rumeur dit que des gens – des gens influents – se sont plaints auprès du roi, et que le roi s'est plaint à Wolsey, à propos des maisons monastiques qu'il a fait fermer. Ils ne pensent pas à la bonne utilisation que le cardinal a faite de leurs richesses ; ils ne pensent pas à ses universités, aux érudits qu'il entretient, aux bibliothèques qu'il fonde. Ils ne sont intéressés que par leur part du gâteau. Et comme ils ont été écartés des transactions, ils font mine de croire que les moines ont été jetés à la rue nus et désespérés. Ce qui est faux. Ils ont été transférés ailleurs, dans des maisons plus grandes et mieux gérées. Certains des plus jeunes, des garçons qui n'avaient pas la vocation, ont été libérés de leurs obligations. En les interrogeant, il découvre généralement qu'ils sont parfaitement ignorants, alors même que les abbayes prétendent être des centres du savoir. Ils peuvent ânonner une prière en latin, mais si vous leur demandez : « Dites-moi ce qu'elle signifie », ils répondent : « Ce qu'elle signifie, maître ? » comme s'ils croyaient que le lien entre les mots et leur signification était si ténu qu'il risquait de se rompre à la moindre tentative d'explication.

« Ne te soucie pas de ce que disent les gens, dit-il à Johane. J'assume la responsabilité, seul. »

Le cardinal a reçu les plaintes avec une morgue absolue. Il a sombrement noté dans son dossier le nom des plaignants. Puis il a tiré la liste du dossier et l'a tendue à son fidèle serviteur, avec un sourire crispé. Tout ce qui l'intéresse, ce sont ses nouveaux bâtiments, ses bannières qui flottent, ses armoiries gravées dans la brique, ses érudits d'Oxford ; il pille Cambridge pour faire venir à Cardinal College les jeunes docteurs les plus brillants. Il y a eu des problèmes avant Pâques, quand le doyen a trouvé six des nouveaux arrivants en possession de livres interdits. Enfermez-les, bien entendu, a dit Wolsey, enfermez-les et raisonnez-les. S'il ne fait pas trop chaud, je viendrai peut-être les raisonner moi-même.

Inutile d'expliquer ça à Johane. Elle veut seulement savoir que son mari est hors de portée des calomnies qui fusent en ce moment.

« Tu sais ce que tu fais, je suppose. » Ses yeux se lèvent vivement. « Du moins, Tom, c'est toujours l'impression que tu donnes. »

Sa voix, le bruit de ses pas, ses sourcils arqués, ses sourires entendus, tout en elle lui rappelle Liz. Parfois il se retourne, croyant que Liz vient d'entrer dans la pièce.

Le nouvel arrangement trouble Grace. Elle sait que le premier mari de sa mère s'appelait Tom Williams ; son nom est mentionné dans les prières qu'on dit à la maison. L'oncle Williamson est-il donc son fils ? demande-t-elle.

Johane tente de lui expliquer.

« Ne vous fatiguez pas », conseille Anne. Elle se tapote la tête. Ses petits doigts brillants rebondissent sur les minuscules perles de son bonnet. « Un peu lente », dit-elle.

Plus tard, il la réprimande : « Grace n'est pas lente, elle est simplement jeune.

— Je ne me rappelle pas avoir été aussi idiote.

— Tout le monde est lent, sauf nous deux ? C'est ça ? »

Le visage d'Anne dit, plus ou moins, oui, c'est ça.

« Pourquoi les gens se marient-ils ? demande-t-elle.

— Pour avoir des enfants.

— Les chevaux ne se marient pas. Mais ils ont des poulains.

— La plupart des gens, explique-t-il, estiment que ça les rend plus heureux.

— Oh, oui, je vois, dit Anne. Puis-je choisir mon mari ?

— Bien sûr », répond-il.

Il pense, dans une certaine mesure.

« Alors je choisis Rafe. »

Pendant quelques instants, il envisage un avenir heureux. Puis il songe, mais comment demander à Rafe d'attendre ? Il a besoin de fonder son propre foyer. Et même dans cinq ans, Anne sera une très jeune mariée.

« Je sais, dit-elle. Et le temps passe si lentement. »

C'est vrai ; il semblerait qu'on attende toujours quelque chose.

« On dirait que tu as pensé à tout », dit-il.

Inutile de lui expliquer les choses, garde tes conseils pour toi, elle en sait déjà bien assez ; inutile de louvoyer avec cette enfant comme avec la plupart des femmes. Elle n'est pas comme une fleur, un rossignol : elle est comme... comme un marchand aventurier, pense-t-il. Un regard dans les yeux pour bien saisir vos intentions, et un marché conclu d'une tape dans la main.

Elle ôte son bonnet, tourne les minuscules perles entre ses doigts ; elle tire sur un de ses cheveux sombres et l'arrache. Elle attrape le reste de sa chevelure, la tourne et l'enroule autour de son cou.

« Je pourrais faire deux tours, dit-elle, si mon cou était plus fin. » Elle semble agitée. « Grace croit que je ne peux pas épouser Rafe parce que nous sommes parents. Elle croit que toutes les personnes qui vivent sous le même toit sont cousins.

— Tu n'es pas la cousine de Rafe.

— Vous en êtes sûr ?

— J'en suis sûr. Anne... remets ton bonnet. Que va dire ta tante ? »

Elle fait une grimace. Une grimace qui imite sa tante Johane quand elle murmure : « Oh, Thomas, tu es toujours si sûr de tout ! »

Il met la main devant sa bouche pour cacher son sourire. L'espace d'un instant, il se fait moins de souci pour Johane.

« Remets ton bonnet », dit-il doucement.

Elle le repose sèchement sur sa tête. Elle est si petite, songe-t-il ; mais pourtant, un casque lui irait mieux. « Comment Rafe est-il arrivé ici ? » demande-t-elle.

Il est arrivé de l'Essex, car c'est là que son père se trouvait à l'époque. Son père Henry était l'intendant de sir Edward Belknap, qui était un cousin de la famille Grey, et donc apparenté au marquis de Dorset. Et le marquis était le protecteur de Wolsey quand le cardinal étudiait à Oxford. Donc oui, il y a bien une histoire de cousins. Par ailleurs, alors qu'il n'était rentré en Angleterre que depuis un an ou deux, Cromwell était déjà bien vu du cardinal, même s'ils ne s'étaient encore jamais rencontrés ; c'était déjà un homme qu'il pouvait être utile d'employer. Il travaillait pour la famille Dorset, s'occupant de plusieurs de leurs procès complexes. La vieille marquise lui demandait de lui trouver des rideaux de lit et des tapis. Envoyez ça. Soyez ici. Elle considérait tout le monde comme un laquais. Si elle voulait un homard ou un esturgeon, ou tout autre mets savoureux, elle le commandait. La marquise passait la main sur des soies florentines, poussant de petits glapissements de plaisir. « Vous les avez achetées, maître Cromwell, disait-elle. Et elles sont très belles. Votre prochaine tâche consiste à trouver comment les payer. »

Quelque part dans ce dédale d'obligations et de devoirs, il avait rencontré Henry Sadler et accepté de prendre son fils chez lui. « Enseignez-lui tout ce que vous savez », avait timidement suggéré Henry. Il s'était arrangé pour récupérer Rafe en revenant d'une affaire menée dans cette partie du pays, mais il avait choisi le mauvais jour : il y avait de la boue, une pluie battante, des nuages qui déferlaient de la côte. Il était à peine deux heures passées lorsqu'il avait pataugé jusqu'à la porte, mais il commençait déjà à faire sombre ; Henry Sadler avait dit, vous feriez mieux de rester, vous n'arriverez jamais à Londres avant la fermeture des portes. Je ferais mieux de rentrer ce soir, avait-il répondu. Je dois être au tribunal, et je dois aussi débarrasser lady Dorset de ses créanciers, et vous savez comment c'est... Madame Sadler avait jeté un regard inquiet dehors, puis s'était tournée vers son fils dont elle allait devoir se séparer, l'abandonnant, à l'âge de sept ans, aux intempéries et aux routes fangeuses.

Il n'y avait là rien de cruel, c'était l'habitude. Mais Rafe était si jeune qu'il trouvait ça presque cruel. Ses boucles de bébé avaient été coupées et ses cheveux roux se dressaient sur le sommet de son crâne. Sa mère et son père s'étaient agenouillés et l'avaient pris dans leurs bras. Puis ils l'avaient emmailloté dans de multiples couches d'étoffes rembourrées, de sorte que sa frêle silhouette avait pris les proportions d'un petit tonneau. Cromwell avait regardé l'enfant, puis la pluie au-dehors, et il avait pensé, j'aimerais parfois être au chaud et au sec comme les autres hommes ; comment y parviennent-ils quand je ne le peux jamais ? Madame Sadler s'était agenouillée et avait pris le visage de son fils entre ses mains. « Rappelle-toi tout ce que nous t'avons dit, avait-elle murmuré. Dis tes prières. Maître Cromwell, s'il vous plaît, assurez-vous qu'il dise ses prières. »

Quand elle avait relevé la tête, il avait vu que ses yeux étaient embués de larmes et que l'enfant affolé tremblait sous ses innombrables couches d'étoffes et était sur le point de hurler. Il avait alors saisi sa cape pour s'en couvrir les épaules et, dans ce geste, avait fait voler quelques gouttes d'eau de pluie, baptisant la scène.

« Alors, Rafe, qu'en penses-tu ? Si tu es un homme… » Il avait tendu sa main gantée. L'enfant s'était glissé dessous. « Voyons jusqu'où nous pourrons aller. »

Tout se passera si vite que tu n'auras pas le temps de regarder en arrière, avait-il songé. Le vent et la pluie avaient repoussé les parents à l'intérieur de la maison. Il avait hissé Rafe sur la selle. La pluie se jetait sur eux à l'horizontale. À l'approche de Londres, le vent était retombé. Il habitait dans Fenchurch Street à l'époque. À la porte, un serviteur avait tendu les bras pour saisir Rafe, mais Cromwell avait dit : « Nous autres, hommes noyés, resterons ensemble. »

L'enfant était devenu un poids mort dans ses bras, de la chair recroquevillée sous sept couches de laine trempée. Il avait placé Rafe devant le feu ; de la vapeur s'était élevée de son corps. Revigoré par la chaleur, l'enfant avait levé ses petits doigts glacés et timidement commencé à se désemmailloter. Où sommes-nous ? avait-il demandé, d'une voix claire et polie.

« Londres, avait-il répondu. Fenchurch Street. Notre maison. »

Il avait pris un linge et doucement ôté du visage de l'enfant les traces de la journée qui venait de s'écouler. Il lui avait frotté la tête. Les cheveux de Rafe s'étaient dressés en pointe sur sa tête. Liz était entrée dans la pièce.

« Seigneur, que vois-je : garçon ou hérisson ? »

Rafe s'était tourné vers elle. Il avait souri. Il dormait debout.

Quand la fièvre revient à l'été 1528, les gens disent, comme l'année précédente, qu'on ne l'attrapera pas si l'on n'y pense pas. Mais comment ne pas y penser ? Il envoie les filles hors de Londres ; d'abord à la maison de Stepney, puis plus loin. Cette fois la cour est touchée. Henri tente d'échapper à la contagion en se déplaçant régulièrement d'un pavillon de chasse à un autre. Anne est envoyée à Hever. La fièvre éclate dans la famille Boleyn et le père est le premier contaminé. Il survit ; l'époux de Mary, William Carey, décède. Anne tombe malade, mais on rapporte qu'elle est de nouveau sur pied après vingt-quatre heures. Cependant, la fièvre peut ravager l'apparence d'une femme. On ne sait pas ce qui serait pire pour elle, dit-il au cardinal.

Le cardinal répond : « Je prie pour la reine Catherine... et aussi pour cette chère lady Anne. Je prie pour les armées du roi François en Italie, pour qu'elles y rencontrent le succès, mais pas au point d'oublier qu'elles ont besoin de leur ami et allié, le roi Henri.

Je prie pour Sa Majesté et tous ses conseillers, et pour les bêtes dans les champs, et pour le Saint-Père et la Curie, que leurs décisions soient guidées de là-haut. Je prie pour Martin Luther, et pour tous ceux qui sont contaminés par son hérésie, et pour tous ceux qui la combattent, surtout le chancelier du duché de Lancaster, notre cher ami Thomas More. En dépit de ce que je vois autour de moi, je prie naïvement pour que la récolte soit bonne, et pour que la pluie cesse. Je prie pour tout le monde. Je prie pour tout. Voilà ce que c'est que d'être cardinal. Ce n'est que lorsque je dis au Seigneur : "Maintenant, Thomas Cromwell…", que Dieu me dit : "Wolsey, que t'ai-je dit ? Ne sais-tu donc pas quand baisser les bras ?" »

Quand l'infection atteint Hampton Court, le cardinal se coupe du monde. Seuls quatre serviteurs ont le droit de l'approcher. Lorsqu'il refait surface, il semble bel et bien avoir passé son temps à prier.

À la fin de l'été, quand elles reviennent à Londres, ses filles ont grandi, et les cheveux de Grace ont pâli au soleil. Elle est timide avec lui, et il se demande si elle ne l'associe plus désormais qu'à cette nuit où il l'a portée au lit, après la mort de sa mère. Anne dit, l'été prochain, quoi qu'il arrive, je préfère rester avec vous. La maladie a quitté la ville, mais les prières du cardinal ont rencontré un succès mitigé. La récolte est maigre ; les Français sont en mauvaise posture en Italie et leur commandant est mort de la peste.

L'automne arrive. Gregory s'apprête à retourner chez son tuteur. Il est clair qu'il n'en a aucune envie, et son fils demeure un mystère pour Cromwell. « Qu'y a-t-il ? lui demande-t-il. Qu'est-ce qui ne va pas ? » Le garçon refuse de répondre. Avec les autres, il est radieux et plein d'entrain, mais, avec son père, il est sur ses gardes et poli, comme s'il cherchait à maintenir une distance formelle entre eux. Il demande à Johane : « Gregory a-t-il peur de moi ? »

Aussi rapide qu'une aiguille dans un canevas, elle répond : « Pourquoi aurait-il peur ? Ce n'est pas un moine… » Puis elle s'adoucit. « Thomas, pourquoi te craindrait-il ? Tu es un bon père ; trop bon, à mon avis.

— S'il ne veut pas retourner auprès de son tuteur, je pourrais l'envoyer à Anvers chez mon ami Stephen Vaughan.

— Gregory ne sera jamais un homme d'affaires.

— Non. » On ne l'imagine pas négociant des taux d'intérêt avec l'un des agents des Fugger ou quelque employé méprisant des Médicis. « Alors que vais-je faire de lui ?

— Je vais te le dire : quand il sera prêt, fais-lui faire un bon mariage. Gregory est un gentilhomme. Ça crève les yeux. »

Anne souhaite apprendre le grec. Il se demande qui serait le meilleur professeur, se renseigne autour de lui. Il veut quelqu'un d'agréable, avec qui il pourra discuter pendant le souper, un jeune érudit qui vivra dans la maison. Il regrette le tuteur qu'il a choisi pour son fils et ses neveux, mais il est trop tard pour lui retirer les enfants. C'est un homme querelleur, et il y a eu un épisode désagréable quand l'un des garçons a mis le feu à sa chambre alors qu'il lisait au lit avec une bougie. « Ce n'est pas Gregory, au moins ? » a-t-il demandé ; mais le maître a semblé croire qu'il prenait l'affaire à la légère. Et il continue de lui envoyer des factures qu'il pense avoir déjà payées ; j'ai besoin d'un comptable pour la maison, songe-t-il.

Il s'assied à son bureau, sur lequel se dressent de hautes piles de croquis et de plans d'Ipswich et de Cardinal College, avec les devis d'artisans pour les projets de plantation de Wolsey. Il examine une cicatrice sur la paume de sa main ; c'est une vieille brûlure qui ressemble à un nœud de corde. Il songe à Putney. Il songe à Walter. Il songe à l'écart soudain d'un cheval nerveux, à l'odeur de la brasserie. Il songe à la cuisine à Lambeth, et au garçon aux cheveux filasse qui apportait les anguilles. Il se rappelle l'avoir attrapé par la tignasse et lui avoir plongé la tête dans une bassine, et l'avoir maintenue sous l'eau. Il se demande, ai-je vraiment fait ça ? Je me demande pourquoi. Le cardinal a probablement raison, rien ne pourra me racheter. Sa cicatrice le démange parfois ; elle est aussi dure qu'un bout d'os. Il songe, j'ai besoin d'un comptable. J'ai besoin d'un professeur de grec. J'ai besoin de Johane, mais qui dit que je peux avoir ce dont j'ai besoin ?

Il ouvre une lettre. Elle provient d'un prêtre nommé Thomas Byrd. Il est à court d'argent, et il semblerait que le cardinal lui en doive. Il le note, afin d'effectuer une vérification et de le payer au besoin, puis reprend la lettre. Deux hommes y sont mentionnés, deux érudits, Clerke et Sumner. Il connaît ces noms. Ce sont deux des six hommes qui se sont fait prendre à Oxford avec les livres luthériens. Enfermez-les et raisonnez-les, a dit le cardinal. Il tient la lettre entre ses mains et détourne les yeux. Il sait que quelque chose de terrible approche ; une ombre glisse sur le mur.

Il lit. Clerke et Sumner sont morts. Le cardinal devrait être informé, dit l'auteur de la lettre. Ne disposant d'aucun endroit sûr, le doyen a jugé bon de les enfermer dans les caves de l'université, les caves profondes et froides destinées au stockage du poisson. Mais même dans cet endroit silencieux, secret et glacial, l'épidémie de l'été est venue les chercher. Ils sont morts dans le noir et sans prêtre.

Tout l'été nous avons prié, mais pas assez. Le cardinal a-t-il tout simplement oublié ses hérétiques ? Je dois aller l'informer, songe-t-il.

C'est la première semaine de septembre. Son chagrin refoulé se transforme en colère. Mais à quoi lui sert la colère ? Elle aussi doit être refoulée.

Quand l'année s'achève enfin et que le cardinal lui demande : « Thomas, que puis-je vous offrir pour la nouvelle année ? » il répond : « Donnez-moi le Petit Bilney. » Et sans attendre la réponse du cardinal il ajoute : « Monseigneur, il a passé un an à la Tour. La Tour effraierait n'importe qui, mais Bilney est un homme timoré et de constitution fragile, et je crains qu'il soit sous garde stricte, et Votre Excellence se rappelle la façon dont sont morts Sumner et Clerke. Monseigneur, utilisez votre pouvoir, rédigez des lettres, adressez-vous au roi si besoin est. Faites-le libérer. »

Le cardinal se penche en arrière. Il joint le bout de ses doigts.

« Thomas, dit-il. Mon cher Thomas Cromwell. Soit. Mais le père Bilney doit retourner à Cambridge. Il doit abandonner son projet d'aller à Rome pour convaincre le pape de penser autrement. Les caves sont profondes sous le Vatican, et je n'aurai pas le bras assez long pour le sauver une fois qu'il sera là-bas. »

Il lui démange de dire : « Vous n'avez même pas eu le bras assez long pour sauver ceux qui étaient dans les caves de votre propre université. » Mais il se retient. Le cardinal lui accorde le droit de s'intéresser à l'hérésie. D'autant plus qu'il adore qu'on lui décortique les derniers livres interdits, et qu'on lui rapporte les ragots du Steelyard, où vivent les marchands allemands. Il est heureux de feuilleter un texte ou deux, et apprécie un débat après le souper. Mais tout point controversé doit être enveloppé encore et encore d'un mince filament de mots, un filament aussi fin qu'un cheveu coupé en quatre. Toute opinion dangereuse doit être tellement enveloppée d'excuses et de rires qu'elle en devient aussi lourde et inoffensive que les coussins sur lesquels ils sont assis. Il est vrai que lorsqu'il a appris les deux décès dans les caves, le cardinal a été ému aux larmes. « Comment ai-je pu ne pas savoir ? a-t-il dit. Ces braves jeunes gens ! »

Il a la larme facile depuis quelques mois, mais ça ne signifie pas qu'elles sont moins sincères ; d'ailleurs, il en essuie une en ce moment même, car il connaît l'histoire de Cromwell : le Petit Bilney à Gray's Inn, l'homme qui parlait polonais, les messagers qui ne l'ont pas trouvé, les fillettes hébétées, le visage d'Elizabeth Cromwell figé dans la sévérité de la mort. Il se penche au-dessus du bureau et dit : « Thomas, s'il vous plaît, ne désespérez pas. Il vous reste vos enfants. Et un jour peut-être souhaiterez-vous vous remarier. »

Je suis un enfant, songe-t-il, qui ne peut être consolé. Le cardinal pose la main sur la sienne. Les pierres étranges scintillent à la lumière, montrant leur profondeur ; un grenat comme une bulle de sang ; une turquoise à l'éclat argenté ; un diamant au scintillement gris-jaune, comme un œil de chat.

Il ne racontera jamais au cardinal ce qui s'est passé à l'automne avec Mary Boleyn, même s'il sera parfois tenté de le faire. Wolsey pourrait rire, il pourrait être scandalisé. Il doit lui transmettre le contenu, sans le contexte.

Automne 1528 : il est à la cour pour une affaire du cardinal. Mary court vers lui, soulevant ses jupes, découvrant une jolie paire de bas en soie verte. Sa sœur Anne la poursuit-elle ? Il attend de voir.

Elle s'arrête brusquement.

« Ah, c'est vous ! »

Il n'aurait pas cru que Mary le connaissait. Elle pose une main sur les boiseries, reprenant son souffle, et l'autre sur son épaule, comme s'il faisait partie du mur. Mary est toujours d'une beauté éblouissante ; blonde, des traits doux.

« Mon oncle, ce matin, dit-elle. Mon oncle Norfolk. Il pestait après vous. J'ai demandé à ma sœur, qui est cet homme effroyable, et elle a répondu…

— C'est celui qui ressemble à un mur ? »

Mary ôte sa main. Elle éclate de rire, rougit, et sa poitrine se soulève légèrement tandis qu'elle tente de retrouver son souffle.

« De quoi monsieur Norfolk se plaignait-il ?

— Oh… » Elle agite une main pour s'éventer. « Il disait, les cardinaux, les légats, ça n'a jamais été joyeux en Angleterre quand nous avons eu des cardinaux parmi nous. Il dit que le cardinal de York spolie les maisons nobles, il dit qu'il finira par avoir les pleins pouvoirs, et que les lords seront comme des écoliers qui ramperont en attendant la fessée. Mais inutile de prêter attention à ce que je dis… »

Elle semble fragile, n'a toujours pas retrouvé son souffle ; mais les yeux de Cromwell la poussent à parler. Elle lâche un petit rire et poursuit : « Mon frère George pestait aussi. Il disait que le cardinal de York était né dans un hôpital pour indigents et qu'il emploie un homme né dans le caniveau. Monsieur mon père a dit, allons, mon cher garçon, on ne perd rien à être exact : pas dans un caniveau, mais dans la cour d'une brasserie, je crois, car ce n'est certainement pas un gentilhomme. » Mary fait un pas en arrière. « Vous avez pourtant l'air d'un gentilhomme. J'aime votre velours gris, où l'avez-vous trouvé ?

— En Italie. »

Il a été promu en grade, il n'est plus un simple mur. La main de Mary se rapproche lentement ; absorbée, elle caresse l'étoffe.

« Pourriez-vous m'en donner un peu ? À moins que ce ne soit un peu sobre pour une femme ? »

Pas pour une veuve, songe-t-il. Cela doit se voir sur son visage car Mary dit : « C'est le problème, voyez-vous. William Carey est mort. »

Il baisse la tête très solennellement ; Mary l'inquiète.

« Il manque terriblement à la cour, dit-il. Comme il doit aussi vous manquer. »

Un soupir.

« C'était un homme bon. Étant donné les circonstances.

— Ç'a dû être difficile pour vous.

— Quand le roi a porté son attention sur Anne, il a pensé que, sachant comment on fait les choses en France, elle accepterait peut-être une... une certaine position à la cour. Et dans son cœur, comme il disait. Il prétendait qu'il abandonnerait toutes ses autres maîtresses. Les lettres qu'il a écrites, de sa propre main...

— Vraiment ? »

Le cardinal prétend toujours qu'il est impossible

de faire écrire une lettre au roi. Même à un autre roi. Même au pape. Même quand ça pourrait arranger sa situation.

« Oui, depuis l'été dernier. Il écrit et parfois, là où il devrait signer Henricus Rex… » Elle saisit sa main, la retourne et trace avec son index une forme dans sa paume. « Là où il devrait signer de son nom, à la place il dessine un cœur, et il note ses initiales à l'intérieur. Oh, vous ne devriez pas rire… » Elle-même ne peut se retenir de sourire. « Il dit qu'il souffre. »

Il voudrait demander, Mary, ces lettres, pouvez-vous les voler pour moi ?

« Ma sœur dit, nous ne sommes pas en France, et je ne suis pas une idiote comme toi, Mary. Elle sait que j'ai été la maîtresse d'Henri, et elle voit dans quelle situation je me retrouve. Elle en tire les leçons. »

Il retient presque son souffle ; mais elle se moque des conséquences et est bien décidée à vider son sac.

« Je vais vous dire, ils braveront l'enfer pour se marier. Ils en ont fait le serment. Anne dit qu'elle épousera le roi et qu'elle se moque que Catherine et tous les Espagnols finissent noyés dans la mer. Ce qu'Henri veut, il l'aura, et ce qu'Anne veut, elle l'aura, je peux l'affirmer car je les connais tous les deux mieux que personne. » Ses yeux sont doux et bordés de larmes. « Alors voilà pourquoi, dit-elle, pourquoi William Carey me manque, parce que maintenant elle est tout, et moi, je ne suis plus qu'une poussière qu'on peut balayer d'un revers de la main. Maintenant que je ne suis plus la femme de personne, ils peuvent me dire tout ce qu'ils veulent. Mon père dit que je suis une bouche à nourrir et mon oncle Norfolk me traite de catin. »

Comme si ce n'était pas lui qui avait fait de vous une catin, pense-t-il.

« Êtes-vous à court d'argent ?

— Oh, oui ! répond-elle. Oui, oui, oui, et personne n'y a songé ! Personne ne m'a jamais posé la question. J'ai des enfants. Vous le savez. J'ai besoin de... » Elle porte ses doigts à sa bouche pour l'empêcher de trembler. « Si vous voyiez mon fils... eh bien, pourquoi croyez-vous que je l'aie baptisé Henry ? Il aurait été le fils du roi, il lui aurait appartenu comme Richmond lui appartient, mais ma sœur l'a interdit. Et il fait tout ce qu'elle dit. Elle compte lui donner un prince elle-même, alors elle ne veut pas du mien dans sa nursery. »

Des rapports ont été envoyés au cardinal : l'enfant de Mary Boleyn est un garçon sain doté d'une chevelure d'un roux doré et d'un grand appétit. Elle a une fille, plus âgée, mais dans le contexte une fille n'intéresse pas grand monde. Il demande : « Quel âge a votre fils, lady Carey ?

— Trois ans en mars. Ma fille Catherine en a cinq. » Une fois de plus elle se touche les lèvres, consternée. « J'avais oublié... votre épouse est morte. Comment ai-je pu oublier ? » Comment le savez-vous, se demande-t-il, mais elle lui répond aussitôt. « Anne sait tout sur les gens qui travaillent pour le cardinal. Elle pose des questions et note les réponses dans un cahier. » Elle lève les yeux vers lui. « Et vous avez des enfants ?

— Oui... Savez-vous que personne ne me pose jamais cette question non plus ? » Il appuie son épaule contre le mur, et elle s'approche légèrement. Leurs visages s'adoucissent, leur désarroi laissant place à une expression complice. « J'ai un grand garçon, poursuit-il, il est à Cambridge avec un tuteur. J'ai une petite fille nommée Grace ; elle est jolie et a les cheveux blonds, alors que je suis brun... Mon épouse n'était pas une beauté, et je suis tel que vous me voyez. Et j'ai Anne, qui veut apprendre le grec.

— Juste ciel ! s'exclame-t-elle. Une femme qui parle grec, vous savez...

— Oui, mais elle dit : "Pourquoi la fille de Thomas More aurait-elle la prééminence ?" Elle connaît de très jolis mots, et elle les utilise tous.

— C'est votre préférée.

— Sa grand-mère vit avec nous, et la sœur de ma femme, mais ce n'est pas... Pour Anne, ce n'est pas l'idéal. Je pourrais l'envoyer dans une autre maison, mais... eh bien, son grec... et je la vois déjà à peine. » Il a l'impression de ne pas avoir autant parlé à quelqu'un, à part à Wolsey, depuis longtemps. « Votre père devrait vous pourvoir convenablement. Je demanderai au cardinal de lui parler. »

Ça devrait plaire au cardinal, songe-t-il.

« Mais il me faut un nouveau mari. Pour qu'ils cessent de m'injurier. Le cardinal peut-il procurer des maris ?

— Le cardinal peut tout faire. Quel genre de mari aimeriez-vous ? »

Elle réfléchit.

« Un qui s'occupera de mes enfants. Un qui tiendra tête à ma famille. Un qui ne mourra pas. »

Elle joint le bout de ses doigts.

« Vous devriez également demander quelqu'un de jeune et beau. Qui ne demande rien n'a rien.

— Vraiment ? J'ai été élevée dans la tradition inverse. »

Alors vous avez eu une éducation différente de celle de votre sœur, pense-t-il.

« Durant la mascarade, à York Place, vous vous souvenez... étiez-vous la Beauté ou la Gentillesse ?

— Oh... » Elle sourit. « Ça devait être il y a, quoi, sept ans ? Je ne me rappelle pas. Je me suis déguisée tant de fois.

— Bien sûr, vous êtes encore les deux.

— C'était la seule chose qui m'intéressait. Me déguiser. Mais je me souviens d'Anne. Elle était la Persévérance.

— C'est une vertu qui risque d'être particulièrement mise à l'épreuve. »

Le cardinal Campeggio est venu de Rome avec pour mission de faire obstruction. Faire obstruction et retarder. Éviter à tout prix d'avoir à prononcer un jugement.

« Anne passe son temps à écrire des lettres, ou dans son petit cahier. Elle marche de long en large, encore et encore. Quand elle voit mon père elle lève la paume d'un air de dire, ne me parle pas... et quand elle me voit, elle me pince. Comme... » Mary imite un léger pincement avec les doigts de sa main gauche. « Comme ça. » Elle passe sa main droite sur sa gorge jusqu'à atteindre le petit creux frémissant au-dessus de sa clavicule. « Là, dit-elle. Parfois j'ai un bleu. Elle veut me défigurer.

— J'en parlerai au cardinal, dit-il.

— Merci. »

Elle attend. Il doit partir. Il a à faire.

« Je ne veux plus être une Boleyn, dit-elle. Ni une Howard. Si le roi reconnaissait mon fils, ce serait différent, mais dans la situation actuelle je ne veux plus de ces mascarades, de ces fêtes, je ne veux plus me déguiser en Vertu. Ils n'ont aucune vertu. C'est de la poudre aux yeux. S'ils ne veulent pas de moi, je ne veux pas d'eux. Je préférerais être mendiante.

— Vraiment... vous n'êtes pas forcée d'en arriver là, lady Carey.

— Savez-vous ce que je veux ? Je veux un mari qui les contrarie. Je veux un mari qui leur fasse peur. » Une lueur illumine soudain ses yeux bleus. Une idée lui est venue. Elle pose un doigt délicat sur le velours gris qu'elle admire tant et dit doucement : « Qui ne demande rien n'a rien. »

Thomas Howard comme oncle ? Thomas Boleyn comme père ? Le roi, un jour, comme frère ?

« Ils vous tueraient », dit-il.

Inutile de s'étendre sur le sujet, songe-t-il ; autant qu'elle le prenne au mot.

Elle rit, se mordille la lèvre.

« Bien sûr. Bien sûr qu'ils me tueraient. Qu'est-ce qui m'est passé par la tête ? Quoi qu'il en soit, je vous suis reconnaissante pour ce que vous avez déjà fait. Pour ce bref moment de paix ce matin – car quand ils hurlent après vous, ils ne hurlent pas après moi. Un jour, dit-elle, Anne voudra vous parler. Elle vous enverra chercher et vous serez flatté. Elle aura un petit travail pour vous, ou bien elle voudra un conseil. Mais avant que ce jour n'arrive, c'est moi qui vais vous donner un conseil. Retournez-vous et allez-vous-en. »

Elle embrasse le bout de son index et l'applique sur les lèvres de Cromwell.

Comme le cardinal n'a pas besoin de lui ce soir, il rentre à Austin Friars. Son instinct lui dit de se tenir à distance du moindre Boleyn. Il y a peut-être des hommes qui seraient fascinés par une femme qui a été la maîtresse de deux rois, mais pas lui. Il se demande pourquoi Anne pourrait s'intéresser à lui ; peut-être obtient-elle des informations par l'intermédiaire de ce que Thomas More appelle la « fraternité évangélique », mais c'est tout de même curieux : les Boleyn ne semblent pas être le genre de famille où l'on se soucie beaucoup de son âme. L'oncle Norfolk a des prêtres qui le font à sa place. Il déteste les idées et ne lit jamais de livre. Le frère George s'intéresse aux femmes, à la chasse, aux habits, aux bijoux et au tennis. Sir Thomas Boleyn, le charmant diplomate, ne s'intéresse qu'à lui-même.

Il aimerait raconter à quelqu'un ce qui vient de se passer. Comme il n'a personne à qui parler, il le raconte à Rafe.

« Je crois que vous avez rêvé », déclare Rafe avec sévérité. Il écarquille ses yeux pâles en entendant l'histoire des initiales dans le cœur, mais il ne sourit même pas. Il ne croit pas qu'elle lui ait fait une proposition en mariage. « Elle a dû vouloir dire autre chose. »

Cromwell hausse les épaules ; difficile de voir quoi.

« Le duc de Norfolk nous tomberait dessus comme une meute de loups. Il viendrait mettre le feu à notre maison, dit Rafe en secouant la tête.

— Mais sa sœur qui la pince. Que peut-elle faire ?

— Mettre une armure, de toute évidence.

— Ça pourrait soulever des questions.

— Personne ne fait attention à Mary ces temps-ci. » Rafe ajoute, d'un ton accusateur : « À part vous. »

Avec l'arrivée du légat apostolique à Londres, les membres de la maison quasi royale d'Anne Boleyn

sont séparés. Le roi ne veut pas qu'on mélange les problèmes ; le cardinal Campeggio est ici pour s'occuper
de son mariage avec Catherine, ce qui n'a rien à voir,
insiste-t-il, avec les sentiments qu'il peut éprouver pour
lady Anne. On l'envoie à Hever, et sa sœur part avec
elle. Une rumeur atteint Londres, Mary serait enceinte.
Rafe demande : « Avec tout le respect que je vous dois,
maître, êtes-vous sûr de vous être uniquement appuyé
contre le mur ? » La famille du mari mort affirme qu'il
ne peut s'agir de son enfant, et le roi nie également.
Il est triste d'observer avec quel empressement les
gens acceptent que le roi mente. Qu'en pense Anne ?
Elle aura le temps de s'en remettre pendant qu'elle
sera à la campagne. « Mary n'a pas fini de se faire
pincer », remarque Rafe.

Tout le monde en ville lui raconte le même ragot,
sans réellement savoir à quel point il est concerné. Il
est triste, il est dubitatif, il en vient à s'interroger sur
les Boleyn. Il voit désormais d'un autre œil ce qui s'est
passé entre Mary et lui. Il frémit en songeant que s'il
avait été sensible à la flatterie, s'il lui avait dit oui, il
aurait bientôt pu être le père d'un bébé qui n'aurait
ressemblé en rien à un Cromwell mais beaucoup à un
Tudor. La ruse était admirable. Mary a peut-être l'air
d'une poupée, mais elle n'est pas idiote. Quand elle
a couru dans la galerie en découvrant ses bas verts,
elle avait repéré sa proie. Les Boleyn se servent des
autres, puis ils les jettent. Les sentiments des autres
ne signifient rien, ni leur réputation, ni leur nom.

Il sourit à l'idée que les Cromwell ont désormais
un nom. Ou une réputation à défendre.

Au bout du compte, il ne se passe rien. Peut-être
Mary s'est-elle trompée, ou alors la rumeur était pure

malveillance ; Dieu sait que cette famille incite à la malveillance. Peut-être y a-t-il eu un enfant, et l'a-t-elle perdu. Les ragots cessent peu à peu, sans que l'on sache ce qu'il en est vraiment. Il n'y a pas de bébé. On dirait l'un des étranges contes de fées du cardinal, où la nature elle-même est pervertie et où les femmes sont des serpents qui apparaissent et disparaissent à leur gré.

La reine Catherine a eu un enfant qui a disparu. Durant la première année de son mariage avec Henri, elle a fait une fausse couche, mais les médecins affirmaient qu'elle attendait des jumeaux, et le cardinal lui-même se souvient d'elle à la cour avec son corset desserré et un étrange sourire sur le visage. Elle s'est cloîtrée dans son appartement et, au bout de quelque temps, elle en est ressortie avec un corset bien serré, un ventre plat, et sans bébé.

Ce doit être une spécialité des Tudors.

Un peu plus tard, il entend dire qu'Anne a pris la tutelle du fils de sa sœur, Henry Carey. Il se demande si elle a l'intention de l'empoisonner. Ou de le manger.

Nouvel an 1529 : Stephen Gardiner est à Rome, venu proférer, au nom du roi, diverses menaces à l'encontre du pape Clément ; le contenu des menaces n'a pas été divulgué au cardinal. Clément est particulièrement prompt à paniquer, et il n'est guère surprenant que, tandis que maître Stephen lui déverse son fiel à l'oreille, il tombe malade. On dit qu'il est à l'article de la mort, et les agents du cardinal parcourent l'Europe, sondant les intentions et comptant leurs soutiens, faisant joyeusement tinter leur porte-monnaie. Le problème du roi serait rapidement résolu si Wolsey était pape. Le cardinal grogne un peu à l'idée de cette nomination ; il aime son pays, ses guirlandes de mai, ses doux chants d'oiseaux. Dans ses cauchemars il voit des Italiens trapus qui crachent, une forêt de potences, une plaine jonchée de cadavres.

« Je vous demanderai de m'accompagner, Thomas. Vous pourrez vous tenir à mes côtés et intervenir rapidement si l'un de ces cardinaux essaie de me poignarder. »

Il imagine son maître hérissé de couteaux, comme saint Sébastien est hérissé de flèches.

« Pourquoi le pape a-t-il besoin d'être à Rome ? demande-t-il. Où est-ce écrit ? »

Un sourire illumine lentement le visage du cardinal. « Transférer le Saint-Siège en Angleterre ? Pourquoi pas ? » Il aime les plans audacieux. « Je ne pourrais pas l'installer à Londres, je suppose. Si seulement j'étais archevêque de Canterbury, je pourrais avoir ma cour papale à Lambeth Palace… mais le vieux Warham n'en finit pas de s'accrocher, il me met constamment des bâtons dans les roues.

— Votre Excellence pourrait déménager dans son propre siège.

— York est si loin. Je pourrais installer la papauté à Winchester, qu'en dites-vous ? Notre ancienne capitale ? Je serais plus proche du roi. »

Quel régime étrange cela ferait. Le roi soupant avec le pape, qui est également son lord-chancelier… Le roi devrait-il lui tendre sa serviette et le servir en premier ?

Quand arrive la nouvelle de la guérison de Clément, le cardinal ne s'écrie pas, une merveilleuse opportunité de perdue. Il dit, Thomas, qu'allons-nous faire maintenant ? Nous devons ouvrir le tribunal légatin, il ne peut plus être repoussé. Il ajoute : « Trouvez-moi un homme nommé Anthony Poynes. »

Cromwell se lève, bras croisés, attendant des indications plus précises.

« Essayez l'île de Wight. Et allez chercher William Thomas, qui se trouve, je crois, à Carmarthen. Il est âgé, alors dites à vos hommes d'y aller doucement.

— Je n'emploie personne de doux. » Il acquiesce. « Mais je comprends. Il ne faut pas tuer les témoins. »

Le jugement de la grande affaire du roi approche. Le roi compte bien démontrer que quand la reine Catherine est venue à lui, elle n'était plus vierge, ayant consommé son mariage avec son frère Arthur. Dans ce but il réunit les gentilshommes qui ont servi le couple royal après leur mariage au château Baynard, puis plus tard à Windsor, où on les a envoyés jouer au prince et à la princesse de Galles. « Arthur, dit Wolsey, aurait à peu près votre âge, Thomas, s'il avait vécu. » Les serviteurs, les témoins, sont plus vieux d'au moins une génération. Et tant d'années se sont écoulées – vingt-huit, pour être précis. Leurs souvenirs sont-ils fiables ?

On n'aurait jamais dû en arriver là – à cet étalage public et inconvenant. Le cardinal Campeggio a imploré Catherine de s'incliner devant la volonté du roi, d'accepter que son mariage soit invalide et de se retirer dans un couvent. Bien sûr, répond-elle doucement, elle deviendra nonne ; si le roi devient moine.

En attendant elle expose les raisons pour lesquelles le tribunal légatin ne devrait pas juger l'affaire. Pour commencer, celle-ci est toujours en instance à Rome. De plus, Catherine est elle-même étrangère, dit-elle, dans un pays étranger ; comme si elle avait oublié les décennies au cours desquelles elle a appris à connaître intimement les méandres de la politique anglaise. Les juges, affirme-t-elle, ont un préjugé négatif à son encontre ; elle a certainement de bonnes raisons de le croire. Campeggio, la main sur le cœur, lui assure qu'il rendra un jugement honnête, même s'il devait craindre pour sa vie. Catherine le trouve trop proche de son colégat ; quiconque a passé beaucoup de temps avec Wolsey, estime-t-elle, ne sait plus ce qu'est l'honnêteté.

Qui conseille Catherine ? John Fisher, l'évêque de Rochester.

« Savez-vous ce que je ne supporte pas chez cet homme ? demande le cardinal. Il n'a que la peau sur les os. J'exècre ce prélat squelettique. Il donne une mauvaise image de nous. Il nous fait paraître… corporels. »

Il porte ses apparats corporels, sa plus belle écarlate, quand le roi et la reine sont convoqués devant les deux cardinaux à Blackfriars. Tout le monde supposait que Catherine enverrait un représentant, mais elle comparaît en personne. Tout le banc des évêques est réuni. Le roi répond quand on appelle son nom, d'une voix pleine et résonnante qui jaillit de son gros torse couvert de joyaux. Lui, Cromwell, aurait conseillé un geste de la main, un murmure, une révérence de la tête face à l'autorité de la cour. L'humilité, d'après lui, est généralement simulée ; mais la simulation peut être payante.

La salle est bondée. Rafe et lui sont de lointains spectateurs. Par la suite, après que la reine a fait sa déposition – on a vu quelques hommes pleurer –, ils retrouvent la lumière du jour.

Rafe dit : « Si nous avions été plus près, nous aurions vu si le roi pouvait soutenir son regard.

— Oui. C'est vraiment la seule chose bonne à savoir.

— Je suis désolé de dire ça, mais je crois Catherine.

— Chut. Ne crois personne. »

Quelque chose vient obstruer la lumière. C'est Stephen Gardiner, sombre et renfrogné. Son aspect ne s'est pas arrangé durant son voyage à Rome.

« Maître Stephen ! s'écrie Cromwell. Comment s'est passé le retour ? Il n'est jamais plaisant, n'est-ce pas, de rentrer les mains vides ? J'ai été désolé pour vous. Je suppose que vous avez fait de votre mieux, en tout cas. »

La moue de Gardiner s'accentue.

« Si cette cour ne peut donner au roi ce qu'il veut, c'en sera fini de votre maître. Et alors ce sera moi qui serai désolé pour vous.

— Sauf que vous ne le serez pas.

— Sauf que je ne le serai pas », concède Gardiner, et il s'éloigne.

La reine ne revient pas pour assister aux débats sordides qui suivent sa déposition. Son conseiller parle à sa place ; elle a expliqué à son confesseur qu'au cours de leurs nuits ensemble Arthur ne l'avait jamais touchée, et lui a donné la permission de briser le secret de la confession et de rendre ses propos publics. Elle a parlé devant le plus haut tribunal qui soit, le tribunal de Dieu ; mentirait-elle, au risque de voir son âme damnée ?

De plus, il y a un autre élément que tout le monde a à l'esprit. Après la mort d'Arthur, elle a été présentée à ses futurs maris éventuels – l'ancien roi et le jeune prince Henri – comme de la chair fraîche. Ils auraient pu faire venir un médecin, qui l'aurait auscultée. Elle aurait été effrayée, elle aurait pleuré ; mais elle aurait obtempéré. Peut-être regrette-t-elle désormais que ça ne se soit pas passé ainsi ; qu'ils n'aient pas fait venir un homme étrange aux mains froides. Mais ils ne lui ont jamais demandé de prouver ses dires ; peut-être était-on plus digne à l'époque. Les dispenses pour son mariage étaient censées couvrir les deux cas : qu'elle soit vierge ou non. Les documents espagnols diffèrent des documents anglais, et c'est là qu'ils devraient être en ce moment, plongés dans les paragraphes, à disséquer chaque mot, et non à se chamailler devant un tribunal au sujet d'un bout de peau et d'un peu de sang sur un drap en lin.

S'il avait été son conseiller, la reine aurait pu hurler autant qu'elle voulait, il l'aurait forcée à assister à tous les débats. Car les témoins auraient-ils parlé face à elle de la même manière qu'ils ont parlé dans son dos ? Certes, elle aurait eu honte de faire face à ces hommes ratatinés et grisonnants à la mémoire prétendument infaillible ; mais il lui aurait conseillé de les saluer cordialement, de déclarer qu'elle ne les aurait jamais reconnus après tout ce temps ; de leur demander s'ils avaient des petits-enfants, et si les chaleurs de l'été atténuaient leurs douleurs de vieillards. Les plus honteux, ç'auraient été eux : n'auraient-ils pas hésité, n'auraient-ils pas bafouillé sous le regard implacable et franc de la reine ?

En l'absence de Catherine, le procès devient un spectacle obscène. Le comte de Shrewsbury, un homme qui s'est battu aux côtés de l'ancien roi à Bosworth, se tient devant les juges. Il raconte sa propre nuit de noces, il y a si longtemps, quand il était, comme le prince Arthur, âgé de quinze ans ; il n'avait jusqu'alors jamais touché une femme, mais il a accompli son devoir conjugal. Le soir du mariage d'Arthur, le comte d'Oxford et lui ont emmené le prince à la chambre de Catherine. C'est vrai, confirme le marquis de Dorset, j'y étais aussi ; Catherine était étendue sous le couvre-lit, le prince s'est couché à côté d'elle. « Personne ne jure être monté dans le lit avec eux, murmure Rafe. Mais ça m'étonne qu'ils n'aient trouvé personne pour le faire. »

La cour doit se contenter de ce qui a été dit le lendemain matin. Le prince, sortant de la chambre nuptiale, a déclaré qu'il avait soif et demandé à sir Anthony Willoughby une coupe de bière. « La nuit dernière, je suis entré en Espagne », a-t-il déclaré. La grossière plaisanterie d'un jeune garçon, exhibée à la lumière ; le garçon est, depuis trente ans, un cadavre. Quelle solitude que de mourir jeune, de descendre dans le noir sans compagnie ! Maurice St John n'est pas avec lui, dans son caveau de la cathédrale de Worcester ; ni M. Cromer, ni William Woodall, ni aucun des hommes qui l'ont entendu dire : « Messieurs, c'est un agréable passe-temps que d'avoir une femme. »

Après avoir entendu tout ça, Cromwell se sent étrangement froid. Il porte une main à son visage, touche sa pommette.

Rafe dit : « Il faudrait être un piètre jeune marié pour sortir le matin et dire : "Bonjour, messieurs. Je ne l'ai pas touchée !" Il se vantait, n'est-ce pas ? C'est tout. Ils ont oublié ce que c'est que d'avoir quinze ans. »

Pendant que la cour débat, le roi François perd une bataille en Italie. Le pape Clément se prépare à signer un nouveau traité avec l'empereur, le neveu de la reine Catherine. Cromwell ne le sait pas encore lorsqu'il déclare : « Ç'a été une mauvaise journée. Si nous voulions être la risée de l'Europe, c'est réussi. »

Il lance un regard de biais à Rafe, dont le problème principal, de toute évidence, est qu'il ne peut s'imaginer personne, pas même un garçon fougueux de quinze ans, désirant pénétrer Catherine. Ce serait comme copuler avec une statue. Rafe, apparemment, n'a pas entendu le cardinal évoquer les anciens attraits de la reine.

« Eh bien, dit Cromwell, je réserve mon jugement. Et c'est ce que la cour fera aussi. Elle ne peut rien faire d'autre. Rafe, tu es tellement plus proche de ces questions. Je ne me souviens même pas de mes quinze ans.

— Vraiment ? N'aviez-vous pas quinze ans quand vous vous êtes retrouvé en France ?

— Si, sans doute. »

Wolsey : « Arthur aurait à peu près votre âge, Thomas, s'il avait vécu. » Il se souvient d'une femme à Douvres, debout contre un mur ; ses petits os fragiles, son visage jeune, triste, insipide. Il éprouve une sensation de panique, de vide ; et si la plaisanterie du cardinal n'en était pas une, si la terre grouillait de ses enfants, dont il ne se serait jamais occupé ? Car c'est la seule chose honnête à faire : s'occuper de ses enfants.

« Rafe, dit-il, sais-tu que je n'ai pas encore rédigé mon testament ? J'ai dit que je le ferais, mais je ne l'ai jamais fait. Je crois que je ferais bien de rentrer et de m'y mettre.

— Pourquoi ? » Rafe semble abasourdi. « Pourquoi maintenant ? Le cardinal va avoir besoin de vous.

— Rentrons. »

Il saisit le bras de Rafe. Sur sa gauche, une main touche la sienne : des doigts sans chair. Un fantôme marche : Arthur, studieux et pâle. Roi Henri, songe-t-il, vous l'avez porté aux nues ; maintenant vous l'humiliez.

Juillet 1529 : Thomas Cromwell de Londres, gentilhomme. Sain de corps et d'esprit. À son fils Gregory, six cent soixante-six livres, treize shillings et quatre pence. Et des lits de plumes, des traversins et l'édredon en satin turc jaune, le lit en ouvrage de Flandres, le buffet sculpté et les placards, l'argenterie, le vermeil et douze cuillers en argent. Et les baux à ferme qui seront détenus en son nom par les exécuteurs jusqu'à ce qu'il atteigne sa majorité, et deux cents livres supplémentaires en or qui lui seront remises à la même date. Aux exécuteurs, l'argent nécessaire à l'éducation et aux dots de sa fille Anne et de sa cadette Grace. Une dot pour sa nièce Alice Wellyfed ; houppelandes, vestes et pourpoints pour ses neveux ; à Mercy, toutes sortes d'articles de maison, un peu d'argenterie et tout ce que les exécuteurs jugeront bon de lui donner. Legs à la sœur de sa défunte épouse, Johane, et à son mari John Williamson, et une dot pour leur fille, également nommée Johane. De l'argent à ses domestiques. Quarante livres à répartir entre quarante jeunes filles pauvres le jour de leur mariage. Vingt livres pour réparer les routes. Dix livres pour nourrir les prisonniers des geôles de Londres.

Son corps doit être enterré dans la paroisse où il mourra, ou suivant les instructions des exécuteurs.

Le reste de ses biens servira à des messes à la mémoire de ses parents.

À Dieu, son âme. À Rafe Sadler, ses livres.

Quand l'épidémie de l'été revient, il suggère à Mercy et Johane, peut-être devrions-nous envoyer les enfants à la campagne ?

Dans quelle direction, demande Johane : elle ne le met pas au défi, elle veut juste savoir.

Mercy dit, est-il possible d'aller plus vite que l'épidémie ? Elles se rassurent en se disant que puisque l'infection a fait tant de victimes l'année dernière, elle ne sera pas aussi violente cette année ; ce qu'il ne croit pas nécessairement vrai. Il songe qu'elles semblent accorder à l'épidémie une intelligence humaine, ou du moins animale : le loup se rue sur la bergerie, mais pas les nuits où des hommes avec des chiens l'attendent. À moins qu'elles croient que la maladie est encore plus que ça, que Dieu est derrière, Dieu qui fait encore des siennes. Lorsqu'il apprend qu'en Italie Clément a signé un nouveau traité avec l'empereur, Wolsey baisse la tête et dit : « Mon maître est capricieux. » Il ne parle pas du roi.

Le dernier jour de juillet, le cardinal Campeggio suspend le procès légatin. Ce sont, dit-il, les vacances romaines. La nouvelle arrive que le duc de Suffolk, le grand ami du roi, a cogné du poing sur la table devant Wolsey et l'a directement menacé. Ils savent tous que les débats ne reprendront pas. Ils savent tous que le cardinal a échoué.

Ce soir-là, pour la première fois, il croit que le cardinal va être destitué. S'il chute, pense-t-il, je chute avec lui. Sa réputation est noire. C'est comme si la plaisanterie du cardinal était devenue réalité : comme s'il pataugeait dans des ruisseaux de sang, laissant dans son sillage du verre brisé et des incendies, des veuves et des orphelins. Cromwell, dit-on, c'est un homme mauvais. Le cardinal refuse de parler de ce qui se passe en Italie, ou de ce qui s'est passé au tribunal légatin. Il dit : « J'entends que la fièvre est revenue. Que vais-je faire ? Vais-je mourir ? Je l'ai déjà combattue quatre fois. En l'année… quelle année… je crois que c'était en 1518… vous allez vous moquer de moi, mais c'est la vérité : quand la maladie m'a laissé tranquille, je ressemblais à l'évêque Fisher. J'étais décharné. Dieu m'a choisi et a fait claquer mes dents.

— Votre Excellence, décharnée ? demande-t-il, tentant d'esquisser un sourire. Quel dommage que vous n'ayez pas fait peindre votre portrait alors. »

L'évêque Fisher a déclaré au tribunal – juste avant les vacances romaines – que nulle puissance, humaine ou divine, ne pouvait dissoudre le mariage du roi et de la reine. S'il est une chose qu'il aimerait apprendre à Fisher, c'est à ne pas proférer d'exagérations grandiloquentes. Il a une idée de ce que la loi peut faire, et elle est différente de ce que croit l'évêque Fisher.

Jusqu'à présent, chaque jour jusqu'à aujourd'hui, chaque soir jusqu'à celui-ci, si vous aviez dit à Wolsey qu'une chose était impossible, il vous aurait ri au nez. Mais ce soir il dit – quand il accepte d'aborder le sujet – mon ami le roi François est vaincu, et je le suis aussi. Je ne sais plus quoi faire. Épidémie ou non, je crois que je vais peut-être mourir.

« Je dois rentrer à la maison, dit Cromwell. Mais accepterez-vous de me bénir ? »

Il s'agenouille devant le cardinal. Wolsey lève la main, et alors, comme s'il avait oublié ce qu'il était en train de faire, il la laisse flotter en l'air.

« Thomas, je ne suis pas prêt à rencontrer Dieu. »

Il lève la tête, souriant.

« Peut-être Dieu n'est-il pas prêt à vous rencontrer ?

— J'espère que vous serez auprès de moi quand je mourrai.

— Mais ce n'est pas pour demain. »

Le cardinal secoue la tête.

« Si vous aviez vu comment Suffolk s'est acharné sur moi aujourd'hui. Lui, Norfolk, Thomas Boleyn, Thomas Darcy, ils n'attendaient tous que ce moment, mon échec au tribunal, et maintenant ils rédigent un livre contre moi, ils dressent une liste d'accusations, comme quoi j'aurais affaibli la noblesse, et ainsi de suite. Ils rédigent un livre intitulé – comment vont-ils l'appeler ? – *Vingt années d'insultes*. Ils font bouillir une marmite dans laquelle ils déversent ce qu'ils considèrent comme des affronts de ma part alors que ce n'étaient que des vérités... »

Le cardinal prend une grande inspiration rauque et regarde le plafond, sur lequel est estampée la rose Tudor.

« Il n'y aura aucune marmite de ce genre dans la cuisine de Votre Excellence », répond Cromwell.

Il se lève. Il regarde le cardinal, et tout ce qu'il voit, c'est toujours plus de travail.

« Liz Wykys, dit Mercy, n'aurait pas voulu que ses filles soient traînées à la campagne. D'autant qu'Anne, d'après ce que je sais, pleure si elle ne vous voit pas.

— Anne ? » Il est stupéfait. « Anne pleure ?

— Qu'est-ce que vous pensiez ? demande Mercy d'un ton un peu rugueux. Croyez-vous que vos enfants ne vous aiment pas ? »

Il la laisse prendre la décision. Les filles restent à

la maison. C'est la mauvaise décision. Mercy accroche à leur porte la pancarte indiquant qu'ils sont touchés par l'infection. Elle demande, comment est-ce arrivé ? Nous récurons, nous frottons le sol, je ne crois pas que vous trouverez dans tout Londres une maison plus propre que la nôtre. Nous disons nos prières. Je n'ai jamais vu un enfant prier autant qu'Anne. Elle prie comme si elle s'apprêtait à livrer une bataille.

Anne tombe malade en premier. Mercy et Johane lui crient dessus et la secouent pour la maintenir éveillée, car on dit que si vous vous endormez, vous mourrez. Mais l'attraction de la maladie est la plus forte, et elle retombe épuisée sur le traversin, s'enfonce dans une immobilité noire ; seule une de ses mains bouge, ses doigts se pliant et se dépliant. Il la saisit et tente de l'immobiliser, mais elle est comme la main d'un soldat mourant d'envie de se battre.

Plus tard elle se réveille, demande sa mère. Elle demande le cahier dans lequel elle a écrit son nom. Aux premières lueurs du jour la fièvre retombe. Johane verse des larmes de soulagement, et Mercy l'envoie se coucher. Anne se redresse difficilement, elle le voit clairement, sourit, prononce son nom. On apporte une bassine d'eau avec des pétales de rose, on lui nettoie le visage ; elle tend timidement les doigts pour pousser les pétales sous la surface, pour que chacun devienne un vaisseau rempli d'eau, une coupe, un graal parfumé.

Mais à mesure que le soleil se lève, sa fièvre recommence à monter. Il interdit aux femmes de la pincer, la frapper, la secouer ; il l'abandonne aux mains de Dieu et Lui demande d'être bon. Il parle à Anne, mais elle ne semble pas l'entendre. Il n'a lui-même pas peur de la contagion. Si le cardinal a pu survivre à cette épidémie quatre fois, je suis certain de ne courir aucun danger, et si je meurs, j'ai rédigé mon testament. Il reste auprès d'elle, regarde sa poitrine se soulever, la regarde perdre la bataille. Il n'est pas là quand elle meurt – Grace est à son tour tombée malade et il est en train de la mettre au lit. Il est donc hors de la chambre depuis peu, et quand il y pénètre de nouveau, le petit visage sévère d'Anne s'est détendu et adouci. Elle paraît passive, placide ; sa main est déjà lourde, si lourde qu'il ne peut le supporter.

Il sort de la chambre et dit : « Elle apprenait déjà le grec. » Bien sûr, répond Mercy ; c'était une enfant merveilleuse, et elle vous ressemblait beaucoup. Elle pose la tête sur son épaule et pleure. Elle ajoute : « Elle était intelligente et bonne, et, à sa manière, vous savez, elle était belle. »

Lui pensait : elle apprenait le grec ; peut-être le connaît-elle désormais.

Grace meurt dans ses bras ; elle meurt facilement, aussi naturellement qu'elle est née. Il la repose doucement sur le drap humide : une enfant d'une impossible perfection, ses doigts dépliés comme de minces feuilles blanches. Je ne me suis jamais rendu compte, pense-t-il, je ne me suis jamais rendu compte que je l'avais. Il lui a toujours semblé impossible qu'un de ses actes ait pu lui donner la vie, une chose que Liz et lui ont faite sans réfléchir, par une nuit semblable à cent autres. Ils avaient choisi un prénom pour l'enfant : Henry si c'était un garçon, Katherine si c'était une fille. En plus ce sera un hommage à ta sœur Kat, avait dit Liz. Mais quand il l'avait vue, emmaillotée, magnifique, achevée et parfaite, il avait proposé autre chose, et Liz avait accepté. Nous ne pouvons obtenir la grâce. Nous ne la méritons pas.

Il demande au prêtre si la sœur aînée peut être enterrée avec son cahier, celui dans lequel elle a inscrit son nom : Anne Cromwell. Le prêtre répond qu'il n'a jamais rien entendu de tel. Cromwell est trop fatigué et furieux pour se battre.

Ses filles sont désormais au purgatoire, un pays de feux lents et de crêtes de glace. Où dans les Évangiles est-il écrit « purgatoire » ?

Tyndale dit, maintenant restent trois choses, la foi, l'espoir et l'amour, mais la plus grande de ces choses est l'amour.

Thomas More pense que c'est un grossier contresens. Lui insiste sur « charité ». Il vous enchaînerait pour un contresens. Pour une différente interprétation du grec, il vous tuerait.

Il se demande encore si les morts ont besoin de traducteurs ; peut-être que, à l'instant où ils ne sont plus rien, ils savent tout ce qu'ils ont besoin de savoir.

Tyndale dit : « L'amour ne s'évanouit jamais. »

Octobre arrive. Wolsey préside, comme d'habitude, les réunions du Conseil du roi. Mais dans les tribunaux, alors que s'ouvre le trimestre d'automne, des ordonnances sont rédigées à l'encontre du cardinal. On l'accuse d'avoir réussi. On l'accuse d'avoir exercé le pouvoir. Spécifiquement, on l'accuse d'avoir soutenu une juridiction étrangère dans le royaume – c'est-à-dire d'avoir rempli sa fonction de légat apostolique. Ce qu'ils veulent dire, c'est ceci : il est un *alter rex*. Il est, il a toujours été, plus impérieux que le roi. De cela, s'il s'agit d'un crime, il est coupable.

Alors maintenant ils investissent fièrement York Place, le duc de Suffolk et le duc de Norfolk : les deux grands pairs du royaume. Suffolk, avec sa barbe blonde hérissée, ressemble à un porc cherchant des truffes ; les hommes rougeauds, il s'en souvient, rendent monseigneur le cardinal malade. Norfolk semble inquiet, et tandis qu'il passe en revue les possessions du cardinal, il est clair qu'il s'attend à trouver des figurines en cire, peut-être à son image, peut-être transpercées de longues épingles. Le cardinal a accompli ses exploits grâce à un pacte avec le diable ; telle est son idée fixe.

Lui, Cromwell, les renvoie. Ils reviennent. Ils reviennent avec de nouvelles instructions plus strictes et de meilleures signatures, et ils ramènent avec eux le maître des Rouleaux. Ils prennent le Grand Sceau de monseigneur le cardinal.

Norfolk lui lance un regard de biais et lui adresse un furtif sourire de furet. Cromwell ne sait pas pourquoi.

« Venez me voir, dit le duc.

— Pourquoi, milord ? » Norfolk fait la moue. Il ne donne jamais d'explications. « Quand ?

— Rien ne presse, répond Norfolk. Venez quand vous aurez appris les bonnes manières. »

Nous sommes le 19 octobre 1529.

Le succès ou la ruine

Toussaint 1529

Halloween : le monde suinte et saigne. C'est le moment où les juges du purgatoire, ses clercs et ses geôliers, écoutent en secret les vivants qui prient pour les morts.

À cette époque de l'année, avec les autres paroissiens, Cromwell et Liz veillaient. Ils priaient pour Henry Wykys, le père de Liz ; pour son mari défunt, Thomas Williams ; pour des noms à demi oubliés, des demi-sœurs mortes depuis des lustres et des beaux-enfants perdus.

La nuit dernière il a veillé seul. Il est resté allongé sans dormir, tentant de faire réapparaître Liz, attendant qu'elle vienne s'étendre à côté de lui. Il est vrai qu'il est à Esher avec le cardinal, pas dans sa maison d'Austin Friars. Mais, pensait-il, elle saura me trouver. Elle cherchera le cardinal, passant d'un monde à l'autre en suivant le parfum de l'encens et la lueur des bougies. Là où sera le cardinal, je serai.

À un moment il a dû s'endormir. Quand le jour est arrivé, la pièce semblait si vide que c'était comme si lui-même n'y était plus.

Toussaint : le chagrin arrive par vagues. Maintenant il menace de le faire chavirer. Il ne croit pas au retour des morts ; mais ça ne l'empêche pas de sentir le frôlement de leurs doigts, de leurs ailes, sur son épaule. Depuis hier soir ils ont été moins des formes et des visages distincts qu'un agglomérat compact, un amas de chair tumultueux à la texture dense comme une créature des mers, leurs visages malades brillant d'un éclat sous-marin.

Maintenant il est debout à la fenêtre, tenant dans sa main le livre de prières de Liz. Grace aimait le feuilleter, et aujourd'hui il sent l'empreinte des petits doigts de sa fille sous les siens. Ce sont des prières à la Vierge pour les heures canoniales, les pages sont ornées d'une colombe et d'un bouquet de lis. Celle-ci est pour l'office des matines, et Marie est agenouillée sur un sol carrelé. L'ange l'accueille, et les mots qu'il prononce sont inscrits sur un parchemin qui se déroule de ses mains jointes, comme si ses paumes parlaient. Ses ailes sont colorées : bleu ciel.

Il tourne la page. L'office des laudes. Une représentation de la Visitation. Marie, avec son petit ventre arrondi, est accueillie par sa cousine Élisabeth, également enceinte. Leurs fronts sont hauts, leurs sourcils épilés, et elles semblent surprises, comme elles devaient l'être en effet ; l'une d'elles est vierge, l'autre d'un âge avancé. Des fleurs printanières poussent à leurs pieds, et chacune porte une couronne légère, faite de fils d'or aussi fins que des cheveux blonds.

Il tourne la page. Grace, silencieuse et menue, tourne la page avec lui. L'office de prime. Une représentation de la Nativité : un minuscule Jésus blanc est enveloppé dans les plis du manteau de sa mère. L'office de sexte : les rois mages tendent des coupes ornées de pierres précieuses ; derrière eux il y a une ville perchée sur une colline, une ville en Italie, avec son clocher, sa vue dégagée, sa rangée d'arbres brumeuse. L'office de none : Joseph porte un panier de colombes au temple. L'office des vêpres : une dague lancée par Hérode transperce un nourrisson stupéfait. Une femme lève les mains en signe de protestation, ou de prière : ses paumes sont éloquentes, impuissantes. Le cadavre du nourrisson verse trois gouttes de sang, chacune en forme de larme. Chaque larme de sang est d'un vermillon précis.

Il lève la tête. Comme une image rémanente, la forme des larmes danse devant ses yeux, puis devient floue. Il cligne des yeux. Quelqu'un marche vers lui. C'est George Cavendish. Il joint les mains d'un air inquiet.

Pourvu qu'il ne me parle pas, espère-t-il. Pourvu qu'il passe son chemin.

« Maître Cromwell, dit Cavendish, vous pleurez, il me semble. Que se passe-t-il ? Les nouvelles de notre maître sont-elles mauvaises ? »

Il essaie de refermer le livre, mais Cavendish tend la main dans sa direction.

« Ah, vous priez. »

Cavendish semble stupéfait. Il ne voit pas les doigts de sa fille sur la page, ni les mains de sa femme qui tiennent le livre. George voit simplement les images, à l'envers. Il inspire profondément et dit : « Thomas… ?

— Je pleure sur mon sort, répond-il. Je vais tout perdre, tout ce pour quoi j'ai travaillé toute ma vie, parce que je vais tomber avec le cardinal – non, George, ne m'interrompez pas –, parce que j'ai fait ce qu'il m'a demandé, et été son ami, et son bras droit. Si je m'étais contenté de mon travail en ville, au lieu d'arpenter la campagne en me faisant des ennemis, je serais un homme riche, et vous, George, je vous inviterais dans ma nouvelle maison de campagne et vous demanderais conseil pour mes meubles et mes parterres de fleurs. Mais regardez-moi ! Je suis fini. »

George essaie de parler : il tente de le consoler d'une voix chevrotante.

« À moins, poursuit-il. À moins, George. Qu'en pensez-vous ? J'ai envoyé Rafe à Westminster.

— Pour quoi faire ? »

Mais il pleure de nouveau. Les fantômes reviennent, il a froid, sa situation est sans issue. En Italie il a appris une méthode de mémorisation, il se souvient donc de tout : chaque étape du chemin qui l'a mené jusqu'ici.

« Je crois, dit-il, que je ferais bien de le rejoindre.

— Je vous en prie, réplique Cavendish, pas avant le dîner.

— Non ?

— Car nous devons réfléchir au moyen de payer les serviteurs de Son Excellence. »

Un moment passe. Il serre le livre de prières entre ses bras. Cavendish lui a donné ce dont il avait besoin : un problème comptable.

« George, dit-il, vous savez que les chapelains de monseigneur ont afflué ici, et que chacun d'eux gagne – quoi ? – cent, deux cents livres par an grâce à sa générosité ? Donc, je pense… que nous ferons payer les chapelains et les prêtres pour les serviteurs, car ce que je crois, ce que j'observe, c'est que ses serviteurs aiment plus Son Excellence que ses prêtres. Alors maintenant allons dîner, et après le dîner je ferai honte aux prêtres, et je les forcerai à s'ouvrir les veines et à saigner de l'argent. Nous devons verser aux serviteurs au moins un trimestre de salaire, et un acompte. En prévision du retour en grâce de Son Excellence.

— Eh bien, dit George, si quelqu'un peut le faire, c'est bien vous. »

Il se surprend à sourire. Peut-être est-ce un sourire sans joie, mais il ne croyait pas qu'il sourirait aujourd'hui. « Quand ce sera fait, poursuit-il, je vous laisserai. Je reviendrai dès que je me serai assuré un siège au Parlement.

— Mais il se réunit dans deux jours… Comment allez-vous y parvenir ?

— Je ne sais pas, mais quelqu'un doit parler pour le cardinal. Sinon ils le tueront. » Il voit que ses paroles ont heurté Cavendish ; il voudrait retirer ce qu'il vient de dire, mais c'est la vérité. « Je dois essayer. Ce sera le succès ou la ruine, et alors nous nous reverrons. »

George s'incline presque.

« Le succès ou la ruine, murmure-t-il. Ç'a toujours été votre devise. »

Cavendish fait le tour de la maison en disant, Thomas Cromwell lisait un livre de prières. Thomas Cromwell pleurait. George prend finalement conscience de la gravité de la situation.

Jadis, en Thessalie, vivait un poète nommé Simonide. Il fut engagé pour apparaître à un banquet donné par un homme nommé Scopas et y réciter un poème lyrique en l'honneur de son hôte. Les poètes ont des caprices étranges, et dans son poème Simonide introduisit des vers à la gloire de Castor et Pollux, les jumeaux divins. Scopas, mécontent, l'informa qu'il ne lui verserait que la moitié de la somme convenue : « Quant au reste, demandez-le aux Jumeaux. »

Un peu plus tard, un serviteur vint murmurer à l'oreille de Simonide ; il y avait deux jeunes gens dehors qui demandaient à le voir.

Il se leva et quitta la salle du banquet. Il chercha du regard les deux jeunes hommes, mais ne vit personne.

Comme il se retournait pour aller terminer son repas, il entendit un terrible fracas de pierres qui se fendaient et se brisaient. Il entendit les cris des mourants tandis que le toit de la salle s'effondrait. De tous les dîneurs, il fut le seul survivant.

Les corps étaient si abîmés et défigurés que les parents des morts ne pouvaient les identifier. Mais Simonide était un homme remarquable. Tout ce qu'il voyait restait gravé dans son esprit. Il guida donc chaque parent parmi les ruines, disant devant les restes broyés, voici votre homme. Et grâce au plan de table qu'il avait mémorisé ils purent donner un nom aux morts.

C'est Cicéron qui raconte cette histoire. Il nous explique comment, ce jour-là, Simonide inventa l'art de la mémoire. Il se rappelait les noms, les visages, certains revêches et bouffis, certains joyeux, certains las. Il se rappelait exactement où chacun était assis au moment où le toit s'était effondré.

TROISIÈME PARTIE

I

Bonneteau

Hiver 1529 – Printemps 1530

Johane : « Tu dis : "Rafe, trouve-moi un siège au nouveau Parlement." Et lui file aussitôt, comme une fillette à qui on a demandé d'aller chercher le linge.

— C'était plus compliqué que ça, observe Rafe.

— Qu'est-ce que tu en sais ? » réplique-t-elle.

Les sièges aux Communes sont, en général, accordés par les seigneurs ; les lords, les évêques, le roi lui-même. La petite poignée d'électeurs, si elle reçoit une pression d'en haut, fait généralement ce qu'on lui dit.

Rafe, lui, a obtenu Taunton. C'est le domaine de Wolsey ; on ne l'aurait pas laissé entrer si le roi n'avait pas accepté ; si Thomas Howard n'avait pas accepté. Il avait envoyé Rafe à Londres pour sonder les intentions du duc : pour découvrir ce qui se cachait derrière ce sourire de furet. « *Je vous suis obligé, maître.* »

Maintenant il sait. « Le duc de Norfolk, explique Rafe, croit que monseigneur le cardinal a un trésor enterré, et il pense que vous savez où il se trouve. »

Ils parlent seuls.

Rafe : « Il va vous demander de travailler pour lui.

— Oui. Peut-être pas aussi explicitement. »

Il observe le visage de Rafe tandis que celui-ci analyse la situation. Norfolk est déjà – si l'on écarte le fils illégitime du roi – le premier noble du royaume.

« Je l'ai assuré, dit Rafe, de votre respect, de votre… votre révérence, de votre désir d'être à ses…

— Ordres ?

— Plus ou moins.

— Et qu'a-t-il répondu ?

— Il a dit, hmm. »

Cromwell rit.

« Sur ce ton-là ?

— Sur ce ton-là.

— Avec cet air sévère ?

— Oui. »

Très bien. Je sèche ces larmes, ces larmes de la Toussaint. Je suis assis avec le cardinal dans une pièce à Esher où la cheminée fume. Je dis, monseigneur, croyez-vous que je vous abandonnerais ? Je trouve l'homme qui s'occupe des cheminées et des foyers. Je lui donne des ordres. Je me rends à Londres, à Blackfriars. C'est une journée brumeuse, la Saint-Hubert. Norfolk m'attend, pour me dire qu'il sera un bon seigneur pour moi.

Le duc approche désormais des soixante ans, mais il ne paraît pas son âge. Il a un visage de pierre et l'œil vif, est aussi mince qu'un os rongé et aussi froid qu'une tête de hache ; ses articulations semblent faites de maillons de chaîne souples, et de fait il produit un petit bruit métallique lorsqu'il bouge, car ses habits dissimulent des reliques : des bouts de peau et de cheveux dans de minuscules écrins à bijoux, des fragments d'os de martyrs enchâssés dans des médaillons. « Marie ! » s'écrie-t-il lorsqu'il prête serment, et aussi « Pardieu ! ». Il tire parfois l'une de ses médailles ou de ses breloques de sous ses vêtements et l'embrasse avec ferveur, implorant quelque saint ou martyr de faire cesser la rage qui s'est emparée de lui. « Saint Jude, donnez-moi de la patience ! » s'écriera-t-il ; il le confond probablement avec Job, dont il a entendu parler quand il était enfant de la bouche de son premier prêtre. Il est difficile d'imaginer le duc enfant, ou même plus jeune, ou différent de l'image qu'il présente désormais. Il considère la Bible comme un livre inutile destiné aux profanes, même s'il comprend que les prêtres puissent en avoir l'utilité. Il estime que lire des livres est une pure affectation, et aimerait qu'on le fasse moins à la cour. Sa nièce, Anne Boleyn, est toujours en train de lire, et c'est sans doute la raison pour laquelle elle n'est toujours pas mariée à vingt-huit ans. Il ne voit pas pourquoi un gentilhomme devrait écrire des lettres ; il y a des clercs pour ça.

Il fixe maintenant sur lui un œil rouge et enflammé. « Cromwell, je suis content que vous soyez député au Parlement.

— Milord, répond-il en inclinant la tête.

— J'ai parlé au roi pour vous, et lui aussi est content. Vous recevrez ses instructions aux Communes. Et les miennes.

— Seront-elles semblables, milord ? »

Le duc fronce les sourcils. Il marche de long en large ; il produit un petit bruit métallique ; finalement il éclate : « Que diable, Cromwell, pourquoi êtes-vous une telle… *personne ?* Ce n'est pas comme si vous pouviez vous le permettre. »

Il attend, souriant. Il sait ce que veut dire le duc. Il est une personne, il est une présence. Il sait comment se glisser furtivement dans une pièce de sorte qu'on ne le voie pas ; à moins que ces jours ne soient révolus.

« Continuez de sourire, dit le duc. La maison de Wolsey est un nid de vipères. Non pas que… » Il touche une médaille, tressaillant. « Dieu me garde de… »

Comparer un prince de l'Église à un serpent. Le duc veut l'argent du cardinal, et il veut la place du cardinal au côté du roi : mais il n'a aucune envie de brûler en enfer. Il traverse la pièce, joint sèchement les mains, se les frotte ; il se retourne.

« Le roi s'apprête à se quereller avec vous, maître. Oh, oui. Il vous accordera la faveur d'un entretien parce qu'il veut comprendre les affaires du cardinal, mais il a, vous l'apprendrez, une mémoire très bonne et très précise, et ce dont il se souvient, maître, c'est la manière dont vous vous êtes opposé à sa guerre la première fois que vous avez été député au Parlement.

— J'espère qu'il n'envisage plus d'envahir la France.

— Bon sang ! Quel Anglais n'y songe pas ! La France nous appartient. Nous devons la récupérer. » Un muscle de sa joue frémit ; il marche de long en large, agité ; il se retourne, se frotte la joue ; le frémissement cesse, et il déclare, d'une voix parfaitement neutre : « Remarquez, vous avez raison. »

Cromwell attend.

« Nous ne pouvons pas gagner, ajoute le duc, mais

nous devons nous battre comme si nous le pouvions. Quel que soit le prix. Quelles que soient les pertes – argent, hommes, chevaux, navires. Voilà le problème avec Wolsey, voyez-vous. Toujours à la table des négociations. Comment un fils de boucher pourrait-il comprendre...

— *La gloire*[*] ?

— Êtes-vous fils de boucher ?

— De forgeron.

— Vraiment ? Savez-vous ferrer un cheval ? »

Il hausse les épaules.

« Si on me le demande, milord. Mais je ne puis imaginer...

— Quoi ? Qu'est-ce que vous ne pouvez imaginer ? Un champ de bataille, un campement, la nuit précédant la bataille, pouvez-vous imaginer cela ?

— J'ai moi-même été soldat.

— Vraiment ? Pas dans l'armée anglaise, je parie. Là, vous voyez. » Le duc fait un grand sourire, parfaitement dénué d'animosité. « Je savais qu'il y avait quelque chose chez vous. Je savais que je ne vous aimais pas, mais je n'arrivais pas à mettre le doigt dessus. Où étiez-vous ?

— Garigliano.

— Avec ?

— Les Français. »

Le duc siffle.

« Mauvais côté, mon garçon.

— Je m'en suis rendu compte.

— Avec les Français. » Il glousse. « Avec les Français. Et comment vous êtes-vous extirpé de ce désastre ?

— Je suis parti vers le nord. Je me suis lancé

dans le commerce… » Il s'apprête à dire *de l'argent*, mais le duc ne comprendrait pas qu'on puisse faire le commerce de l'argent. « D'étoffes, dit-il. De soie, principalement. Vous connaissez le marché, avec les soldats là-bas.

— Pardieu, oui ! Les mercenaires, ils portent leur argent sur leur dos. Ces Suisses ! Une vraie troupe d'acteurs. Dentelle, rayures, jolis chapeaux. Des cibles faciles, voilà tout. Archer ?

— De temps en temps. » Il sourit. « Pas très doué.

— Moi non plus. Mais Henri sait tirer à l'arc. Très bien. Il a la taille pour. Il a le bras. Mais bon. Ce n'est plus comme ça que nous remporterons des batailles.

— Alors pourquoi ne pas arrêter de nous battre ? Négociez, milord. Ça coûte moins cher.

— Je vais vous dire, Cromwell, vous avez du culot de venir ici.

— Milord, vous m'avez envoyé chercher.

— J'ai fait ça ? » Norfolk semble alarmé. « Nous en sommes arrivés là ? »

Les conseillers du roi préparent pas moins de quarante-quatre actes d'accusation contre le cardinal. Ils vont de la violation des statuts de *praemunire* – le soutien d'une juridiction étrangère au sein du royaume – à l'achat de bœuf pour sa maison au même tarif que le roi ; du délit financier à l'échec à empêcher la propagation des hérésies luthériennes.

La loi de *praemunire* date d'un autre siècle. Aucune personne vivante ne sait vraiment ce qu'elle signifie. À ce moment-là elle semble surtout signifier ce que le roi veut qu'elle signifie. La question est débattue partout à travers l'Europe. Pendant ce temps, Son Excellence le cardinal attend, marmonnant parfois à voix basse, ou alors s'écriant : « Thomas, mes universités ! Quoi qu'il arrive à ma personne, mes universités doivent être sauvées. Allez voir le roi. Quelle que soit la vengeance, pour quelque affront imaginaire, qu'il souhaite assouvir sur moi, il n'a sûrement pas l'intention d'éteindre la lumière du savoir ? »

En exil à Esher, le cardinal tourne en rond et se fait du mauvais sang. Le grand esprit qui résolvait autrefois les affaires de l'Europe rumine désormais incessamment ses propres pertes. Il s'enfonce dans une inactivité silencieuse, broyant du noir quand la lumière décline. Pour l'amour de Dieu, Thomas, implore Cavendish, ne lui dites pas que vous venez si vous ne venez pas.

Mais je viens, répond-il, c'est juste que je suis parfois retenu. Le Parlement siège tard, et avant de quitter Westminster je dois rassembler les lettres et les pétitions pour monseigneur le cardinal, et m'entretenir avec tous les gens qui veulent lui adresser des messages mais ne veulent pas les noter par écrit.

Je comprends, dit Cavendish ; mais Thomas, gémit-il, vous ne pouvez imaginer comment c'est ici à Esher. Quelle heure est-il ? demande Son Excellence le cardinal. À quelle heure Cromwell arrivera-t-il ? Et de nouveau, une heure plus tard : Cavendish, quelle heure est-il ? Il nous fait sortir avec des torches, veut être informé du temps qu'il fait ; comme si vous, Cromwell, étiez homme à vous laisser entraver par une tempête de grêle ou par le givre. Ensuite il demandera, et s'il a eu un accident sur la route ? La route de Londres est pleine de voleurs ; la rase campagne et la lande, à la tombée de la nuit, grouillent de malfaisants. De là il dira, ce monde est plein de faux-semblants, et je suis souvent tombé dans le piège, misérable pécheur que je suis.

Quand Cromwell ôte finalement sa cape de voyage et se laisse tomber dans un fauteuil près du feu – *palsambleu*, cette cheminée ! – le cardinal se jette sur lui avant qu'il ait eu le temps de souffler. Qu'a dit le duc de Suffolk ? À quoi ressemblait le duc de Norfolk ? Le roi, l'avez-vous vu, vous a-t-il parlé ? Et lady Anne, est-elle en bonne santé, est-elle jolie ? Avez-vous trouvé le moyen de lui plaire, car nous devons lui plaire, vous savez ?

Il répond : « Il y a un moyen simple de plaire à cette dame, c'est de la couronner reine. » Il n'ajoute rien au sujet d'Anne et n'a plus rien à dire. Mary Boleyn prétend qu'Anne l'a remarqué, mais jusqu'à récemment elle n'en montrait aucun signe. Ses yeux glissaient sur lui pour se poser sur quelqu'un qui l'intéressait plus. Des yeux noirs, légèrement protubérants, aussi brillants que des billes de boulier ; des yeux brillants et toujours en mouvement tandis qu'elle évalue ses propres atouts. Mais l'oncle Norfolk a dû lui dire : « Voici l'homme qui connaît les secrets du cardinal », car maintenant, quand elle le voit, son long cou se tend ; ses billes noires et brillantes font clic-clic tandis qu'elle l'examine de la tête aux pieds et décide à quoi il pourrait lui être utile. Il suppose qu'elle est en bonne santé ; la fin de l'année approche et elle ne tousse pas comme un cheval malade, et elle ne boite pas non plus ; il suppose qu'elle est jolie, dans son genre.

Un soir, peu avant Noël, il arrive tard à Esher et trouve le cardinal assis seul, en train d'écouter un garçon jouer du luth. Il dit : « Mark, merci, tu peux t'en aller maintenant. » Le garçon s'incline devant le cardinal, mais le hochement de tête dont il gratifie Cromwell sied tout juste à un député du Parlement. Tandis qu'il se retire le cardinal déclare : « Mark est très doué, et c'est un garçon agréable. À York Place, c'était un de mes choristes. Je crois que je ferais mieux de ne pas le garder ici et de l'envoyer au roi. Ou à lady Anne, peut-être, car il est tellement joli garçon. Lui plairait-il ? »

Le garçon s'est attardé à la porte pour s'abreuver de ces éloges. Un regard cromwellien autoritaire – l'équivalent d'un coup de pied – le fait sortir. Il aimerait que l'on cesse de lui demander ce qui plairait ou non à lady Anne.

« Le lord-chancelier More m'a-t-il adressé un message ? » demande le cardinal.

Il laisse tomber une liasse de papiers sur la table. « Vous avez l'air malade, monseigneur.

— Oui, je suis malade. Thomas, qu'allons-nous faire ?

— Nous soudoierons les gens, répond-il. Nous serons prodigues et généreux avec les biens que Votre Excellence possède encore, car il vous reste des bénéfices à distribuer, il vous reste des terres. Écoutez, monseigneur, même si le roi prend tout ce que vous avez, les gens demanderont, le roi peut-il vraiment distribuer ce qui appartient au cardinal ? Aucune des personnes à qui il accordera une concession ne sera sûre d'y avoir vraiment droit, à moins que vous ne la confirmiez vous-même. Vous avez donc toujours, monseigneur, des cartes en main.

— Et après tout, s'il voulait m'accuser de trahison... » La voix lui manque. « Si...

253

— S'il voulait vous accuser de trahison vous seriez à la Tour à l'heure qu'il est.

— En effet, et à quoi lui servirais-je avec la tête d'un côté et le corps de l'autre ? Voici de quoi il s'agit : le roi croit qu'en m'avilissant il donnera une bonne leçon au pape. Il veut lui dire, moi, roi d'Angleterre, je suis le maître dans ma maison. Oh, mais l'est-il vraiment ? Ou bien est-ce lady Anne, ou Thomas Boleyn ? Une question à ne pas poser, pas en dehors de cette pièce. »

Le plus dur, désormais, est de parvenir à voir le roi seul ; de découvrir ses intentions, pour autant qu'il les connaisse lui-même, et de négocier un marché. Le cardinal a un besoin urgent d'espèces ; ça, c'est le premier problème. Jour après jour, il attend un entretien. Le roi tend une main, saisit les lettres qu'il lui donne, jette un coup d'œil au sceau du cardinal. Sans le regarder, il se contente de dire d'un air absent : « Merci. » Un jour il le regarde et dit : « Monsieur Cromwell, oui… je ne peux pas parler du cardinal. » Et comme il ouvre la bouche pour parler, le roi reprend : « Ne comprenez-vous pas ? Je ne peux pas parler de lui. » Son ton est doux, perplexe. « Un autre jour, ajoute-t-il, je vous enverrai chercher. Je le promets. »

Quand le cardinal lui demande, « Comment était le roi aujourd'hui ? » il répond, il a l'air d'un homme qui ne dort pas.

Le cardinal rit.

« S'il ne dort pas, c'est parce qu'il ne chasse pas. Ce sol gelé est trop dur pour les coussinets des chiens, ils ne peuvent pas sortir. C'est le manque d'air frais, Thomas. Ce n'est pas sa conscience. »

Plus tard, il se rappellera cette soirée de la fin

décembre où il a trouvé le cardinal occupé à écouter de la musique. Il se la repassera mentalement, encore et encore.

Car tandis qu'il quitte le cardinal, s'apprêtant à retrouver la route, la nuit, il entend la voix d'un garçon qui parle derrière une porte à demi fermée : c'est Mark, le joueur de luth. « ... donc, grâce à mes talents, il dit qu'il me proposera à lady Anne. Et j'en serai ravi, car à quoi bon rester ici quand chaque jour le roi risque de décapiter le vieux bonhomme ? Je crois qu'il devrait le faire, car le cardinal est si fier. Aujourd'hui, c'était la première fois qu'il m'adressait un compliment. »

Une pause. Quelqu'un parle, une voix étouffée ; il ne parvient pas à l'identifier. Puis le garçon : « Oui, bien sûr l'avocat tombera avec lui. Je dis avocat, mais qui est-il, en fait ? Personne ne le sait. On dit qu'il a tué des hommes de ses mains et ne s'est jamais confessé. Mais ces hommes durs, ils pleurent toujours quand ils voient le bourreau. »

Cromwell n'a aucun doute sur le fait que c'est de sa propre exécution dont il est question. De l'autre côté du mur, le garçon poursuit : « Alors, quand je serai chez lady Anne, elle me remarquera à coup sûr et me fera des cadeaux. » Un gloussement. « Et j'aurai sa faveur. Ne crois-tu pas ? Qui sait vers qui elle se tournera si elle continue de se refuser au roi ? »

Une pause. Puis Mark : « Elle n'est pas vierge. Pas elle. »

Quelles charmantes conversations, ces commérages de serviteurs. Il y a une nouvelle réponse étouffée, puis Mark : « Crois-tu qu'elle ait pu revenir vierge de la cour de France ? Pas plus que sa sœur. Et tous les hommes sont passés sur Mary. »

Mais tout cela ne lui apprend rien. Il est déçu. J'espérais des détails, ce ne sont que des *on-dit**. Il hésite pourtant, et ne s'éloigne pas.

« En plus, Tom Wyatt l'a eue, et tout le monde le sait, dans le Kent. Je suis allé à Penshurst avec le cardinal, et tu sais que ce palais est proche d'Hever, où se trouve la famille de lady Anne, et la maison de Wyatt n'est qu'à une courte distance à cheval. »

Témoins ? Dates ?

Mais alors la personne invisible fait : « Chut ! » Un nouveau petit gloussement.

On ne peut rien faire de ça. Hormis le garder à l'esprit. La conversation est en flamand : langue du pays natal de Mark.

Noël arrive et le roi, avec la reine Catherine, le célèbre à Greenwich. Anne est à York Place ; le roi n'a qu'à remonter la rivière pour aller la voir. La compagnie d'Anne, disent les femmes, est exténuante ; les visites du roi sont brèves, rares et discrètes.

À Esher le cardinal s'alite. Autrefois il n'aurait jamais fait ça, même s'il semble suffisamment malade pour que ce soit justifié. Il dit : « Rien ne se passera tant que le roi et lady Anne seront occupés à échanger leurs baisers du nouvel an. Nous sommes à l'abri des incursions jusqu'à la fête des rois. » Il tourne la tête sur son oreiller et ajoute, véhément : « Corbleu, Cromwell, rentrez chez vous ! »

La maison d'Austin Friars est ornée de couronnes de houx et de lierre, de laurier et d'if enrubannées. On s'affaire dans la cuisine pour nourrir les vivants, mais on omet cette année les chansons habituelles et les spectacles de Noël. Nulle année n'a apporté autant de dévastation. Sa sœur Kat et son mari Morgan Williams ont été emportés aussi rapidement que ses filles, parlant et marchant un jour, aussi froids que des pierres le lendemain, balancés dans leur tombe creusée au bord de la Tamise hors de la portée des marées ; ils n'entendent plus le son de la cloche fêlée de Putney, ne sentent plus l'odeur de l'encre humide, du houblon, de l'orge malté, ni le parfum animal des balles de laine, l'arôme automnal de la résine de pin et des bougies en forme de pommes, des biscuits de la Toussaint cuisant au four. L'année s'achève et cette maison compte deux orphelins de plus, Richard et le petit Walter. Morgan Williams, c'était un beau parleur, mais il était habile à sa manière, et il travaillait dur pour sa famille. Et Kat – eh bien, ces derniers temps elle comprenait son frère à peu près aussi bien qu'elle comprenait le mouvement des étoiles : « Je ne sais jamais si un et un font deux avec toi, Thomas », disait-elle, et c'était sa faute à lui, car qui lui avait appris à compter sur ses doigts, sinon lui, qui lui avait appris à déchiffrer les factures des commerçants ?

S'il devait se donner un conseil à lui-même pour Noël, il dirait, abandonne le cardinal maintenant ou tu finiras une fois de plus dans la rue à jouer au bonneteau. Mais il ne donne de conseils qu'à ceux qui sont susceptibles de les écouter.

Ils ont une grosse étoile dorée à Austin Friars, qu'ils accrochent dans leur grand salon le 31 décembre. Elle brille pendant une semaine jusqu'aux célébrations de l'Épiphanie. À partir de l'été, Liz et lui commençaient à concevoir les costumes des rois mages, amassant tous les morceaux de tissus étranges qu'ils voyaient, tous les possibles ornements ; puis, à partir d'octobre, Liz cousait en secret, améliorant les robes de l'année précédente en y ajoutant des pans brillants, en rembourrant une épaulette ou en alourdissant un revers, fabriquant chaque année de nouvelles couronnes fantasques. Sa tâche à lui était de réfléchir aux cadeaux que les rois apporteraient dans leurs coffrets. Un jour un des rois avait laissé tomber le sien de stupeur quand le coffret s'était mis à chanter.

Cette année personne n'a le cœur d'accrocher l'étoile ; mais il va la voir dans la réserve sombre. Il ôte les gaines de toile qui protègent ses branches, et vérifie qu'elles ne sont pas ébréchées ou ternies. Il y aura de meilleures années où ils l'accrocheront de nouveau, même s'il ne peut se les imaginer pour le moment. Il replace les gaines, admirant l'ingéniosité qu'il a fallu pour les fabriquer avec une telle précision. Les robes des rois mages sont empilées dans une malle, de même que les peaux de mouton avec lesquelles les enfants se déguisaient. Les houlettes de berger sont appuyées dans un coin ; des ailes d'ange sont suspendues à une patère. Il les touche. Ses doigts se couvrent de poussière. Il pose sa bougie dans un endroit sûr, soulève les ailes et les agite précautionneusement. Elles produisent un sifflement doux, et un léger parfum d'ambre se répand. Il les raccroche, passe la paume de sa main dessus pour les apaiser et faire cesser leur tremblement. Il soulève sa bougie. Il recule et referme la porte. Il éteint la bougie, tourne la clé dans la serrure et la tend à Johane.

Il lui dit : « J'aimerais qu'il y ait un bébé dans cette maison. J'ai l'impression que ça fait si longtemps qu'il n'y en a pas eu.

— Ne me regarde pas », réplique Johane.

258

Mais il la regarde, naturellement.

« John Williamson n'accomplit-il pas son devoir conjugal ces temps-ci ?

— Son devoir n'est pas mon plaisir. »

Comme il s'éloigne, il songe, voilà une conversation que je n'aurais pas dû avoir.

Le premier de l'an, à la tombée de la nuit, il est assis à son bureau ; il rédige des lettres pour le cardinal et traverse parfois la pièce jusqu'à sa table de calcul. Il semblerait que si le cardinal plaide formellement coupable de l'accusation de *praemunire*, le roi lui laissera la vie sauve, ainsi qu'une certaine liberté ; mais l'argent qui lui reste pour conserver son train de vie ne représentera qu'une fraction de ses anciens revenus. York Place a déjà été repris, Hampton Court est depuis longtemps envolé, et le roi se demande comment taxer et dépouiller le riche évêché de Winchester.

Gregory entre.

« Je vous ai apporté des bougies. Ma tante Johane m'a dit, va voir ton père. »

Gregory s'assied. Il attend. Il s'agite. Il soupire. Il se lève. Il marche jusqu'au bureau de son père et s'attarde devant lui. Puis, comme si on lui avait dit : « Rends-toi utile », il tend timidement la main et commence à ranger des papiers.

Cromwell lève les yeux vers son fils, sans toutefois relever la tête. Pour la première fois, peut-être, depuis des années, il remarque ses mains, et il est frappé par ce qu'elles sont devenues : pas des menottes d'enfant, mais les grandes mains blanches et sereines d'un fils de gentilhomme. Que fait Gregory ? Il empile des documents. Selon quel principe ? Il ne peut pas les lire, ils sont à l'envers. Il ne les classe donc pas par sujet. Les classe-t-il par date ? Pour l'amour de Dieu, qu'est-ce qu'il fabrique ?

Il a besoin de terminer cette phrase complexe et vitale qu'il était en train d'écrire. Il lève de nouveau les yeux et comprend ce que fait Gregory. C'est un système d'une simplicité enfantine : les grandes feuilles en bas, les petites sur le dessus.

« Père... » commence Gregory, puis il pousse un soupir et marche jusqu'à la table de calcul.

Du bout de l'index il déplace les jetons posés dessus. Puis il les rassemble, les prend dans sa main et les entasse en une pile nette.

Cromwell lève enfin la tête.

« C'était un calcul. Je ne les avais pas juste placés là au hasard.

— Oh, désolé », répond poliment Gregory.

Il s'assied près du feu et tente de se faire aussi discret que possible.

Mais même les yeux les plus doux peuvent être impérieux. Remarquant le regard de son fils, Cromwell demande : « Qu'y a-t-il ?

— Pensez-vous que vous pourriez vous arrêter d'écrire ?

— Accorde-moi une minute », répond-il en levant la main. Il signe la lettre avec sa formule de politesse habituelle, *votre ami fidèle, Thomas Cromwell*. Si Gregory s'apprête à lui annoncer que quelqu'un d'autre est tombé gravement malade, ou que lui, Gregory, a demandé la blanchisseuse en mariage, ou que London Bridge s'est écroulé, il doit être prêt à encaisser la nouvelle comme un homme ; mais il doit d'abord faire sécher sa lettre et y apposer son sceau. Il lève les yeux. « Oui ? »

Gregory détourne le visage. Pleure-t-il ? Ce ne serait pas étonnant, n'est-ce pas, puisque Cromwell lui-même a pleuré, et en public. Il traverse la pièce, s'assied face à son fils, près du foyer. Il ôte sa toque de velours et se passe la main dans les cheveux.

Pendant un long moment personne ne parle. Il baisse les yeux vers ses propres mains aux doigts épais et aux paumes sillonnées de cicatrices et de brûlures. Il songe, moi, un gentilhomme ? C'est ainsi que tu te définis, mais qui crois-tu tromper ? Hormis les gens qui ne t'ont jamais vu, ou ceux que tu as courtoisement maintenus à distance, les clients et les députés des Communes, les collègues à Gray's Inn, les serviteurs des courtisans, les courtisans eux-mêmes… Il commence à penser à la prochaine lettre qu'il doit écrire lorsque Gregory déclare d'une petite voix, comme s'il était soudain retombé en enfance : « Vous rappelez-vous ce spectacle de Noël dans lequel il y avait un géant ?

— Ici dans la paroisse ? Je m'en souviens.

— Il disait : "Je suis un géant, mon nom est Marlinspike." Il était censé être aussi grand que le mât de mai de Cornhill. Qu'est-ce que le mât de mai de Cornhill ?

— Il a été enlevé. L'année des émeutes. On a appelé ça *Evil May Day*. Tu étais encore un bébé à l'époque.

— Où est le mât aujourd'hui ?

— La municipalité le garde en réserve.

— Aurons-nous de nouveau notre étoile l'année prochaine ?

— Si la chance nous sourit un peu plus.

— Serons-nous pauvres si le cardinal est déchu ?

— Non. »

Gregory plonge le regard dans les petites flammes qui bondissent en brasillant.

« Vous rappelez-vous l'année où j'ai eu le visage peint en noir, et où j'étais enveloppé d'une peau de mouton noire ? Quand je jouais un diable dans la pièce de Noël ?

— Oui. » Son visage s'adoucit. « Je m'en souviens. »

Anne avait également voulu avoir le visage peint, mais sa mère avait dit que ce n'était pas convenable pour une fillette. Il regrette de ne pas l'avoir alors déguisée en ange – même si, avec ses cheveux sombres, elle aurait été obligée de porter l'une de ces perruques en laine jaune qui avaient tendance à glisser sur le côté ou à recouvrir les yeux des enfants.

L'année où Grace avait été un ange, elle avait porté des ailes en plumes de paon. Il les avait lui-même fabriquées. Les autres petites filles étaient des créatures sans élégance et niaises dont les ailes se détachaient au moindre choc. Mais Grace était lumineuse avec ses cheveux entremêlés de fils d'argent ; ses épaules dégageaient une majesté frémissante, et l'air bruissant qu'elle respirait était parfumé. Lizzie avait dit, Thomas, rien ne t'arrête, n'est-ce pas ? Elle a les plus belles ailes que cette ville ait jamais vues.

Gregory se lève ; il l'embrasse pour lui souhaiter bonne nuit. Pendant un moment son fils est penché contre lui, comme s'il était un enfant ; ou comme s'il était enivré par les souvenirs du passé, par les images dansant parmi les flammes.

Une fois le garçon parti, il balaie de la main les piles nettes qu'il a constituées. Il plie les feuilles, les classe pour qu'elles soient prêtes à être rangées. Il songe à l'*Evil May Day*. Gregory n'a pas demandé, pourquoi y a-t-il eu des émeutes ? Les émeutes étaient contre les étrangers. Lui-même n'était pas rentré au pays depuis longtemps.

Au début de l'année 1530, il n'organise pas de fête pour l'Épiphanie, car trop de personnes, conscientes de la disgrâce du cardinal, auraient été forcées de décliner son invitation. À la place, il emmène les jeunes hommes de sa maison à Gray's Inn pour les célébrations de la fête des rois. Mais il le regrette presque aussitôt : cette année elles sont plus bruyantes et obscènes que jamais.

Les étudiants en droit donnent une pièce sur le cardinal. Ils le représentent fuyant son palais de York Place, puis gagnant sa barge sur la Tamise. Certains garçons agitent des draps teints pour imiter la rivière, et d'autres arrivent avec des seaux en cuir et leur versent de l'eau dessus. Tandis que le cardinal grimpe péniblement à bord de sa barge, des cris de chasse retentissent, et un sombre idiot entre en courant dans la salle avec une paire de loutres attachées à une laisse. D'autres arrivent avec des filets et des cannes à pêche, pour traîner le cardinal jusqu'à la rive.

La scène suivante montre le cardinal pataugeant dans la boue à Putney alors qu'il est en route pour son refuge d'Esher. Les étudiants crient taïaut tandis que le cardinal sanglote et lève les mains en prière. De tous ceux qui ont assisté à sa fuite, lequel, se demande-t-il, a eu l'idée d'en tirer une comédie ? S'il le découvrait, cet individu passerait un mauvais quart d'heure.

Le cardinal est allongé sur le dos telle une montagne cramoisie ; il bat l'air des mains ; il offre son évêché de Winchester à quiconque le remettra sur sa monture. Quelques étudiants sous une carcasse drapée de peaux d'âne interprètent le mulet. L'animal tourne en rond, lance des plaisanteries en latin et pète à la face du cardinal. Il y a de nombreux jeux de mots obscènes qui passeraient pour spirituels dans la bouche de balayeurs, mais qu'il estime indignes d'étudiants en droit. Il se lève, mécontent, et ceux qui l'accompagnent n'ont d'autre choix que de se lever avec lui et sortir.

Il s'arrête pour se plaindre auprès de quelques collègues avocats : comment ceci a-t-il pu être autorisé ? Le cardinal de York est un homme malade, il risque de mourir, comment vous et vos étudiants vous justifierez-vous lors du jugement dernier ? Quel genre de jeunesse éduquez-vous ici, si prompte à s'en prendre à un grand homme en proie à d'énormes difficultés – un grand homme dont elle aurait, il y a tout juste quelques semaines, imploré les faveurs ?

Les avocats le suivent en s'excusant ; mais leurs voix sont noyées par les hurlements de rire qui émanent de la salle. Ses jeunes compagnons lambinent, jetant des coups d'œil en arrière. Le cardinal offre son harem de quarante vierges à quiconque l'aidera à remonter en selle ; il est assis par terre et gémit tandis qu'un pénis en laine, tout mou et tout tordu, jaillit de sous ses vêtements.

Dehors, des lueurs luisent faiblement dans l'air glacial. « À la maison », dit-il. Et il entend Gregory murmurer : « Nous n'avons le droit de rire que s'il nous y autorise. »

Puis il entend Rafe répondre : « Eh bien, après tout, c'est lui qui commande. »

Il ralentit l'allure pour parler avec eux.

« De toute manière, dit-il, c'était le cruel pape Borgia, Alexandre, qui gardait quarante femmes. Et aucune d'elles n'était vierge, je peux vous l'assurer. »

Rafe lui touche l'épaule. Richard marche sur sa gauche, restant à proximité.

« Inutile de me soutenir, dit doucement Cromwell. Je ne suis pas comme le cardinal. » Il s'arrête. Il éclate de rire. « Je suppose que c'était...

— Oui, c'était très divertissant, dit Richard. Son Excellence devait avoir un tour de taille d'un mètre cinquante. »

La nuit résonne du bruit des os qu'on entrechoque et est illuminée par les flammes des torches. Une troupe de chevaux de bois clopine devant eux en chantant, puis c'est un groupe d'hommes arborant des bois de cervidés sur la tête et des clochettes aux talons. Comme ils approchent de la maison, un garçon déguisé en orange roule devant eux, accompagné de son ami, un citron.

« Gregory Cromwell ! » lancent-ils. Puis ils saluent courtoisement son père en soulevant la partie supérieure de leur écorce comme si c'était un chapeau. « Que Dieu vous accorde une bonne année.

— À vous aussi », répond-il. Puis, à l'intention du citron : « Dis à ton père de venir me voir à propos de ce bail à Cheapside. »

Ils pénètrent dans la maison.

« Allez vous coucher, dit-il. Il est tard. » Il lui semble bon d'ajouter : « Que Dieu vous protège jusqu'au matin. »

Ils le laissent. Il s'assied à sa table de travail. Il repense à Grace à la fin de la soirée où elle était un ange : debout à la lueur du feu, son visage pâle de fatigue, ses yeux scintillant, et les yeux de ses plumes de paon brillant à la lumière telles des topazes dorées et fumées. Liz avait dit : « Éloigne-toi du feu, ma chérie, ou tes ailes vont s'enflammer. » La fillette avait reculé dans l'ombre ; les plumes avaient pris une teinte cendrée tandis qu'elle se dirigeait vers l'escalier, et il avait demandé : « Grace, vas-tu te coucher avec tes ailes ?

— Je les enlèverai après avoir dit mes prières », avait-elle répondu en regardant par-dessus son épaule.

Il l'avait suivie, inquiet pour elle, craignant le feu ou quelque autre danger qu'il n'aurait pu nommer. Elle avait gravi les marches, ses plumes bruissant et s'assombrissant peu à peu.

Ah, Seigneur, songe-t-il, au moins je n'aurai jamais à la donner à quelqu'un d'autre. Elle est morte et je n'aurais pas à l'abandonner à un petit gentilhomme aux lèvres pincées qui en aurait eu après sa dot. Grace aurait voulu un titre. Elle aurait estimé que, sous prétexte qu'elle était adorable, elle en méritait un : lady Grace. Si seulement ma fille Anne était ici, songe-t-il, si seulement elle était ici et promise à Rafe Sadler. Si Anne avait été plus âgée. Si Rafe avait été plus jeune. Si Anne était toujours en vie.

Il se penche une fois de plus sur les lettres du cardinal. Wolsey écrit aux souverains d'Europe pour leur demander de le soutenir, de le justifier, de défendre sa cause. Lui, Thomas Cromwell, aurait préféré que le cardinal n'en fasse rien, ou alors, s'il n'avait pas le choix, d'écrire de manière plus cryptique. Leur demander de s'opposer aux desseins du roi ne relève-t-il pas de la trahison ? Henri estimera que si, même si le cardinal ne leur demande pas de lui déclarer la guerre en son nom ; il leur demande simplement de ne plus donner leur approbation à un roi qui aime beaucoup être aimé.

Il se penche en arrière, les mains plaquées sur la bouche, comme pour se dissimuler son opinion à lui-même. Il pense, encore heureux que j'aime le cardinal, car si je ne l'aimais pas, si j'étais son ennemi – si j'étais par exemple Suffolk, ou bien Norfolk, ou encore le roi –, je le traînerais devant les tribunaux dès la semaine prochaine.

La porte s'ouvre.

« Richard ? Tu ne dors pas ? Ah, je m'en doutais. La pièce t'a trop excité. »

Richard pourrait sourire, mais il ne le fait pas ; son visage est dans l'ombre.

« Maître, dit-il, j'ai une question à vous poser. Notre père est mort et vous êtes désormais notre père. »

Richard Williams et Walter-Ainsi-Nommé-D'après-Walter Williams : ce sont ses fils.

« Assieds-toi, dit-il.

— Allons-nous changer de nom pour prendre le vôtre ?

— Tu me surprends. Avec la vie que je mène, ceux qui portent le nom de Cromwell préféreraient s'appeler Williams.

— Si je portais votre nom, je ne le renierais jamais.

— Est-ce que ça plairait à ton père ? Tu sais qu'il croyait descendre de princes gallois.

— Ah, c'est vrai. Quand il avait bu un coup de trop, il disait, qui me donnera un shilling pour ma principauté ?

— Quoi qu'il en soit, le nom de Tudor figure dans ta lignée.

— Je vous en prie, implore Richard. Cette idée fait perler le sang sur mon front.

— Ce n'est pas si terrible. » Il éclate de rire. « Écoute, l'ancien roi avait un oncle, Jasper Tudor. Jasper a eu deux filles illégitimes, Joan et Helen. Helen était la grand-mère de Gardiner. Joan a épousé William ap Evan – c'était ta grand-mère.

— C'est tout ? Pourquoi mon père en faisait-il tout un plat ? Mais si je suis le cousin du roi… » Richard marque une pause. « Et le cousin de Stephen Gardiner… à quoi cela peut-il me servir ? Nous ne sommes pas à la cour et avons peu de chances d'y parvenir, et le cardinal… eh bien… » Il détourne le regard. « Sir… au cours de vos voyages, vous est-il arrivé de croire que vous alliez mourir ?

— Oui. Oh, oui. »

Richard le regarde : qu'a-t-il pu ressentir alors ?

« Je me suis senti, dit Cromwell, irrité. Ça me semblait un gâchis, je suppose. D'être allé si loin. D'avoir traversé la mer. Et de finir par mourir pour… » Il hausse les épaules. « Pour Dieu sait quoi.

— Chaque jour j'allume un cierge pour mon père, dit Richard.

— Cela t'aide-t-il ?

— Non. Mais je le fais.

— Sait-il que tu le fais ?

— Je ne puis imaginer ce qu'il sait. Mais je sais que les vivants doivent se réconforter mutuellement.

— Tes paroles me réconfortent, Richard Cromwell. »

Richard se lève, l'embrasse sur la joue.

« Bonne nuit. *Cysga'n dawel.* »

Dormez bien ; c'est la formule familière pour les

proches. Celle qu'on utilise avec son père, ses frères. Le nom que nous choisissons est important, de même que le nom que nous nous faisons. Ceux qui perdent leur nom gisent morts sur le champ de bataille, les cadavres ordinaires sans lignée, sans personne pour les chercher, sans chants ni prières perpétuelles. La lignée de Morgan ne sera pas perdue, il en a la certitude, même s'il est décédé une année où la mort était très occupée, où Londres était constamment dans le noir. Il touche sa gorge à l'endroit où la médaille aurait dû se trouver, la médaille sacrée que Kat lui a donnée ; ses doigts sont surpris de ne pas la trouver. Pour la première fois il comprend pourquoi il l'a ôtée et jetée à la mer. Afin qu'aucune main humaine ne puisse la lui prendre. Les vagues l'ont emportée, et les vagues la tiennent toujours.

La cheminée à Esher continue de fumer. Il va voir le duc de Norfolk – qui est toujours disposé à le rencontrer – et lui demande ce qu'il doit faire du personnel du cardinal.

Dans cette affaire, les deux ducs se montrent utiles.

« Personne n'est plus mécontent, déclare Norfolk, qu'un homme sans maître. Personne n'est plus dangereux. Quoi que l'on pense du cardinal de York, il a toujours été bien servi. Envoyez-les-moi. Ce seront mes hommes. »

Il adresse un regard scrutateur à Cromwell. Qui se détourne. Il se sait aussi convoité qu'une riche héritière. Il arbore une expression entendue, évasive, froide.

Il essaie d'obtenir un prêt pour le duc. Ses amis banquiers à l'étranger sont loin d'être enthousiastes. Maintenant que le cardinal est déchu, argue-t-il pour les convaincre, le duc s'est élevé comme le soleil du matin et est assis à la droite d'Henri. Tommaso, objectent-ils, sérieusement, qu'offrez-vous comme garantie ? Un vieux duc qui risque de mourir demain – on le dit colérique ? Vous offrez un duché comme gage, dans votre île barbare constamment en proie à la guerre civile ? Sans compter qu'une nouvelle guerre approche, si votre roi entêté écarte la tante de l'empereur et installe sa catin sur le trône ?

Pourtant il obtiendra un prêt. Quelque part.

Charles Brandon dit : « Encore vous, maître Cromwell, avec votre liste de noms ? Y a-t-il quelqu'un que vous me recommandiez particulièrement ?

— Oui, mais je crains que ce soit un homme aux fonctions modestes, et je ferais mieux d'en parler à votre intendant de cuisine…

— Non, dites-moi », insiste le duc.

Il ne supporte pas le suspense.

« Il s'agit simplement de l'homme qui s'occupe des foyers et des cheminées, rien qui puisse intéresser Votre Excellence.

— Je le prends, je le prends ! s'exclame Charles Brandon. J'aime un bon feu. »

Thomas More, le lord-chancelier, a été le premier à apposer sa signature sur toutes les charges contre Wolsey. On dit même qu'une allégation étrange a été ajoutée sur son ordre. Le cardinal est accusé d'avoir murmuré à l'oreille du roi et de lui avoir soufflé au visage ; le cardinal étant atteint de syphilis, il aurait ainsi cherché à contaminer notre monarque.

Lorsqu'il entend cela, Cromwell pense, imaginez vivre dans la tête du lord-chancelier. Imaginez rédiger une telle accusation et la porter chez l'imprimeur, la faire circuler au tribunal et à travers le royaume, la colporter là où les gens sont prêts à croire n'importe quoi ; la raconter aux bergers dans les collines, au laboureur de Tyndale, au mendiant dans la rue et à la bête patiente dans son étable ou dans sa stalle ; la raconter aux vents d'hiver, au soleil matinal, aux perce-neige des jardins de Londres.

C'est un matin blême, un nuage bas ininterrompu ; la lumière qui filtre péniblement à travers la vitre a la couleur de l'étain terni. Le roi porte des couleurs vives, tel le roi d'un jeu de cartes neuf : que son œil d'un bleu uniforme est petit !

Une foule de gentilshommes entoure Henri Tudor ; ils ignorent Cromwell qui approche. Seul Henry Norris sourit, lui adresse un salut poli. Sur un signe du roi, les gentilshommes s'éloignent ; dans leurs capes aux couleurs vives – c'est un matin de chasse – ils déambulent, papillonnent, se rassemblent ; ils murmurent les uns aux oreilles des autres, conversent à grand renfort de hochements de tête et de haussements d'épaules.

Le roi jette un coup d'œil par la fenêtre.

« Alors, dit-il, comment se porte… ? »

Il semble réticent à nommer le cardinal.

« Il ne peut se porter bien tant qu'il n'a pas les faveurs de Votre Majesté.

— Quarante-quatre accusations, dit le roi. Quarante-quatre, monsieur.

— Sauf le respect de Votre Majesté, il y a une réponse à chacune, et si l'on nous accordait une audience, nous les donnerions.

— Pourriez-vous les donner ici et maintenant ?

— Si Votre Majesté accepte de m'entendre.

— Il paraît qu'on ne vous prend jamais au dépourvu.

— Aimeriez-vous que je vienne ici sans être préparé ? »

Il a parlé presque sans réfléchir. Le roi sourit. Cette fine courbure de sa lèvre rouge. Il a une jolie bouche, presque une bouche de femme ; elle est trop petite pour son visage.

« Tout autre jour je vous aurais mis à l'épreuve, dit le roi. Mais lord Suffolk m'attend. Croyez-vous que ce nuage va se lever ? Je regrette de ne pas être sorti avant la messe.

— Je crois que le ciel va se dégager, répond-il. Une bonne journée pour la chasse.

— Monsieur Cromwell ? » Le roi se retourne ; Cromwell le regarde, étonné. « Vous ne partagez pas l'opinion de Thomas More, si ? »

Il attend. Il se demande de quoi parle le roi.

« *La chasse*[*], poursuit celui-ci. Il trouve cela barbare.

— Oh, je vois. Non, Votre Majesté. Je suis favorable à toute forme de divertissement, du moment qu'il est moins onéreux que la guerre. C'est plutôt que… » Comment formuler ça ? « Dans certains pays, on chasse l'ours, et le loup, et le cochon sauvage. Nous avions autrefois ces animaux en Angleterre, quand nous avions nos grandes forêts.

— Mon cousin de France peut chasser le sanglier. De temps à autre il dit qu'il va m'en envoyer. Mais je sens que… »

Vous sentez qu'il se moque de vous.

« Nous avons l'habitude de dire, reprend Henri en le regardant droit dans les yeux, nous avons l'habitude de dire, nous autres gentilshommes, que la chasse nous prépare à la guerre. Ce qui nous amène à un sujet délicat, maître Cromwell.

— En effet, dit-il d'un ton enjoué.

— Vous avez déclaré au Parlement, il y a six ans de cela, que je n'avais pas les moyens d'une guerre. »

C'était il y a sept ans. En 1523. Et depuis combien de temps cette audience dure-t-elle ? Sept minutes ? Sept minutes et il sait déjà ce qu'il voulait savoir. Inutile de reculer ; s'il le fait, Henri le rattrapera. Alors que s'il avance, le roi vacillera peut-être.

Il dit : « Aucun souverain dans l'histoire du monde n'a jamais eu les moyens d'une guerre. Les guerres sont hors de prix. Aucun prince n'a jamais dit : "Voici mon budget ; donc voici le type de guerre que je puis m'offrir." Vous vous engagez dans une guerre et tout votre argent y passe, et alors elle vous brise et vous laisse sur la paille.

— Quand je suis allé en France en l'an 1513 j'ai capturé la ville de Thérouanne, que dans votre discours vous avez qualifiée de…

— De trou à rat, Majesté.

— De trou à rat, répète le roi. Comment avez-vous pu dire ça ? »

Il hausse les épaules.

« J'y suis allé.

— Et moi aussi, rétorque le roi soudain furieux. À la tête de mon armée. Écoutez-moi, monsieur, vous avez dit que je ferais mieux de ne pas me battre car les impôts briseraient le pays. Mais à quoi sert un pays, si ce n'est à soutenir son prince dans ses initiatives ?

— Je crois avoir dit – sauf le respect de Votre Majesté – que nous ne possédions pas suffisamment d'or pour subvenir à une année de campagne. Tous les lingots du pays auraient été engloutis par la guerre. J'ai lu qu'à une époque les gens échangeaient des jetons en cuir par manque de pièces en métal. J'ai dit que nous retournerions à cette époque.

— Vous avez dit que je ne devais pas mener mes troupes. Vous avez dit que si j'étais pris, le pays ne pourrait pas payer la rançon. Alors que voulez-vous ? Voulez-vous un roi qui ne se bat pas ? Voulez-vous que je me cloître entre quatre murs comme une petite fille malade ?

— Ce serait l'idéal, d'un point de vue fiscal. » Le roi prend une profonde inspiration rauque. Il a crié. Maintenant, après une hésitation, il décide de rire.

« Vous prônez la prudence. La prudence est une vertu. Mais il y a d'autres vertus qu'un prince se doit d'avoir.

— La fortitude.

— Oui. Évaluez le coût de cela.

— Il ne s'agit pas de bravoure au combat.

— Êtes-vous en train de me faire la leçon ?

— Il ne s'agit pas de détermination inébranlable. Il ne s'agit pas d'endurance. Il s'agit d'avoir la force de vivre avec ce qui vous entrave. »

Henri traverse la pièce. Boum, boum, boum dans ses lourdes bottes ; il est prêt pour *la chasse*[*]. Il se retourne, assez lentement, pour mettre en avant sa majestueuse silhouette : large, carrée, flamboyante.

« Poursuivons. Qu'est-ce qui m'entrave ?

— La distance, répond-il. Les ports. Le terrain, les gens. Les pluies et la boue de l'hiver. Quand les ancêtres de Votre Majesté ont combattu en France, des provinces entières étaient aux mains de l'Angleterre, à partir desquelles nous pouvions nous fournir, nous ravitailler. Maintenant que nous n'avons que Calais, comment pourrions-nous soutenir une armée à l'intérieur des terres ? »

Le roi regarde le matin argenté au-dehors. Il se mordille la lèvre. Est-il en proie à une fureur montante, bouillonnante, sur le point d'exploser ? Il se retourne et arbore un sourire radieux.

« Je sais, dit Henri. Alors la prochaine fois que nous irons en France, nous aurons besoin d'une région côtière. »

Bien sûr. Nous devons prendre la Normandie. Ou la Bretagne. Rien de plus simple.

« Bien raisonné, ajoute le roi. Je ne vous en veux pas. Seulement je suppose que vous n'avez aucune expérience de la manière dont on conduit une campagne. »

Cromwell secoue la tête.

« Aucune.

— Vous avez dit – je veux dire, dans votre discours au Parlement – qu'il y avait pour un million de livres d'or dans le royaume.

— J'ai arrondi.

— Mais où avez-vous trouvé ce chiffre ?

— J'ai été formé dans les banques de Florence. Et de Venise. »

Le roi le regarde fixement.

« Howard affirme que vous étiez un simple soldat.

— Ça aussi.

— Autre chose ?

— Que souhaiterait Votre Majesté que je sois ? »

Le roi le regarde franchement : une chose rare chez lui. Il a l'habitude de détourner les yeux.

« Maître Cromwell, votre réputation est mauvaise. »

Il incline la tête.

« Vous ne vous défendez pas ? insiste le roi.

— Votre Majesté est capable de se faire sa propre opinion.

— Je le peux. Je le ferai. »

À la porte, les gardes décroisent leurs lances ; les gentilshommes s'écartent et s'inclinent ; Suffolk entre d'un pas lourd. Charles Brandon semble avoir trop chaud dans ses habits.

« Vous êtes prêt ? demande-t-il au roi. Oh, Cromwell. » Il fait un grand sourire. « Comment se porte votre prêtre obèse ? »

Le roi rougit de déplaisir. Brandon ne s'en rend pas compte.

« Vous savez, poursuit-il en ricanant, on dit que votre cardinal est un jour parti avec son valet et qu'il a arrêté son cheval au-dessus d'une vallée. En regardant vers le bas, il voit une très jolie église et les terres qui l'entourent. Il dit à son serviteur, Robin, qui possède ceci ? Je voudrais que ce soit à moi ! Et Robin répond, C'est à vous, monseigneur, c'est à vous. »

L'anecdote de Brandon ne rencontre guère de succès, mais il en rit lui-même.

Cromwell déclare : « Monseigneur, on raconte cette histoire partout en Italie. À propos de tel ou tel cardinal. »

Le visage de Brandon s'assombrit.

« Comment, la même histoire ?

« *Mutatis mutandis*. Le serviteur ne s'appelle pas Robin. »

Le roi croise son regard. Il sourit.

En sortant il se fraie un chemin parmi les gentilshommes, et voici qu'il tombe nez à nez avec le secrétaire du roi en personne !

« Bonjour, bonjour », dit-il.

Il répète rarement les choses, mais le moment semble l'exiger.

Gardiner frotte l'une contre l'autre ses grandes mains bleues.

« Froid, non ? demande-t-il. Et comment cela s'est-il passé, Cromwell ? Déplaisant, je suppose ?

— Au contraire, répond-il. Oh, et il est sur le point de partir avec Suffolk ; vous allez devoir l'attendre. » Il continue de marcher, mais il se retourne. Il ressent une douleur sourde dans la poitrine. « Gardiner, ne pouvons-nous cesser ce petit jeu ?

— Non », dit Gardiner. Ses paupières tombantes palpitent. « Non, je ne crois pas.

— Très bien », dit-il.

Il s'en va. Tu verras, pense-t-il. Tu devras peut-être attendre un an ou deux, mais tu verras.

Esher, deux jours plus tard : il a à peine franchi le portail que Cavendish traverse la cour à toute allure.

« Maître Cromwell ! Hier le roi…

— Du calme, George.

— … hier il nous a envoyé quatre chargements de meubles. Venez voir ! Des tapisseries, de la vaisselle, des rideaux de lit. Est-ce grâce à votre intervention ? »

Qui sait ? Il n'a rien demandé directement. S'il l'avait fait, il aurait été plus précis. Pas ce rideau-*là*, mais celui-*ci*, qui plaira à Son Excellence ; il préfère les déesses aux vierges martyres, donc pas de sainte Agnès, prenons plutôt Vénus dans un bosquet. Son

Excellence aime les verreries vénitiennes ; remportez ces gobelets d'argent cabossés.

C'est avec une expression méprisante que ce dernier inspecte les arrivages.

« Parfait pour vous autres garçons de Putney ! déclare Wolsey. Il est possible, ajoute-t-il presque comme s'il s'excusait, que ce qui a été envoyé ne soit pas ce que le roi a choisi pour moi. Ces substitutions inférieures ont été effectuées par des personnes inférieures.

— C'est fort possible, convient Cromwell.

— Néanmoins, même si c'est le cas, nous allons être plus à l'aise.

— La difficulté, intervient Cavendish, c'est que nous devons déménager. Cette maison doit être entièrement astiquée et aérée.

— Vrai, dit le cardinal. Sainte Agnès, bénie soit-elle, s'évanouirait en sentant l'odeur des toilettes.

— Alors, allez-vous chercher les faveurs des conseillers du roi ? »

Cromwell soupire.

« George, à quoi bon ? Écoutez. Je ne parle pas à Thomas Howard. Je ne parle pas à Brandon. Je lui parle à *lui*. »

Le cardinal sourit. Un bon gros sourire paternel.

Il est surpris – tandis qu'ils négocient un accord financier pour le cardinal – par le sens du détail d'Henri. Wolsey a toujours affirmé que le roi avait l'esprit fin, qu'il était aussi vif mais plus ouvert que son père. L'ancien roi était devenu borné avec l'âge ; il tenait l'Angleterre d'une main de fer, il n'y avait pas un noble qui n'eût une dette ou une obligation envers lui, et il disait franchement que s'il ne pouvait être aimé, alors il serait craint. Henri a une nature différente, mais à quoi cela tient-il ? Wolsey rit et dit, je devrais vous rédiger un manuel. Mais tandis qu'il se promène dans le jardin du petit pavillon de Richmond, où le roi l'a autorisé à résider, l'esprit du cardinal s'embrume, il parle de prophéties, et de la chute des prêtres d'Angleterre qui, dit-il, a été prédite et est sur le point de se produire.

Même sans croire aux présages – et, personnellement, Cromwell n'y croit pas –, il comprend le problème. Car si le cardinal s'est rendu coupable d'un crime en affirmant sa juridiction de légat, alors tous ces ecclésiastiques qui ont consenti à son autorité, à commencer par les évêques, ne sont-ils pas eux aussi coupables ? Il ne peut être la seule personne à penser cela, mais ses ennemis ne voient pas plus loin que le cardinal, que sa vaste présence écarlate à l'horizon ; ils craignent qu'elle ne se dresse de nouveau, prête à se venger.

« Les temps sont durs pour les prélats orgueilleux », déclare Brandon lors de leur rencontre suivante. Il parle d'un ton enjoué, tel un homme qui siffloterait pour se redonner du courage. « Nous n'avons pas besoin de cardinaux dans ce royaume. »

« Et lui, s'écrie le cardinal, furieux, lui, Brandon, quand il a épousé la sœur du roi en secret – quand il l'a épousée alors qu'elle était à peine veuve depuis quelques jours tout en sachant que le roi la réservait à un autre monarque –, sa tête aurait été séparée de son corps si je n'avais pas, moi, un simple cardinal, plaidé sa cause auprès du roi. »

Moi, un simple cardinal.

« Et quelle a été l'excuse de Brandon ? poursuit le cardinal. "Oh, Votre Majesté, votre sœur Mary pleurait. Elle pleurait et m'a imploré de l'épouser ! Je n'ai jamais vu une femme autant pleurer !" Alors il a séché ses larmes et s'est retrouvé duc ! Et maintenant il parle comme s'il avait détenu ce titre depuis le jardin d'Éden. Écoutez, Thomas, quand des hommes de grande érudition et de bonne disposition viennent me voir – comme l'évêque Tunstall, comme Thomas More – et plaident pour la réforme de l'Église, eh bien, je les écoute. Mais Brandon ! Parler de prélats orgueilleux ! Qu'était-il ? Le palefrenier du roi ! Et j'ai connu des chevaux qui avaient plus d'esprit que lui !

— Votre Excellence, implore Cavendish, soyez plus mesuré. Charles Brandon, vous savez, vient d'une très vieille famille, il est né gentilhomme.

— Gentilhomme, lui ? Un vantard. Voilà ce qu'est Brandon. » Le cardinal s'assied, épuisé. « Ma tête me fait souffrir, dit-il. Cromwell, allez à la cour et rapportez-moi de meilleures nouvelles. »

Jour après jour il prend ses instructions auprès de Wolsey à Richmond, puis il se rend là où se trouve le roi. Il pense au souverain comme à une terre à conquérir, sans région côtière pour se ravitailler.

Il comprend ce qu'Henri a appris de son cardinal : sa diplomatie fluctuante, sa science de l'ambiguïté. Il voit comment le roi a mis cette science en pratique pour entraîner la ruine lente, furtive, sournoise de son ministère. Chaque attention d'Henri est assortie d'une cruauté, d'une nouvelle accusation, d'une nouvelle spoliation. Si bien que le cardinal finit par gémir : « Je veux partir d'ici. »

« Winchester, suggère-t-il aux ducs. Monseigneur le cardinal est disposé à se rendre à son palais là-bas.

— Quoi, si près du roi ? s'insurge Brandon. Nous ne sommes pas idiots, maître Cromwell. »

Puisque lui, l'homme du cardinal, est si souvent avec le roi, le bruit court à travers l'Europe que Wolsey est sur le point d'être rappelé. Le roi passe un marché, dit-on, pour obtenir les biens de l'Église en échange du retour en grâce de Wolsey. Mais des rumeurs s'échappent de la chambre du Conseil, des appartements privés du roi : on dit que ce dernier n'aime pas le nouvel arrangement. On reproche à Norfolk de n'être au courant de rien ; Suffolk est accusé d'avoir un rire irritant.

« Son Excellence n'ira pas dans le Nord, déclare Cromwell. Il n'est pas prêt.

— Mais je veux qu'il aille dans le Nord, réplique Howard. Dites-lui d'y aller. Dites-lui que Norfolk veut qu'il prenne la route et s'en aille d'ici. Ou alors – et dites-le-lui bien – c'est moi qui viendrai à lui, et je le taillerai en pièces avec mes dents.

— Milord. » Il s'incline. « Puis-je remplacer par le mot "mordre" ? »

Norfolk s'approche de lui. Il se tient bien trop près. Ses yeux sont injectés de sang. Chacun de ses muscles frémit.

« Ne remplacez rien, dit-il, espèce de bâtard illégitime. » Le duc lui enfonce un index dans l'épaule. « Espèce de vaurien infernal, de rejeton de catin, d'être diabolique, espèce d'avocat. »

Il est là à enfoncer son doigt tel un boulanger perçant des trous dans des miches de pain. La chair de Cromwell est ferme, dense et impénétrable. Le doigt ducal ne fait que rebondir dessus.

Avant leur départ d'Esher, l'un des chats qui avait été amenés pour tuer la vermine a donné naissance à une portée dans l'une des pièces privées du cardinal. Quelle présomption, de la part d'un animal ! Mais attendez – des naissances, dans la suite du cardinal ? Pourrait-ce être un *présage* ? Un jour, craint-il, il y aura un présage différent : un oiseau mort tombera dans cette cheminée fumante, et alors – oh, pauvres de nous ! – nous n'aurons pas fini d'en entendre parler.

Mais pour le moment le cardinal s'en amuse, il a placé les chatons sur un coussin dans une malle ouverte et il les regarde grandir. L'un d'eux est noir et affamé, avec une fourrure semblable à de la laine et des yeux jaunes. Lorsqu'il est sevré, Cromwell le ramène chez lui. Il le sort de sous son manteau, où il dormait recroquevillé contre son épaule. « Gregory, regarde ! » Il le tend à son fils. « Je suis un géant, mon nom est Marlinspike. »

Gregory scrute son père, prudent, perplexe. Il baisse les yeux, s'écarte légèrement.

« Les chiens vont le tuer », dit-il.

Marlinspike se retrouve à la cuisine, où il deviendra robuste et vivra en accord avec sa nature animale. L'été approche, mais Cromwell n'imagine aucun de ses plaisirs ; parfois quand il se promène dans le jardin il le voit, un chat pas encore adulte, dormant d'un œil dans un pommier, ou ronflant sur un mur au soleil.

Printemps 1530 : Antonio Bonvisi, le marchand, l'invite à souper dans sa belle et haute demeure de Bishopsgate. « Je ne rentrerai pas tard », dit-il à Richard, s'attendant à l'habituelle réunion tendue où tout le monde est en colère et affamé – car même un riche

Italien avec des cuisiniers ingénieux ne peut trouver cent manières différentes d'accommoder de l'anguille fumée ou de la morue salée. Les marchands pendant le carême regrettent leur mouton et leur malvoisie, leurs galipettes nocturnes dans un lit de plumes avec leur femme ou leur maîtresse ; à partir de maintenant et jusqu'au Vendredi saint ce sera à qui obtiendra les meilleurs renseignements assassins, ou quelque avantage commercial mesquin.

Mais la soirée est plus grandiose qu'il ne l'avait imaginé ; le lord-chancelier est là, parmi une compagnie d'avocats et de magistrats. Humphrey Monmouth, que More a un jour fait enfermer, est assis à bonne distance du grand homme ; More semble à l'aise, captivant la compagnie avec l'une de ses anecdotes sur le grand érudit Érasme, son cher ami. Mais quand il lève la tête et voit Cromwell, il s'interrompt au beau milieu d'une phrase, il baisse les yeux et une expression sombre et dure apparaît sur son visage.

« Vous apprêtiez-vous à parler de moi ? demande-t-il. Vous pouvez le faire en ma présence, lord-chancelier. J'ai la peau dure. » Il vide d'un trait un verre de vin et éclate de rire. « Savez-vous ce que dit Brandon ? Il a reconstitué ma vie. Mes voyages. L'autre jour il m'a qualifié de marchand juif.

— Et l'a-t-il fait devant vous ? demande poliment son hôte.

— Non. C'est le roi qui me l'a répété. Mais après tout, Son Excellence le cardinal qualifie Brandon de palefrenier.

— Vous avez vos entrées ces jours-ci, Thomas, déclare Humphrey Monmouth. Qu'en pensez-vous, êtes-vous désormais un courtisan ? »

On sourit autour de la table. Car, évidemment, cette idée est ridicule, la situation est temporaire. Les amis de More sont des gens de la ville, rien de plus ; mais lui est *sui generis*, un érudit, un esprit. Et More dit : « Peut-être ferions-nous mieux de ne pas insister. Il est des sujets délicats. Il est des moments où mieux vaut se taire. »

Un ancien de la guilde des drapiers se penche en travers de la table et prévient, d'une voix sourde : « Thomas More a dit, lorsqu'il s'est assis, qu'il refuserait de parler du cardinal ou de la lady. »

Cromwell parcourt des yeux la compagnie.

« Je suis cependant surpris, dit-il, d'observer tout ce que le roi tolère.

— De votre part ? demande More.

— Je parle de Brandon. Ils vont chasser, et lui arrive et lance, vous êtes prêt ?

— Durant les premières années du règne, renchérit Bonvisi, votre maître le cardinal n'a eu de cesse d'essayer d'empêcher les compagnons du roi de se montrer trop familiers avec lui.

— Il voulait être le seul à être familier, suggère More.

— Mais, naturellement, le roi peut élever qui il souhaite.

— Jusqu'à un certain point, Thomas », réplique Bonvisi.

Quelques rires se font entendre.

« Et le roi aime avoir des amis. C'est sans doute une bonne chose ?

— Un propos bienveillant de votre part, maître Cromwell ?

— Pas du tout, dit Monmouth. Maître Cromwell est connu pour être quelqu'un qui fait tout pour ses amis.

— Je crois… » More s'interrompt ; il baisse les yeux vers la table. « En toute sincérité, je ne suis pas sûr qu'on puisse considérer un prince comme un ami.

— Mais pourtant, observe Bonvisi, vous connaissez Henri depuis son enfance.

— Oui, mais une amitié devrait être moins éprouvante… elle devrait être fortifiante. Pas comme… » More se tourne vers Cromwell, pour la première fois, comme s'il attendait un commentaire de sa part. « J'ai parfois l'impression que c'est comme… comme Jacob luttant avec l'ange.

— Et qui sait, dit Cromwell, quelle était la raison de cette lutte ?

— Oui, le texte ne le dit pas. Comme pour Caïn et Abel. Qui sait ? »

Il sent une légère agitation autour de la table, parmi les invités les plus pieux, les moins badins ; ou parmi ceux qui attendent juste le plat suivant. Qu'est-ce que ce sera ? Du poisson !

« Quand vous vous entretenez avec Henri, dit More, je vous en supplie, parlez à son bon cœur. Pas à sa détermination. »

Cromwell continuerait volontiers sur le sujet, mais le vieux drapier agite la main pour qu'on lui serve du vin et lui demande : « Comment se porte votre ami Stephen Vaughan ? Quoi de neuf à Anvers ? » La conversation porte désormais sur le commerce ; il est question de transport, de taux d'intérêt ; mais ce n'est rien de plus qu'un bruit de fond aux spéculations intempestives. Si vous entrez dans une pièce en disant, voici ce dont nous ne parlerons pas, vous finissez par ne parler de rien d'autre. Si le lord-chancelier n'était pas là, il ne serait question que de droits d'importation et d'entrepôts ; on ne penserait pas au cardinal ruminant dans son écarlate, et nos dîneurs affamés ne seraient pas préoccupés par l'image des doigts du roi rampant sur la poitrine réticente et virginale d'une jeune femme au souffle court. Il se penche en avant et fixe son regard sur Thomas More. Au bout d'un moment la conversation retombe ; et après un quart d'heure sans avoir prononcé un mot, le lord-chancelier déclare, d'une voix sourde et rageuse, les yeux posés sur les restes dans son assiette : « Le cardinal de York a perpétuellement besoin de régner sur les autres.

— Lord-chancelier, dit Bonvisi, vous regardez votre hareng comme si vous le détestiez.

— Je n'ai rien contre mon hareng », réplique le gracieux invité.

Cromwell se penche en avant, prêt à livrer le combat ; il ne va pas laisser passer ça.

« Le cardinal est un homme public. Vous aussi. Devrait-il se dérober à ses fonctions ?

— Oui. » More lève les yeux. « Oui, je crois, un peu. Il devrait montrer un appétit moins flagrant, peut-être.

— Il est trop tard, déclare Monmouth, pour donner au cardinal une leçon d'humilité.

— Ses vrais amis ont essayé il y a longtemps, et ils n'ont pas été entendus.

— Et vous vous considérez comme son ami ? » Cromwell se penche en arrière, bras croisés. « Je le lui dirai, lord-chancelier, et je vous jure qu'il y trouvera une consolation, alors qu'il est en exil et se demande pourquoi vous l'avez calomnié auprès du roi.

— Messieurs..., intervient Bonvisi en se levant, nerveux.

— Non, coupe-t-il, asseyez-vous. Soyons bien clairs. Thomas More ici présent vous dira qu'il n'aurait été qu'un simple moine si son père ne lui avait fait étudier le droit. Qu'il aurait passé sa vie dans les ordres s'il avait eu le choix. Qu'il est, comme nous le savons, indifférent à la richesse. Qu'il se consacre aux choses de l'esprit. Que l'estime du monde n'est rien pour lui. » Il parcourt la table du regard. « Alors comment est-il devenu lord-chancelier ? Par accident ? »

La porte s'ouvre ; Bonvisi se lève d'un bond ; le soulagement inonde son visage.

« Bienvenue, bienvenue, dit-il. Messieurs, l'ambassadeur de l'empereur. »

C'est Eustache Chapuys, qui arrive en même temps que les desserts ; le nouvel ambassadeur, comme on l'appelle, bien qu'il soit en poste depuis l'automne. Il se tient immobile à la porte, afin d'être reconnu et admiré : un petit homme tordu vêtu d'un pourpoint taillardé et matelassé, du satin bleu ondulant sous l'étoffe noire ; en dessous, ses petites jambes noires et grêles.

« Je regrette d'être tellement en retard, dit-il en minaudant. *Les dépêches, toujours les dépêches**.

— Telle est la vie d'un ambassadeur. » Il lève les yeux, sourit, se présente : « Thomas Cromwell.

— Ah, *c'est le juif errant** ! »

Aussitôt l'ambassadeur s'excuse, tout en souriant à la ronde, comme s'il était déconcerté par le succès de sa plaisanterie.

Asseyez-vous, asseyez-vous, dit Bonvisi, et les serviteurs s'affairent, les nappes sont époussetées, les invités s'autorisent à changer de place, sauf le lord-chancelier, qui reste assis sans bouger. Des fruits d'automne confits sont apportés, ainsi que du vin épicé, et Chapuys prend une place d'honneur à côté de More.

« Nous parlerons français », annonce Bonvisi.

Il s'avère que le français est la première langue de l'ambassadeur de l'empire et d'Espagne ; et comme n'importe quel diplomate, il ne prendra jamais la peine d'apprendre l'anglais, car à quoi cela lui servirait-il pour sa prochaine affectation ? Mille mercis, mille mercis, dit-il tandis qu'il s'installe confortablement sur la chaise sculptée que leur hôte a libérée ; ses pieds ne touchent pas tout à fait le sol. More se réveille alors ; l'ambassadeur et lui s'entretiennent à voix basse. Cromwell les observe, ils lui lancent en retour des coups d'œil pleins de ressentiment ; mais regarder ne coûte rien.

Il profite d'une infime pause dans leur conversation pour s'y mêler.

« Monsieur Chapuys ? Vous savez, je parlais récemment au roi de ces événements, si regrettables, quand les troupes de votre maître ont pillé la Ville sainte. Nous ne comprenons toujours pas leur mobile. Peut-être pourriez-vous nous aider ? »

Chapuys secoue la tête.

« Des événements des plus regrettables.

— Thomas More pense que ce sont les mahométans infiltrés dans votre armée qui se sont déchaînés – oh, et les miens, naturellement, les juifs errants. Mais avant ça, il a affirmé que c'étaient les Allemands, les luthériens, qui ont violé les pauvres vierges et profané les sanctuaires. En tout cas, comme dit le lord-chancelier, l'empereur doit s'en vouloir ; mais qui devons-nous juger responsable ? Pouvez-vous nous éclairer ?

— Mon cher chancelier ! » L'ambassadeur est stupéfait. Ses yeux se tournent vers Thomas More. « Avez-vous parlé ainsi de mon maître impérial ? »

Un petit coup d'œil par-dessus son épaule, et l'ambassadeur se met à parler latin.

La compagnie, linguistiquement agile, l'écoute en souriant. Cromwell conseille, d'un ton plaisant : « Si vous voulez être à demi secret, essayez le grec. *Allez**, monsieur Chapuys, videz votre sac ! Le lord-chancelier vous comprendra. »

La compagnie se sépare peu après et le lord-chancelier se lève pour partir ; mais, avant de s'en aller, il lance à la cantonade, en anglais : « La position de monsieur Cromwell est, il me semble, indéfendable. Il n'est pas l'ami de l'Église, comme nous le savons tous, mais il est l'ami d'un seul prêtre. Et ce prêtre est le plus corrompu de toute la chrétienté. »

Avec une révérence des plus courtoises, il prend congé. Même Chapuys ne peut justifier More. Il le regarde s'éloigner en se mordant la lèvre, comme pour dire, j'attendais plus d'aide et d'amitié. Tout ce que Chapuys fait, observe Cromwell, il le fait à la manière d'un acteur. Lorsqu'il réfléchit, il baisse les yeux et place deux doigts sur son front. Lorsqu'il est consterné, il soupire. Lorsqu'il est perplexe, il agite le menton en souriant à demi. On dirait un homme qui se serait retrouvé par inadvertance au beau milieu d'une pièce de théâtre et qui, découvrant que c'est une comédie, aurait décidé de rester et de la jouer jusqu'au bout.

Le souper est terminé ; les invités s'en vont, s'enfonçant dans le crépuscule.

« Peut-être la soirée s'achève-t-elle plus tôt que vous ne l'auriez souhaité ? dit-il à Bonvisi.

— Thomas More est un vieil ami. Vous ne devriez pas venir ici et l'importuner.

— Oh, ai-je gâché votre fête ? Vous avez bien invité Monmouth ; n'était-ce pas pour l'importuner ?

— Non, Humphrey est également mon ami.

— Et moi ?

— Bien entendu. » Ils sont passés naturellement à l'italien.

« Expliquez-moi une chose qui m'intrigue, dit-il. Je veux en savoir plus sur Thomas Wyatt. »

Wyatt s'est rendu en Italie, pour une mission diplomatique, de façon plutôt soudaine, il y a maintenant trois ans de cela. Son voyage a été désastreux, mais nous en parlerons une autre fois ; la question est : pourquoi a-t-il fui aussi précipitamment la cour anglaise ?

« Ah, Wyatt et lady Anne, répond Bonvisi. De l'histoire ancienne, aurais-je cru. »

Eh bien, peut-être, dit-il, mais il lui parle du jeune Mark, le musicien, qui semble certain que Wyatt a couché avec elle ; et si la rumeur court en Europe, parmi les serviteurs et les domestiques, quelles sont les chances que le roi ne l'ait pas entendue ?

« L'art de gouverner consiste en partie, je suppose, à savoir quand se boucher les oreilles. Et Wyatt est bel homme, dit Bonvisi, à la manière anglaise, bien entendu. Il est grand, il est blond, mes compatriotes sont émerveillés par lui ; où élevez-vous de telles personnes ? Et si sûr de lui, naturellement. Et un poète ! »

Cromwell éclate de rire car, comme tous les Italiens,

Bonvisi n'arrive pas à dire « Wyatt » : il dit « Guiett », ou quelque chose d'approchant. Il y avait un homme nommé Hawkwood, un chevalier de l'Essex, qui violait, incendiait et assassinait en Italie, au temps de la chevalerie ; les Italiens l'appelaient Acuto, l'Aiguille.

« Oui, mais Anne… » Il sent, d'après ce qu'il a aperçu d'elle, qu'elle n'est pas du genre à se laisser émouvoir par une chose aussi éphémère que la beauté. « Ces dernières années elle a eu plus que tout besoin d'un mari : un nom, une situation, une position lui permettant de négocier avec le roi. Or, Wyatt est marié. Qu'avait-il à lui offrir ?

— Des poèmes ? suggère le marchand. Ce n'est pas pour des raisons diplomatiques qu'il a quitté l'Angleterre. C'est parce qu'elle le torturait. Il n'osait plus se trouver dans la même pièce qu'elle. Dans le même château. Le même pays. » Il secoue la tête. « Les Anglais ne sont-ils pas étranges ?

— Mon Dieu, allez savoir.

— Vous devez être prudent. La famille de la lady, ils dépassent un peu les bornes. Ils disent, pourquoi attendre le pape ? Ne pouvons-nous établir un contrat de mariage sans lui ?

— Ça semblerait la marche à suivre.

— Goûtez une de ces dragées. » Il sourit. Bonvisi poursuit : « Tommaso, puis-je vous donner un conseil ? Le cardinal est un homme fini.

— N'en soyez pas si sûr.

— Si, et si vous ne l'aimiez pas, vous le sauriez également.

— Le cardinal a toujours été bon envers moi.

— Mais il doit partir dans le Nord.

— Le monde le suivra. Demandez aux ambassadeurs.

Demandez à Chapuys. Demandez-leur à qui ils rendent compte. Ils sont à Esher, à Richmond. *Toujours les dépêches**. C'est ainsi.

— Mais c'est de ça qu'il est accusé ! De diriger un pays au cœur du pays ! »

Cromwell soupire.

« Je sais.

— Et que comptez-vous faire à ce sujet ?

— Lui demander d'être plus humble ? »

Bonvisi rit.

« Ah, Thomas. Je vous en prie, vous savez que quand il ira dans le Nord, vous serez un homme sans maître. C'est le problème. Vous voyez le roi, mais c'est temporaire, ça ne durera que le temps qu'il trouve le moyen de soudoyer le cardinal pour le faire taire. Mais après ? »

Il hésite.

« Le roi m'aime bien.

— Le roi est un amant inconstant.

— Pas envers Anne.

— C'est là que je dois vous mettre en garde. Oh, pas à cause de Guiett… pas à cause des rumeurs, des choses sans importance qu'on dit… mais parce que tout doit se terminer bientôt… elle cédera, ce n'est qu'une femme… imaginez comme il aurait fallu être idiot pour lier sa fortune à celle de sa sœur Mary, qui est arrivée avant elle.

— Oui, imaginez un peu. »

Il parcourt la pièce du regard. L'endroit où était assis le lord-chancelier. Sur sa gauche, les marchands affamés. Sur sa droite, le nouvel ambassadeur. Là, Humphrey Monmouth l'hérétique. Là, Antonio Bonvisi. Ici, Thomas Cromwell. Et il y a des places fantomatiques :

une pour le corpulent et terne duc de Suffolk, une pour le duc de Norfolk, qui agite ses médailles sacrées en s'écriant : « Pardieu ! » Il y a une place de prête pour le roi, et une pour la vaillante petite reine, affamée en cette saison de repentir, son ventre tremblant sous la robuste armure de ses robes. Il y a une place pour lady Anne, qui regarde autour d'elle avec ses yeux noirs et avides sans rien manger, sans rien manquer, tirant sur les perles autour de son petit cou. Il y a une place pour William Tyndale, et une autre pour le pape ; Clément regarde les coings confits coupés trop grossièrement, et sa lèvre de Médicis dessine une moue dédaigneuse. Et là est assis le frère Martin Luther, adipeux et gras : il leur lance à tous des regards mauvais et crache ses arêtes de poisson.

Un serviteur entre.

« Il y a deux jeunes gens dehors, maître, qui demandent à vous voir. »

Il lève les yeux.

« Oui ?

— Monsieur Richard Cromwell et monsieur Rafe. Avec des serviteurs de votre maisonnée, ils attendent pour vous ramener. »

Il comprend que le but de la soirée était de le prévenir : de le mettre en garde. Il se souviendra du *placement* fatal ; s'il s'avère fatal. Le murmure doux et sifflant de la pierre se brisant ; le bruit lointain des murs glissant, du plâtre s'effritant, des décombres s'abattant sur les fragiles crânes humains ? C'est le bruit du toit de la chrétienté qui s'effondre sur les gens qu'il abritait.

Bonvisi dit : « Vous avez une armée privée, Tommaso.

Je suppose que vous êtes obligé de surveiller vos arrières.

— Vous savez que c'est ce que je fais. » Son regard balaie la pièce, une dernière fois. « Bonsoir. Le souper était bon. J'ai aimé les anguilles. Enverrez-vous votre cuisinier voir le mien ? J'ai une nouvelle sauce pour égayer la saison. Il faut du macis et du gingembre, des feuilles de menthe séchée hachées… »

Son ami dit : « Je vous en supplie. Je vous implore d'être prudent.

— … un peu, très peu d'ail…

— La prochaine fois que vous dînerez, s'il vous plaît ne…

— … et de la chapelure, une petite poignée…

— … vous asseyez pas avec les Boleyn. »

II

Bien-aimé Cromwell

Printemps-décembre 1530

Il arrive à York Place. Les mouettes captives, enfermées dans leurs volières, crient en direction de leurs congénères libres qui tournoient en hurlant et plongent au-dessus des murs du palais. Les charretiers transportent les denrées qui arrivent par la rivière, et les cours sentent le pain qui cuit. Des enfants apportent du jonc frais, attaché en bottes, et le saluent par son nom. Pour les remercier de leur politesse, il donne une pièce à chacun, et ils s'arrêtent pour discuter.

« Donc vous allez voir la méchante dame. Elle a ensorcelé le roi, vous savez ? Avez-vous une médaille ou une relique, maître, pour vous protéger ?

— J'avais une médaille, mais je l'ai perdue.

— Vous devriez demander à notre cardinal, dit un enfant. Il vous en donnera une autre. »

L'odeur du jonc est vive et verte ; c'est une belle matinée. Les salles de York Place lui sont familières, et tandis qu'il les traverse en direction des chambres

du fond, il voit un visage à demi familier et demande :
« Mark ? »

Le garçon se décolle du mur contre lequel il est adossé.

« Vous arrivez de bonne heure. Comment allez-vous ? »

Un haussement d'épaules maussade.

« Ça doit être étrange de revenir à York Place maintenant que tout a tellement changé.

— Non.

— Monseigneur le cardinal ne vous manque pas ?

— Non.

— Vous êtes heureux ?

— Oui.

— Son Excellence sera heureuse de l'apprendre. »

Tandis qu'il s'éloigne il se dit à lui-même : Peut-être ne pensez-vous jamais à nous, Mark, mais nous, nous pensons à vous. Ou du moins moi, je pense au moment où vous m'avez traité de félon et avez prédit ma mort. Il est vrai que le cardinal dit sans cesse, il n'y a pas d'endroits sûrs, les murs ont toujours des oreilles, vous feriez aussi bien de hurler vos péchés au milieu d'une rue bondée que de vous confesser à n'importe quel prêtre d'Angleterre. Mais quand j'ai raconté au cardinal avoir tué un homme, quand j'ai parlé de l'ombre sur le mur, il n'y avait personne pour nous entendre ; donc si Mark pense que je suis un assassin, c'est simplement parce qu'il estime que j'ai l'air d'un assassin.

Huit antichambres : dans la dernière, où devrait se trouver le cardinal, il découvre Anne Boleyn. Il regarde, Salomon et Saba sont de nouveau déroulés et accrochés au mur. Il y a un courant d'air ; Saba ondoie vers lui, rose, ronde, et il la salue : Anselma, je ne pensais pas te revoir un jour.

Il a écrit à Anvers, discrètement demandé des nouvelles ; Anselma est mariée, a répondu Stephen Vaughan, à un homme plus jeune, un banquier. Alors s'il se noie ou s'il lui arrive quoi que ce soit, a-t-il dit, faites-le-moi savoir. À quoi Vaughan a répondu : Thomas, allons, l'Angleterre ne regorge-t-elle pas de veuves ? Et de jeunes filles fraîches ?

Saba fait paraître Anne quelconque. Elle se tient près de la fenêtre, triturant et déchirant un brin de romarin. Quand elle le voit, elle le laisse tomber, et sa main se renfonce dans sa longue manche.

En décembre, le roi a donné un banquet pour célébrer l'élévation du père d'Anne au titre de comte de Wiltshire. La reine était ailleurs, et Anne était assise à la place de Catherine. Le sol était glacé, l'atmosphère, glaciale. On en a parlé jusque dans la maison de Wolsey. La duchesse de Norfolk (qui est toujours furieuse pour une raison ou une autre) était furieuse que sa nièce eût la préséance. La duchesse de Suffolk, la sœur d'Henri, a refusé de manger. Aucune de ces grandes dames n'a parlé à la fille de Boleyn. Mais Anne a tout de même pris la place de la première dame du royaume.

Maintenant c'est la fin du carême, et Henri est retourné auprès de sa femme ; il n'a pas l'audace d'être avec sa concubine alors que nous approchons de la semaine de la Passion du Christ. Le père d'Anne est à l'étranger, en mission diplomatique ; de même que son frère George, désormais lord Rochford ; de même que Thomas Wyatt, le poète qu'elle torture. Elle est seule et s'ennuie à York Place ; et elle en est réduite à envoyer chercher Thomas Cromwell pour voir s'il saura la distraire.

Trois petits chiens jaillissent de sous ses jupes en jappant et se précipitent vers lui. « Ne les laissez pas sortir ! » s'écrie Anne, et d'une main experte et douce il les soulève – ce sont, comme Bella, des chiens aux oreilles pendantes et à la minuscule queue frétillante, le genre de bêtes que n'importe quelle femme de marchand posséderait de l'autre côté de la mer étroite. Ils mordillent ses doigts et son manteau, lui lèchent le visage, le dévisagent longuement avec leurs yeux exorbités, comme s'ils rêvaient depuis longtemps de faire sa connaissance.

Il en pose deux par terre, tend le plus petit à Anne.

« *Vous êtes gentil**, dit-elle, et mes bébés vous aiment beaucoup ! Je ne pourrai jamais aimer, vous savez, ces singes que Catherine possède. *Les singes enchaînés**. Avec leurs petites mains et leurs petits cous entravés. Mes bébés m'aiment pour ce que je suis. »

Elle est si petite. Ses os sont si délicats, sa taille est si étroite ; si deux étudiants en droit font un cardinal, deux Anne font une Catherine. Plusieurs femmes sont assises sur des tabourets bas, occupées à coudre, ou plutôt à faire semblant de coudre. L'une d'elles est Mary Boleyn. Elle garde la tête baissée, comme on pourrait s'y attendre. Une autre est Mary Shelton, une cousine hardie de Boleyn, tout de blanc et de rose vêtue, qui l'observe et se dit, de toute évidence : Mère de Dieu, est-ce là ce que lady Carey pensait pouvoir trouver de mieux ? Dans l'ombre il y a une autre jeune fille qui détourne le visage, tentant de se

298

cacher. Il ne sait pas qui elle est, mais il comprend pourquoi elle regarde fixement le sol. Anne semble inspirer cette attitude ; d'ailleurs, maintenant qu'il a reposé les chiens, il fait la même chose.

« *Alors**, dit doucement Anne, soudain, on ne parle que de vous. Le roi ne cesse de citer maître Cromwell. » Elle prononce son nom comme si elle ne maîtrisait pas l'anglais : *Cremuel.* « Il a toujours raison, il ne se trompe jamais... Et puis, ce n'est pas tout, *maître** Cromwell nous fait rire.

— Je vois que le roi rit parfois. Mais vous, *madame** ? Dans la situation où vous vous trouvez ? »

Son regard s'assombrit, elle détourne les yeux.

« Je suppose que je ris rarement. Si j'y réfléchis. Mais je n'y avais pas réfléchi.

— Voilà ce qu'est devenue votre vie. »

Des fragments poussiéreux, des feuilles et des tiges séchées, sont tombés de sa jupe. Elle regarde fixement le matin au-dehors.

« Laissez-moi formuler les choses ainsi, dit-il. Depuis que monseigneur le cardinal a été déchu, quels ont été les progrès de votre cause ?

— Nuls.

— Personne ne connaît le fonctionnement des pays chrétiens comme monseigneur le cardinal. Personne n'est plus proche des rois. Pensez comme il vous serait obligé, lady Anne, si vous contribuiez à effacer ces malentendus et permettiez son retour en grâce auprès du roi. »

Elle ne répond pas.

« Réfléchissez, dit-il. C'est le seul homme en Angleterre qui puisse obtenir pour vous ce dont vous avez besoin.

— Très bien. Plaidez sa cause. Vous avez cinq minutes.

— Je vois en effet que vous êtes très occupée. » Anne le regarde avec animosité et réplique en français : « Que savez-vous de la manière dont j'occupe mes heures ?

— Madame, tenons-nous cette conversation en anglais ou en français ? À vous de choisir. Mais optons soit pour l'un, soit pour l'autre, d'accord ? »

Il perçoit un mouvement dans l'ombre ; la fille à demi cachée a levé la tête. Elle est quelconque et pâle ; elle paraît choquée.

« Cela vous est indifférent ? demande Anne.

— Oui.

— Très bien. En français. »

Il le lui répète une fois de plus : le cardinal est le seul homme qui puisse obtenir un avis favorable du pape. Il est le seul homme qui puisse soulager et laver la conscience du roi.

Elle écoute. Il lui reconnaîtra cela. Il s'est toujours demandé ce que les femmes entendaient derrière les plis de leurs voiles et de leurs capuchons, mais Anne donne l'impression d'entendre ce qu'il dit. Au moins elle attend qu'il ait fini, sans l'interrompre, jusqu'au moment où elle l'interrompt finalement : donc, dit-elle, si le roi le veut, et si le cardinal le veut aussi, lui qui était autrefois le premier sujet du royaume, alors je trouve, maître Cremuel, que cette affaire est merveilleusement longue à résoudre !

Dans son coin, sa sœur ajoute, d'une voix à peine audible : « Et elle ne rajeunit pas. »

Les femmes n'ont pas cousu le moindre point depuis qu'il est entré dans la pièce.

« Pouvons-nous poursuivre ? demande-t-il. Vous reste-t-il un moment ?

— Oh oui, répond Anne. Mais seulement un moment : pendant le carême, je limite ma patience. »

Il lui demande d'ignorer les calomnies qui affirment que le cardinal a fait obstruction à sa cause. Il lui dit combien le cardinal est peiné que le roi ne puisse voir exaucé son désir le plus cher, qui est aussi le désir le plus cher du cardinal. Il ajoute que tous les sujets du roi placent leurs espoirs en elle, et qu'ils attendent un héritier pour le trône ; et qu'il est certain qu'ils ont raison de le faire. Il lui rappelle les nombreuses lettres bienveillantes qu'elle a écrites au cardinal par le passé : lettres qu'il a toutes conservées.

« Tout cela est bien joli, dit-elle lorsqu'il en a fini. Bien joli, maître Cremuel, mais pas suffisant. Il y a une chose. Une chose simple que nous avons demandée au cardinal, et il a refusé. *Une chose simple.*

— Vous savez que ce n'était pas si simple.

— Peut-être suis-je une personne simple, réplique Anne. Croyez-vous que ce soit le cas ?

— C'est possible. Je vous connais à peine. »

Cette réponse la met dans une rage folle. Il voit sa sœur sourire d'un air sournois. Vous pouvez partir, dit Anne, et Mary se lève d'un bond et le suit.

Une fois encore, les joues de Mary sont rouges, ses lèvres, entrouvertes. Elle a emporté sa couture avec elle, ce qui lui semble étrange ; mais peut-être que si elle l'avait laissée derrière elle, Anne en aurait défait les points.

« Encore à bout de souffle, lady Carey ?

— Nous pensions qu'elle allait se jeter sur vous et

vous gifler. Reviendrez-vous ? Shelton et moi sommes impatientes.

— Anne peut endurer ma présence », dit-il.

De fait, explique Mary, Anne aime se frotter à quelqu'un de son niveau. Que cousez-vous ? demande-t-il, et elle lui montre. C'est le nouveau blason d'Anne. Elle le met sur tout, je suppose, dit-il, et elle lui fait un grand sourire, oh oui, sur ses jupons, ses mouchoirs, ses coiffes et ses voiles ; sur des habits qui n'ont jamais été portés, juste histoire d'avoir son blason cousu dessus, sans parler des tapisseries, des serviettes de table...

« Et comment allez-vous ? »

Elle baisse la tête, détourne le regard.

« Fatiguée, un peu usée, pourrait-on dire. Noël a été...

— Ils se sont querellés. À ce qu'on dit.

— D'abord il s'est querellé avec Catherine. Puis il est venu chercher de la compassion ici. Anne lui a dit, quoi ! Je vous avais bien dit de ne pas vous disputer avec Catherine, vous perdez toujours. S'il n'était pas roi, ajoute-t-elle avec délectation, il ferait pitié. À cause de la vie de chien qu'elles lui font mener.

— Des rumeurs ont prétendu qu'Anne était...

— Oui, mais c'est faux. Je serais la première à le savoir. Si elle grossissait d'un centimètre, c'est moi qui agrandirais ses vêtements. De plus, c'est impossible car ils ne le font pas. Ils ne l'ont jamais fait.

— Elle vous le dirait ?

— Bien sûr, par rancune ! » Mary continue d'éviter son regard. Mais elle semble estimer lui devoir des informations. « Quand ils sont seuls, elle le laisse délacer son corset.

302

— Au moins elle ne vous demande pas de le faire.
— Il lui ôte sa tunique et embrasse sa poitrine.
— Il a du talent pour la trouver. »

Mary éclate de rire ; c'est un rire tonitruant, indigne d'une sœur. On doit l'entendre à l'intérieur, car presque aussitôt la porte s'ouvre et la jeune femme qui se cachait passe la tête à l'extérieur. Son visage est grave, sa réserve, totale ; sa peau est si fine qu'elle est presque translucide.

« Lady Carey, dit-elle, Anne vous demande. »

Elle prononce leurs noms comme si elle parlait de deux cafards.

Mary s'exclame, oh, par tous les saints ! et pivote sur ses talons, ramenant vivement sa traîne derrière elle avec une parfaite aisance.

À la grande surprise de Cromwell, la jeune fille pâle croise son regard ; et tandis que Mary Boleyn s'éloigne et leur tourne le dos, elle lève les yeux au ciel.

Tandis qu'il s'en va – huit antichambres à retraverser avant de poursuivre sa journée –, Anne se tient désormais à un endroit où il peut la voir, la lumière du matin glissant sur la courbe de sa gorge. Il voit les arcs minces de ses sourcils, son sourire, le mouvement de sa tête sur son long cou fin. Il voit sa rapidité, son intelligence et sa rigueur. Il se doutait qu'elle n'aiderait pas le cardinal, mais qu'y a-t-il à perdre à demander ? Il songe, c'est la première proposition que je lui fais ; probablement pas la dernière.

Il y a eu un moment où Anne lui a accordé toute son attention, le transperçant de son regard noir. Le roi aussi sait comment regarder, braquant sur vous ses yeux bleus d'une douceur trompeuse. Est-ce ainsi

qu'ils se regardent l'un l'autre ? Ou bien autrement ?
Pendant une seconde il comprend ; puis il ne comprend plus. Il se tient devant une fenêtre. Un groupe
d'étourneaux est posé parmi les petits bourgeons noirs
d'un arbre dénudé. Puis, tels des bourgeons noirs en
train d'éclore, ils déploient leurs ailes et se mettent à
voleter en chantant, créant tout autour d'eux un tourbillon d'air, d'ailes, de notes de musique. Il s'aperçoit
qu'il prend plaisir à les regarder : il sent que quelque
chose qu'il pensait disparu, le signe de jours meilleurs,
est prêt à accueillir le printemps ; avec une impatience
contenue il attend l'arrivée de Pâques, la fin du jeûne
du carême, la fin du repentir. Il y a un monde derrière ce monde noir. Il y a un monde de possibilités.
Un monde où Anne peut être reine est un monde où
Cromwell peut être Cromwell. Le moment est fugace.
Mais une telle sensation ne peut lui être reprise. Il n'y
a pas de retour en arrière.

Pendant le carême, il y a des bouchers prêts à vous
vendre de la viande rouge, mais il faut les connaître.
À Austin Friars, il va retrouver son personnel de cuisine et dit à son chef : « Le cardinal est malade, il est
dispensé de carême. »

Le cuisinier soulève sa toque.

« Par le pape ?

— Par moi. » Il fait courir ses yeux sur la rangée
de couteaux dans leurs râteliers, sur les couperets pour
fendre les os. Il en soulève un, regarde son tranchant,
décide qu'il a besoin d'être affûté et dit : « Trouvez-
vous que j'aie l'air d'un assassin ? Sincèrement ? »

Silence. Après un moment, Thurston déclare :

« En ce moment précis, maître, je dois bien avouer que…

— Non, mais supposez que je sois en route pour Gray's Inn… Pouvez-vous m'imaginer avec un dossier et un encrier sous le bras ?

— Je suppose que c'est ce qu'un clerc porterait.

— Donc vous n'arrivez pas à vous le représenter ? »

Thurston soulève une fois de plus sa toque et la retourne. Il l'examine comme si son cerveau se trouvait à l'intérieur, ou du moins comme s'il allait y trouver une indication de la réponse à donner.

« Je vois comment vous pourriez ressembler à un avocat. Mais à un assassin, non. Mais, sans vouloir vous offenser, maître, vous avez toujours l'air d'un homme qui sait comment découper une carcasse. »

Il demande à ses gens de préparer des paupiettes de bœuf pour le cardinal, farcies avec de la sauge et de la marjolaine, soigneusement ficelées et placées côte à côte sur des plateaux, de sorte que les cuisiniers à Richmond n'auront plus qu'à les faire cuire. Montrez-moi où il est dit dans la Bible qu'un homme ne doit pas manger de paupiettes de bœuf en mars.

Il pense à lady Anne, à son insatiable soif de combat ; aux femmes tristes qui l'entourent. Il envoie à ces femmes des paniers plats remplis de tartelettes aux oranges confites et au miel. À Anne il envoie de la crème aux amandes parfumée à l'eau de rose et ornée de pétales de roses confits et de violettes glacées. Il n'ira pas jusqu'à porter les plats lui-même ; mais il pourrait. Il n'est pas si éloigné, le temps où il travaillait dans la cuisine de Frescobaldi à Florence ; ou peut-être que si, mais ses souvenirs sont toujours clairs, précis. Il était en train de clarifier une gelée de pieds de veau, discutant dans un mélange de français, de toscan et d'anglais de Putney, quand quelqu'un a lancé : « Tommaso, ils vous veulent à l'étage. » Sans se presser, il a adressé un signe de tête à un garçon de cuisine, qui lui a apporté une bassine d'eau. Il s'est lavé les mains, les a essuyées sur un torchon en lin. Puis il a ôté son tablier et l'a accroché à une patère. À l'heure qu'il est, il pourrait y être encore.

Il a vu un jeune garçon – plus jeune que lui – en train d'astiquer les marches à quatre pattes. Il chantait tout en travaillant :

> 'Scaramella va alla guerra
> Colla lancia et la rotella
> La zombero boro borombetta,
> La boro borombo...

« S'il te plaît, Giacomo », a-t-il dit.

Pour le laisser passer, le garçon s'est écarté, s'enfonçant dans la courbure du mur. Le changement de lumière a effacé la curiosité de son visage, lui faisant perdre toute expression, renvoyant le passé dans le passé, escamotant l'avenir. *Scaramella va à la guerre...* Mais je suis allé à la guerre, a-t-il songé.

Il est monté à l'étage. Dans ses oreilles résonnait le roulement saccadé du tambour militaire qui accompagnait la chanson. Il est monté à l'étage et n'en est jamais redescendu. Dans un coin de la salle des comptables de Frescobaldi, un bureau l'attendait. *Scaramella fa la gala*, fredonnait-il. Il s'est assis. A taillé une plume d'oie. Ses pensées bouillonnaient et s'emmêlaient dans sa tête, des serments en toscan, en anglais de Putney, en castillan. Mais quand il les a couchées sur le papier, elles sont venues en latin avec une parfaite limpidité.

Avant même qu'il soit revenu des cuisines d'Austin Friars, les femmes de la maison savent qu'il est allé voir Anne.

« Alors ? demande Johane. Grande ou petite ?

— Ni l'une ni l'autre.

— J'avais entendu dire qu'elle était très grande. Elle a le teint cireux, n'est-ce pas ?

— Oui, le teint cireux.

— On dit qu'elle est gracieuse. Qu'elle danse bien.

— Nous n'avons pas dansé. »

Mercy demande : « Mais qu'en pensez-vous ? Fidèle à l'évangile ? »

Il hausse les épaules.

« Nous n'avons pas prié. »

Alice, sa petite nièce : « Que portait-elle ? »

Ah, ça, je peux te le dire ; il estime le prix et la provenance de ses habits, depuis sa toque jusqu'au bas de sa robe, depuis ses pieds jusqu'au bout de ses doigts. Pour sa coiffe, Anne affectionne le style français, la toque arrondie qui flatte les os délicats de son visage. Il explique cela, et bien que son ton soit neutre, mercantile, les femmes n'apprécient pas.

« Vous ne l'aimez pas, quand même ? » demande Alice, et lui répond qu'il n'a pas à avoir d'opinion ; ni toi non plus, Alice, ajoute-t-il en l'étreignant et en lui arrachant un petit gloussement. La petite Jo dit, notre maître est de bonne humeur. Un revers en fourrure d'écureuil, disiez-vous ? demande Mercy, et lui précise, une fourrure calabraise. Alice fait, oh, calabraise, et elle fronce le nez ; Johane remarque, il semblerait, Thomas, que tu te sois approché d'elle de très près.

« A-t-elle de bonnes dents ? demande Mercy.

— Pour l'amour de Dieu, femme : quand elle les plantera dans ma chair, je vous le dirai. »

Quand le cardinal a appris que le duc de Norfolk arrivait à Richmond pour le tailler en pièces avec ses dents, il a éclaté de rire et déclaré : « Allons bon, Thomas, le moment est venu de partir. »

Mais pour aller dans le Nord, le cardinal a besoin de fonds. Le problème est soumis au Conseil du roi, mais ses membres se fâchent et poursuivent leur querelle en présence de Cromwell.

« Après tout, dit Charles Brandon, on ne peut laisser un archevêque s'échapper en douce comme un serviteur qui a volé des cuillers.

— Il a fait plus que voler des cuillers, observe Norfolk. Il a mangé le dîner qui aurait nourri toute l'Angleterre. Il a chipé la nappe, nom de Dieu, et bu tout ce qu'il y avait dans la cave. »

Le roi peut être insaisissable. Un jour où Cromwell pense avoir rendez-vous avec lui, il se retrouve face à son secrétaire.

« Asseyez-vous, dit Stephen Gardiner. Asseyez-vous et écoutez-moi. Gardez patience, le temps que je vous informe de quelques affaires. »

Il le regarde aller et venir, Stephen le démon de midi. Gardiner est un homme aux articulations lâches, sa silhouette est pleine de menace ; il a de grosses mains poilues, et les jointures qui craquent quand il serre son poing droit dans sa paume gauche.

Cromwell ignore la menace et le message. Debout dans l'embrasure de la porte, il dit doucement : « Votre cousin vous adresse ses salutations. »

Gardiner le regarde fixement. Ses sourcils se hérissent, comme les poils sur le cou d'un chien. Il pense que Cromwell parle de...

« Pas du roi, ajoute-t-il d'un ton apaisant. Pas de Sa Majesté. Je parle de votre cousin Richard Williams. »

Stupéfait, Gardiner s'écrie : « Cette vieille fable !

— Oh, allons, dit-il. Il n'y a pas de honte à être un bâtard royal. C'est du moins ce que nous pensons, dans ma famille.

— Dans votre famille ? Que savent-ils de la bienséance ? Je ne m'intéresse nullement à ce jeune homme, ne reconnais aucun lien de parenté avec lui, et je ne ferai rien pour lui.

— À vrai dire, vous n'en avez pas besoin. Il s'appelle désormais Richard Cromwell. » Comme il est lancé – et bien lancé, cette fois –, il ajoute : « Il ne faut pas que ça vous empêche de dormir, Stephen. Je me suis penché sur la question. Vous avez peut-être un lien de parenté avec Richard, mais vous n'en avez pas avec moi. »

Il sourit. Au fond de lui, il est fou de rage, elle coule dans ses veines, comme si son sang était trop fluide et plein de venin, tel le sang incolore d'un serpent. Dès qu'il rentre à Austin Friars, il étreint Rafe Sadler, faisant se dresser ses cheveux sur sa tête.

« Au nom du ciel : garçon ou hérisson ? Rafe, Richard, je me sens repentant.

— C'est la saison, répond Rafe.

— Je veux, poursuit-il, devenir parfaitement calme. Je veux être capable d'entrer dans le poulailler sans agiter les plumes des poulets. Je veux ressembler moins à l'oncle Norfolk et plus à Marlinspike. »

Il a une longue conversation apaisante en gallois

avec Richard, qui se moque de lui car il a en partie oublié cette langue et n'hésite pas à teinter astucieusement d'un accent vaguement gallois les mots d'anglais dont il ponctue constamment son discours. Il donne à ses petites nièces les bracelets de perles et de corail qu'il leur a achetés des semaines auparavant mais a oublié de leur offrir. Il descend à la cuisine et fait des suggestions d'un ton joyeux.

Il rassemble son personnel, ses clercs.

« Nous devons prévoir, dit-il, le moyen de rendre confortable le voyage du cardinal vers le nord. Il veut aller lentement pour que les gens puissent l'admirer. Il a besoin d'être à Peterborough pour la semaine sainte, et de là progresser par étapes jusqu'à Southwell, où il planifiera la suite de son voyage jusqu'à York. Le palais de l'archevêque à Southwell possède des chambres confortables, mais nous aurons tout de même peut-être besoin de faire appel à des maçons… »

George Cavendish l'informe que le cardinal passe désormais son temps en prière. Il y a des moines à Richmond dont il recherche la compagnie ; ils lui expliquent la valeur des épines dans le corps et du sel sur les plaies, les mérites du pain et de l'eau, et les sombres délices de la flagellation.

« Oh, comme ça, le problème est réglé, réplique Cromwell, irrité. Il est temps de lui faire reprendre la route. Il se portera mieux dans le Yorkshire. »

Il dit à Norfolk : « Alors, milord, comment allons-nous procéder ? Voulez-vous qu'il parte ou non ? Oui ? Alors venez voir le roi avec moi. »

Norfolk grogne. Des messages sont envoyés. Le lendemain ils se retrouvent ensemble dans une antichambre. Ils attendent. Norfolk fait les cent pas.

« Oh, par saint Jude ! s'écrie le duc. Si nous prenions un peu l'air ? À moins que vous autres avocats n'en ayez pas besoin ? »

Ils flânent dans les jardins ; ou plutôt, Cromwell flâne et le duc marche d'un pas lourd.

« Quand les fleurs éclosent-elles ? demande le duc. Quand j'étais enfant, nous n'avions jamais de fleurs. C'est Buckingham, vous savez, qui a introduit ces espèces de parterres de plantes. Ah, ça, quel raffinement ! »

Le duc de Buckingham, fervent jardinier, a eu la tête tranchée pour trahison. C'était en 1521 : il y a moins de dix ans. Cela semble une bien triste allusion à faire maintenant, alors que le printemps est là à chanter dans chaque buisson, dans chaque rameau.

On les appelle. Tandis qu'ils se rendent à leur entretien, le duc se renfrogne de plus en plus ; il roule les yeux, ses narines se dilatent, son souffle se fait court. Quand le duc lui pose une main sur l'épaule, il est forcé de ralentir l'allure, et ils avancent en traînant les pieds – Cromwell résistant à l'envie de se dégager –, tels deux anciens soldats dans une procession de mendiants. *Scaramella va alla guerra...* La main de Norfolk tremble.

Mais ce n'est que lorsqu'ils sont en présence du roi qu'il comprend pleinement à quel point le vieux duc est ébranlé quand il se trouve dans la même pièce qu'Henri Tudor. L'abondance d'or le fait se ratatiner dans ses habits. Henri les accueille cordialement. Il déclare que c'est une journée magnifique et un monde assez magnifique. Il tourne autour de la pièce, bras écartés, récitant des vers de sa composition. Il parlera de tout sauf du cardinal. Frustré, Norfolk vire au cramoisi et se met à marmonner. Quand le roi les congédie, ils sortent à reculons.

« Oh, Cromwell… » lance le roi.

Le duc et Cromwell échangent un coup d'œil.

« Pardieu… » marmonne le duc.

Une main dans le dos, Cromwell fait signe au duc : partez, monsieur de Norfolk, je vous rejoindrai plus tard.

Henri se tient bras croisés, les yeux fixés au sol. Il ne dit rien jusqu'à ce que Cromwell se soit rapproché.

« Mille livres ? » murmure Henri.

Il meurt d'envie de répondre, ce sera le premier versement des dix mille livres que, à ma connaissance, vous devez au cardinal de York depuis désormais une décennie.

Il ne le dit pas, naturellement. À de tels moments, Henri s'attend à ce que vous tombiez à genoux – duc, comte, roturier, léger ou lourd, vieux ou jeune. Alors c'est ce qu'il fait ; ses cicatrices lui tirent la peau ; rares sont ceux d'entre nous qui, à une quarantaine d'années, ne portent pas de blessures.

Le roi fait un signe : vous pouvez vous relever. Il ajoute, l'air intrigué :

« Le duc de Norfolk vous témoigne de nombreuses marques d'amitié et de considération. »

La main sur l'épaule, voilà de quoi il parle ; la vibration infime et inattendue de la paume ducale sur les muscles et les os plébéiens.

« Le duc prend soin de préserver les distinctions de rang. »

Henri paraît soulagé.

Une pensée inopportune commence à poindre dans sa tête : et si vous, Henri Tudor, tombiez soudain malade et vous écrouliez à mes pieds ? Serais-je autorisé à vous relever, ou devrais-je faire chercher un comte pour le faire ? Ou un évêque ?

Henri s'éloigne, puis se retourne et dit, d'une petite voix : « Chaque jour le cardinal de York me manque. » Il y a une pause. Il murmure, prenez l'argent avec notre bénédiction. Ne le dites pas au duc. Ne le dites à personne. Demandez à votre maître de prier pour moi. Dites-lui que je ne peux pas faire plus.

Les remerciements qu'il exprime, toujours depuis sa position agenouillée, sont éloquents et abondants. Henri le regarde d'un air sombre et dit, pour l'amour de Dieu, Cromwell, vous êtes un beau parleur, n'est-ce pas ?

Il sort, le visage calme, réprimant un large sourire. *Scaramella fa la gala...* « Chaque jour le cardinal de York me manque. »

Norfolk s'écrie, quoi, quoi, qu'a-t-il dit ? Oh, rien, répond-il. Juste quelques paroles particulièrement cruelles qu'il veut que je transmette au cardinal.

L'itinéraire est tracé. Les effets du cardinal sont placés sur des barges côtières afin d'être emmenés à Hull, puis transportés par voie de terre à partir de là. Cromwell a lui-même négocié avec les bateliers un prix raisonnable.

Il dit à Richard, tu sais, mille livres ne représentent pas grand-chose quand il s'agit de déménager un cardinal.

Richard demande : « Combien de votre propre argent a coulé dans cette entreprise ? »

Certaines dettes ne devraient jamais être évaluées, dit-il.

« Moi-même, je sais ce qu'on me doit, mais par Dieu je sais surtout ce que je dois. »

À Cavendish il demande : « Combien de serviteurs emmène-t-il ?

— Seulement cent soixante.

— Seulement. » Il acquiesce. « Bien. »

Hendon. Royston. Huntingdon. Peterborough. Il a des hommes qui sont partis devant, avec des instructions précises.

Cette dernière nuit, Wolsey lui donne un paquet. À l'intérieur se trouve un petit objet dur, un sceau ou une bague. « Ouvrez-le quand je serai parti. »

Des gens ne cessent d'aller et venir dans la chambre privée du cardinal, portant des malles et des liasses de papiers. Cavendish arrive, tenant un ostensoir en argent.

« Viendrez-vous dans le Nord ? demande le cardinal.

— Je viendrai vous chercher dès que le roi vous rappellera. »

Cavendish croit sans le croire que cela se produira.

Le cardinal se lève. L'atmosphère est oppressante. Cromwell s'agenouille pour recevoir la bénédiction. Le cardinal tend la main pour qu'il l'embrasse. Sa bague en turquoise a disparu. Ce fait n'échappe pas à Cromwell. Pendant un moment, la main du cardinal reste posée sur son épaule, doigts écartés, le pouce dans le creux de sa clavicule.

Il est temps qu'il parte. Tant a été dit entre eux qu'il est inutile d'ajouter une note dans la marge. Ce n'est pas à lui maintenant de commenter le texte de leur relation ni d'y ajouter une morale. L'heure n'est pas aux étreintes. Si le cardinal n'a plus d'éloquence à offrir, lui n'en aura pas plus. Avant qu'il ait atteint la porte, le cardinal est retourné près de la cheminée. Il tire sa chaise vers le feu et lève une main pour se protéger le visage ; mais sa main n'est pas entre lui et les flammes, elle est entre lui et la porte qui se referme.

Il se dirige vers la cour. Il chancelle. Dans un renfoncement enfumé et plongé dans l'obscurité, il s'appuie contre le mur. Il pleure. Il se dit, pourvu que George Cavendish ne me voie pas ainsi, sinon il en fera une pièce de théâtre.

Il jure doucement, dans de nombreuses langues : il maudit la vie, se maudit lui-même de céder à ses exigences. Des serviteurs passent en criant : « Le cheval de maître Cromwell l'attend ! L'escorte de maître Cromwell est à la porte ! » Il attend d'avoir retrouvé ses moyens, puis sort en tirant des pièces de sa bourse.

Quand il arrive chez lui, les serviteurs lui demandent, devons-nous recouvrir les armoiries du cardinal ? Non, grands dieux, répond-il. Au contraire, repeignez-les. Il fait un pas en arrière pour les examiner. « Ces craves pourraient paraître un peu plus vivants. Et il nous faut un plus bel écarlate pour le chapeau. »

Il dort à peine. Il rêve de Liz. Il se demande si elle reconnaîtrait l'homme qu'il se promet d'être bientôt : inflexible, doux, le gardien de la paix du roi.

Vers l'aube, il s'assoupit ; il se réveille en songeant, le cardinal doit être en train de monter sur son cheval ; pourquoi ne suis-je pas avec lui ? C'est le 5 avril. Johane le croise dans l'escalier ; elle l'embrasse chastement sur la joue.

« Pourquoi Dieu nous met-Il à l'épreuve ? » demande-t-elle à voix basse.

Il murmure : « Je crois que nous ne réussirons pas celle-ci. »

Il dit, peut-être devrais-je aller moi-même à Southwell ? J'irai pour vous, réplique Rafe. Il lui donne une liste de tâches. Fais astiquer la totalité du palais de l'archevêque. Son Excellence apportera son propre lit. Embauche le personnel de cuisine du *King's Arms*. Vérifie les écuries. Fais venir des musiciens. La dernière fois que j'y suis passé, j'ai remarqué des porcheries contre l'enceinte du palais. Trouve le propriétaire, paie-le et détruis-les. Ne bois pas au *Crown* ; la bière là-bas est pire que celle de mon père.

Richard dit : « Monsieur… il est temps d'oublier le cardinal.

— C'est une retraite tactique, pas une déroute », rétorque Cromwell.

Rafe et Richard le croient parti, mais il s'est seulement retiré dans une arrière-salle. Il rumine au milieu des dossiers. Il entend Richard dire : « Il se laisse guider par son cœur.

— C'est un cœur expérimenté.

— Mais un général peut-il organiser une retraite quand il ne sait pas où se trouve l'ennemi ? Le roi est si double dans cette affaire.

— On pourrait se jeter droit entre ses griffes.

— Doux Jésus. Crois-tu que notre maître soit double lui aussi ?

— Triple au moins, répond Rafe. Écoute, il n'a jamais eu le moindre intérêt à abandonner le vieil homme – qu'en tirerait-il, hormis le nom de déserteur ? Peut-être y a-t-il quelque chose à gagner en s'attachant autant. Pour nous tous.

— Alors mets-toi en route ! Qui d'autre songerait

aux porcheries ? Thomas More, par exemple, n'y songerait jamais.

— Ou alors il exhorterait le propriétaire des
cochons, mon brave homme, Pâques approche...

— ... êtes-vous prêt à recevoir la sainte communion ? » Rafe éclate de rire. « Au fait, Richard, es-tu
prêt à la recevoir ? »

Richard répond : « Je pourrais recevoir un morceau
de pain bénit chaque jour de la semaine. »

Durant la semaine sainte, des nouvelles parviennent
de Peterborough : la foule qui s'est massée pour voir
Wolsey est la plus importante que cette ville ait vue
de mémoire d'homme. Tandis que le cardinal se dirige
vers le nord, il le suit sur la carte des îles Britanniques
qu'il a en tête. Stamford, Grantham, Newark ; la cour
ambulante arrive à Southwell le 28 avril. Cromwell
écrit pour l'apaiser, il écrit pour le mettre en garde. Il
craint que les Boleyn, ou Norfolk, ou les deux, aient
trouvé le moyen d'introduire un espion dans l'escorte
du cardinal.

L'ambassadeur Chapuys, revenant précipitamment
d'une audience avec le roi, a touché sa manche et l'a
entraîné à l'écart.

« Monsieur Cremuel, je songeais à passer chez vous.
Nous sommes voisins, vous savez.

— Vous êtes le bienvenu.

— Mais on m'informe que vous êtes souvent
avec le roi ces temps-ci, ce qui est plaisant, non ?
Votre ancien maître, j'ai des nouvelles de lui chaque
semaine. Il se soucie désormais de la santé de la reine.
Il demande si elle est de bonne humeur, et la supplie de ne pas oublier que bientôt elle retrouvera sa

place dans le cœur du roi. Et dans son lit. » Chapuys sourit. Il s'amuse. « La concubine ne l'aidera pas. Nous savons que vous avez tenté votre chance auprès d'elle et échoué. Alors maintenant il se tourne de nouveau vers la reine. »

Il est forcé de demander : « Et que dit la reine ?

— Elle dit, j'espère que Dieu dans sa miséricorde parviendra à pardonner le cardinal, car moi, je ne le pourrai jamais. » Chapuys attend. Cromwell ne dit rien. L'ambassadeur reprend : « Je pense que vous devinez l'effroyable confusion qui régnera si ce divorce est accordé, ou, devrions-nous dire, arraché par un moyen ou un autre à Sa Sainteté ? L'empereur, pour défendre sa tante, pourrait déclarer la guerre à l'Angleterre. Vos amis marchands perdront leur gagne-pain, et nombre de personnes perdront la vie. Votre roi Tudor pourrait tomber, et la vieille noblesse, prendre le pouvoir.

— Pourquoi me dites-vous cela ?

— Je le dis à tous les Anglais.

— En porte-à-porte ? »

Il est censé faire savoir au cardinal qu'il a épuisé son crédit auprès de l'empereur. À quoi cela mènera-t-il, si ce n'est à le pousser à faire appel au roi de France ? D'une manière ou d'une autre, la trahison règne.

Il imagine le cardinal parmi les chanoines à Southwell, assis sur sa chaise dans la salle du chapitre, présidant sous les hautes voûtes tel un paisible prince dans une clairière forestière, entouré de gravures luxuriantes. Elles sont si souples que c'est comme si les colonnes et les ogives étaient animées, comme si la pierre avait soudain pris vie ; les chapiteaux sont ornés de baies, les pinacles sont des tiges ondoyantes, des roses enserrent les colonnes, des fleurs et des graines fleurissent sur un pilier ; dans le feuillage, des têtes surgissent, des têtes de chiens, de lièvres, de chèvres. Il y a aussi des visages humains, si réalistes qu'ils peuvent peut-être changer d'expression ; peut-être baissent-ils les yeux, étonnés par la corpulente silhouette écarlate de son protecteur ; et peut-être que dans le silence de la nuit, quand les chanoines dorment, les hommes de pierre sifflent et chantent.

En Italie il a appris un système de mémorisation et l'a enrichi d'images. Certaines proviennent de forêts et de champs, de haies et de taillis : des animaux farouches qui se cachent, des yeux qui brillent dans les fourrés. Des renards et des cerfs, des griffons et des dragons. D'autres sont des hommes et des femmes : nonnes, guerriers, docteurs de l'Église. Entre leurs mains il place des objets improbables : sainte Ursule tient une arbalète, saint Jérôme une faux, tandis que Platon porte une louche et Achille une douzaine de quetsches dans un bol en bois. Il est inutile d'espérer se souvenir en se servant d'objets communs, de visages familiers. Il faut des juxtapositions surprenantes, des images qui sont plus ou moins étranges, ridicules, voire indécentes. Quand vous avez créé les images, vous les placez dans le monde à l'endroit de votre choix, chacune accompagnée de quelques mots ou chiffres qu'elles se chargeront de vous rappeler à la demande. À Greenwich, un chat à poil ras peut vous observer caché derrière un placard ; au palais de Westminster, un serpent peut vous lorgner depuis une poutre et siffler votre nom.

Certaines de ces images sont plates, et on peut marcher dessus. Certaines sont vêtues de peau et tournent en rond dans une pièce, mais peut-être s'agit-il d'hommes avec la tête à l'envers, ou avec une queue touffue comme les léopards des armoiries. Certaines vous lancent un regard mauvais comme Norfolk, ou vous considèrent d'un air ahuri comme monsieur de Suffolk. Certaines parlent, d'autres font coin-coin. Il les conserve, strictement ordonnées, dans la galerie de son esprit.

Peut-être est-ce parce qu'il a l'habitude de créer ces images que sa tête renferme suffisamment d'acteurs pour mille pièces de théâtre, dix mille interludes. C'est aussi à cause de cette manie qu'il tend à apercevoir sa défunte épouse tapie dans la cage d'escalier, son visage blanc tourné vers le haut, ou disparaissant furtivement à un angle d'Austin Friars, ou dans la maison de Stepney. Maintenant son image commence à se confondre avec celui de sa sœur Johane, et tout ce qui caractérisait Liz commence à caractériser sa sœur : son demi-sourire, son regard interrogateur, sa façon d'être nue. Jusqu'au moment où il dit, assez, et efface l'image de son esprit.

Rafe traverse le pays, chargé de messages pour Wolsey, des messages trop secrets pour être consignés dans des lettres. Il irait volontiers lui-même, mais bien que le Parlement soit prorogé, il ne peut pas partir, car il a peur de ce qu'on pourrait dire sur le cardinal s'il n'est pas là pour le défendre ; de plus, le roi pourrait avoir soudain besoin de le voir, ou lady Anne. « Et bien que je ne sois pas avec vous en personne, écrit-il, soyez assuré que je suis, et demeurerai toute ma vie avec Votre Excellence, dans mon cœur, dans mon esprit, dans mes prières et mon dévouement... »

Le cardinal répond : vous êtes « mon soutien fidèle

et loyal, mon refuge le plus sûr dans cette calamité ». Vous êtes « mon bien-aimé Cromwell ».

Le cardinal écrit pour demander des cailles. Il écrit pour demander des graines de fleurs. « Des graines ? s'étonne Johane. A-t-il l'intention de prendre racine ? »

Au crépuscule le roi est mélancolique. Sa campagne pour se remarier n'a encore pas progressé aujourd'hui ; il nie, bien sûr, être marié à la reine. « Cromwell, dit-il, j'ai besoin de trouver le moyen de m'approprier ces… » Il regarde sur le côté, réticent à exprimer clairement le fond de sa pensée. « Je comprends qu'il y ait des difficultés juridiques. Je ne prétends pas les comprendre. Et avant que vous ne commenciez, sachez que je ne veux pas qu'on me les explique. »

Le cardinal a doté son université d'Oxford, de même que l'école d'Ipswich, de terres qui généreront des rentes à perpétuité. Henri veut leur argenterie et leur or, leurs bibliothèques, leurs rentes annuelles et les terres qui les génèrent ; et il ne voit pas pourquoi il n'aurait pas ce qu'il veut. La richesse de vingt-neuf monastères est allée dans ces fondations – des monastères démantelés avec la permission du pape à condition que les bénéfices soient utilisés pour les universités. Mais savez-vous, dit Henri, que je commence à me soucier très peu du pape et de ses permissions ?

C'est le début de l'été. Les soirées sont longues et l'herbe et l'air sont parfumés. On pourrait croire qu'un homme comme Henri, par une telle nuit, pourrait se coucher dans le lit de son choix. La cour est pleine de femmes empressées. Mais après cet entretien il se promènera dans le jardin avec lady Anne, qui discutera avec lui tout en posant la main sur son bras ; puis il rejoindra son lit vide, et elle, suppose-t-on, le sien.

Quand le roi lui demande s'il a des nouvelles du cardinal, il répond que Wolsey regrette la splendeur de Sa Majesté ; que les préparatifs pour son intronisation à York sont proches.

« Alors pourquoi n'est-il pas encore à York ? Il me semble qu'il retarde encore et encore l'échéance, déclare le roi en lui lançant un regard noir. Je vais dire une chose en votre faveur : vous êtes un homme fidèle.

— Le cardinal ne m'a jamais témoigné que de la bonté. Pourquoi ne le serais-je pas ?

— Et vous n'avez pas d'autre maître, poursuit le roi. Monsieur de Suffolk me demande, mais d'où vient cet homme ? Je lui réponds qu'il y a des Cromwell dans le Leicestershire, le Northamptonshire – des gens qui possèdent des terres, ou qui en possédaient autrefois. Je suppose que vous descendez de l'une des branches infortunées de cette famille ?

— Non.

— Vous ne connaissez peut-être pas vos propres aïeux. Je vais demander aux hérauts de se renseigner.

— Votre Majesté est bonne. Mais ils n'arriveront pas à grand-chose. »

Le roi est exaspéré. Cromwell n'est même pas capable de tirer profit de ce qu'on lui offre : une lignée, aussi médiocre soit-elle.

« Monseigneur le cardinal m'a dit que vous étiez orphelin. Il m'a dit que vous aviez été élevé dans un monastère.

— Ah. C'était une de ses petites fables.

— Il m'a raconté des fables ? » Plusieurs expressions se succèdent sur le visage du roi : irritation, amusement, mélancolie. « Je suppose qu'il m'en a en effet raconté. Il m'a dit que vous aviez une aversion pour les religieux. Que c'était d'ailleurs la raison de votre zèle à son service.

— Telle n'était pas la raison. » Il lève les yeux. « Puis-je parler ?

— Oh, pour l'amour de Dieu ! s'écrie Henri. Je n'attends que ça, qu'on me parle ! »

Il est surpris. Puis il comprend. Henri veut une conversation, sur n'importe quel sujet qui n'aura trait ni à l'amour, ni à la chasse, ni à la guerre. Maintenant que Wolsey est parti, il n'en a guère l'occasion ; à moins d'accepter de parler à quelque prêtre. Et si vous envoyez chercher un prêtre, à quoi en revient-on toujours ? À l'amour ; à Anne ; à ce qu'on veut sans pouvoir l'avoir.

« Si vous m'interrogez sur les moines, c'est mon expérience qui parle, et non mon parti pris, et même si je ne doute pas que quelques fondations soient bien gérées, j'ai surtout observé du gâchis et de la corruption. Puis-je suggérer à Sa Majesté, si elle souhaite assister à un défilé des sept péchés capitaux, de ne pas organiser de mascarade à la cour, mais plutôt de se rendre à l'improviste dans un monastère ? J'ai vu des moines qui vivent comme des grands seigneurs grâce aux offrandes des pauvres qui préfèrent acheter une bénédiction que du pain, et ce n'est pas un comportement chrétien. Et je ne considère pas non plus les monastères comme les foyers de savoir pour lesquels certains les prennent. Grocyn était-il moine, ou Colet, ou Linacre, ou n'importe lequel de nos grands érudits ? C'étaient des hommes de l'université. Les moines prennent des enfants et les utilisent comme

323

serviteurs, ils ne leur apprennent même pas le latin de cuisine. Je ne leur reproche pas leur confort corporel. Ça ne peut pas être tout le temps le carême. Ce que je ne supporte pas, c'est l'hypocrisie, l'imposture, l'oisiveté – leurs reliques décrépites, leur vénération réchauffée et leur manque d'invention. Quand quelque chose de remarquable est-il sorti pour la dernière fois d'un monastère ? Ils n'inventent rien, ils ne font que répéter, et ce qu'ils répètent est corrompu. Pendant des centaines d'années les moines ont tenu la plume, et ce qu'ils ont écrit est ce que nous prenons pour notre histoire, mais je ne crois pas que ça le soit réellement. Je crois qu'ils ont supprimé l'histoire qui ne leur plaît pas et écrit celle qui arrange Rome. »

Henri semble regarder à travers lui et fixer le mur derrière. Cromwell attend. Henri finit par dire : « Des trous à rat, alors ? »

Il sourit.

Henri poursuit : « Notre histoire… Comme vous le savez, je rassemble les preuves. Manuscrits. Opinions. Comparaisons avec la manière dont les questions sont traitées dans les autres pays. Peut-être pourriez-vous consulter ces savants. Orienter un peu leurs efforts. Parlez au docteur Cranmer, il vous dira ce dont nous avons besoin. Je pourrais faire bon usage de l'argent qui part chaque année à Rome. Le roi François est bien plus riche que moi. Je n'ai pas un dixième de ses sujets. Il les taxe comme bon lui semble. Alors que moi, je dois faire appel au Parlement. Si je ne le fais pas, il y a des émeutes. » Puis il ajoute, amèrement : « Et il y a des émeutes si je le fais.

— Ne vous inspirez pas du roi François, réplique-t-il. Il aime trop la guerre, et trop peu le commerce. »

Henri esquisse un faible sourire.

« Vous n'êtes pas de mon avis, mais je pense que cela fait partie des attributions d'un roi.

— On peut lever plus d'impôts quand le commerce est florissant, réplique Cromwell. Et si le peuple s'oppose aux taxes, il peut y avoir d'autres moyens. »

Henri acquiesce.

« Très bien. Commencez par les universités. Étudiez la question avec mes avocats. »

Henry Norris est là pour l'accompagner à sa sortie de l'appartement privé du roi. Pas souriant pour une fois, plutôt sévère. Il dit : « Je ne voudrais pas avoir à prélever les impôts pour lui. »

Cromwell se demande, les moments les plus remarquables de ma vie se dérouleront-ils donc tous sous les yeux d'Henry Norris ?

« Il a tué les favoris de son père. Empson, Dudley. Le cardinal n'a-t-il d'ailleurs pas reçu une de leurs maisons ? »

Une araignée détale de sous un tabouret et un fait lui revient en mémoire.

« La maison d'Empson dans Fleet Street. Octroyée au cardinal le 9 octobre de la première année de ce règne[1].

— De ce glorieux règne », précise Norris, comme pour le corriger.

---

1. Richard Empson et Edmond Dudley, respectivement ministre et administrateur d'Henri VII, étaient chargés de mettre en œuvre son système de taxation arbitraire. Accusés de trahison par Henri VIII dès son accession au trône, ils sont tous deux emprisonnés en 1509 et décapités en 1510. Le roi donnera par la suite la maison d'Empson à Wolsey. *(N.d.T.)*

Gregory a quinze ans au commencement de l'été. Il monte magnifiquement à cheval et on le dit doué pour le maniement de l'épée. Son grec... eh bien, son grec en est toujours au même stade.

Mais Gregory a un problème.

« Les gens à Cambridge se moquent de mes lévriers.

— Pourquoi ? »

Les deux chiens noirs sont assortis. Ils ont la nuque courbée et musclée, et des pattes délicates ; ils baissent sagement les yeux jusqu'au moment où ils repèrent une proie.

« Ils disent, pourquoi avoir des chiens qu'on ne peut pas voir la nuit ? Seuls les criminels ont de tels chiens. Ils disent que je braconne dans les forêts. Ils disent que je chasse le blaireau, comme un rustre.

— Que veux-tu ? demande-t-il. Des chiens blancs, ou avec des taches colorées ?

— L'un ou l'autre me conviendrait.

— Je vais prendre tes chiens noirs. »

Non qu'il ait le temps de s'en occuper, mais Richard ou Rafe s'en serviront.

« Mais si les gens se moquent ?

— Allons, Gregory, dit Johane. C'est ton père. Je t'assure que personne n'osera rire. »

Quand il pleut trop pour aller chasser, Gregory se plonge dans *La Légende dorée ;* il aime la vie des saints. « Certaines de ces choses sont vraies, dit-il, et d'autres ne le sont pas. » Il lit *Le Morte d'Arthur*, et comme il s'agit de la dernière édition ils se massent autour de lui, regardant la page de titre par-dessus son épaule. « Ici commence le premier livre du plus noble et valeureux prince, le roi Arthur, jadis roi de Bretagne... » Au premier plan de l'image, deux couples s'étreignent. Sur un cheval à la foulée haute se trouve un homme affublé d'un grand chapeau fait de tubes enroulés qui ressemblent à de gros serpents. Alice demande, mon oncle, portiez-vous un tel chapeau quand vous étiez jeune, et lui répond, j'en avais un de couleur différente pour chaque jour de la semaine, mais les miens étaient plus grands.

Derrière l'homme, une femme est assise sur une seconde selle. « Croyez-vous qu'elle représente lady Anne ? demande Gregory. On dit que comme le roi n'aime pas être séparé d'elle il la fait monter derrière lui, comme une femme de fermier. » La femme a de grands yeux et semble nauséeuse à cause des cahots ; ce doit être Anne. Il y a un petit château, guère plus grand qu'un homme, avec une planche en guise de pont-levis. Les oiseaux qui tournoient dans le ciel ressemblent à des poignards volants. Gregory dit : « Notre roi descend de cet Arthur. Mais il n'est pas réellement mort, il attend simplement son heure dans une forêt, ou peut-être dans un lac. Il est âgé de plusieurs siècles. Merlin est magicien. Il arrive plus tard. Vous verrez. Il y a vingt et un chapitres. S'il continue de pleuvoir je compte bien les lire tous. Certaines de ces choses sont vraies et d'autres sont des mensonges. Mais ce sont toutes de bonnes histoires. »

Quand le roi le rappelle à la cour, c'est pour lui demander de transmettre un message à Wolsey. Un marchand breton dont le navire a été saisi par les Anglais il y a huit ans se plaint de ne pas avoir reçu le dédommagement promis. Personne ne retrouve le dossier. C'est le cardinal qui s'est chargé de l'affaire – s'en souviendra-t-il ?

« Je suis sûr que oui, dit-il. Ce doit être le navire avec la poudre de perle en guise de lest et la cale pleine de cornes de licornes. »

Dieu nous en préserve ! s'écrie Charles Brandon ; mais le roi rit et dit : « Ça doit être celui-là.

— S'il y a des doutes sur les sommes, ou même sur toute l'affaire, puis-je m'en occuper ? »

Le roi hésite.

« Je ne suis pas sûr que l'affaire soit de votre ressort. »

Mais à cet instant Brandon lui vient inopinément en soutien : « Henri, laissez-le faire. Quand il en aura fini, ce sera le Breton qui vous paiera. »

Les ducs évoluent dans un cercle fermé. Quand ils se rencontrent, ce n'est pas parce qu'ils s'apprécient ; ils aiment être entourés de leur propre cour, d'hommes qui leur renvoient leur image et qui leur sont soumis. Quand ils veulent se faire plaisir, il y a autant de chances de les trouver avec un garde-chien qu'avec un autre duc ; c'est ainsi que Cromwell passe une heure agréable avec Brandon à inspecter les meutes du roi. Ce n'est pas encore la saison de la chasse au cerf, aussi les chiens courants sont-ils bien nourris dans leurs niches ; leurs aboiements mélodieux s'élèvent dans l'air du soir, tandis que les chiens pisteurs, dressés pour être silencieux, se lèvent sur leurs pattes arrière et attendent, salivant, l'arrivée de leur dîner. Les enfants qui s'occupent des chiens portent des paniers pleins de pain et d'os, des seaux d'abats et des bassines de sang de cochon. Charles Brandon inspire les effluves d'un air approbateur, telle une douairière dans une roseraie.

Un chasseur fait venir sa chienne préférée, blanche

avec des taches marron, Barbada, quatre ans. Il l'enfourche et lui tire la tête en arrière pour montrer ses yeux, qui sont voilés par une fine pellicule. Il déteste l'idée de la tuer, mais il doute qu'elle soit d'une grande utilité cette saison. Cromwell saisit la mâchoire de la bête dans sa main. « Vous pouvez ôter la membrane avec une aiguille incurvée. Je l'ai vu faire. Vous devez avoir la main ferme et rapide. Elle n'aimera pas ça, mais elle n'aimera pas non plus être aveugle. » Il passe la main sur les côtes de la chienne, sent les battements paniqués de son petit cœur d'animal. « L'aiguille doit être très fine. Et juste de cette longueur. » Il leur montre avec son index et son pouce. « Laissez-moi parler à votre forgeron.

— Vous êtes un homme aux talents multiples », observe Suffolk en lui lançant un regard de biais.

Ils s'éloignent.

Le duc poursuit : « Écoutez. Le problème, c'est ma femme. »

Cromwell attend. « J'ai toujours voulu qu'Henri ait ce qu'il voulait, j'ai toujours été loyal envers lui. Même quand il parlait de me couper la tête sous prétexte que j'avais épousé sa sœur. Mais maintenant, que suis-je censé faire ? Catherine est la reine. N'est-ce pas ? Ma femme a toujours été son amie. Elle commence à parler de, je ne sais pas, de donner sa vie pour la reine, ce genre de chose. Et que la nièce de Norfolk ait la préséance sur ma femme, qui a été reine de France[1], nous ne pouvons le tolérer. Vous voyez ? »

Il acquiesce. Je vois.

---

1. Marie d'Angleterre, fille cadette d'Henri VII et sœur d'Henri VIII, veuve de Louis XII. Elle épousa Charles Brandon,

« De plus, continue le duc, on me dit que Wyatt est censé rentrer de Calais. » Oui, et ? « Je me demande si je dois l'avertir. Avertir Henri, s'entend. Pauvre diable.

— Milord, n'en faites rien », répond Cromwell.

Le duc se plonge dans ce qu'on appellerait, chez un autre homme, une réflexion silencieuse.

L'été : le roi chasse. Si Cromwell veut le voir, il doit se lancer à sa recherche, et si on l'envoie chercher, il se met aussitôt en route. Henri rend visite, au cours de ses déambulations estivales, à ses amis dans le Wiltshire, dans le Sussex, dans le Kent, ou alors il loge dans ses propres maisons, ou dans celles qu'il a prises au cardinal. Parfois, encore maintenant, la petite reine corpulente monte à cheval avec un arc quand le roi chasse dans l'un de ses grands domaines, ou dans celui d'un seigneur, où les cerfs sont poussés vers les archers. Lady Anne monte également – en des occasions différentes – et elle aime la poursuite. Mais il y a une saison pour laisser les femmes à la maison et s'enfoncer dans la forêt avec les meutes de chiens ; pour se lever avant l'aube quand la lumière est voilée comme de la nacre ; pour discuter avec les chasseurs puis déloger de son couvert le cerf qui a été choisi. On ne sait pas où la chasse s'achèvera, ni quand.

Henry Norris lui dit en riant, votre tour viendra bientôt, maître Cromwell, s'il continue à vous préférer de la sorte. Un conseil : au début du jour, quand vous commencerez la chasse, choisissez un fossé. Représentez-vous-le mentalement. Quand il aura épuisé

sans l'autorisation de son frère, cinq mois après la mort de son premier mari. *(N.d.T.)*

trois bons chevaux, quand le cor retentira pour une nouvelle traque, vous rêverez de ce fossé, vous vous imaginerez étendu dedans : rien ne vous semblera plus désirable que les feuilles mortes et l'eau fraîche qui croupissent dedans.

Il regarde Norris : son charmant dénigrement de soi. Il pense, vous étiez avec mon cardinal à Putney, quand il est tombé à genoux dans la boue ; avez-vous rapporté cette scène à la cour, au monde, aux étudiants de Gray's Inn ? Car si ce n'était pas vous, alors qui ?

Dans la forêt vous pouvez vous retrouver perdu, sans compagnons. Vous pouvez atteindre une rivière qui ne figure pas sur la carte. Vous pouvez perdre de vue votre gibier et oublier ce que vous faites là. Vous pouvez croiser un nain, ou le Christ vivant, ou un vieil ennemi ; ou un nouvel ennemi, un ennemi que vous ne connaissez pas jusqu'au moment où vous voyez son visage apparaître entre les feuilles bruissantes, où vous apercevez l'éclat de son poignard. Vous pouvez découvrir une femme assoupie sous un couvert de feuilles. Pendant un moment, avant de vous rendre compte que vous ne la connaissez pas, vous la prenez pour quelqu'un de familier.

À Austin Friars, il y a peu d'occasions d'être seul, ou seul avec une seule personne. Chaque lettre de l'alphabet vous observe. Dans la salle des comptables, il y a le jeune Thomas Avery, que vous formez à contrôler vos finances privées. Au milieu de l'alphabet il y a Marlinspike, qui flâne dans le jardin avec ses yeux dorés scrutateurs. Vers la fin de l'alphabet il y a Thomas Wriothesley, prononcer Risley. C'est un jeune homme brillant, d'environ vingt-cinq ans et de bonne famille, fils du héraut de York, neveu du roi d'armes de la jarretière. Dans la maison de Wolsey, il travaillait sous votre direction, puis Gardiner, le secrétaire du roi, l'a pris à son service. Maintenant il est parfois à la cour, parfois à Austin Friars. C'est l'espion de Stephen, disent les enfants – Richard et Rafe.

Monsieur Wriothesley est grand, avec des cheveux blond roux, mais sans la tendance des gens de ce teint – le roi, par exemple – à avoir la peau qui vire au rose quand on le félicite, ou qui se marbre quand on le contrarie ; il est toujours pâle et serein, toujours également beau, toujours maître de lui. À Trinity Hall, il jouait avec talent dans les pièces données par les étudiants, et il a certaines affectations, une conscience de lui-même, de son apparence ; Richard et Rafe l'imitent dans son dos et disent : « Mon nom est Wri-oth-es-ley, mais je vais vous épargner l'effort, vous pouvez m'appeler Risley. » Ils disent qu'il complique simplement son nom de la sorte afin de pouvoir venir signer des papiers et utiliser toute notre encre. Ils disent, vous connaissez Gardiner, il est trop colérique pour prononcer des noms à rallonge, alors il l'appelle simplement « Vous ». Cette plaisanterie les amuse, et pendant un moment, chaque fois que monsieur W apparaît, ils crient : « C'est vous ! »

Soyez cléments, dit Cromwell, avec maître Wriothesley. Les hommes de Cambridge méritent notre respect.

Il aimerait leur demander, à Richard, à Rafe, à maître Wriothesley Appelez-Moi-Risley : ai-je l'air d'un assassin ? Il y a un garçon qui affirme que oui.

Cette année, il n'y a pas eu d'épidémie pendant l'été. Les Londoniens remercient à genoux. À la veille de la Saint-Jean, les feux de joie brûlent toute la nuit. À l'aube, des lys blancs sont rapportés des champs. Les filles de la ville les tressent de leurs doigts tremblants pour former des couronnes tombantes qu'elles accrochent aux portes de la ville et des maisons.

Il pense à cette jeune fille qui était comme une fleur blanche ; celle qui était avec lady Anne, qui a passé la tête par la porte. Il aurait été aisé de découvrir son nom, sauf qu'il ne l'a pas fait, parce qu'il était occupé à soutirer des secrets à Mary. La prochaine fois qu'il la verra... mais à quoi bon penser à cela ? Elle doit venir de quelque maison noble. Il comptait écrire à Gregory et dire, j'ai vu une fille si adorable, je vais découvrir qui elle est et, si je mène notre famille adroitement au cours des années à venir, peut-être pourras-tu l'épouser.

Il ne l'a pas écrit. Vu la précarité de sa situation actuelle, cela serait aussi utile que les lettres que Gregory lui écrivait : *Cher père, j'espère que vous vous portez bien. J'espère que votre chien se porte bien. Et rien de plus faute de temps.*

Le lord-chancelier More dit : « Venez me voir, nous parlerons des universités de Wolsey. Je suis certain que le roi fera quelque chose pour les pauvres érudits. Venez. Venez voir mes roses avant que la chaleur ne les gâte. Venez voir mon nouveau tapis. »

C'est un jour voilé et gris ; quand il arrive à Chelsea, la barge du secrétaire du roi est amarrée, le drapeau Tudor flotte mollement dans l'air lourd. Derrière le corps de garde, la maison de briques rouges récemment bâtie offre sa façade colorée à la rivière. Il s'en approche sans se presser, parmi les mûriers. Debout sur le perron, sous le chèvrefeuille, Stephen Gardiner.

Le domaine de Chelsea grouille de petits animaux domestiques, et tandis qu'il s'approche de son hôte, il voit que le lord-chancelier tient un lapin aux oreilles coupées et à la fourrure blanche comme neige ; il repose paisiblement entre ses mains, comme des mitaines d'hermine.

« Votre gendre Roper est-il avec nous aujourd'hui ? demande Gardiner à More. Quel dommage. J'espérais le voir changer de nouveau de religion. Je voulais assister à ça.

— Une visite du jardin ? propose More.

— Je pensais que nous le verrions peut-être s'asseoir à table luthérien, comme il l'était auparavant, puis revenir à l'Église lorsqu'on apporterait les groseilles et les mûres.

— Will Roper est désormais fidèle à la foi d'Angleterre et de Rome », déclare More.

Cromwell observe : « Ce n'est pas vraiment une bonne année pour les fruits rouges. »

More le regarde du coin de l'œil ; il sourit. Il bavarde plaisamment tout en les menant dans la maison. Henry Pattinson arrive en galopant maladroitement derrière eux. C'est un serviteur de More que ce dernier appelle parfois son idiot et à qui il accorde une certaine licence. C'est un grand bagarreur ; normalement on recueille un idiot chez soi pour le protéger, mais, dans le cas de Pattinson, c'est le reste du monde qu'il faut protéger de lui. Est-il vraiment simple d'esprit ? More a un côté sournois, il aime embarrasser les gens ; ça lui ressemblerait bien d'avoir un idiot qui n'en est pas un. Pattinson est censé être tombé du clocher d'une église et s'être cogné la tête. Autour de la taille, il porte une ficelle nouée qu'il appelle parfois son chapelet ; parfois il dit que c'est le fouet avec lequel il se flagelle. D'autres fois il affirme que c'est la corde qui aurait dû prévenir sa chute.

En entrant dans la maison, on rencontre les membres de la famille accrochés au mur. On les voit peints grandeur nature avant de les rencontrer en chair et en os ; et More, conscient de l'effet produit, marque une pause pour que vous puissiez les contempler, les mémoriser. Sa préférée, Meg, est assise aux pieds de son père avec un livre sur les genoux. Réunis autour du lord-chancelier : son fils John ; sa pupille Anne Cresacre, qui est la femme de John ; Margaret Giggs, qui est aussi sa pupille ; son vieux père, sir John More ; ses filles Cicely et Elizabeth ; Pattinson, avec des yeux exorbités ; et, au bord du tableau, sa femme Alice, tête baissée et portant une croix autour du cou. Maître Holbein les a regroupés devant lui et les a fixés pour l'éternité : tout au moins aussi longtemps qu'ils seront épargnés par les mites, les flammes, la moisissure, la pourriture.

Dans la vraie vie, leur hôte semble un peu usé, comme s'il s'effilochait lentement ; puisque c'est un moment de détente, il porte une simple robe de laine. Le nouveau tapis est tendu entre deux tables pour qu'ils puissent l'inspecter. Le fond n'est pas cramoisi, mais d'une teinte rosée : pas rose garance, songe-t-il, mais une teinture rouge mélangée à du petit-lait. « Monseigneur le cardinal aimait les tapis turcs, murmure-t-il. Le doge lui en a un jour envoyé soixante. » La laine douce provient de moutons des montagnes, mais aucun d'entre eux n'était noir ; aux endroits où le motif est le plus sombre, la surface est déjà un peu rêche sous les doigts à cause de la teinture inégale, et avec le temps et l'usage celle-ci risque de s'effriter. Il soulève un coin, passe les doigts sur les nœuds en dessous, les comptant d'un geste sûr et expert. « Ce sont des nœuds de Ghiordes, dit-il, mais le motif est de Pergame. Vous voyez, là, dans les octogones, l'étoile à huit branches ? » Il repose doucement le coin du tapis, recule de quelques pas et dit : « Là. » Il s'avance, pose une main délicate sur l'imperfection, l'interruption du tissage, le losange légèrement décalé, mal aligné. Au pire, le tapis est constitué de deux tapis assemblés. Au mieux, il a été tissé par le Pattinson du village, ou rafistolé l'année dernière par des esclaves vénitiens dans un atelier minable. Pour s'en assurer, il devrait le retourner complètement. Son hôte demande : « Pas un bon achat ? »

Il est très beau, dit-il, pour ne pas gâcher le plaisir de More. Mais la prochaine fois, pense-t-il, demandez-moi de vous accompagner. Sa main effleure la surface, riche et douce. L'imperfection dans le tissage n'a guère d'importance. Un tapis turc n'est pas un serment. Il y a des gens dans ce monde qui aiment que tout soit scrupuleusement aligné et précis, et il y a ceux qui autorisent quelques errements à la marge. Il appartient aux deux groupes. Il n'autoriserait pas, par exemple, qu'on laisse par négligence une ambiguïté dans un bail, mais son instinct lui dit aussi que parfois un contrat n'a pas besoin d'être trop parfait. Les baux, les titres, les statuts sont rédigés pour être lus, et chacun les lit à la lumière de son propre intérêt.

More demande : « Que pensez-vous, messieurs ? Marcher dessus, ou l'accrocher au mur ?

— Marcher dessus.

— Thomas, vous et vos goûts de luxe ! »

Et ils éclatent de rire. On les croirait amis.

Ils se rendent à la volière ; ils se tiennent là, plongés dans leur conversation, parmi les pinsons qui volètent et chantent. Un petit enfant arrive en se dandinant ; une femme vêtue d'un tablier le suit comme son ombre. L'enfant désigne les pinsons, produit des sons joyeux, bat l'air des bras. Il voit Stephen Gardiner ; les coins de sa petite bouche retombent. L'infirmière fond sur lui avant que les larmes n'arrivent. Qu'est-ce que ça fait, demande-t-il à Stephen, d'avoir un tel pouvoir inné sur les enfants ? Stephen lui lance un regard mauvais.

More lui saisit le bras.

« Bon, les universités, dit-il. J'ai parlé au roi, et son secrétaire ici présent a fait de son mieux – vraiment. Le roi financera peut-être Cardinal College en son nom, mais pour Ipswich je ne vois aucun espoir, car ce n'est jamais que... Je suis désolé de dire ça, Thomas, mais ce n'est jamais que la ville de naissance d'un homme désormais déchu, ce qui ne représente rien pour nous.

— C'est dommage pour les érudits.

— Ça l'est, bien entendu. Si nous allions souper ? »

Dans la grande salle, la conversation se tient exclusivement en latin, bien qu'Alice, la femme de More, n'en parle pas un mot. Ils ont pour coutume de lire un passage des textes sacrés en guise de bénédicité.

« C'est au tour de Meg ce soir », annonce More.

Il est heureux de mettre sa fille préférée en valeur. Elle saisit le livre, l'embrasse ; entre les interruptions de l'idiot, elle lit en grec. Gardiner ferme fort les yeux ; il semble non pas touché par la grâce, mais exaspéré. Cromwell observe Margaret. Elle a peut-être vingt-cinq ans. Elle a les cheveux lustrés, agite vivement la tête, comme le petit renard que More prétend avoir apprivoisé ; ce qui ne l'empêche pas de le garder en cage par sécurité.

Les serviteurs entrent. C'est le regard d'Alice qu'ils cherchent tandis qu'ils déposent les plats ; ici, madame, et ici ? Les personnages sur le tableau n'ont pas besoin de serviteurs, bien entendu ; ils existent juste par eux-mêmes, flottant sur le mur.

« Mangez, mangez, dit More. Tous sauf Alice, qui va déborder de son corset. »

En entendant son nom elle tourne la tête.

« Cette expression de douloureuse surprise ne lui est pas naturelle, explique More. Elle vient du fait qu'elle se tire les cheveux en arrière et y enfonce de grandes épingles en ivoire, au péril de son crâne. Elle trouve son front trop bas. Ce qu'il est, bien entendu. Alice, Alice, dit-il, rappelle-moi pourquoi je t'ai épousée.

— Pour tenir la maison, père, dit Meg à voix basse.

— Oui, oui, fait More. Un coup d'œil à Alice me lave de la souillure de la concupiscence. »

Cromwell a conscience d'une bizarrerie, comme si le temps avait formé une boucle ou était coincé dans un nœud coulant ; il les a vus sur le mur tels que le peintre les a figés, et maintenant ils jouent leur propre rôle, arborant leurs diverses expressions de réserve ou d'amusement, de bienveillance et de grâce : une famille heureuse. Il préfère ses hôtes tels que Holbein les a peints ; le Thomas More du mur, on voit qu'il réfléchit, mais on ne voit pas à quoi, et c'est mieux ainsi. Le peintre les a regroupés si habilement qu'il n'y a aucun espace entre eux pour qu'une autre personne y prenne place. L'étranger ne peut que se superposer à la scène telle une souillure ou une tache involontaire ;

Gardiner, songe-t-il, est assurément une souillure ou une tache. Le secrétaire agite ses manches noires ; il débat vigoureusement avec leur hôte. Que veut dire saint Paul lorsqu'il affirme que Jésus a été créé un peu plus bas que les anges ? Arrive-t-il aux Hollandais de plaisanter ? Quelles sont les armoiries appropriées pour l'héritier du duc de Norfolk ? Est-ce le tonnerre qu'on entend au loin, ou cette chaleur va-t-elle durer ? Comme sur le tableau, Alice a un petit singe au bout d'une chaîne dorée. Dans la vie, il repose sur ses cuisses et s'accroche à elle comme un enfant. Parfois elle baisse la tête pour lui parler, de sorte que personne ne peut l'entendre.

More ne boit pas de vin, mais il en sert à ses invités. Il y a plusieurs plats, qui ont tous le même goût – une chair quelconque, avec une sauce grumeleuse comme la vase de la Tamise –, puis vient du lait caillé, et un fromage dont More affirme qu'il a été fait par l'une de ses filles – l'une de ses filles, pupilles, brus, l'une des femmes dont la maison est remplie.

« Car il faut les maintenir occupées, dit-il. Elles ne peuvent pas toujours être à leurs livres, et les jeunes femmes ont une tendance à l'espièglerie et à l'oisiveté.

— Naturellement, marmonne Cromwell. Sinon elles finissent par se battre dans la rue. »

Ses yeux sont attirés malgré lui par le fromage ; il est couvert de cratères et tremblotant, comme le visage d'un garçon d'écurie après une nuit de débauche.

« Henry Pattinson est bien excité ce soir, déclare More. Peut-être faudrait-il le saigner. J'espère que son régime n'a pas été trop riche.

— Oh, fait Gardiner. Je n'ai aucune inquiétude à cet égard. »

Le vieux John More – qui doit désormais avoir quatre-vingts ans – est venu les rejoindre pour souper, aussi lui cèdent-ils la parole ; il adore raconter des anecdotes. « Avez-vous entendu l'histoire d'Humphrey duc de Gloucester et du mendiant qui prétendait être aveugle ? Avez-vous jamais entendu parler de l'homme qui ne savait pas que la Vierge Marie était juive ? » On attendrait mieux d'un vieil avocat si brillant, même maintenant qu'il est sénile. Puis il se met à raconter des anecdotes sur l'idiotie des femmes, dont il possède une vaste collection, et quand il s'endort enfin, leur hôte poursuit sur la même lancée. Lady Alice a la mine renfrognée. Gardiner, qui a déjà entendu toutes ces histoires, grince des dents.

« Regardez ma belle-fille Anne », dit More. La jeune femme baisse les yeux ; ses épaules se crispent tandis qu'elle attend la suite. « Anne rêvait – puis-je leur dire, ma chère ? – elle rêvait d'un collier de perles. Elle n'arrêtait pas d'en parler, vous savez comment sont les jeunes filles. Alors quand je lui ai donné un coffret qui faisait un bruit de perles, imaginez sa tête. Et imaginez sa tête quand elle l'a ouvert. Car qu'y avait-il à l'intérieur ? Des pois séchés ! »

La jeune femme prend une profonde inspiration. Elle lève la tête. Cromwell voit l'effort que cela lui coûte.

« Père, dit-elle, n'oubliez pas de raconter l'histoire de la femme qui ne croyait pas que la terre était ronde.

— Non, celle-là est drôle », réplique More.

Quand Cromwell se tourne vers Alice, qui fixe son mari avec une concentration douloureuse, il songe, elle ne le croit toujours pas.

Après le souper ils parlent du cruel roi Richard. Il y a de nombreuses années, Thomas More a commencé à écrire un livre sur lui. Comme il n'arrivait pas à décider s'il devait le rédiger en anglais ou en latin, il l'a fait dans les deux langues, mais ne l'a jamais achevé, et n'en a pas envoyé la moindre partie à l'imprimeur. Richard était né pour être mauvais, affirme More ; il portait ça en lui dès sa naissance. Il agite la tête. « Des actes sanguinaires. Des jeux de rois.

— Des jours sombres, dit l'idiot.

— Pourvu qu'ils ne reviennent jamais.

— Amen. » L'idiot désigne les invités. « Pourvu que ceux-ci ne reviennent jamais non plus. »

Il y a des gens à Londres qui disent que John Howard, le grand-père de l'actuel Norfolk, était plus qu'un peu préoccupé par la disparition des enfants qui sont allés à la Tour et n'en sont jamais ressortis. Les Londoniens affirment – et Cromwell suppose que les Londoniens savent – que c'est sous la surveillance d'Howard que les princes ont été vus pour la dernière fois ; mais More pense que c'est le connétable Brackenbury qui a donné les clés à l'assassin. Brackenbury est mort à Bosworth, il ne peut pas sortir de sa tombe et se disculper.

Le fait est que Thomas More est ami avec l'actuel Norfolk, et qu'il est donc enclin à nier que l'ancêtre de ce dernier ait pu aider à faire disparaître qui que ce soit, surtout deux enfants de sang royal. Il se représente mentalement le duc actuel : dans une main noueuse et dégoulinante, il tient un petit cadavre aux cheveux dorés, et dans l'autre, le genre de petit couteau qu'un homme apporte à table pour découper sa viande.

Il revient à la conversation : Gardiner, pointant le doigt, intime au lord-chancelier de prouver ce qu'il affirme. Bientôt les grondements et les grognements de l'idiot deviennent insupportables. « Père, dit Margaret, s'il vous plaît, faites sortir Henry. » More se lève pour réprimander l'idiot, le saisit par le bras. Tous les yeux le suivent. Mais Gardiner profite de la pause. Il se penche en avant, dit en anglais à mi-voix :

« Concernant monsieur Wriothesley. Rappelez-moi. Travaille-t-il pour moi ou pour vous ?

— Pour vous, aurais-je cru, maintenant qu'il a été fait greffier du Sceau. Les greffiers assistent le secrétaire du roi, n'est-ce pas ?

— Alors pourquoi est-il toujours fourré chez vous ?

— Il n'est pas apprenti sous contrat. Il peut aller et venir à sa guise.

— Je suppose qu'il en a assez des hommes d'Église. Il veut savoir ce qu'il peut apprendre d'un… allez savoir comment vous vous définissez ces temps-ci.

— Une personne, répond-il d'un ton placide. Le duc de Norfolk a dit que j'étais une personne.

— Maître Wriothesley garde l'œil sur son propre intérêt.

— J'espère que nous le faisons tous. Sinon, pourquoi Dieu nous aurait-il donné des yeux ?

— Il pense à faire fortune. Nous savons tous que l'argent vous colle aux doigts. »

Comme les pucerons aux roses de More.

« Non, soupire-t-il. Il passe à travers, hélas. Vous savez, Stephen, à quel point j'aime le luxe. Montrez-moi un tapis et je marcherai dessus. »

Après avoir réprimandé et renvoyé l'idiot, More les rejoint.

« Alice, je t'ai déjà dit de ne pas boire de vin. Tu as le nez qui brille. »

Le visage d'Alice se raidit, trahissant son aversion

et une sorte de peur. Les plus jeunes femmes qui comprennent tout ce qui se dit baissent la tête et scrutent leurs mains, triturant leurs bagues et les faisant tourner pour refléter la lumière. Puis quelque chose atterrit soudain sur la table, et Anne Cresacre s'écrie dans sa langue maternelle : « Henry, arrête ! » Il y a une galerie dotée d'oriels au-dessus ; l'idiot, penché à l'un d'eux, les arrose de morceaux de pain.

« N'ayez pas peur, braves gens, crie-t-il. Je vous bombarde de Dieu. »

Il atteint le vieil homme, qui se réveille en sursaut. Sir John regarde autour de lui ; avec sa serviette, il essuie la bave sur son menton.

« Allons, Henry, lance More. Vous avez réveillé mon père. Et vous blasphémez. Et vous gâchez du pain.

— Cher monsieur, il devrait être fouetté », déclare sèchement Alice.

Il regarde autour de lui ; il éprouve quelque chose qui lui semble être de la pitié, une sensation lourde au creux de la poitrine. Il est certain qu'Alice a bon cœur ; il continue même de le croire lorsque, tandis qu'il prend congé et la remercie en anglais, celle-ci demande brusquement : « Thomas Cromwell, pourquoi ne vous remariez-vous pas ?

— Personne ne voudra de moi, lady Alice.

— Balivernes. Votre maître est peut-être déchu, mais vous n'êtes pas pauvre, non ? Vous avez de l'argent à l'étranger, à ce qu'on m'a dit. Vous avez une belle maison, n'est-ce pas ? Vous avez l'oreille du roi, à en croire mon mari. Et d'après ce que disent mes sœurs en ville, tout chez vous fonctionne parfaitement.

— Alice ! » s'écrie More, puis il lui saisit le poignet en souriant et la secoue un peu.

Gardiner lâche un gloussement grave et profond, tel un rire jaillissant d'une crevasse.

Quand ils regagnent la barge du secrétaire du roi, le parfum des jardins est lourd dans l'air.

« More se couche à neuf heures, déclare Stephen.

— Avec Alice ?

— On dit que non.

— Vous avez des espions dans la maison ? »

Stephen ne répond pas.

C'est le crépuscule ; des lumières dansent sur la rivière.

« Doux Jésus, ce que j'ai faim, se plaint le secrétaire. J'aurais dû garder un des morceaux de pain de l'idiot. Si j'avais pu mettre la main sur le lapin blanc, je le mangerais tout cru. »

Lui dit : « Vous savez, il n'a pas un comportement très franc.

— En effet », convient Gardiner. Sous la marquise, il est recroquevillé sur lui-même, comme s'il avait froid. « Mais nous connaissons tous ses opinions, qui sont, je crois, bien arrêtées et imperméables à la discussion. Quand il a pris ses fonctions, il a dit qu'il ne s'occuperait pas du divorce, et le roi a accepté ça, mais je me demande combien de temps il l'acceptera.

— Je ne voulais pas dire qu'il n'était pas très franc vis-à-vis du roi. Je voulais dire : vis-à-vis d'Alice. »

Gardiner rit.

« Vrai. Si elle avait compris ce qu'il a dit à son sujet elle l'aurait envoyé aux cuisines et l'aurait fait plumer et rôtir.

— Imaginez qu'elle meure. Il serait désolé.

— Il aurait une autre femme dans la maison avant qu'elle ait refroidi. Quelqu'un d'encore plus laid. »

Il réfléchit, perçoit, vaguement, une opportunité de placer des paris.

« Cette jeune femme, dit-il. Anne Cresacre. C'est une héritière, vous savez ? Une orpheline.

— Il y a eu un scandale, non ?

— Après la mort de son père ses voisins l'ont enlevée, pour que leur fils l'épouse. Le garçon l'a violée. Elle avait treize ans. C'était dans le Yorkshire… c'est ainsi qu'ils se comportent là-bas. Monseigneur le cardinal a été furieux quand il l'a appris. C'est lui qui l'a libérée. Il l'a placée sous le toit de More parce qu'il pensait qu'elle serait à l'abri.

— Et elle l'est. »

Pas des humiliations.

« Comme le fils de More l'a épousée, il vit des terres qu'elle possède. Elle perçoit cent livres par an. On pourrait croire qu'elle aurait droit à un collier de perles.

— Pensez-vous que More soit déçu par son fils ? Il ne montre aucun talent pour les affaires. J'ai cependant entendu dire que vous aviez un fils du même genre. Vous lui chercherez bientôt une héritière. »

Il ne répond pas. C'est vrai ; John More, Gregory Cromwell, qu'avons-nous fait de nos fils ? Nous les avons transformés en jeunes gentilshommes oisifs – mais qui peut nous en vouloir de désirer pour eux l'aisance que nous n'avons pas eue ? Une chose à porter au crédit de More : il ne connaît pas l'oisiveté, il a passé sa vie à lire, à écrire, à prêcher ce qu'il considère comme bon dans la religion chrétienne.

Stephen dit : « Bien sûr, vous aurez peut-être d'autres fils. N'avez-vous pas hâte de rencontrer la femme qu'Alice vous trouvera ? Elle ne tarit pas d'éloges à votre sujet. »

Il se sent effrayé. C'est comme avec Mark, le joueur de luth : des gens qui imaginent ce qu'ils ne peuvent savoir.

Cromwell demande : « Ne songez-vous jamais à vous marier ? »

Un frisson parcourt la surface de l'eau.

« Je suis dans les ordres.

— Oh, allons, Stephen. Vous devez avoir des femmes. Non ? »

La pause est si longue, si silencieuse, qu'il entend les rames s'enfoncer dans la Tamise, les petites éclaboussures quand elles se soulèvent ; il entend les vaguelettes dans leur sillage. Il entend un chien aboyer au sud.

Le secrétaire demande : « Est-ce le genre de question qu'on pose à Putney ? »

Le silence dure jusqu'à Westminster. Mais dans l'ensemble, le trajet n'est pas trop désagréable. Comme il le fait remarquer, au moment de débarquer, aucun des deux n'a balancé l'autre dans la rivière.

« J'attends que l'eau soit plus froide, réplique Gardiner. Et de pouvoir vous lester avec des poids. Vous avez le don de refaire surface, n'est-ce pas ? Au fait, pourquoi est-ce que je vous amène à Westminster ?

— Je vais voir lady Anne. »

Gardiner perçoit ça comme un affront.

« Vous n'en avez rien dit.

— Suis-je censé vous informer de tous mes faits et gestes ? »

Il sait que c'est ce que Gardiner aimerait. La rumeur dit que le roi est en train de perdre patience avec les membres de son Conseil. Il leur crie : « Le cardinal savait mieux s'y prendre que n'importe lequel d'entre vous pour gérer les affaires du royaume. » Cromwell pense, si monseigneur revient – ce qui, sur un caprice du roi, peut désormais se produire à tout moment –, alors vous êtes tous morts, Norfolk, Gardiner, More. Wolsey est un homme miséricordieux, mais jusqu'à un certain point.

Mary Shelton est présente ; elle lève les yeux, minaude. Anne est somptueuse dans sa chemise de nuit en soie noire. Ses cheveux sont détachés, ses pieds nus délicats chaussés de mules en peau de chevreau. Elle est affalée dans un fauteuil, comme si la journée l'avait exténuée. Mais pourtant, lorsqu'elle lève la tête, ses yeux sont étincelants, hostiles.

« D'où venez-vous ?

— D'Utopie.

— Oh. » Elle est intéressée. « Comment était-ce ?

— Dame Alice a un petit singe qui reste sur ses genoux quand elle est à table.

— Je déteste les singes.

— Je sais. »

Il fait quelques pas à travers la pièce. Anne l'autorise à se comporter plutôt normalement avec elle, sauf quand un soudain et furieux accès de moi-qui-serai-reine la prend et qu'elle l'envoie promener. Elle examine la pointe de sa mule.

« Certains disent que Thomas More est amoureux de sa propre fille.

— Je crois qu'ils ont peut-être raison. »

Ricanement d'Anne.

« Est-elle jolie ?

« — Non. Mais savante.

— A-t-on parlé de moi ?

— On ne mentionne jamais votre nom dans cette maison. »

Il songe, j'aimerais savoir ce qu'Alice aurait à dire de ça.

« Alors de quoi avez-vous parlé ?

— Des vices et des folies des femmes.

— Je suppose que vous avez pris part à la conversation ? Mais bon, c'est vrai. La plupart des femmes sont idiotes. Et méchantes. Je l'ai vu. J'ai vécu trop longtemps entourée de femmes.

— Norfolk et monsieur votre père passent leur temps à voir des ambassadeurs. France, Venise, l'homme de l'empereur, rien qu'au cours des deux derniers jours. »

Il songe, ils essaient de piéger le cardinal. Je le sais.

« Je ne pensais pas que vous aviez les moyens de vous offrir de si bonnes informations. Même si on dit que vous avez dépensé mille livres pour le cardinal.

— Je compte les récupérer. Ici et là.

— Je suppose que les gens vous sont reconnaissants. S'ils ont reçu des concessions des terres du cardinal. »

Il pense, votre frère George, lord Rochford, votre père Thomas, comte de Wiltshire, ne se sont-ils pas enrichis sur le dos du cardinal ? Regardez ce que George porte ces temps-ci, regardez l'argent qu'il dépense en chevaux et en filles ; mais je ne vois guère de signes de gratitude de la part des Boleyn.

Il dit : « Je perçois uniquement mes honoraires d'avocat. »

Elle éclate de rire.

« Ça a l'air de vous réussir.

348

— Vous savez, il y a différentes manières de faire…
Parfois les gens s'ouvrent à moi. »

C'est une invitation. Anne baisse la tête. Elle est
sur le point de s'ouvrir elle aussi. Mais peut-être pas
ce soir.

« Mon père dit, on ne peut jamais être sûr de cet
homme, on ne sait jamais pour qui il travaille. Il me
semble – mais je ne suis qu'une femme – qu'il est
parfaitement évident que vous travaillez pour vous-
même. »

Ce qui nous rend semblables, songe-t-il, mais il ne
le dit pas.

Anne bâille, un petit bâillement de chat.

« Vous êtes fatiguée, dit-il. Je vais m'en aller. Au
fait, pourquoi m'avez-vous envoyé chercher ?

— Nous aimons savoir où vous êtes.

— Alors pourquoi votre père ne m'envoie-t-il
jamais chercher, ni votre frère ? »

Elle lève les yeux. Il est peut-être tard, mais pas
trop tard pour le sourire entendu d'Anne.

« Ils pensent que vous ne viendriez pas. »

Août : le cardinal écrit au roi une lettre pleine
de griefs, disant qu'il est harcelé par ses créanciers,
« enveloppé de misère et d'angoisse » – mais les histoires qu'on raconte sont différentes. Il donnerait des
dîners, inviterait tous les notables de la région. Il dis-
penserait la charité avec la même générosité qu'avant,
résoudrait les procès, convaincrait les maris et les
femmes brouillés de partager de nouveau le même toit.

Appelez-Moi-Risley s'est rendu à Southwell en
juin, avec William Brereton du cabinet privé du roi,
pour obtenir la signature du cardinal sur une pétition

qu'Henri fait circuler et qu'il compte envoyer au pape. C'est Norfolk qui a eu l'idée de faire signer par les pairs et les évêques cette lettre qui demande à Clément de rendre au roi sa liberté. Elle contient certaines menaces vagues et imprécises, mais Clément a l'habitude des menaces – personne ne sait mieux que lui faire durer les choses, semer le trouble, monter les uns contre les autres.

Le cardinal a bonne mine, à en croire Wriothesley. Et ses travaux de maçonnerie, semble-t-il, ont dépassé le stade de simples réparations. Il a arpenté la région à la recherche de vitriers, de menuisiers et de plombiers ; c'est mauvais signe quand monseigneur décide d'améliorer les installations. Il n'a jamais eu une église paroissiale dont il n'a fait surélever le clocher ; jamais logé quelque part sans dessiner des plans pour l'écoulement des eaux. Bientôt on creusera la terre pour y placer des caniveaux et des tuyaux. Ensuite il installera des fontaines. Où qu'il aille il est acclamé par les gens.

« Les gens ? rétorque Norfolk. Ils acclameraient un singe de Barbarie. Qui se soucie de ce qu'ils acclament ? Qu'on les pende tous.

— Mais alors qui vous paiera vos impôts ? » demande-t-il, et Norfolk le regarde avec crainte, se demandant si c'était une plaisanterie.

Les rumeurs de la popularité du cardinal ne le réjouissent pourtant pas, elles l'effraient, même. Le roi a accordé un pardon à Wolsey, mais s'il a été offensé une fois, il peut l'être de nouveau. S'ils ont pu inventer quarante-quatre accusations, alors – en laissant libre cours à leur imagination et sans se soucier de la vérité – ils peuvent en inventer quarante-quatre autres.

Il voit Norfolk et Gardiner s'entretenir. Ils lèvent les yeux vers lui, lui lancent un regard noir et se taisent.

Wriothesley reste avec lui, dans son ombre et sur ses pas, il rédige la plupart de ses lettres confidentielles, celles au cardinal et au roi. Il ne dit jamais, je suis trop fatigué. Il ne dit jamais, il est tard. Il se souvient de tout ce dont il doit se souvenir. Même Rafe n'est pas plus parfait.

Il est temps d'impliquer les filles dans les affaires de la famille. Johane se plaint des piètres talents de couturière de sa fille, et il semblerait que, en transférant subrepticement l'aiguille dans sa mauvaise main, l'enfant ait créé un petit point maladroit difficilement imitable. Il lui confie la tâche de sceller par une couture ses lettres au cardinal.

Septembre 1530 : le cardinal quitte Southwell, progressant par petites étapes vers York. Son voyage se transforme alors en procession triomphale. Les gens de toute la campagne se massent pour le voir, lui tendant des embûches au bord de la route pour qu'il puisse appliquer ses mains magiques sur leurs enfants ; ils appellent ça une « confirmation », mais ça ressemble plus à un sacrement ancestral. Ils arrivent par milliers pour l'admirer ; et il prie pour chacun d'eux.

« Le Conseil a placé le cardinal sous surveillance, dit Gardiner en passant rapidement devant lui. Il a fait fermer les ports. »

Norfolk dit : « Dites-lui que si jamais je le revois, je le dévorerai, os, chair et nerfs compris. »

Cromwell note et envoie le message dans le Nord : « os, chair et nerfs compris ». Il entend les dents du duc croquer et mastiquer.

Le 2 octobre, le cardinal atteint son palais de Cawood, à dix miles de York. Son intronisation est prévue pour le 7 novembre. La nouvelle arrive qu'il a organisé une assemblée de l'Église du Nord ; elle doit se réunir à York le lendemain de son intronisation. C'est un signe de son indépendance ; certains pourraient prendre cela pour un signe de révolte. Il n'a pas informé le roi, ni le vieux Warham, l'archevêque de Canterbury ; il entend la voix du cardinal, douce et amusée, disant, allons, Thomas, qu'ont-ils besoin de savoir ?

Norfolk le convoque. Son visage est cramoisi et il se met à hurler en écumant de rage. Il vient de voir son armurier pour un essayage, et il porte encore certains éléments de son armure – sa cuirasse, son garde-reins –, si bien qu'il ressemble à une casserole de fer pleine d'eau bouillante.

« Croit-il pouvoir se terrer là-haut et se tailler un royaume ? Le chapeau de cardinal ne lui suffit pas, seule une couronne fera l'affaire pour ce satané Thomas Wolsey, ce foutu fils de boucher, et je vais vous dire, je vous dis… »

Il baisse les yeux au cas où le duc chercherait à lire ses pensées. Il songe, monseigneur aurait fait un si bon roi ; si bienveillant, si sûr et affable dans ses relations, si équitable, si vif et perspicace. Son règne aurait été le meilleur, ses serviteurs, les meilleurs serviteurs ; et comme il aurait apprécié son état.

Son regard suit le duc tandis que celui-ci s'éloigne en rageant ; mais, lorsque Norfolk se retourne, il cogne sa cuisse métallique, et une larme – de douleur, ou d'autre chose – lui monte à l'œil.

« Ah, vous me croyez dur, Cromwell. Mais je ne

suis pas dur au point de ne pas voir la situation dans laquelle vous vous trouvez. Savez-vous ce que je dis ? Je dis que je ne connais pas un seul homme en Angleterre qui aurait fait ce que vous avez fait pour un homme déshonoré et déchu. Le roi aussi le dit. Même lui, Chapuys, l'homme de l'empereur, il dit, impossible de trouver un défaut à machin-chose. Moi, je dis, quel dommage que vous ayez rencontré Wolsey. Quel dommage que vous ne travailliez pas pour moi.

— Eh bien, répond-il, nous voulons tous la même chose. Que votre nièce devienne reine. Ne pouvons-nous y travailler ensemble ? »

Norfolk grogne. Il y a quelque chose qui cloche, selon lui, dans ce mot « ensemble », mais il n'arrive pas à formuler quoi.

« N'oubliez pas votre place. »

Il s'incline.

« J'ai conscience de vos nombreuses faveurs.

— Écoutez, Cromwell, j'aimerais que vous veniez me voir chez moi à Kenninghall, et que vous parliez à ma femme. Ses exigences sont monstrueuses. Elle estime que je ne devrais pas entretenir de femme à la maison, pour mes plaisirs, vous savez ? Moi, je dis, où devrait-elle être ? Voulez-vous que je me dérange la nuit en hiver et que je m'aventure sur les routes gelées ? On dirait que je n'arrive pas à m'exprimer correctement avec elle ; pensez-vous pouvoir venir et défendre ma cause ? » Il se hâte d'ajouter : « Pas maintenant, naturellement. Non. Plus urgent... allez voir ma nièce...

— Comment va-t-elle ?

— À mon avis, répond Norfolk, Anne a des envies de meurtre. Elle veut les tripes du cardinal sur un plateau pour les donner à manger à ses épagneuls, et ses membres cloués sur les portes de la ville de York. »

C'est un matin sombre et vos yeux se tournent naturellement vers Anne, mais quelque chose remue dans la pénombre.

Anne annonce : « Le docteur Cranmer vient de rentrer de Rome. Il ne nous apporte aucune bonne nouvelle, bien entendu. »

Ils se connaissent ; Cranmer a travaillé de temps en temps pour le cardinal ; d'ailleurs, qui n'a pas travaillé pour lui ? Maintenant il s'occupe activement de la cause du roi. Ils s'étreignent prudemment : érudit de Cambridge, personne de Putney.

Cromwell demande : « Monsieur, pourquoi n'êtes-vous pas venu à notre université ? À Cardinal College, j'entends ? Son Excellence était sincèrement désolée que vous ne veniez pas. Nous vous aurions installé confortablement.

— Je crois qu'il voulait quelque chose de plus permanent, dit Anne, railleuse.

— Mais avec le respect que je vous dois, lady Anne, le roi m'a presque dit qu'il reprendrait lui-même la fondation d'Oxford. » Il sourit. « Peut-être pourra-t-elle porter votre nom ? »

Ce matin Anne porte une croix au bout d'une chaîne dorée. Parfois elle tire impatiemment dessus, puis elle renfonce ses mains dans ses manches. Elle a tellement l'habitude de faire ça qu'on dit qu'elle a quelque chose à cacher, une déformation ; mais il pense que c'est simplement une femme qui n'aime pas dévoiler sa main.

« Mon oncle Norfolk prétend que Wolsey se promène avec huit cents hommes à sa suite. On dit qu'il reçoit des lettres de Catherine. Est-ce vrai ? On dit que Rome va publier un décret ordonnant au roi de se séparer de moi.

— Ce serait clairement une erreur de la part de Rome, observe Cranmer.

— Oui, en effet. Car Henri ne reçoit pas d'ordres. Est-il un vulgaire ecclésiastique, le roi d'Angleterre ? Ou un enfant ? Ça n'arriverait pas en France ; leur roi tient ses hommes d'Église dans sa main. Maître Tyndale dit : "Un roi, une loi, telle est l'ordonnance de Dieu dans chaque royaume." J'ai lu son livre, *L'Obéissance d'un chrétien*. Je l'ai moi-même montré au roi en indiquant les passages qui touchent à son autorité. Le sujet doit obéir à son roi comme il obéirait à Dieu ; est-ce bien le sens de l'ouvrage ? Le pape apprendra quelle est sa place. »

Cranmer la regarde avec un demi-sourire ; elle est comme une enfant à qui on apprend à lire et qui vous éblouit par son aptitude soudaine.

« Attendez, dit-elle, j'ai quelque chose à vous montrer. » Elle décoche un regard. « Lady Carey…

— Oh, je t'en prie, dit Mary. N'y prête pas attention. »

Anne claque des doigts. Mary Boleyn s'approche dans la lumière, un éclat de cheveux blonds.

« Donne », dit Anne. Mary lui tend un bout de papier qu'elle déplie. « J'ai trouvé ceci dans mon lit, le croiriez-vous ? De fait, c'était le soir où cette flatteuse chétive au teint laiteux a fait mon lit, et bien sûr je n'ai pas pu lui tirer la moindre explication, elle se met à pleurer dès que vous la regardez de travers. Donc je ne sais pas qui l'a placé là. »

Elle montre un dessin. Il y a trois personnages. Le

personnage central est le roi. Il est grand et beau, et pour qu'on le reconnaisse bien, il porte une couronne. De chaque côté de lui se trouve une femme ; celle de gauche n'a pas de tête.

« Ça, c'est la reine, dit-elle. Catherine. Et ça, c'est moi. » Elle rit. « Anne *sans tête**. »

Le docteur Cranmer tend la main.

« Donnez-le-moi. Je le détruirai. »

Elle froisse elle-même le dessin.

« Je peux le détruire toute seule. Il y a une prophétie qui dit qu'une reine d'Angleterre sera brûlée vive. Mais je n'ai pas peur d'une prophétie, et même si elle est vraie, je suis prête à courir le risque. »

Mary est figée, telle une statue ; ses mains sont jointes, comme si elle tenait toujours le bout de papier. Oh, pour l'amour de Dieu, pense-t-il, la faire sortir d'ici ; l'emmener quelque part où elle pourrait oublier qu'elle est une Boleyn. Elle s'est un jour proposée à moi. Je l'ai déçue. Si elle se proposait de nouveau, je la décevrais encore.

Anne se tourne vers la lumière. Ses joues sont creuses – comme elle est maigre désormais –, ses yeux pétillent.

« *Ainsi sera**, dit-elle. Même si ça ne plaît pas à tout le monde, ça se produira. Je compte bien avoir le roi. »

En sortant, Cromwell et le docteur Cranmer ne parlent pas, jusqu'au moment où ils voient la jeune fille pâle marcher vers eux, la flatteuse chétive au teint laiteux, portant un drap plié.

« Je crois que c'est celle qui pleure. Ne la regardez pas de travers », murmure-t-il à Cranmer.

« Maître Cromwell, dit-elle, l'hiver risque d'être long. Alors envoyez-nous d'autres tartelettes à l'orange.

— Ça fait si longtemps que je ne vous ai pas vue… Que faisiez-vous, où étiez-vous ?

— De la couture, principalement. » Elle considère chaque question séparément. « Là où on m'envoyait.

— Et vous espionniez, je crois. »

Elle acquiesce.

« Mais je ne suis pas très douée.

— Je ne sais pas. Vous êtes très petite et passez inaperçue. »

C'est un compliment dans sa bouche ; elle bat des paupières en signe de reconnaissance.

« Je ne parle pas français. Alors évitez de parler cette langue, s'il vous plaît. Sinon, je n'aurai rien à rapporter.

— Pour qui espionnez-vous ?

— Pour mes frères.

— Connaissez-vous le docteur Cranmer ?

— Non, répond-elle en toute sincérité.

— Maintenant, ordonne-t-il, vous devez me dire qui vous êtes.

— Oh. Je vois. Je suis la fille de John Seymour. De Wolf Hall. »

Il est surpris.

« Je croyais que ses filles étaient avec la reine Catherine.

— Oui. Parfois. Mais pas en ce moment. Je vous l'ai dit, je suis là où on m'envoie.

— Mais pas là où on vous apprécie.

— Si, d'une certaine manière. Vous voyez, lady Anne ne refusera aucune des femmes de la reine qui veulent passer du temps avec elle. » Elle lève les yeux,

357

un éclat pâle et bref. « Mais rares sont celles qui le veulent. »

Toute famille qui monte a besoin d'informations. Avec le roi qui s'estime célibataire, n'importe quelle jeune fille peut être la clé de l'avenir, et il ne miserait pas tout son argent sur Anne.

« Eh bien, bonne chance, dit-il. J'essaierai de me limiter à l'anglais.

— Je vous en serais reconnaissante. » Elle s'incline. « Docteur Cranmer. »

Il se tourne pour la regarder tandis qu'elle s'éloigne d'un pas léger en direction d'Anne Boleyn. Un petit soupçon lui pénètre l'esprit, concernant le papier dans le lit. Mais non, pense-t-il. C'est impossible.

Le docteur Cranmer dit, souriant : « Vous avez de nombreuses connaissances parmi les femmes de la cour.

— Pas si nombreuses. Je ne sais toujours pas de quelle fille il s'agit, John Seymour en a au moins trois. Et je suppose que ses fils sont ambitieux.

— Je les connais à peine.

— Le cardinal a élevé Edward. Il est vif. Et Tom Seymour n'est pas aussi idiot qu'il veut le faire croire.

— Et le père ?

— Il reste dans le Wiltshire. On ne le voit jamais.

— On pourrait l'envier », murmure le docteur Cranmer.

La vie à la campagne. Le bonheur rural. Une tentation qu'il n'a jamais eue.

« Combien de temps avez-vous passé à Cambridge avant que le roi vous appelle ? »

Cranmer sourit.

« Vingt-six ans. »

Ils sont tous deux habillés pour monter à cheval.

« Vous retournez à Cambridge aujourd'hui ?

— Pas pour y rester. La famille » – il parle des Boleyn – « veut m'avoir sous la main. Et vous, maître Cromwell ?

— Un client privé. Ce ne sont pas les regards noirs de lady Anne qui me font gagner ma vie. »

Des garçons les attendent avec leurs chevaux. De divers replis de son habit le docteur Cranmer tire des objets enveloppés dans du tissu. L'un d'eux est une carotte minutieusement coupée dans la longueur, un autre est une pomme desséchée, coupée en quatre. Tel un enfant distribuant équitablement des cadeaux, il donne à Cromwell deux bâtons de carotte et la moitié de la pomme pour nourrir son cheval ; ce faisant, il dit : « Vous devez beaucoup à Anne Boleyn. Plus que vous ne le croyez peut-être. Elle s'est fait une bonne opinion de vous. Je ne suis cependant pas sûr qu'elle ait l'intention de devenir votre belle-sœur... »

Les bêtes plient le cou, mâchonnant, leurs oreilles s'agitant de plaisir. C'est un moment de paix, comme une bénédiction.

Cromwell dit : « Il n'y a pas de secrets, n'est-ce pas ?

— Non. Non. Absolument aucun. » Le prêtre secoue la tête. « Vous me demandiez pourquoi je ne suis pas allé à votre université.

— Je faisais la conversation.

— Pourtant... comme nous avons entendu dire à Cambridge, vous avez tellement travaillé pour la fondation... les étudiants et les enseignants vous recommandent tous... aucun détail n'échappe à maître Cromwell. Mais ce confort dont vous vous enorgueillissez..., dit-il d'une voix douce et égale. J'espère qu'il ne s'agit pas de la cave à poissons ? Celle où les étudiants sont morts ?

— Monseigneur le cardinal n'a pas pris l'affaire à la légère. » Cranmer dit, d'un ton léger : « Moi non plus.

— Monseigneur n'a jamais été homme à piétiner autrui pour défendre ses opinions. Vous auriez été à l'abri.

— Je vous assure qu'il n'aurait trouvé aucune hérésie en moi. Même la Sorbonne n'a pu me mettre en défaut. Je n'ai rien à craindre. » Un sourire pâle. « Mais peut-être... ah, eh bien... peut-être suis-je fondamentalement attaché à Cambridge. »

Il demande à Wriothesley : « Est-il en tout point orthodoxe ?

— C'est difficile à dire. Il n'aime pas les moines. Vous devriez vous entendre.

— Était-il apprécié à Jesus College ?

— On dit que c'était un examinateur sévère.

— Je suppose que peu de choses lui échappent. Pourtant, il croit qu'Anne est une femme vertueuse. » Il soupire. « Et nous, que croyons-nous ? »

Appelez-Moi-Risley pousse un petit grognement. Il vient de se marier – avec la nièce de Gardiner – mais ses relations avec les femmes ne sont, en général, pas tendres.

« Cranmer a l'air mélancolique, dit-il. Tel un roi qui voudrait vivre retiré du monde. »

Les sourcils blonds de Wriothesley se soulèvent, presque imperceptiblement.

« Vous a-t-il parlé de la serveuse ? »

Quand Cranmer vient chez lui, il lui sert une délicate pièce de chevreuil ; ils soupent en privé, et il lui soutire son histoire, lentement, lentement et facilement. Il demande au docteur d'où il vient, et quand celui-ci répond, pas d'un endroit que vous connaissez, lui dit, essayez toujours, je suis allé presque partout.

« Si vous étiez allé à Aslockton, vous ne le sauriez même pas. Il suffit d'aller passer une nuit à Nottingham, à quinze miles de là, pour effacer Aslockton de sa mémoire. »

Son village n'a même pas d'église ; juste quelques pauvres cottages et la maison de son père, où sa famille réside depuis trois générations.

« Votre père est un gentilhomme ?

— Naturellement. » Cranmer semble quelque peu abasourdi : que pourrait-il être d'autre ? « Les Tamworth du Lincolnshire sont des parents. Les Clifton de Clifton. La famille Molyneux, dont vous aurez entendu parler, n'est-ce pas ?

— Et possédez-vous beaucoup de terres ?

— Si j'avais su, j'aurais apporté mes registres.

— Pardonnez-moi. Nous autres avocats… »

Il ne le quitte pas du regard, le jauge. Cranmer acquiesce.

« Quelques terres. Et je ne suis pas l'aîné. Mais mon père m'a bien élevé. Il m'a appris à monter à cheval. Il m'a donné mon premier arc. Il m'a donné mon premier faucon à dresser. »

Mort, pense-t-il, le père mort depuis longtemps : Cranmer cherche toujours sa main dans le noir.

« Quand j'avais douze ans, il m'a envoyé à l'école. J'y ai souffert. Le maître était sévère.

— Envers vous ? Ou envers les autres aussi ?

— Pour être honnête, je ne pensais qu'à moi. Nul doute que j'étais faible. Je suppose qu'il cherchait nos faiblesses. Les maîtres d'école sont ainsi.

— Ne pouviez-vous vous plaindre auprès de votre père ?

— Je me demande aujourd'hui pourquoi je ne l'ai pas fait. Mais il est mort. J'avais treize ans. Un an plus tard ma mère m'a envoyé à Cambridge. J'étais content de m'échapper. De ne plus être sous le joug de mon maître. Non que la flamme du savoir brûlât vivement en moi. Le vent de l'est l'a éteinte. À l'époque il n'y en avait que pour Oxford – Magdalen en particulier, où était votre cardinal. »

Il pense, quand on naît à Putney, on voit la rivière chaque jour, et on l'imagine se jetant dans la mer. Même si on n'a jamais vu l'océan, on peut s'en faire une idée à partir des récits des étrangers qui remontent parfois la Tamise. On sait qu'un jour on verra un monde où les sols seront de marbre, un monde peuplé de paons, avec des collines bourdonnant de chaleur où flottera le parfum des herbes écrasées. On se prépare à ce que nos voyages nous apporteront : la chaleur de la terre cuite, le ciel nocturne d'autres climats, les fleurs inconnues, le regard de pierre des saints d'autres peuples. Mais quand on naît à Aslockton, dans des champs plats sous un ciel vaste, on peut tout juste imaginer Cambridge : pas plus loin.

« Un homme de mon université, dit timidement Cranmer, a entendu de la bouche du cardinal que lorsque vous n'étiez qu'un nourrisson, vous avez été enlevé par des pirates. »

Cromwell le fixe un moment du regard, puis sourit lentement avec délice.

« Comme mon maître me manque, dit-il. Maintenant qu'il est parti dans le Nord, il n'y a plus personne pour m'inventer. »

Le docteur Cranmer, sérieux : « Alors ce n'est pas vrai ? Car je me demandais s'il y avait des doutes quant à votre baptême. Je craignais que la question puisse se poser, dans un tel cas.

— Non, ce n'est pas vrai. Je vous assure. Et puis les pirates m'auraient rendu. »

Cranmer fronce les sourcils.

« Vous étiez un enfant turbulent ?

— Si je vous avais connu à l'époque, j'aurais démoli votre maître d'école pour vous. »

Cranmer s'est arrêté de manger ; non qu'il ait fait preuve d'un grand appétit. Cromwell songe, au fond de lui, cet homme me prendra toujours pour un barbare ; je ne le détromperai jamais.

Il demande : « Vos études vous manquent-elles ? Votre vie a été perturbée depuis que le roi vous a nommé ambassadeur et vous envoie à travers les mers.

— Dans le golfe de Gascogne, tandis que je rentrais d'Espagne, notre navire a failli couler. J'ai entendu les confessions des marins.

— Ç'a dû être quelque chose. » Il rit. « Des confessions hurlées par-dessus le bruit de la tempête. »

Après ce voyage épuisant, bien que le roi fût ravi de son ambassade, Cranmer aurait pu retrouver son ancienne vie s'il n'avait suggéré, lors d'une rencontre fortuite avec Gardiner, que les universités européennes pourraient peut-être être sondées à propos de l'affaire du roi. Vous avez essayé les avocats de droit canon, maintenant essayez les théologiens. Pourquoi pas ? a dit le roi ; allez me chercher le docteur Cranmer et chargez-le de cette mission. Le Vatican n'a manifesté aucune objection ; la seule condition était que les théologiens ne devaient pas se voir offrir d'argent : un drôle d'avertissement de la part d'un pape dont le nom de famille est de Médicis. Cromwell juge l'initiative presque futile, mais il pense à Anne Boleyn, il pense à ce que sa sœur a dit : elle ne rajeunit pas.

« Écoutez, vous avez rencontré une centaine de savants, dans des dizaines d'universités, et certains disent que le roi a raison...

— La plupart...

— Et si vous en trouviez deux cents de plus, qu'est-ce que ça changerait ? Clément n'est pas prêt à se laisser convaincre. Il ne cède que face à la pression. Et je ne parle pas de pression morale.

— Mais ce n'est pas Clément que nous devons convaincre du bien-fondé de la cause du roi. C'est l'Europe entière. Tous les hommes de la chrétienté.

— Je crains que vous ayez encore plus de mal avec les femmes. »

Cranmer baisse les yeux.

« Je n'ai jamais réussi à convaincre ma femme de quoi que ce soit. Je n'aurais même pas songé à essayer. » Il marque une pause. « Nous sommes tous deux veufs, je crois, maître Cromwell, et si nous devons devenir collègues, je dois répondre à toutes vos interrogations de sorte que vous n'écouterez pas les histoires que les gens vous raconteront. »

La lumière diminue autour d'eux pendant qu'il parle, et sa voix, chaque murmure, chaque hésitation, se noie dans le crépuscule. Hors de la pièce dans laquelle ils se trouvent, ailleurs dans la maison, des bruits retentissent, comme si on déplaçait des tréteaux, et des cris de joie résonnent au loin. Mais il les ignore et fixe son attention sur le prêtre. Joan, une orpheline, explique celui-ci, servante dans la maison d'un gentilhomme à qui il avait l'habitude de rendre visite ; pas de famille, pas de dot ; il avait eu pitié d'elle. Un murmure dans une pièce lambrissée fait se lever les esprits des marécages, réveille les morts : la tombée du jour à Cambridge, l'humidité émanant des marais et des chandelles à mèche de jonc brûlant dans une pièce dépouillée et propre où un acte d'amour a lieu. Je n'ai pas pu m'empêcher de l'épouser, déclare Cranmer, et de fait, comment un homme pourrait-il résister au mariage ? Son université lui a retiré sa bourse, bien entendu, car les membres de l'université ne pouvaient être mariés. Et naturellement elle a dû quitter son poste. Alors, ne sachant que faire d'elle, il l'a logée au *Dolphin*, qui est tenu par des relations à lui, des… des parents, confie-t-il en baissant les yeux, puisqu'il est vrai que des gens de sa famille tiennent le *Dolphin*.

« Il n'y a pas de quoi avoir honte. Le *Dolphin* est un établissement convenable. »

Ah, vous le connaissez ; et il se mord la lèvre.

Il observe le docteur Cranmer : sa manière de battre des paupières, le doigt qu'il pose prudemment sur son menton, ses yeux éloquents et ses mains pâles. Donc Joan n'était pas, dit-il, elle n'était pas, vous voyez, serveuse, quoi qu'en disent les gens, et je sais ce qu'ils disent. C'était une épouse qui attendait un enfant, et lui un pauvre érudit qui se préparait à vivre avec elle dans une honnête pauvreté. Mais ça ne s'est pas produit. Il pensait trouver un poste de secrétaire auprès de quelque gentilhomme, ou de professeur, ou alors vivre de sa plume, mais tous ces projets sont tombés à l'eau. Il pensait qu'ils quitteraient peut-être Cambridge, peut-être même l'Angleterre, mais ils n'ont pas eu à le faire au bout du compte. Il espérait que quelque connaissance l'aiderait, avant la naissance de l'enfant : mais quand Joan est morte en couches, personne ne pouvait plus l'aider. « Si l'enfant avait vécu, j'aurais sauvé quelque chose. Mais dans l'état des choses, personne ne savait quoi me dire. Ils ne savaient pas s'ils devaient pleurer avec moi la perte de ma femme, ou me féliciter car je pouvais réintégrer l'université. Alors je suis entré dans les ordres ; pourquoi pas ? Mes collègues semblaient considérer tout ça, mon mariage, l'enfant que je croyais avoir, comme une sorte d'erreur de parcours. C'était comme se perdre dans les bois. On rentre à la maison et on n'y repense plus jamais.

« Il y a des gens étrangement froids dans ce monde. Et je crois, sauf votre respect, que ce sont les prêtres. Ils s'entraînent à ignorer leurs sentiments naturels. Avec les meilleures intentions du monde, bien entendu.

— Ce n'était pas une erreur. Nous avons passé une année ensemble. Je pense à elle chaque jour. »

La porte s'ouvre ; Alice qui apporte des bougies.

« C'est votre fille ? »

Plutôt que de se lancer dans de longues explications sur sa famille, il répond : « C'est mon adorable Alice. Ce n'est pas à toi de faire ça, Alice. »

Elle s'incline légèrement, fait une petite génuflexion devant l'ecclésiastique.

« Non, mais Rafe et les autres veulent savoir de quoi vous discutez depuis si longtemps. Ils attendent de savoir s'il y aura un envoi pour le cardinal ce soir. Jo se tient prête avec son aiguille et son fil.

— Dis-leur que j'écrirai moi-même et que j'enverrai ma lettre demain. Jo peut aller se coucher.

— Oh, nous n'allons pas nous coucher. Nous faisons courir les lévriers de Gregory dans le couloir et nous faisons assez de bruit pour réveiller les morts.

— Je comprends que vous ne vouliez pas vous mettre au lit.

— Oui, c'est très amusant, dit Alice. Nous sommes aussi mal élevées que des filles de cuisine et personne ne voudra jamais nous épouser. Si tante Mercy s'était comportée ainsi quand elle était jeune, elle aurait été giflée jusqu'à avoir les oreilles en sang.

— Alors nous vivons une époque heureuse. »

Quand elle est repartie et que la porte est refermée, Cranmer demande : « Les enfants ne sont pas fouettés ?

— Nous essayons de les éduquer par l'exemple, comme le suggère Érasme, même si nous aimons tous faire courir les chiens et faire du bruit. Nous ne sommes donc pas parfaits à cet égard. »

Il ne sait pas s'il doit sourire ; il a Gregory ; il a Alice, et Johane et la petite Jo, et du coin de l'œil, à la limite de son champ de vision, il a la jeune fille pâle qui espionne les Boleyn. Il a des faucons dans sa rue qui approchent au son de sa voix. Et cet homme-là, qu'a-t-il ?

« Je pense aux conseillers du roi, dit le docteur Cranmer. Au genre d'hommes qui l'entourent ces temps-ci. »

Et il a le cardinal, si le cardinal le tient toujours en estime après tout ce qui s'est passé. S'il meurt, il a les lévriers noirs de son fils qui pourront s'étendre à ses pieds.

« Ce sont des hommes capables, poursuit Cranmer,

qui feront tout ce qu'il veut, mais il me semble – je ne sais pas ce que vous en pensez – qu'ils ne comprennent absolument pas sa situation... qu'ils manquent totalement de scrupules et de bonté. De charité. Ou d'amour.

— C'est ce qui me mène à penser qu'il va rappeler le cardinal.

— Je crains que cela ne soit plus possible », réplique Cranmer en observant son visage.

Il a envie de parler, d'exprimer la rage et la douleur qu'il refoule en lui.

Il dit : « Les gens ont tout fait pour créer des malentendus entre nous. Pour persuader le cardinal que je ne défends pas ses intérêts, seulement les miens, que j'ai été corrompu, que je vois Anne chaque jour...

— Et en effet, vous la voyez...

— J'y suis bien obligé pour savoir comment agir. Monseigneur ne peut pas savoir, il ne peut pas comprendre ce qui se passe ici. »

Cranmer suggère doucement : « Ne devriez-vous pas aller le voir ? Votre présence dissiperait tous ses doutes.

— Je n'en ai pas le temps. Le piège qu'on lui a tendu est prêt, et je n'ose pas m'éloigner. »

Il fait frais, les oiseaux de l'été sont repartis, et les avocats aux ailes noires se rassemblent pour la nouvelle session dans les parcs de Lincoln's Inn et Gray's Inn. La saison de la chasse – ou du moins la saison où le roi chasse chaque jour – touche à sa fin. Quoi qu'il se passe ailleurs, quelles que soient les tromperies et les frustrations, on peut tout oublier pendant la chasse. Le chasseur fait partie des hommes les plus innocents ;

vivre pour l'instant présent le fait se sentir pur. Lorsque le roi rentre chez lui le soir, son corps le fait souffrir, son esprit est plein d'images de feuilles et de ciel ; il n'a pas envie de lire des documents. Ses malheurs et ses doutes se sont éloignés, et ils ne reviendront pas pourvu que – après avoir mangé et bu du vin, après avoir ri et échangé des anecdotes – il se lève à l'aube et retourne chasser.

Mais en hiver le roi sera moins occupé, et il se retrouvera face à sa conscience. À son amour-propre. Et il commencera à préparer les récompenses pour ceux qui pourront faire avancer sa cause.

C'est une journée d'automne, le soleil blanchâtre glisse derrière les feuilles clairsemées et tremblotantes. Ils se rendent à la butte de tir. Le roi aime faire plusieurs choses à la fois : parler, pointer ses flèches sur une cible. « Ici nous serons seuls, dit Henri, et j'aurai la liberté de m'ouvrir à vous. »

En fait, l'équivalent de la population d'un petit village – Aslockton, par exemple – s'agite autour d'eux. Le roi ne sait pas ce que « seul » signifie. Est-il jamais seul, même dans ses rêves ? « Seul » signifie sans Norfolk jacassant derrière lui. « Seul » signifie sans Charles Brandon, à qui, dans un accès de rage estivale, le roi a conseillé de se faire rare et de ne pas s'approcher à moins de cinquante miles de la cour. « Seul » signifie rien que son archer et ses aides, et les hommes de son Conseil privé, qui sont ses amis intimes. Deux d'entre eux dorment au pied de son lit, à moins qu'il soit avec la reine ; cela fait donc quelques années qu'ils sont à son service.

Lorsqu'il voit Henri bander son arc, il pense, je vois ce qu'il y a de royal en lui. Chez lui ou ailleurs, en temps de guerre ou en temps de paix, heureux ou malheureux, le roi aime s'entraîner plusieurs fois par semaine, comme tout bon Anglais devrait le faire ; se servant de sa taille, des muscles superbement entraînés de ses bras, de ses épaules et de son torse, il envoie ses flèches droit dans l'œil de la cible. Puis il tend le bras pour que quelqu'un détache et rattache le protège-bras royal ; pour que quelqu'un lui prenne son arc et lui en apporte plusieurs autres parmi lesquels choisir. Un esclave servile lui tend une serviette pour qu'il s'essuie le front, et la ramasse à l'endroit où le roi l'a laissée tomber ; puis, après qu'une ou deux flèches ont largement manqué leur cible, le roi d'Angleterre exaspéré claque des doigts pour que Dieu fasse tourner le vent.

Le roi crie : « On me conseille ici et là de considérer mon mariage comme dissous aux yeux de l'Europe chrétienne et de me remarier comme bon me semble. Le plus tôt possible. »

Il ne répond rien.

« Mais d'autres disent… » poursuit le roi.

Le vent souffle, ses paroles sont emportées au loin, vers l'Europe.

« Je suis de ceux-là.

— Doux Jésus, dit Henri. Je vais finir par perdre courage. Croyez-vous que ma patience soit éternelle ? »

Il hésite à dire, vous vivez toujours avec votre femme. Vous partagez un toit, une cour, partout où vous allez ensemble elle est la reine, et vous le roi ; vous avez dit au cardinal qu'elle était votre sœur et non votre épouse, mais si aujourd'hui vous ne tirez pas bien, si le vent ne vous est pas favorable ou si vos yeux sont troublés par des larmes soudaines, vous ne pouvez le dire qu'à votre sœur Catherine ; vous ne pouvez avouer nulle faiblesse et nul échec à Anne Boleyn.

Il regarde Henri lancer ses flèches. Il prend même un arc sur son invitation, ce qui entraîne une grande consternation parmi les rangs des gentilshommes qui font le pied de grue dans l'herbe ou attendent appuyés à des arbres, vêtus de leurs soies couleur mûre, or et prune. Bien qu'Henri soit bon tireur, il n'a pas le geste d'un archer-né ; un archer-né met tout son corps dans l'arc. Il n'y a qu'à le comparer avec Richard Williams, désormais Richard Cromwell. Son grand-père ap Evan était un artiste avec un arc. Il ne l'a lui-même jamais vu, mais il pourrait parier que chacun de ses muscles, depuis ses talons jusqu'à sa nuque, était tendu comme une corde. En observant le roi, il est convaincu que son arrière-grand-père n'était pas l'archer Blaybourne, comme le prétend la rumeur, mais bel et bien Richard le duc de York. Son grand-père était de sang royal, sa mère était de sang royal ; il tire comme un gentilhomme amateur, mais il est roi jusqu'au bout des ongles.

Le roi dit, vous avez un bon bras, un bon œil. Lui répond d'un air dédaigneux, oh, à cette distance. Nous organisons des tournois tous les dimanches, ajoute-t-il, avec les gens de ma maison. Nous allons à Saint-Paul pour le sermon, puis nous nous rendons à Moorfields, nous nous retrouvons avec les collègues de ma guilde et nous battons à plate couture les bouchers et les épiciers, et après nous dînons ensemble. Nous affrontons les négociants en vin…

Henri se tourne brusquement vers lui : et si je vous accompagnais un jour ? Si je venais déguisé ? Le peuple aimerait ça, non ? Je pourrais tirer pour vous. Un roi doit se montrer parfois, ne croyez-vous pas ? Ce serait amusant, non ?

Pas vraiment, pense-t-il. Il ne le jurerait pas, mais il croit voir des larmes dans les yeux d'Henri.

« Nous gagnerions à coup sûr, dit-il comme s'il parlait à un enfant. Les négociants en vin gronderaient de rage. »

Le crachin commence à tomber et ils vont se mettre à l'abri sous le couvert de quelques arbres. Les feuilles assombrissent le visage du roi, qui déclare, Anne menace de me quitter. Elle dit qu'il y a d'autres hommes et qu'elle est en train de gâcher sa jeunesse.

Norfolk, paniqué, dernière semaine d'octobre 1530 : « Écoutez. Cet homme, là… » Il agite grossièrement le pouce en direction de Brandon, qui est revenu à la cour, naturellement. « Cet homme, là, il y a quelques années, a chargé le roi lors d'un tournoi et a failli le tuer. Henri n'avait pas abaissé sa visière, Dieu sait pourquoi – mais ces choses arrivent. Il a donné un coup de lance – bam ! – sur le casque du roi, et la lance s'est brisée – à un pouce, *un pouce*, de son œil. »

Norfolk s'est fait mal à la main droite en mimant l'accident. Il grimace de douleur, mais furieux, sérieux, il continue.

« Un an plus tard, Henri suit son faucon – c'est un paysage trompeur, plat et morcelé, vous voyez –, il atteint un fossé, y plante un piquet pour traverser plus facilement, mais l'infernal instrument se rompt, Dieu l'a fait pourrir, et Sa Majesté se retrouve assommée, à plat ventre dans un pied d'eau boueuse, et si un serviteur ne l'avait pas sortie de là, eh bien, messieurs, je frémis à cette idée. »

Il songe, voilà une question qui a trouvé sa réponse. En cas de danger, on est autorisé à relever le roi. À le repêcher. Appelez ça comme vous voulez.

« Supposez qu'il meure, dit Norfolk. Supposez qu'une fièvre l'emporte ou qu'il tombe de cheval et se brise le cou. Alors qui prendra sa place ? Son fils illégitime, Richmond ? Je n'ai rien contre lui, c'est un brave garçon, et Anne dit que je devrais le marier à ma fille Mary. Anne n'est pas idiote, il faut avoir un Howard partout, dit-elle, partout où le roi regarde. Bon, je n'ai aucun souci avec Richmond, sauf qu'il est né hors mariage. Peut-il régner ? Posez-vous cette question. Comment les Tudors ont-ils obtenu la couronne ? Par le droit ? Non. Par la force ? Exactement. Par la grâce de Dieu ils ont remporté la bataille. L'ancien roi, il savait se battre comme nul autre, et il avait aussi de grands livres dans lesquels il consignait ses rancunes. Et il pardonnait quand ? Jamais ! C'est ainsi qu'on gouverne, messieurs ! » Il se tourne vers son auditoire, vers les conseillers qui attendent et observent et vers les gentilshommes de la cour et de la chambre ; vers Henry Norris, vers son ami William Brereton, vers le secrétaire du roi Gardiner ; vers, incidemment, Thomas Cromwell, qui est de plus en plus souvent là où il ne devrait pas être. Norfolk poursuit : « L'ancien roi a eu des enfants, et le ciel lui a donné des garçons. Mais quand Arthur est mort, certains ont affûté leurs épées en Europe, avec l'espoir de découper ce royaume. Notre roi Henri, c'était alors un enfant, âgé de neuf ans. Et si l'ancien roi ne s'était pas accroché quelques années de plus, ç'aurait de nouveau été la guerre. Un enfant ne peut tenir l'Angleterre. Alors un enfant illégitime ? Que Dieu me donne la force ! Et c'est déjà novembre ! »

Difficile de ne pas être d'accord avec Norfolk. Cromwell le comprend, il comprend même son ultime cri du cœur. C'est novembre, et un an s'est écoulé depuis qu'Howard et Brandon sont entrés dans York Place en exigeant la chaîne du cardinal avant de le chasser de chez lui.

Il y a un silence. Quelqu'un tousse, quelqu'un soupire. Quelqu'un – probablement Henry Norris – rit. C'est lui, Cromwell, qui prend la parole.

« Le roi a un enfant légitime. »

Norfolk se retourne. Son visage vire à un rouge intense.

« Marie ? dit-il. Cette crevette parlante ?

— Elle va grandir.

— C'est ce que nous attendons tous, déclare Suffolk. Elle a désormais quatorze ans, n'est-ce pas ?

— Mais son visage, reprend Norfolk, est de la taille de l'ongle de mon pouce. » Le duc montre son doigt à l'assistance. « Une femme sur le trône d'Angleterre, c'est contre nature.

— Sa grand-mère était reine de Castille.

— Elle ne peut pas mener une armée.

— Isabelle l'a fait. »

Le duc demande : « Cromwell, pourquoi êtes-vous ici ? À écouter les conversations des gentilshommes ?

— Monsieur, quand vous criez, les mendiants dans la rue vous entendent. Jusqu'à Calais. »

Gardiner s'est tourné vers lui ; il est intéressé.

« Donc vous pensez que Marie peut régner ? »

Il hausse les épaules.

« Ça dépend de qui la conseille. Ça dépend de qui elle épouse. »

Norfolk dit : « Nous devons agir vite. La moitié des

avocats d'Europe est en train de brasser des paperasses pour Catherine. Une dispense par-ci. Une dispense par-là. Et cette foutue dispense avec une autre formulation qu'ils disent avoir en Espagne. Mais ça n'a aucune importance. Cela va au-delà de la paperasse.

— Pourquoi ? demande Suffolk. Il a engrossé votre nièce ?

— Non ! Et c'est bien dommage. Parce que si c'était le cas, il serait obligé de faire quelque chose.

— Quoi ? demande Suffolk.

— Je ne sais pas. S'accorder lui-même son propre divorce. »

On s'agite, on grogne, on soupire. Certains regardent le duc ; d'autres regardent leurs chaussures. Il n'est pas un homme dans la pièce qui ne souhaite pas qu'Henri obtienne ce qu'il veut. Leur vie et leur fortune en dépendent. Il voit le chemin devant lui ; un chemin tortueux à travers un terrain plat, un horizon trompeusement dégagé, un paysage traversé de fossés, et le roi Tudor repêché, couvert de boue, suffoquant.

Il demande : « Ce brave homme qui a tiré le roi du fossé, quel est son nom ? »

Norfolk lance sèchement : « Maître Cromwell aime entendre les bonnes actions de la populace. »

Cromwell suppose que personne ne saura répondre à sa question.

Mais Norris dit : « Je sais. Il s'appelle Edmund Mody. »

Plutôt *muddy*[1], remarque Suffolk. Il hurle de rire. Tout le monde le regarde fixement.

---

1. Boueux. *(N.d.T.)*

C'est le jour des morts : comme l'a dit Norfolk, de nouveau novembre. Alice et Jo viennent lui parler. Elles tirent Bella – la nouvelle Bella – au bout d'un ruban de soie rose. Il lève les yeux : en quoi puis-je vous être utile, mesdemoiselles ?

Alice dit : « Maître, ça fait plus de deux ans que ma tante Elizabeth, votre épouse, est morte. Écrirez-vous au cardinal pour lui demander de demander au pape de la laisser sortir du purgatoire ? »

Lui répond : « Et ta tante Kat ? Et tes petites cousines, mes filles ? »

Les deux enfants échangent un regard.

« Elles n'y sont pas depuis aussi longtemps. Anne Cromwell se vantait de savoir compter et d'apprendre le grec. Grace tirait vanité de sa chevelure et prétendait avoir des ailes, ce qui était un mensonge. Nous pensons qu'elles doivent souffrir encore un peu. Mais le cardinal pourrait essayer. »

Qui ne demande rien n'a rien, songe-t-il.

Alice dit, d'un ton encourageant : « Vous avez été si actif au service du cardinal qu'il ne pourrait refuser. Et même si le roi n'approuve plus le cardinal, le pape l'approuve sûrement ? »

— Et j'imagine, enchaîne Jo, que le cardinal écrit chaque jour au pape. Même si j'ignore qui coud ses lettres. Et je suppose que le cardinal pourrait lui envoyer un cadeau pour le remercier de ses efforts. De l'argent. Notre tante Mercy dit que le pape n'agit que contre de l'argent.

— Venez avec moi », dit-il.

Elles se regardent. Il les pousse devant lui. Les petites pattes de Bella s'emballent. Jo lâche la laisse, mais Bella continue de courir derrière.

Mercy et l'aînée des deux Johane sont assises ensemble. Leur silence n'est pas complice. Mercy lit, murmurant les mots à voix basse. Johane fixe le mur tout en cousant un ouvrage posé sur ses cuisses. Mercy marque sa page et referme son livre.

« Qu'est-ce que c'est, une ambassade ? demande-t-elle.

— Dis-lui, ordonne-t-il. Jo, dis à ta mère ce que tu m'as demandé. »

Jo se met à pleurer. C'est Alice qui prend la parole et explique leur requête.

« Nous voulons que notre tante Liz sorte du purgatoire.

— Que leur avez-vous enseigné ? » demande-t-il. Johane hausse les épaules. « De nombreux adultes croient ce qu'ils croient.

— Seigneur, que se passe-t-il sous ce toit ? Ces enfants croient que le pape peut descendre au purgatoire avec un trousseau de clés. Tandis que Richard, lui, rejette la communion…

— Quoi ? » Johane est interloquée. « Il fait quoi ? »

Mercy déclare : « Richard a raison. Quand le Seigneur a dit, ceci est mon corps, il voulait dire, ceci représente mon corps. Il n'a pas transformé les prêtres en prestidigitateurs.

— Mais il a dit, *ceci est*. Il n'a pas dit, ceci est semblable à mon corps, il a dit, *ceci est*. Dieu peut-Il mentir ? Il en est incapable.

— Dieu peut faire n'importe quoi », déclare Alice.

Johane la dévisage.

« Espèce de petite effrontée.

— Si ma mère était ici, elle vous giflerait pour ça.

— Pas de bagarre, dit-il. S'il vous plaît. »

Austin Friars est comme le monde en miniature. Ces dernières années, ça ressemblait plutôt à un champ de bataille qu'à une maison ; ou à l'un de ces campements de tentes où les survivants contemplent avec désespoir leurs membres fracassés et leurs espoirs déçus. Mais c'est à lui de diriger ces derniers vaillants soldats ; s'ils ne veulent pas se faire aplatir lors de la prochaine charge, il doit leur apprendre à se défendre en ménageant la chèvre et le chou : la foi et les œuvres, le pape et les nouvelles croyances, Catherine et Anne. Il regarde Johane dont les joues sont toutes rouges. Il détourne les yeux de Johane, ainsi que ses pensées, qui ne sont pas précisément théologiques.

« Vous n'avez rien fait de mal », dit-il aux fillettes. Mais comme elles semblent consternées, il essaie de les amadouer. « Je vais te faire un cadeau, Jo, car tu as cousu les lettres du cardinal ; et à toi aussi, Alice, et je suis sûr que nous n'avons pas besoin de raison. Je vais vous offrir des ouistitis. »

Elles se regardent. Jo est tentée.

« Savez-vous où en trouver ?

— Je crois. Je suis allé chez le lord-chancelier, et sa femme possède une de ces créatures. Elle reste assise sur ses genoux et écoute tout ce qu'elle dit.

— Elles ne sont plus à la mode, observe Alice.

— Mais nous vous remercions, dit Mercy.

— Mais nous vous remercions, répète Alice. Personne n'a plus vu de ouistiti à la cour depuis que lady Anne est arrivée. Pour être à la mode, nous aimerions que Bella ait des chiots.

— Un jour, dit-il. Peut-être. »

La pièce est pleine de courants contraires qu'il ne comprend pas tous. Il soulève sa chienne, la cale sous son bras et sort pour aller réfléchir au moyen de faire parvenir plus d'argent au frère d'Anne, George Rochford. Il pose Bella sur son bureau pour qu'elle se repose parmi ses papiers. Elle a mordillé le bout de son ruban, et discrètement tenté de le dénouer.

Le 1er novembre 1530, Harry Percy, le jeune comte de Northumberland, reçoit l'ordre d'arrêter le cardinal. Il se rend à Cawood pour procéder à l'arrestation, quarante-huit heures avant son investiture prévue à York. Le cardinal est emmené au château de Pontefract sous bonne garde, puis à Doncaster, puis à Sheffield Park, la demeure du comte de Shrewsbury. Là, dans la maison des Talbot, il tombe malade. Le 26 novembre, le connétable de la Tour de Londres arrive avec vingt-quatre hommes armés pour l'escorter vers le sud. Il voyage jusqu'à l'abbaye de Leicester. Trois jours plus tard, il décède.

Qu'était l'Angleterre avant Wolsey ? Une petite île au large des côtes du continent, pauvre et froide.

George Cavendish arrive à Austin Friars. Il pleure tout en parlant. Parfois il sèche ses larmes et moralise. Mais il pleure surtout.

« Nous n'avions même pas fini de dîner, dit-il. Son Excellence mangeait son dessert quand le jeune Harry Percy est arrivé. Il était couvert de boue, et il tenait dans ses mains les clés qu'il avait déjà prises au portier. Il avait installé des sentinelles dans l'escalier. Monseigneur s'est levé, il a dit, Harry, si j'avais su, je vous aurais attendu pour dîner. Je crains que nous ayons mangé presque tout le poisson. Dois-je prier pour un miracle ?

« Je lui ai murmuré, monseigneur, ne blasphémez pas. Puis Harry Percy s'est approché : monseigneur, je vous arrête pour haute trahison. »

Cavendish attend. Attend-il que Cromwell explose de rage ? Mais celui-ci joint les doigts comme s'il priait. Il songe, c'est Anne qui a organisé ça, et elle a dû en tirer secrètement un intense plaisir ; la vengeance différée, pour elle-même, et pour son ancien amant jadis admonesté par le cardinal et renvoyé de la cour.

Il demande : « Comment était-il ? Harry Percy ?

— Il tremblait de la tête aux pieds.

— Et monseigneur ?

— Il a demandé à voir son mandat, son ordre. Percy a répondu, il y a dans mes instructions des choses que vous ne pouvez voir. Alors, a répliqué monseigneur, si vous ne me le montrez pas, je ne me livrerai pas ; nous voici dans une drôle d'impasse, Harry. Venez, George, m'a dit monseigneur, allons nous entretenir dans mes appartements. Ils étaient sur ses talons, les hommes du comte, alors je me suis tenu dans l'entre-bâillement de la porte et je leur ai bloqué le chemin. Monseigneur le cardinal est entré dans sa chambre, maîtrisant ses émotions, et quand il s'est retourné il a dit, Cavendish, regardez mon visage : je ne crains nul homme qui vive. »

Cromwell s'éloigne pour ne plus voir la détresse de Cavendish. Il regarde le mur, les nouvelles boiseries, il passe l'index sur les rainures du bois.

« Quand ils l'ont emmené, les gens de la ville étaient rassemblés dehors. Ils étaient agenouillés sur la route et pleuraient. Ils demandaient à Dieu d'abattre sa vengeance sur Harry Percy. »

Inutile que Dieu se donne cette peine, songe-t-il : je m'en chargerai.

« Nous chevauchions vers le sud. Le temps se couvrait de plus en plus. À Doncaster il était tard quand nous sommes arrivés. Dans la rue les habitants étaient massés épaule contre épaule, et chacun tenait un cierge pour repousser l'obscurité. Nous pensions qu'ils se disperseraient, mais ils sont restés là toute la nuit. Leurs cierges se sont consumés. Et le jour s'est levé, si l'on peut dire.

— Ç'a dû le réconforter de voir ces foules.

— Oui, mais alors – j'aurais dû vous le dire – ça faisait une semaine qu'il ne mangeait plus.

— Pourquoi ? Pourquoi a-t-il fait ça ?

— Certains disent qu'il voulait en finir. Je ne peux pas le croire, une âme chrétienne… Je lui ai commandé des poires rôties aux épices – ai-je bien fait ?

— Et il a mangé ?

— Un peu. Mais il a alors porté la main à sa poitrine. Il a dit, il y a quelque chose de froid en moi, aussi froid et dur qu'une pierre à aiguiser. Et c'est là que ça a commencé. » Cavendish se lève. Maintenant lui aussi tourne en rond dans la pièce. « J'ai fait chercher l'apothicaire. Il a préparé une poudre et je lui ai demandé de la verser dans trois coupes. J'ai bu dans la première. Lui, l'apothicaire, a bu dans la deuxième. Maître Cromwell, je ne faisais confiance à personne. Monseigneur a pris sa poudre et bientôt la douleur a cessé, et il a dit, là, c'était juste un vent, et nous avons ri, et je me suis dit, demain il se portera mieux.

— Et alors Kingston est arrivé.

— Oui. Comment pouvions-nous annoncer à monseigneur que le connétable de la Tour était là pour l'emmener ? Monseigneur s'est assis sur une malle. Il a demandé, William Kingston ? William Kingston ? Il n'arrêtait pas de répéter son nom. »

Et pendant tout ce temps il sentait un poids dans sa poitrine, comme une pierre à aiguiser, comme un couteau qu'on aurait affûté dans ses tripes.

« Je lui ai dit, prenez les choses de bon cœur, monseigneur. Vous allez être présenté au roi et votre nom sera lavé. Et Kingston a dit la même chose, mais monseigneur a répliqué, vous cherchez à m'illusionner. Je sais ce qui m'attend, et quelle mort on me réserve. Cette nuit-là nous n'avons pas dormi. Monseigneur se vidait de son sang par les intestins. Le lendemain matin il était trop faible pour se lever, et nous n'avons donc pas pu prendre la route. Mais nous avons fini par partir. Et c'est ainsi que nous avons atteint Leicester.

« Les jours étaient très courts, la lumière était faible. Le lundi matin il s'est réveillé à huit heures. Je venais d'apporter des petites bougies de cire et étais en train de les disposer le long du placard quand il a demandé, à qui appartient cette ombre qui bondit sur le mur ? Et il a crié votre nom. Dieu me pardonne, j'ai dit que vous étiez en route. Il a dit, les routes sont traîtresses. J'ai dit, vous connaissez Cromwell, le diable en personne ne le retarderait pas. S'il dit qu'il est en route, c'est qu'il va arriver.

— George, abrégez, je n'en puis plus. »

Mais George doit dire ce qu'il a sur le cœur : le lendemain à quatre heures, un bol de bouillon de poulet, mais il a refusé de l'avaler. N'est-ce pas un jour sans viande ? Il a demandé qu'on remporte le bouillon. Ça faisait désormais huit jours qu'il était malade, à continuellement se vider les boyaux, à saigner et à souffrir, et il a dit, croyez-moi, ça se terminera par ma mort.

Placez monseigneur dans une situation difficile, et il trouvera une solution ; avec son ingéniosité et son adresse, il trouvera une issue. Un poison ? Dans ce cas, il se l'est administré lui-même.

Il était huit heures le lendemain matin lorsqu'il a poussé son dernier soupir. Autour de son lit, le cliquetis des perles de chapelet ; dehors le battement de sabots impatient des chevaux dans leurs stalles, la faible lueur de la lune hivernale éclairant la route de Londres.

« Il est mort dans son sommeil ? »

Il aurait aimé qu'il souffre moins. George répond, non, il a parlé jusqu'à son dernier souffle.

« A-t-il reparlé de moi ? »

Quoi que ce soit ? Un mot ?

Je l'ai lavé, explique George, je lui ai fait sa toilette pour l'enterrement.

« J'ai trouvé, sous sa fine chemise de toile de Hollande, une touffe de cheveux… Ça m'ennuie de vous le dire, je sais que vous n'aimez pas ces pratiques, mais c'est ainsi. Je crois qu'il a commencé à faire ça lorsqu'il fréquentait les moines de Richmond.

— Qu'est-elle devenue ? La touffe de cheveux ?

— Les moines de Leicester l'ont gardée.

— Seigneur Dieu ! Ils vont en tirer de l'argent.

— Savez-vous qu'ils n'ont rien pu nous fournir de mieux qu'un cercueil fait de simples planches ? »

Ce n'est que lorsqu'il dit cela que George Cavendish s'abandonne ; il se met à jurer et s'exclame, par la passion du Christ, je les ai moi-même entendus clouer les planches ! Quand je songe au sculpteur florentin et à son tombeau, au marbre noir, au bronze, aux anges à sa tête et à ses pieds... Mais j'ai veillé à ce qu'on lui passe sa tenue d'archevêque, et j'ai ouvert ses doigts pour placer sa crosse dans sa main, comme je pensais qu'il la tiendrait lors de son intronisation à York. Elle devait avoir lieu deux jours plus tard. Nos bagages étaient prêts et sur le point d'être expédiés. Mais Harry Percy est arrivé.

« Vous savez, George, dit-il, je l'ai supplié, je lui ai dit, accommodez-vous de ce que vous avez sauvé de la ruine, allez à York, réjouissez-vous d'être en vie... Au bout du compte, il aurait vécu dix ans de plus, je le sais.

— Nous avons envoyé chercher le maire et tous les officiels de la ville pour qu'ils puissent le voir dans son cercueil, pour que personne ne dise qu'il était vivant et s'était enfui en France. Certains ont fait des commentaires sur ses origines modestes. Bon Dieu, j'aurais voulu que vous soyez là...

— Moi aussi.

— Car devant vous, maître Cromwell, ils ne l'auraient pas fait, ils n'auraient pas osé. Au tomber du jour nous l'avons veillé, avec les cierges qui brûlaient autour de son cercueil, jusqu'à quatre heures du matin, qui est comme vous le savez l'heure canoniale. Puis nous avons entendu la messe. À six heures nous l'avons étendu dans la crypte. Nous l'avons laissé là. »

Six heures du matin, un mercredi, la fête de saint André l'apôtre. Moi, un simple cardinal. Nous l'avons laissé là et avons pris la route du sud, pour trouver le roi à Hampton Court. Qui a dit à George : « J'aurais donné vingt mille livres pour empêcher la mort du cardinal. »

« Écoutez, Cavendish, dit-il, quand on vous demandera ce qu'a dit le cardinal durant ses derniers jours, ne dites rien. »

George hausse les sourcils.

« C'est ce que j'ai fait. Je n'ai rien dit. Le roi m'a questionné. Monsieur de Norfolk.

— Si vous dites quoi que ce soit à Norfolk, il le déformera et le fera passer pour une trahison.

— Pourtant, comme il est lord trésorier, il m'a payé les salaires qui m'étaient dus. J'avais les trois quarts de l'année en retard.

— Combien vous paye-t-on, George ?

— Dix livres par an.

— Vous auriez dû venir me voir. »

Ce sont les faits. Ce sont les chiffres. Si le maître des enfers apparaissait dans la chambre privée du roi et proposait de faire revivre un mort, de l'arracher à sa tombe, à sa crypte – le miracle de Lazare contre vingt mille livres –, Henri Tudor serait bien en peine de réunir cette somme. Norfolk, lord trésorier ? Soit ; peu importe qui détient le titre, qui peut faire tinter les clés de coffres vides.

« Vous savez, dit-il, si le cardinal pouvait me demander, comme il avait l'habitude de le faire, Thomas, quel cadeau aimeriez-vous pour la nouvelle année, je répondrais, j'aimerais voir les comptes de la nation. »

Cavendish hésite ; il commence à parler ; il s'interrompt ; il recommence.

« Le roi m'a dit une chose. À Hampton Court. "Trois personnes peuvent partager un secret, si deux d'entre elles sont loin."

— C'est un proverbe, je crois.

— Il a aussi dit : "Si je pensais que mon chapeau connaissait mon secret, je le jetterais au feu."

— Je crois que c'est également un proverbe.

— Il voulait dire qu'il ne choisira plus d'autre conseiller : ni monsieur de Norfolk, ni Stephen Gardiner, ni personne, il ne veut plus que quelqu'un soit aussi proche de lui que l'était le cardinal. »

Il acquiesce. Ça semble une interprétation raisonnable.

Cavendish semble malade. C'est le résultat des longues nuits sans sommeil, de la veille autour du cercueil. Il s'inquiète des diverses sommes que le cardinal avait durant le voyage et qu'il n'avait plus à sa mort. Il se demande comment récupérer ses propres effets qui sont restés dans le Yorkshire ; apparemment, Norfolk lui a promis une charrette et des appointements pour le transport. Lui, Cromwell, parle de cela tout en pensant au roi, et sans que George le voie il replie les doigts, un à un, et serre fort le poing. Mary Boleyn a tracé un cœur sur sa paume ; il songe, Henri, je tiens votre cœur dans ma main.

Lorsque Cavendish est parti, il va à son tiroir secret et en sort le paquet que le cardinal lui a donné le jour où il a entamé son voyage vers le nord. Il détache le fil qui l'entoure. Celui-ci s'accroche, s'emmêle, mais il le défait patiemment ; soudain, la bague de turquoise roule dans sa paume, aussi froide que si elle sortait d'un tombeau. Il se représente les mains du cardinal, avec leurs longs doigts, pâles et impeccables, ces mains qui ont fermement manœuvré pendant tant d'années le gouvernail de l'État ; mais la bague lui va comme si elle avait été faite pour lui.

Les habits écarlates du cardinal sont désormais pliés. Ils ne seront pas perdus pour tout le monde : ils seront découpés et deviendront d'autres vêtements. Qui sait où ils finiront au fil des années ? Votre œil sera attiré par un coussin cramoisi ou par une tache rouge sur une bannière ou une enseigne. Vous apercevrez un morceau sur l'intérieur d'une manche, ou sur le jupon d'une catin.

Un autre homme irait à Leicester pour voir où il est mort et parler à l'abbé. Un autre homme aurait du mal à y croire, mais pas lui. Le rouge du fond d'un tapis, l'éclat de la poitrine d'un rouge-gorge ou d'un pinson, le rouge d'un cachet de cire ou du cœur d'une rose ; enraciné dans son paysage, gravé sur son œil intérieur, emprisonné dans le scintillement d'un rubis, dans la couleur du sang, le cardinal est vivant et il parle. Regardez mon visage : je ne crains nul homme qui vive.

À Hampton Court, dans le grand salon, on donne un interlude ; son titre est *La Descente en enfer du cardinal*. Cela le ramène à l'année précédente, à Gray's Inn. Sous la supervision des officiels de la maison du roi, les charpentiers ont travaillé furieusement, en échange d'une prime, pour ériger les cadres qui servent à tendre les toiles sur lesquelles ont été peintes des scènes de torture. Au fond du salon, les paravents sont entièrement couverts de flammes.

La scène est la suivante : un énorme personnage écarlate, étendu sur le dos, hurle tandis qu'il est traîné sur le sol par des acteurs déguisés en diables. Les diables sont au nombre de quatre, un pour chaque membre de l'homme mort. Les diables sont masqués. Ils ont des tridents avec lesquels ils piquent le cardinal, qui gigote, se tortille, supplie. Il avait espéré que le cardinal était mort sans souffrir, mais Cavendish a dit que non. Il est mort conscient, en parlant du roi. Il s'est réveillé en sursaut et a demandé, à qui appartient cette ombre sur le mur ?

Le duc de Norfolk marche autour de la pièce en gloussant. « Très drôle, hein ? Suffisamment drôle pour être imprimé ! Pardieu, voilà ce que je vais faire ! Je vais le faire imprimer, comme ça je pourrai le rapporter à la maison, et à Noël nous pourrons le rejouer. »

Anne rit, elle pointe le doigt, elle applaudit. Il ne l'a jamais vue comme ça : lumineuse, radieuse. Henri est figé à ses côtés. Parfois il rit, mais Cromwell songe que si on pouvait s'approcher, on verrait la peur dans ses yeux. Le cardinal se roule par terre, donnant des coups de pied en direction des démons engoncés dans leurs tenues en laine noire, mais ils continuent à le harceler et crient : « Allons, Wolsey, nous devons t'emmener en enfer, car notre maître Belzébuth t'attend pour le souper. »

La montagne écarlate soulève la tête et demande : « Quel vin sert-il ? » Cromwell s'oublie presque et rit. « Je ne bois pas de vin anglais, déclare l'homme mort. Pas de cette pisse de chat que sert monsieur de Norfolk. »

Anne jubile ; elle pointe le doigt ; elle pointe le doigt en direction de son oncle ; le bruit grimpe jusqu'aux poutres du plafond en même temps que la fumée de la cheminée – les rires et les clameurs en provenance des tables, les hurlements des prélats obèses. Non, assurent les diables, Belzébuth est français. Des huées et des sifflets retentissent, des chansons sont entonnées. Ils passent alors une corde autour du cou du cardinal. Ils le hissent sur ses pieds, mais il se débat. Ses coups de poing ne sont pas tous simulés, et il entend les grognements des diables qui se retrouvent le souffle coupé. Mais ils sont quatre bourreaux contre un gros tas écarlate qui étouffe, qui griffe ; la cour crie : « Lâchez-le ! Lâchez-le ! »

Les acteurs lèvent les mains ; ils reculent joyeusement et le laissent tomber. Tandis qu'il se roule par terre, haletant, ils le piquent avec leurs fourches et déroulent des morceaux de boyaux en laine rouge.

Le cardinal profère des blasphèmes. Il lâche des pets, et des feux d'artifice éclatent dans les coins de la pièce. Cromwell voit du coin de l'œil une femme s'enfuir, la main sur la bouche ; mais Norfolk déambule, pointant le doigt : « Regardez, il a les tripes qui pendent, comme si le bourreau les avait arrachées ! Ah, je paierais pour voir ça ! »

Quelqu'un hurle : « Honte à toi, Thomas Howard, tu aurais vendu ton âme pour assister à la chute de Wolsey ! » Les têtes se tournent, et celle de Cromwell aussi, mais personne ne sait qui a parlé ; il songe que c'était peut-être Thomas Wyatt. Les diables se sont époussetés et ont retrouvé leur souffle. Ils s'écrient : « Maintenant ! », et se jettent sur le cardinal. Puis ils le traînent en enfer, qui est situé, apparemment, derrière les paravents au fond du salon.

Il les suit derrière les paravents. Des pages arrivent en courant avec des serviettes en lin pour les acteurs, mais les suppôts de Satan les repoussent violemment. L'un des enfants reçoit un coup de coude dans l'œil et laisse tomber sa bassine d'eau bouillante sur ses pieds. Il voit les diables ôter leurs masques et les jeter en jurant dans un coin de la pièce ; il les observe tandis que chacun essaie d'arracher sa tenue de diable en laine. Ils se tournent les uns vers les autres en riant et commencent à s'entraider. « On dirait la tunique de Nessus », lance George Boleyn tandis que Norris le libère.

George secoue la tête pour se recoiffer ; sa peau blanche s'est enflammée au contact de la laine brute. George et Henry Norris sont les diables qui ont attrapé le cardinal par les mains. Ceux qui l'ont attrapé par les pieds sont toujours en train de se débattre avec leur harnachement. Ce sont un jeune homme nommé Francis Weston et William Brereton qui, comme Norris, devrait être assez vieux pour avoir un peu plus de bon sens. Ils sont si absorbés par leur tâche – jurant, riant, demandant qu'on leur apporte des serviettes propres – qu'ils ne remarquent pas que quelqu'un les observe. Et de toute manière, ils s'en moquent. Ils s'arrosent mutuellement, essuient la sueur qui recouvre leur corps, arrachent leur chemise des mains des pages et l'enfilent par-dessus leur tête. Puis, portant toujours leurs sabots fendus, ils s'éloignent en plastronnant pour aller saluer le public.

Au centre de l'espace qu'ils viennent de quitter, le cardinal gît, inerte, dissimulé du salon par les paravents ; peut-être dort-il.

Il marche jusqu'à la masse écarlate. Il s'arrête. Il baisse les yeux. Il attend. L'acteur ouvre un œil.

« Je dois être en enfer, dit l'homme. Je dois être en enfer, si l'Italien est ici. »

Le mort ôte son masque. C'est Sexton, l'idiot : monsieur Patch, qui hurlait si fort il y a un an quand on a voulu le séparer de son maître.

Patch tend la main pour que Cromwell l'aide à se relever, mais il ne la saisit pas. L'homme se hisse péniblement sur ses pieds en jurant. Il commence à ôter sa tenue écarlate, arrachant et déchirant l'étoffe. Cromwell se tient bras croisés, serrant son poing caché. L'idiot se débarrasse du rembourrage qui l'enveloppe, de gros oreillers de laine. Son corps est maigre, décharné, sa poitrine est couverte de poils rêches. Il demande : « Pourquoi vous venir dans mon pays, Italien ? Pourquoi vous pas rester dans votre pays, hein ? »

Sexton est un idiot, mais il n'est pas fou. Il sait pertinemment qu'il n'est pas italien.

« Vous auriez dû rester là-bas, poursuit Patch, retrouvant son accent londonien. Vous auriez votre propre ville fortifiée aujourd'hui. Une cathédrale. Un cardinal en pâte d'amande à manger après le dîner. Vous auriez ça pour un an ou deux, hein, jusqu'à ce qu'une brute plus forte que vous vous fiche à la porte de votre porcherie ? »

Il ramasse le déguisement que Patch a ôté. Son rouge est vif, bon marché, une teinture de mauvaise qualité faite à partir de bois de braise, et il dégage une odeur de sueur étrangère.

« Comment pouvez-vous jouer ce rôle ?

— Je joue le rôle qu'on me paie pour jouer. Et vous ? » Il rit : son aboiement strident qui le fait passer pour fou. « Pas étonnant que vous soyez d'humeur si amère ces temps-ci. Personne ne vous paie, hein ? Monsieur Cremuel, le mercenaire en retraite.

— Pas tant à la retraite que ça. Je peux vous régler votre compte.

— Avec ce poignard que vous portez à la taille. »

Patch s'écarte d'un bond, il fait une cabriole. Cromwell s'appuie contre le mur ; il l'observe. Il entend un enfant sangloter quelque part hors de son champ de vision ; peut-être est-ce le petit garçon qui a reçu un coup à l'œil qui se fait désormais frapper sous prétexte qu'il a laissé tomber la bassine, ou simplement parce qu'il pleure. L'enfance est ainsi ; on est puni, puis puni de nouveau parce qu'on proteste. Alors on apprend à ne pas se plaindre ; c'est une leçon difficile à apprendre, mais on ne l'oublie jamais.

Patch mime diverses postures, des gestes obscènes, comme s'il préparait une représentation à venir.

Il dit : « Je sais dans quel bas-fond vous avez été enfanté, Tom, et c'était un bas-fond qui n'était pas très éloigné du mien. » Il se tourne vers le salon où le roi, invisible derrière le paravent, continue probablement de passer une journée agréable. Patch écarte les jambes, il tire la langue. « L'idiot dit que, dans son cœur, il n'y a pas de pape. » Il tourne la tête ; il fait un grand sourire. « Revenez dans dix ans, maître Cromwell, et vous me direz alors qui est l'idiot.

— Vos plaisanteries ne prennent pas avec moi, Patch. Vous gâchez vos munitions.

— Les idiots peuvent tout dire.

— Pas là où mon autorité fait loi.

— Et où est-ce donc ? Pas dans la cour où vous avez été baptisé dans une flaque. Revenez me voir ici, dans dix ans, si vous êtes toujours en vie…

— Vous auriez peur si j'étais mort.

— … car je resterai immobile, et je vous laisserai m'assommer.

— Je pourrais vous fendre le crâne contre le mur maintenant. Personne ne vous regretterait.

— Certes, convient M. Sexton. On me roulerait dehors au petit matin et on m'abandonnerait sur un tas de fumier. Qu'est-ce qu'un idiot ? L'Angleterre en est pleine. »

Il est surpris qu'il fasse encore jour ; il croyait qu'il faisait nuit noire. Wolsey est toujours dans ces cours ; c'est lui qui les a construites. Tournez à n'importe quel angle, et vous croirez voir monseigneur tenant un plan d'architecte entre ses mains, jubilant devant ses soixante tapis turcs, espérant loger et distraire les meilleurs miroitiers de Venise – « Maintenant, Thomas, vous allez achever votre lettre par quelques gentillesses en vénitien, quelques phrases qui suggéreront de façon détournée, dans le dialecte local et dans les termes les plus délicats qui soient, que je paie très bien. »

Et Cromwell écrira que le peuple d'Angleterre accueille à bras ouverts les étrangers, que le climat d'Angleterre est bénéfique. Que des oiseaux dorés chantent sur des branches dorées, et qu'un roi doré trône sur une colline de pièces d'or, chantant des chansons de sa propre composition.

Quand il arrive à Austin Friars, il pénètre dans un espace qui lui semble étrange et vide. Il a mis des heures à rentrer d'Hampton Court et il est tard. Il regarde l'endroit sur le mur où brillent les armoiries du cardinal : l'écarlate a, sur sa demande, été récemment retouché.

« Vous pouvez les recouvrir maintenant, dit-il.

— Et que peindrons-nous à la place, monsieur ?

— Laissez un blanc.

— Nous pourrions avoir une jolie allégorie ?

— Je n'en doute pas. » Il se retourne et s'éloigne. « Laissez un espace vide. »

III

Les morts se plaignent de leur enterrement

Fin décembre 1530

Il est plus de minuit lorsqu'on frappe à la porte. Le gardien réveille la maisonnée, et quand Cromwell descend – arborant une expression féroce, mais tout habillé –, il trouve Johane en chemise de nuit, les cheveux détachés, qui lui demande : « Que se passe-t-il ? » Richard, Rafe, les hommes de la maison l'entraînent à l'écart ; dans le vestibule d'Austin Friars se tient William Brereton de la chambre privée du roi, accompagné d'une escorte armée. Ils sont venus m'arrêter, songe-t-il. Il marche jusqu'à Brereton.

« Joyeux Noël, William ! Levé tôt ou couché tard ? »

Alice et Jo apparaissent. Il pense à la nuit où Liz est morte, quand ses filles, bouleversées et confuses, attendaient en chemise de nuit qu'il rentre à la maison. Jo se met à pleurer. Mercy arrive et emmène les filles. Gregory descend, lui aussi habillé, prêt à sortir.

« Je suis là si vous avez besoin de moi, dit-il d'un ton timide.

— Le roi est à Greenwich, annonce Brereton. Il veut vous voir sur-le-champ. »

Il a une façon ordinaire de montrer son impatience, faisant claquer son gant sur sa paume et tapant du pied.

« Recouchez-vous, dit-il aux gens de sa maison. Le roi ne me convoquerait pas à Greenwich pour m'arrêter. Ça ne se passe pas comme ça », ajoute-t-il, même s'il ne sait pas vraiment comment ça se passe. Il se tourne vers Brereton. « Pourquoi veut-il me voir ? »

Brereton parcourt la pièce des yeux pour voir comment vivent ces gens.

« Je ne saurais vous éclairer. »

Cromwell regarde Richard et voit qu'il meurt d'envie de gifler ce petit seigneur en pleine face. J'aurais été pareil autrefois, songe-t-il. Mais je suis désormais doux comme un agneau. Ils sortent, Richard, Rafe, lui-même, son fils, dans la nuit froide.

Un groupe d'hommes attend avec des torches. Une barge attend près de l'embarcadère le plus proche. Le palais de Placentia est si loin, et la Tamise si noire, qu'ils pourraient tout aussi bien naviguer sur le Styx. Les garçons sont assis face à lui, blottis les uns contre les autres, silencieux ; ils semblent ne former qu'un seul membre d'une même famille, même si Rafe, naturellement, n'est pas de sa famille. Je commence à être comme Cranmer, songe-t-il : Les Tamworth du Lincolnshire sont des parents. Les Clifton de Clifton. La famille Molyneux, dont vous aurez entendu parler, n'est-ce pas ? Il lève les yeux vers les étoiles, mais elles semblent vagues et lointaines ; ce que, pense-t-il, elles sont probablement.

Qu'est-il censé faire ? Doit-il essayer d'entamer la conversation avec Brereton ? Les terres de sa famille sont dans le Staffordshire, dans le Cheshire, à la frontière galloise. Son père, sir Randal, est mort cette année, et le fils a touché un bel héritage, mille livres par an au moins en cessions de la couronne, plus environ trois cents provenant de monastères locaux... Il additionne tout ça dans sa tête. Il n'est pas trop jeune pour hériter ; Brereton doit avoir le même âge que lui, ou presque. Son père Walter se serait bien entendu avec les Brereton, une bande de querelleurs, de grands provocateurs. Il se souvient qu'il y a eu des poursuites contre eux à la Chambre étoilée, ça devait être il y a quinze ans... Probablement pas le sujet de conversation idéal. D'ailleurs, Brereton ne semble pas vouloir discuter.

Chaque voyage s'achève ; à quelque embarcadère, quelque quai enveloppé de brume où attendent des torches. Ils sont censés se rendre directement auprès du roi, au cœur de son palais, dans ses appartements privés. Henry Norris les attend. Qui d'autre encore ?

« Comment va-t-il ? » demande Brereton.

Norris roule les yeux.

« Eh bien, maître Cromwell, dit-il, nous nous rencontrons décidément dans des circonstances étranges. Sont-ce là vos fils ? » Il sourit, balaie les garçons du regard. « Non, clairement pas. À moins qu'ils soient de mères différentes. »

Il les présente : M. Rafe Sadler, M. Richard Cromwell, M. Gregory Cromwell. Il perçoit une once de désarroi sur le visage de son fils et clarifie : « Celui-là est mon neveu. Celui-ci, mon fils.

— Vous seul êtes autorisé à entrer, dit Norris. Allez-y, il attend. » Par-dessus son épaule, il lance à l'intention de Brereton : « Le roi craint d'attraper froid.

Voulez-vous bien chercher la robe de chambre rouge foncé, celle qui est doublée de martre ? »

Brereton grommelle une réponse. Quelle misère de devoir s'occuper des fourrures du roi quand il pourrait être à Chester en train de réveiller la populace en battant le tambour autour des murs de la ville.

C'est une chambre spacieuse avec un haut lit sculpté ; ses yeux passent rapidement dessus. À la lueur des bougies, les rideaux du lit sont d'un noir d'encre. Le lit est vide. Henri est assis sur un tabouret de velours. Il semble seul, mais il flotte dans la pièce une odeur sèche, une chaleur de cannelle, comme si le cardinal se tenait dans l'ombre avec dans sa main l'orange épluchée et épicée qu'il avait toujours quand il était entouré. Les morts, pour sûr, chercheraient à fuir l'odeur des vivants. Ce qu'il voit cependant, de l'autre côté de la pièce, ce n'est pas l'ombre imposante du cardinal, mais un ovale pâle et mouvant : le visage de Thomas Cranmer.

Le roi se tourne vers lui lorsqu'il entre.

« Cromwell, mon défunt frère m'est apparu en rêve. »

Il ne répond rien. Quelle réponse sensée pourrait-il donner à ça ? Il observe le roi. Il n'a pas envie de rire.

Le roi poursuit : « Durant les douze jours qui séparent Noël de l'Épiphanie, Dieu permet aux morts de marcher. C'est bien connu. »

Il demande doucement : « Comment était-il, votre frère ?

— Tel que je me le rappelais... mais il était pâle, très maigre. Il y avait des flammes blanches autour de lui, une lumière. Mais vous savez, Arthur aurait été dans sa quarante-cinquième année aujourd'hui. Est-ce votre âge, maître Cromwell ?

— À peu près.

— Je suis doué pour deviner l'âge des gens. Je me demande à qui Arthur aurait ressemblé, s'il avait vécu. À mon père, probablement. Moi, je ressemble à mon grand-père. »

Il pense que le roi va lui demander, et vous, à qui ressemblez-vous ? Mais non : il a déjà établi qu'il n'avait pas d'ancêtres.

« Il est mort à Ludlow. En hiver. Les routes étaient impraticables. Ils ont dû transporter son cercueil sur un char à bœufs. Un prince d'Angleterre transporté sur une charrette. Je ne crois pas que c'était convenable. »

Brereton entre avec la robe de chambre en velours rouge foncé doublé de martre. Henri se lève, ôte une couche de velours, en enfile une autre, plus épaisse et plus lourde. La doublure de martre recouvre lentement ses mains, comme s'il était un roi-monstre capable de faire pousser sa propre fourrure.

« Ils l'ont enterré à Worcester, poursuit-il. Mais ce rêve me trouble. Je ne l'avais encore jamais vu mort. »

Dans l'ombre, le docteur Cranmer déclare : « Les morts ne reviennent pas pour se plaindre de leur enterrement. Ce sont les vivants qui sont préoccupés par ces questions. »

Le roi serre sa robe de chambre autour de lui.

« Je n'avais jamais vu son visage jusque-là, dans ce rêve. Et son corps, d'une blancheur étincelante.

— Mais ce n'était pas son corps, objecte Cranmer. C'était une image qui s'est formée dans l'esprit de Votre Majesté. De telles images sont *quasi corpora*, semblables à de vrais corps. Lisez saint Augustin. »

Le roi n'a pas l'air d'avoir envie de lire.

« Dans mon rêve, il se tenait face à moi et il me regardait. Il paraissait triste, si triste. Il semblait dire que j'avais pris sa place. Il semblait dire, tu as pris mon royaume, et tu as profité de ma femme. Il est revenu pour me faire honte. »

Cranmer dit, avec un peu d'impatience : « Si le frère de Votre Majesté est mort avant de pouvoir régner, c'est que telle était la volonté de Dieu. Quant à votre supposé mariage, nous savons et estimons tous qu'il était contraire aux Saintes Écritures. Nous savons que l'homme de Rome n'a pas le pouvoir de dispenser la loi divine. Qu'il y ait eu péché, nous le reconnaissons ; mais Dieu est suffisamment miséricordieux.

— Pas avec moi, réplique Henri. Quand viendra l'heure de mon jugement, mon frère plaidera contre moi. Il est revenu pour m'humilier, et je dois l'endurer. » Cette idée le met en rage. « Moi et moi seul. »

Cranmer est sur le point de parler ; Cromwell capte son regard, secoue imperceptiblement la tête.

« Votre frère Arthur vous a-t-il parlé, dans votre rêve ? demande-t-il.

— Non.

— Vous a-t-il fait un quelconque signe ?

— Non.

— Alors pourquoi pensez-vous qu'il souhaite à Votre Majesté autre chose que du bien ? Il me semble que vous avez vu sur son visage quelque chose qui n'y était pas vraiment, erreur que nous pouvons commettre avec les morts. Écoutez-moi. » Il pose une main sur la personne royale, sur sa manche de velours rouge foncé, sur son bras, et il la serre suffisamment fort pour que son emprise se fasse sentir. « Connaissez-

vous le proverbe des avocats, *Le mort saisit le vif** ?
Le prince meurt mais son pouvoir disparaît à l'instant
de sa mort, il n'y a pas d'intervalle, pas d'interrègne.
Si votre frère est venu vous voir, ce n'est pas pour
vous humilier, mais pour vous rappeler que vous êtes
investi du pouvoir du vivant comme de celui du mort.
Ce signe avait pour but de vous amener à considérer
votre autorité de roi. Et de vous la faire exercer. »

Henri lève les yeux sur lui. Il réfléchit. Il caresse
la martre au bout de sa manche avec une expression
perdue.

« Est-ce possible ? »

Une fois encore Cranmer commence à parler. Une
fois encore il l'interrompt.

« Savez-vous ce qui est inscrit sur la tombe d'Arthur ?

— *Rex quondam rexque futurus*. L'ancien roi est
le roi futur.

— Votre père y a veillé. C'était un prince de Galles,
il a tenu la promesse faite à ses ancêtres. Après une vie
d'exil, il est revenu et a revendiqué son droit ancestral.
Mais il ne suffit pas de revendiquer un pays ; il faut le
tenir. Il faut le tenir et le conserver, génération après
génération. Si votre frère semble dire que vous avez
pris sa place, c'est qu'il veut que vous soyez le roi
qu'il aurait été. Lui-même ne peut pas accomplir la
prophétie, mais il vous la lègue. À lui la promesse,
et à vous son accomplissement. » Les yeux du roi
se posent sur le docteur Cranmer, qui dit, d'un ton
ferme : « Je ne vois rien à redire à tout ça. Même si
je continue de recommander de ne pas tenir compte
des rêves.

— Oh, mais, dit Cromwell, les rêves des rois ne sont pas comme les rêves des autres hommes.

— Peut-être avez-vous raison.

— Mais pourquoi maintenant ? demande logiquement Henri. Pourquoi revient-il maintenant ? Je suis roi depuis vingt ans. »

Il se retient de dire, parce que vous avez quarante ans et qu'il est temps que vous grandissiez. Combien de fois avez-vous fait jouer les histoires d'Arthur – combien de mascarades, combien de spectacles, combien de troupes d'acteurs avec des boucliers en papier et des épées de bois ?

« Parce que c'est un moment crucial, répond-il. Parce que le moment est venu d'être le souverain que vous devriez être, et de régner seul et en toute suprématie sur votre royaume. Demandez à lady Anne. Elle vous le dira. Elle dira la même chose.

— C'est vrai, admet le roi. Elle dit que nous devrions cesser de nous incliner devant Rome.

— Et si votre père devait vous apparaître en rêve, dites-vous que lui aussi vient pour renforcer votre autorité. Aucun père ne souhaite voir son fils moins puissant que lui. »

Henri commence à esquisser un sourire. Il semble se libérer du rêve, de la nuit, des mystérieuses terreurs nocturnes, des asticots et des vers, et il s'étire. Il se lève. Son visage brille. Le feu dessine des bandes de lumière sur sa robe de chambre, et dans ses replis profonds dansent des tons ocre et fauve, des couleurs de terre, d'argile.

« Très bien, dit-il. Je vois. Je comprends tout maintenant. Je savais qui envoyer chercher. Je sais toujours. » Il se tourne vers l'obscurité et lance : « Henry

Norris ? Quelle heure est-il ? Quatre heures ? Dites à mon chapelain de s'habiller pour la messe.

— Peut-être pourrais-je dire la messe pour vous ? suggère Cranmer.

— Non, vous êtes fatigué, répond Henri. Je vous ai tenus éveillés, messieurs. »

C'est aussi simple que ça, aussi péremptoire. Ils sont congédiés. Ils passent devant les gardes. Ils marchent en silence jusqu'à leurs compagnons, Brereton les suivant comme leur ombre.

« Beau travail », dit finalement Cranmer. Cromwell se retourne. Il voudrait rire, mais il n'ose pas. « Très habile le, "et si votre père devait vous apparaître…" J'en déduis que vous n'aimez pas être réveillé trop souvent en pleine nuit.

— Les gens de ma maison étaient inquiets. »

Le docteur semble alors désolé, comme s'il craignait de s'être montré trop frivole.

« Bien sûr, murmure Cranmer. Comme je ne suis pas marié, je ne pense pas à ces choses.

— Je ne le suis pas non plus.

— C'est vrai. J'avais oublié.

— Contestez-vous ce que j'ai dit ?

— C'était en tout point parfait. Comme si vous y aviez réfléchi à l'avance.

— Comment aurais-je pu ?

— En effet. Vous êtes un homme à l'imagination vigoureuse. Pourtant… l'évangile dit, vous savez…

— L'évangile dit que nous avons bien travaillé.

— Mais je me demande, poursuit Cranmer, presque comme s'il se parlait à lui-même. Je me demande ce qu'est l'évangile pour vous. Pensez-vous que ce soit un livre fait de pages vierges sur lesquelles Thomas Cromwell peut inscrire ce qui lui plaît ? »

Il s'arrête. Il pose une main sur le bras de Cranmer et dit : « Regardez-moi. Croyez-moi. Je suis sincère. Je n'y puis rien si Dieu m'a donné l'aspect d'un pécheur. Il devait avoir une bonne raison.

— Si je puis me permettre. » Cranmer sourit. « Il vous a volontairement donné ce visage pour déconcerter vos ennemis. Et cette main, pour maintenir votre emprise sur les circonstances – quand vous avez saisi le bras du roi, j'ai moi-même tressailli. Et Henri, il a senti votre main. » Il acquiesce. « Vous êtes doué d'une grande volonté. »

Les ecclésiastiques peuvent faire ça : parler de votre caractère ; prononcer des verdicts. Celui-ci semble favorable, même si le docteur, tel un diseur de bonne aventure, ne lui a rien dit qu'il ne sût déjà.

« Venez, dit Cranmer, vos garçons doivent être impatients de vous voir sain et sauf. »

Rafe, Gregory et Richard se massent autour de lui : que s'est-il passé ?

« Le roi a fait un rêve.

— Un rêve ? Rafe est abasourdi. Il nous a tirés du lit pour un rêve ?

— Croyez-moi, intervient Brereton, il tire les gens du lit pour moins que ça.

— Le docteur Cranmer et moi pensons que les rêves des rois ne sont pas comme ceux des autres hommes. »

Gregory demande : « Était-ce un cauchemar ?

— Au début, c'est ce qu'il croyait. Mais plus maintenant. » Ils le regardent sans comprendre, mais Gregory comprend.

« Quand j'étais petit j'ai rêvé de démons. Je croyais

404

qu'ils étaient sous mon lit, mais vous avez dit, c'est impossible, nous n'avons pas de démons de ce côté-ci de la rivière, les gardes ne les laisseraient pas franchir London Bridge.

— Donc, demande Richard, tu es mort de peur dès que tu traverses la rivière pour aller à Southwark ?

— Southwark ? dit Gregory. C'est quoi, Southwark ?

— Savez-vous, déclare Rafe d'un ton de maître d'école, qu'il y a des fois où je perçois une étincelle de quelque chose en Gregory ? Pas une flamme, pour sûr. Juste une étincelle.

— C'est bien à toi de te moquer ! Avec une telle barbe !

— Est-ce une barbe ? demande Richard. Ces quelques poils roux ? Je croyais que c'était une négligence du barbier. »

Ils s'étreignent les uns les autres, ivres de soulagement.

Gregory dit : « Nous pensions que le roi l'avait enfermé dans un cachot. » Cranmer acquiesce, tolérant, amusé.

« Vos enfants vous adorent.

— Nous ne sommes rien sans le chef », déclare Richard.

Les heures seront longues jusqu'au lever du soleil. C'est comme le matin sans lumière qui a vu mourir le cardinal. Il flotte dans l'air une odeur de neige.

« J'imagine qu'il voudra nous revoir, dit Cranmer. Quand il aura réfléchi à vos paroles et, disons, suivi le fil de ses réflexions ?

— Je dois tout de même retourner en ville et me montrer. » Me changer, pense-t-il, et attendre le prochain événement. À Brereton il dit : « Vous savez où me trouver, William. » Un salut de la tête et il s'éloigne. « Docteur Cranmer, dites à la lady que nous avons œuvré pour elle. » Il passe les bras autour des épaules de ses fils et murmure : « Gregory, ces histoires sur Merlin que tu lisais, nous allons en écrire d'autres.

— Oh, dit Gregory, je n'ai pas eu le temps de les finir. Le soleil est réapparu. »

Plus tard le même jour, il retourne dans une chambre lambrissée à Greenwich. C'est le dernier jour de 1530. Il ôte ses gants, chevreau parfumé à l'ambre. Les doigts de sa main droite touchent la bague de turquoise, la remettent en place.

« Le Conseil attend », dit le roi. Puis il se met à rire, comme s'il vivait un triomphe personnel. « Allez le rejoindre, Cromwell. Ils vont vous faire prêter serment. »

Le docteur Cranmer est avec le roi, très pâle, très silencieux. Il salue Cromwell d'un geste de la tête ; et alors, étonnamment, un sourire inonde son visage, illuminant l'après-midi.

L'heure qui suit a un air d'improvisation. Le roi ne veut pas attendre, et il s'agit de savoir quels conseillers peuvent être trouvés rapidement. Les ducs sont dans leurs terres, entourés de leur cour de Noël. Le vieux Warham, l'archevêque de Canterbury, est avec nous. Ça fait quinze ans que Wolsey lui a fait perdre son poste de lord-chancelier ; ou, comme se plaisait à dire le cardinal, l'a soulagé de sa fonction terrestre afin de lui permettre, dans les dernières années de sa vie, d'embrasser une vie de prière. « Eh bien, Cromwell, dit-il. Vous, conseiller ! On aura tout vu ! » Il a le visage sillonné de rides, des yeux de poisson mort. Ses mains tremblent un peu tandis qu'il lui tend une bible.

Thomas Boleyn, comte de Wiltshire, lord du sceau privé, est également des nôtres. Le lord-chancelier aussi est présent ; et Cromwell se demande avec irritation, pourquoi More n'est-il jamais rasé convenablement ? Ne peut-il pas prendre le temps, écourter son programme de flagellation ? Quand More pénètre dans la lumière, il voit qu'il est plus échevelé que d'habitude, que son visage est émacié et qu'il a des taches lie-de-vin sous les yeux.

« Que vous est-il arrivé ?

— N'avez-vous pas entendu ? Mon père est mort.

— Ce brave vieil homme, dit-il. Ses judicieux conseils juridiques nous manqueront. »

Mais pas ses histoires assommantes, pense-t-il.

« Il est mort dans mes bras. » More se met à pleurer ; ou plutôt, il semble se ratatiner, et c'est comme si tout son corps déversait des larmes. Il dit, mon père était la lumière de ma vie. Nous ne sommes pas comme ces grands hommes, nous ne sommes que l'ombre de ce qu'ils étaient. Demandez à vos gens d'Austin Friars de prier pour lui. « C'est étrange, Thomas, mais depuis qu'il est parti, je sens mon âge. Comme si je n'avais été qu'un garçon jusqu'à il y a quelques jours. Mais Dieu a claqué des doigts, et je vois que mes meilleures années sont derrière moi.

— Vous savez, quand Elizabeth est morte, ma femme... » Et alors il voudrait dire, mes filles, ma sœur, toute ma maison a été décimée, les miens n'ont jamais quitté le noir, et maintenant que le cardinal est mort... Mais il n'avouera pas, pas même ne serait-ce qu'un instant, que le chagrin a entamé sa détermination.

On ne peut pas avoir d'autre père, d'ailleurs, il n'en voudrait pas ; quant aux épouses, elles courent les rues pour Thomas More. « Ça vous semble impossible à croire, mais vous reprendrez goût aux choses. Pour le monde et tout ce qu'il vous reste à y faire.

— Vous avez connu le deuil, je le sais. Bien, bien. » Le lord-chancelier renifle, il soupire, secoue la tête. « Faisons ce pour quoi nous sommes réunis. »

C'est More qui commence à lire le serment. Cromwell jure de donner des conseils loyaux, d'être franc et impartial, de garder le secret et de demeurer fidèle à son allégeance. Ils abordent la question de la sagesse des conseils et de la discrétion quand la porte s'ouvre d'un coup et Gardiner se précipite dans la pièce tel un corbeau qui aurait repéré un mouton mort.

« Je ne crois pas que vous puissiez faire ça sans le secrétaire du roi », dit-il, et Warham demande faiblement, par la sainte Croix, devons-nous recommencer depuis le début ?

Thomas Boleyn caresse sa barbe. Ses yeux sont tombés sur la bague du cardinal, et sa surprise s'est muée en une expression sardonique.

« Si nous ne connaissons pas la procédure, dit-il, je suis sûr que Thomas Cromwell l'a notée quelque part. Donnez-lui un an ou deux, et nous deviendrons peut-être tous superflus.

— Je suis bien certain de ne pas vivre jusque-là, dit Warham. Lord-chancelier, si nous poursuivions ? Oh, mon pauvre homme. Vous pleurez encore. Je suis sincèrement désolé pour vous. Mais la mort est le sort de chacun. »

Doux Jésus, songe-t-il, si c'est là ce que l'archevêque de Canterbury a de mieux à offrir, je pourrais le remplacer.

Il jure de faire respecter l'autorité du roi. Sa prééminence, sa juridiction. Il jure de faire respecter ses héritiers et successeurs légaux, et il songe à Richmond l'enfant illégitime, et à Marie la crevette parlante, et au duc de Norfolk montrant son ongle à l'assemblée.

« Bien, voilà qui est fait, dit l'archevêque. Et ainsi soit-il, car quel choix avons-nous ? Si nous buvions un verre de vin chaud ? Ce froid pénètre les os. »

Thomas More dit : « Maintenant que vous êtes membre du Conseil, j'espère que vous direz au roi ce qu'il convient de faire, et pas simplement ce qu'il peut faire. Car si le lion connaissait sa propre force, il serait dur de le maîtriser. »

Dehors il neige. Des flocons noirs tombent dans les eaux de la Tamise. L'Angleterre s'étire à l'horizon, un soleil rouge et bas sur des champs enneigés.

Il repense au jour où York Place a été saccagé. Cavendish et lui se tenaient là pendant qu'on ouvrait des malles et qu'on en tirait les tenues de cérémonie. Les chapes étaient cousues de fil d'or et d'argent, avec des motifs d'étoiles dorées, d'oiseaux, de poissons, de cerfs, de lions, d'anges, de fleurs et de soleils flamboyants. Quand elles ont été replacées dans les malles et que celles-ci ont été refermées avec des clous, les hommes du roi se sont attaqués aux caisses qui contenaient les aubes et les surplis, tous minutieusement pliés par une main experte. Passées de main en main, aussi légères que des anges au repos, les étoffes brillaient doucement dans la lumière. Déplions-en une, a lancé un homme, voyons leur qualité. Des mains se sont mises à tirer sur les bandes de lin. Là, laissez-moi faire, est intervenu George Cavendish. Une fois dépliée, l'étoffe a flotté dans l'air, d'une blancheur éblouissante, aussi fine qu'une aile de papillon. Quand les couvercles des malles qui contenaient les chapes avaient été soulevés, il s'en était dégagé une odeur de cèdre et d'épices, sombre, lointaine, aride comme le désert. Mais les tenues aussi légères que des anges avaient été rangées avec de la lavande ; et tandis que la pluie de Londres coulait sur les fenêtres, le parfum de l'été a inondé ce sombre après-midi.

QUATRIÈME PARTIE

I

Recompose ton visage

1531

Peut-être est-ce la douleur ou la peur, ou bien quelque défaut naturel ; ou alors c'est la chaleur de l'été, le son des cors de chasse qui sonnent au loin, les tourbillons de poussière étincelante dans les pièces vides ; ou peut-être est-ce parce qu'elle n'a plus fermé l'œil depuis l'aube, tandis que son père et ses gens préparaient leur départ ; quelle que soit la raison, la jeune fille est ratatinée sur elle-même, et ses yeux ont la couleur de l'eau stagnante. À un moment, tandis qu'il prononce les politesses préliminaires en latin, il la voit agripper le dossier de la chaise de sa mère. « Madame, votre fille devrait s'asseoir. » Pour parer à toute contestation, il attrape un tabouret et le pose lourdement, d'un geste ferme, près des jupes de Catherine.

La reine se penche en arrière, raide dans son corset baleiné, pour murmurer à l'oreille de sa fille. Les femmes d'Italie portaient en toute insouciance des armatures de fer sous leurs soies. Il fallait une patience infinie, pas simplement en termes de négociations, pour leur ôter leurs vêtements.

Marie baisse la tête pour lui répondre à voix basse ; elle laisse entendre, en castillan, qu'elle a ses indispositions féminines. Deux paires d'yeux se lèvent vers lui. Le regard de la jeune fille est presque trouble ; il suppose qu'elle le voit comme une grosse silhouette sombre dans un espace rempli de détresse. Tiens-toi droite, murmure Catherine, comme une princesse d'Angleterre. Se maintenant au dossier de la chaise, Marie prend une profonde inspiration. Elle tourne vers lui son visage quelconque aux traits tirés : dur comme l'ongle de Norfolk.

C'est le début de l'après-midi, il fait très chaud. Le soleil projette sur le mur des carrés mouvants aux teintes lilas et or. Les jardins desséchés de Windsor s'étirent en contrebas. La Tamise semble se recroqueviller sur elle-même entre ses berges.

La reine dit en anglais : « Sais-tu qui est cet homme ? C'est maître Cromwell. Qui rédige désormais toutes les lois. »

Ne sachant dans quelle langue poursuivre, il demande : « Madame, parlerons-nous anglais ou latin ?

— Votre cardinal me posait la même question. Comme s'il était étranger ici. Je vous répondrai, comme je lui répondais, qu'on a commencé à m'appeler princesse de Galles quand j'avais trois ans. J'avais seize ans quand je suis venue ici pour épouser Arthur. J'étais vierge et avais dix-sept ans quand il est mort. À vingt-quatre ans, je suis devenue reine d'Angleterre. Et j'ajouterai, pour lever toute ambiguïté, que j'ai désormais quarante-six ans et suis toujours reine.

Je pense donc être, dans un sens, anglaise. Mais je ne vous répéterai pas tout ce que j'ai dit au cardinal. J'imagine qu'il vous a laissé des notes. »

Il sent qu'il devrait s'incliner devant elle.

La reine poursuit : « Depuis le début de l'année, certains projets de loi ont été présentés au Parlement. Jusqu'à présent maître Cromwell avait un don pour prêter de l'argent, mais il s'est également découvert un don pour la législation – si vous voulez une nouvelle loi, demandez-lui. J'ai entendu dire que le soir vous emmeniez les brouillons chez vous – où se trouve votre maison ? »

On dirait qu'elle lui demande où se trouve son « trou à rat ».

Marie dit : « Ces lois sont contraires à l'Église. Je m'étonne que nos lords les autorisent.

— Tu sais, reprend la reine, que le cardinal de York a été accusé, selon les lois du *praemunire*, d'usurper l'autorité du souverain d'Angleterre, ton père. Maintenant maître Cromwell et ses amis considèrent que l'ensemble du clergé était complice de ce crime, et ils lui demandent de payer une amende de plus de cent mille livres.

— Pas une amende. Nous appelons ça une donation.

— J'appelle ça de l'extorsion. » Elle se tourne vers sa fille. « Si tu te demandes pourquoi l'Église n'est pas défendue, je peux simplement te dire qu'on a entendu certains gentilshommes de ce pays » – Suffolk, elle veut dire Suffolk – « affirmer qu'ils anéantiront le pouvoir de l'Église, qu'ils ne supporteront plus qu'un ecclésiastique – c'est le mot qu'ils utilisent – devienne aussi éminent que notre défunt légat. Que nous n'ayons pas besoin d'un nouveau Wolsey, j'en conviens. Mais les attaques contre les évêques, ça, je ne l'accepte pas. Wolsey était pour moi un ennemi. Mais cela n'altère en rien mes sentiments envers notre sainte Mère l'Église. »

Il songe : Wolsey était pour moi un père et un ami. Cela n'altère en rien mes sentiments envers notre sainte Mère l'Église.

« Le président Audley et vous complotez la nuit. » La reine mentionne le nom du président des Communes comme si elle disait « votre garçon de cuisine ». « Et quand arrive le matin, vous persuadez le roi de se désigner comme le chef de l'Église en Angleterre.

— Alors que, intervient la jeune fille, le pape est partout le chef de l'Église, et c'est à Saint-Pierre que l'on établit la légalité de tous les gouvernements. Nulle part ailleurs.

— Lady Marie, dit-il, ne voulez-vous pas vous asseoir ? » Il la rattrape alors que ses jambes se défilent sous elle et la fait asseoir sur le tabouret. « C'est juste la chaleur », ajoute-t-il pour lui éviter tout embarras.

Elle lève vers lui des yeux gris terne avec un air de gratitude qui, dès qu'elle est assise, se transforme en une expression aussi dure qu'un mur de pierres.

« Vous dites que nous le persuadons, reprend-il à l'intention de Catherine, mais Votre Altesse sait mieux que quiconque que le roi ne se laisse pas influencer.

— Mais il peut être séduit. » Elle se tourne vers Marie, qui se tient désormais le ventre. « Donc ton père le roi est nommé chef de l'Église, et pour apaiser la conscience des évêques, ils ont inséré cette formule : "autant que la loi du Christ le permet".

— Qu'est-ce que ça veut dire ? demande Marie. Ça ne veut rien dire.

— Votre Altesse, ça veut tout dire.

— Oui. C'est très ingénieux.

— Je vous supplie, dit-il, de considérer les choses sous cet angle : le roi a simplement défini une position qu'il occupait déjà, comme en attestent des précédents anciens…

— Des précédents inventés au cours de ces derniers mois. »

Sous sa lourde coiffe, le front de Marie est couvert de sueur.

« Ce qui est défini peut être redéfini, non ? dit-elle.

— Certes, convient sa mère. Et redéfini en faveur de l'Église, à l'unique condition que j'exauce leurs désirs et renonce à ma condition de reine et d'épouse. »

La princesse a raison, songe-t-il. Il y a encore de la place pour la discussion.

« Rien n'est irrévocable, dit-il.

— Non, vous attendez de voir ce que j'apporterai à votre table des négociations. » Catherine tend les mains – des petites mains courtes et potelées – pour montrer qu'elles sont vides. « L'évêque Fisher est le seul à me défendre. Il est le seul à avoir été constant. Il est le seul à pouvoir dire la vérité, à savoir que la Chambre des communes est un ramassis de mécréants. » Elle soupire, ses mains retombent contre ses flancs. « Et maintenant comment se fait-il que mon mari soit parti sans un au revoir ? Il n'avait jamais fait ça jusqu'alors. Jamais.

— Il compte passer quelques jours à Chertsey pour chasser.

— Avec la femme, dit Marie. La personne.

— Puis il fera un détour par Guildford pour rendre visite à lord Sandys – il veut voir sa magnifique nouvelle galerie à Vyne. » Il parle d'un ton calme, apaisant ;

417

peut-être trop ? « De là, en fonction du temps et du gibier, il ira voir William Paulet à Basing.

— Et quand suis-je censée le suivre ?

— Il reviendra dans deux semaines, si Dieu le veut.

— Deux semaines, dit Marie. Seul avec cette personne.

— Avant ça, madame, vous devez vous rendre à un autre palais. Il a choisi le More[1], dans l'Hertfordshire, qui est comme vous le savez très confortable.

— Étant donné que c'était la maison du cardinal, observe Marie, le faste doit y être excessif. »

Mes propres filles, pense-t-il, n'auraient jamais dit ça.

« Princesse, reprend-il, accepteriez-vous, par charité, de cesser de dire du mal d'un homme qui ne vous en a jamais fait ? »

Marie rougit du cou à la naissance des cheveux.

« Je ne voulais pas manquer de charité.

— Feu le cardinal est votre parrain. Vous lui devez vos prières. »

Elle le regarde en battant des paupières ; elle semble intimidée.

« Je prie pour écourter son temps au purgatoire… »

Catherine l'interrompt.

« Envoyez une malle dans l'Hertfordshire. Envoyez un colis. Ne cherchez pas à m'envoyer moi.

— Vous aurez toute votre cour. La maison peut accueillir deux cents personnes.

— Je vais écrire au roi. Vous pourrez porter ma lettre. Ma place est à ses côtés.

---

1. Château du XVIᵉ siècle qui a appartenu à Thomas Wolsey, sans rapport avec Thomas More. *(N.d.T.)*

— Je vous conseille, réplique-t-il, de ne pas le brus-
quer. Sinon il risque… »

Il désigne la princesse. Ses mains se joignent puis
s'écartent. Il risque de vous séparer.

L'enfant ravale sa douleur. Sa mère ravale son chagrin et sa colère, son dégoût et sa peur.

« Je m'y attendais, dit-elle, mais je ne m'attendais
pas à ce qu'il envoie un homme tel que vous pour me
l'annoncer. » Il fronce les sourcils : croit-elle que ce
serait plus agréable si elle l'entendait de la bouche de
Norfolk ? « On dit que vous avez travaillé dans une
forge, est-ce exact ? »

Bientôt elle va me demander, savez-vous ferrer un
cheval ?

« C'est mon père qui travaillait dans une forge.

— Je commence à vous comprendre. » Elle opine
de la tête. « Le forgeron fabrique ses propres outils. »

Huit cents mètres de murs couverts de chaux,
brillants comme des miroirs, qui réfléchissent une
chaleur blanche. À l'ombre d'un portail, Gregory et
Rafe chahutent en se lançant des insultes culinaires
qu'il leur a apprises : sir, vous êtes un Flamand bouffi,
et vous étalez du beurre sur votre pain. Sir, vous êtes
un Romain indigent, votre progéniture mangera des
escargots. Maître Wriothesley, adossé au soleil, les
observe avec un sourire nonchalant ; des papillons
volètent autour de sa tête.

« Oh, c'est *vous* », dit-il. Wriothesley semble honoré.
« Vous feriez un magnifique tableau, maître Wriothesley. Avec votre pourpoint azur et le puits de lumière
qui tombe pile au bon endroit.

— Alors, monsieur, que dit Catherine ?

419

— Elle dit que nos précédents sont faux. »

Rafe : « Comprend-elle que le docteur Cranmer et vous avez passé la nuit à les étudier ?

— Oh, quelle fête ! s'exclame Gregory. Voir l'aube se lever auprès du docteur Cranmer. »

Cromwell passe un bras autour des petites épaules osseuses de Rafe et l'étreint ; c'est une libération d'être loin de Catherine, loin de sa fille qui passe son temps à tressaillir comme une chienne battue.

« Un jour j'ai moi-même, avec Giovannino – enfin, avec des garçons que je connaissais... »

Il s'interrompt : qu'est-ce que c'est que ça ? Je ne raconte jamais d'anecdotes sur moi-même.

« S'il vous plaît, poursuivez, demande Wriothesley.

— Eh bien, nous avons fait faire une statue, une petite divinité ailée au sourire sournois, et nous avons tapé dessus à coups de marteau et de chaîne pour qu'elle ait l'air antique, puis nous avons acheté des mules et nous sommes allés à Rome pour la vendre à un cardinal. » Il faisait si chaud quand ils avaient été menés auprès de l'homme : l'air était vaporeux, le tonnerre grondait au loin et une poussière blanche flottait dans l'air. « Je me souviens qu'il avait la larme à l'œil quand il nous a payés. "Dire que le regard de l'empereur Auguste s'est peut-être posé sur ces charmants petits pieds et sur ces adorables ailes." Quand les garçons de Portinari sont partis pour Florence, ils croulaient sous le poids de leur bourse.

— Et vous ?

— J'ai pris ma part et suis resté pour revendre les mules. »

Ils descendent en direction des cours intérieures. Lorsqu'ils émergent au soleil, il se protège les yeux comme s'il cherchait à voir à travers l'enchevêtrement de branches qui s'étirent au loin.

« J'ai dit à la reine, laissez Henri partir en paix. Sinon il risque de ne pas laisser la princesse vous accompagner. »

Wriothesley, surpris : « Mais c'est déjà décidé. Elles doivent être séparées. Marie doit aller à Richmond. »

Il l'ignorait. Il espère que son hésitation n'est pas perceptible.

« Bien sûr. Mais la reine ne le savait pas, et ça valait le coup d'essayer, non ? »

Voyez comme maître Wriothesley peut être utile. Voyez comme il apporte des renseignements glanés auprès du secrétaire du roi.

Rafe dit : « C'est cruel d'utiliser la jeune fille contre sa mère.

— Cruel, oui… mais la question est : avez-vous choisi votre prince ? Car c'est ce qu'on fait, on le choisit, en connaissance de cause. Et alors, une fois qu'on a choisi, on lui dit oui – oui, c'est possible, oui, cela peut être fait. Si vous n'aimez pas Henri, vous pouvez partir à l'étranger et choisir un autre prince, mais laissez-moi vous dire : si nous étions en Italie, Catherine serait déjà morte et enterrée.

— Mais vous avez juré, observe Gregory, que vous respectiez la reine.

— C'est la vérité. Et je respecterais son cadavre.

— Mais vous n'arrangeriez pas sa mort, n'est-ce pas ? »

Il s'arrête. Il saisit le bras de son fils, le fait pivoter sur lui-même pour le regarder en face.

« Reprenons cette conversation. » Gregory tente de se libérer de son emprise. « Non, écoute, Gregory. J'ai dit : il faut exaucer les requêtes du roi. Il faut ouvrir la voie à ses désirs. Voilà ce que fait un courtisan. Maintenant, comprends ceci : Henri ne demandera jamais, ni à moi ni à personne d'autre, de faire du mal à la reine. Le prends-tu pour un monstre ? Encore aujourd'hui il a de l'affection pour elle ; comment pourrait-il ne pas en avoir ? Et il pense au salut de son âme. Il se confesse chaque jour à l'un ou l'autre de ses chapelains. Crois-tu que l'empereur en fasse autant, ou le roi François ? Le cœur d'Henri, je te l'assure, est le plus scruté de toute la chrétienté. »

Wriothesley remarque : « Maître Cromwell, vous parlez à votre fils, pas à un ambassadeur. »

Il lâche Gregory.

« Si nous allions à la rivière ? Il y aura peut-être un peu de vent ? »

Dans la partie basse du château, six paires de chiens de chasse s'agitent dans les cages à roulettes qui serviront à les transporter. Ils se grimpent les uns sur les autres tout en remuant la queue, ils se tordent les oreilles et se mordent, leurs jappements et leurs hurlements ajoutant à la quasi-panique qui s'est emparée de Windsor. Ça ressemble plus à une évacuation qu'au début d'une expédition estivale. Des porteurs en sueur hissent les meubles du roi sur des charrettes. Deux hommes sont coincés dans l'entrebâillement d'une porte avec une malle ornée de clous. Il se revoit sur la route, enfant, avec son visage couvert de bleus, chargeant des charrettes dans l'espoir de monter à bord. Il s'approche. « Comment vous êtes-vous débrouillés, jeunes gens ? »

Il saisit un coin de la malle et les fait reculer dans l'ombre ; il ajuste le degré de rotation d'un geste de la main ; après quelques tâtonnements les porteurs jaillissent à la lumière en criant : « Et voilà ! », comme s'ils avaient fait ça tout seuls. Vous allez maintenant vous occuper des bagages de la reine, commande-t-il, car elle se rend au palais de More, et ils s'exclament, surpris, vraiment, maître, et si la reine ne veut pas partir ? Il répond, alors nous la roulerons dans un tapis et nous la mettrons dans votre charrette. Il tend quelques pièces : ménagez-vous, il fait trop chaud pour travailler aussi dur. D'un pas tranquille, il rejoint les garçons. Un homme amène des chevaux pour les harnacher aux cages à roulettes, et dès que les chiens sentent leur odeur ils se mettent à pousser des aboiements excités qu'on entend jusqu'aux abords de la rivière.

L'eau brune s'écoule mollement ; sur la rive opposée, du côté d'Eton, un groupe de cygnes apathiques glisse parmi les herbes. Le bateau tangue doucement sous leurs pieds.

Il demande au batelier : « Ne seriez-vous pas Sion Madoc ?

— Vous n'oubliez jamais un visage, hein ?

— Pas quand il est laid.

— Vous vous êtes vu, gamin ? »

Le batelier vient de manger une pomme, trognon compris ; méthodiquement, il jette d'une chiquenaude les pépins par-dessus bord.

« Comment se porte votre père ?

— Mort. » Sion crache la queue de la pomme. « Ce sont vos enfants ?

— Moi, dit Gregory.

— Ça, c'est le mien. » Sion désigne de la tête le deuxième rameur, un garçon empoté qui rougit et détourne le regard. « Votre père avait l'habitude de fermer boutique par ce temps. Il éteignait son feu et il allait pêcher.

— Il donnait des coups de canne dans l'eau pour assommer les poissons, se souvient-il. Puis il sautait dans la rivière et il les tirait des profondeurs. Il leur enfonçait les doigts dans les ouïes et il disait : "Qu'est-ce que tu regardes, espèce de fils de putain à écailles ? C'est moi que tu regardes ?"

— Pas le genre à rester assis à profiter du soleil, commente Madoc. Je pourrais vous en raconter, des histoires sur Walter Cromwell. »

Wriothesley a une mine perplexe. Il ne comprend pas à quel point on peut apprendre des bateliers, de leur argot vif et blasphématoire. À douze ans Cromwell le parlait couramment, c'était sa langue maternelle, et maintenant les mots lui reviennent à la bouche, naturels, sales. Il lui arrive d'échanger des bribes de grec avec Thomas Cranmer ou avec Appelez-Moi-Risley : c'est une langue ancienne, aussi inaltérée qu'un fruit tendre. Mais aucun savant grec ne vous a jamais ouvert les oreilles comme Sion le fait en ce moment même, tandis qu'il rapporte ce qu'on pense à Putney de ces foutus Boleyn. Henri se tape la mère, bonne chance à lui. Il se tape la sœur, c'est à ça que ça sert d'être roi. Mais à un moment faut s'arrêter. On n'est pas des bêtes. Sion appelle Anne l'anguille, il l'appelle la créature visqueuse des marais, et il se souvient de l'expression du cardinal : mon ennemie serpentine. Sion dit, elle se tape son frère ; il demande, quoi, son frère George ?

« N'importe lequel de ses frères. Ces gens-là font ça en famille. Ils sont vicieux comme des Français, ils…

— Pouvez-vous baisser la voix ? »

Il regarde autour d'eux, comme s'il s'attendait à trouver des espions nageant près du bateau.

« … et c'est pour ça qu'elle ne cède pas à Henri, parce que si elle le laissait faire et qu'elle avait un garçon, il dirait, merci beaucoup, maintenant décampe, ma fille – alors elle dit, oh, Votre Altesse, je ne pourrais jamais permettre – vu qu'elle sait que le soir même elle s'enverra son frère, qu'il lui mettra la langue profond, et il dira, excusez-moi, ma sœur, où puis-je mettre ce gros engin – et elle dira, oh, ne vous en faites pas, mon cher frère, faites-le entrer par la porte de derrière, il ne fera pas de mal là-bas. »

Merci, dit-il, je n'avais aucune idée de la façon dont ils s'y prenaient.

Les garçons ont saisi environ un mot sur trois. Sion reçoit un pourboire. Quel bonheur de retrouver les affabulations de Putney ! Il adore les ragots de Sion : rien à voir avec la vraie Anne.

Plus tard, à la maison, Gregory demande : « A-t-on le droit de parler ainsi ? Et d'être payé ?

— Il disait ce qu'il pensait. » Il hausse les épaules. « Et si tu veux savoir ce que pensent les gens…

— Appelez-Moi-Risley a peur de vous. Il dit que quand vous êtes rentré de Chelsea avec le secrétaire du roi, vous avez menacé de le jeter de sa propre barge et de le noyer. »

— Ce n'est pas précisément le souvenir qu'il garde de cette conversation.

« Et Appelez-Moi croit-il que je le ferais ?

— Oui. Il vous croit capable de tout. »

Pour la nouvelle année il offre à Anne des fourchettes en argent avec des manches en cristal de roche.

Il espère qu'elle s'en servira pour manger, pas pour les planter dans des gens.

« De Venise ! »

Elle est ravie. Elle les soulève, les manches captent et fragmentent la lumière.

Il a apporté un autre cadeau, pour qu'Anne le fasse passer à sa destinataire. Il est enveloppé dans un morceau de soie bleu ciel.

« C'est pour la jeune fille qui pleure tout le temps. »

Anne entrouvre la bouche.

« Ne savez-vous pas ? » Ses yeux sont pleins d'une jubilation noire. « Approchez, que je vous le dise à l'oreille. » Leurs joues s'effleurent. La peau d'Anne est légèrement parfumée : ambre, rose. « Sir John Seymour ? Ce cher sir John ? Le *vieux* sir John, comme on l'appelle ? » Sir John ne doit pas avoir une douzaine d'années de plus que lui, mais l'amabilité peut faire paraître plus âgé qu'on ne l'est ; maintenant que ses fils Edward et Tom fréquentent la cour, on dirait qu'il a pris sa retraite. « Nous comprenons maintenant pourquoi nous ne le voyons jamais, murmure Anne. Nous savons ce qu'il fait à la campagne.

— Je croyais qu'il chassait.

— Oui, et il a attrapé dans ses filets Catherine Fillol, la femme d'Edward. Ils ont été pris sur le fait, mais je n'arrive pas à savoir où, dans un lit, dans une clairière, dans un grenier à foin – il devait faire froid, certes, mais ils se tenaient chaud. Et maintenant sir John a tout confessé, d'homme à homme, il a avoué à son fils qu'il couche avec elle chaque semaine depuis leur mariage, ce qui doit faire à peu près deux ans et, disons, six mois, donc…

426

— On pourrait arrondir à cent vingt fois, en supposant qu'ils s'abstiennent lors des fêtes principales.

— Les amants adultères ne s'arrêtent pas pour le carême.

— Oh, et moi qui croyais que si.

— Elle a eu deux bébés, vous pouvez donc compter des périodes de répit pour ses accouchements... Et ce sont des garçons, vous savez. Donc Edward est... » Il s'imagine Edward. Son profil de faucon. « Il les renie. Ce seront des bâtards. Et elle, Catherine Fillol, sera placée dans un couvent. Personnellement, j'estime qu'il faudrait la mettre en cage ! Il demande une annulation. Quant à ce cher sir John, je crois que nous ne le reverrons pas de sitôt à la cour.

— Pourquoi murmurons-nous ? Tout le monde à Londres doit déjà être au courant.

— Le roi ne sait rien. Et vous savez comme il est à cheval sur ces choses-là. Si quelqu'un venait à plaisanter à ce sujet devant lui, je préfère que ce ne soit ni moi ni vous.

— Et la fille ? Jane, n'est-ce pas ? »

Anne ricane.

« Tête Blême ? Retournée dans le Wiltshire. Le mieux pour elle serait de suivre sa belle-sœur au couvent. Sa sœur Lizzie a fait un bon mariage, mais personne ne veut de cette chiffe molle, et maintenant plus personne n'en voudra. » Ses yeux tombent sur le cadeau. Soudain anxieuse et jalouse elle demande : « Qu'est-ce que c'est ?

— Juste un livre de patrons de broderie.

— Tant que ça n'est pas quelque chose qui fasse appel à son intelligence. Pourquoi lui faire un cadeau ?

— Elle me fait de la peine. »

427

Encore plus maintenant, évidemment.

« Oh, elle ne vous plaît tout de même pas, si ? »
La réponse correcte serait, non, lady Anne, vous seule
me plaisez. « Est-il vraiment convenable de votre part
de lui faire un cadeau ?

— Ce n'est pas comme si je lui offrais un conte
de Boccace. »

Elle rit.

« Ils en auraient des contes à raconter à Boccace,
ces pêcheurs de Wolf Hall. »

Thomas Hitton, un prêtre, a été brûlé vif fin février
après avoir été condamné par Fisher, l'évêque de
Rochester, pour avoir clandestinement distribué les
écrits de Tyndale. Peu après, en quittant la table frugale
de l'évêque, une douzaine d'invités se sont écroulés
en se tordant de douleur et ont été ramenés à leur
lit, blêmes et à moitié morts, et confiés aux soins de
médecins. Le docteur Butts affirmera que le coupable
était le bouillon ; à en croire les serviteurs, c'était le
seul plat qu'ils avaient tous mangé.

Il est des poisons que la nature fabrique elle-même,
et avant de soumettre le cuisinier de l'évêque à la
torture, Cromwell aurait visité les cuisines et examiné
la marmite. Mais personne d'autre que lui ne doute
qu'il y ait eu crime.

Le cuisinier ne tarde pas à avouer qu'il a ajouté
au bouillon une poudre blanche que quelqu'un lui a
donnée. Qui ? Un homme. Un inconnu qui disait que
ce serait une bonne plaisanterie d'offrir une purge à
Fisher et ses invités.

Le roi est dans tous ses états : fou de peur et de rage.
Il accuse les hérétiques. Le docteur Butts, secouant la

tête et faisant la moue, affirme qu'Henri craint plus encore le poison que l'enfer.

Mettriez-vous du poison dans le dîner d'un évêque sous prétexte qu'un inconnu vous a dit que ce serait amusant ? Le cuisinier refuse d'en dire plus, ou peut-être n'est-il plus en état de parler. L'interrogatoire a été mal mené alors, dit-il à Butts ; je me demande pourquoi. Le médecin, un homme qui adore l'évangile, lâche un rire amer et répond : « S'ils voulaient le faire parler, ils auraient dû faire appel à Thomas More. »

La rumeur prétend que le lord-chancelier est devenu maître dans l'art d'étirer et de comprimer les serviteurs de Dieu. Quand des hérétiques sont arrêtés, il assiste aux séances de torture à la Tour. On dit que, dans son corps de garde à Chelsea, il met des suspects au pilori puis les sermonne et les harcèle : le nom de votre imprimeur, le nom du commandant du bateau qui a apporté ces livres en Angleterre. On dit qu'il utilise le fouet, les menottes et l'appareil de supplice qu'on appelle la cigogne. C'est un mécanisme portable dans lequel un homme est replié sur lui-même, genoux contre le torse, avec un cercle en acier en travers du dos ; au moyen d'une vis, le cercle est resserré jusqu'à ce que les côtes craquent. Il faut du talent pour s'assurer que l'homme ne suffoque pas : car s'il suffoque, tout ce qu'il sait est perdu.

Au cours de la semaine suivante, deux invités meurent ; Fisher lui-même commence à se remettre. Il est possible, pense-t-il, que le cuisinier ait parlé, mais que ses aveux n'étaient pas à mettre dans les oreilles du premier venu.

Il va voir Anne. Telle une épine entre deux roses,

elle est assise avec sa cousine Mary Shelton et sa belle-sœur Jane Rochford.

« Madame, savez-vous que le roi a imaginé une nouvelle forme d'exécution pour le cuisinier de Fisher ? Il doit être ébouillanté. »

Mary Shelton pousse un petit cri et rougit comme si un galant l'avait pincée.

Jane Rochford dit d'une voix traînante : « *Vere dignum et justum est, aequum et salutare.* » Puis elle traduit pour Mary : « Approprié. »

Le visage d'Anne est dénué d'expression. Même un homme aussi instruit que lui n'y trouve rien à lire.

« Comment vont-ils s'y prendre ?

— Je ne me suis pas renseigné sur le mécanisme. Voulez-vous que je le fasse ? Je crois qu'il est question de le hisser au moyen de chaînes, afin que la foule puisse voir sa peau se détacher et entendre ses hurlements. »

Rendons justice à Anne : si vous lui annonciez, vous allez être ébouillantée, elle hausserait probablement les épaules en disant, *c'est la vie**.

Fisher passe un mois au lit. Quand il en sort enfin, il ressemble à un cadavre ambulant. L'intercession des anges et des saints n'a pas suffi pour guérir ses entrailles douloureuses et lui remettre de la chair sur les os.

Ces temps-ci, Tyndale annonce des vérités brutales. Les saints ne sont pas vos amis et ils ne vous protégeront pas. Ils ne peuvent pas vous aider à obtenir le salut. Vous ne pouvez pas les engager à votre service en les soudoyant avec des prières et des cierges, comme vous engageriez un homme pour la récolte. Le sacrifice du Christ a eu lieu sur le Calvaire ; il n'a pas lieu à la messe. Les prêtres ne peuvent pas vous aider à aller au paradis ; vous n'avez pas besoin qu'un prêtre se tienne entre Dieu et vous. Aucun de vos mérites ne peut vous sauver : seuls les mérites du Christ vivant le peuvent.

Mars : Lucy Petyt, dont le mari est maître épicier et membre de la Chambre des communes, vient le voir à Austin Friars. Elle porte une peau d'agneau noire – importée, suppose-t-il – et une modeste robe en laine ; Alice lui prend ses gants et glisse discrètement un doigt dedans pour palper la doublure de soie. Il se lève de son bureau et lui saisit les mains, l'entraînant vers le feu et lui offrant une coupe de vin chaud épicé. Ses mains tremblent tandis qu'elle serre la tasse.

« Je voudrais que John ait tout ça, dit-elle. Ce vin. Ce feu. »

Il neigeait à l'aube du jour où a eu lieu le raid sur Lion's Quay, mais bientôt un soleil d'hiver s'est levé, balayant les vitres et accentuant les reliefs dans les pièces lambrissées des maisons de ville, créant des gouffres d'ombre et des flots de lumière froide. « C'est cela ce que je n'arrive pas à m'ôter de l'esprit, dit Lucy, le froid. » Et More qui se tenait à la porte avec ses officiers, le visage enveloppé de fourrures, prêt à fouiller l'entrepôt et la maison. « C'est moi qui ait ouvert, dit-elle, et je me suis répandue en amabilités pour le faire patienter. J'ai appelé mon mari, chéri, le lord-chancelier est ici pour une affaire du Parlement. » Le vin inonde son visage, dénoue sa langue. « Je n'arrêtais pas de dire, avez-vous petit-déjeuné, sir, en êtes-vous sûr, et les serviteurs tournaient autour de lui, l'empêchant d'entrer » – elle lâche un petit éclat de rire sans joie – « et pendant ce temps John cachait ses papiers derrière les boiseries du mur...

— Vous avez bien fait, Lucy.

— Quand ils sont montés à l'étage, John était prêt – oh, lord-chancelier, bienvenue dans mon humble demeure – mais le pauvre malheureux, il avait jeté son Testament sous son bureau, et je l'ai aussitôt repéré. Je m'étonne que More ne l'ait pas vu. »

Une heure de recherches n'a rien donné. Êtes-vous sûr, John, a demandé le chancelier, que vous ne possédez aucun de ces nouveaux livres, car on m'a informé du contraire ? (Et le Tyndale qui gisait par terre, comme une tache de poison sur le carrelage.) Je ne sais pas qui a pu vous dire ça, a répondu John Petyt. J'étais fière de lui, dit Lucy en tendant sa coupe pour qu'on lui resserve du vin, j'étais fière qu'il lui tienne tête. More a dit, il est vrai que je n'ai rien trouvé aujourd'hui, mais vous devez suivre ces hommes. Monsieur le lieutenant, voulez-vous l'emmener ?

John Petyt n'est pas jeune. More le fait dormir sur de la paille étalée à même les dalles ; les visites sont autorisées uniquement pour que ses voisins sachent à quel point il est affaibli.

« Nous avons envoyé de la nourriture et des vêtements chauds, explique Lucy, mais ils nous ont été retournés sur ordre du lord-chancelier.

— Il y a un prix pour les pots-de-vin. Il faut payer les geôliers. Avez-vous de l'argent ?

— Si j'en ai besoin, je viendrai vous voir. » Elle pose la coupe sur le bureau. « Il ne peut pas nous enfermer tous.

— Il a suffisamment de prisons.

— Pour les corps, certes. Mais que sont les corps ? Il peut saisir nos biens, mais Dieu sera avec nous. Il peut faire fermer les librairies, mais il y aura toujours des livres. Ils ont leurs vieilles reliques, leurs saints de verre dans des vitrines, leurs cierges et leurs sanctuaires, mais Dieu nous a donné la presse typographique. » Ses joues brillent. Elle baisse les yeux vers les dessins sur son bureau. « Qu'est-ce que c'est, maître Cromwell ?

— Les plans de mon jardin. Je compte acheter quelques maisons à l'arrière d'Austin Friars, je veux le terrain. »

Elle sourit.

« Un jardin… C'est la première chose agréable que j'aie entendue depuis un moment.

— J'espère que John et vous viendrez en profiter.

— Et ceci… Vous allez construire un court de tennis ?

— Si j'obtiens le terrain. Et ici, vous voyez, je compte planter un verger. »

Les larmes montent aux yeux de Lucy.

« Parlez au roi. Nous comptons sur vous. »

Il entend des bruits de pas. Johane entre. Lucy porte vivement la main à sa bouche.

« Mon Dieu, pardonnez-moi… Pendant un instant je vous ai prise pour votre sœur.

— Les gens se trompent, répond Johane. Parfois ils persistent dans l'erreur. Madame Petyt, je suis navrée d'apprendre que votre mari est à la Tour. Mais vous avez vous-mêmes provoqué ce malheur. Vous avez été les premiers à calomnier le défunt cardinal. Maintenant je suppose que vous regrettez qu'il ne soit plus là. »

Lucy sort sans ajouter un mot, se contentant de lancer un long regard par-dessus son épaule. Dehors il entend Mercy la saluer ; elle entendra des paroles plus fraternelles de sa part. Johane marche jusqu'au feu et se réchauffe les mains.

« Que croit-elle que tu puisses faire pour elle ?

— Aller voir le roi. Ou lady Anne.

— Et iras-tu ? Ne le fais pas, dit-elle. N'y va pas. » Elle sèche du doigt une larme ; Lucy l'a contrariée. « More ne le torturera pas. Ça se saurait en ville, et les gens ne l'accepteraient pas. Mais il risque tout de même de mourir. » Elle lève les yeux vers lui. « Elle est âgée, tu sais, Lucy Petyt. Elle ne devrait pas porter de gris. As-tu vu comme ses joues sont affaissées ? Elle n'aura plus d'enfants.

— Je saisis l'allusion », dit-il.

Johane empoigne nerveusement sa jupe.

« Mais s'il le fait ? S'il le torture ? Et s'il donne des noms ?

— Que veux-tu que ça me fasse ? » Il se retourne. « More connaît déjà mon nom. »

Il parle à lady Anne. Que puis-je faire ? demande-t-elle, et il répond, vous savez comment plaire au roi, je suppose ; elle rit et dit, quoi, ma virginité pour un épicier ?

Il parle au roi dès qu'il le peut, mais le roi lui adresse un regard vide et répond que le lord-chancelier sait ce qu'il fait. Anne dit, j'ai essayé, j'ai comme vous le savez moi-même placé les livres de Tyndale entre ses mains, ses mains royales ; croyez-vous que Tyndale pourrait revenir dans ce royaume ?

Des négociations ont eu lieu pendant l'hiver, des lettres ont traversé la Manche. Au printemps, Stephen Vaughan, son homme à Anvers, a organisé une rencontre : le soir, l'obscurité impénétrable, un champ

hors de l'enceinte de la ville. Quand la lettre de Cromwell a été placée dans sa main, Tyndale a pleuré : je
veux rentrer chez moi, a-t-il dit, j'en ai assez de tout
ça, assez d'être chassé de ville en ville, de maison en
maison. Je veux rentrer chez moi, et si le roi disait oui,
s'il acceptait les Saintes Écritures dans notre langue
maternelle, il pourrait choisir lui-même le traducteur,
je n'écrirais plus jamais. Il pourrait faire de moi ce
qu'il voudrait, me torturer ou me tuer, si seulement il
autorisait le peuple d'Angleterre à entendre l'évangile.

Henri n'a pas dit non. Il n'a pas dit jamais. Bien
que la traduction de Tyndale – de même que toutes les
autres – soit interdite, peut-être autorisera-t-il un jour une
traduction faite par un érudit qu'il approuvera. Comment
pourrait-il en dire moins ? Il veut plaire à Anne.

Mais l'été arrive, et Cromwell sait qu'il est au bord
du précipice et qu'il doit reculer. Henri est trop timoré,
Tyndale, trop intransigeant. Ses lettres à Stephen ont un
parfum de panique : abandonnez le navire. Il n'a pas
l'intention de se mettre en danger à cause de l'obstination de Tyndale ; mon Dieu, dit-il, More, Tyndale, ils
se méritent l'un l'autre, ces mules qui se font passer
pour des hommes. Tyndale ne se prononcera pas en
faveur du divorce d'Henri ; ni, d'ailleurs, le moine
Luther. On pourrait croire qu'ils seraient prêts à laisser
certains de leurs principes de côté pour se faire un
ami du roi d'Angleterre. Mais non.

Et quand Henri demande : « Qui est Tyndale pour
me juger ? » Tyndale réplique par message interposé,
plus vite qu'il ne faut de temps pour le dire : tout
chrétien peut en juger un autre.

« Un chat peut regarder un roi », dit-il. Il tient
Marlinspike entre ses bras et parle à Thomas Avery,

le garçon qu'il forme à son métier. Avery est avec Stephen Vaughan pour apprendre la pratique auprès des marchands, mais il prend parfois le bateau avec son petit sac qui renferme un pourpoint de laine et quelques chemises. Chaque fois qu'il arrive à Austin Friars il hurle les noms de Mercy, de Johane, des petites filles, et distribue dragées et souvenirs. Il donne quelques coups de poing à Richard, à Rafe, à Gregory quand il est là, pour dire je suis de retour, tout en gardant constamment son petit sac coincé sous son bras.

Le garçon le suit jusqu'à son bureau.

« Votre maison ne vous a-t-elle jamais manqué, maître, au cours de vos voyages ? »

Il hausse les épaules : je suppose, si j'avais eu une maison. Il pose le chat, ouvre le sac. Il soulève du doigt un chapelet ; pour l'effet, explique Avery, et Cromwell dit, bien pensé. Marlinspike bondit sur le bureau ; il regarde à l'intérieur du sac, donne de petits coups de patte dessus.

« Les seules souris là-dedans sont en sucre. » Le garçon tire sur les oreilles du chat, le taquine. « Nous n'avons pas d'animaux chez maître Vaughan.

— Il est tout à ses affaires, Stephen. Et très sérieux, ces temps-ci.

— Il me demande, Thomas Avery, à quelle heure es-tu rentré cette nuit ? As-tu écrit à ton maître ? Es-tu allé à la messe ? Comme s'il se souciait de la messe ! C'est tout juste s'il ne me demande pas, es-tu allé à la selle ?

— Tu pourras rentrer au printemps prochain. »

Tandis qu'ils discutent il déroule le pourpoint. D'un geste vif il le retourne et commence à défaire une couture avec une petite paire de ciseaux.

« Bien cousu… Qui a fait ça ? »

Le garçon hésite ; il s'empourpre.

« Jenneke. »

Il tire de la doublure une fine feuille de papier. La déplie :

« Elle doit avoir de bons yeux.

— Oui.

— Et de beaux yeux aussi ? »

Il lève la tête en souriant. Le garçon le regarde dans les yeux. L'espace d'un instant Avery semble surpris, sur le point de parler ; puis il baisse les yeux et se retourne.

« Je plaisantais, Tom, ne te vexe pas. » Il lit la lettre de Tyndale. « Si c'est une brave fille et qu'elle habite chez Vaughan, où est le mal ?

— Que dit Tyndale ?

— Tu l'as transportée sans la lire ?

— Je préfère ne pas savoir. Juste au cas où. »

Au cas où Thomas More t'inviterait dans ses geôles. Il tient la lettre dans sa main gauche ; sa main droite se crispe.

« Qu'il s'approche des miens. Je l'arracherai à sa cour de Westminster et lui cognerai la tête sur les pavés jusqu'à ce qu'il comprenne ce que c'est que l'amour de Dieu. »

Le garçon fait un grand sourire et s'assied lourdement sur un tabouret. Cromwell jette un nouveau coup d'œil à la lettre.

« Tyndale dit qu'il pense qu'il ne pourra jamais revenir, même si lady Anne était reine… un projet qu'il ne fait rien pour aider, je dois dire. Il dit qu'il ne fera confiance à aucun sauf-conduit, même signé par le roi, tant que Thomas More sera vivant et en poste, car More dit qu'on n'a pas à tenir une promesse faite à un hérétique. Tiens. Tu ferais aussi bien de la lire toi-même. Notre lord-chancelier ne respecte ni l'ignorance, ni l'innocence. »

Le garçon se crispe, mais il saisit la feuille. Qu'est-ce que c'est que ce monde où on ne tient pas ses promesses ?

« Dis-moi qui est Jenneke, demande-t-il doucement. Veux-tu que j'écrive à son père pour toi ?

— Non. » Avery lève les yeux, surpris ; il fronce les sourcils. « Non, elle est orpheline. Maître Vaughan l'a recueillie. Nous lui enseignons l'anglais.

— Elle ne t'apportera pas d'argent, alors ? »

Le garçon semble confus.

« Je suppose que Stephen lui donnera une dot. »

Comme la journée est douce il n'a pas fait de feu. Et il est trop tôt pour allumer les bougies. Au lieu de le brûler, il déchire donc le message de Tyndale. Marlinspike, les oreilles dressées, mâchonne un des bouts de papier.

« Frère chat, dit-il. Il a toujours adoré les Saintes Écritures. »

Scriptura sola. Seul l'évangile vous guidera et vous consolera. Inutile de prier devant une statue ou d'allumer un cierge devant un visage peint. Tyndale dit que le mot « évangile » signifie bonne nouvelle, qu'il signifie chanter, qu'il signifie danser : dans les limites de la décence, naturellement. Thomas Avery demande : « Pourrai-je vraiment rentrer au printemps prochain ? »

John Petyt à la Tour aura le droit de dormir dans un lit : aucune chance, cependant, qu'il rentre chez lui à Lion's Quay.

Cranmer a dit à Cromwell, tandis qu'ils discutaient

tard un soir, saint Augustin affirme que nous n'avons pas besoin de demander où se trouve notre demeure, parce que au bout du compte notre demeure à tous se trouve auprès de Dieu.

Le carême mine le moral, comme il est censé le faire. En retournant voir Anne, il trouve le jeune Mark penché sur son luth en train de jouer une mélodie plaintive ; il lui donne une chiquenaude sur la tête tandis qu'il passe rapidement devant lui et lance : « Un peu d'entrain, tu veux bien ? »

Mark tombe presque de son tabouret. Il a l'impression qu'ils sont en permanence ahuris, ces gens, toujours susceptibles de se laisser surprendre, de tomber dans une embuscade. Anne, sortant de sa torpeur, demande : « Qu'avez-vous fait ?

— J'ai frappé Mark. » Il mime. « Mais seulement avec un doigt.

— Mark ? Qui ? Oh. C'est son nom ? »

En ce printemps 1531, il met un point d'honneur à se montrer gai. Le cardinal était un grand râleur, mais ses jérémiades étaient toujours distrayantes. Plus il se plaignait, plus Cromwell était enjoué ; c'était leur arrangement.

Le roi aussi est un râleur. Il a mal à la tête. Le duc de Suffolk est un idiot. Il fait trop chaud pour la saison. Le pays part à vau-l'eau. C'est aussi un angoissé ; il a peur des sorts, et des gens qui pensent un tant soit peu de mal de lui. Plus le roi est angoissé, plus son nouveau serviteur est serein, plein d'espoir, ardent. Et plus le roi se lamente, plus ses visiteurs recherchent la compagnie de Cromwell, tant son aimable courtoisie est infaillible.

À la maison, Jo vient le voir avec une mine perplexe. C'est désormais une jeune fille, mais elle a une moue d'adulte, une façon de légèrement plisser le front comme sa mère.

« Mon oncle, comment allons-nous peindre nos œufs à Pâques ?

— Comment les avez-vous peints l'année dernière ?

— Chaque année nous leur faisions des chapeaux semblables à celui du cardinal. » Elle observe son visage pour voir l'effet que produisent ses paroles ; lui-même a l'habitude de faire la même chose, et il songe, vos enfants ne sont pas vos seuls enfants. « Était-ce mal ?

— Pas du tout. Si j'avais su, je lui en aurais apporté un. Ça lui aurait plu. »

Jo place sa petite main douce dans la sienne. C'est toujours une main d'enfant avec des jointures éraflées, des ongles rongés.

« J'appartiens désormais au Conseil du roi, dit-il. Vous pouvez peindre des couronnes si vous voulez. »

Cette folie avec sa mère, cette folie qui dure doit cesser. Johane le sait aussi. Avant, elle trouvait des prétextes pour se trouver au même endroit que lui. Mais maintenant, s'il est à Austin Friars, elle est dans la maison de Stepney.

« Mercy sait », murmure-t-elle au passage.

Le plus surprenant est qu'elle ait mis si longtemps, mais il y a une leçon à en tirer ; vous vous croyez constamment observé, alors que c'est en fait votre culpabilité qui fait avoir peur des ombres. Mercy découvre finalement qu'elle a des yeux pour voir, et une langue pour parler, et elle choisit un moment où ils peuvent être seuls.

« On me dit que le roi a trouvé le moyen de contourner un de ses obstacles. Je veux dire, le moyen d'épouser Anne après que sa sœur Mary a été dans son lit.

— Nous avons reçu les meilleurs conseils, répond-il tranquillement. Le docteur Cranmer a été envoyé sur ma recommandation à Venise auprès d'un corps de rabbins pour avoir leur opinion sur la signification des textes anciens.

— Donc ce n'est pas de l'inceste ? À moins d'avoir été marié avec l'une des sœurs ?

— Les théologiens disent que non.

— Combien ça a coûté ?

— Le docteur Cranmer l'ignore. Les prêtres et les érudits se réunissent à la table des négociations, puis un homme moins pieux vient après coup avec un sac d'argent. Ils n'ont pas besoin de se rencontrer, ni en entrant ni en sortant.

— Ce n'est pas ça qui va résoudre votre problème, dit-elle sans ménagement.

— Mon problème est insoluble.

— Elle veut vous parler. Johane.

— Qu'y a-t-il à dire ? Nous savons tous… »

Nous savons tous que ça ne peut mener nulle part. Même si son mari John Williamson continue de tousser. On entend toujours d'une oreille, ici et à Stepney, sa respiration sifflante annonciatrice de la fin, dans l'escalier ou dans la pièce d'à côté. Une chose est sûre avec John Williamson, il ne vous prendra jamais par surprise. Le docteur Butts lui a recommandé l'air de la campagne, et de se tenir à l'écart des fumées.

« C'était un moment de faiblesse », confesse-t-il. Et puis… quoi ? Un autre moment ? « Dieu voit tout, à ce qu'on dit.

— Vous devez entendre Johane. » Le visage de Mercy, lorsqu'elle se retourne, est incandescent. « Vous lui devez bien ça. »

« Pour moi, c'est déjà du passé. » La voix de Johane est mal assurée ; d'un petit geste sec elle ajuste sa coiffe en demi-lune et fait glisser son voile, un nuage de soie, sur une épaule. « J'ai mis longtemps à comprendre que Liz était partie pour de bon. Je m'attendais toujours à la voir revenir un jour. »

Il a toujours voulu voir Johane magnifiquement vêtue, et il est parvenu à ses fins en jetant, comme dit Mercy, l'argent par les fenêtres. Les femmes d'Austin Friars ont donc une certaine réputation parmi les épouses de la ville, qui disent secrètement (un murmure révérencieux, presque une génuflexion), doux Jésus, Thomas Cromwell, l'argent doit couler à flots.

« Donc maintenant je pense, poursuit-elle, que ce que nous avons fait sous prétexte qu'elle était morte, quand nous étions sous le choc et affligés, doit cesser désormais. Nous serons toujours affligés. »

Il la comprend. Quand Liz est morte les choses étaient différentes, le cardinal était toujours au faîte de sa splendeur, et il était l'homme du cardinal.

« Si, dit-elle, tu souhaites te marier, Mercy a dressé une liste. Mais bon, tu as probablement ta propre liste. Sur laquelle ne figure personne que nous connaissons.

« Évidemment, ajoute-t-elle, si John Williamson était… Dieu me pardonne, mais je crois chaque hiver que c'est son dernier… alors bien sûr, sans aucun doute, je veux dire, tout de suite, Thomas, dès que la décence le permettrait, sans nous tenir la main au-dessus de son cercueil… mais l'Église ne le permettrait pas. La loi ne le permettrait pas.

— On ne sait jamais », dit-il.

Elle tend soudain les mains, les mots sortent précipitamment de sa bouche.

« On dit que tu veux briser les évêques et faire du roi le chef de l'Église et prendre les revenus du Saint-Père pour les donner à Henri, et alors Henri pourra changer la loi à sa guise et se débarrasser de sa femme et épouser lady Anne, et il décidera de ce qui est un péché et de ce qui ne l'est pas et de qui a le droit de se marier. Et la princesse Marie, Dieu la préserve, sera déclarée illégitime et le prochain roi sera l'enfant qu'Henri aura avec Anne.

— Johane… quand le Parlement se réunira de nouveau, aimerais-tu venir pour répéter ce que tu viens de dire ? Car ça nous ferait gagner beaucoup de temps.

— Tu ne peux pas, réplique-t-elle, atterrée. La Chambre des communes ne votera jamais ça. Les lords refuseront. L'évêque Fisher ne le permettra pas. L'archevêque Warham. Le duc de Norfolk. Thomas More.

— Fisher est malade. Warham est vieux. Norfolk m'a dit, ne serait-ce que l'autre jour : "Je suis fatigué" – pardonne-moi son expression – "de me battre pour savoir si Catherine a taché son drap, et qu'Arthur se soit amusé avec elle ou non, qu'est-ce que ça peut nous… qu'importe ?" » Il adoucit les propos du duc, qui étaient extrêmement grossiers. « "Que ma nièce Anne prenne sa place, a-t-il dit, et qu'elle montre ce qu'il y a de pire en elle."

— Qu'est-ce qu'il y a de pire en elle ? »

Johane est bouche bée ; les propos du duc se répandront dans Gracechurch Street, ils se répandront

443

jusqu'à la rivière et de l'autre côté du pont, jusqu'à ce que les traînées de Southwark se les transmettent de bouche en bouche comme des ulcères ; mais voilà comment sont les Howard, voilà comment sont les Boleyn. Avec ou sans lui, le caractère d'Anne sera connu dans Londres et dans le reste du monde.

« Elle provoque le roi, répond-il. Il se plaint que Catherine ne lui a jamais parlé comme Anne le fait. Norfolk affirme qu'elle utilise avec lui un langage qu'on n'utiliserait pas avec un chien.

— Seigneur ! Je m'étonne qu'il ne la fouette pas.

— Peut-être le fera-t-il quand ils seront mariés. Écoute, si Catherine cessait de s'en remettre à Rome, si elle acceptait que l'affaire soit jugée en Angleterre, ou si le pape devait céder aux désirs du roi, alors tout ça – tout ce que tu as dit – ça n'arriverait pas, ce serait simplement... » Il fait un petit geste souple de la main, comme s'il roulait un parchemin. « Si Clément devait s'asseoir à son bureau un matin, pas complètement réveillé, et signer de la main gauche un bout de papier qu'il n'aurait pas lu, eh bien, qui pourrait lui en vouloir ? Et alors je le laisserais, nous le laisserions, en paix, sans toucher à ses revenus, ni à son autorité, car Henri ne désire qu'une seule chose, et c'est avoir Anne dans son lit. Mais le temps passe, et, crois-moi, il commence à envisager d'autres solutions.

— Oui. Comme de faire ce qui lui plaît.

— Il est roi. C'est ce à quoi il est habitué.

— Et si le pape s'entête ?

— Il finira par supplier Henri de lui rendre ses revenus.

— Le roi prendrait l'argent des chrétiens ? Il est déjà riche.

— Là, tu te trompes.

— Oh. Et le sait-il ?

— Je ne sais pas s'il sait d'où vient son argent, ni où il va. Quand monseigneur le cardinal était vivant, il ne voulait jamais de bijou pour son chapeau, ni de cheval, ni de belle maison. Henry Norris gère ses finances privées, mais il a trop d'emprise sur ses revenus à mon goût. Henry Norris, précise-t-il avant qu'elle ne pose la question, est le fléau de ma vie. »

Il est toujours, se retient-il d'ajouter, avec Anne quand j'ai besoin de la voir seule.

« Je suppose que si Henri a faim, il peut toujours venir ici. Pas ce Henry Norris. Je parle d'Henri notre roi indigent. »

Elle se lève ; elle se voit dans le miroir ; elle baisse la tête, comme si elle avait peur de son propre reflet, et recompose son visage de sorte à avoir une expression plus légère, plus curieuse et détachée, moins réfléchie ; il la voit soulever légèrement les sourcils, accentuer la courbure de sa bouche. Je pourrais la peindre, pense-t-il ; si j'avais le talent. J'ai passé tant de temps à la regarder ; mais regarder ne fait pas revenir les morts, au contraire, plus on regarde, plus ils s'éloignent. Il n'a jamais songé que Liz, depuis le paradis, les observait en souriant, Johane et lui. Non, pense-t-il, je n'ai fait que repousser Liz dans les ténèbres ; et quelque chose lui revient à l'esprit, une chose que Walter a dite un jour : sa mère adressait ses prières à une petite gravure de saint qu'elle avait apportée dans son ballot quand elle était venue du nord alors qu'elle était encore jeune fille, et elle retournait la gravure quand elle allait au lit avec lui. Doux Jésus, Thomas, avait dit Walter, c'était cette foutue sainte Félicité si je ne m'abuse, et je peux t'assurer qu'elle était tournée face au mur quand tu as été conçu.

Johane fait les cent pas dans la pièce. C'est une grande pièce baignée de lumière.

« Toutes ces choses, dit-elle, ces choses que nous avons désormais. Cette nouvelle malle que Stephen t'a envoyée des Flandres, celle avec les gravures d'oiseaux et de fleurs, je t'ai entendu de mes oreilles dire à Thomas Avery, oh, dis à Stephen que je la veux, qu'importe le prix qu'elle coûte. Tous ces portraits de gens que nous ne connaissons pas, tous ces, je ne sais pas, ces luths et ces livres de musique, nous n'en avions pas avant, je ne me regardais jamais dans un miroir quand j'étais jeune, mais maintenant je me regarde chaque jour. Et un peigne, tu m'as donné un peigne en ivoire. Je n'en avais jamais eu un à moi. Liz me tressait les cheveux et les poussait sous ma toque, et après je faisais les siens, et si nous n'étions pas bien coiffées, quelqu'un ne tardait pas à nous le dire.

Pourquoi sommes-nous si attachés aux rigueurs du passé ? Pourquoi sommes-nous si fiers d'avoir supporté nos pères et nos mères, les jours sans feu et les jours sans viande, les hivers froids et les langues acérées ? Ce n'est pas comme si nous avions eu le choix. Même Liz, alors qu'ils étaient encore jeunes, quand elle l'avait vu un matin placer la chemise de Gregory devant le feu pour la réchauffer, même Liz avait dit sèchement, ne fais pas ça, il risque de s'y habituer.

Il dit : « Liz – pardon, Johane… »

C'est la fois de trop, semble-t-elle dire.

« Je veux être bon pour toi. Dis-moi ce que je peux t'offrir. »

Il attend qu'elle se mette à hurler, comme le font les femmes, est-ce que tu crois que tu peux m'acheter, mais elle ne le fait pas, elle se contente de l'observer attentivement, et il a l'impression qu'elle est en transe tandis qu'il lui explique sa théorie sur le pouvoir de l'argent.

« Il y avait un homme à Florence, un moine, Fra Savonarola, qui affirmait que la beauté était un péché. Certains le prenaient pour un magicien et tombaient sous son charme. Ils allumaient alors des feux dans la rue et y jetaient tout ce qu'ils aimaient, tout ce qu'ils avaient fabriqué ou acheté avec l'argent de leur labeur, des rouleaux de soie, des draps de mariage brodés par leur mère, des livres de poésie écrits de la main du poète, des créances et des testaments, des registres de loyer, des titres de propriété, des chiens et des chats, les chemises qu'ils avaient sur le dos, les bagues qu'ils avaient aux doigts, les voiles des femmes… Mais sais-tu ce qui était le pire, Johane ? Ils jetaient leurs miroirs. Si bien qu'ils ne voyaient plus leur visage et ne pouvaient plus savoir qu'ils étaient différents des bêtes dans les champs et des créatures qui hurlaient sur le bûcher. Et quand les miroirs avaient fondu, ils regagnaient leur maison vide et s'allongeaient par terre parce qu'ils avaient brûlé leur lit, et quand ils se réveillaient le lendemain matin, ils avaient mal partout à cause du sol dur, et il n'y avait pas de table pour le petit déjeuner puisqu'ils s'en étaient servi pour alimenter le brasier, et pas de tabouret sur lequel s'asseoir puisqu'ils les avaient découpés en morceaux, et il n'y avait pas de pain à manger parce que les boulangers avaient jeté au feu leurs bassines et la levure et la farine et leurs balances. Et le pire dans tout ça, c'est qu'ils étaient sobres. La nuit précédente ils avaient emporté leurs outres de vin... » Il mime le geste de quelqu'un jetant un objet dans le feu. « Donc ils étaient sobres et avaient les idées claires, mais ils regardaient autour d'eux et ils n'avaient rien à manger, rien à boire et rien sur quoi s'asseoir.

— Mais ce n'était pas ça le pire. Tu as dit que le pire, c'était les miroirs. Ne pas être en mesure de se regarder.

— Oui. Eh bien, c'est ce que je pense. J'espère que je pourrai toujours voir mon visage. Et toi, Johane, tu devrais toujours avoir un beau miroir pour te regarder. Car tu es une femme qui vaut la peine d'être regardée. »

Tu pourrais écrire un sonnet. Si Thomas Wyatt lui en écrivait un, il ne produirait pas cet effet... Elle détourne la tête, mais à travers le mince film de son voile il la voit rougir. Les femmes cherchent toujours à vous amadouer : dis-moi, dis-moi juste quelque chose, dis-moi ce que tu penses ; et c'est précisément ce qu'il vient de faire.

Ils se séparent amis. Ils parviennent même à ne pas coucher ensemble une dernière fois en souvenir du bon vieux temps. Non qu'ils soient vraiment séparés, mais désormais les choses sont différentes. Mercy dit toujours : « Thomas, quand vous serez six pieds sous terre, vous arriverez à vous sortir de la tombe à force de paroles. »

La maison est silencieuse et paisible. L'agitation de la ville ne franchit pas la porte ; il fait remplacer les verrous, renforcer les chaînes. Jo lui apporte un œuf de Pâques. « Regardez, nous vous avons gardé celui-ci. » C'est un œuf d'une blancheur immaculée. Il n'a pas de traits, juste une courbe de la couleur d'une peau d'oignon qui vous regarde sous une couronne de guingois. On choisit son prince, et en connaissance de cause : mais le connaît-on vraiment ?

L'enfant dit : « Ma mère a un message pour vous : dis à ton oncle que j'aimerais qu'il m'offre une coupe fabriquée à partir de la coquille d'un œuf de griffon. C'est un lion avec une tête et des ailes d'oiseau ; ces créatures ont disparu, alors on ne peut plus en trouver. »

Il dit : « Demande-lui de quelle couleur elle la veut. » Jo lui plante un baiser sur la joue.

Il regarde le miroir et la pièce lumineuse se reflète dedans : les luths, les portraits, les tentures en soie. À Rome, il y avait un banquier nommé Agostino Chigi. À Sienne, la ville dont il était originaire, on soutenait que c'était l'homme le plus riche du monde. Quand Agostino invitait le pape à dîner, il le faisait manger dans des assiettes en or. Puis il regardait le résultat – les cardinaux affalés et repus, le désordre sur la table, les os et les arêtes de poisson encore couverts de chair, les coquilles d'huîtres et les peaux d'orange – et il disait, au diable, pas la peine de faire la vaisselle.

Les invités jetaient alors leurs assiettes par la fenêtre directement dans le Tibre. Puis c'était au tour du linge de table sale, les serviettes blanches se déployant telles des mouettes affamées fondant sur des restes de nourriture. Des éclats de rire romains résonnaient alors dans la nuit romaine.

Mais Chigi avait installé des filets près des rives, et il avait des plongeurs prêts à récupérer ce qui passait entre leurs mailles. Et au lever du soleil, un serviteur de sa maison à l'œil perçant se tenait sur la rive et rayait sur sa liste chaque pièce de vaisselle qui était sauvée des profondeurs.

1531 : c'est l'été de la comète. Dans le long crépuscule qui précède le lever de la lune et l'apparition
de l'étrange nouvelle étoile, des hommes en robe noire
flânent bras dessus, bras dessous, dans le jardin d'Austin Friars. Ce sont Thomas Cranmer, Hugh Latimer, les
prêtres et les ecclésiastiques de la maison d'Anne, en
pleine conversation théologique : où l'Église a-t-elle
fait fausse route ? Comment pouvons-nous la remettre
sur le droit chemin ?

« Ce serait une erreur, dit-il en les observant depuis
la fenêtre, de croire que ces hommes sont d'accord sur
l'interprétation des Saintes Écritures. Débarrassez-les
de Thomas More pendant une saison, et ils commen-
ceront à se persécuter entre eux. »

Gregory est assis sur un coussin, en train de jouer
avec sa chienne. Il lui chatouille la truffe avec une
plume et elle éternue pour l'amuser.

« Père, demande-t-il, pourquoi tous vos chiens
s'appellent-ils Bella, et pourquoi sont-ils toujours aussi
petits ? »

Derrière lui, Nikolaus Kratzer, l'astronome du roi,
est assis à la table en chêne sur laquelle sont posés
son astrolabe, du papier et de l'encre. Il pose sa plume
et lève les yeux.

« Maître Cromwell, dit-il d'un ton léger, soit mes
calculs sont faux, soit l'univers n'est pas tel que nous
le croyons. »

Il demande : « Pourquoi les comètes sont-elles de
mauvais présages ? Pourquoi pas de bons présages ?
Pourquoi annoncent-elles le déclin des nations ? Et
non leur essor ? »

Kratzer vient de Munich, c'est un homme sombre du

même âge que lui, doté d'une longue bouche humide. Il vient ici pour la compagnie, pour la conversation savante, parfois dans sa propre langue. Le cardinal a été son protecteur, et Kratzer lui a autrefois fabriqué un magnifique cadran solaire en or. En le voyant, le grand homme avait rougi de plaisir. « Neuf faces, Nikolaus ! Sept de plus que le duc de Norfolk. »

En 1456 il y a eu une comète semblable à celle-ci. Les savants l'ont enregistrée, le pape Calixte l'a excommuniée, et il est possible qu'il reste encore un ou deux vieillards qui l'ont vue à l'époque. Il a été noté que sa queue était en forme de sabre, et cette année-là les Turcs ont lancé le siège de Belgrade. Autant tenir compte de tous les présages que nous offre le ciel ; le roi a besoin des meilleurs conseils. L'alignement des planètes de la constellation des Poissons, à l'automne 1524, a été suivi par de grandes guerres en Allemagne, par l'essor de la secte de Luther, par des révoltes des gens du peuple et la mort de cent mille sujets de l'empereur ; et aussi par trois années de pluie. Le sac de Rome a été annoncé, dix ans avant les faits, par des bruits de bataille dans le ciel et sous le sol : l'affrontement d'armées invisibles, le fracas de l'acier contre l'acier, le hurlement spectral des mourants. Lui-même n'était pas à Rome pour l'entendre, mais il a rencontré de nombreux hommes qui disaient avoir un ami qui connaissait un homme qui y était.

« Eh bien, dit-il, si vous êtes certain de la justesse de vos angles, je peux vérifier vos calculs. »

Gregory demande : « Docteur Kratzer, où va la comète quand nous ne la regardons pas ? »

Le soleil a décliné ; le chant des oiseaux s'est tu ; le parfum des parterres d'herbes aromatiques pénètre par la fenêtre ouverte. Kratzer est immobile, comme s'il était plongé dans ses prières, ou paralysé par la question de Gregory, fixant ses papiers du regard tout en joignant ses longs doigts osseux. En bas dans le jardin, le docteur Latimer lève les yeux et fait un signe de la main à Cromwell.

« Hugh a faim. Gregory, fais entrer nos invités.

— Je vais commencer par reprendre les chiffres. » Kratzer secoue la tête. « Luther dit, Dieu est au-dessus des mathématiques. »

On apporte des bougies à l'astronome. La table de bois paraît noire dans la pénombre, et la lumière dessine dessus des cercles tremblants. Les lèvres du savant bougent, comme les lèvres d'un moine pendant les vêpres ; sa plume trace des chiffres liquides. En se retournant depuis la porte, Cromwell voit les chiffres s'échapper de la table. Ils glissent le long du sol et se fondent dans les coins de la pièce.

Thurston arrive d'un pas lourd des cuisines.

« Je me demande parfois ce que les gens s'imaginent ! Croient-ils que nous passons notre vie à donner des dîners ? Tous ces chasseurs, et ces chasseuses aussi, ils nous ont fait parvenir assez de viande pour nourrir une armée.

— Donnez-en aux voisins.

— Suffolk nous envoie un chevreuil par jour.

— M. Chapuys est notre voisin, il ne reçoit pas beaucoup de cadeaux.

— Et Norfolk…

— Distribuez-la à la porte de derrière. Demandez à la paroisse qui a faim.

— Mais c'est le découpage ! Le dépouillement et l'équarrissage ! »

— Laissez-moi vous aider, vous voulez bien ?

— Vous ne pouvez pas faire ça ! »

Thurston tord son tablier.

« Ce sera un plaisir. »

Il ôte la bague du cardinal.

« Asseyez-vous ! Asseyez-vous et comportez-vous en gentilhomme, monsieur. Ne pouvez-vous pas inculper quelqu'un ? Rédigez une loi ! Monsieur, vous devez oublier toutes ces tâches manuelles, qui sont indignes de vous désormais. »

Il se rassied en poussant un gros soupir. « Nos bienfaiteurs reçoivent-ils des lettres de remerciement ? Je ferais bien de les signer moi-même.

— Nous les remercions à n'en plus finir, répond Thurston. Une douzaine d'employés passe son temps à rédiger les lettres.

— Vous devez engager plus de personnel de cuisine.

— Et vous, plus de rédacteurs. »

Si le roi le demande, il quitte Londres pour le rejoindre. En août il se retrouve parmi un groupe de courtisans, en train de regarder Anne. Elle se tient dans un rond de lumière, vêtue comme la Belle Marianne, et tire des flèches sur une cible.

« William Brereton, bonjour, dit-il. Vous n'êtes pas dans le Cheshire ?

— Si. En dépit des apparences, j'y suis. »

Je l'ai bien cherché.

« Je croyais simplement que vous chasseriez dans votre région. »

Brereton se renfrogne.

« Dois-je vous tenir informé de tous mes faits et gestes ? »

Dans sa clairière verte, dans ses soies vertes, Anne enrage. Son arc ne lui convient pas. Dans un accès de colère, elle le jette par terre.

« Elle était déjà comme ça à la nursery. »

Il se retourne et découvre Mary Boleyn à côté de lui : un peu trop près, à vrai dire.

« Où est Robin des bois ? » Il continue de regarder Anne. « J'ai des dépêches pour lui.

— Il ne les lira pas avant le coucher du soleil.

— N'aura-t-il rien de mieux à faire alors ?

— Elle se vend centimètre par centimètre. On dit que c'est vous qui la conseillez. Elle lui demande de l'argent pour chaque avancée au-dessus du genou.

— Pas comme vous, Mary. Il suffit de vous pousser en arrière et, tenez, brave dame, voici quatre pence.

— Eh bien, c'est vrai. Seulement si… ce sont des rois qui me poussent… » Elle éclate de rire. « Anne a de très longues jambes. Quand il atteindra ses parties intimes il sera ruiné. Les guerres contre la France seront une bagatelle en comparaison. »

Anne a violemment repoussé l'arc que lui tendait Mary Shelton. Elle se dirige vers eux d'un air hautain. Des pointes de diamant scintillent sur la coiffe dorée qui retient ses cheveux.

« Qu'est-ce qui se passe, Mary ? Tu essaies encore de nuire à la réputation de maître Cromwell ? » Quelques ricanements fusent parmi le groupe de courtisans. « M'apportez-vous de bonnes nouvelles ? » demande-t-elle à celui-ci.

Sa voix et son regard s'adoucissent. Elle lui pose une main sur le bras. Les ricanements cessent.

Plus tard, dans un petit cabinet orienté vers le nord, à l'abri des regards, elle lui dit : « En fait, c'est moi qui ai des nouvelles pour vous. Gardiner va avoir Winchester. »

Winchester était le plus riche évêché de Wolsey ; il a encore tous les chiffres en tête.

« Cette faveur le rendra peut-être plus accommodant », dit-il.

Elle esquisse un sourire ironique.

« Pas avec moi. Il a fait tout son possible pour débarrasser le roi de Catherine, mais il préférerait que je ne la remplace pas. Il ne s'en cache pas, même auprès d'Henri. Je voudrais qu'il ne soit pas son secrétaire. Vous…

— Trop tôt. »

Elle acquiesce.

« Oui. Peut-être. Savez-vous que le Petit Bilney a été brûlé vif ? Pendant que nous jouions aux brigands dans les bois ? » Bilney a été mené devant l'évêque de Norwich après s'être fait prendre en train de prêcher dans des champs tout en distribuant à son public des pages des évangiles de Tyndale. Lors de son exécution, le vent poussait les flammes dans la direction opposée et il a mis longtemps à mourir. « Thomas More affirme qu'il s'est repenti sur le bûcher.

— Ce n'est pas ce que j'ai entendu de la bouche des personnes présentes.

— C'était un idiot », poursuit Anne avec colère. Ses joues prennent une teinte d'un rouge profond. « On doit dire tout ce qui nous permettra de rester en vie, en attendant des jours meilleurs. Ce n'est pas un péché. N'est-ce pas ce que vous feriez ? » Il hésite, ce qui ne lui arrive pas souvent. « Oh, allons, vous avez réfléchi à la question.

— Bilney s'est jeté tout seul dans le feu. J'ai

toujours dit qu'il le ferait. Il s'était déjà repenti et avait été relâché, il n'avait donc plus droit à la clémence. »

Anne baisse les yeux.

« Quelle chance nous avons de toujours pouvoir compter sur celle de Dieu. » Elle semble se secouer. Elle s'étire. Elle dégage une odeur de feuilles et de lavande. Dans la pénombre ses diamants sont aussi frais que des gouttes de pluie. « Le roi des brigands doit être rentré. Nous ferions bien d'aller le voir. »

Elle redresse le dos.

C'est la saison des moissons. Les nuits sont violettes et la comète brille au-dessus des champs de chaume. Les chasseurs rappellent leurs chiens. Après la fête de la Croix glorieuse, les chevreuils seront en sécurité. Quand il était enfant, c'était le moment où les garçons qui avaient fait les quatre cents coups sur la lande pendant tout l'été devaient retourner chez eux et faire la paix avec leur père, pénétrant furtivement dans la maison à l'heure du souper pendant que toute la paroisse était ivre. Depuis le début de l'été ils vivaient en faisant les poubelles et en braconnant, piégeant des oiseaux et des lapins qu'ils faisaient cuire dans leur chaudron en fer, et quand les nuits étaient froides et humides ils se glissaient dans les remises et les granges, et pour se réchauffer ils chantaient, ils se posaient des devinettes, ils se racontaient des blagues. Quand la saison s'achevait, le moment venait de vendre le chaudron, et ils allaient de porte en porte en vantant ses mérites.

« Si vous n'avez que quelques têtes de poissons, jetez-les dedans et un flétan surgira.

— Est-il percé ?

— Il est en parfait état, et si vous ne me croyez pas,

madame, vous pouvez pisser dedans. Allez, dites-moi combien vous m'en donnez. Il n'y a pas eu meilleure marmite depuis l'époque de Merlin. Jetez-y une souris que vous avez prise dans un piège, et elle se transformera en tête de sanglier épicée avec une pomme dans la bouche.

— Quel âge as-tu ? lui demande une femme.

— Je ne sais pas.

— Reviens l'année prochaine, et nous nous étendrons dans mon lit de plumes. »

Il hésite.

« L'année prochaine, je me serai enfui.

— Tu vas prendre la route ? Proposer un spectacle itinérant avec ta marmite ?

— Non, je pensais devenir voleur sur la lande. Ou alors éleveur d'ours, c'est aussi un bon métier. »

La femme dit : « J'espère que tu réussiras. »

Ce soir-là, après avoir pris son bain, soupé, chanté, dansé, le roi veut faire une promenade. Il a des goûts rustiques, il aime ce qu'on appelle le « vin de haies », rien de fort, mais ces temps-ci il vide son premier verre rapidement et hoche la tête pour qu'on le resserve ; il a donc besoin de s'appuyer sur le bras de Francis Weston lorsqu'il quitte la table. Il a abondamment plu, et les gentilshommes équipés de torches pataugent dans l'herbe. Le roi inspire à quelques reprises l'air humide.

« Gardiner, dit Henri à Cromwell. Vous ne vous entendez pas.

— Je n'ai rien contre lui, répond-il mollement.

— Alors c'est lui qui a quelque chose contre vous. » Le roi disparaît dans l'obscurité ; quand il reprend la parole, il est derrière la flamme d'une torche, tel Dieu parlant depuis le Buisson ardent. « Je sais comment m'y prendre avec Stephen. J'ai pris sa mesure. C'est le genre de serviteur robuste dont j'ai besoin ces temps-ci. Je ne veux pas d'hommes qui ont peur de la controverse.

— Votre Majesté devrait retourner à l'intérieur. Ces vapeurs nocturnes ne sont pas saines.

— Vous parlez comme le cardinal ! »

Le roi éclate de rire.

Cromwell s'approche sur la gauche d'Henri. Weston, qui est jeune et frêle, semble sur le point de crouler sous son poids.

« Appuyez-vous sur moi », conseille-t-il.

Le roi coince un bras autour de son cou, comme s'il cherchait à l'étrangler. Éleveur d'ours, c'est un bon métier. Pendant un moment, il croit que le roi pleure.

Il ne s'est pas enfui l'année suivante, ni pour élever des ours, ni pour quelque métier que ce soit. C'est cette année-là que les hommes des Cornouailles ont envahi le pays, des rebelles bien décidés à mettre Londres à feu et à sang et à soumettre le roi anglais à leur volonté. La peur régnait, car ils avaient la réputation de brûler les meules de foin et de couper les jarrets du bétail, d'incendier les maisons avec les habitants à l'intérieur, de massacrer les prêtres et de dévorer les bébés et d'écraser du pied les hosties.

Le roi le lâche soudain.

« Regagnons nos lits froids. Ou bien le mien est-il le seul à l'être ? Demain vous viendrez chasser. Si vous n'avez pas de bonne monture, nous vous en fournirons une. Je verrai si j'arrive à vous épuiser, même si Wolsey prétendait que c'était impossible. Gardiner et vous, vous devez apprendre à vous entendre. Cet hiver vous serez attelé à la charrue. »

Ce n'est pas des bœufs qu'il veut, mais des brutes qui s'affronteront de face, qui se blesseront et s'estropieront dans leur lutte pour s'attirer ses faveurs. Il est clair qu'il a plus de chances auprès du roi s'il ne s'entend pas avec Gardiner. Diviser pour mieux régner. Mais il règne déjà de toute manière.

Bien que le Parlement n'ait pas été convoqué, la session de la Saint-Michel est la plus animée qu'il ait connue. D'épais dossiers relatifs à l'affaire du roi arrivent presque à chaque heure, et Austin Friars se remplit de marchands de la ville, de moines et de prêtres de toutes sortes, tous venus lui demander cinq minutes de son temps. Comme s'ils sentaient quelque chose, un déplacement du pouvoir, un spectacle imminent, des Londoniens commencent à se rassembler par petits groupes devant sa porte, désignant du doigt la livrée des hommes qui vont et viennent : l'homme du duc de Norfolk, le serviteur du comte de Wiltshire. Il les observe depuis la fenêtre et croit les reconnaître ; ce sont les fils des hommes qui venaient se réchauffer chaque automne devant la porte de la forge de son père et qui restaient là à échanger les commérages. Ce sont des garçons semblables à lui au même âge : bouillonnants, attendant avec impatience qu'il se passe quelque chose.

Il les observe et recompose son visage. Érasme affirme qu'il faut le faire chaque matin avant de quitter sa maison : « mettre un masque, en quelque sorte ». Il applique cette règle dans chaque endroit – château, auberge, demeure noble – où il se réveille. Il envoie de l'argent à Érasme, comme le faisait le cardinal. « Pour qu'il s'achète son gruau, disait-il, et pour que

le pauvre hère puisse payer ses plumes et son encre. »
Érasme est surpris ; il n'a entendu dire que du mal de
Thomas Cromwell.

Depuis qu'il a été accepté au sein du Conseil du roi, il
a recomposé son visage. Il a passé les premiers mois de
l'année à observer celui des autres, pour voir comment
ils réagissaient au doute, à la réserve, à la rébellion
– pour capturer la fraction de seconde avant qu'ils ne
retrouvent l'expression suave du courtisan, du facilita-
teur, du béni-oui-oui. Rafe lui dit, nous ne pouvons pas
faire confiance à Wriothesley, et Cromwell rit : je sais
où j'en suis avec Appelez-Moi. Il a de bons contacts
à la cour, mais il a démarré auprès du cardinal : qui
ne l'a d'ailleurs pas fait ? Gardiner était cependant son
maître à Trinity Hall, et il nous a observés tandis que
Stephen et moi prenions notre essor dans le monde. Il
nous a vus nous muscler, tels deux chiens de combat, et
il ne sait pas sur lequel miser son argent. Il dit à Rafe,
à sa place j'hésiterais peut-être aussi ; c'était facile à
mon époque, vous n'aviez qu'à miser votre chemise sur
Wolsey. Il ne craint pas Wriothesley, ni personne de
son genre. On peut prévoir les actions des hommes sans
principes. Les hommes comme Stephen Vaughan, eux,
sont moins prévisibles, plus dangereux, ces hommes
qui vous écrivent, comme l'a fait Vaughan : Thomas
Cromwell, je ferais n'importe quoi pour vous. Les
hommes qui prétendent vous comprendre, les hommes
dont l'étreinte est si puissante et impossible à rompre
qu'ils vous entraîneront dans l'abîme.

À Austin Friars il fait envoyer de la bière et du pain
aux hommes qui se tiennent à la porte – du bouillon
quand les matins se font plus frais. Thurston dit, allons
bon, vous voulez nourrir tout le quartier maintenant.

Il y a un mois seulement, réplique Cromwell, vous vous plaigniez que les garde-manger débordaient et que les caves étaient trop pleines. Saint Paul nous dit que nous devons être capables de prospérer en période de disette comme en période d'abondance, avec l'estomac vide comme avec l'estomac plein. Il descend aux cuisines pour parler aux garçons que Thurston a engagés. Chacun déclame son nom et ce qu'il sait faire, et il note d'un air grave leurs compétences dans un livre : Simon sait assaisonner une salade et jouer du tambour ; Matthew sait dire le Notre Père. Tous ces *garzoni* doivent pouvoir être formés. Un jour ils devront être capables de monter à l'étage, comme il l'a lui-même fait, et de s'asseoir dans la salle des comptables. Tous doivent avoir des vêtements propres et chauds, et être encouragés à les porter au lieu de les revendre, car il se souvient du froid intense qu'il faisait dans les réserves de Lambeth. Dans les cuisines de Wolsey à Hampton Court, où la cheminée tirait bien et laissait s'échapper la chaleur, il a vu des flocons de neige tomber du plafond et se poser sur les rebords de fenêtres.

Quand il sort de sa maison dans la froideur du petit matin avec son entourage de clercs, les Londoniens sont déjà rassemblés. Ils reculent et le regardent, ni amicaux ni hostiles. Il leur lance, bonjour et Dieu vous bénisse, et certains lui retournent son bonjour. Ils ôtent leur chapeau, car il est conseiller du roi, et restent tête nue jusqu'à ce qu'il soit passé.

Octobre : M. Chapuys, l'ambassadeur de l'empereur, vient dîner à Austin Friars, et Stephen Gardiner est au menu.

« À peine nommé à Winchester qu'il est envoyé à

l'étranger, déclare Chapuys. Et que croyez-vous que le roi François pensera de lui ? Que pourra-t-il faire de plus que sir Thomas Boleyn ? Même si je suppose que ce dernier avait un *parti pris**. Étant le père de la lady. Gardiner est plus... ambivalent, diriez-vous ? Plus désintéressé, c'est le mot. Je ne vois pas ce que le roi François aura à gagner à soutenir l'alliance, à moins que votre roi ne lui offre – quoi ? De l'argent ? Des navires de guerre ? Calais ? »

À table M. Chapuys alimente agréablement la conversation, parlant de poésie, de peinture, de ses années d'université à Turin ; il se tourne vers Rafe, dont le français est excellent, et parle de fauconnerie, un loisir qu'il juge susceptible d'intéresser un jeune homme.

« Vous devriez y aller avec notre maître, répond Rafe. C'est presque son seul divertissement ces temps-ci. »

M. Chapuys pose ses petits yeux vifs sur Cromwell.

« Il joue à des jeux de roi maintenant. »

Lorsqu'il se lève de table, Chapuys fait l'éloge du repas, de la musique, du mobilier. On voit son cerveau fonctionner, on entend les petits clics, comme les engrenages d'un verrou complexe, tandis qu'il cryptographie mentalement les dépêches qu'il enverra à son maître l'empereur.

Plus tard, dans son cabinet, l'ambassadeur décoche ses questions ; il les débite à toute allure, sans laisser de pause pour les réponses.

« Si l'évêque de Winchester est en France, comment va faire Henri sans son secrétaire ? L'ambassade de maître Stephen ne peut être courte. Peut-être est-ce votre chance de vous rapprocher en douce, ne pensez-vous pas ? Dites-moi, est-il vrai que Gardiner est le cousin illégitime d'Henri ? Et aussi de votre Richard ? L'empereur ne comprend pas ça. Que vous puissiez avoir un roi qui soit si peu royal. Il n'est peut-être pas étonnant qu'il cherche à épouser une femme pauvre.

— Je ne dirais pas que lady Anne est pauvre.

— Certes, le roi a enrichi sa famille. » Chapuys esquisse un sourire sournois. « Est-il habituel dans ce pays de payer à l'avance la fille pour les services qu'elle va vous rendre ?

— Ça l'est. Et vous feriez bien de vous en souvenir, car je serais désolé de vous voir un jour pourchassé en pleine rue.

— Vous la conseillez, lady Anne ?

— Je vérifie les comptes. Ça n'est pas un grand sacrifice, pour une amie chère. »

Chapuys rit de bon cœur.

« Une amie ! C'est une sorcière, vous savez ? Elle a ensorcelé le roi, du coup il risque gros – le rejet de la chrétienté, la damnation. Et je crois qu'il le sait plus ou moins. Je l'ai vu quand elle l'observe, il perd la tête, son âme se ratatine comme un lévrier face à un faucon. Peut-être vous a-t-elle également ensorcelé. » M. Chapuys se penche en avant et s'appuie sur sa main, sa petite patte de singe. « Rompez le sort, *mon cher ami**. Vous ne le regretterez pas. Mon prince est un homme des plus généreux. »

Novembre : sir Henry Wyatt dans la grande salle d'Austin Friars ; il regarde un espace vide sur le mur, là où les armoiries du cardinal ont été recouvertes.

« Il n'est parti que depuis un an, Thomas. J'ai l'impression que ça fait plus. On dit que quand on est vieux, toutes les années se ressemblent. Je peux vous dire que c'est faux. »

Oh, allez sir, crient les filles, vous n'êtes pas vieux au point de ne pas pouvoir nous raconter une histoire. Elles le tirent vers l'un des nouveaux fauteuils en velours et l'intronisent. Tout le monde voudrait avoir sir Henry pour père, pour grand-père. Il a servi dans la trésorerie du Henri actuel, et dans celle du Henri précédent ; si les Tudors sont pauvres, ce n'est pas sa faute.

Alice et Jo reviennent du jardin, où elles ont essayé d'attraper le chat. Sir Henry aime voir un chat honoré dans une maison ; à la demande des enfants, il explique pourquoi.

« Jadis, commence-t-il, sur cette terre d'Angleterre, régnait un cruel tyran nommé Richard Plantagenêt...

— Oh, les gens qui portaient ce nom étaient méchants ! s'exclame Alice. Savez-vous s'il en reste encore ? »

Des rires fusent.

« Mais c'est la vérité ! hurle-t-elle, les joues brûlantes.

— ... et moi, votre serviteur Wyatt qui vous relate cette histoire, j'ai été envoyé dans un cachot par ce tyran, forcé de dormir sur de la paille, un cachot qui comportait une petite fenêtre, mais cette fenêtre était munie de barreaux... »

L'hiver est arrivé, explique sir Henry, et je n'avais pas de feu ; je n'avais ni nourriture ni eau, car les gardes m'avaient oublié. Richard l'écoute, le menton posé sur la main ; il échange un regard avec Rafe ; tous deux se tournent vers Cromwell, qui fait un petit geste pour minimiser les horreurs du passé. Sir Henry, ils le savent, n'a pas été oublié à la Tour. Ses gardes ont appliqué des couteaux chauffés à blanc sur sa peau. Ils lui ont arraché les dents.

« Alors que faire ? demande sir Henry. Heureusement pour moi, mon cachot était humide. J'ai bu l'eau qui suintait sur les murs.

— Et pour manger ? demande Jo d'une voix basse et frémissante.

— Ah, c'est le meilleur moment de l'histoire. »

Un jour, poursuit sir Henry, que je me croyais sur le point de mourir de faim, j'ai remarqué que la lumière de ma petite fenêtre était bouchée ; en levant les yeux, qu'ai-je vu ? La silhouette d'un chat, un chat de gouttière noir et blanc. « Minou », ai-je dit ; et il a miaulé, et, ce faisant, il a lâché ce qu'il tenait dans la gueule. Et que m'avait-il apporté ?

« Un pigeon ! s'écrie Jo.

— Mademoiselle, soit vous avez vous-même été prisonnière, soit vous avez déjà entendu cette histoire. »

Les filles ont oublié qu'il n'a ni cuisinier, ni broche, ni feu ; les garçons baissent les yeux, frissonnant à l'idée du prisonnier forcé de déchiqueter, avec ses mains enchaînées, une masse de plumes infestée de vermine.

« Et juste après, alors que j'étais étendu sur la paille, j'ai entendu des cloches carillonner, et des cris résonner dans la rue : un Tudor ! Un Tudor ! Sans le cadeau que m'avait fait le chat, je n'aurais pas vécu assez longtemps pour entendre ça, ni pour entendre la clé tourner dans la serrure et le roi Henri en personne s'écrier, Wyatt, est-ce vous ? Venez chercher votre récompense ! »

Une exagération pardonnable. Le roi Henri n'est

jamais entré dans cette cellule. Mais le roi Richard, si ; c'est lui qui regardait pendant qu'on faisait chauffer le couteau, lui qui écoutait, la tête légèrement inclinée, tandis qu'Henry Wyatt hurlait ; c'est lui qui s'éloignait délicatement quand flottait l'odeur de la chair brûlée, puis qui ordonnait qu'on fasse de nouveau chauffer le couteau, et qu'on l'applique encore.

On dit que le Petit Bilney, la nuit qui a précédé son exécution, a approché les doigts de la flamme d'une bougie et demandé à Dieu de lui apprendre à endurer la douleur. Ce n'était pas sage de se mutiler avant de passer sur le bûcher ; mais sage ou non, c'est à ça qu'il pense.

« Maintenant, sir Henry, dit Mercy, vous devez nous raconter l'histoire du lion, car nous ne dormirons pas tant que nous ne l'aurons pas entendue.

— Eh bien, c'est à vrai dire l'histoire de mon fils, il faudrait qu'il soit ici.

— S'il était ici, réplique Richard, les femmes le lorgneraient toutes en soupirant – si, c'est ce que tu ferais, Alice – et elles n'auraient que faire de l'histoire du lion. »

Après s'être remis de son emprisonnement, sir Henry est devenu un homme puissant à la cour, et un admirateur lui a envoyé en cadeau une petite lionne. Au château d'Allington, je l'ai élevée comme mon enfant, dit-il, jusqu'à ce que, comme une jeune fille, elle commence à n'en faire qu'à sa tête. Un jour, suite à une imprudence de ma part, elle est sortie de sa cage. Leontina, ai-je dit, ne bouge pas jusqu'à ce que je vienne te chercher ; mais alors elle s'est tapie, parfaitement silencieuse, et m'a regardé avec des yeux qui étaient comme du feu. C'est alors que j'ai compris, dit-il, que je n'étais pas son père, malgré tout l'amour que je lui avais porté : j'étais son dîner.

Alice porte une main à sa bouche et s'exclame : « Sir Henry, vous croyiez votre dernière heure arrivée !

— En effet, et ç'aurait été le cas si mon fils Thomas n'était pas à cet instant sorti dans la cour. En une seconde il a vu le péril que je courais, et il l'a appelée, Leontina, viens ici ; et elle a tourné la tête. À cet instant, alors qu'elle détournait les yeux, j'ai fait un pas en arrière, puis un autre. Regarde-moi, disait Thomas. Il portait ce jour-là des couleurs vives, une tunique ample aux longues manches bouffantes que le vent soulevait, et en plus ses cheveux étaient blonds, vous savez, et longs ; il devait donc, je crois, ressembler à une grande flamme dansant au soleil. À un moment, elle s'est levée, intriguée, tandis que je continuais de reculer encore et encore... »

Leontina se retourne ; elle se tapit. Abandonnant le père, elle s'apprête à attaquer le fils. On voit le frémissement de ses pattes, on sent la puanteur du sang dans son souffle (pendant ce temps, Henry Wyatt, frissonnant de terreur, recule pour aller chercher de l'aide). De sa voix douce et enchanteresse, dans un murmure tendre aux accents de prière, Tom Wyatt parle à la lionne, tout en demandant à saint François d'apaiser le cœur de la bête. Leontina observe. Elle écoute. Elle ouvre la gueule. Elle rugit : que dit-elle ?

« Fee, fi, fo et fum, je sens le sang d'un Anglais. »

Tom Wyatt se tient aussi immobile qu'une statue. Des valets armés de filets traversent lentement la cour. Leontina est à quelques mètres de lui, mais une fois de plus elle s'arrête, écoute. Elle se tient là, incertaine, remuant les oreilles. Il voit la bave rose qui coule de sa mâchoire et sent l'odeur âcre de sa fourrure. Elle s'assied sur son arrière-train. Elle est prête à jaillir. Il voit ses muscles frémir, sa gueule s'ouvrir ; elle bondit – mais une flèche lui transperce les côtes. Elle pivote sur elle-même, déchiquette les barbelures de la flèche, hurle, gémit ; une autre flèche s'enfonce dans son flanc épais, et elle pivote de nouveau sur elle-même, gémissant. Le filet s'abat sur elle. Sir Henry s'approche calmement et lui tire une troisième flèche dans la gorge.

Même mourante, elle continue de rugir. Elle crache du sang et donne des coups de patte. L'un des valets porte encore aujourd'hui la marque de ses griffes. On peut voir sa fourrure sur le mur à Allington.

« Et vous viendrez me rendre visite, mesdemoiselles, dit sir Henry. Et vous verrez la bête que c'était.

— Les prières de Tom n'ont pas été exaucées, observe Richard en souriant. Saint François n'est pas intervenu, pour autant que je sache.

— Sir Henry, dit Jo en le tirant par la manche, vous n'avez pas raconté le meilleur moment.

— Non, j'ai oublié. Mon fils, le héros du jour, s'est alors éloigné, et il a vomi dans un buisson. »

Les enfants soufflent. Ils applaudissent tous. En son temps, l'histoire est parvenue jusqu'à la cour, et le roi – il était alors plus jeune et d'une nature douce – avait été quelque peu impressionné. Même aujourd'hui, quand il voit Tom, il acquiesce et murmure à voix basse : « Tom Wyatt. Il peut apprivoiser les lions. »

Quand sir Henry, qui est amateur de fruits rouges, a avalé ses grosses mûres accompagnées d'une crème jaune, il demande à Cromwell de s'entretenir seul avec lui, et ils se retirent. « Si j'étais à votre place, déclare sir Henry, je lui demanderais de me nommer gardien de la Maison des Joyaux. Quand j'occupais ce poste, j'avais une vue d'ensemble des recettes du royaume.

— Lui demander comment ?

— Demandez à lady Anne de le faire à votre place.

— Peut-être votre fils pourrait-il m'aider en demandant à Anne. »

Sir Henry rit ; ou plutôt, il indique en poussant un petit hum-hum qu'il sait qu'une plaisanterie vient d'être dite. À en croire les buveurs des tavernes du Kent et les domestiques indiscrets de la cour (à commencer par Mark le musicien), Anne a accordé à Thomas Wyatt toutes les faveurs qu'un homme puisse raisonnablement demander à une femme, même dans un bordel.

« Je compte quitter la cour cette année, déclare sir Henry. Il est temps pour moi de rédiger mon testament. Puis-je vous nommer exécuteur ?

— Vous me faites honneur.

— Il n'y a personne en qui j'aurais plus confiance. Vous êtes l'homme le plus sûr que je connaisse. »

Il sourit, déconcerté ; rien dans ce monde ne lui semble sûr.

« Je vous comprends, dit Wyatt. Je sais que notre ancien compagnon en écarlate a failli entraîner votre chute. Mais regardez-vous, vous mangez des amandes, vous avez toutes vos dents, vous êtes entouré de vos proches, vos affaires prospèrent, et les hommes comme Norfolk s'adressent à vous poliment. » Alors que, n'a-t-il pas besoin d'ajouter, il y a un an ils s'essuyaient les pieds sur vous. Sir Henry brise entre ses doigts une gaufrette à la cannelle et la tapote sur sa langue – une eucharistie prudente et profane. Quarante ans se sont écoulés, même plus, depuis la Tour, mais sa mâchoire fracassée continue de se raidir et de le faire souffrir. « Thomas, j'ai quelque chose à vous demander… Garderez-vous un œil sur mon fils ? Serez-vous un père pour lui ?

— Tom a, quoi, vingt-huit ans ? Il n'appréciera peut-être pas d'avoir un nouveau père.

— Vous ne pourrez pas faire pire que moi. Il y a beaucoup de choses que je regrette, principalement son mariage… Il avait dix-sept ans, il ne le voulait pas, c'est moi qui le voulais, parce qu'elle était la fille du baron Cobham, et je voulais conserver ma place parmi mes voisins du Kent. Tom a toujours été agréable à regarder, un garçon gentil et courtois, on aurait pu croire qu'il ferait l'affaire de la fille, mais je ne sais pas si elle lui est restée fidèle un mois. Alors, évidemment, il lui a rendu la monnaie de sa pièce… le château est plein de catins, ouvrez un placard à Allington, et une jeune femme en tombe. Il part vagabonder à l'étranger, et qu'est-ce qui arrive ? Il finit prisonnier en Italie. Je ne comprendrai jamais cette affaire. Depuis l'Italie il est encore plus fantasque. Il peut vous écrire une *terza rima*, bien sûr, mais allez essayer de comprendre où son argent s'est envolé… » Il se frotte le menton. « Mais il est comme ça. Au bout du compte, il n'y a pas plus gentil que mon fils.

— Si nous rejoignions la compagnie ? Vous savez que c'est jour de fête quand vous nous rendez visite. »

Sir Henry se soulève. C'est un homme corpulent bien qu'il ne se nourrisse que de potage et de purée.

« Thomas, comment suis-je devenu vieux ? »

Quand ils regagnent la grande salle, une pièce est en train d'être jouée. Rafe interprète le rôle de Leontina et toute la maisonnée l'encourage en rugissant. Ce n'est pas que les garçons ne croient pas l'histoire du lion ; c'est juste qu'ils aiment mettre leurs propres mots dessus. Il tend une main péremptoire en direction de Richard, qui pousse des cris haut perchés debout sur un tabouret.

« Tu es jaloux de Tom Wyatt, dit Cromwell.

— Ah, ne vous énervez pas après nous, maître », implore Rafe. Il retrouve une forme humaine et se laisse tomber sur un banc. « Parlez-nous de Florence. Racontez-nous ce que vous avez fait d'autre avec Giovannino.

— Je ne sais pas si je dois. Vous en ferez une pièce de théâtre. »

Ah, racontez-nous, insistent-ils, et il regarde autour de lui : Rafe l'encourage en ronronnant.

« Êtes-vous sûrs qu'Appelez-Moi-Risley n'est pas ici ? Eh bien... quand nous avions une journée de repos, nous détruisions des bâtiments.

— Vous les détruisiez ? s'étonne Henry Wyatt. Vraiment ?

— Ce que je veux dire, c'est que nous les faisions sauter. Mais pas sans la permission du propriétaire. À moins que nous ne la jugions en ruine et dangereuse pour les passants. Nous ne faisions payer que les explosifs. Pas notre expertise.

— Qui était considérable, je suppose.

— Ça demande de beaucoup creuser pour quelques secondes d'excitation. Mais je connaissais des garçons qui en ont fait leur profession. À Florence, dit-il, c'était une simple distraction. Comme aller à la pêche. Ça nous évitait de nous attirer des ennuis. » Il hésite. « Enfin, non, pas vraiment. »

Richard demande : « Est-ce qu'Appelez-Moi en a parlé à Gardiner ? De votre Cupidon ?

— D'après toi ? »

Henri lui a dit, j'ai entendu parler de votre fausse statue antique. Le roi riait, mais peut-être aussi prenait-il note. Les dindons de la farce étaient des ecclésiastiques, des cardinaux, et il était d'humeur pour ce genre de plaisanterie.

Le secrétaire Gardiner : « Statue, statut, pas grande différence.

— Une lettre est essentielle quand il est question de législation. Quoi qu'il en soit, mes précédents ne sont pas faux.

— Exagérés ? suggère Gardiner.

— Majesté, le concile de Constance a accordé à votre ancêtre, Henri V, un contrôle sur l'Église d'Angleterre tel qu'aucun roi chrétien n'en a eu dans son royaume.

— Les concessions n'ont pas été appliquées. Pas de manière cohérente. Pourquoi ?

— Je ne sais pas. Incompétence ?

— Mais nous avons maintenant de meilleurs conseillers ?

— De meilleurs rois, Votre Majesté. »

Dans le dos d'Henri, Gardiner lui fait une grimace de gargouille. Il éclate presque de rire.

La session parlementaire s'achève. Anne suggère, venez manger un pauvre dîner de l'Avent avec moi. Nous utiliserons des fourchettes.

Il s'y rend, mais la compagnie lui déplaît. Elle a adopté les amis du roi, les gentilshommes de sa chambre privée : Henry Norris, William Brereton, ce genre de personnes, et son frère, naturellement, lord Rochford. Anne est cassante en leur compagnie, et elle

472

reçoit leurs compliments avec autant de grâce qu'une ménagère brisant le cou d'alouettes pour le dîner. Si son sourire affecté s'efface un moment, ils se penchent tous en avant en se demandant comment lui plaire. Il faudrait aller chercher loin pour trouver une plus grande bande d'imbéciles.

Pour sa part, il peut aller partout, il est allé partout. Il a été éduqué à la table de la famille Frescobaldi, à celle de la famille Portinari, puis à celle du cardinal parmi les savants et les grands esprits, il ne risque donc pas de perdre pied parmi les coquets qu'Anne réunit autour d'elle. Pourtant, Dieu sait qu'ils font de leur mieux, ces gentilshommes, pour le mettre mal à l'aise ; mais il impose son aisance, son calme, sa conversation précise et pertinente. Norris, qui a de l'esprit et qui n'est pas jeune, se rabaisse en fréquentant une telle compagnie. Et pourquoi ? Parce que la proximité d'Anne le fait trembler. C'est presque une blague, mais personne n'ose le dire.

Après le repas, Norris le suit dehors, lui touche la manche et le fait s'arrêter. Ils se tiennent face à face.

« Vous n'y croyez pas, n'est-ce pas ? Avec Anne ? »

Il secoue la tête.

« Alors que proposez-vous ? Une grosse *Frau* rencontrée au cours de vos voyages ?

— Je préférerais une femme qui n'intéresserait aucunement le roi.

— Si c'est un conseil, donnez-le à votre ami le fils de Wyatt.

— Oh, je crois que le jeune Wyatt l'a compris. C'est un homme marié. Il estime que de nos privations nous devons tirer un poème. Les atteintes à notre *amour propre** ne nous rendent-elles pas tous plus sages ?

473

— Pouvez-vous me regarder, demande Norris, et penser que je suis plus sage ? »

Il tend son mouchoir à Norris. Celui-ci s'essuie le visage et rend le mouchoir. Il songe à sainte Véronique essuyant avec son voile le visage du Christ au supplice ; il se demande si, quand il rentrera chez lui, le visage distingué d'Henry sera imprimé sur son mouchoir, et si oui, s'il l'accrochera au mur. Norris se détourne en lâchant un petit rire.

« Weston – le jeune Francis Weston, vous savez –, il est jaloux d'un garçon à qui elle demande de chanter pour nous certains soirs. Il est jaloux de l'homme qui vient alimenter le feu, ou de la bonne qui lui ôte ses bas. Il tient le compte de toutes les fois où elle vous regarde, et il dit, là, là, voyez, elle regarde ce gros boucher, elle l'a regardé quinze fois en deux heures.

— C'était le cardinal, le gros boucher.

— Pour Francis, tous les artisans se valent.

— Je le vois. Bonne nuit à vous. »

Bonne nuit, Tom, dit Norris, en lui tapant sur l'épaule d'un air absent, distrait, presque comme s'ils étaient égaux, comme s'ils étaient amis ; ses yeux sont de nouveau tournés vers Anne, ses pas sont de nouveau tournés vers ses rivaux.

Tous les artisans se valent ? Pas dans le monde réel. N'importe quel homme doté d'une main ferme et d'un couperet peut se qualifier de boucher : mais sans le forgeron, où trouve-t-il le couperet ? Sans l'homme qui travaille le métal, où sont vos marteaux, vos faux, vos faucilles, vos ciseaux et vos rabots ? Vos armes et votre armure, vos pointes de flèches, vos piques et vos canons ? Où sont vos navires et leur ancre ? Où sont vos grappins, vos clous, clenches, gonds, tisonniers, pinces ?

Où sont vos broches, bouilloires, trépieds, vos anneaux et boucles de harnais, vos mors ? Où sont vos couteaux ?

Il se rappelle le jour où ils ont appris l'arrivée de l'armée des Cornouailles. Il avait, quoi, douze ans ? Il était dans la forge. Il venait de nettoyer le gros soufflet et de graisser le cuir. Walter est arrivé et a regardé l'outil.

« Il faut le calfater.

— D'accord », répond-il.

(C'était le genre de conversation qu'il avait avec Walter.) « Ça va pas se faire tout seul.

— J'ai dit, d'accord, d'accord, je vais le faire ! »

Il lève les yeux. Leur voisin, Owen Madoc, se tient à la porte.

« Ils sont en marche. La rumeur s'est répandue tout le long de la rivière. Henri Tudor est prêt à se battre. La reine et les enfants sont dans la Tour. »

Walter s'essuie la bouche.

« Combien de temps ? »

Madoc répond : « Qui sait. Ces salauds ont des ailes. »

Il se redresse. Il tient désormais dans sa main un marteau de quatre livres avec un manche en frêne.

Les jours suivants ils travaillent jusqu'à l'épuisement. Walter fabrique des armures pour ses amis, et il affûte tout ce qui est susceptible de couper, déchirer, lacérer la chair des rebelles. Les hommes de Putney n'ont aucune compassion pour ces sauvages. Ils paient leurs impôts : pourquoi ne les paieraient-ils pas en Cornouailles ? Les femmes ont peur que les rebelles bafouent leur honneur.

« Notre prêtre affirme qu'ils ne font ça qu'avec leurs

sœurs, dit-il, tu n'as donc rien à craindre, Bet. Mais bon, le prêtre affirme aussi que leur membre est froid et couvert d'écailles, comme celui du diable, tu voudras peut-être goûter à la nouveauté. »

Bet lance quelque chose dans sa direction. Il esquive. C'est toujours la même excuse quand il y a de la casse dans cette maison : je l'ai lancé sur Thomas.

« C'est juste que je ne sais pas ce que tu aimes », précise-t-il.

Cette semaine-là, des rumeurs se propagent. Les hommes des Cornouailles travaillent sous terre, alors ils ont le visage noir. Comme ils sont à moitié aveugles, on peut les attraper dans un filet. Le roi donnera un shilling par prise, deux shillings si elle est importante. Mais quelle taille font-ils exactement ? Parce qu'ils lancent des flèches d'un mètre de long.

Tous les objets de la maison sont désormais considérés sous un nouveau jour. Brochettes, broches, aiguilles à larder : tout ce qui peut servir au combat rapproché. Les voisins dépensent des fortunes dans l'autre commerce de Walter, la brasserie, comme s'ils craignaient que les envahisseurs boivent toute la bière d'Angleterre. Owen Madoc vient commander un couteau de chasse, doté d'une garde, d'une lame de trente centimètres.

« Trente centimètres ? dit-il. Vous allez vous couper l'oreille tout seul.

— Tu feras moins le malin quand les rebelles t'attraperont. Ils embrochent les enfants comme toi et ils les font rôtir.

— Ne pouvez-vous pas simplement leur donner des coups de rame ?

— C'est à toi que je vais donner un coup de rame pour te faire taire ! beugle Owen Madoc. Espèce de petit merdeux, tu n'étais pas encore né que tu avais déjà une sale réputation. »

Il montre à Owen Madoc le couteau qu'il s'est fabriqué, accroché à une ficelle sous sa chemise : sa lame trapue, comme une dent diabolique.

« Qu'est-ce que vous en pensez ?

— Bon Dieu, fait Madoc. Attention dans qui tu plantes ça. »

Il pose son marteau de quatre livres sur le rebord de la fenêtre du *Pegasus* et demande à sa sœur Kat, pourquoi avais-je mauvaise réputation avant d'être né ?

Demande à Morgan Williams, répond-elle. Il te le dira. Oh, Tom, Tom, s'écrie-t-elle. Elle saisit sa tête et l'embrasse. Ne va pas te mettre en danger. Laisse-le se battre, *lui*.

Elle espère que les rebelles tueront Walter. Elle ne le dit pas, mais il le sait.

Quand je serai l'homme de la famille, dit-il, les choses seront différentes, je te le jure.

Morgan lui avoue – en rougissant, car c'est un homme très convenable – que les enfants suivaient sa mère dans la rue en criant : « Regardez, la vieille jument est pleine ! »

Sa sœur Bet dit : « Une autre chose qu'ils ont en Cornouailles, c'est un géant nommé Bolster qui est amoureux de sainte Agnès, et il la suit partout, et comme ils ont le visage de sainte Agnès sur leur drapeau, il va les suivre jusqu'à Londres.

— Bolster[1] ? raille-t-il. Je suppose qu'il n'est pas bien grand.

_____

1. *Bolster*, traversin. *(N.d.T.)*

— Oh, tu verras, réplique Bet. Et alors tu tourneras sept fois ta langue dans ta bouche avant de parler. »

Les femmes du district, affirme Morgan, se rassemblaient autour de sa mère en faisant semblant d'être inquiètes : qu'est-ce que ce sera quand il naîtra, elle est grosse comme une vache !

Puis quand il est venu au monde en braillant avec ses poings serrés et ses boucles noires humides, Walter et ses amis ont déambulé ivres dans Putney en chantant. Ils criaient : « Amenez-vous, les filles ! » et « Ici on s'occupe des femmes stériles ! »

Ils n'ont jamais noté la date. Il dit à Morgan, ça m'est égal. Je n'ai pas de tableau astral. Donc je n'ai pas de destin.

Le destin a voulu qu'il n'y ait pas de bataille à Putney. Les femmes attendaient les envahisseurs avec des couteaux à pain et des rasoirs, et les hommes comptaient bien les assommer à coups de pelles et de pioches, les éviscérer avec des herminettes et les embrocher sur des fusils de boucher. À la place, la grande bataille a lieu à Blackheath : les envahisseurs finissent découpés en petits morceaux, déchiquetés dans le hachoir militaire d'Henri Tudor. Ils sont tous sains et saufs, sauf Walter.

Sa sœur Bet dit : « Tu sais, le géant, Bolster ? Il a entendu dire que sainte Agnès était morte. Alors il s'est coupé le bras de chagrin et son sang s'est répandu dans la mer. Il a rempli une grotte qu'il était impossible de remplir, puis s'est écoulé dans un trou qui court sous le fond de la mer, et il est descendu jusqu'au centre de la terre et jusqu'en enfer. Donc il est mort.

— Oh, tant mieux. Parce que j'avais vraiment peur de Bolster.

— Il est mort jusqu'à la prochaine fois », précise sa sœur.

Il ne connaît donc pas sa date de naissance. À trois ans, il ramassait du petit bois pour la forge. « Vous avez vu mon petit gars ? » disait Walter en lui tapant tendrement sur la tête.

Ses doigts sentaient le brûlé, et sa paume était dure et noire.

Au cours de ces dernières années, des savants ont essayé de lui fabriquer un destin ; des hommes entraînés à étudier le ciel ont tenté de remonter en arrière à partir de ce qu'il est aujourd'hui pour arriver au moment de sa naissance. Orientation favorable de Jupiter, un signe de prospérité. Mercure se levant, ce qui offre le don de l'éloquence. Kratzer dit, si Mars n'est pas en Scorpion, je ne connais pas mon métier. Sa mère avait cinquante-deux ans et on croyait qu'elle ne pouvait ni concevoir d'enfant ni accoucher. Elle a dissimulé son pouvoir et sa grossesse sous des étoffes, au plus profond d'elle, aussi longtemps qu'elle a pu. Et quand il est sorti on lui a demandé, qu'est-ce que c'est ?

À la mi-décembre, James Bainham, un avocat de Middle Temple, abjure ses hérésies devant l'évêque de Londres. Il a été torturé, dit la rumeur, More l'a lui-même interrogé pendant qu'on tournait le manche du chevalet et lui a demandé de dénoncer d'autres magistrats infectés. Quelques jours plus tard, c'est au tour d'un ancien moine et d'un vendeur de cuir d'être brûlés ensemble. Le moine avait reçu des livraisons de livres dans les ports du Norfolk, puis, bêtement, aux docks de St Katharine, où le lord-chancelier attendait de s'en emparer. Le vendeur de cuir était en possession de *De la liberté du chrétien* de Luther, dont il avait recopié le texte de sa propre main. Ce sont des hommes qu'il connaît, Bainham l'avocat brisé et disgracié, le moine Bayfield, John Tewkesbury, dont Dieu sait qu'il n'était pas docteur en théologie. Ainsi s'achève l'année, dans un nuage de fumée, un voile de cendres humaines flottant au-dessus de Smithfield.

Le jour de l'an, il se réveille avant l'aube et trouve Gregory au pied de son lit.

« Vous feriez bien de venir. Tom Wyatt a été arrêté. »

Il se lève aussitôt ; sa première idée est que More a frappé au cœur du cercle d'Anne.

« Où est-il ? Ils ne l'ont pas emmené à Chelsea ?

— Pourquoi l'emmèneraient-ils à Chelsea ? demande Gregory d'un air perplexe.

— Le roi ne peut pas le permettre, c'est trop proche de lui. Anne possède des livres, elle les lui a montrés, elle lui a même lu Tyndale. Et maintenant quoi, More va arrêter le roi ? »

Il attrape une chemise.

« Ça n'a rien à voir avec More. Il s'agit de quelques idiots qui ont été arrêtés après avoir provoqué une émeute à Westminster. Ils étaient dans la rue en train de sauter par-dessus des feux de joie et ils se sont mis à casser des fenêtres, vous savez ce que c'est... » Gregory parle d'une voix lasse. « Et puis ils se sont battus avec le garde et ils se sont fait enfermer. Nous avons donc reçu un message : maître Cromwell peut-il venir et offrir au geôlier un cadeau pour la nouvelle année ?

— Bon sang », dit-il. Il s'assied sur le lit, soudain conscient de sa nudité : ses pieds, ses tibias, son sexe, les poils qui recouvrent son corps comme une fourrure, son menton mal rasé, la sueur qui s'est mise à couler entre ses épaules. Il enfile sa chemise. « Ils vont devoir me prendre tel que je suis, dit-il. Et je vais d'abord prendre mon petit déjeuner. »

Gregory dit, avec une once de malice : « Vous avez promis d'être un père pour lui. Voilà ce que c'est qu'être père. »

Il se lève.

« Va chercher Richard.

— Je vous accompagne.

— Si tu veux, mais je veux Richard au cas où il y aurait des problèmes. »

Il n'y a pas de problèmes, juste un peu de marchandage. Le soleil commence à se lever quand les jeunes gens retrouvent l'air frais, hagards, meurtris, avec leurs vêtements déchirés et sales.

« Francis Weston, dit-il, bonjour. » Il pense, si j'avais su que vous étiez là, je vous y aurais laissé. « Pourquoi n'êtes-vous pas à la cour ?

— J'y suis, répond le garçon dans un souffle d'haleine aigre. Je suis à Greenwich. Je ne suis pas ici. Comprenez-vous ?

— Don d'ubiquité ? dit-il. Je vois.

— Oh, Jésus. Oh, Jésus mon Rédempteur. » Thomas Wyatt se tient dans la lumière pâle et neigeuse, il se frotte la tête. « Plus jamais.

— Jusqu'à l'année prochaine », réplique Richard. Il se retourne et voit une dernière silhouette sortir en titubant. « Francis Bryan, dit-il. J'aurais dû savoir que cette entreprise n'était pas complète sans vous. »

Dans la froideur de la nouvelle année, le cousin de lady Anne s'ébroue comme un chien mouillé.

« Par les tétons de sainte Agnès, il fait un froid de canard ! » Son pourpoint est déchiré, son col de chemise est arraché, et il n'a qu'une chaussure. Il agrippe ses chausses pour les retenir. Il y a cinq ans, il a perdu un œil dans une joute ; maintenant il a perdu son cache-œil, et son orbite livide est visible. Il regarde autour de lui avec ce qui lui reste pour voir. « Cromwell ? Je ne me rappelle pas vous avoir vu avec nous hier soir.

— J'étais dans mon lit, et serais heureux d'y être encore.

— Pourquoi n'y retournez-vous pas ? » Au risque de glisser et de se briser le cou, il tend vivement les mains en avant. « Quelle femme vous attend ? En avez-vous une pour chacun des douze jours de Noël ? » Cromwell rit presque, jusqu'à ce que Bryan ajoute : « Vous autres sectaires, ne partagez-vous pas vos femmes entre vous ?

— Wyatt, dit-il en se tournant vers celui-ci, couvrez-le, ou ses parties vont geler. Déjà qu'il lui manque un œil.

— Dites merci ! hurle Thomas Wyatt en tapant sur ses compagnons. Dites merci à maître Cromwell et remboursez-lui ce que vous lui devez ! Qui d'autre serait venu de si bonne heure un jour férié et aurait ouvert sa bourse ? Nous aurions pu rester enfermés jusqu'à demain. »

Ils n'ont même pas l'air d'avoir un shilling à eux tous.

« Ne vous en faites pas, dit-il. Je mettrai ça sur votre compte. »

II

« Hélas, que ne ferais-je pas par amour ? »

Printemps 1532

Le moment est désormais venu de considérer les contrats qui régissent le monde : le contrat entre gouvernant et gouverné, et celui entre mari et femme. Ces deux arrangements reposent sur une dévotion indéfectible, dans l'intérêt de chaque partie. Le maître et le mari protègent et pourvoient ; la femme et le serviteur obéissent. Audessus des maîtres, au-dessus des maris, Dieu règne sur tous. Il tient le compte de nos rébellions mesquines, de nos folies humaines. Il tend son long bras, poing serré.

Imaginez-vous débattant ces questions avec George, lord Rochford. Il est aussi spirituel que n'importe quel jeune homme d'Angleterre, raffiné et cultivé ; mais aujourd'hui, ce qui le fascine, c'est le satin couleur flamme qui ressort des taillades de sa manche de velours. Il n'arrête pas de triturer du bout du doigt le tissu, le plissant, le palpant, tentant de le rendre plus bouffant, si bien qu'il ressemble à un de ces jongleurs qui font rouler des balles sur leurs bras.

Il est temps de dire ce qu'est l'Angleterre, de définir son envergure et ses limites : pas de dénombrer ou mesurer ses défenses portuaires et ses murs frontaliers, mais d'évaluer sa capacité d'autonomie. Il est temps de dire ce qu'est un roi, quelle confiance et quel secours il doit à son peuple : quelle protection face aux incursions étrangères, morales ou physiques, quelle liberté face à ceux qui prétendent expliquer aux Anglais comment parler à leur Dieu.

Le Parlement se réunit à la mi-janvier. Son objectif en ce début d'année est de briser la résistance des évêques face au nouvel ordre imposé par Henri, de mettre en place la législation – pour le moment en suspens – qui réduira les revenus de Rome, de faire en sorte que la suprématie du roi sur l'Église ne soit pas juste un vain mot. Les Communes rédigent une pétition contre les tribunaux ecclésiastiques, si arbitraires dans leurs débats, si présomptueux dans leurs revendications ; celle-ci remet en cause leur autorité, leur existence même. Les documents passent entre de nombreuses mains, et Cromwell finit par travailler toute la nuit avec Rafe et Appelez-Moi-Risley, griffonnant des amendements entre les lignes. Il répertorie toute forme d'opposition : Gardiner, par exemple, bien que secrétaire du roi, se sent obligé d'entraîner ses amis prélats dans la bataille.

Le roi envoie chercher maître Stephen. Quand il entre, les poils se dressent sur sa nuque et il se recroqueville sur lui-même tel un mastiff face à un ours. Le roi a une voix aiguë pour un homme de sa taille, et quand il est en colère elle se transforme en un hurlement à vous percer les tympans. Les ecclésiastiques sont-ils ses sujets, ou seulement ses demi-sujets ? Peut-être ne sont-ils plus du tout ses sujets, car comment pourraient-ils l'être s'ils font le serment d'obéir et d'être fidèle au pape ? Ne devraient-ils pas, hurle-t-il, faire le serment de m'obéir à moi ?

Lorsqu'il ressort, Stephen s'adosse aux boiseries peintes. Derrière lui, une troupe de nymphes gambade dans une clairière. Il sort un mouchoir mais semble avoir oublié pourquoi ; il le tord dans sa grosse patte, l'enroule autour de son doigt comme un bandage. La sueur ruisselle sur son visage.

Cromwell appelle à l'aide : « Monseigneur l'évêque est malade ! » On apporte un tabouret, que Stephen fixe d'un regard noir, puis il fixe Cromwell d'un regard noir, et il s'assied prudemment, comme s'il craignait qu'il ne cède sous son poids.

« Je présume que vous l'avez entendu ? » demande Gardiner. Chaque mot.

« S'il vous fait enfermer, je m'assurerai que vous aurez droit à quelques petits agréments.

— Allez au diable, Cromwell. Qui êtes-vous ? Quelle fonction occupez-vous ? Vous n'êtes rien. Rien. »

Nous devons remporter le débat, pas simplement assommer nos ennemis. Il va voir Christopher St. Germain, le vieux juriste dont la parole est respectée à travers toute l'Europe. Le vieil homme le reçoit poliment chez lui. Il n'est pas un homme en Angleterre, affirme-t-il, qui n'estime que notre Église a un besoin de réforme de plus en plus urgent, et si l'Église ne peut la mettre en œuvre, alors le roi et le Parlement doivent et peuvent le faire. Telle est la conclusion à laquelle je suis parvenu après plusieurs décennies passées à étudier la question.

Bien sûr, ajoute le vieil homme, Thomas More n'est pas d'accord avec moi. Peut-être a-t-il fait son temps.

L'Utopie, après tout, n'est pas un endroit où l'on peut vivre.

Quand il retrouve le roi, Henri enrage à propos de Gardiner : déloyauté, hurle-t-il, ingratitude. Peut-il rester mon secrétaire quand il s'oppose frontalement à moi ? (Il s'agit du même homme qu'Henri lui-même a décrit de façon élogieuse comme un brillant controversiste.) Il s'assied calmement, observe Henri, tente par son immobilité de désamorcer la situation, d'envelopper le roi d'une chape de silence pour qu'Henri puisse s'écouter. C'est une chose merveilleuse que de pouvoir apaiser le courroux du Lion d'Angleterre.

« Je crois…, dit-il doucement, avec la permission de Votre Majesté, je crois que… l'évêque de Winchester, comme nous le savons, aime argumenter. Mais pas avec son roi. Il n'oserait pas faire ça sans une bonne raison. » Il marque une pause. « Donc, son opinion, bien qu'erronée, est sincère.

— Soit, mais… »

Le roi s'interrompt. Henri a entendu sa propre voix, la voix dont il s'est servi lorsqu'il a provoqué la chute du cardinal. Mais Gardiner n'est pas Wolsey – ne serait-ce que parce que s'il est sacrifié, rares sont ceux qui le regretteront. Et pourtant ça arrange Cromwell, pour le moment, que le féroce évêque reste en poste, car il se soucie de la réputation d'Henri en Europe.

« Majesté, Stephen a fait tout ce qui était en son pouvoir pour vous servir en tant qu'ambassadeur, et mieux vaudrait le ramener à la raison en usant de persuasion plutôt qu'en lui forçant la main. C'est la méthode la plus plaisante, et aussi la plus honorable. »

Il observe le visage d'Henri. Le roi est sensible à tout ce qui touche à l'honneur.

« Est-ce là le conseil que vous donneriez en toutes circonstances ? »

Il sourit.

« Non.

— Vous ne voulez pas me voir gouverner dans un esprit d'humilité chrétienne ?

— Non.

— Je sais que vous n'aimez pas Gardiner.

— C'est pourquoi Votre Majesté devrait tenir compte de mon conseil. »

Il songe : tu as une dette envers moi, Stephen. La note arrivera bientôt.

Chez lui, il rencontre des parlementaires, des avocats, les représentants des corporations de la ville ; le président Thomas Audley et son protégé Richard Riche, un jeune laïque à l'esprit vif et aux cheveux dorés, aussi mignon qu'un ange peint ; Rowland Lee, un ecclésiastique robuste et franc qui ne ressemble en rien à un prêtre. Ces temps-ci, les rangs de ses amis en ville sont décimés par la maladie et par des morts non naturelles. Thomas Somer, qu'il connaît depuis des années, est décédé juste après avoir été libéré de la Tour, où il avait été enfermé pour avoir distribué l'évangile en anglais ; amateur de beaux habits et de chevaux rapides, Somer était un homme qui débordait de joie de vivre, jusqu'à ses déboires avec le lord-chancelier. John Petyt a été relâché, mais il est trop malade pour retourner aux Communes. Il lui rend visite ; il est désormais confiné à sa chambre. C'est douloureux de le voir respirer péniblement. Les premières chaleurs du printemps 1532 n'apaisent en rien ses souffrances. C'est comme si, dit Petyt, j'avais un anneau de fer autour de la poitrine, et qu'ils le serreraient de plus en plus. Il demande, Thomas, veillerez-vous sur Luce après ma mort ?

Parfois, quand il se promène dans les jardins avec les députés ou les chapelains d'Anne, il ressent l'absence de Cranmer. Il est parti depuis janvier en tant qu'ambassadeur du roi auprès de l'empereur ; au cours de ses voyages, il doit rendre visite à des érudits en Allemagne pour solliciter leur soutien à la cause du roi.

Avant son départ, Cromwell lui a demandé : « Que vais-je faire si, durant votre absence, le roi fait un rêve ? »

Cranmer a souri.

« Vous avez résolu le problème tout seul la dernière fois. Je n'ai fait qu'acquiescer pendant que vous parliez. »

Il voit le chat Marlinspike, ses pattes pendouillant dans le vide tandis qu'il est affalé sur une branche noire. Il tend le doigt. « Messieurs, c'était le chat du cardinal. » À la vue des visiteurs, Marlinspike détale sur le mur et disparaît en remuant la queue dans le territoire inconnu de l'autre côté.

Dans les cuisines d'Austin Friars, les *garzoni* apprennent à préparer des gaufrettes épicées. La procédure exige de bons yeux, beaucoup d'attention et une main ferme. Il y a tellement d'étapes délicates où les choses peuvent aller de travers. La mixture doit être épaisse, les plaques d'acier à long manche doivent être bien graissées et chaudes. Quand vous appliquez les plaques l'une contre l'autre, elles produisent un sifflement animal et de la vapeur s'élève dans les airs. Si vous paniquez et relâchez la pression, vous vous retrouvez avec une bouillie grumeleuse que vous devez gratter. Il faut attendre que la vapeur cesse. Si vous attendez un instant de trop, une odeur de brûlé imprègne l'air. Une seconde sépare la réussite de l'échec.

Lorsqu'il apporte aux Communes un projet de loi pour suspendre le paiement des Annates à Rome, il suggère de séparer en deux les députés. C'est tout à fait inhabituel, mais les membres, surpris, s'exécutent en ronchonnant : pour le projet de loi de ce côté, contre le projet de loi de l'autre. Le roi est présent ; il observe, il apprend qui est avec lui et qui ne l'est pas, et à la fin de la procédure il acquiesce sévèrement en direction de son conseiller en signe d'approbation. À la Chambre des lords, cette tactique ne servira à rien. La vieille aristocratie – des familles fières comme le clan Exeter, qui peuvent elles-mêmes prétendre au trône – est favorable au pape et à Catherine et n'a pas peur de le dire : du moins pas encore. Mais il identifie ses ennemis et, quand il le peut, il les divise.

Quand les garçons de cuisine ont réussi à cuire une gaufrette digne de ce nom, Thurston leur en demande cent de plus. Ça devient une seconde nature, le petit geste du poignet qui permet de faire glisser la gaufrette presque cuite sur le manche d'une cuiller en bois puis de la retourner sur le plateau de séchage pour qu'elle devienne croustillante. Les réussies – avec le temps, elles devraient toutes l'être – sont estampillées avec l'emblème des Tudors, puis les fragiles disques dorés parfumés à l'eau de rose sont empilés douze par douze dans les jolies boîtes marquetées qui serviront à les porter à table. Il en envoie un lot à Thomas Boleyn.

En tant que père de la future reine, le comte de Wiltshire estime mériter un titre spécial, et il a fait savoir qu'il ne lui serait pas désagréable de se faire appeler « Monseigneur ». Cromwell s'entretient avec lui, son fils et ses amis, puis il traverse les chambres de Whitehall pour aller voir Anne. Mois après mois elle gagne en statut, mais ses gens s'inclinent devant Cromwell lorsqu'il passe devant eux. À la cour et dans les bureaux de Westminster, il s'habille comme le gentilhomme qu'il est, mais sans excès : vestes amples en laine de Lemster, si fines qu'elles ondoient comme de l'eau, dans des tons pourpres et indigo si proches du noir qu'on dirait que la nuit les a imprégnées ; sa toque de velours noir repose sur ses cheveux noirs, de sorte que les seuls points lumineux sont ses yeux vifs et ses grosses mains charnues ; et l'éclat flamboyant de la bague en turquoise de Wolsey.

À Whitehall – anciennement York Place –, les maçons sont toujours à l'œuvre. À Noël, le roi a offert une chambre à Anne. Il l'y a lui-même menée, pour la voir panteler d'émerveillement devant les tentures murales en tissu d'argent et d'or, le lit sculpté avec ses rideaux de satin cramoisi brodé de fleurs et d'enfants. Henry Norris lui a rapporté qu'Anne n'a pas pantelé ; elle s'est contentée de lentement balayer la pièce du regard, de sourire, de cligner des yeux. Puis, se rappelant ce qu'elle était censée faire, elle a fait mine de défaillir devant tant d'honneurs, et ce n'est que lorsqu'elle a vacillé que le roi l'a prise dans ses bras et qu'elle a pantelé. Je nous souhaite à tous, a dit Norris, de parvenir au moins une fois dans notre vie à arracher le même son à une femme.

Après qu'Anne l'a remercié à genoux, Henri a dû partir, naturellement, quitter la pièce chatoyante en l'entraînant par la main et rejoindre les festivités du nouvel an, où son expression serait minutieusement observée par chacun. Il ne fait aucun doute que la nouvelle qu'Anne a une chambre au palais se répandra à travers toute l'Europe, par terre et par mer, en langage codé ou non.

Quand, après avoir traversé les anciens appartements du cardinal, il trouve Anne assise avec ses femmes, elle sait déjà, ou semble savoir, ce que son père et son frère ont dit. Ils croient définir sa tactique, mais elle est sa meilleure tacticienne et est tout à fait capable de regarder en arrière et de voir elle-même ce qui est allé de travers ; Cromwell admire quiconque apprend de ses erreurs. Tandis que, par les fenêtres ouvertes, leur parvient le battement d'ailes d'oiseaux en train de construire leur nid, elle déclare : « Vous m'avez dit un jour que le cardinal libérerait le roi. Savez-vous ce que je pense désormais ? Je pense que Wolsey était la dernière personne à pouvoir le faire. Parce qu'il était si fier, parce qu'il voulait être pape. S'il avait été plus humble, Clément l'aurait obligé.

— Il y a peut-être du vrai dans ce que vous dites.

— Je suppose que nous devrions en tirer une leçon », déclare Norris.

Anne et Cromwell se retournent en même temps.

« Vraiment ? » dit-elle.

Et Cromwell demande : « Et quelle serait cette leçon ? »

Norris ne sait que répondre.

« Aucun de nous n'est susceptible de devenir cardinal, dit Anne. Même Thomas, qui aspire à bien des choses, n'aspire pas à ça.

— Oh ? Je ne miserais pas mon argent là-dessus », réplique Norris.

Il s'éloigne d'un pas alangui, comme seul un gentilhomme élégant peut le faire, et laisse Cromwell avec les femmes.

« Donc, lady Anne, dit-il, puisque vous pensez au défunt cardinal, prenez-vous le temps de prier pour son âme ?

— Je crois que Dieu l'a jugé, et que mes prières, que j'en adresse ou non, seront sans effet. »

Mary Boleyn dit, doucement : « Il te taquine, Anne.

— Sans le cardinal, vous seriez mariée à Harry Percy.

— Au moins, réplique-t-elle sèchement, j'aurais le statut d'épouse, qui est un statut honorable, alors que maintenant…

— Oh, mais, cousine, intervient Mary Shelton, Harry Percy est devenu fou. Tout le monde le sait. Il dépense tout son argent. »

Mary Boleyn éclate de rire.

« C'est vrai, dit-elle, et ma sœur suppose que c'est sa déception amoureuse qui lui a fait perdre la tête.

— Madame, dit-il en se tournant vers Anne, vous ne voudriez pas vivre avec Harry Percy. Car vous savez qu'il ferait comme tous ces lords du Nord, il vous garderait dans une tourelle glaciale au sommet d'un escalier venteux et ne vous laisserait descendre que pour le dîner. Et quand vous seriez assise à table, alors qu'on vous apporterait une bouillie faite de flocons d'avoine mélangés à du sang de bœuf, le lord ferait irruption en agitant un sac – oh, chéri, diriez-vous, un cadeau pour moi ? et lui répondrait, oui, madame, si cela vous fait plaisir, et il ouvrirait le sac et sur vos cuisses roulerait la tête tranchée d'un Écossais.

— Oh, c'est horrible, murmure Mary Shelton. Font-ils vraiment ça ? »

Anne porte une main à sa bouche, elle rit.

« Et vous savez, poursuit-il, que pour le dîner vous

préféreriez un blanc de poulet légèrement poché accompagné d'une sauce crémeuse à l'estragon. Et aussi un fromage bien affiné importé par l'ambassadeur d'Espagne, fromage certainement destiné à la reine mais qui, par un curieux hasard, a fini chez moi.

— Comment pourrais-je être mieux servie ? dit Anne. On envoie même des hommes sur les routes pour intercepter le fromage de Catherine.

— Eh bien, après un tel coup de maître, je dois partir » – il désigne le joueur de luth dans un coin de la pièce – « et vous laisser avec votre amoureux qui vous lorgne avec de gros yeux ronds. »

Anne jette un coup d'œil en direction de Mark.

« C'est vrai qu'il a de gros yeux ronds.

— Dois-je le renvoyer ? Ce ne sont pas les musiciens qui manquent.

— Laissez-le, répond Mary. C'est un gentil garçon. » Elle se lève. « Je vais juste…

— Maintenant lady Carey va avoir l'un de ses entretiens avec maître Cromwell », déclare naïvement Mary Shelton.

Jane Rochford : « Elle va de nouveau lui offrir sa vertu.

— Lady Carey, que ne pouvez-vous pas dire devant nous ? » demande Anne.

Mais elle acquiesce. Il peut partir. Mary peut partir. Sans doute Mary porte-t-elle des messages qu'Anne est trop délicate pour transmettre personnellement.

Dehors : « Parfois j'ai besoin de respirer », déclare Mary. Il attend. « Jane et notre frère George, vous savez à quel point ils se détestent ? Il refuse d'aller au lit avec elle. S'il n'est pas avec une autre femme, il passe la nuit avec Anne dans ses appartements. Ils jouent aux cartes. Jusqu'à l'aube. Savez-vous que le roi paye ses dettes de jeu ? Elle a besoin de plus de revenus, et d'une maison à elle, une retraite, pas trop loin de Londres, quelque part au bord de la rivière…

— À qui est la maison qu'elle a en tête ?

— Je ne crois pas qu'elle ait l'intention de mettre qui que ce soit dehors.

— Les maisons appartiennent en général à quelqu'un. »

Puis une idée lui vient. Il sourit.

Mary : « Je vous ai dit un jour de rester éloigné d'elle. Mais maintenant nous ne pouvons plus nous passer de vous. Même mon père et mon oncle le disent. On n'arrive à rien, rien, sans la faveur du roi, sans être constamment à ses côtés, et maintenant, quand vous n'êtes pas avec Henri, c'est lui qui veut savoir où vous êtes. » Elle recule d'un pas, le jauge un moment comme s'il était un inconnu. « Ma sœur aussi.

— Je veux un emploi, lady Carey. Il n'est pas suffisant d'être conseiller. Je veux un poste officiel dans la maison du roi.

— Je le dirai à Anne.

— Je veux un poste à la Maison des Joyaux. Ou à l'Échiquier. »

Elle acquiesce.

« Elle a fait de Tom Wyatt un poète. Elle a fait d'Harry Percy un fou. Je suis sûre qu'elle a une idée de ce qu'elle fera de vous. »

Quelques jours avant que le Parlement se réunisse de nouveau, Thomas Wyatt vient s'excuser de l'avoir tiré du lit avant l'aube le jour de la nouvelle année.

« Vous avez parfaitement le droit d'être en colère

après moi, mais je viens vous demander de ne pas l'être. Vous savez comment c'est au nouvel an. On porte des toasts, la jarre tourne, et il faut la vider. »

Il observe Wyatt qui tourne en rond dans la pièce, trop curieux, trop agité, presque trop timide pour s'asseoir et s'excuser de face. Il fait tourner le globe peint et pose son doigt sur l'Angleterre. Il s'arrête pour regarder des tableaux, un petit retable, puis il se retourne avec une expression interrogative : il appartenait à ma femme, explique Cromwell, je le garde en souvenir. Wyatt porte une veste de brocart raide, couleur crème et bordée de martre, qu'il n'a probablement pas les moyens de s'offrir ; il porte un pourpoint de couleur fauve. Il a des yeux d'un bleu délicat et une crinière dorée qui commence à se dégarnir. Parfois il touche sa tête du bout de ses doigts d'un geste hésitant, comme s'il traînait toujours son mal de crâne du nouvel an ; en fait, il vérifie la naissance de ses cheveux, pour voir si elle a reculé au cours des cinq dernières minutes. Il se fige et se regarde dans le miroir ; il fait ça très souvent. Doux Jésus, dit-il. Errer dans les rues avec cette bande. Je suis trop vieux pour me comporter ainsi. Mais trop jeune pour perdre mes cheveux. Croyez-vous que les femmes s'en soucient ? Beaucoup ? Croyez-vous que si je me laissais pousser la barbe ça les… Non, probablement pas. Mais peut-être le ferai-je tout de même. La barbe va bien au roi, non ?

Cromwell demande : « Votre père ne vous a-t-il jamais donné de conseils ?

— Oh, si. Bois un bol de lait avant de sortir. Mange des coings cuits dans du miel – vous croyez que ça fonctionne ? »

Il essaie de ne pas rire. Il veut prendre au sérieux son nouveau rôle de père.

« Je veux dire : ne vous a-t-il jamais conseillé de rester à l'écart des femmes qui intéressent le roi ?

— Je suis resté à l'écart. Vous vous souvenez que je suis allé en Italie ? Après ça j'ai passé un an à Calais. Combien de temps un homme peut-il rester à l'écart ? »

Une question qu'il s'est lui-même posée. Wyatt s'assied sur un petit tabouret. Il pose les coudes sur ses genoux. Il se serre les tempes du bout des doigts. Écoute-t-il les battements de son cœur ? Réfléchit-il ? Peut-être compose-t-il un poème ? Il lève les yeux.

« Mon père affirme que maintenant que Wolsey est mort, vous êtes l'homme le plus intelligent d'Angleterre. Alors pourrez-vous comprendre ce que je vais vous dire, si je ne le dis qu'une fois ? Si Anne n'est pas vierge, je n'y suis pour rien. »

Il lui verse un verre de vin.

« Il est fort », observe Wyatt après l'avoir vidé d'un trait. Il regarde au fond du verre, scrute ses propres doigts qui le tiennent. « Je vais devoir en dire plus, je crois.

— Si vous devez le faire, faites-le, et une seule fois.

— Quelqu'un se cache-t-il derrière la tapisserie ? Quelqu'un m'a dit qu'il y a des serviteurs à Chelsea qui vous rapportent tout ce qu'ils entendent. Les domestiques ne sont plus sûrs ces temps-ci, il y a des espions partout.

— Dites-moi quand il n'y en a pas eu, réplique-t-il. Il y avait un enfant dans la maison de More, Dick Purser. More l'a accueilli par sentiment de culpabilité quand il est devenu orphelin – je ne peux pas dire que More ait directement tué son père, mais il l'a fait mettre au pilori à la Tour, et ça a ruiné sa santé. Dick a dit aux autres garçons qu'il ne croyait pas que Dieu était dans l'hostie, alors More l'a fouetté devant toute la maisonnée. Je l'ai fait venir ici. Que pouvais-je faire d'autre ? J'accueillerai tous ceux qu'il maltraitera. »

Tout en souriant, Wyatt passe la main sur la reine de Saba : c'est-à-dire sur Anselma. Le roi a donné à Cromwell la belle tapisserie de Wolsey. Au début de l'année, quand il est allé le voir à Greenwich, le roi l'a vu lever les yeux vers elle pour la saluer, et il lui a demandé, avec un sourire de biais, connaissez-vous cette femme ? Je l'ai connue, a-t-il répondu comme s'il s'excusait ; le roi a dit, qu'importe, nous avons tous fait des folies durant notre jeunesse, et nous ne pouvons pas épouser tout le monde, n'est-ce pas... Puis il a ajouté à voix basse, je crois qu'elle appartenait au cardinal de York, et, d'un ton plus animé, quand vous rentrerez chez vous, trouvez-lui une place ; il me semble qu'elle devrait vivre avec vous.

Il se sert un verre de vin, en sert un second à Wyatt. Il dit : « Gardiner a des gens devant ma porte qui observent les allées et venues. C'est une maison de ville, pas une forteresse – mais s'il y a ici quelqu'un qui n'a rien à y faire, mes gens le mettront dehors. Nous aimons bien nous battre. J'aimerais laisser mon passé derrière moi, mais on ne m'y autorise pas. L'oncle Norfolk n'arrête pas de me rappeler que j'étais un simple soldat, et même pas dans son armée.

— C'est comme ça que vous l'appelez ? » Wyatt éclate de rire. « L'oncle Norfolk ?

— Entre nous. Mais je n'ai pas besoin de vous rappeler ce à quoi les Howard estiment avoir droit. Et vous avez été durant votre enfance le voisin de Thomas Boleyn, vous savez donc que mieux vaut ne pas le contrarier, quoi que vous ressentiez pour sa fille. J'espère que vous ne ressentez rien – est-ce le cas ?

— Deux années durant, répond Wyatt, j'ai souffert de toute mon âme à l'idée qu'un autre homme la touchait. Mais qu'avais-je à lui offrir ? Je suis un homme marié, et je ne suis pas le duc ni le prince qu'elle cherche. Elle m'aimait bien, je crois, ou alors elle aimait que je sois son esclave, ça l'amusait. Nous étions seuls, elle me laissait l'embrasser, et j'ai toujours cru que... mais c'est la tactique d'Anne, voyez-vous, elle dit oui, oui, oui, puis elle dit non.

— Et bien sûr vous êtes un parfait gentleman.

— Quoi, j'aurais dû la violer ? Quand elle dit "arrêtez", elle le pense – Henri le sait. Mais un autre jour arrivait et elle me laissait de nouveau l'embrasser. Oui, oui, oui, non. Le pire, c'est qu'elle laissait entendre, elle s'en vantait presque, qu'elle me disait non à moi mais oui à d'autres...

— À qui ?

— Oh, des noms auraient gâché son petit jeu. Elle fait en sorte que chaque fois qu'on voit un homme, à la cour ou dans le Kent, on se demande, est-ce lui ? Ou bien lui, ou lui ? Donc vous vous demandez continuellement où vous avez failli, pourquoi vous n'arrivez jamais à lui plaire, pourquoi elle ne vous laisse jamais votre chance.

— Je trouve que vous écrivez de très beaux poèmes. Vous pouvez vous consoler ainsi. Les vers de Sa Majesté peuvent être un peu répétitifs, pour ne pas dire égocentriques.

— Cette chanson qu'il a écrite, *Pastime With Good Company*, chaque fois que je l'entends, il y a quelque chose en moi, comme un petit chien, qui veut hurler.

— Certes, mais le roi a plus de quarante ans. C'est triste de l'entendre chanter sur l'époque où il était jeune et idiot. » Il observe Wyatt. Ce dernier semble hébété, comme s'il avait une douleur persistante entre les yeux. Il prétend qu'Anne ne le tourmente plus, mais ce n'est pas l'impression qu'il donne. Il demande, aussi brutal qu'un boucher : « Alors combien d'amants croyez-vous qu'elle ait eus ? »

Wyatt baisse les yeux et regarde ses pieds. Lui regarde le plafond.

Le jeune homme finit par répondre : « Une douzaine ? Aucun ? Cent ? Brandon a essayé de dire à Henri qu'elle n'était plus vierge. Mais il a renvoyé Brandon de la cour. Imaginez si j'essayais. Je ne crois pas que je sortirais de la pièce vivant. Brandon s'est forcé à parler, parce qu'il se dit, le jour où elle se donnera à Henri, que se passera-t-il ? Ne le verra-t-il pas ?

— Faites confiance à Anne. Elle a dû y penser. En plus, le roi n'est pas expert en matière d'hymens. Il l'admet lui-même. Avec Catherine, il lui a fallu vingt ans pour comprendre que son frère l'avait possédée avant lui. »

Wyatt rit.

« Quand le jour viendra, ou la nuit, Anne devra se trouver une autre excuse.

— Écoutez. Voici comment je vois les choses. Anne ne se soucie pas de sa nuit de noces car elle n'a aucune raison de s'inquiéter. » Il voudrait dire : parce qu'Anne n'est pas un être charnel, c'est un être calculateur, avec un cerveau froid et rusé qui fonctionne en permanence derrière ses yeux noirs affamés. « Je crois que n'importe quelle femme qui est capable de dire obstinément non au roi d'Angleterre est suffisamment intelligente pour dire non aux autres hommes, y compris vous, y compris Harry Percy, y compris tous ceux qu'elle choisit de tourmenter pour s'amuser pendant qu'elle mène sa vie à sa guise. Donc je pense que oui, on s'est moqué de vous, mais pas exactement de la manière que vous croyez.

— C'est censé être une consolation ?

— Ça devrait vous consoler. Si vous aviez réellement été son amant, j'aurais peur pour vous. Henri croit à sa virginité. Que peut-il croire d'autre ? Mais il s'avérera jaloux lorsqu'ils seront mariés.

— Car ils vont l'être ? Mariés ?

— Je travaille d'arrache-pied avec le Parlement, croyez-moi, et je pense pouvoir briser les évêques. Et après ça, Dieu seul sait… Thomas More affirme que durant le règne du roi Jean, quand l'Angleterre a été placée sous interdit par le pape, le bétail ne se reproduisait plus, le blé ne mûrissait plus, l'herbe ne poussait plus et les oiseaux tombaient du ciel. Mais si cela se produit de nouveau, dit-il avec un sourire, je suis certain que nous pourrons inverser notre politique.

— Anne m'a demandé : Cromwell, que croit-il vraiment ?

— Donc vous vous parlez ? Et vous parlez de moi ? Pas juste oui, oui, oui, non ? Je suis flatté. »

Wyatt semble malheureux.

« Êtes-vous sûr de ne pas vous tromper ? Au sujet d'Anne ?

— C'est possible. Pour le moment, je la prends telle qu'elle se considère. Ça m'arrange. Ça nous arrange tous les deux. »

Tandis que Wyatt s'apprête à partir, Cromwell lance : « Vous devez revenir bientôt. Mes filles ont entendu dire que vous étiez bel homme. Vous pourrez garder votre chapeau si vous craignez de les décevoir. »

Wyatt est le partenaire de jeu de paume habituel du roi. Il sait donc quand ravaler sa fierté. Il s'efforce de sourire.

« Votre père nous a parlé du lion. Les garçons en ont fait une pièce de théâtre. Peut-être aimeriez-vous venir un jour et tenir votre propre rôle ?

— Oh, le lion. Maintenant, quand j'y repense, je me demande comment j'ai pu me tenir immobile, complètement exposé, et l'attirer vers moi. » Il marque une pause. « C'est plus le genre de chose que vous feriez, maître Cromwell. »

Thomas More vient à Austin Friars. Il refuse toute nourriture, il refuse toute boisson, pourtant il semble avoir besoin des deux.

Le cardinal n'aurait pas accepté un refus. Il l'aurait forcé à s'asseoir et à manger du sabayon. Ou, si ç'avait été la saison, il lui aurait donné une grande assiette de fraises et une toute petite cuiller.

More dit : « Durant ces dix dernières années, les Turcs ont pris Belgrade. Ils ont allumé leurs feux de camp dans la grande librairie de Buda. Il y a deux ans seulement ils étaient aux portes de Vienne. Pourquoi voudriez-vous ouvrir une nouvelle brèche dans les murs de la chrétienté ?

— Le roi d'Angleterre n'est pas un infidèle. Moi non plus.

— Ah, non ? Je ne sais même pas si vous priez le dieu de Luther et des Allemands, ou quelque dieu païen rencontré durant vos voyages, ou quelque déité anglaise de votre propre invention. Peut-être votre foi

501

est-elle à vendre. Vous serviriez le sultan si le prix vous convenait. »

Érasme dit, la nature a-t-elle jamais créé quelque chose de plus aimable, de plus doux et de plus harmonieux que le caractère de Thomas More ?

Il reste silencieux. Il est assis à son bureau – More l'a surpris en plein travail – le menton posé sur ses poings. C'est une pose qui lui confère probablement un certain avantage.

Le lord-chancelier paraît sur le point de déchirer ses vêtements : ce qui ne pourrait que les arranger. On pourrait avoir pitié de lui, mais il décide de ne pas le faire.

« Maître Cromwell, vous croyez que, sous prétexte que vous êtes conseiller, vous pouvez négocier avec les hérétiques dans le dos du roi. Vous vous trompez. Je suis au courant des lettres que vous échangez avec Stephen Vaughan, je sais qu'il a rencontré Tyndale.

— Me menacez-vous ? Simple curiosité.

— Oui, répond More d'un air triste. Oui, c'est précisément ce que je suis en train de faire. »

Il voit que l'équilibre des pouvoirs s'est modifié entre eux : pas en tant qu'agents de l'État, mais en tant qu'hommes.

Quand More s'en va, Richard lui dit :

« Il ne devrait pas. Vous menacer, je veux dire. Aujourd'hui, grâce à sa fonction, il repart tranquillement, mais demain, qui sait ? »

Il pense, j'étais enfant, je devais avoir neuf ans, je me suis enfui à Londres et j'ai vu une vieille femme souffrir pour sa foi. Le souvenir envahit son corps et il quitte la pièce comme s'il voguait dans son sillage, tout en lançant par-dessus son épaule :

« Richard, assure-toi que le lord-chancelier a une escorte convenable. Dans le cas contraire, fournis-lui-en une et essaie de lui trouver un bateau pour rentrer à Chelsea. Nous ne pouvons pas le laisser errer dans Londres et haranguer tous ceux qui croiseront son chemin. »

Il dit cette dernière phrase en français, il ne sait pas pourquoi. Il pense à Anne tendant la main, l'attirant vers elle : *Maître Cremuel, à moi**.

Il ne se rappelle pas l'année mais il se rappelle le temps de la fin avril, les grosses gouttes de pluie qui tachetaient les pâles feuilles fraîchement écloses. Il ne se rappelle pas la raison de la mauvaise humeur de Walter, mais il se rappelle la peur qu'il ressentait au fond de lui, et son cœur qui cognait contre ses côtes. À cette époque, s'il ne pouvait pas se cacher auprès de son oncle à Lambeth, il se rendait en ville et voyait avec qui il pouvait s'entendre – il voyait s'il pouvait gagner un penny en portant des paniers ou en chargeant des brouettes sur les quais. Il suffisait de le siffler pour qu'il vienne ; et il sait désormais qu'il a eu de la chance de ne pas s'être mêlé aux canailles qui l'auraient mené à se faire marquer au fer rouge ou fouetter, ou à être l'un de ces petits cadavres qu'on repêchait dans la rivière. À cet âge on n'a pas de jugement. Si quelqu'un disait, par là mon brave, il suivait le doigt tendu. Il n'avait rien contre la vieille femme, mais il n'avait jamais assisté à une exécution par le feu.

Quel est son crime ? avait-il demandé, et les gens autour de lui avaient répondu, c'est une lollarde[1]. Elle

---

1. Adepte d'un mouvement de contestation religieuse inspiré par John Wycliffe. *(N.d.T.)*

prétend que le Dieu sur l'autel est un morceau de pain. Quoi, avait-il dit, du pain comme celui que font les boulangers ? Laissez avancer cet enfant, s'étaient-ils écriés. Laissez-le s'instruire, ça lui fera du bien de voir de près, comme ça il ira toujours à la messe et il obéira à son prêtre. Ils l'avaient poussé vers l'avant de la foule. Viens ici, mon ange, viens à côté de moi, avait dit une femme. Elle arborait un grand sourire et un chaperon d'une blancheur immaculée. On est pardonné pour ses péchés rien qu'en regardant, avait-elle expliqué. N'importe quelle personne qui amène des fagots pour le bûcher obtient quarante jours de libération du purgatoire.

Quand la lollarde avait été amenée, encadrée par les officiers, la foule avait hué et hurlé. Il s'était aperçu que c'était une grand-mère, peut-être la plus vieille personne qu'il avait jamais vue. Les officiers la portaient presque. Elle n'avait ni chaperon ni voile. Ses cheveux semblaient avoir été arrachés de son crâne par endroits. Des gens derrière lui disaient, nul doute qu'elle s'est fait ça toute seule de désespoir. Derrière la lollarde marchaient deux moines, paradant comme de gros rats gris, tenant une croix entre leurs pattes roses. La femme au chaperon blanc lui avait serré l'épaule : comme une mère aurait pu le faire, si vous en aviez une. Regarde-la, avait-elle dit, quatre-vingts ans, et la méchanceté à l'état pur. Un homme avait déclaré, pas beaucoup de gras sur les os, ça ne prendra pas longtemps, à moins que le vent tourne.

Mais quel est son péché ? avait-il demandé.

Je te l'ai dit. Elle prétend que les saints ne valent pas mieux que des poteaux de bois.

Comme celui auquel ils l'enchaînent ?

Oui, exactement comme ça.

Le poteau va lui aussi brûler.

Ils en auront un autre la prochaine fois, avait expliqué la femme. Elle avait ôté la main de son épaule, puis elle avait serré les poings et les avait agités en l'air, et des profondeurs de son ventre avait jailli un hurlement, un haro strident de démon. La foule avait repris son cri. Les spectateurs enragés poussaient vers l'avant pour avoir une meilleure vue, ils vociféraient, et sifflaient, et battaient des pieds. Il s'était mis à frissonner à l'idée du spectacle horrible auquel il s'apprêtait à assister. Il s'était retourné pour voir le visage de la femme qui était sa mère dans la foule. Regarde, avait-elle dit. Et d'une légère caresse des doigts elle lui avait tourné la tête vers le bûcher. Sois attentif. Les officiers avaient saisi les chaînes et attaché la vieille femme au poteau.

Le poteau se trouvait au sommet d'un tas de pierres, et des hommes étaient arrivés, des prêtres, des évêques peut-être, il ne savait pas. Ils avaient enjoint la lollarde de renier ses hérésies. Il était suffisamment proche pour voir ses lèvres bouger, mais il n'entendait pas ce qu'elle disait. Et si elle change d'avis maintenant, la relâcheront-ils ? Pas eux, avait répondu la femme en ricanant. Regarde, elle implore Satan de lui venir en aide. Les hommes s'étaient écartés. Les officiers avaient disposé du bois et des balles de paille autour de la lollarde. La femme lui avait tapé sur l'épaule ; espérons que la paille est humide, hein ? Nous sommes bien placés, la dernière fois j'étais au fond. La pluie avait cessé, le soleil était apparu. Quand le bourreau était arrivé avec sa torche, le bûcher était baigné d'une lumière pâle : on ne distinguait qu'un vague mouvement, comme des anguilles dans un sac. Les moines psalmodiaient et brandissaient leur croix en direction de la lollarde, et ce n'est que lorsqu'ils avaient fait un petit bond en arrière tandis que les premiers tourbillons de fumée s'élevaient que la foule avait su que le feu était allumé.

Les spectateurs s'étaient rués en avant, rugissant. Les officiers armés de bâtons avaient formé une barrière et crié de leur grosse voix profonde, reculez, reculez, reculez, et la foule hurlante s'était éloignée, puis elle était revenue à la charge en rugissant et en chantant, comme si c'était un jeu. La fumée tourbillonnante bouchait la vue des spectateurs et ils la repoussaient en battant des bras, ils toussaient. Sentez-la ! hurlaient-ils. Sentez la vieille truie ! Il avait retenu son souffle pour ne pas respirer la femme. Dans la fumée la lollarde hurlait. Maintenant elle implore les saints ! raillaient-ils. La femme s'était penchée et lui avait dit à l'oreille, sais-tu qu'ils saignent dans les flammes ? Certains croient qu'ils se dessèchent simplement, mais je l'ai déjà vu et je sais.

Quand la fumée s'était dissipée et qu'ils avaient pu de nouveau voir, la vieille femme était en flammes. Des hourras avaient retenti parmi la foule. Ils avaient dit que ce ne serait pas long, mais il avait fallu attendre longtemps, ou c'est du moins ce qu'il lui avait semblé, jusqu'à ce que cessent les hurlements de la suppliciée. Personne ne prie pour elle, avait-il demandé, et la femme avait répondu, à quoi bon ? Même quand ses hurlements s'étaient tus, on avait continué d'alimenter le feu. Les officiers marchaient autour du bûcher, piétinant les brins de paille qui s'envolaient, repoussant du pied les plus gros résidus.

En regardant les spectateurs qui commençaient lentement à rentrer chez eux, on pouvait savoir lesquels s'étaient tenus du mauvais côté du feu car ils avaient le visage couvert de cendres grises. Lui aussi voulait rentrer, mais il avait repensé à Walter qui avait promis le matin même de le tuer à petit feu. Alors il avait observé les officiers taper avec leurs barres de fer sur les quelques débris humains qui restaient. Des vestiges de chair étaient toujours agglutinés aux chaînes. Il s'était approché des hommes et avait demandé, à quelle température doit être le feu pour brûler les os ? Il s'attendait à ce qu'ils soient experts en la matière. Mais ils n'avaient pas compris sa question. Les gens qui ne sont pas forgerons croient que tous les feux sont semblables. Mais son père lui avait appris les différentes nuances de rouge : rouge orangé, rouge cerise, le rouge vif qui n'avait pas de nom, à moins que son nom soit écarlate.

Le crâne de la condamnée gisait par terre, ainsi que les longs os de ses bras et de ses jambes. Sa cage thoracique brisée n'était pas plus grosse que celle d'un chien. Un homme avait saisi une barre de fer et l'avait enfoncée dans le trou où s'était trouvé l'œil de la femme. Il avait soulevé le crâne et l'avait placé sur les pierres, face à lui. Puis il avait brandi sa barre et l'avait abattue sur le sommet du crâne. Avant même d'atteindre sa cible, il avait su qu'il avait raté son coup, qu'il avait frappé de travers. Des fragments d'os, telles des étoiles, s'étaient envolés, mais l'essentiel du crâne était resté intact. Seigneur, avait dit l'homme. Tiens, mon gars, tu veux essayer ? Un bon coup suffira à le démolir.

Normalement il acceptait toute invitation. Mais il avait reculé, les mains dans le dos. Palsambleu, avait dit l'homme, j'aimerais bien moi aussi faire la fine bouche. Peu après il s'était mis à pleuvoir. Les hommes s'étaient essuyé les mains, ils s'étaient mouchés et ils étaient repartis, jetant leurs barres de fer au milieu de ce qui restait de la condamnée. Ce n'étaient plus que des fragments d'os désormais, et d'épaisses cendres visqueuses. Il avait soulevé l'une des barres de fer au cas où il aurait besoin d'une arme. Il avait tâté son extrémité aplatie, qui était comme un burin. Il ne savait pas s'il était loin de chez lui, ni si Walter lui tomberait dessus. Il se demandait comment on tuait quelqu'un à petit feu. Il aurait dû demander aux officiers tant qu'ils étaient là, ils devaient sûrement savoir.

La puanteur de la femme flottait toujours dans l'air. Il se demandait si elle était en enfer ou si elle errait toujours dans les rues, mais il n'avait pas peur des fantômes. Une tribune avait été dressée pour les gentilshommes, et bien que sa marquise eût été démontée, elle était suffisamment haute pour qu'il puisse se mettre à l'abri dessous. Il avait prié pour la femme, songeant que ça ne pouvait pas faire de mal. Ses lèvres bougeaient tandis qu'il priait. L'eau de pluie s'amassait au-dessus de lui et de grosses gouttes passaient à travers les planches. Il s'était mis à compter les secondes qui s'écoulaient entre chaque goutte et à les attraper dans ses mains. Juste histoire de tuer le temps. Le crépuscule était arrivé. Si ç'avait été un jour normal, il aurait eu faim et se serait mis en quête de nourriture.

Dans l'obscurité des hommes étaient arrivés, et aussi des femmes ; il savait, à cause de la présence des femmes, que ce n'étaient ni des officiers ni des gens qui lui feraient du mal. Ils s'étaient rassemblés, formant un large cercle autour du poteau fiché dans sa pile de pierres. Il était sorti de sous la tribune et s'était approché d'eux. Vous vous demandez sans doute ce qui s'est passé ici, avait-il dit. Mais ils ne l'avaient pas regardé et ne lui avaient pas répondu. Ils étaient tous tombés à genoux comme s'ils priaient. Moi aussi j'ai prié pour elle, avait-il dit.

Vraiment ? Tu es un bon garçon, avait répondu l'un des hommes sans même lever les yeux. S'il me regarde, songeait-il, il verra que je ne suis pas bon, que je suis juste un bon à rien qui part avec ses chiens et oublie de préparer les bains d'eau salée pour la forge, et quand Walter hurle où est la putain de bassine, elle n'est pas là. Son estomac s'était soudain serré quand il s'était rappelé ce qu'il n'avait pas fait et pourquoi Walter voulait le tuer. Il avait presque hurlé. Comme si la douleur avait été physique.

Il voyait désormais que les hommes et les femmes ne priaient pas. Ils étaient à quatre pattes. C'étaient des amis de la lollarde et ils la ramassaient. L'une des femmes était agenouillée avec sa jupe étalée autour d'elle et tendait un pot de terre à la ronde. Malgré l'obscurité il avait repéré un fragment d'os dans la gadoue de cendres, et il l'avait ramassé. Tenez, voici un morceau, avait-il dit. La femme avait tendu son pot. Et en voici un autre.

L'un des hommes se tenait à l'écart. Pourquoi ne nous aide-t-il pas ? avait-il demandé.

C'est le veilleur. Il siffle si les officiers arrivent.

Vont-ils nous arrêter ?

Dépêchez-vous, dépêchez-vous, avait lancé un autre homme.

Lorsque le pot avait été plein, la femme qui le tenait avait dit : « Donne-moi ta main. »

Comme il lui faisait confiance, il avait obéi. Elle avait alors plongé les doigts dans le pot et avait étalé sur le dos de sa main un mélange de boue et de poussière, de graisse et de cendre. « Joan Boughton », avait-elle dit.

Quand il y repense aujourd'hui, il s'étonne de ses trous de mémoire. Il n'a jamais oublié la femme dont il a porté les restes sous forme de tache grasse sur sa propre peau, mais comment se fait-il que ses souvenirs d'enfance soient aussi décousus ? Il ne se rappelle pas comment il est rentré chez lui, ni ce que Walter a fait au lieu de le tuer à petit feu, ni pourquoi il s'est enfui au lieu de préparer l'eau salée. Peut-être, songe-t-il, ai-je renversé le sel et ai-je eu trop peur de l'avouer. Ça paraît plausible. La peur le pousse à garder le silence, son silence entraîne une peur plus grande, et arrive un moment où son angoisse est telle que l'enfant terrorisé s'enfuit et se retrouve à suivre une foule et à assister à un meurtre.

Il n'a jamais raconté cette histoire à personne. Ça ne le dérange pas de parler à Richard ou à Rafe de son passé – dans la limite du raisonnable – mais il n'a aucune intention de se dévoiler complètement. Chapuys vient très souvent dîner et s'assied à côté de lui, lui arrachant des bribes de sa vie comme il arrache la chair tendre de l'os.

Certaines personnes me disent que votre père était irlandais, dit Eustache. Il attend, immobile.

C'est la première fois que j'entends ça, répond-il, mais je vous accorde qu'il était un mystère même pour lui-même. Chapuys renifle ; les Irlandais sont un peuple très violent, déclare-t-il. « Dites-moi, est-il vrai que vous ayez fui l'Angleterre à quinze ans après vous être échappé de prison ? demande Chapuys.

— Pour sûr, répond-il. Un ange a brisé mes chaînes. »

Ça lui donnera quelque chose à écrire à son empereur. *J'ai soumis l'allégation à Cromwell, qui m'a répondu par un blasphème indigne de votre oreille impériale.* Chapuys a toujours quelque chose à dire dans ses dépêches. Si les informations sont maigres, il lui envoie les ragots. Il y a les ragots qu'il apprend de sources douteuses, et ceux dont il le nourrit délibérément. Comme Chapuys ne parle pas anglais, il obtient ses informations en français de Thomas More, en italien du marchand Antonio Bonvisi et en Dieu sait quoi – latin ? – de Stokesley, l'évêque de Londres, dont il honore également la table. Chapuys essaie de persuader son maître l'empereur que les Anglais sont si mécontents de leur roi que, pourvu qu'ils soient encouragés par quelques troupes espagnoles, ils se révolteront. Chapuys, naturellement, se fourvoie complètement. Les Anglais sont peut-être du côté de la reine Catherine – dans l'ensemble, c'est l'impression qu'ils donnent. Ils n'aiment peut-être pas ou ne comprennent peut-être pas les récentes mesures prises au Parlement. Mais l'instinct de Cromwell lui dit ceci : ils se souderont contre toute ingérence étrangère. Ils aiment Catherine parce qu'ils ont oublié qu'elle était espagnole, parce qu'elle est là depuis longtemps. C'est le même peuple qui s'est soulevé contre les étrangers en 1517 ; le même peuple égoïste, entêté, attaché à son bout de terre. Seule une force écrasante – une coalition, disons, de François et de l'empereur – pourra le faire bouger. Nous ne pouvons, bien entendu, pas rejeter la possibilité qu'une telle coalition voie le jour.

Une fois le dîner achevé, il ramène Chapuys à ses gens, ses grands garçons costauds, ses gardes du corps, qui attendent paresseusement, discutant en flamand,

souvent de lui. Chapuys sait qu'il est allé au Pays-Bas ;
croit-il qu'il ne comprend pas la langue ? Ou est-ce
une façon détournée de lui faire comprendre ce qu'ils
pensent réellement ?

Parfois, après la mort de Lizzie, il lui est arrivé
de se réveiller le matin et de devoir décider, avant
de pouvoir parler à qui que ce soit, qui il était et
pourquoi. Parfois il lui est arrivé de rêver des morts,
de se voir les cherchant, et il se réveillait tremblant,
hésitant entre rêve et réalité.

Mais ces jours sont révolus.

Parfois, quand Chapuys a fini de déterrer les os de
Walter et de lui rendre sa propre vie étrangère, il se sent
presque obligé de prendre la défense de son père, de
son enfance. Mais ça ne sert à rien de se justifier. Il ne
faut pas s'expliquer. C'est une faiblesse d'être anecdo-
tique. Il est sage de dissimuler le passé, même s'il n'y
a rien à dissimuler. Le pouvoir d'un homme réside dans
le demi-jour, dans les mouvements à peine visibles de
sa main et dans les expressions indéchiffrables de son
visage. C'est l'absence de faits qui effraie les gens :
la brèche que vous ouvrez, dans laquelle ils déversent
leurs peurs, leurs fantasmes, leurs désirs.

Le 14 avril 1532, le roi le nomme gardien de la
Maison des Joyaux. À ce poste, a dit Henry Wyatt,
on a une vue d'ensemble des revenus et des dépenses
du roi.

Le roi hurle, comme s'il s'adressait à tous les courtisans qui passent : « Pourquoi ne pourrais-je pas, dites-
moi, employer le fils d'un honnête forgeron ? »

Il cache le sourire que lui arrache cette description
de Walter ; tellement plus flatteuse que toutes celles
proposées par l'ambassadeur d'Espagne. Le roi dit :

« Ce que vous êtes dépend de moi. De moi seul. Tout ce que vous êtes, tout ce que vous possédez, viendra de moi. »

Cette idée lui procure un plaisir qu'on ne peut guère lui reprocher. Henri est si bien disposé ces temps-ci, si généreux et malléable, qu'il faut lui pardonner de réaffirmer occasionnellement sa position, que cela soit nécessaire ou non. Le cardinal avait l'habitude de dire : les Anglais pardonneront tout à un roi, jusqu'à ce qu'il essaie de les taxer. Il disait aussi, peu importe le nom de la fonction. Dès qu'un collègue du Conseil tourne le dos, lorsqu'il se retourne de nouveau, il me trouve en train de faire son travail.

Il est dans un bureau de Westminster un jour d'avril quand Hugh Latimer arrive. Il vient d'être relâché après avoir été détenu à Lambeth Palace.

« Eh bien ? dit Hugh. Vous pourriez abandonner vos gribouillis et me tendre la main. »

Il se lève de son bureau et l'étreint – manteau noir poussiéreux, tendons, os.

« Ainsi donc vous avez prononcé un joli discours à Warham ?

— Je l'ai fait au pied levé, à ma façon. Il est sorti de ma bouche aussi frais que s'il sortait de la bouche d'un bébé. Peut-être le vieux bonhomme n'a-t-il plus trop le goût de brûler les gens maintenant que sa propre fin est si proche. Il se ratatine comme une graine au soleil, quand il bouge on entend le bruit de ses os. Enfin bref, je ne saurais expliquer comment, mais me voici devant vous.

— Dans quelles conditions vous a-t-il gardé ?

— Des murs nus constituaient ma seule bibliothèque. Heureusement, mon cerveau est rempli de textes. Il m'a renvoyé avec un avertissement. Il m'a dit que si je n'avais pas grillé, je n'étais pas passé loin. On m'a déjà dit ça. Ça doit faire maintenant dix ans que je suis passé pour hérésie devant la Bête écarlate. » Il rit. « Mais Wolsey m'a rendu ma licence de prêtre. Et il m'a fait le baiser de la paix. Et il m'a offert à dîner. Alors ? Sommes-nous sur le point d'avoir une reine qui aime l'évangile ? »

Haussement d'épaules.

« Nous parlons – ils parlent – avec les Français. Il y a un traité dans l'air. François a un troupeau de cardinaux qui pourraient nous prêter leurs voix à Rome. »

Hugh pousse un petit grognement.

« Toujours à attendre après Rome.

— Les choses doivent se passer ainsi.

— Nous convaincrons Henri. Nous l'amènerons à l'évangile.

— Peut-être. Mais pas d'un coup. Petit à petit.

— Je vais demander à l'évêque Stokesley de m'autoriser à rendre visite à notre frère Bainham. M'accompagnerez-vous ? »

Bainham est l'avocat qui a été arrêté par More l'année dernière et torturé. Juste avant Noël, il a été entendu par l'évêque de Londres. Il a abjuré et a été libéré en février. C'est un homme normal ; il voulait vivre, naturellement. Mais une fois libéré, sa conscience a refusé de le laisser en paix. Un dimanche il est entré dans une église bondée et s'est tenu devant tous les fidèles, Bible de Tyndale en main, et a fait une profession de foi. Maintenant il est à la Tour et attend de connaître la date de son exécution.

« Alors ? demande Latimer. M'accompagnerez-vous ou non ?

— Je ferais mieux de ne pas fournir de munitions au lord-chancelier. »

Je pourrais convaincre Bainham, songe-t-il, lui dire, croyez tout ce qu'ils voudront, frère, jurez et croisez vos doigts dans votre dos. Mais bon, ce que dira Bainham n'a plus guère d'importance. Il n'aura plus droit à la clémence, il doit brûler.

Hugh Latimer s'éloigne d'un pas léger. Lui a droit à la clémence. Le Seigneur marche avec lui et l'accompagne dans une barque qui le déposera à l'ombre de la Tour ; dans ces conditions, nul besoin de Thomas Cromwell.

More affirme qu'on peut mentir aux hérétiques, ou leur arracher une confession par la ruse. Ils n'ont pas le droit au silence, même s'ils savent que parler les incriminera ; s'ils ne parlent pas, alors qu'on leur casse les doigts, qu'on les brûle avec des fers, qu'on les pende par les poignets. C'est légitime. Et More va même plus loin : c'est un devoir sacré.

Des députés de la Chambre des communes dînent avec des prêtres à la taverne *The Queen's Head*. Ces derniers font circuler une rumeur, qui se répand parmi le peuple de Londres : quiconque soutiendra le divorce du roi sera damné. Dieu est si dévoué à leur cause, affirment-ils, qu'un ange muni d'un parchemin assiste aux séances du Parlement, notant qui vote comment, marquant d'une tache noire le nom de ceux qui craignent plus Henri que le Tout-Puissant.

À Greenwich, un ecclésiastique nommé William Peto, le chef en Angleterre de sa branche de l'ordre des Franciscains, prononce devant le roi un sermon au cours duquel il prend comme exemple l'infortuné Achab, septième roi d'Israël, qui vivait dans un palais d'ivoire. Sous l'influence de la mauvaise Jézabel, il fit construire un temple païen et accorda aux prêtres de Baal une place dans son escorte. Le prophète Élie dit à Achab que les chiens lécheraient son sang, et c'est ce qui se produisit, comme on peut l'imaginer, car les seuls prophètes dont on se souvient sont ceux dont les prophéties sont vérifiées. Les chiens de Samarie léchèrent le sang d'Achab. Tous ses héritiers mâles périrent et furent abandonnés sans sépulture dans la rue. Jézabel fut jetée d'une fenêtre de son palais. Des chiens sauvages déchiquetèrent son cadavre.

Anne dit : « Je suis Jézabel. Vous, Thomas Cromwell, vous êtes les prêtres de Baal. » Ses yeux sont enflammés. « Comme je suis une femme, je suis celle qui apporte le péché dans ce monde. Je suis la porte du diable, la messagère maudite. Je suis celle par qui Satan attaque les hommes qu'il n'a pas le courage d'attaquer lui-même, sauf à travers moi. Enfin, c'est ainsi qu'ils voient la situation. Mon opinion, c'est qu'il y a trop de prêtres sans éducation et oisifs. Et j'aimerais que le pape, l'empereur et tous les Espagnols se noient dans la mer. Et si quelqu'un doit être jeté de la fenêtre d'un palais... *alors**, Thomas, je sais qui j'aimerais pousser de mes mains. Sauf que sur la petite Marie les chiens ne trouveraient pas un morceau de chair à ronger ; quant à Catherine, elle est si grosse qu'elle rebondirait.

Quand Thomas Avery arrive à la maison, il pose par terre la malle de voyage dans laquelle il transporte tout ce qu'il possède, et se relève bras écartés pour étreindre son maître comme un enfant. La nouvelle de sa promotion au sein du gouvernement s'est propagée jusqu'à Anvers. Il semblerait qu'en l'entendant Stephen

Vaughan ait rougi de plaisir et vidé une coupe de vin sans le couper avec de l'eau.

Entre, dit-il, il y a ici cinquante personnes qui veulent me voir, mais elles peuvent attendre. Viens me dire comment tout le monde se porte de l'autre côté de la mer. Thomas Avery se met aussitôt à parler. Mais après avoir franchi la porte de son bureau, il s'arrête. Il regarde la tapisserie que lui a donnée le roi. Il la scrute du regard, puis se tourne vers son maître, puis de nouveau vers la tapisserie.

« Qui est cette femme ?

— Tu ne devines pas ? » Il éclate de rire. « C'est Saba rendant visite à Salomon. Le roi me l'a donnée. Elle appartenait au cardinal. Il a vu que je l'aimais. Et il aime offrir des cadeaux.

— Elle doit valoir une jolie somme. »

Avery regarde la tapisserie avec respect, tel le jeune comptable enthousiaste qu'il est.

« Regarde, dit-il, j'ai un autre cadeau, qu'en penses-tu ? C'est peut-être la seule bonne chose qui soit jamais sortie d'un monastère. Frère Luca Pacioli. Il lui a fallu trente ans pour l'écrire. »

Avec sa reliure d'un vert profond rehaussée d'or et ses pages aux bordures dorées, le livre resplendit à la lumière. Ses fermoirs sont incrustés de grenats presque noirs, lisses, translucides.

« J'ose à peine l'ouvrir, dit le garçon.

— Je t'en prie. Ça va te plaire. »

C'est la *Summa de arithmetica*. En l'ouvrant, il découvre une gravure représentant l'auteur avec un livre devant lui et un compas dans la main.

« C'est une nouvelle édition ?

— Pas vraiment, mais mes amis à Venise viennent

de se souvenir de moi. J'étais enfant, naturellement, quand Luca a écrit ça, et tu n'étais même pas né. » Ses doigts effleurent la page. « Regarde, ici il traite de géométrie, tu vois les chiffres ? Ici, c'est le moment où il dit qu'on ne va pas se coucher tant que les comptes ne sont pas à l'équilibre.

— Maître Vaughan cite souvent cette maxime. Elle m'a souvent valu de rester éveillé jusqu'à l'aube.

— Moi aussi. » De nombreuses nuits, dans de nombreuses villes. « Luca, tu sais, c'était un homme pauvre. Il venait de Sansepolcro. Il était l'ami des artistes et il est devenu un grand mathématicien à Urbino, une petite ville de montagne, où le comte Federico, le grand *condottiere*, possédait une bibliothèque de plus de mille livres. Il était maître à l'université de Pérouse, puis plus tard à Milan. Je me demande pourquoi un tel homme est resté moine – naturellement, on enfermait dans des cachots les adeptes de l'algèbre et de la géométrie sous prétexte que c'étaient des magiciens, donc peut-être se croyait-il protégé par l'Église… Je l'ai entendu donner un cours à Florence, ça doit faire maintenant plus de vingt ans, je devais avoir à peu près ton âge, je pense. Il parlait de proportions. De proportions dans l'architecture, dans la musique, dans la peinture, dans la justice, dans le gouvernement, dans l'État ; il disait que les droits devaient être équilibrés entre un prince et ses sujets, que le citoyen riche devait maintenir ses comptes en bon ordre et dire ses prières et servir les pauvres. Il expliquait à quoi devait ressembler une page imprimée. À quoi devait ressembler une loi. Ou un visage, ce qui le rendait beau.

— Me dira-t-il tout ça dans ce livre ? » Thomas Avery lève une fois de plus les yeux vers Saba. « Je

suppose qu'ils savaient, ceux qui ont conçu la tapisserie.

— Comment se porte Jenneke ? »

Le garçon tourne les pages d'un geste respectueux.

« C'est un livre magnifique. Vos amis à Venise
doivent beaucoup vous admirer. »

Donc il n'y a plus de Jenneke, songe-t-il. Elle est
morte, ou alors elle est amoureuse d'un autre.

« Parfois, dit-il, mes amis en Italie m'envoient de
nouveaux poèmes, mais je crois que tous les poèmes
sont dans cet ouvrage... Non qu'une page de chiffres
soit de la poésie, mais tout ce qui est précis est beau,
tout ce dont les parties s'équilibrent, tout ce qui est
proportionné... Es-tu d'accord ? »

Il s'étonne du pouvoir qu'exerce Saba sur le garçon.
Il n'a pas pu voir Anselma, ni même simplement la
croiser ou entendre parler d'elle. J'ai parlé d'elle à
Henri, songe-t-il. L'un de ces après-midi où j'en ai
un peu dit sur moi et où le roi en a dit beaucoup
sur lui-même : combien il tremble de désir chaque
fois qu'il pense à Anne, comment il a essayé avec
d'autres femmes, en les considérant comme un expé-
dient censé atténuer son désir afin de pouvoir parler
et agir en homme raisonnable, comment cela n'a pas
fonctionné... C'est un aveu étrange, mais Henri croit
qu'il le justifie, qu'il atteste le bien-fondé de sa quête,
car je ne pourchasse qu'une seule biche, dit-il, une
biche étrange, timorée et sauvage, qui me mène à
l'écart des sentiers qu'arpentent les autres hommes et
m'entraîne au plus profond de la forêt.

« Bon, dit-il, posons ce livre sur ton bureau. Il te
consolera quand rien ne semblera faire sens. »

Il place de grands espoirs en Thomas Avery. Il est

aisé d'employer un enfant qui additionnera le total de colonnes et vous collera le résultat sous le nez pour que vous le paraphiez avant de le mettre au coffre. Mais à quoi bon ? Les pages d'un livre de comptes sont là pour vous servir, comme un poème d'amour. Elles ne sont pas là pour que vous donniez votre approbation et les oubliiez aussitôt ; elles sont là pour ouvrir votre cœur aux possibilités. C'est comme avec les Saintes Écritures : elles sont là pour que vous y réfléchissiez et pour vous pousser à l'action. Aime ton voisin. Étudie le marché. Augmente la portée de ta bienveillance. Obtiens de meilleurs résultats l'année prochaine.

La date de l'exécution de James Bainham est fixée au 30 avril. Il ne peut pas aller voir le roi dans l'espoir d'obtenir une grâce. Il y a longtemps, Henri s'est vu décerner le titre de Défenseur de la foi ; il tient à montrer qu'il le mérite toujours.

À Smithfield, dans la tribune dressée pour les dignitaires, il rencontre l'ambassadeur vénitien, Carlo Capello. Ils échangent une révérence.

« À quel titre êtes-vous ici, Cromwell ? En tant qu'ami de cet hérétique, ou en vertu de vos fonctions ? D'ailleurs, quelles sont vos fonctions ? Le diable seul le sait.

— Et je suis sûr qu'il le dira à Votre Excellence, la prochaine fois que vous vous entretiendrez en privé. »

Enveloppé dans son linceul de flammes, l'homme mourant lance : « Que le Seigneur pardonne sir Thomas More. »

Le 15 mai, les évêques signent une déclaration de soumission au roi. Ils ne passeront pas de nouvelles lois religieuses sans l'autorisation du roi, et soumettront toutes celles qui existent déjà à un comité qui inclura des laïcs – membres du Parlement et représentants du roi. Ils ne se réuniront pas en synode sans la permission de celui-ci.

Le lendemain, il se tient dans une galerie de Whitehall qui donne sur une cour intérieure, un jardin, où le roi attend et où le duc de Norfolk s'affaire ici et là. Anne est dans la galerie à côté de lui. Elle porte une robe rouge sombre en damas gaufré, si lourde que ses minuscules épaules blanches semblent s'affaisser dedans. Parfois – dans une sorte de communion imaginaire – il se voit posant la main sur son épaule et glissant son pouce dans le creux entre sa clavicule et sa gorge ; laissant courir son index le long de la ligne qui sépare ses seins de son corselet, tel un enfant suivant du doigt une ligne de texte imprimé.

Elle tourne la tête et esquisse un demi-sourire.

« Le voici. Il ne porte pas la chaîne du lord-chancelier. Qu'a-t-il pu en faire ? »

Thomas More, voûté, semble découragé. Norfolk semble crispé.

« Des mois que mon oncle essaie de le faire destituer, dit Anne. Mais le roi ne peut s'y résoudre. Il ne veut pas perdre More. Il veut faire plaisir à tout le monde. Vous savez comment il est.

— Il connaissait Thomas More quand il était jeune.

— Quand j'étais jeune, je connaissais le péché. »

Ils se tournent l'un vers l'autre et se sourient.

« Écoutez, dit Anne, croyez-vous que ce soit le Sceau d'Angleterre qu'il transporte dans ce sac en cuir ? »

Avant de rendre le Sceau, Wolsey a fait traîner les choses pendant deux jours. Mais maintenant le roi, dans son paradis privé en contrebas, attend en tendant la main.

« À qui le tour maintenant ? demande Anne. Hier soir il a dit, mes lords chanceliers ne sont qu'une source d'ennuis. Peut-être devrais-je m'en passer.

— Les avocats n'aimeront pas ça. Quelqu'un doit diriger les tribunaux.

— Alors qui suggérez-vous ?

— Conseillez-lui de nommer Audley. Il fera un travail honnête. Que le roi l'essaie temporairement, s'il veut, et s'il ne lui plaît pas il n'aura pas à le confirmer dans ses fonctions. Mais je crois qu'il lui plaira. Audley est un bon avocat et il est son propre maître, mais il sait aussi se rendre utile. Et il me comprend, je crois.

— Comment pouvez-vous croire que quelqu'un vous comprend ! Si nous descendions les rejoindre ?

— Vous ne pouvez pas vous en empêcher ?

— Pas plus que vous. »

Ils descendent par l'escalier intérieur. Anne pose doucement le bout des doigts sur son bras. Dans le jardin en contrebas, il y a des rossignols en cage. Ils se serrent sans bruit les uns contre les autres pour s'abriter du soleil. Un parfum de thym s'élève des parterres d'herbes. À l'intérieur du palais, une personne invisible rit. Il se penche et cueille un brin de thym, l'écrase dans sa paume pour en extraire l'odeur. Celle-ci le ramène à un autre endroit, loin de là. More s'incline devant Anne. Elle acquiesce à peine. Elle fait une profonde révérence devant Henri et se poste à côté de lui, les yeux rivés au sol. Henri lui saisit le poignet, il veut lui dire quelque chose, ou simplement être seul avec elle.

« Sir Thomas ? » dit Cromwell en tendant la main.

More se détourne de lui. Puis il se ravise, se retourne et lui serre la main. Le bout de ses doigts est froid comme de la cendre.

« Qu'allez-vous faire désormais ?

— Écrire. Prier.

— Ma recommandation serait d'écrire peu, et de prier beaucoup.

— Tiens donc, est-ce une menace ? demande More avec un sourire.

— Possible. C'est mon tour, ne croyez-vous pas ? »

Quand le roi a vu Anne, son visage s'est illuminé. Son cœur est ardent ; dans la main de son conseiller, il est brûlant.

Il attrape Gardiner à Westminster, dans l'une de ces petites cours sombres que le soleil n'atteint jamais.

« Monsieur l'évêque ? »

Gardiner fronce ses sourcils broussailleux.

« Lady Anne m'a demandé de lui trouver une maison de campagne.

— Que voulez-vous que cela me fasse ?

— Laissez-moi vous expliquer, dit-il, mon raisonnement. La maison doit se trouver quelque part en bordure de rivière, pratique pour venir d'Hampton Court, et pour se rendre en barge à Whitehall et Greenwich. Elle doit être en bon état, car Anne n'a pas de patience, elle n'attendra pas. Avec de jolis jardins bien entretenus… J'ai alors pensé, pourquoi pas le manoir de Stephen à Hanworth, celui que le roi lui a loué quand il est devenu son secrétaire ? »

Même dans la lumière faible il voit les pensées qui défilent dans le cerveau de Stephen. Oh ma douve et mes petits ponts, ma roseraie et mes parterres de fraises, mon jardin d'herbes aromatiques, mes ruches, mes mares et mon verger, oh mes médaillons de *terracotta* italienne, mon *intarsia*, mes dorures, mes galeries, ma fontaine en coquillages, mon parc à chevreuils.

« Ce serait gracieux de votre part de lui proposer le bail avant que ça ne devienne un ordre royal. Une bonne action pour contrebalancer l'entêtement de l'évêque ? Oh, allez, Stephen. Vous avez d'autres maisons. Ce n'est pas comme si vous alliez devoir dormir sous une meule de foin.

— Si c'était le cas, répond l'évêque, je m'attendrais à ce qu'un de vos garçons avec son chien chasseur de rats vienne m'arracher à mes rêves. »

Le pouls de reptile de Gardiner s'emballe ; ses yeux noirs et humides scintillent. Il hurle intérieurement d'indignation et de rage. Mais il est peut-être en partie soulagé, quand il y pense, de se voir présenter la note si tôt et d'avoir les moyens de la régler.

Gardiner est toujours secrétaire du roi, mais Cromwell voit désormais ce dernier presque chaque jour. Si Henri veut un conseil, il peut le donner, et si le sujet dépasse ses compétences, il peut trouver quelqu'un qui le donnera à sa place. Si le roi a un motif de plainte, il dira, je peux m'en charger, si Votre Altesse m'y autorise. Si le roi est de bonne humeur, il est prêt à rire, et si le roi est malheureux, il est doux et attentionné. Le roi est de plus en plus dissimulateur, ce que l'ambassadeur espagnol, toujours aussi perspicace, n'a pas manqué de remarquer.

« Il vous voit en privé, pas dans sa salle d'audiences, dit-il. Il préfère que ses nobles ne sachent pas à quelle fréquence il vous consulte. Si vous étiez plus petit, on pourrait vous faire venir dans un panier à linge.

Dans l'état des choses, je crois que ces gentilshommes méprisants de la chambre privée doivent en parler à leurs amis, qui maudiront à voix basse votre réussite, vous calomnieront et comploteront pour entraîner votre chute. » L'ambassadeur sourit et ajoute : « Si je puis me permettre une image qui plaira au forgeron en vous : ai-je enfoncé le clou ? »

Dans une lettre de Chapuys à l'empereur, lettre qui passe entre les mains de Wriothesley, Cromwell en apprend sur son propre caractère. Appelez-Moi lui fait la lecture : « Il dit que vos antécédents sont obscurs, que votre jeunesse a été insouciante et turbulente, que vous êtes un hérétique de longue date, une honte à la fonction de conseiller ; mais à titre personnel il vous considère comme un homme gai, ouvert d'esprit, généreux, gracieux...

— Je savais qu'il m'appréciait. Je devrais lui demander un emploi.

— Il dit que, pour gagner la confiance d'Henri, vous avez promis de faire de lui le roi le plus riche que l'Angleterre ait jamais eu. »

Il sourit.

Fin mai, deux poissons de taille prodigieuse sont attrapés dans la Tamise, ou plutôt ils s'échouent, moribonds, sur la berge boueuse.

« Suis-je censé y faire quelque chose ? demande-t-il quand Johane lui annonce la nouvelle.

— Non, répond-elle. Du moins, je ne crois pas. C'est une prophétie, n'est-ce pas ? C'est un présage. »

À la fin juillet il reçoit une lettre de Cranmer qui est à Nuremberg. Avant ça, il a écrit des Pays-Bas pour demander des conseils relatifs à ses négociations commerciales avec l'empereur, car il semble dépassé par la question. Depuis diverses villes le long du Rhin, il a écrit que l'empereur serait bien obligé de parvenir à un compromis avec les princes luthériens, car il a besoin de leur aide contre les Turcs à la frontière. Il explique qu'il peine à devenir expert au petit jeu diplomatique de l'Angleterre qui consiste à proposer l'amitié du roi d'Angleterre et à promettre de l'or anglais sans jamais fournir ni l'une ni l'autre.

Mais cette lettre-ci est différente. Elle est dictée, rédigée de la main d'un clerc. Elle parle de l'emprise du Saint-Esprit sur le cœur. Rafe la lui lit et désigne, au bas de la page et dans la marge de gauche, quelques mots rédigés par Cranmer lui-même : « Il s'est produit quelque chose. Ne puis me confier dans une lettre. Cela pourrait faire du bruit. Certains diraient que j'ai été imprudent. Je vais avoir besoin de vos conseils. Gardez ceci secret. »

« Eh bien, dit Rafe, si nous allions crier sur tous les toits : "Thomas Cranmer a un secret, nous ne savons pas ce que c'est !" »

Une semaine plus tard, Hans Holbein arrive à Austin Friars. Il a loué une maison dans Maiden Lane mais loge dans le Steelyard pendant qu'on la lui prépare.

« Montrez-moi votre nouveau tableau, Thomas », dit-il en entrant. Il se place devant. Croise les bras. Recule d'un pas. « Vous connaissez ces gens ? La ressemblance est bonne ? »

Deux banquiers italiens, complices, regardent en direction du spectateur mais meurent d'envie de se tourner l'un vers l'autre ; le premier porte de la soie, le second de la fourrure ; un vase plein d'œillets, un astrolabe, un poisson rouge, un sablier dans lequel le sable s'est à moitié écoulé ; à travers une fenêtre en voûte, un navire gréé de soie, doté de voiles translucides, glisse sur une mer aussi brillante qu'un miroir. Hans se retourne, ravi.

« Comment obtient-il cette expression dans l'œil, si dure et pourtant si rusée ?

— Comment va Elsbeth ?

— Grosse. Triste.

— Est-ce surprenant ? Vous rentrez à la maison, vous lui faites un enfant, puis vous repartez.

— Je ne prétends pas être un bon mari. J'envoie juste l'argent à la maison.

— Combien de temps resterez-vous parmi nous ? »

Hans grogne, vide sa coupe de vin et parle de ce qu'il a laissé derrière lui : il parle de Bâle, des cantons et des villes de Suisse. D'émeutes et de batailles rangées. Des images, pas d'images. Des statues, pas de statues. C'est le corps du Christ, ce n'est pas le corps du Christ, c'est plus ou moins le corps du Christ. C'est son sang, ce n'est pas son sang. Les prêtres peuvent se marier, ils ne peuvent pas. Il y a sept sacrements, il y en a trois. Nous rampons à genoux vers la croix en disant notre vénération, ou nous découpons la croix en morceaux et la brûlons sur la place publique.

« Je ne suis pas un admirateur du pape, mais tout ça commence à me lasser. Érasme s'enfuit à Fribourg chez les papistes, et moi je m'enfuis chez vous et chez Junker Heinrich. C'est ainsi que Luther appelle votre roi. "Sa Disgrâce, le roi d'Angleterre." » Il s'essuie la bouche. « Tout ce que je demande, c'est de faire du bon travail et d'être payé pour. Et je préfère ne pas voir mes efforts réduits à néant par quelque sectaire armé d'un seau de chaux.

— Vous êtes venu ici en quête de paix et de tranquillité ? » Il secoue la tête. « Trop tard.

— Je passais sur London Bridge quand j'ai vu que quelqu'un s'en était pris à la statue de la Madone. La tête du bébé a été détruite.

— Ça remonte à quelque temps. Ça devait être ce diable de Cranmer. Vous savez comment il est quand il a bu. »

Hans fait un grand sourire.

« Il vous manque. Qui aurait cru que vous seriez amis ?

— Le vieux Warham va mal. S'il meurt cet été, lady Anne demandera que l'archevêché de Canterbury soit donné à Cranmer. »

Hans est surpris. « Pas à Gardiner ?

— Il a gâché sa chance auprès du roi.

— Le pire ennemi de Gardiner, c'est lui-même.

— Je n'irais pas jusque-là. »

Hans rit.

« Ce serait une magnifique promotion pour le docteur Cranmer. Mais il n'acceptera pas. Pas lui. Trop de pompe. Il aime ses livres.

— Il acceptera. Ce sera son devoir. Tout le monde est bien forcé de prendre sur soi.

— Quoi, même vous ?

— Quand votre ancien protecteur vient proférer des menaces chez moi, je dois prendre sur moi pour rester calme. Et c'est ce que j'ai fait. Êtes-vous allé à Chelsea ?

— Oui. C'est une maison triste.

— On a annoncé qu'il démissionnait pour des raisons de santé. Afin de n'embarrasser personne.

— Il dit qu'il a une douleur ici. » Hans se frotte la poitrine. « Et qu'elle lui vient quand il se met à écrire. Mais les autres ont l'air bien portants. La famille sur le mur.

— Vous n'avez plus besoin d'aller à Chelsea pour obtenir des commandes. Le roi me fait travailler à la Tour, nous restaurons les fortifications. Il a fait appel à des maçons, des peintres, des doreurs, nous dépouillons les anciens appartements royaux pour les embellir, et je vais faire construire un nouveau logement pour la reine. Dans ce pays, voyez-vous, les rois et les reines résident à la Tour la nuit qui précède leur couronnement. Quand viendra le jour d'Anne, il y aura du travail pour vous. Il y aura des spectacles à concevoir, des banquets, et la ville commandera de la vaisselle d'argent et d'or pour le roi. Parlez aux marchands de la Hanse, ils voudront éblouir. Qu'ils s'organisent. Assurez-vous que vous aurez le travail avant que la moitié des artisans d'Europe ne débarque ici.

— Aura-t-elle de nouveaux bijoux ?

— Elle est censée avoir ceux de Catherine. Il n'a pas complètement perdu la tête.

— J'aimerais la peindre. Anna Bolena.

— Je ne sais pas. Elle n'aime pas être observée.

— On dit qu'elle n'est pas belle.

— Non, peut-être pas. On ne la choisirait pas comme modèle pour une allégorie du printemps. Ni pour une statue de la Vierge. Ni pour une représentation de la paix.

— Pour quoi, alors ? Ève ? Méduse ? » Hans éclate de rire. « Ne répondez pas.

— Elle a beaucoup de présence, beaucoup d'*esprit**... Vous n'arriverez peut-être pas à représenter ça sur un tableau.

— Je vois que vous me croyez limité.

— Certains sujets vous résistent, j'en suis sûr. »

Richard entre.

« Francis Bryan est ici, annonce-t-il.

— Le cousin de lady Anne, dit Cromwell en se levant.

— Vous devez vous rendre à Whitehall. Lady Anne est en train de démolir le mobilier et de casser les miroirs. »

Il jure à voix basse.

« Emmenez maître Holbein dîner. »

Francis Bryan rit tellement fort que son cheval, inquiet, s'agite sous lui et fait des écarts sur le côté, au péril des passants. Quand ils arrivent à Whitehall, il a reconstitué ce qui s'est passé : Anne vient d'apprendre que la femme d'Harry Percy, Mary Talbot, s'apprête à demander le divorce au Parlement. Pendant deux ans, affirme-t-elle, son mari n'a pas partagé son lit, et quand elle lui a finalement demandé pourquoi, celui-ci a répondu qu'ils ne pouvaient pas continuer de faire semblant ; ils ne sont pas réellement mariés, ne l'ont jamais été, car il est marié à Anne Boleyn.

« Milady est folle de rage », explique Bryan. Son cache-œil orné de joyaux clignote tandis qu'il ricane. « Elle dit qu'Harry Percy va tout gâcher pour elle. Elle hésite entre le tuer d'un seul coup d'épée ou le torturer en public pendant quarante jours, comme ils font en Italie.

— Ces histoires sont très exagérées. »

Il n'a jamais ni assisté ni cru aux accès d'humeur incontrôlés d'Anne. Quand on le fait entrer, il la trouve en train de faire les cent pas, mains jointes. Elle semble petite et crispée, comme si quelqu'un l'avait tricotée et avait trop serré les mailles. Trois femmes – Jane Rochford, Mary Shelton, Mary Boleyn – la suivent des yeux. Un petit tapis, qui devrait peut-être être au mur, est bouchonné par terre. Jane Rochford déclare : « Nous avons fait balayer le verre brisé. » Sir Thomas Boleyn, monseigneur, est assis à une table devant une pile de papiers. George est assis à côté de lui sur un tabouret. Il tient sa tête entre ses mains. Ses manches ne sont que modérément bouffantes. Le duc de Norfolk fixe des yeux la cheminée où des bûches attendent d'être allumées ; peut-être tente-t-il par le pouvoir de son regard de les faire s'embraser.

« Fermez la porte, Francis, ordonne George, et ne laissez entrer personne d'autre. »

Cromwell est la seule personne dans la pièce à ne pas être un Howard.

« Je suggère que nous préparions les bagages d'Anne et que nous l'envoyions dans le Kent, suggère Jane Rochford. La colère du roi, une fois éveillée…

— Ne dis rien de plus, coupe George, ou je risque de te frapper.

— C'est ce que je pense sincèrement », insiste-t-elle. Jane Rochford, Dieu la protège, est une de ces femmes qui ne sait jamais quand s'arrêter. « Maître Cromwell, le roi a indiqué qu'il devait y avoir une enquête. Elle doit être présentée au Conseil. Pas moyen d'y échapper cette fois. Harry Percy témoignera libre. Le roi ne peut pas faire tout ce qu'il a fait, et tout ce qu'il compte faire, pour une femme qui dissimule un mariage secret.

— Je voudrais pouvoir divorcer de toi, se lamente George. Je voudrais que tu sois déjà mariée, mais bon Dieu, aucune chance, les champs étaient noirs d'hommes qui couraient dans la direction opposée.

— S'il vous plaît », intervient Monseigneur en levant la main.

Mary Boleyn demande : « À quoi bon faire venir maître Cromwell, si vous ne lui dites pas ce qui s'est passé ? Le roi a déjà parlé à ma sœur.

— Je nie tout, déclare Anne, comme si le roi se tenait devant elle.

— Bien, dit Cromwell. Bien.

— Que le comte m'ait fait la cour, je le concède. Il m'a offert des poèmes, et comme j'étais jeune à l'époque, je n'y ai rien vu de mal... »

Il éclate presque de rire. « Des poèmes ? Harry Percy ? Les avez-vous encore ?

— Non. Bien sûr que non. Rien d'écrit.

— Ça facilite les choses, observe-t-il doucement. Et bien entendu il n'y a pas eu de promesses, pas de contrat, pas même d'engagement oral.

— Et, ajoute Mary, aucune consommation de quelque genre que ce soit. Il n'a pas pu y en avoir. Ma sœur est une vierge notoire.

— Et comment était le roi, était-il...

— Il a quitté la pièce, explique Mary, et il l'a laissée plantée là. »

Monseigneur lève les yeux. Il s'éclaircit la voix.

« Dans cette situation urgente, il y a un certain nombre d'approches diverses, il me semble, que nous pourrions... »

Norfolk explose. Il marche de long en large d'un pas lourd, tel Satan dans une pièce de la Fête-Dieu.

« Oh, par la chiure du suaire de Lazare ! Pendant que vous sélectionnez une approche, monsieur, pendant que vous vous répandez en considérations, votre fille est calomniée à travers tout le pays, l'esprit du roi est empoisonné, et la fortune de cette famille est en train de se défaire sous vos yeux. »

George lève les mains. « Écoutez, dit-il, voulez-vous me laisser parler ? D'après ce que j'ai compris, Harry Percy a autrefois été forcé d'oublier ses prétentions, donc s'il a été contraint une fois…

— Oui, coupe Anne, mais c'est le cardinal qui l'a contraint, et malheureusement le cardinal est mort. »

Un silence s'ensuit ; un silence aussi doux qu'une musique. Il regarde en souriant Anne, Monseigneur, Norfolk. Si la vie est une chaîne en or, parfois Dieu y accroche un charme. Pour faire durer le moment, il traverse la pièce et ramasse le tapis par terre. Tissage serré. Fond indigo. Nœuds asymétriques. Ispahan ? De petits animaux le traversent d'un pas raide dans un entrelacs de fleurs.

« Regardez, dit-il. Savez-vous ce que ce sont ? Des paons. »

Mary Shelton s'approche pour regarder par-dessus son épaule.

« Que sont ces espèces de serpents à pattes ?

— Des scorpions.

— Marie mère de Dieu, mordent-ils ?

— Ils piquent, répond-il. Lady Anne, si le pape ne peut vous empêcher de devenir reine, et je ne crois pas qu'il puisse, Harry Percy ne devrait pas se trouver sur votre chemin.

— Alors écartez-le, intervient Norfolk.

— Je comprends que ça puisse ne pas être une bonne idée pour vous, en tant que famille…

— Faites-le, insiste Norfolk. Défoncez-lui le crâne.

— Au sens figuré, dit-il. Naturellement. »

Anne s'assied. Elle détourne le visage des femmes. Ses poings sont serrés. Monseigneur réarrange ses papiers. George, perdu dans ses pensées, ôte son chapeau et triture son épingle ornée d'une pierre précieuse, appliquant la pointe contre le bout de son doigt.

Il a enroulé le tapis et le tend doucement à Mary Shelton.

« Merci », murmure-t-elle, rougissant comme s'il lui avait fait une proposition intime.

George pousse un petit cri ; il a réussi à se piquer le doigt.

« Espèce d'idiot », observe amèrement l'oncle Norfolk.

Cromwell sort, suivi de Francis Bryan.

« Vous pouvez me laisser seul maintenant, sir Francis.

— Je pensais vous accompagner. Je veux savoir ce que vous faites. »

Il s'arrête brusquement, plaque sèchement la main sur la poitrine de Bryan, le fait pivoter sur lui-même et entend le bruit que produit son crâne en heurtant le mur.

« Je suis pressé », dit-il.

Quelqu'un appelle son nom. Maître Wriothesley apparaît à l'angle.

« Taverne *Mark and the Lion*. À cinq minutes à pied d'ici. »

Appelez-Moi fait suivre Harry Percy depuis qu'il

est à Londres. Il craint que les ennemis d'Anne à la cour – le duc de Suffolk et sa femme, ceux qui croient que Catherine va revenir – ne rencontrent le comte et ne l'encouragent à donner une version du passé qui leur serait utile. Mais apparemment aucune rencontre n'a eu lieu : à moins qu'elles ne se tiennent dans les thermes du Surrey.

Appelez-Moi s'engouffre vivement dans une allée, et ils émergent dans la cour sale d'une taverne. Il regarde autour de lui ; il suffirait de deux heures, armé d'un balai et d'un peu de bonne volonté, pour la faire paraître respectable. La jolie chevelure d'un roux doré de M. Wriothesley brille comme un phare. Sur l'enseigne qui grince au-dessus de sa tête, saint Marc a une tonsure de moine. Le lion est petit et bleu, et il a un visage souriant. Appelez-Moi lui touche le bras : « À l'intérieur. » Ils sont sur le point d'entrer par une porte latérale lorsqu'un sifflement strident retentit au-dessus d'eux. Deux femmes sont penchées à une fenêtre ; elles agitent en criant et en gloussant leurs seins nus par-dessus le rebord.

« Jésus, dit-il. Encore des Howard. »

À l'intérieur de la taverne, des hommes portant la livrée de Percy sont soit affalés sur les tables, soit allongés dessous. Le comte de Northumberland est en train de boire dans un salon qui serait privé s'il n'y avait un passe-plat à travers lequel on ne cesse de le lorgner. Le comte les voit. « Oh. Je vous attendais à moitié. » Tendu, il passe la main dans ses cheveux courts qui se hérissent sur sa tête.

Cromwell marche jusqu'à l'ouverture, lève un doigt et l'enfonce dans le visage des curieux. Puis il s'assied à côté du jeune homme et dit, de son habituelle voix douce, « Alors, milord, que faut-il faire ? Comment puis-je vous aider ? Vous dites que vous ne pouvez plus vivre avec votre femme. Mais il n'y a pas lady plus adorable dans ce royaume. Si elle a des défauts, je ne les connais pas. Pourquoi ne parvenez-vous pas à vous entendre ? »

Mais Harry Percy n'est pas là pour se laisser apprivoiser comme un faucon craintif. Il est là pour hurler et pleurer.

« Si je ne suis pas parvenu à m'entendre avec elle le jour de notre mariage, comment pourrais-je le faire maintenant ? Elle me déteste car elle sait que nous ne sommes pas à proprement parler mariés. Pourquoi le roi est-il le seul à pouvoir s'exprimer en la matière, pourquoi pas moi ? S'il doute de son mariage, il le fait savoir haut et fort à toute la chrétienté, mais si je doute du mien, il m'envoie le plus insignifiant de ses employés pour essayer de m'amadouer et me dire de rentrer chez moi et de faire contre mauvaise fortune bon cœur. Mary Talbot sait que j'étais promis à Anne, elle sait qui j'aime et aimerai toujours. Je lui ai dit la vérité, je lui ai dit que nous avions établi un contrat devant témoins et que nous n'étions par conséquent ni l'un ni l'autre libres. J'ai juré, et le cardinal m'a contraint à me renier ; mon père a dit qu'il m'écarterait de sa succession, mais mon père est mort et je n'ai plus peur de dire la vérité. Henri est peut-être roi, mais il vole la femme d'un autre ; Anne Boleyn est légitimement ma femme. Comment affrontera-t-il le jugement dernier, lorsqu'il se tiendra devant Dieu nu et sans escorte ? »

Il l'écoute sans l'interrompre. Percy est de plus en plus incohérent... amour véritable... serments... juré de me donner son corps, m'a accordé le genre de liberté que seule une femme promise accorderait...

« Milord, déclare-t-il enfin. Vous avez dit ce que vous aviez à dire. Maintenant écoutez-moi. Vous avez dépensé presque tout votre argent. Je sais comment vous l'avez dépensé. Vous avez emprunté à travers toute l'Europe. Je connais vos créanciers. Un mot de moi, et ils se rappelleront à votre bon souvenir.

« Oh, et que peuvent-ils faire ? demande Percy. Les banquiers n'ont pas d'armées.

— Vous non plus, milord, si vos coffres sont vides. Regardez-moi. Comprenez-moi bien. Vous tenez votre titre de comte du roi. Votre tâche est de sécuriser le Nord. Les Percy et les Howard nous défendent contre l'Écosse. Maintenant supposez que Percy ne puisse pas le faire. Vos hommes ne se battront pas pour vos beaux yeux...

— Ce sont mes métayers, il est de leur devoir de se battre.

— Mais, milord, ils ont besoin de ravitaillement, ils ont besoin de provisions, ils ont besoin d'armes, ils ont besoin de murs d'enceinte et de forts en bon état. Si vous ne pouvez garantir ces choses, vous êtes plus qu'inutile. Le roi vous reprendra votre titre, et votre terre, et vos châteaux, et les donnera à quelqu'un qui pourra faire le travail que vous êtes incapable de faire.

— Il n'en fera rien. Il respecte tous les titres anciens. Tous les droits anciens.

— Alors disons que c'est moi qui le ferai. »

Disons que je vous gâcherai la vie. Moi et mes amis banquiers.

Comment peut-il lui expliquer ? Le monde n'est pas gouverné depuis l'endroit qu'il croit. Il n'est pas gouverné depuis sa forteresse à la frontière, ni même depuis Whitehall. Le monde est gouverné depuis Anvers, depuis Florence, depuis des endroits qu'il n'a jamais imaginés ; depuis Lisbonne, d'où les navires aux voiles de soie partent vers l'est et brûlent au soleil. Pas depuis les murs d'un château, mais depuis des salles comptables. Ce n'est pas le chant du clairon qui gouverne le monde, mais le cliquètement de l'abaque, ce n'est pas le son du canon, mais le grattement de la plume sur le billet à ordre qui permettra de payer le canon et le canonnier et la poudre et le boulet.

« Je vous imagine sans argent et sans titre, poursuit-il. Je vous imagine dans un taudis, vêtu de haillons, et rapportant à la maison un lapin pour le dîner. Je m'imagine votre vie légitime avec Anne Boleyn occupée à dépouiller et à découper le lapin. Je vous souhaite tout le bonheur du monde. »

Harry Percy se laisse tomber sur la table. Des larmes de colère jaillissent de ses yeux.

« Vous n'avez jamais établi de contrat, poursuit-il. Les promesses idiotes que vous avez pu faire ne valent rien au regard de la loi. Quoi que vous ayez cru avoir, vous ne l'aviez pas. Et il y a autre chose, milord. Si jamais vous dites un autre mot concernant la *liberté* d'Anne » – il met dans ce mot tout le dégoût qu'il parvient à rassembler – « alors vous en répondrez devant moi et les Howard et les Boleyn, et George Rochford n'aura aucun égard pour votre personne, et le comte de Wiltshire vous fera ravaler votre fierté, et quant au duc de Norfolk, s'il entend la moindre remise en cause de l'honneur de sa nièce, il vous tirera du trou dans lequel vous vous terrerez et il vous arrachera les couilles avec les dents. Maintenant, dit-il, retrouvant son ton aimable, est-ce clair, milord ? » Il traverse la pièce et rouvre le passe-plat. « Vous pouvez de nouveau regarder. » Des visages apparaissent ; ou, pour être exact, juste des fronts et des yeux hésitants. À la porte il marque une pause et se retourne vers le comte. « Et je vais ajouter une dernière chose pour lever toute ambiguïté. Si vous croyez que lady Anne vous aime, vous vous mettez le doigt dans l'œil. Elle vous déteste. Le seul service que vous pouvez désormais lui rendre, à part mourir, est de revenir sur ce que vous avez dit à votre pauvre femme, d'être fidèle aux serments que vous lui avez faits, et de libérer la voie pour qu'Anne devienne reine d'Angleterre. »

En sortant il dit à Wriothesley : « Je suis désolé pour lui à vrai dire. »

Appelez-Moi est pris d'un tel fou rire qu'il doit se tenir au mur.

Le lendemain il est en avance pour la réunion du Conseil du roi. Le duc de Norfolk prend sa place habituelle en tête de table, puis va s'asseoir ailleurs quand la nouvelle arrive que le roi présidera en personne. « Et Warham est ici », annonce quelqu'un : les portes s'ouvrent, rien ne se passe, puis lentement, très lentement, le prélat hors d'âge arrive en traînant les pieds. Il s'assied. Ses mains tremblent tandis qu'il les pose sur la nappe devant lui. Sa tête tremble sur son cou. Sa peau est de la couleur d'un parchemin, comme le portrait qu'Hans a fait de lui. Il balaie la table du regard en clignant lentement des yeux tel un lézard.

Cromwell traverse la pièce et se tient devant la table face à Warham, s'enquérant de sa santé, par pure formalité ; il est clair qu'il est mourant.

Il demande : « Cette prophétesse que vous hébergez

dans votre diocèse. Elizabeth Barton. Comment va-t-elle ? »

Warham lève à peine la tête.

« Que voulez-vous, Cromwell ? Ma commission n'a rien trouvé contre elle. Vous le savez.

— Il paraît qu'elle dit à ses disciples que si le roi épouse lady Anne, il ne lui restera qu'un an à régner.

— Je ne pourrais le jurer. Je ne l'ai pas entendu de mes oreilles.

— Je crois savoir que l'évêque Fisher est allé la voir.

— Eh bien... ou alors c'est elle qui est allée le voir. L'un ou l'autre. Qu'est-ce qui l'en empêcherait ? C'est une jeune femme sainte.

— Qui la contrôle ? »

On dirait que la tête de Warham va rouler de ses épaules.

« Elle est peut-être imprudente. Elle se fourvoie peut-être. Après tout, c'est une simple paysanne. Mais elle a un don, j'en suis certain. Quand les gens se trouvent près d'elle, elle peut aussitôt leur dire ce qui les trouble. Quels péchés pèsent sur leur conscience.

— Vraiment ? Je devrais aller la voir. Je me demande si elle saurait ce qui me trouble.

— Silence, intervient Thomas Boleyn. Harry Percy arrive. »

Le comte entre, flanqué de deux de ses gardes. Ses yeux sont rouges, et un relent de vomi rance suggère qu'il n'a pas autorisé ses hommes à le nettoyer à fond. Le roi arrive. C'est une journée chaude et il porte des soies pâles. Les grappes de rubis sur ses doigts ressemblent à des bulles de sang. Il s'assied, pose ses yeux bleus et impassibles sur Harry Percy.

Thomas Audley – qui remplace le lord-chancelier – mène l'interrogatoire. Un contrat antérieur ? Non. Des promesses de quelque ordre que ce soit ? Aucune connaissance – pardonnez-moi de mentionner ceci – charnelle ? Sur mon honneur, non, non et non.

« Hélas, il nous faudra plus que votre parole d'honneur, déclare le roi. Cette histoire est allée trop loin, milord. »

Harry Percy semble pris de panique.

« Alors que dois-je faire d'autre ? »

Cromwell dit doucement : « Approchez-vous de Son Excellence de Canterbury, monsieur. Il vous tend le Livre. »

Ou plutôt, c'est ce que le vieil homme essaie de faire. Monseigneur tente de l'aider, et Warham repousse sèchement sa main. Tout en agrippant la table et en faisant glisser la nappe, l'archevêque se lève péniblement.

« Harry Percy, vous n'avez cessé de changer d'avis, vous avez affirmé, puis nié, puis affirmé, et maintenant vous êtes ici pour nier de nouveau, mais cette fois pas seulement devant les hommes. Maintenant... voulez-vous poser votre main sur cette bible et jurer devant moi, en présence du roi et de son Conseil, que vous n'avez aucune connaissance illégitime de lady Anne, ni aucun contrat de mariage avec elle ? »

Harry Percy se frotte les yeux. Il tend la main.

« Je le jure, dit-il d'une voix tremblante.

— Fini, déclare le duc de Norfolk. On se demande comment on a pu en arriver là, non ? » Il marche jusqu'à Harry Percy et lui saisit le coude. « Nous n'entendrons plus jamais ces sornettes, mon garçon ? »

Le roi dit : « Howard, vous l'avez entendu prêter

serment, cessez de le tourmenter. Certains d'entre vous pourraient-ils aider l'archevêque ? Vous voyez qu'il n'est pas bien. » Son humeur s'adoucit, il sourit à ses conseillers. « Messieurs, nous irons à ma chapelle privée où Harry Percy recevra la communion pour sceller son serment. Puis lady Anne et moi passerons l'après-midi en réflexion et en prière. Je ne veux pas être dérangé. »

Warham traîne des pieds jusqu'au roi.

« L'évêque de Winchester se prépare pour vous dire la messe. Je retourne dans mon diocèse. » Avec un murmure, Henri se penche pour embrasser sa bague. « Henri, poursuit l'archevêque, je vous ai vu promouvoir à la cour et dans votre Conseil des personnes aux principes et aux mœurs fort discutables. Je vous ai vu privilégier vos désirs et votre appétit, au grand dam des chrétiens. J'ai été loyal envers vous, au point de bafouer ma propre conscience. J'ai beaucoup fait pour vous, mais c'est la dernière fois que je le fais. »

À Austin Friars, Rafe l'attend.

« Oui ?

— Oui.

— Et maintenant ?

— Maintenant Harry Percy peut emprunter de l'argent et précipiter sa ruine. Un progrès auquel je serai ravi de contribuer. » Il s'assied. « Je crois qu'un jour je lui ferai perdre son titre de comte.

— Comment vous y prendrez-vous ? »

Il hausse les épaules : aucune idée.

« Vous ne voudriez pas que les Howard aient encore plus d'emprise sur les frontières qu'ils n'en ont déjà, ajoute Rafe.

542

— Non. Non, de préférence pas. » Il réfléchit. « Peux-tu aller chercher les papiers sur la prophétesse de Warham ? »

En attendant le retour de Rafe, il ouvre la fenêtre et observe le jardin. Les roses de ses tonnelles ont pâli au soleil. Je suis désolé pour Mary Talbot, songe-t-il ; tout cela ne va pas lui faciliter la vie. Pendant quelques jours, quelques jours seulement, c'est elle et non Anne qui a été le principal sujet de conversation à la cour. Il repense à Harry Percy venant arrêter le cardinal, tenant les clés entre ses mains : il repense aux gardes postés autour du lit du mourant.

Il se penche par la fenêtre. Je me demande si je pourrais planter des pêchers. Rafe apporte la liasse.

Il coupe le ruban qui la maintient et déplie les lettres et les mémorandums. Cette déplaisante affaire a débuté il y a six ans, dans une chapelle délabrée en bordure des marais du Kent, lorsqu'une statue de la Vierge a commencé à attirer les pèlerins et qu'une jeune femme nommée Elizabeth Barton a commencé à se donner en spectacle. Qu'a fait la statue pour attirer l'attention ? Elle a probablement bougé : ou pleuré du sang. La jeune fille est orpheline, elle a été élevée par la famille de l'un des régisseurs de Warham. Elle a une sœur, pas d'autre famille.

Il dit à Rafe : « Personne ne prêtait attention à elle jusqu'à ce qu'elle ait à peu près vingt ans, quand elle a contracté une sorte de maladie. Une fois remise, elle a commencé à avoir des visions et à parler en utilisant des voix qui n'étaient pas la sienne. Elle prétend avoir vu saint Pierre avec ses clés à la porte du paradis. Elle a vu saint Michel soupesant les âmes. Si vous lui demandez où sont vos parents morts, elle vous le dit. S'ils sont au paradis, elle parle d'une voix aiguë. S'ils sont en enfer, d'une voix grave.

— L'effet doit être comique, observe Rafe.

— Crois-tu ? Comment ai-je pu élever des enfants aussi irrévérencieux ? » Il lit, puis relève les yeux. « Elle reste parfois neuf jours sans manger. Et il lui arrive de soudain tomber par terre. Pas étonnant, n'est-ce pas ? Elle a des spasmes, des convulsions, elle entre en transe. Tout cela a l'air fort déplaisant. Elle a été interrogée par monseigneur le cardinal, mais… » Il passe les papiers en revue. « Rien ici, aucun compte rendu de leur entretien. Je me demande ce qui s'est passé. Il a probablement essayé de la faire manger, et ça n'a pas dû lui plaire. À en croire ceci » – il lit – « elle est dans un couvent à Canterbury. La chapelle délabrée a un nouveau toit et l'argent coule à flots dans les caisses du clergé local. On assiste à des guérisons. Les boiteux remarchent, les aveugles voient. Des cierges s'allument tout seuls. Les pèlerins se massent sur les routes. Pourquoi ai-je l'impression d'avoir déjà entendu cette histoire ? Elle est entourée d'une foule de moines et de prêtres qui dirigent les yeux des gens vers le ciel pendant qu'ils leur font les poches. Et nous pouvons supposer que ce sont ces mêmes moines et ces mêmes prêtres qui lui ont demandé de dire haut et fort ce qu'elle pense du mariage du roi.

— Thomas More l'a rencontrée. Et Fisher aussi.

— Oui, je ne l'oublie pas. Oh, et… regarde ça… Marie Madeleine lui a envoyé une lettre, enluminée d'or.

— Elle sait lire ?

— Oui, on dirait. » Il lève les yeux. « Qu'en penses-tu ? Le roi acceptera d'être injurié, si c'est par une vierge sainte. Je suppose qu'il est habitué. Anne le réprimande assez souvent.

— Il a peut-être peur. »

Rafe l'accompagne désormais à la cour ; de toute évidence, il comprend mieux le roi que certaines personnes qui l'ont connu toute sa vie.

« En effet, il a peur. Il croit aux histoires de vierges qui communiquent avec les saints. Il est prêt à croire aux prophéties, alors que moi… Je crois que nous laisserons faire pendant un moment. Nous verrons qui lui rend visite. Qui fait des offrandes. Certaines femmes nobles sont entrées en contact avec elle pour qu'elle leur prédise l'avenir et fasse sortir leur mère du purgatoire.

— Mme d'Exeter », dit Rafe.

Henry Courtenay, marquis d'Exeter, est le plus proche parent mâle du roi, puisque c'est le petit-fils de l'ancien roi Édouard ; il serait donc utile à l'empereur si celui-ci venait avec ses troupes pour renverser Henri et installer un nouveau roi sur le trône.

« Si j'étais Exeter, je ne laisserais pas ma femme rendre visite à une jeune fille confuse qui lui fait croire qu'un jour elle sera reine. » Il commence à replier les papiers. « Et en plus, tu sais, elle prétend pouvoir ressusciter les morts. »

À l'enterrement de John Petyt, pendant que les femmes sont à l'étage avec Lucy, il organise une réunion improvisée au rez-dechaussée de la maison de Lion's Quay pour s'entretenir avec ses amis marchands du désordre qui règne en ville. Antonio Bonvisi, l'ami de More, s'excuse et annonce qu'il rentre chez lui.

« Que la Sainte Trinité vous bénisse et vous fasse

prospérer, dit-il tandis qu'il prend congé, emportant avec lui la froideur qui l'a suivi depuis son arrivée inattendue. Vous savez, ajoute-t-il en se retournant à la porte, s'il est besoin d'aider Mme Petyt, je serai ravi de…

— Inutile. Il l'a laissée riche.

— Mais la ville l'autorisera-t-elle à reprendre son affaire ?

— J'ai les choses en main », coupe-t-il sèchement.

Bonvisi acquiesce et sort.

« Étonnant qu'il ose encore se montrer », observe John Parnell, de la Compagnie des drapiers. C'est un homme qui a une longue histoire d'affrontements avec More. « Maître Cromwell, si vous prenez les choses en main, cela signifie-t-il que… avez-vous des vues sur Lucy ?

— Moi ? Non.

— Si nous commencions par notre réunion ? intervient Humphrey Monmouth. Nous arrangerons les mariages plus tard. Nous sommes inquiets, maître Cromwell, comme vous devez l'être, et comme le roi doit l'être… nous sommes tous » – il regarde autour de lui – « nous sommes tous, maintenant que Bonvisi nous a quittés, partisans de la cause que soutenait notre défunt frère Petyt. Mais bien qu'il soit mort en martyr, nous devons préserver la paix et nous dissocier des blasphémateurs… »

Le dimanche précédent, dans une paroisse de la ville, au moment de l'élévation de l'hostie, à l'instant où le prêtre prononçait : « *hoc est enim corpus meum* », des gens se sont mis à entonner : « *Hoc est corpus, hocus pocus*[1] ». Et dans une paroisse voisine, lors de

---

1. *Hocus pocus*, supercherie. *(N.d.T.)*

la commémoration des saints durant laquelle le prêtre nous demande de nous souvenir des martyrs : « *Joanne, Stephano, Mathia, Barnaba, Ignatio, Alexandro, Marcelino, Petro...* », quelqu'un a crié : « Et ne m'oubliez pas, ni ma cousine Kate, ni Dick avec son tonneau de coques au marché de Leadenhall, ni sa sœur Susan et son petit chien Posset. »

Il porte la main à sa bouche pour ne pas rire.

« Si Posset a besoin d'un avocat, vous savez où me trouver.

— Maître Cromwell, gronde un vieil homme revêche de la Compagnie des peaussiers, vous avez organisé cette réunion. Montrez l'exemple et soyez sérieux.

— On écrit, déclare Monmouth, des ballades sur lady Anne dont les paroles ne peuvent être répétées ici. Les serviteurs de Thomas Boleyn se plaignent qu'on les insulte dans la rue. Qu'on jette des ordures sur leur livrée. Les maîtres doivent tenir leurs apprentis. Les propos déloyaux devraient être signalés.

— À qui ?

— Pourquoi pas moi », dit Cromwell.

Il retrouve Johane à Austin Friars. Elle a trouvé un prétexte pour rester à la maison : un coup de froid en plein été.

« Demande-moi quel secret je sais », dit-il.

Pour la forme, elle se frotte le bout du nez.

« Voyons voir. Tu sais au shilling près ce que le roi a dans sa trésorerie ?

— Je le sais au quart de penny près. Ce n'est pas ça. Essaie encore, chère sœur. »

Quand elle en a assez de jouer aux devinettes, il lui dit : « John Parnell va épouser Lucy.

« — Quoi ? Et John Petyt n'est pas encore froid ? »
Elle se retourne, le temps de se remettre de sa surprise.
« Tes amis se serrent les coudes. La maison de Parnell
n'est pas dénuée de sectaires. Un de ses serviteurs est
dans la prison de l'évêque Stokesley, d'après ce que
j'ai entendu dire. »

Richard Cromwell passe la tête par la porte.

« Maître. La Tour. Des briques. Cinq shillings les
mille.

— Non.

— D'accord.

— On aurait pu croire qu'elle épouserait un homme
plus sûr », reprend Johane.

Il marche jusqu'à la porte.

« Richard, reviens. » Il se tourne vers Johane. « Je
ne crois pas qu'elle en connaisse.

— Oui ? demande Richard.

— Fais baisser le prix de six pence, et vérifie tout.
Choisis quelques briques dans chaque lot et examine-
les soigneusement. »

Johane, derrière lui : « Enfin bref, tu as fait ce qui
était sage.

— N'oublie pas de les mesurer… Johane, croyais-tu
que je me marierais par inadvertance ? Par accident ?

— Pour quoi faire ? demande Richard.

— Parce que si tu les mesures, les vendeurs pani-
queront, et tu verras à leur tête s'ils essaient de te
rouler.

— Je suppose que tu as une femme en vue. À la
cour. Le roi t'a confié une nouvelle fonction.

— Clerc du Panier. Oui. Un poste aux finances de
la chancellerie… Ce qui n'est nullement le signe d'une
liaison amoureuse. »

Richard est parti, le bruit de ses pas résonne au rez-de-chaussée.

« Tu sais ce que je pense ? demande-t-il.

— Tu penses que tu ferais bien d'attendre. Jusqu'à ce qu'elle, cette femme, soit reine.

— Je pense que c'est le transport qui fait monter le prix. Même par barge. J'aurais dû déblayer un bout de jardin et construire mes propres fours à briques. »

Dimanche 1er septembre, à Windsor : Anne est age-nouillée devant le roi pour recevoir le titre de marquise de Pembroke. Les chevaliers de la jarretière l'observent depuis leurs stalles, les nobles femmes d'Angleterre la flanquent, et Mary, la fille de Norfolk, porte son diadème sur un coussin (la duchesse ayant refusé de le faire et proféré un juron quand on le lui a sug-géré) ; les Howard et les Boleyn sont *en fête**. Mon-seigneur caresse sa barbe, opine du chef et sourit tandis que l'ambassadeur français le félicite en murmurant. L'évêque Gardiner lit le nouveau titre d'Anne. Elle est étincelante dans son velours rouge et son hermine, et ses cheveux noirs, tels ceux d'une vierge, ondu-lent jusqu'à sa taille. Cromwell a réuni les revenus de quinze manoirs pour célébrer dignement l'occasion.

Un *Te Deum* est chanté. Un sermon est prononcé. Lorsque la cérémonie est terminée et que les femmes se baissent pour soulever sa traîne, il aperçoit un éclat bleu furtif, comme un martin-pêcheur, et voit en levant les yeux la fille de John Seymour, Jane, parmi les femmes de la famille Howard. Un destrier lève la tête au son des trompettes, et les femmes nobles lèvent les yeux et sourient ; mais tandis que la procession quitte la chapelle Saint-Georges au son de la musique, la jeune fille baisse son visage pâle, les yeux fixés sur ses orteils, comme si elle craignait de trébucher.

Lors du banquet, Anne est assise à côté d'Henri sur l'estrade, et quand elle se tourne pour lui parler, ses cils noirs effleurent ses joues. Elle y est presque désormais, presque. Son corps est tendu comme une corde d'arc, sa peau est poudrée d'or, avec des teintes d'abricot et de miel ; quand elle sourit, ce qu'elle fait souvent, elle montre de petites dents blanches et acérées. Elle projette de réquisitionner la barge de Catherine, lui dit-elle, et de faire brûler le blason « H&K », de détruire tous les insignes de Catherine. Le roi a récupéré les bijoux de Catherine pour qu'elle puisse les porter lors de leur prochain voyage en France. Il a passé un après-midi avec elle, deux après-midi, trois, dans la douceur du mois de septembre, pendant que l'orfèvre, à côté d'Anne, dessinait des croquis. En tant que maître des Joyaux, il a lui-même émis quelques suggestions : Anne veut de nouvelles montures. Catherine a tout d'abord refusé de rendre ses bijoux. Elle affirmait qu'elle ne pouvait pas se séparer de la propriété de la reine d'Angleterre et la placer entre les mains de la honte de la chrétienté. Il a fallu un ordre royal pour la forcer à restituer le butin.

Anne soumet tout à Cromwell ; elle dit : « Cromwell, vous êtes mon homme. » Les vents sont propices et la marée va dans son sens. Il sent le courant sous ses pieds. Son ami Audley sera sûrement confirmé au poste de lord-chancelier ; le roi commence à s'habituer à lui. De vieux courtisans ont préféré démissionner plutôt que servir Anne ; le nouveau contrôleur de la maison royale est sir William Paulet, un de ses amis du temps de Wolsey. Et le cardinal n'employait pas des imbéciles.

Après la messe et l'installation d'Anne, il aide l'évêque de Winchester à ôter sa tenue de cérémonie pour revêtir des habits plus adaptés aux célébrations profanes.

« Allez-vous danser ? » demande-t-il. Il est assis sur un rebord de fenêtre en pierre, observant d'un œil l'agitation au-dehors, les musiciens qui apportent pipeaux et luths, harpes et rebecs, hautbois, violes et tambours. « Vous auriez fière allure. Ou bien avez-vous cessé de danser depuis que vous êtes évêque ? »

Stephen suit le fil de ses propres pensées.

« On pourrait croire que ça suffirait à n'importe quelle femme, n'est-ce pas, d'être faite marquise ? Elle va lui céder maintenant. Je prie Dieu pour qu'elle tombe enceinte avant Noël.

— Oh, vous lui souhaitez de réussir ?

— Je souhaite qu'Henri soit apaisé. Et que ça aboutisse à quelque chose. Je ne veux pas que tout cela soit vain.

— Savez-vous ce que Chapuys dit à votre sujet ? Que vous gardez deux femmes chez vous, déguisés en garçon.

— Vraiment ? » Il fronce les sourcils. « C'est toujours mieux, je suppose, que deux garçons déguisées en femme. Ça, ce serait scandaleux ! »

Stephen lâche un gros éclat de rire. Ils se dirigent ensemble vers le banquet. *Tra-la-la*, chantent les musiciens. *Me divertir en bonne compagnie, j'aime et j'aimerai jusqu'à ma mort*. L'âme est musicale par nature, affirment les philosophes. Le roi demande à Thomas Wyatt de chanter avec lui, et au musicien

Mark. *Hélas, que ne ferais-je pas par amour ? Pour l'amour, hélas, que ferai-je ?*[1]

« Tout ce qui lui passera par la tête, déclare Gardiner. Je ne vois aucune limite.

— Le roi est bon envers ceux qui le croient bon, suggère Cromwell à voix basse.

— Ce qui demande un esprit infiniment flexible. Comme doit l'être le vôtre, d'après ce que je vois. »

Il discute avec Jane Seymour.

« Regardez », dit-elle.

Elle lui montre ses manches. Le bleu vif qui les borde, l'éclat de martin-pêcheur qu'il a précédemment aperçu, a été découpé dans la soie qui enveloppait les patrons de broderie qu'il lui a offerts. Comment vont les affaires à Wolf Hall, demande-t-il, avec autant de tact que possible ; comment se renseigner sur une famille qui vient de connaître un inceste ?

Elle répond de sa petite voix claire : « Sir John va très bien. Mais bon, sir John va toujours très bien.

— Et le reste de la famille ?

— Edward est en colère, Tom est agité, ma mère grince des dents et claque les portes. La récolte approche, les pommes sont sur les branches, les bonnes sont à la laiterie, notre chapelain est à ses prières, les poules pondent, les luths sont accordés, et sir John... sir John comme toujours va très bien. Pourquoi ne vous rendez-vous pas dans le Wiltshire pour quelque affaire ? Vous pourriez venir nous ins-

---

1. *Pastime with good company, I love and shall until I die (...) Alas, what shall I do for love ? For love, alas, what shall I do ?* Paroles tirées des chansons folkloriques *Pastime with Good Company* et *Alas, What shall I do for Love*, écrites par Henri VIII. *(N.d.T.)*

pecter. Oh, et si le roi a une nouvelle femme, elle aura besoin de dames autour d'elle, et ma sœur Liz vient à la cour. Son mari est le gouverneur de Jersey, vous le connaissez, Anthony Oughtred ? Personnellement, je préférerais rejoindre la reine à la campagne. Mais on dit qu'elle déménage de nouveau, et que son entourage est réduit.

— Si j'étais votre père... non... » Il reformule : « Si je devais vous conseiller, je vous dirais de servir lady Anne.

— La marquise, dit-elle. Bien sûr, il est bon d'être humble. Et elle fait tout pour que nous le soyons.

— Sa situation actuelle est difficile. Je suis certain qu'elle s'adoucira quand ses désirs seront exaucés. »

Alors même qu'il prononce ces paroles, il sait que ce n'est pas vrai.

Jane baisse la tête, lui lance un regard timide.

« Ça, c'est mon visage humble. Croyez-vous qu'il me sera utile ? »

Il rit.

« Il vous ouvrira toutes les portes. »

Tandis que, après les gaillardes, les pavanes et les allemandes, les danseurs se reposent en s'éventant, Cromwell et Wyatt entonnent le petit air du soldat : Scaramella est parti à la guerre, avec son bouclier, sa lance. Il y a quelque chose de mélancolique, quelles que soient la chanson et ses paroles, quand la lumière décline et que la voix humaine, sans accompagnement, se perd dans l'ombre de la pièce.

Charles Brandon lui demande : « De quoi elle parle, cette chanson, d'une femme ?

— Non, elle parle juste d'un garçon qui va à la guerre.

— Que lui arrive-t-il ? »

Scaramella fa la gala.

« Ce sont des vacances pour lui.

— C'était le bon temps, déclare le duc. Les campagnes militaires. »

Le roi chante accompagné d'un luth. Sa voix est forte, sincère, retentissante : « Comme je marche dans les bois si sauvages[1] ». Quelques sanglots de femme se font entendre, rendus un peu plus profonds par les puissants vins italiens.

À Canterbury, l'archevêque Warham gît sans vie sur un bloc de pierre ; des pièces de monnaie sont posées sur ses paupières, comme pour graver à jamais dans son cerveau l'image de son roi. Il attend d'être descendu sous le sol de la cathédrale, dans la crypte froide et humide, près des os de Becket. Anne est assise aussi immobile qu'une statue, les yeux posés sur son amant. Seules ses mains bougent nerveusement ; elle serre sur ses cuisses l'un de ses petits chiens, le caresse encore et encore, tordant entre ses doigts les boucles de sa fourrure. Tandis que la dernière note s'estompe, on apporte des bougies.

Octobre, et nous allons à Calais – un cortège de deux mille personnes s'étire de Windsor à Greenwich, puis à travers les champs verdoyants du Kent jusqu'à Canterbury. Pour un duc, un entourage de quarante personnes, pour une marquise, trente-cinq, pour un comte, vingt-quatre, tandis qu'un vicomte doit se satisfaire de vingt personnes, et Cromwell, de Rafe et d'autant

---

1. *As I Walked the Woods so Wild*, variante d'une chanson populaire parfois attribuée à Henri VIII. *(N.d.T.)*

de clercs qu'il pourra en entasser sur les navires. Le roi doit rencontrer son frère de France, qui compte lui rendre service en parlant favorablement de son mariage au pape. François a proposé de marier l'un de ses trois fils – *ses trois fils*, comme Dieu doit l'aimer – à la nièce du pape, Catherine de Médicis ; mais pour que le mariage ait lieu, il exigera que la reine Catherine soit empêchée de faire appel à Rome, et que son frère d'Angleterre soit autorisé à régler ses affaires maritales dans sa propre juridiction en utilisant ses propres évêques.

C'est la première rencontre de ces deux puissants monarques depuis celle dite du Camp du Drap d'or, que le cardinal avait arrangée. Le roi souhaite que ce voyage-ci coûte moins cher que le précédent, mais quand on l'interroge sur les détails, il veut plus de ceci et plus de cela – tout plus grand, plus somptueux, plus excessif et avec plus de dorures. Il emmène ses propres cuisiniers et son propre lit, ses ministres et ses musiciens, ses chevaux, ses chiens et ses faucons, et sa nouvelle marquise, que l'Europe appelle sa concubine. Il emmène les possibles prétendants au trône, y compris le yorkiste lord Montague et les Neville lancastriens, pour montrer qu'ils sont dociles et que les Tudors sont à l'abri. Il emporte sa vaisselle dorée, son linge de maison, ses pâtissiers, ses plumeurs de volailles et son goûteur de poison, et il emporte même son propre vin, ce qui pourrait être considéré comme superflu, mais qui sait ?

Rafe aide Cromwell à empaqueter ses papiers.

« Je comprends que le roi François défendra à Rome la cause du roi. Mais je ne vois pas trop ce que ce traité va lui rapporter, observe le jeune homme.

— Wolsey disait toujours que l'élaboration du traité

était le traité lui-même. Qu'importe les termes, l'essentiel est qu'il y ait des termes. C'est la bonne volonté qui compte. Quand elle vient à faire défaut, le traité ne vaut plus rien, quels qu'en aient été les termes. »

Ce sont les processions qui comptent, les échanges de cadeaux, les parties de boules entre rois, les joutes et les mascarades : ces distractions ne sont pas des préliminaires au processus, elles sont le processus lui-même. Anne, habituée à la cour de France et à l'étiquette française, explique les difficultés qui les attendent :

« Si c'était le pape qui lui rendait visite, alors François pourrait avancer vers lui, peut-être même le rencontrer dans une cour. Mais lorsqu'il s'agit de deux monarques, ils sont censés faire le même nombre de pas dès qu'ils sont en vue l'un de l'autre. C'est ainsi que ça fonctionne, à moins – *hélas** – que l'un des deux fasse de tout petits pas, forçant l'autre à couvrir plus de terrain.

— Bon Dieu, s'exclame Brandon, il faudrait être un filou pour faire ça. François le ferait-il ? »

Anne le regarde, les paupières à peine entrouvertes.

« Monsieur de Suffolk, votre épouse est-elle prête pour le voyage ? »

Suffolk rougit.

« Ma femme est une ancienne reine de France.

— J'en ai bien conscience. François sera ravi de la revoir. Il la trouvait très belle. Même si, bien sûr, elle était jeune à l'époque.

— Ma sœur est encore belle », déclare Henri, tentant de les pacifier.

Mais Charles Brandon bouillonne intérieurement, et il laisse soudain exploser sa colère :

« Vous vous attendez à ce qu'elle vous serve ? Vous, la fille de Boleyn ? Qu'elle vous passe vos gants, madame, qu'elle s'efface devant vous ? Faites-vous une raison – ce jour n'arrivera jamais ! »

Anne se tourne vers Henri, agrippant son bras.

« Il m'humilie devant vous !

— Charles, dit Henri, laissez-nous maintenant, et revenez quand vous serez de nouveau maître de vous-même. Pas avant. »

Il soupire, fait un signe de la main : Cromwell, raccompagnez-le.

Le duc de Suffolk enrage.

« Un peu d'air frais, monsieur », suggère Cromwell.

L'automne est déjà là : un vent âpre souffle de la rivière. Il soulève des tourbillons de feuilles détrempées qui s'agitent devant eux tels les drapeaux d'une armée miniature.

« J'ai toujours trouvé qu'il faisait froid à Windsor. Ne trouvez-vous pas, monsieur ? Je parle de la ville, pas simplement du château. » Sa voix est douce, apaisante. « Si j'étais roi, je passerais plus de temps dans le palais de Woking. Savez-vous qu'il ne neige jamais là-bas ? Du moins, il n'y a pas neigé une seule fois en vingt ans.

— Si vous étiez roi ? » Brandon avance d'un pas lourd. « Si Anne Boleyn peut être reine, après tout pourquoi pas ?

— Je retire ce que j'ai dit. J'aurais dû utiliser une expression plus humble.

— Ma femme n'apparaîtra jamais, grogne Brandon, dans la suite de cette catin.

— Monsieur, vous savez comme nous tous qu'elle est chaste.

— Sa mère lui a montré comment faire, et laissez-moi vous dire que c'était une grande putain. Liz Boleyn, anciennement Liz Howard – elle a été la première à mettre Henri dans son lit. Je sais ces choses, je suis son plus vieil ami. Dix-sept ans, et il ne savait absolument pas comment s'y prendre. Son père l'avait couvé comme une nonne.

— Mais personne ne croit à cette histoire. À propos de la femme de Monseigneur.

— *Monseigneur* ! Dieu du ciel.

— Il aime être appelé ainsi. Ça ne fait pas de mal.

— Sa sœur Mary lui a aussi montré comment faire, et Mary a elle-même appris dans un bordel. Savez-vous ce qu'ils font en France ? Ma femme me l'a dit. Enfin, elle ne me l'a pas dit, elle me l'a écrit, en latin. L'homme a une érection, et la femme prend son sexe dans sa bouche ! Pouvez-vous imaginer une telle chose ? Une femme qui peut s'abaisser à de telles abjections, direz-vous qu'elle est vierge ?

— Milord… si votre femme refuse d'aller en France, si vous ne pouvez la persuader… dirons-nous qu'elle est malade ? Vous pourriez faire ça pour le roi, qui est, vous le savez, votre ami. Ça lui éviterait… » Il dit presque, d'entendre les sarcasmes d'Anne. Mais il se ravise. « Ça préserverait les apparences. »

Brandon acquiesce. Ils continuent d'avancer vers la rivière. Cromwell tente de ralentir l'allure dans l'espoir que le duc prononcera des excuses qu'il pourra rapporter à Anne. Quand le duc se tourne vers lui, il a une expression misérable.

« C'est vrai, de toute manière. Elle est malade. Ses magnifiques petits… » – ses deux mains semblent saisir l'air – « complètement volatilisés. Mais je l'aime quand même. Elle est d'une maigreur effroyable. Je lui dis, Marie, un jour je me réveillerai, et je ne te verrai plus, je te prendrai pour un fil sur le drap.

— Je suis désolé. »

Le duc se frotte le visage.

« Ah, bon Dieu. Retournez auprès d'Henri, voulez-vous ? Dites-lui que nous ne pouvons pas faire ça.

— Il attendra de vous que vous l'accompagniez à Calais, si votre femme ne peut le faire.

— Mais je n'aime pas la laisser seule, voyez-vous ?

— Anne est impitoyable, dit-il. Il est difficile de lui plaire, mais aisé de l'offenser. Monsieur, laissez-moi vous guider.

— Nous sommes tous impitoyables, grogne Brandon. Nous devons l'être. Vous faites tout, Cromwell. Vous êtes tout, désormais. Nous nous demandons, comment est-ce arrivé ? Nous nous posons la question. » Le duc renifle. « Nous nous posons la question mais, par le sang fumant du Christ, nous n'avons pas la foutue réponse. »

Par le sang fumant du Christ. C'est un juron digne de Thomas Howard, le troisième duc de Norfolk. Quand est-il devenu l'interprète des ducs, leur exégète ? Il se pose la question, mais il n'a pas la foutue réponse. Quand il retourne auprès du roi et de la future reine, il les trouve en train de se regarder amoureusement.

« Le duc de Suffolk vous implore de le pardonner », dit-il.

Oui, oui, répond le roi. Je vous verrai demain, mais pas trop tôt. On pourrait croire qu'ils sont déjà mari et femme, s'apprêtant à passer une nuit d'amour. On pourrait le croire, sauf que Mary Boleyn lui a dit qu'Henri n'aurait le droit que de caresser l'intérieur de la cuisse de sa sœur. Elle lui a dit ça, et même pas en latin. Chaque fois qu'elle passe du temps seule avec le roi, Anne rapporte tout à sa famille, sans omettre le moindre détail. On est forcé de l'admirer : son exactitude mesurée, sa retenue. Elle utilise son corps comme un soldat, préservant ses ressources ; comme l'un des maîtres en anatomie de l'école de Padoue, elle le divise et nomme chacune de ses parties, ceci est ma cuisse, ceci est mon sein, ceci est ma langue.

« Peut-être à Calais, dit-il. Peut-être aura-t-il alors ce qu'il veut.

— Elle devra être sûre que le mariage aura bien lieu », répond Mary. Elle s'éloigne, s'arrête et se retourne avec une expression troublée. « Anne dit tout le temps, Cromwell est mon homme. Je n'aime pas qu'elle dise ça. »

Au cours des jours qui suivent, d'autres questions viennent tourmenter la délégation anglaise. Quelle dame de la famille royale sera l'hôtesse d'Anne quand ils rencontreront les Français ? Pas la reine Éléonore – impossible, puisqu'elle est la sœur de l'empereur et que la famille est outrée par la disgrâce de Catherine. La sœur de François, la reine de Navarre, prétend être malade pour ne pas avoir à accueillir la maîtresse du roi d'Angleterre.

« Souffre-t-elle de la même maladie que la duchesse de Suffolk ? » demande Anne.

Peut-être, suggère François, serait-il approprié que la nouvelle marquise soit accueillie par la duchesse de Vendôme, sa propre *maîtresse en titre** ?

Henri est tellement furieux qu'il développe un mal de dents. Le docteur Butts vient le voir avec ses remèdes. Un narcotique semble la méthode la plus douce, mais à son réveil le roi est si assommé que pendant quelques heures il semble n'y avoir d'autre solution que d'annuler l'expédition. Ne voient-ils pas, ne comprennent-ils pas qu'Anne n'est pas la maîtresse d'un homme, mais la future femme d'un roi ? Mais comprendre ça n'est pas dans la nature de François. Il n'attend jamais plus d'une semaine quand il désire une femme. Un modèle de galanterie, lui ? Le plus chrétien des rois ? Tout ce qu'il sait faire, rugit Henri, c'est forniquer comme un cerf. Mais je vais vous dire, quand il aura fini de forniquer, les autres cerfs auront sa peau. Demandez à n'importe quel chasseur !

On suggère, finalement, que la solution serait de laisser la future reine à Calais, sur le sol anglais, où elle n'aura à endurer aucune insulte, pendant que le roi rencontrera François à Boulogne. Calais, une petite ville, devrait être plus facile à contenir que Londres, même si les gens se postent le long du quai pour hurler « *Putain* !* » et « Grande Catin d'Angleterre ! ». S'ils entonnent des chansons obscènes, nous ferons simplement mine de ne pas les comprendre.

À Canterbury, où le cortège royal s'ajoute aux pèlerins de toutes les nations, chaque maison est remplie de la cave au grenier. Cromwell et Rafe sont logés dans un confort relatif et à proximité du roi, mais il y a des lords dans des auberges infestées de puces et des chevaliers dans les arrière-salles de bordels. Les pèlerins sont repoussés dans les écuries et les remises et certains dorment à la belle étoile. Par chance, il fait doux pour un mois d'octobre. En un autre temps, le roi serait allé prier au sanctuaire de Becket et aurait laissé une riche offrande. Mais Becket était un rebelle contre la couronne, ce n'est pas le genre d'archevêque que nous aimons encourager ces temps-ci. Dans la cathédrale, l'odeur de l'encens brûlé lors de l'enterrement de Warham flotte toujours dans l'air, et les prières pour son âme bourdonnent constamment comme mille ruches. Des lettres ont été envoyées à Cranmer, qui se trouve quelque part en Allemagne avec la cour itinérante de l'empereur. Anne commence à l'appeler le futur archevêque. Personne ne sait combien de temps il mettra pour rentrer. Avec son secret, précise Rafe.

Bien sûr, dit Cromwell, son secret écrit dans la marge d'une page.

Rafe se rend au sanctuaire. C'est sa première visite. Il revient ébloui, expliquant que l'endroit regorge de joyaux gros comme des œufs d'oie.

« Je sais. Crois-tu qu'ils soient réels ?

— Ils vous montrent un crâne, ils disent que c'est celui de Becket, il a été défoncé par les chevaliers, mais il est maintenu par une plaque en argent. Si on paye on peut l'embrasser. Ils ont un plateau avec des os de doigts. Ils ont son mouchoir plein de morve. Et un morceau de sa botte. Et une fiole qu'ils agitent en disant que c'est son sang.

— À Walsingham, ils ont une fiole qui contient le lait de la Vierge.

— Bon Dieu, je me demande ce que ça peut bien être. » Rafe a l'air écœuré. « Le sang, on voit bien que c'est de l'eau mélangée à de la terre rouge. Ça fait des grumeaux.

— Bon, attrape cette plume d'oie qui a été arrachée aux ailes de l'ange Gabriel, et nous allons écrire à Stephen Vaughan. Nous allons peut-être devoir lui demander d'aller chercher Thomas Cranmer.

— Le plus tôt sera le mieux, dit Rafe. Mais attendez, maître, que je nettoie mes mains pleines de Becket. »

Même s'il ne compte pas se rendre au sanctuaire, le roi veut se montrer au peuple avec Anne à ses côtés. Lorsqu'il quitte la messe, ignorant tous les conseils, il marche parmi la foule avec ses gardes en retrait et ses conseillers autour de lui. La tête d'Anne pivote sur la longue tige de son cou tandis qu'elle cherche à percevoir les commentaires qu'on prononce autour d'elle. Les gens tendent la main pour toucher le roi.

Norfolk marche à côté de Cromwell, raide d'appréhension, regardant partout à la fois : « Je n'aime pas cette façon de procéder, maître Cromwell. » Lui-même, qui jadis a dû savoir se servir d'un couteau, surveille chaque mouvement suspect. Mais la chose qui s'apparenterait le plus à une arme est une énorme croix brandie par une poignée de moines franciscains. La foule s'écarte devant eux, devant un groupe de prêtres laïcs vêtus de leurs tenues de cérémonie, devant un contingent de bénédictins venus de l'abbaye. Au milieu des bénédictins se trouve une jeune femme en habit de nonne.

« Majesté ? »

Henri se retourne.

« Seigneur Dieu, voici la vierge sainte », dit-il. Les gardes s'approchent, mais Henri lève la main. « Laissez-moi la voir. »

C'est une femme assez corpulente, et pas si jeune que ça ; elle doit avoir vingt-huit ans. Son visage est quelconque, mat, rouge d'excitation. Elle avance vers Henri, et pendant une seconde Cromwell voit le roi à travers les yeux de la femme : une tache d'un rouge doré, un teint empourpré, un corps viril et prêt, une main comme un jambon qui se tend pour la saisir par son coude de nonne.

« Madame, vous avez quelque chose à me dire ? »

Elle tente de faire une révérence, mais il l'en empêche en l'agrippant.

« J'ai été informée par le ciel, dit-elle, par les saints avec lesquels je converse, que les hérétiques qui vous entourent doivent être brûlés sur un grand bûcher, et si vous n'allumez pas ce bûcher, alors c'est vous qui brûlerez.

— Quels hérétiques ? Où sont-ils ? Il n'y a pas d'hérétiques autour de moi.

— En voici une. »

Anne se recroqueville contre le roi ; contre l'écarlate et l'or de sa veste, elle fond comme de la cire.

« Et si vous vous mariez de quelque façon que ce soit avec cette femme indigne, vous ne régnerez pas sept mois.

— Allons, madame, sept mois ? Ne pouvez-vous pas arrondir ? Quel genre de prophète dit "sept mois" ?

— C'est ce que le ciel m'a dit.

— Et quand ces sept mois seront écoulés, qui me remplacera ? Parlez, dites qui vous aimeriez voir prendre ma place. »

Les moines et les prêtres essaient d'éloigner la femme ; ça ne faisait pas partie de leur plan.

« Lord Montague, il est de sang royal. Le marquis d'Exeter aussi. » Elle essaie à son tour de s'écarter du roi. « Je vois madame votre mère, dit-elle, entourée de flammes pâles. »

Henri la lâche comme si sa peau était brûlante.

« Ma mère ? Où ?

— J'ai cherché le cardinal de York. J'ai fouillé le paradis, l'enfer et le purgatoire, mais le cardinal n'y est pas.

— Elle doit être folle, dit Anne. Elle est folle et doit être fouettée. Ou alors, elle doit être pendue. »

L'un des prêtres s'en mêle : « Madame, c'est une personne très sainte. Sa parole est inspirée.

— Écartez-vous de mon chemin, réplique Anne.

— La foudre s'abattra sur vous », dit la nonne à Henri. Il éclate d'un rire hésitant.

Norfolk s'approche soudain, mâchoire serrée, levant le poing.

« Ramenez-la à son bordel avant qu'elle goûte à ça, pour l'amour de Dieu ! »

Dans la mêlée qui s'ensuit, l'un des moines en frappe un autre avec la croix ; la nonne est entraînée en arrière, mais elle continue de proférer ses prophéties ; la clameur de la foule s'amplifie, et Henri saisit Anne par le bras et ils rebroussent chemin. Cromwell suit la nonne, restant à proximité du groupe de moines, jusqu'à ce que la foule se dissipe. Il tape alors sur le bras d'un des moines et demande à parler à la femme.

« J'étais un serviteur de Wolsey, dit-il. Je veux entendre son message. »

Après quelques délibérations, ils le laissent passer.

« Monsieur ? dit-elle.

— Pourriez-vous réessayer de trouver le cardinal ? En échange d'une offrande ? »

Elle hausse les épaules.

« Il faudrait que ce soit une offrande substantielle, déclare l'un des franciscains.

— Et vous êtes ?

— Je suis le père Risby.

— Nul doute que je puisse satisfaire vos attentes. Je suis un homme riche.

— Voudriez-vous simplement localiser son âme

pour vous aider dans vos prières, ou envisagez-vous une donation pour offrir des messes ?

— Comme bon vous semblera. Mais il faudrait naturellement que je sois sûr qu'il n'est pas en enfer. Inutile de dire des messes pour une cause perdue.

— Je vais devoir en parler au père Bocking, dit la jeune femme.

— Le père Bocking est son directeur spirituel », explique le moine. Cromwell incline la tête.

« Revenez et redemandez-moi plus tard », dit la nonne.

Elle se retourne et se noie dans la foule. Il distribue un peu d'argent ici et là. Pour son entourage. Pour le père Bocking, qui qu'il puisse être. Car manifestement c'est le père Bocking qui fixe le prix et qui tient les comptes.

Après sa rencontre avec la nonne, le roi est mélancolique. Qu'éprouveriez-vous si on vous disait que la foudre va s'abattre sur vous ? Ce soir-là, il se plaint de maux de tête, d'une douleur au visage et à la mâchoire.

« Allez-vous-en, lance-t-il à ses médecins. Vous ne parvenez jamais à me soulager, pourquoi y arriveriez-vous maintenant ? Et vous, madame, dit-il à Anne, demandez à vos femmes de vous mettre au lit, je ne veux pas bavarder, je ne supporte pas les voix perçantes. »

Norfolk ronchonne dans sa barbe : toujours quelque chose qui cloche, avec le Tudor.

À Austin Friars, quand quelqu'un attrape un rhume ou se fait une entorse, les garçons se lancent dans une petite saynète intitulée *Si Norfolk était le docteur Butts*. Mal aux dents ? Arrachez-les ! Doigt coincé ?

Coupez-vous la main ! Mal à la tête ? Tranchez-la, vous en avez une autre.

Norfolk s'apprête à sortir à reculons, mais il marque une pause.

« Majesté, dit-il, elle n'a pas affirmé que la foudre vous tuerait.

— C'est vrai, renchérit Brandon d'un ton enjoué.

— Pas mort, mais détrôné, pas mort, mais frappé et brûlé par la foudre, une perspective plaisante, n'est-ce pas ? » réplique le roi d'un ton pitoyable. Il aboie en direction d'un serviteur pour qu'on lui apporte des bûches et du vin chaud. « Suis-je censé rester là, moi, le roi d'Angleterre, avec un feu misérable et sans rien à boire ? » Il semble véritablement avoir froid. « Elle a vu ma mère, ajoute-t-il.

— Votre Majesté, intervient prudemment Cromwell, vous savez que l'un des vitraux de la cathédrale représente votre mère. Et si le soleil brillait à travers, ne donnerait-elle pas l'impression de se trouver au milieu d'une lumière aveuglante ? Je crois que c'est ce que la nonne a vu.

— Vous ne croyez pas à ces visions ?

— Je crois qu'elle ne fait peut-être pas la distinction entre ce qu'elle voit dans le monde réel et ce qu'elle voit dans sa tête. Il y a des gens comme ça. Peut-être devrions-nous avoir pitié d'elle. Mais pas trop. »

Le roi fronce les sourcils.

« Mais j'aimais ma mère », dit-il. Puis il ajoute : « Buckingham accordait beaucoup de foi aux visions. Un prophète lui a un jour dit qu'il serait roi. »

Il juge inutile d'ajouter que Buckingham était un traître et qu'il est mort depuis plus de dix ans.

Quand la cour embarque pour la France, il voyage avec le roi sur le *Swallow*. Il se tient sur le pont, et regarde l'Angleterre disparaître au loin avec Henry Fitzroy, le fils illégitime du roi. Le jeune homme est excité car c'est sa première traversée, et aussi parce qu'il est en compagnie de son père. Fitzroy est un beau garçon de treize ans aux cheveux blonds, grand pour son âge et svelte : il est tel qu'Henri devait être quand il était jeune prince, et il a conscience de qui il est, de son rang.

« Maître Cromwell, dit-il, je ne vous ai pas vu depuis la chute du cardinal. » Un moment d'embarras. « Je suis heureux que vous prospériez. Car il est écrit dans le livre intitulé *Le Courtisan*[1] que dans les hommes de basse extraction nous voyons souvent de grands dons de la nature.

— Vous lisez l'italien, monsieur ?

— Non, mais des parties de ce livre m'ont été traduites en anglais. C'est une très bonne lecture. » Une pause. « Je voudrais » – il tourne la tête, baisse la voix – « Je regrette que le cardinal soit mort. Car maintenant le duc de Norfolk est mon tuteur.

— Et j'entends que Votre Altesse doit épouser sa fille Mary.

— Oui. Mais je ne veux pas.

— Pourquoi pas ?

— Je l'ai vue. Elle n'a pas de poitrine.

— Mais elle a de l'esprit, monseigneur. Et le temps

---

1. *Il libro del Cortegiano*, de Baldassare Castiglione. L'ouvrage, publié en 1528 à Venise, tente de décrire le courtisan idéal. Sa première traduction française paraît en 1537, sa première traduction anglaise, en 1561. *(N.d.T.)*

remédiera peut-être à l'autre problème avant que vous ne viviez ensemble. Si vos gens vous traduisent la partie du livre de Castiglione qui a trait aux femmes et à leurs qualités, je suis certain que vous découvrirez que Mary Howard les possède toutes. »

Espérons, songe-t-il, que ça ne se terminera pas comme le mariage d'Harry Percy, ou comme celui de George Boleyn. Pour la fille également. Castiglione affirme que tout ce que les hommes peuvent comprendre, les femmes peuvent le comprendre aussi, qu'elles possèdent le même entendement, les mêmes facultés, et assurément la même capacité à aimer et à haïr. Castiglione était amoureux de sa femme Ippolita, mais elle est morte après seulement quatre ans de mariage. Il lui a écrit un poème, une élégie, mais il l'a écrit comme si c'était elle qui tenait la plume : la femme morte qui lui parlait.

Dans le sillage du navire, les mouettes hurlent comme des âmes perdues. Le roi monte sur le pont et annonce que son mal de tête est parti.

« Majesté, dit-il, nous parlions du livre de Castiglione. Avez-vous trouvé le temps de le lire ?

— Tout à fait. Il prône la *sprezzatura*. L'art de tout faire avec grâce et élégance, sans donner l'impression d'effort. Une qualité que les princes devraient également cultiver. » Il ajoute d'un air assez dubitatif : « Le roi François la possède.

— Oui, mais hormis la *sprezzatura*, il affirme que nous devons faire à tout moment preuve de retenue et de dignité en public. Je songeais que je devrais en commander une traduction pour l'offrir à monsieur de Norfolk. »

Henri doit avoir encore en tête l'image de Thomas

Howard à Canterbury, menaçant de frapper la prophétesse. Il sourit.

« Oui, vous devriez.

— Enfin, s'il ne risquait pas de prendre ça pour un reproche. Castiglione estime que les hommes ne doivent pas se boucler les cheveux ni s'épiler les sourcils. Et savez-vous que le duc fait les deux ?

— Monsieur de Norfolk ? » demande le jeune prince d'un air surpris.

Henri pousse un hurlement de rire qui n'a rien de royal, un rire sans dignité ni retenue. Il est doux aux oreilles de Cromwell. Les membrures du navire grincent. Le roi lui pose la main sur l'épaule pour ne pas perdre l'équilibre. Le vent raidit les voiles. Le soleil danse au-dessus de l'eau.

« Dans une heure nous arriverons à bon port. »

Calais, cet avant-poste de l'Angleterre, sa dernière possession en France, est une ville où il a de nombreux amis, de nombreuses relations, de nombreux clients. Il la connaît bien : Water Gate et Lantern Gate[1], les églises Saint-Nicolas et Notre-Dame, il connaît ses tours et ses remparts, ses marchés, ses cours et ses quais, le Staple Inn où loge le gouverneur, et les maisons des familles Whethill et Wingfield, des maisons avec des jardins ombragés où les gentilshommes vivent paisiblement loin d'une Angleterre qu'ils affirment ne plus comprendre. Il connaît les fortifications – déla-

---

1. Littéralement porte de la Lanterne et porte de l'Eau. C'étaient deux des quatre portes qui permettaient alors l'accès à Calais, les deux autres étant la Milk Gate (porte du Lait) et la Boulogne Gate (porte de Boulogne). *(N.d.T.)*

brées – et, par-delà l'enceinte de la ville, les bois, les villages et les marais, les écluses, les digues et les canaux. Il connaît la route de Boulogne, et celle de Gravelines, qui se trouve sur le territoire de l'empereur, et il sait qu'il suffirait à l'un ou l'autre monarque – François ou Charles – d'une simple offensive déterminée pour s'emparer de la ville. Les Anglais sont ici depuis deux cents ans, mais dans les rues on entend surtout parler français ou flamand.

Le gouverneur accueille Sa Majesté. Lord Berners, un vieux soldat érudit, est un parangon de vertu à l'ancienne, et s'il n'y avait sa claudication, et son angoisse évidente face aux énormes dépenses qui l'attendent, il semblerait tout droit sorti du livre nommé *Le Courtisan*. Il s'est même arrangé pour loger le roi et la marquise dans deux chambres séparées par une porte.

« Je crois que c'est très convenable, monsieur, déclare Cromwell. Tant qu'il y a un verrou solide de chaque côté. »

Car Mary lui a révélé, avant qu'ils prennent la mer : « Jusqu'à présent elle a refusé, mais maintenant elle accepte, et c'est lui qui refuse. Il prétend qu'il doit être sûr que, si elle tombe enceinte, l'enfant naisse après leur mariage. »

Les monarques doivent se voir pendant cinq jours à Boulogne, puis cinq jours à Calais. Anne est contrariée à l'idée qu'elle n'accompagnera pas le roi. Cromwell devine à son agitation qu'elle sait que c'est un territoire contesté, où des choses imprévisibles peuvent se produire. En attendant il a des affaires privées à régler. Il sort discrètement, laissant même Rafe derrière lui, et se rend à une auberge dans une petite cour proche de Calkwell Street.

C'est un établissement miteux où flotte une odeur de feu de bois, de poisson et de moisissure. À un mur est suspendu un miroir blême dans lequel il aperçoit son visage. Il est pâle, seuls ses yeux sont animés. Il est brièvement surpris ; on ne s'attend pas à voir son image dans un tel bouge.

Il s'assied à une table et attend. Au bout de cinq minutes l'air au fond de la pièce semble s'agiter. Mais il ne se passe rien. Il savait qu'ils le feraient attendre. Pour tuer le temps, il passe mentalement en revue les sommes que le roi a reçues l'année passée du duché des Cornouailles. Il est sur le point de passer aux chiffres soumis par le chambellan de Chester quand une silhouette noire apparaît et prend peu à peu les traits d'un vieil homme vêtu d'une longue robe. Il s'approche d'un pas chancelant, et bientôt deux autres hommes le suivent. Ils sont tous interchangeables : toux grêle, longue barbe. Après avoir négocié en grognant un ordre de préséance, ils s'assoient sur le banc face à lui. Il déteste les alchimistes, et ces hommes ressemblent à des alchimistes : habits couverts de taches indéfinissables, yeux humides, reniflements provoqués par les vapeurs. Il les accueille en français. Ils frémissent, et l'un d'eux demande en latin s'ils ne vont pas boire quelque chose. Il appelle le serveur et lui demande sans grand espoir ce qu'il propose. « Boire ailleurs ? » suggère le garçon.

Un pichet rempli d'un liquide vinaigré arrive. Il laisse les hommes boire longuement avant de demander : « Lequel d'entre vous est maître Camillo ? »

Ils échangent un regard interminable.

« Maître Camillo est parti à Venise.

— Pourquoi ? »

Quinte de toux.

« Pour des consultations.

— Mais il a l'intention de revenir en France ?

— Très probablement.

— Ce que vous avez, je le veux pour mon maître. »

Silence. Et si, songe-t-il, je leur reprenais le vin jusqu'à ce qu'ils disent quelque chose d'utile ? Mais l'un d'eux le devance et saisit le pichet ; sa main tremble et il renverse du vin sur la table. Les autres bêlent d'irritation.

« Je pensais que vous apporteriez peut-être des croquis », dit-il.

Ils se regardent de nouveau.

« Oh, non.

— Mais des croquis existent ?

— Pas en tant que tels. »

Dans un silence misérable, ils regardent le vin renversé qui commence à imprégner le bois fendu. L'un d'eux s'occupe en faisant passer un de ses doigts dans un trou de mite dans sa manche.

Il hèle le garçon et lui commande un autre pichet.

« Nous ne voulons pas être désobligeants, déclare le porte-parole. Vous devez comprendre que maître Camillo est, pour le moment, sous la protection du roi François.

— Il compte lui fabriquer une maquette ?

— C'est possible.

— Une maquette qui fonctionnerait ?

— Toute maquette, par nature, fonctionnerait.

— S'il trouvait quoi que ce soit à redire aux termes de son engagement, mon maître Henri serait heureux de l'accueillir en Angleterre. »

Il y a une nouvelle pause, jusqu'à ce que le garçon leur apporte un nouveau pichet et reparte. Cette fois, il fait lui-même le service. Les vieillards échangent un nouveau coup d'œil et l'un d'eux déclare : « Le maître pense que le climat anglais lui déplairait. Le brouillard. Et puis l'île entière est peuplée de sorcières. »

L'entretien n'a pas été satisfaisant. Mais il faut bien débuter quelque part. En partant, il dit au garçon :

« Tu peux essuyer la table.

— Je ferais mieux d'attendre qu'ils aient renversé le deuxième pichet, monsieur.

— Certes. Apporte-leur quelque chose à manger. Qu'est-ce que tu as ?

— Du potage. Mais je ne le recommanderais pas. On dirait ce qui sort d'une robe de catin quand elle la lave.

— Je ne savais pas qu'à Calais les filles lavaient quoi que ce soit. Sais-tu lire ?

— Un peu.

— Écrire ?

— Non, monsieur.

— Tu devrais apprendre. En attendant, utilise tes yeux. Si quelqu'un d'autre vient leur parler, s'ils apportent des dessins, des parchemins, des rouleaux, n'importe quoi de ce genre, je veux le savoir.

— De quoi s'agit-il, monsieur ? demande le garçon. Qu'est-ce qu'ils vendent ? »

Il le lui dit presque. Quel mal y aurait-il ? Mais en fin de compte il ne trouve pas les mots.

Au beau milieu des entretiens de Boulogne, un messager l'informe que le roi François aimerait le voir. Henri délibère avant de lui en donner la permission ;

les monarques ne devraient s'entretenir en tête à tête qu'avec d'autres monarques, des seigneurs et des ecclésiastiques de haut rang. Depuis qu'ils ont touché terre, Brandon et Howard, qui s'étaient montrés plutôt agréables sur le navire, ont pris leurs distances avec lui, comme s'ils voulaient faire clairement comprendre aux Français qu'ils ne lui accordaient aucune importance ; il n'est qu'une lubie du roi, prétendent-ils, un conseiller fantaisiste qui disparaîtra bientôt en faveur d'un vicomte, d'un baron ou d'un évêque.

« Ce n'est pas une audience, déclare le messager.

— Non, répond-il. Je comprends. Rien de tel. »

François l'attend, entouré d'une poignée de courtisans, pour ce qui n'est pas une audience. C'est un homme dégingandé, avec des coudes et des genoux saillants, et de grands pieds osseux qui s'agitent sans cesse dans de grands chaussons rembourrés.

« Cremuel, dit-il. Laissez-moi vous comprendre. Vous êtes gallois.

— Non, Votre Altesse. »

Les yeux de chien battu du roi l'inspectent de la tête aux pieds ; une fois ; puis deux.

« Pas gallois. »

Il comprend le trouble du roi français. Comment a-t-il obtenu son passeport pour la cour s'il ne vient pas d'une famille humble au service des Tudors ?

« C'est le défunt cardinal qui m'a initié aux affaires du roi.

— Oui, je le sais, dit François, mais j'ai le sentiment qu'il y a autre chose.

— C'est possible, Altesse, répond-il sèchement, mais ça n'a certainement rien à voir avec le fait d'être gallois. »

François appuie sur le bout de son long nez, le poussant encore plus vers son menton. Choisissez votre prince : vous ne voudriez pas regarder celui-ci tous les jours. Henri semble si sain avec son visage joufflu et soigné, son teint rose pâle.

« On dit que vous vous êtes battu pour l'honneur de la France », reprend François en détournant lentement le regard.

Garigliano : pendant un moment il baisse les yeux, comme s'il se rappelait un terrible accident dans la rue, un enchevêtrement de membres irrémédiablement écrasés.

« En une occasion des plus malheureuses.

— Pourtant... ces choses passent. Qui se souvient aujourd'hui d'Azincourt ? »

Cromwell rit presque.

« C'est vrai, convient-il. Une génération ou deux, ou trois... quatre... et ces choses ne sont plus rien. »

François dit : « On dit que vous êtes très bien vu de cette lady. » Il se mordille la lèvre. « Dites-moi, je suis curieux, que pense mon frère le roi ? La croit-il vierge ? Moi-même, je ne l'ai jamais essayée. Quand elle était ici à la cour elle était jeune, et plate comme une limande. Sa sœur, en revanche... »

Il aimerait l'interrompre, mais on ne peut interrompre un roi. François passe en revue la nudité de Mary, du menton aux orteils, puis il la retourne comme une crêpe et s'attaque à l'autre côté, de la nuque aux talons. Un serviteur lui tend un carré de lin fin, et tandis qu'il achève sa description il se tapote le coin de la bouche, puis il rend le mouchoir.

« Bon, assez, dit le roi. Je vois que vous n'admettrez pas être gallois, ce qui met donc un terme à mes théories. » Les coins de sa bouche se soulèvent ; ses coudes remuent un peu ; ses genoux s'agitent ; la non-audience est terminée. « Monsieur Cremuel, poursuit-il, nous ne nous reverrons peut-être jamais. Votre fortune soudaine pourrait ne pas durer. Alors, venez, donnez-moi votre main, comme un soldat de France. Et ayez une pensée pour moi dans vos prières. »

Il s'incline.

« Votre serviteur, Majesté. »

Comme il s'en va, l'un des courtisans s'approche et lui murmure : « Un cadeau de Son Altesse », et il lui tend une paire de gants brodés.

Un autre homme, suppose-t-il, serait ravi et les essaierait. Pour sa part, il se contente de pincer les doigts et trouve ce qu'il cherche. Doucement, il secoue le gant, en tenant une main en dessous.

Il va directement voir Henri. Il le trouve au soleil, en train de faire une partie de boules avec quelques seigneurs français. Henri peut rendre une partie de boules aussi bruyante qu'un tournoi : cris de joie, grognements, exclamations, lamentations, jurons. Le roi lève la tête, demande du regard : « Alors ? » Les yeux de Cromwell répondent : « Seuls », ceux du roi disent : « Plus tard. » Aucune parole n'est échangée, le roi a continué tout du long de plaisanter, de distribuer les tapes dans le dos ; Henri se redresse, regarde sa boule de bois glisser sur l'herbe tondue et pointe le doigt dans la direction de Cromwell. « Vous voyez ce conseiller ? Je vous avertis, ne jouez jamais à aucun jeu avec lui. Car il ne respectera pas votre naissance. Il n'a ni armoiries ni nom, mais il se croit né pour gagner.

— Perdre avec grâce est un art que tout gentil-homme cultive, déclare l'un des seigneurs français.

— J'espère le cultiver aussi, réplique Cromwell. Si vous voyez un exemple que je pourrais suivre, je vous en prie, désignez-le-moi. »

Car ils sont tous, remarque-t-il, bien décidés à remporter la partie, à prendre une pièce d'or au roi d'Angleterre. Jouer n'est pas un vice, si vous en avez les moyens. Peut-être pourrais-je lui fournir des jetons, songe-t-il, échangeables contre de l'argent à condition de se présenter en personne dans quelque bureau de Westminster : avec des paperasseries alambiquées, des frais à payer aux clercs et un sceau spécial à apposer. Ça nous ferait faire des économies.

Mais la boule du roi roule paisiblement vers le cochonnet. Henri remporte la partie. Quelques applaudissements polis de la part des Français.

Lorsqu'il est seul avec le roi, il dit : « Voici quelque chose qui vous plaira. »

Henri aime les surprises. Du bout de son doigt épais, avec son ongle propre et rose, il pousse doucement le rubis sur le revers de sa main.

« C'est une belle pierre, dit le roi. Je sais juger ces choses. » Une pause. « Qui est le principal orfèvre ici ? Demandez-lui de s'en occuper pour moi. C'est une pierre sombre, François la reconnaîtra ; je la porterai au doigt avant la fin de nos rencontres. La France verra comment on me sert. » Il est d'excellente humeur. « Je vous paierai l'équivalent de sa valeur. » Il le congédie d'un geste de la tête. « Naturellement, vous vous arrangerez avec l'orfèvre pour la faire surévaluer et vous partagerez le profit avec lui... mais je me montrerai généreux. »

Recompose ton visage.

Le roi rit.

« Pourquoi confierais-je mes affaires à un homme s'il ne sait s'occuper des siennes ? Un jour François vous offrira une pension. Vous devrez l'accepter. Au fait, que vous a-t-il demandé ?

— Il a demandé si j'étais gallois. Ça semblait important à ses yeux, j'étais désolé de le décevoir autant.

— Oh, vous n'êtes pas décevant, répond Henri. Mais à l'instant où vous le serez, je vous le ferai savoir. »

Deux heures. Deux rois. Que dis-tu de ça, Walter ? Debout dans l'air iodé, il parle à son père.

Quand les deux rois reviennent à Calais, Anne invite François à danser après le grand banquet du soir. Elle a les joues colorées, et ses yeux étincellent derrière son masque doré. Quand elle abaisse son masque et regarde le roi de France, elle arbore un sourire étrange, pas tout à fait humain, comme si le premier masque en cachait un second. On voit François rester bouche bée ; on le voit saliver. Elle entrelace ses doigts aux siens et le mène à un siège près de la fenêtre. Ils parlent en français pendant une heure, murmurant, le roi penchant vers elle sa tête sombre et soignée ; parfois ils rient en se regardant dans les yeux. Nul doute qu'ils discutent de la nouvelle alliance ; il semble croire qu'elle a un autre traité enfoncé dans son corset. À un moment, François lui soulève la main. Elle tente de l'ôter, résistant à demi, et pendant un instant on dirait qu'il cherche à plaquer les petits doigts de la marquise sur son ineffable braguette. Tout le monde sait que François a récemment été traité au mercure. Mais personne ne sait si ça a fonctionné.

Henri danse avec les épouses des notables de Calais : gigue, saltarelle. Charles Brandon, qui a oublié sa femme malade, fait hurler ses partenaires en les projetant en l'air, si bien que leurs jupes se soulèvent. Mais le regard d'Henri ne cesse de se poser sur Anne et François, à l'autre bout de la pièce. Son dos est raidi par la terreur. Son visage souriant dissimule mal son angoisse.

Cromwell décide finalement, je dois faire cesser ça : se pourrait-il que, tel un bon sujet, j'aime réellement mon roi ?

Il tire Norfolk du coin sombre où il se cache de crainte qu'on lui ordonne de danser avec la femme du gouverneur.

« Milord, allez chercher votre nièce. Elle a fait assez de diplomatie comme ça. Notre roi est jaloux.

— Quoi ? De quoi se plaint-il maintenant ? »

Mais Norfolk comprend d'un coup d'œil ce qui se passe. Il pousse un juron et traverse la salle – au milieu des danseurs, sans chercher à les contourner. Il saisit Anne par le poignet, le tordant en arrière comme s'il voulait le briser.

« Avec votre permission, Altesse. Madame, dansons. » Il la fait sèchement se lever. Et ils dansent, bien que leur danse ne ressemble à aucune de celles qu'on a pu voir dans les salons jusqu'alors. Le duc martèle le sol tel un diable battant des sabots ; elle, blême, sautille avec un bras replié comme une aile cassée.

Il regarde en direction d'Henri. Le visage du roi

exprime une satisfaction sobre et digne. Anne mérite d'être punie, et qui peut le faire si ce n'est un parent ? Les seigneurs français, réunis en petit groupe, rient sous cape. François continue de la regarder en plissant les yeux.

Ce soir-là, le roi se retire tôt, renvoyant même les gentilshommes de sa chambre privée ; seul Henry Norris entre et sort de son appartement, talonné par un sous-fifre qui porte du vin, des fruits, un grand édredon, puis une bassine de charbon ; il commence à faire frais. Les femmes elles aussi sont à cran. On a entendu Anne lever la voix. Des portes claquent. Tandis qu'il discute avec Thomas Wyatt, Mlle Shelton s'approche de lui d'un pas pressé.

« Milady veut une bible !

— Maître Cromwell peut réciter l'intégralité du Nouveau Testament », déclare obligeamment Wyatt.

Mary Shelton semble au comble de l'angoisse.

« Je crois qu'elle la veut pour jurer dessus.

— Dans ce cas, je ne lui suis d'aucune utilité. »

Wyatt saisit les mains de la jeune femme.

« Qui va vous tenir chaud ce soir, mademoiselle Shelton ? »

Elle s'écarte de lui, repart à la recherche des Saintes Écritures. « Je vais vous dire qui, poursuit Wyatt. Henry Norris. »

Cromwell regarde en direction de la jeune femme qui s'éloigne. « Elle a du succès avec les hommes ?

— Je fais partie des chanceux.

— Le roi ?

— Peut-être.

— Récemment ?

« — Anne leur arracherait le cœur et le ferait rôtir. »

Il songe qu'il ferait bien de ne pas trop s'éloigner au cas où Henri l'appellerait. Il trouve un coin pour une partie d'échecs avec Edward Seymour. Entre deux mouvements :

« Votre sœur, Jane… dit-il.

— Drôle de petite créature, non ?

— Quel âge a-t-elle ?

— Je ne sais pas… environ vingt ans ? Elle faisait le tour de Wolf Hall en disant : "Ce sont les manches de Thomas Cromwell", et personne ne savait de quoi elle parlait. » Il rit. « Très contente d'elle.

— Votre père a-t-il arrangé une alliance pour elle ?

— Il a été question de… » Il lève la tête. « Pourquoi me demandez-vous ça ?

— Juste pour vous distraire. »

Tom Seymour fait irruption.

« 'Soir grand-père ! » lance-t-il à son frère. Il fait voler d'un geste son chapeau et lui ébouriffe les cheveux. « Il y a des femmes qui nous attendent.

— Mon ami ici présent nous recommande de les éviter. » Edward époussette son chapeau. « Il affirme qu'elles sont exactement comme les Anglaises, mais en plus sales.

— C'est l'expérience qui parle ? » demande Tom.

Edward replace coquettement son chapeau sur sa tête. « D'après toi, quel âge a notre sœur ? demande-t-il.

— Vingt et un, vingt-deux. Pourquoi ? »

Edward baisse les yeux vers l'échiquier, saisit sa reine. Il voit qu'il est coincé, relève les yeux, admiratif.

« Comment avez-vous réussi ça ? »

Plus tard il est assis devant une feuille de papier vierge. Il a l'intention d'écrire une lettre à Cranmer et de l'envoyer aux quatre vents, de lui faire parcourir l'Europe jusqu'à ce qu'elle le trouve. Il soulève sa plume mais n'écrit pas. Il se repasse mentalement sa conversation avec Henri à propos du rubis. Son roi s'imagine qu'il prendrait part à une escroquerie mesquine, du genre de celles qui l'amusaient quand il faisait passer des Cupidons pour des antiquités et les vendait aux cardinaux. Mais se défendre contre de telles accusations vous fait paraître coupable. Si Henri ne lui fait pas pleinement confiance, est-ce surprenant ? Un prince est seul : dans la chambre de son Conseil, dans sa chambre à coucher, et finalement dans l'antichambre de l'enfer. Nu – comme a dit Harry Percy – pour le Jugement.

Cette visite à Calais a condensé les querelles et les intrigues de la cour, elle les a enfermées dans un petit espace entre les murs de la ville. Les voyageurs sont devenus aussi intimes que les personnages d'un jeu de cartes : contigus, mais leurs yeux de papier sont aveugles. Il se demande où est Tom Wyatt, et quels ennuis il s'est attirés. Il pense qu'il n'arrivera pas à dormir, mais cela n'a rien à voir avec Wyatt. Il va à la fenêtre. La lune, comme si elle était tombée en disgrâce, traîne des lambeaux de nuages noirs.

Dans les jardins, des torches brûlent sur des supports fixés aux murs, mais il s'éloigne de la lumière. Le mouvement faible de l'océan est régulier et insistant, comme les battements de son propre cœur. Il sait qu'il n'est pas seul dans l'obscurité, et au bout d'un moment il entend un bruit de pas, un bruissement de jupes, un faible serrement de gorge, et une main se pose doucement sur son bras.

« Vous, dit Mary.

— Moi.

— Savez-vous qu'ils ont déverrouillé la porte qui les sépare ? » Elle lâche un éclat de rire impitoyable. « Elle est dans ses bras, nue comme un ver. Elle ne peut plus revenir en arrière.

— Ce soir je pensais qu'ils se querelleraient.

— C'est ce qu'ils ont fait. Ils aiment se quereller. Elle prétend que Norfolk lui a cassé le bras. Henri l'a traitée de Marie Madeleine et d'autres noms que j'ai oubliés, des noms de femmes romaines, je crois. Mais pas Lucrèce.

— Non. Du moins, je n'espère pas. Pourquoi voulait-elle une bible ?

— Pour le faire jurer. Devant témoins. Moi. Norris. Il a prêté serment. Ils sont mariés devant Dieu. Et il jure qu'il l'épousera de nouveau en Angleterre et qu'elle sera reine quand arrivera le printemps. »

Il pense à la nonne de Canterbury : si vous vous mariez de quelque façon que ce soit avec cette femme indigne, vous ne régnerez pas sept mois.

« Donc, maintenant, poursuit Mary, il s'agit juste de savoir s'il sera capable d'accomplir son devoir conjugal.

— Mary. » Il saisit sa main. « Ne m'effrayez pas.

— Henri est intimidé. Il croit qu'on attend de lui une performance de roi. Mais s'il est timide, Anne saura comment l'aider. » Elle ajoute, prudemment : « Je l'ai conseillée. » Elle glisse sa main jusqu'à son épaule. « Et nous, maintenant ? Ç'a été une lutte épuisante pour les amener jusque-là. Je crois que nous méritons un peu d'amusement. »

Pas de réponse.

« Vous n'avez tout de même plus peur de mon oncle Norfolk ?

— Mary, je suis terrifié par votre oncle Norfolk. »

Cependant, ce n'est pas la raison pour laquelle il hésite sans s'écarter tout à fait. Les lèvres de Mary effleurent les siennes.

Elle demande : « Que pensez-vous ?

— Je pensais que si je n'étais pas le serviteur le plus dévoué du roi, je pourrais être sur le prochain bateau en partance.

— Où irions-nous ? »

Il ne se rappelle pas avoir invité qui que ce soit.

« Vers l'est. Même si je vous accorde que ce n'est pas le point de départ idéal. » À l'est des Boleyn, pense-t-il. À l'est de tout le monde. Il pense à la mer du milieu, pas à ces eaux du Nord ; et à une nuit en particulier, une nuit chaude dans une maison à Larnaca : des lumières vénitiennes se répandant sur le front de mer dangereux, le claquement des pieds des esclaves sur les pavés, un parfum d'encens et de coriandre. Il place un bras autour de Mary, rencontre quelque chose de doux, de totalement inattendu : de la fourrure de renard.

« Bonne idée, le renard, remarque-t-il.

— Oh, nous avons tout apporté. Le moindre petit habit. Au cas où nous resterions ici jusqu'en hiver. »

L'éclat de la lumière sur sa peau. Sa gorge très blanche, très douce. Tout semble possible, si le duc reste à l'intérieur. Il caresse du bout des doigts la fourrure, jusqu'à ce que la fourrure laisse place à sa peau.

Son épaule est chaude, parfumée et un peu humide. Il sent le battement de son pouls.

Un bruit derrière lui. Il se retourne, poignard en main. Mary hurle, lui agrippe le bras. La pointe de l'arme vient se poser contre le pourpoint d'un homme, sous le sternum.

« C'est bon, c'est bon, dit une voix anglaise grave, irritée. Éloignez ça.

— Seigneur, s'écrie Mary. Vous avez failli tuer William Stafford ! »

Il pousse l'inconnu dans la lumière. Ce n'est que quand il a vu son visage, pas avant, qu'il ôte la lame. Il ne sait pas qui est Stafford : un palefrenier ?

« William, je pensais que vous ne viendriez pas, dit Mary.

— Auquel cas vous aviez de toute évidence une solution de rechange.

— Vous ne savez pas ce que c'est qu'être une femme ! Vous croyez avoir arrangé quelque chose avec un homme, et vous vous trompez. Il dit qu'il va vous rejoindre, et il ne vient pas. »

C'est un cri du cœur.

« Je vous souhaite une bonne nuit », dit-il. Mary se retourne comme pour l'implorer : oh, ne partez pas. « C'est l'heure d'aller dire mes prières. »

Un vent marin s'est levé ; les voiles des gréements claquent dans le port, les fenêtres vibrent dans la ville. Demain, songe-t-il, il pleuvra peut-être. Il allume une bougie et retourne à sa lettre. Mais il n'arrive pas à se concentrer. Des feuilles tourbillonnent dans les jardins, dans les vergers. Des formes s'agitent dans l'air, derrière la vitre, des mouettes volant comme des fantômes : l'éclat du bonnet blanc d'Elizabeth lorsqu'elle l'a suivi jusqu'à la porte le dernier matin de sa vie. Sauf qu'elle ne l'a pas suivi : elle dormait, enroulée dans les draps moites, sous l'édredon de satin turc. S'il pense aux hasards qui l'ont mené jusqu'ici, il n'en oublie pas pour autant ceux qui l'ont mené jusqu'à ce matin d'il y a cinq ans, tandis qu'il sortait d'Austin Friars avec les dossiers de Wolsey sous le bras, laissant sa femme derrière lui : était-il heureux alors ? Il ne sait pas.

Cette nuit à Chypre, il y a désormais si longtemps, il avait été sur le point de présenter sa démission à sa banque, ou du moins à demander des lettres de recommandation pour aller vers l'est. Il voulait voir la Terre sainte, sa flore et son peuple, embrasser les pierres sur lesquelles avaient marché les disciples, marchander dans les quartiers sombres de villes inconnues, pénétrer dans les tentes noires où des femmes voilées filent tels des cafards se cacher dans les coins. Cette nuit-là, son destin était dans la balance. Dans la pièce derrière lui, alors qu'il regardait au-delà des lumières du port, il avait entendu un rire de femme guttural, le *alhamdulillah* qu'elle avait doucement prononcé tandis qu'elle agitait les dés d'ivoire dans sa main. Il les avait entendus rouler, s'entrechoquer puis s'immobiliser : « Combien ? »

L'est si c'est un grand chiffre. L'ouest si c'est petit. Jouer n'est pas un vice, si on en a les moyens.

« Double trois. »

Est-ce un petit chiffre ? Sans doute. Le destin ne l'a pas brusqué, il l'a juste poussé doucement.

« Je vais rentrer chez moi.

— Mais pas ce soir. Il est trop tard pour la marée. » Le lendemain, il avait senti les dieux derrière lui, qui le poussaient comme une brise. Il avait repris le chemin de l'Europe. Chez lui, c'était une petite maison aux volets clos au bord d'un canal calme, Anselma agenouillée, sa peau nue aux tons crème sous sa longue chemise de nuit de damas vert qui brillait d'un éclat sombre à la lueur des bougies ; agenouillée devant le petit retable argenté auquel elle tenait, lui avait-elle dit, auquel elle tenait plus que tout. Excuse-moi un instant, avait-elle dit ; elle avait prié dans sa langue natale, d'un ton parfois enjôleur, parfois menaçant, et elle avait dû être touchée par une sorte de grâce, ou percevoir un fléchissement dans la rectitude de ses saints argentés, car elle s'était levée et tournée vers lui en disant : « Je suis prête maintenant », et elle avait dénoué la ceinture de soie de sa chemise de nuit, de sorte qu'il avait pu saisir ses seins entre ses mains.

III

Messe matinale

Novembre 1532

Rafe se tient au-dessus de lui. Il dit qu'il est déjà sept heures. Le roi est allé à la messe. Il a dormi dans un lit de fantômes.

« Nous ne voulions pas vous réveiller. Vous ne faites jamais la grasse matinée. »

Le vent est un soupir étouffé dans les cheminées. Quelques gouttes de pluie s'abattent sur la vitre, rebondissent en tourbillonnant, puis la frappent de nouveau.

« Nous risquons de rester quelque temps à Calais », dit-il.

Avant de venir en France il y a cinq ans, Wolsey lui avait demandé d'observer la situation à la cour et de lui faire savoir quand le roi et Anne auraient couché ensemble. Comment saurai-je que c'est arrivé ? avait-il demandé. Et le cardinal avait répondu : « Je crois que vous le devinerez à son visage. »

Le vent est retombé et la pluie a cessé lorsqu'il arrive à l'église, mais les rues sont boueuses et les gens qui attendent de voir les lords sortir continuent de se couvrir la tête avec leurs manteaux, tels des décapités ambulants. Il se fraie un chemin à travers la foule, puis se faufile parmi les gentilshommes rassemblés en murmurant : *s'il vous plaît, c'est urgent**, laissez passer un grand pécheur. Ils rient et s'écartent.

Anne sort au bras du gouverneur. Il semble tendu – on dirait que sa goutte le fait souffrir – mais il se montre prévenant et chuchote des propos aimables auxquels elle ne répond pas ; elle prend soin d'afficher un visage de marbre. Le roi tient une femme de la famille Wingfield par le bras. Il est grand, large, affable. Il regarde autour de lui, discute. Il ne prête aucune attention à elle. Son regard royal parcourt la foule. Il se pose sur Cromwell. Le roi sourit.

En quittant l'église, Henri met son chapeau. C'est un grand chapeau, un nouveau chapeau. Et sur ce chapeau, il y a une plume.

CINQUIÈME PARTIE

I

Anna Regina

1533

Les deux enfants sont assis sur un banc dans la grande salle d'Austin Friars. Ils sont si petits que leurs jambes sont tendues droit devant eux, et comme ils portent encore leur sarrau, on ne peut deviner leur sexe. Sous leur bonnet, ils sourient. Leur bonne mine est à porter au crédit d'une jeune femme, Helen Barre. Celle-ci déroule le fil de son histoire : fille d'un petit marchand en faillite de l'Essex, épouse d'un certain Matthew Barre qui la battait et l'a abandonnée, « me laissant, ajoute-t-elle en pointant le doigt, avec celui-ci dans le ventre ».

Les voisins viennent toujours le voir avec leurs problèmes. Une porte de cave qui ferme mal. Un poulailler trop bruyant. Un mari et une femme qui hurlent et donnent des coups de casserole toute la nuit, si bien que les gens d'à côté ne peuvent pas dormir. Il essaie de ne pas se plaindre quand ces choses empiètent sur son temps, et Helen le dérange moins que ces histoires de poulaillers. Il lui ôte mentalement sa robe de laine rabougrie et l'habille du velours façonné qu'il a vu hier, à six shillings le mètre. Il voit que ses mains sont éraflées et gonflées à cause du dur labeur ; il les imagine dans des gants en chevreau.

« Je dis qu'il m'a abandonnée, mais si ça se trouve, il est mort. C'était un grand buveur et un bagarreur. Un homme qui le connaissait m'a dit qu'il s'était battu contre plus fort que lui et que je ferais bien de le chercher au fond de la rivière. Mais quelqu'un d'autre prétend l'avoir vu sur les quais à Tilbury, avec un sac de voyage. Alors que suis-je – épouse ou veuve ?

— Je vais me renseigner. Même s'il me semble que vous préféreriez que je ne le retrouve pas. Comment avez-vous gagné votre vie ?

— Quand il est parti, je faisais de la couture pour un fabricant de voiles. Depuis que je suis arrivée à Londres pour le chercher, je me fais embaucher à la journée. Je travaille dans la blanchisserie d'un couvent près de Saint-Paul, où j'aide au lavage annuel des draps. Comme elles trouvent que je travaille bien, les sœurs veulent me donner une paillasse au grenier, mais elles refusent de loger les enfants. »

Encore un exemple de la charité de l'Église. Toujours la même histoire.

« Vous ne pouvez pas rester l'esclave de femmes hypocrites. Vous devez venir ici. Je suis certain que vous nous serez utile. La maison est tout le temps pleine, et je l'agrandis, comme vous pouvez le voir. » Il faut que ce soit une brave fille, songe-t-il, pour ne pas chercher à gagner de l'argent de la manière la plus évidente ; si elle arpentait les rues, les propositions ne manqueraient pas. « On me dit que vous aimeriez apprendre à lire, afin de pouvoir lire l'évangile.

— Des femmes que j'ai rencontrées m'ont emmenée à ce qu'elles appellent des cours du soir. C'était dans une cave à Broadgate. Avant ça, je connaissais Noé, les rois mages et le patriarche Abraham, mais je n'avais jamais entendu parler de saint Paul. Chez nous, dans notre ferme, nous avions des lutins qui faisaient cailler le lait et déchaînaient des tempêtes, mais on m'a dit qu'ils n'étaient pas chrétiens. J'aurais tout de même aimé rester à la ferme. Nous n'étions pas faits pour la ville. »

Elle suit anxieusement ses enfants du regard. Ils ont sauté du banc et traversent la salle pour aller voir l'image qu'on est en train de peindre sur le mur. À chacun de leur pas, elle retient son souffle. Le peintre est allemand, c'est un jeune homme recommandé par Hans. Il se retourne – il ne parle pas anglais – pour expliquer aux enfants ce qu'il fait : une rose ; trois lions, regardez-les bondir ; deux oiseaux noirs.

« Rouge ! s'écrie l'aînée.

— Elle connaît les couleurs, explique Helen en rosissant de fierté. Elle apprend aussi à compter »

L'endroit où se trouvaient les armoiries de Wolsey est en train d'être repeint avec les armoiries qu'on vient de lui attribuer : azur, sur une fasce entre trois lions d'or rampants, une rose de gueules, barbée de sinoples, entre deux craves des Cornouailles au naturel.

« Vous voyez, Helen, dit-il, ces oiseaux noirs étaient l'emblème de Wolsey. » Il rit. « Il y a des gens qui espéraient ne jamais les revoir.

— Il y a d'autres gens, tels que nous, qui ne vous comprennent pas.

— Vous voulez dire, les gens de votre cours du soir ?

— Ils disent, comment un homme qui aime l'évangile a-t-il pu aimer un tel homme ?

— Je n'ai jamais aimé ses manières hautaines, vous savez, et ses processions quotidiennes, la pompe dont il s'entourait. Et pourtant il a été le plus ardent serviteur de l'Angleterre depuis que l'Angleterre existe. Et aussi, ajoute-t-il tristement, quand il vous accordait sa confiance, c'était un homme parfaitement gracieux et agréable… Helen, pouvez-vous venir ici dès aujourd'hui ? »

Il pense à ces nonnes et aux draps qu'elles lavent une fois par an. Il s'imagine la consternation du cardinal. Des blanchisseuses suivaient son cortège comme des prostituées suivent une armée, épuisées par les efforts répétés. À York Place, il avait fait construire une baignoire, suffisamment profonde pour qu'un homme puisse y tenir debout. La pièce était chauffée par un poêle comme on en trouve aux Pays-Bas, et souvent il s'était entretenu avec le cardinal dont la tête flottait au-dessus de l'eau et semblait avoir été bouillie. Henri se l'est appropriée, et il barbote dedans avec des favoris qui acceptent d'être enfoncés sous l'eau et à moitié noyés par leur roi, si l'envie lui en prend.

Le peintre tend son pinceau à l'aînée des enfants. Helen rougit. « Attention, chérie », dit-elle.

Une tache bleue apparaît sur le mur. Tu es une petite experte, dit le peintre. *Gefällt es Ihnen, Herr Cromwell, sind Sie stolz darauf ?*

Cromwell traduit pour Helen : il me demande si je suis satisfait et fier. Elle répond, si vous ne l'êtes pas, vos amis le seront pour vous.

Je suis toujours en train de traduire, songe-t-il : si ce n'est pas d'une langue à une autre, alors c'est d'une personne à une autre. D'Anne à Henri. D'Henri à Anne. Quand il a besoin d'apaisement et qu'elle est aussi cassante que du verre. Lorsqu'il suit des yeux une autre femme – ça arrive – et qu'elle l'observe avant de retourner furieuse dans ses appartements. Cromwell est comme un poète public, assurant chacun qu'il est l'objet du désir de l'autre.

Il est à peine trois heures, et déjà la pièce est plongée dans la pénombre. Il soulève le plus jeune des enfants, qui se blottit contre son épaule et s'endort en moins de temps qu'il n'en faut pour le dire.

« Helen, dit-il, cette maison est pleine de jeunes hommes fringants qui voudront tous vous apprendre à lire, vous offrir des cadeaux et adoucir vos journées. Apprenez et acceptez les cadeaux, mais si l'un d'eux se montre trop entreprenant, vous devez me le dire, ou le dire à Rafe. C'est le garçon avec la petite barbe rousse. Même si ce n'est plus vraiment un garçon. »

Cela fera bientôt vingt ans qu'il est allé chercher Rafe chez son père. C'était une journée aussi sombre et sinistre qu'aujourd'hui, la pluie tombait à verse, l'enfant s'était blotti contre son épaule quand il l'avait porté dans la maison de Fenchurch Street.

La tempête les retient à Calais depuis dix jours. Des navires en partance de Boulogne ont fait naufrage, Anvers est inondée, une grande partie de la campagne est sous l'eau. Il aimerait faire parvenir des messages à ses amis, prendre de leurs nouvelles, mais les routes sont impraticables et Calais elle-même est une île flottante sur laquelle règne un heureux monarque. Il se rend au logement du roi pour demander une audience – le mauvais temps n'arrête pas les affaires – mais on lui dit : « Le roi ne peut pas vous voir ce matin. Lady Anne et lui composent de la musique pour la harpe. »

Rafe croise son regard et ils repartent.

« Espérons que ça nous vaudra une petite chanson », observe le jeune homme.

Thomas Wyatt et Henry Norris se soûlent ensemble dans une taverne miteuse. Ils se jurent une amitié éternelle. Mais leurs hommes se battent dans la cour et se roulent dans la boue.

Il ne voit plus Mary Boleyn. Elle et Stafford ont sans doute trouvé un refuge où ils peuvent composer ensemble.

À la lueur d'une bougie, à midi, lord Berners lui montre sa bibliothèque, clopinant avec énergie d'une table à l'autre, manipulant précautionneusement les in-folio anciens qu'il a savamment traduits. Voici une romance du roi Arthur : « Quand j'ai commencé à la lire, j'ai failli abandonner le projet. Il était clair à mes yeux que tout cela était trop fantastique pour être vrai. Mais petit à petit, au fil de la lecture, il m'est apparu qu'il y avait une morale à ce récit. » Il ne dit pas quelle est cette morale. « Et voici Froissart en anglais, traduction que Sa Majesté m'a elle-même demandé d'entreprendre. Je n'avais pas le choix, car il venait de me prêter cinq cents livres. Aimeriez-vous voir mes traductions de l'italien ? Elles sont privées, je ne les ai pas envoyées à l'imprimeur. »

Il passe l'après-midi parmi les manuscrits, et ils en discutent pendant le souper. Henri a nommé lord Berners chancelier de l'Échiquier à vie, mais comme il n'est pas à Londres, ce poste ne lui rapporte pas grand-chose en termes d'argent ou d'influence. « Je sais que vous êtes doué pour les affaires. Pourriez-vous, en toute confidentialité, examiner mes comptes ? Ils ne sont pas à proprement parler en ordre. »

Lord Berners le laisse seul avec le foutoir qu'il appelle ses grands livres. Une heure passe : le vent siffle sur les toits, les flammes des bougies tremblent, la grêle martèle la vitre. Il entend le pas de son hôte qui approche en traînant la patte : un visage anxieux apparaît à la porte. « Qu'est-ce que ça donne ? »

Tout ce qu'il trouve, ce sont des dettes. Voilà ce qui arrive quand on se consacre à ses travaux érudits et qu'on sert le roi depuis l'autre côté de la mer, au lieu d'être à la cour avec tous les sens à l'affût, prêt à saisir la moindre opportunité.

« Je regrette que vous n'ayez pas fait appel à moi plus tôt. Nous aurions pu faire quelque chose.

— Ah, mais qui vous connaissait, maître Cromwell ? demande le vieil homme. Nous avons correspondu, certes. Pour les affaires de Wolsey, pour les affaires du roi. Mais je ne vous connaissais pas. Et, jusqu'à maintenant, il ne me semblait guère probable de vous rencontrer un jour. »

Le jour où ils sont finalement prêts à embarquer, le garçon de l'auberge où il a rencontré les alchimistes vient le voir.

« Te voilà enfin ! Qu'as-tu pour moi ? »

Le garçon montre ses mains vides et se met à lui parler dans un anglais approximatif.

« *On dit** que les mages sont retournés à Paris.

— Quel dommage.

— Vous êtes difficile à trouver, monsieur. Je vais à l'endroit où *le roi Henri** et la *Grande Putain** logent, je dis : "*Je cherche milord Cremuel**", et les gens là-bas se moquent de moi et me battent.

599

— C'est parce que je ne suis pas un milord.

— Dans ce cas, je ne sais pas à quoi ressemble un milord dans votre pays. »

Il tend une pièce au garçon pour le récompenser de ses efforts, et une autre pour la raclée qu'il a reçue, mais le garçon secoue la tête.

« Je pensais entrer à votre service, monsieur. J'ai décidé de voyager.

— Tu t'appelles ?

— Christophe.

— Tu as un nom de famille ?

— *Ça ne fait rien.**

— Tu as des parents ? »

Un haussement d'épaules.

« Ton âge ?

— Quel âge diriez-vous ?

— Je sais que tu sais lire. Sais-tu te battre ?

— On se bat beaucoup *chez vous** ? »

Christophe a la charpente trapue ; il a besoin d'être mieux nourri, mais dans un an ou deux ce sera dur de le mettre à terre. Il lui donne quinze ans au plus.

« Tu as des problèmes avec la justice ?

— En France, répond-il d'un ton méprisant, comme s'il disait, là-bas en Chine.

— Tu as volé ? »

Le garçon fait un geste de la main, comme s'il tenait un couteau invisible.

« Tu as tué quelqu'un ?

— Il n'avait pas l'air bien portant. »

Cromwell fait un grand sourire.

« Tu es sûr que tu veux t'appeler Christophe ? Tu peux changer de nom maintenant, mais après ce sera trop tard.

— Vous me comprenez, monsieur. »

Bon sang, bien sûr que je te comprends. Tu pourrais être mon fils. Puis il l'examine attentivement pour s'assurer que ce n'est pas le cas ; qu'il n'est pas l'un de ces mioches que, selon le cardinal, il aurait abandonné au bord de la Tamise, et peut-être même au bord d'autres rivières, dans d'autres contrées. Mais les grands yeux de Christophe sont d'un bleu immaculé.

« Tu n'as pas peur de la traversée ? demande-t-il. Dans ma maison à Londres, il y a de nombreuses personnes qui parlent français. Tu seras bientôt l'un des nôtres. »

Maintenant qu'ils sont à Austin Friars, Christophe le harcèle de questions. Ces mages, qu'est-ce qu'ils ont ? Est-ce la carte d'un trésor enterré ? Ou alors – il agite les bras – les plans pour fabriquer une machine volante ? Ou une machine pour *faire** de grosses explosions, ou un dragon qui crache du feu ?

« As-tu lu Cicéron ? demande-t-il.

— Non. Mais je suis prêt à apprendre qui il est. Jusqu'à aujourd'hui je n'avais jamais entendu parler de l'évêque Gardineur. *On dit** que vous avez volé ses parterres de fraises et que vous les avez donnés à la maîtresse du roi, et que maintenant il veut… » – le garçon s'interrompt, imite un dragon – « provoquer votre ruine et vous traquer jusqu'à la mort.

— Et bien au-delà, si je connais mon homme. »

Il a déjà entendu des résumés plus inexacts de sa situation. Il voudrait dire, ce n'est pas sa maîtresse, plus maintenant, mais il ne lui revient pas de divulguer le secret – même si ça ne restera pas un secret bien longtemps.

25 janvier 1533, l'aube, une chapelle à Whitehall, son ami Rowland Lee officiant en tant que prêtre. Anne et Henri prêtent serment, confirmant le contrat qu'ils ont passé à Calais : presque en secret, sans célébrations, juste quelques témoins. Les deux époux ne prononcent pas un mot, hormis les quelques déclarations d'intention inhérentes à la cérémonie. Henri Norris est pâle et grave : était-ce généreux de lui demander d'assister à l'union d'Anne avec un autre homme ?

William Brereton est lui aussi présent, puisqu'il sert dans la chambre privée du roi.

« Êtes-vous vraiment ici ? lui demande Cromwell. Ou êtes-vous ailleurs ? On me dit que vous pouvez être à deux endroits à la fois, comme les grands saints. »

Brereton lui lance un regard noir. « Vous avez envoyé des lettres à Chester.

— Les affaires du roi. Comment faire autrement ? »

Ils sont obligés de parler à voix basse tandis que Rowland joint les mains des deux mariés.

« Je ne vous le dirai qu'une fois. Restez à l'écart de mes affaires de famille. Ou ce sera encore pire, maître Cromwell, que ce que vous imaginez. »

Anne n'est accompagnée que d'une seule femme, sa sœur. Quand ils repartent – le roi entraînant son épouse en la tenant par le bras, sans doute pour aller composer un peu de musique – Mary se retourne et lui fait un sourire radieux. Elle lève la main, pouce et index légèrement écartés.

Elle a toujours dit, je serai la première à savoir. Car c'est moi qui lui ôte son corset.

Il rappelle William Brereton, poliment, et dit, vous avez eu tort de me menacer.

Il regagne son bureau à Westminster. Il se demande, le roi sait-il déjà ? Probablement pas.

Il s'assied à sa table d'écriture. On apporte des bougies. Il voit l'ombre de sa main traverser le papier, son poing qu'aucun gant de velours ne dissimule. Il ne veut rien entre lui et la trame du papier, aussi enlève-t-il ses bagues, la turquoise de Wolsey et le rubis de François – à la nouvelle année, le roi l'a ôté de son propre doigt et le lui a rendu, dans la monture fabriquée par l'orfèvre de Calais, en disant, comme le font les souverains, dans un accès de confiance, maintenant ce sera un signe entre nous, Cromwell, envoyez-moi une lettre avec cette bague, et je saurai qu'elle sera de votre main, même si elle ne porte pas votre sceau.

Un confident d'Henri qui se tenait à proximité – Nicholas Carew – a observé, la bague de Sa Majesté vous va sans qu'il soit nécessaire de l'ajuster. Il a répondu, en effet.

Il hésite, sa plume flottant au-dessus du papier. Il écrit : « Ce royaume d'Angleterre est un empire. » *Ce royaume d'Angleterre est un empire, accepté comme tel par le monde, gouverné par un chef suprême et roi...*

À onze heures, alors qu'une lumière blafarde éclaire à peine le ciel, il mange avec Cranmer dans la maison de Cannon Row où celui-ci réside en attendant d'être intronisé dans ses nouvelles fonctions et de déménager à Lambeth Palace. Il a peaufiné sa nouvelle signature, Thomas Archevêque Désigné de Canterbury. Bientôt il dînera en grande pompe, mais aujourd'hui, tel un érudit indigent, il repousse ses papiers sur le côté pendant qu'on met la nappe et qu'on apporte le poisson salé, au-dessus duquel il fait un signe de croix.

« Ça ne le rendra pas meilleur, observe Cromwell. Qui est votre cuisinier ? Je vais vous envoyer quelqu'un.

— Alors, le mariage a-t-il eu lieu ? »

Ça ressemble bien à Cranmer de travailler six heures dans un silence patient, la tête penchée au-dessus de ses livres, en attendant qu'on vienne tout lui raconter.

« Oui, Rowland a officié. Il n'a pas marié Anne à Norris, ni le roi à Mary. » Il secoue sa serviette. « Je sais une chose. Mais je ne vais pas vous la révéler sans une contrepartie. »

Il espère que Cranmer, en échange, lui dévoilera le secret qu'il a promis dans sa lettre, le secret noté dans la marge de la page. Mais c'était sans doute une indiscrétion sans importance que Cranmer a déjà oubliée. Et comme le futur archevêque est occupé à retirer d'une main incertaine les écailles et la peau du poisson, il déclare : « Anne est déjà enceinte. »

Cranmer lève les yeux.

« Si vous le dites sur ce ton, remarque-t-il, les gens penseront que le mérite vous en revient.

— N'êtes-vous pas stupéfait ? N'êtes-vous pas content ?

— Je me demande ce que ce poisson est censé être, observe Cranmer d'un ton assez indifférent. Naturellement, je suis ravi. Mais je le savais, voyez-vous, car ce mariage est parfaitement valide – pourquoi Dieu ne leur accorderait-Il pas une descendance ? Un héritier ?

— Bien sûr, un héritier. Regardez. »

Il sort les documents auxquels il a travaillé. Cranmer se rince les doigts et se penche au-dessus de la flamme de la bougie.

« Donc après Pâques, dit-il tout en lisant, il sera

604

illégal et contraire à la prérogative royale de faire appel au pape pour quelque question que ce soit. Ce qui signifie que l'action de Catherine est morte et enterrée. Et moi, en tant qu'archevêque de Canterbury, je pourrai régler l'affaire du roi dans nos propres tribunaux. Eh bien, ça aura mis longtemps à arriver. »

Il rit.

« C'est vous qui avez mis longtemps à arriver. »

Cranmer était à Mantoue quand il a appris l'honneur que le roi comptait lui faire. Il a commencé à rentrer sans se presser, par des chemins détournés ; Stephen Vaughan a dû aller le chercher à Lyon, le précipiter sur les routes en plein hiver et lui faire traverser la Picardie enneigée jusqu'au bateau.

« Pourquoi avez-vous tant traîné ? Tous les enfants ne rêvent-ils pas de devenir archevêque ? Quoique pas moi, quand j'y repense. Moi, ce que je voulais, c'était avoir un ours. »

Cranmer l'observe d'un œil inquisiteur.

« Je suis sûr que cela pourrait être arrangé. »

Gregory lui a un jour demandé, comment savons-nous quand le docteur Cranmer plaisante ? Il lui a répondu, on ne peut pas le savoir, car ses plaisanteries sont aussi rares que les pommiers en fleurs en janvier. Pendant quelques semaines, il craindra à moitié de découvrir un ours à sa porte.

Comme ils s'apprêtent à se séparer, Cranmer lève les yeux de la table et déclare : « Bien sûr, je n'ai pas été officiellement informé.

— Pour l'enfant ?

— Pour le mariage. Comme je dois trancher la question de l'ancien mariage du roi, il ne serait pas convenable que je sache que le nouveau a déjà eu lieu.

— Exact, convient-il. Ce que Rowland fait au petit matin ne regarde que lui. »

Il laisse Cranmer penché au-dessus des restes de leur repas, comme s'il cherchait à reconstituer le poisson.

Puisque notre rupture avec Rome n'est pas encore complète, nous ne pouvons pas avoir de nouvel archevêque à moins qu'il soit nommé par le pape. Des délégués sont à Rome, temporairement, pour dire et promettre tout ce qui pourra inciter Clément à accepter la nomination. Le roi, atterré, demande : « Savez-vous combien coûtent les bulles pontificales pour les archevêques de Canterbury ? Savez-vous que c'est moi qui dois les payer ? Et savez-vous combien ça va coûter de l'installer ? » Il ajoute : « Il faut faire les choses dans les règles, naturellement, sans rien omettre, sans rien négliger.

— Ce sera la dernière fois que vous enverrez de l'argent à Rome, si ça dépend de moi.

— Et savez-vous, demande le roi comme s'il venait de découvrir une chose incroyable, que Cranmer n'a pas un sou ? Il ne peut même pas participer aux frais. »

Il emprunte de l'argent, au nom de la Couronne, à un riche Génois nommé Sebastiano de Salvago. Pour le convaincre de lui accorder le prêt, il lui envoie chez lui une gravure dont il sait que Sebastiano la convoite. Elle représente un jeune homme debout dans un jardin, les yeux levés vers une fenêtre vide à laquelle, espère-t-on, une jeune femme apparaîtra ; le parfum de celle-ci flotte déjà dans l'air, et les oiseaux sur les branches, prêts à chanter, semblent s'étonner de son absence. Entre ses mains, le jeune homme tient un livre ; c'est un livre en forme de cœur.

Cranmer participe quotidiennement à des commissions dans des arrière-salles de Westminster. Il rédige pour Henri un document dont le but est de démontrer que, même si le mariage du frère du roi à Catherine n'a pas été consommé, cela n'affecte en rien l'annulation, puisqu'ils étaient mariés de plein gré, ce qui créait une affinité ; de plus, au cours des nuits qu'Arthur et Catherine ont passées ensemble, leur intention devait être d'avoir des enfants, même s'ils ne savaient pas comment s'y prendre. Afin que ni Henri ni Catherine ne passent pour des menteurs, les membres des commissions imaginent des circonstances au cours desquelles l'union d'Arthur et Catherine aurait pu être partiellement consommée, et pour y parvenir ils doivent imaginer chaque désastre et chaque situation déshonorante susceptible de survenir quand un homme et une femme se retrouvent seuls dans une pièce obscure. Ce travail vous plaît-il ? demande Cromwell ; à voir les vieillards voûtés et poussiéreux qui composent les commissions, il suppose qu'ils ont l'expérience nécessaire. Cranmer, dans ses écrits, appelle sans cesse la reine « la sérénissime Catherine », comme pour séparer son visage impassible encadré par un oreiller de lin des outrages imposés à la partie inférieure de son corps : les tâtonnements insistants du garçon, ses mains qui lui tripotent les cuisses.

Pendant ce temps, Anne, la reine cachée d'Angleterre, se libère des gentilshommes qui l'accompagnent dans une galerie de Whitehall ; elle se met à courir en riant, bondissant presque, et ils tentent de la retenir, comme si elle était dangereuse, mais elle repousse leurs mains en continuant de rire.

« Savez-vous que je meurs d'envie de manger des pommes ? Le roi prétend que ça signifie que je suis enceinte, mais je lui réponds non, non, c'est impossible... »

Elle tournoie encore et encore sur elle-même. Elle rougit, des larmes jaillissent de ses yeux et semblent s'envoler dans les airs comme les eaux d'une fontaine mal réglée.

Thomas Wyatt se fraie un chemin à travers le groupe.

« Anne... » Il lui saisit les mains, l'attire vers lui. « Anne, chut, ma chérie... chut... »

Elle se blottit contre son épaule, agitée par des sanglots. Wyatt la serre fort ; il regarde autour de lui, comme s'il se retrouvait soudain nu au milieu d'une route et attendait qu'un voyageur arrive avec un vêtement pour couvrir sa honte. Parmi les spectateurs de la scène se trouve Chapuys ; l'ambassadeur s'éloigne rapidement et résolument, ses petites jambes moulinant à toute allure, un sourire ironique gravé sur son visage.

La nouvelle est donc promptement envoyée à l'empereur. Ç'aurait été une bonne chose que l'ancien mariage soit annulé et le nouveau validé et annoncé à toute l'Europe avant que la grossesse d'Anne ne soit rendue publique. Mais la vie du serviteur d'un prince n'est jamais parfaite ; comme le disait Thomas More, nous ne devrions pas espérer aller au paradis sur un lit de plumes.

Deux jours plus tard, il est seul avec Anne ; elle se tient dans l'embrasure d'une fenêtre, les yeux clos, se prélassant telle une chatte dans la faible lumière hivernale. Elle tend la main vers lui, sachant à peine qui il est ; n'importe quel homme fera l'affaire ? Il saisit le bout de ses doigts. Les yeux noirs d'Anne s'ouvrent d'un coup. Comme une boutique dont on ouvrirait les volets : bonjour, maître Cromwell, qu'avons-nous à nous vendre l'un à l'autre aujourd'hui ?

« J'en ai assez de Mary, déclare-t-elle. Et j'aimerais être débarrassée d'elle. »

Parle-t-elle de la fille de Catherine, la princesse ?

« Elle devrait être mariée, poursuit-elle, et me laisser tranquille. Je ne veux plus la voir. Je ne veux plus avoir à penser à elle. Ça fait longtemps que je l'imagine mariée à un quelconque inconnu. »

Il attend, se demandant toujours de qui elle parle.

« Je suppose qu'elle ne ferait pas une mauvaise femme, pourvu que son mari soit prêt à l'attacher au mur.

— Ah. Mary, votre sœur.

— À qui pensiez-vous ? Oh ! » Elle éclate de rire. « Vous croyiez que je parlais de la fille illégitime du roi. Eh bien, maintenant que vous m'y faites penser, elle aussi devrait être mariée. Quel âge a-t-elle ?

— Dix-sept ans cette année.

— Et toujours naine ? » Anne n'attend pas de réponse. « Je vais lui trouver un gentilhomme, un vieux gentilhomme très honorable et faible qui ne lui fera pas d'enfant et que je paierai pour qu'ils restent loin de la cour. Quant à lady Carey, que faut-il faire ? Elle ne peut pas vous épouser. Nous la taquinons à votre sujet. Certaines femmes ont une préférence secrète pour les hommes du peuple. Nous lui disons, Mary, oh comme tu aimerais te reposer entre les bras du forgeron... tu rougis rien que d'y penser.

— Êtes-vous heureuse ? demande-t-il.

— Oui. » Elle baisse les yeux et pose ses petites mains sur sa poitrine. « Oui, grâce à tout ça. Vous voyez, dit-elle lentement, j'ai toujours été désirée. Mais maintenant j'ai de la valeur. Et c'est différent, il me semble. »

Il attend en silence qu'elle suive le fil de ses pensées qui, il le voit bien, sont précieuses à ses yeux.

« Donc, reprend-elle, vous avez un neveu, Richard, une sorte de Tudor, même si je ne comprends pas trop comment cela est possible.

— Je peux vous dessiner son arbre généalogique. »

Elle secoue la tête en souriant.

« Ne vous donnez pas cette peine. Depuis ceci, dit-elle en faisant glisser ses doigts vers son ventre, quand je me réveille le matin je me souviens à peine de mon nom. Je m'étais toujours demandé pourquoi les femmes étaient idiotes, et maintenant je le sais.

— Vous parliez de mon neveu.

— Je l'ai vu avec vous. Il a l'air d'un garçon déterminé. Il ferait peut-être l'affaire pour Mary. Ce qu'elle veut, ce sont des fourrures et des bijoux. Vous pouvez lui en procurer, n'est-ce pas ? Et un enfant dans le berceau tous les deux ans. Quant à savoir qui sera le père, vous pourrez vous arranger entre vous.

— Je croyais, dit-il, que votre sœur avait une liaison ? »

Il ne cherche pas la vengeance, juste une clarification.

« Vraiment ? Oh, les liaisons de Mary… d'ordinaire éphémères et parfois très étranges – comme vous le savez, n'est-ce pas. » Ce n'est pas une question. « Amenez-les à la cour, vos enfants. Qu'on les voie. »

Il la laisse. Ses yeux se referment, elle retourne à la chaleur insignifiante, le genre de lumière infime qui est tout ce que février a à offrir.

Le roi lui a octroyé un appartement au sein du

vieux palais de Westminster où il loge lorsqu'il travaille trop tard pour rentrer chez lui. Ces soirs-là, il doit arpenter mentalement les pièces d'Austin Friars, ramassant ses souvenirs visuels là où il les a laissés, sur les rebords de fenêtres, sous les tabourets et dans les pétales laineux des fleurs qui jonchent la tapisserie aux pieds d'Anselma. Après ses longues journées, il soupe avec Cranmer et Rowland Lee, qui passe son temps à aller d'un pas lourd d'une commission à une autre en prodiguant des encouragements. Parfois Audley, le lord-chancelier, se joint à eux, mais leurs repas n'ont rien de fastueux, et ils restent assis là à discuter tels des étudiants aux doigts tachés d'encre, jusqu'au moment où Cranmer va se coucher. Il veut comprendre ces hommes, voir jusqu'où il peut compter sur eux et découvrir leurs faiblesses. Audley est un avocat prudent qui peut passer une phrase au crible tel un cuisinier séparant le riz du sable. C'est un orateur éloquent et tenace, un carriériste ; maintenant qu'il est lord-chancelier il compte avoir des revenus à la hauteur de sa fonction. Ses croyances sont négociables ; il croit au Parlement, au pouvoir qu'exerce le roi au Parlement, et pour ce qui est de la foi... disons que ses convictions sont flexibles. Quant à Lee, il se demande s'il croit un tant soit peu en Dieu – ce qui ne l'empêche pas d'avoir un évêché en vue.

« Rowland, demande-t-il, accepteriez-vous de prendre Gregory chez vous ? Je crois que Cambridge a fait tout ce qui était possible pour lui. Et j'admets que Gregory n'a rien fait pour Cambridge.

— Je l'emmènerai à la campagne avec moi, répond Rowland, quand j'irai me bagarrer avec les évêques du Nord. C'est un brave garçon, Gregory. Pas le plus ouvert qui soit, mais je peux comprendre ça. Nous lui trouverons une utilité.

— Vous ne le destinez pas à l'Église ? demande Cranmer.

— J'ai dit, gronde Rowland, nous lui trouverons une utilité. »

À Westminster, ses clercs vont et viennent avec des nouvelles, des ragots et des paperasses, et il garde Christophe auprès de lui, soi-disant pour s'occuper de ses vêtements, mais en réalité parce qu'il le fait rire. La musique qu'on écoute chaque soir à Austin Friars lui manque, de même que les voix de femmes qui vous parviennent des autres pièces.

Il se rend à la Tour presque chaque jour de la semaine pour persuader les contremaîtres de faire travailler leurs hommes malgré le givre et la pluie ; pour vérifier les comptes de l'intendant ; pour établir un nouvel inventaire des bijoux et de l'argenterie du roi. Il va voir le garde des monnaies et suggère de façon inopinée qu'on pèse les pièces du roi.

« Ce que j'aimerais faire, dit-il, c'est rendre nos pièces anglaises si sûres que les marchands étrangers ne prendront même pas la peine de les peser.

— Avez-vous l'autorité pour ça ?

— Pourquoi, que cachez-vous ? »

Il a rédigé une note pour le roi, exposant les sources de ses revenus annuels, et énumérant dans le détail les bureaux du gouvernement par lesquels ils transitent. C'est un document remarquablement concis. Le roi le lit à plusieurs reprises. Il tourne la page pour voir s'il n'y a pas quelque chose d'alambiqué et d'incompréhensible écrit au dos. Mais il n'y a rien de plus.

« Tout cela n'est pas nouveau, dit-il d'un ton presque

contrit. Feu le cardinal avait tous ces chiffres en tête. Je continuerai de passer à la Monnaie. Si Votre Majesté le désire. »

À la Tour il rend visite à un prisonnier, John Frith. À sa demande, qui ne compte pas pour rien, le prisonnier est enfermé dans une cellule propre et au-dessus du sol, avec un lit chaud, suffisamment de nourriture, du vin, du papier et de l'encre ; mais il lui a conseillé de cacher ses écrits s'il entend les clés dans la serrure. Il attend que le geôlier le laisse entrer, les yeux rivés au sol, appréhendant ce qu'il va découvrir une fois la porte ouverte ; mais John Frith se lève de sa table. C'est un jeune homme doux et élancé, spécialiste du grec. Maître Cromwell, dit-il, je savais que vous viendriez.

Lorsqu'il saisit les mains de Frith, il s'aperçoit qu'elles sont osseuses, froides, couvertes de traces d'encre révélatrices. Il songe, il ne peut être si délicat s'il a survécu si longtemps. C'était l'un des étudiants enfermés dans la cave de l'université de Wolsey. Quand l'épidémie a frappé, Frith est resté allongé dans le noir avec les cadavres, jusqu'à ce que quelqu'un pense à le faire sortir.

« Maître Frith, dit-il, si j'avais été à Londres quand vous avez été arrêté…

— Pendant que vous étiez à Calais, Thomas More n'a pas chômé.

— Qu'est-ce qui vous a fait revenir en Angleterre ? Non, ne me dites pas. Si c'est en rapport avec Tyndale, mieux vaut que je ne le sache pas. On dit que vous vous êtes marié, est-ce exact ? À Anvers ? La seule chose que le roi ne puisse tolérer – non, il y a de nombreuses choses qu'il ne peut tolérer –, ce sont les prêtres mariés. Et il déteste Luther, et vous avez traduit Luther en anglais.

— Vous présentez si bien l'affaire, on se croirait au tribunal.

— Vous devez m'aider à vous aider. Si je pouvais vous obtenir une audience avec le roi… il faudrait que vous soyez préparé, c'est un théologien très subtil… pensez-vous que vous pourriez adoucir vos réponses pour lui être agréable ? »

Le feu brûle mais la pièce est froide. On ne peut pas échapper aux brumes et aux exhalaisons de la Tamise.

Frith répond, d'une voix à peine audible : « Thomas More a encore du crédit auprès du roi. Et il lui a écrit une lettre qui dit » – il parvient à sourire – « que je suis Wycliffe, Luther et Zwingli rassemblés en une seule personne – un réformateur à l'intérieur d'un autre réformateur, comme une oie farcie avec un poulet, lui-même farci avec un faisan. More compte m'avoir pour son dîner, alors ne ternissez pas votre réputation en essayant de me sauver. Quant à ce qui est d'adoucir mes réponses… Je crois, et je le dirai devant n'importe quel tribunal…

— Ne faites pas ça, John.

— Je dirai devant n'importe quel tribunal ce que je dirai devant mon dernier juge – l'Eucharistie n'est pas du pain, de pénitence nous n'avons nul besoin, le purgatoire est une invention sans aucun lien avec les Écritures…

— Si des hommes viennent à vous et vous demandent de les accompagner, suivez-les, Frith. Ce seront mes hommes.

— Vous pensez pouvoir me faire sortir de la Tour ? »

La Bible de Tyndale dit qu'à Dieu rien ne sera impossible.

« S'ils ne peuvent pas vous faire sortir de la Tour, ils

viendront quand on vous emmènera pour être interrogé, ce sera votre chance. Soyez prêt à la saisir.

— Mais pour quoi faire ? » Frith parle avec douceur, comme s'il s'adressait à un jeune élève. « Vous pensez pouvoir m'abriter chez vous en attendant que le roi change d'avis ? Je serais forcé de m'échapper et de marcher jusqu'à la croix de Saint-Paul pour dire aux Londoniens ce que j'ai déjà dit.

— Ne pouvez-vous attendre ?

— Qu'Henri change d'avis ? Je risque d'attendre indéfiniment.

— Ils vous brûleront.

— Et vous croyez que je ne peux pas endurer la douleur. Vous avez raison, je ne le peux pas. Mais ils ne me laisseront pas le choix. Comme le dit More, ça n'est pas parce qu'un homme enchaîné accepte d'être brûlé qu'il devient un héros. J'ai écrit des livres et je ne peux pas les effacer. Je ne peux pas ne plus croire à ce en quoi je crois. Je ne peux pas ne plus vivre ma vie. »

Il le laisse. Quatre heures : les bateaux sont rares sur la rivière, une vapeur fine et pénétrante glisse entre l'air et l'eau.

Le lendemain, ciel bleu, temps froid et sec. Le roi arrive à bord de la barge royale pour voir les progrès des travaux avec le nouvel émissaire français ; ils discutent d'un ton confidentiel. Le roi a la main posée sur l'épaule de Dinteville, ou plutôt sur son rembourrage ; le Français porte tellement de couches de vêtements superposées qu'il semble plus large que l'entrebâillement des portes, mais il frissonne tout de même.

« Notre ami a besoin d'un peu d'exercice pour se réchauffer le sang, dit le roi, mais il ne vaut rien au tir à l'arc. La dernière fois que nous sommes allés à la butte, il tremblait tellement que j'ai cru qu'il allait se tirer une flèche dans le pied. Il se plaint que nous ne soyons pas versés dans la fauconnerie, alors je lui ai recommandé d'aller avec vous, Cromwell. »

Est-ce une promesse de temps libre ? Le roi s'éloigne d'un pas nonchalant et les laisse seuls.

« Pas s'il fait un tel froid, déclare l'émissaire. Je ne vais pas rester planté dans un champ avec le vent qui siffle, ça me tuerait. Quand reverrons-nous le soleil ?

— Oh, vers le mois de juin. Mais les faucons seront alors en pleine mue. Je compte refaire voler le mien en août, donc *nil desperandum*, monsieur, nous aurons de l'exercice.

— Vous ne comptez pas repousser ce couronnement, n'est-ce pas ? » C'est toujours la même chose avec lui ; après quelques menus bavardages, il reprend son rôle d'ambassadeur. « Car quand mon maître a conclu le traité, il ne s'attendait pas à ce qu'Henri exhibe sa prétendue femme avec son gros ventre. S'ils restaient discrets, ce serait une autre affaire. »

Il secoue la tête. Il n'y aura pas de report. Henri prétend avoir le soutien des évêques, des nobles, des juges, du Parlement et du peuple ; le couronnement d'Anne sera l'occasion de le prouver.

« Ne vous en faites pas, dit-il. Demain nous recevons le nonce apostolique. Vous verrez comment mon maître s'occupera de lui. »

Henri les appelle depuis le haut des remparts.

« Montez, monsieur, venez admirer la vue sur ma rivière.

— Ça vous étonne que je tremble ? demande le Français d'un ton fiévreux. Ça vous étonne que je tremble devant lui ? Ma rivière. Ma ville. Mon salut conçu juste à mon goût. Mon Dieu anglais taillé sur mesure. »

L'homme jure à voix basse et commence à gravir les marches.

Quand le nonce apostolique arrive, Henri le prend par la main et lui déclare tout de go que ses conseillers impies le tourmentent et qu'il a hâte de renouer une parfaite amitié avec le pape Clément.

On pourrait observer Henri quotidiennement pendant une décennie et ne jamais voir la même chose. Choisissez votre prince : il admire Henri de plus en plus. Parfois il semble malheureux, parfois maladroit, parfois on dirait un enfant, parfois un maître de sa profession. Parfois on dirait un artiste, à la manière qu'il a de contempler son travail ; parfois sa main bouge et il ne semble pas la voir. S'il avait été d'un rang inférieur, il aurait pu être acteur itinérant, le meneur de sa troupe.

À la demande d'Anne, il amène son neveu à la cour, ainsi que Gregory ; le roi connaît déjà Rafe, car il est toujours à ses côtés. Henri dévisage longuement Richard.

« Je la vois, dit-il. Je vois clairement la ressemblance. »

Cromwell, pour sa part, ne voit rien dans le visage de Richard qui indique qu'il ait du sang Tudor. Mais le roi le dévisage avec l'œil d'un homme qui veut agrandir sa famille.

« Votre grand-père l'archer ap Evan était un grand serviteur du roi mon père. Vous avez une belle charpente. J'aimerais vous voir dans un tournoi. J'aimerais vous voir porter vos couleurs à la joute. »

Richard s'incline.

Le roi, qui est la courtoisie faite homme, se tourne alors vers Gregory et dit : « Et vous, monsieur Gregory, vous êtes également un très beau jeune homme. »

Lorsque le roi s'en va, une expression de pur bonheur apparaît sur le visage de Gregory. Il pose la main sur son bras, à l'endroit que le roi a touché, comme pour absorber la grâce royale par le bout de ses doigts.

« Il est merveilleux. Il est tellement merveilleux. Encore plus que tout ce que j'imaginais. Et il m'a parlé ! » Il se tourne vers son père. « Comment faites-vous pour lui parler chaque jour ? »

Richard lui lance un regard de biais. Gregory lui donne un coup de poing dans le bras.

« Oublie ton grand-père l'archer, que dirait-il s'il savait que ton père est grand comme *ça* ? » Il montre entre son index et son pouce la stature de Morgan Williams. « Des années que je monte à cheval. Je me précipite sur le faux sarrasin et je plante ma lance, bam, pile au-dessus de son cœur noir.

— Oui, répond patiemment Richard, mais, gamin, tu apprendras qu'un chevalier en chair et en os est plus coriace qu'un infidèle en bois. Et tu ne penses pas au coût – une armure de première qualité, une écurie de chevaux bien entraînés…

— Nous avons les moyens, dit Cromwell. On dirait que nos jours à pied sont derrière nous.

Ce soir-là à Austin Friars, il demande à Richard de venir le voir seul après le souper. Peut-être a-t-il tort de présenter l'alliance qu'a suggérée Anne avec sa sœur comme une proposition intéressante.

« Ne compte pas trop dessus. Nous devons encore recevoir l'approbation du roi.

— Mais elle ne me connaît pas », proteste Richard.

Il attend d'autres objections ; ne pas connaître quelqu'un, est-ce une objection ?

« Je ne te forcerai pas. »

Richard lève les yeux.

« En êtes-vous sûr ? »

Quand, quand ai-je forcé qui que ce soit à faire quoi que ce soit ? commence-t-il à dire, mais Richard le coupe :

« Non, vous ne forcez personne, je suis d'accord, c'est juste que vous savez être persuasif, et il est parfois très difficile, monsieur, de faire la différence entre être persuadé par vous et se faire assommer et piétiner dans la rue.

— Je sais que lady Carey est plus âgée que toi, mais elle est très belle. Je crois que c'est la plus belle femme à la cour, et elle n'est pas aussi stupide qu'on le croit. En plus, elle n'a pas la méchanceté de sa sœur. » Étrangement, songe-t-il, elle a été une bonne amie pour moi. « Et au lieu d'être le cousin non reconnu du roi, tu serais son beau-frère. Nous aurions tous à y gagner.

— Un titre, peut-être, pour moi et pour vous. De beaux mariages pour Alice et Jo. Et Gregory ? Au moins une comtesse pour lui. » Richard parle d'une voix plate. Est-il en train de se convaincre ? Difficile à dire. Souvent, la plupart du temps même, Cromwell sait lire les intentions des autres, mais il est parfois plus facile de pénétrer le cœur d'inconnus que celui des membres de sa propre famille. « Et Thomas Boleyn serait mon beau-père. Et l'oncle Norfolk serait vraiment notre oncle.

— Imagine sa tête.

— Oh, sa tête. Oui, on marcherait pieds nus sur des charbons ardents pour voir ça.

— Réfléchis-y. N'en parle à personne. »

Richard part en lui faisant un geste de la tête mais sans ajouter un mot. Manifestement, « n'en parle à personne » signifie pour lui « n'en parle à personne sauf à Rafe », car dix minutes plus tard Rafe arrive et le regarde en haussant les sourcils. Un roux peut avoir l'air tout à fait emprunté lorsqu'il tente de hausser des sourcils qui ne sont pas vraiment là.

« Inutile de dire à Richard que Mary Boleyn a un jour proposé de m'épouser, dit Cromwell. Il n'y a rien entre nous. Ce ne sera pas comme à Wolf Hall, si c'est ce à quoi tu penses.

— Et si la mariée voit les choses différemment ? Je m'étonne que vous ne la mariiez pas à Gregory.

— Gregory est trop jeune. Richard a vingt-trois ans, c'est un bon âge pour se marier si on en a les moyens. Et toi, tu es encore plus vieux – il serait temps que tu te maries aussi.

— Je vais le faire, avant que vous ne me trouviez une Boleyn. » Rafe se retourne et dit doucement : « Juste une chose, sir, et je crois que c'est ce qui fait hésiter Richard... notre vie et notre fortune dépendent désormais d'Anne qui, en plus d'être inconstante, est mortelle, et le passé du roi nous prouve qu'un enfant dans le ventre ne signifie pas nécessairement un héritier dans le berceau. »

En mars, la nouvelle arrive de Calais que lord Berners est mort. Un après-midi, dans sa bibliothèque, tandis que la tempête soufflait dehors. Quand il y repense, cette bibliothèque lui apparaît comme un havre de paix ; c'est là qu'il a eu sa dernière heure à lui. Il veut faire une offre pour ses livres – une offre généreuse pour aider lady Berners – mais les ouvrages semblent déjà acquis à d'autres : certains à Francis Bryan, le neveu du défunt, et d'autres à une autre de ses relations, Nicholas Carew.

« Oublierez-vous ses dettes, demande-t-il à Henri, du moins tant que sa femme sera en vie ? Vous savez qu'il ne laisse…

— Pas de fils. » Henri se projette déjà dans l'avenir : autrefois j'étais dans cette triste situation, sans fils, mais bientôt j'aurai mon héritier.

Il apporte à Anne des bols en majolique. Le mot *maschio* est peint à l'extérieur, et à l'intérieur sont représentés des bébés blonds et joufflus, chacun doté d'un charmant petit phallus. Elle rit. Les Italiens disent que pour avoir un garçon il faut rester au chaud, explique-t-il. Réchauffez votre vin pour vous réchauffer le sang. Pas de fruits froids, pas de poisson.

Jane Seymour demande : « Croyez-vous que son sexe soit déjà déterminé, ou Dieu décide-t-Il plus tard ? Croyez-vous que le bébé sache lui-même ce qu'il est ? Croyez-vous que si nous pouvions regarder à l'intérieur du corps, nous le saurions ?

— Jane, quel dommage que vous soyez revenue du Wiltshire ! raille Mary Shelton.

— Inutile de me découper, mademoiselle Seymour, dit Anne. C'est un garçon, et personne n'a le droit de dire ni de penser autre chose. »

Elle fronce les sourcils et on la voit réfléchir, se concentrer, on sent la grande force de sa volonté.

« J'aimerais bien un bébé, dit Jane.

— Regardez-vous, réplique lady Rochford. Si vous tombiez enceinte, mademoiselle, on vous emmurerait vivante.

— Dans sa famille, objecte Anne, on lui offrirait des fleurs. Ils ne savent pas ce que signifie la continence à Wolf Hall. »

Jane rougit, elle tremble. « Je ne voulais vexer personne, s'excuse-t-elle.

— Laissez-la, dit Anne. C'est une proie facile. » Elle se tourne vers lui. « Votre projet de loi n'est pas encore passé. Expliquez-moi la raison de ce retard. »

Elle parle du projet de loi qui interdira de faire appel à Rome. Il commence à lui expliquer la force de l'opposition, mais elle hausse les sourcils et réplique :

« Mon père parle pour vous à la Chambre des lords, et Norfolk aussi. Alors qui ose s'opposer à nous ?

— La loi sera votée à Pâques, comptez sur moi.

— La femme que nous avons vue à Canterbury, on dit que ses gens impriment un livre de ses prophéties.

— C'est possible, mais je m'assurerai que personne ne le lise.

— On dit aussi qu'à la dernière Sainte-Catherine, pendant que nous étions à Calais, elle a eu une vision où la soi-disant princesse Marie était reine. »

Sa voix est fluide, rapide – ces gens sont mes ennemis, cette prophétesse et ceux qui l'entourent, Catherine qui complote avec l'empereur, sa fille Marie l'héritière supposée, la vieille gouvernante de Marie, Margaret Pole, lady Salisbury, elle et toute sa famille sont mes ennemis, son fils lord Montague, son fils Reginald Pole qui est à l'étranger, les gens affirment qu'il peut prétendre au trône, alors pourquoi ne le ramène-t-on pas ici pour tester sa loyauté ? Henry Courtenay, le marquis d'Exeter, lui aussi croit pouvoir y prétendre, mais quand mon fils sera né, il ravalera sa vanité. Lady Exeter, Gertrude, elle se plaint constamment que les nobles sont chassés de leur place par des gens de basse naissance, et on sait à qui elle pense quand elle dit ça.

Milady, dit doucement sa sœur, ne vous tourmentez pas ainsi.

Je ne suis pas tourmentée, réplique Anne, une main posée sur son ventre arrondi. Puis elle ajoute calmement : « Ces gens veulent ma mort. »

Le temps est toujours mauvais, l'humeur du roi, plus mauvaise encore. Chapuys s'incline et se tortille devant Henri, se tordant et grimaçant comme s'il voulait l'inviter à danser.

« J'ai lu avec perplexité certaines des conclusions rendues par le docteur Cranmer...

— Mon archevêque », assène froidement le roi.

À grands frais, l'intronisation a eu lieu.

« ... des conclusions relatives à la reine Catherine...

— Qui ? Vous voulez dire, la femme de mon défunt frère, la princesse de Galles ?

— ... car Votre Majesté sait que des dispenses ont été accordées pour permettre à votre mariage d'être valide, que le mariage précédent ait été consommé ou non.

— Je ne veux pas entendre le mot dispense, réplique Henri. Je ne veux pas vous entendre évoquer ce que vous appelez mon mariage. Le pape n'a pas le pouvoir de rendre l'inceste licite. Je ne suis pas plus le mari de Catherine que vous ne l'êtes. »

Chapuys s'incline.

« Si le contrat n'avait pas été nul, poursuit Henri, faisant une dernière fois preuve de patience, Dieu ne m'aurait pas puni en me reprenant mes enfants.

— Rien ne dit que Catherine ne puisse plus avoir

d'enfants, observe Chapuys avant de lever les yeux et de lui lancer un regard entendu, délicat.

— Dites-moi, pourquoi croyez-vous que je fasse tout ça ? » Le roi semble curieux. « Par goût de la luxure ? Est-ce ce que vous pensez ? »

Tuer un cardinal ? Diviser votre pays ? Scinder l'Église ?

« Vous exagérez, murmure Chapuys.

— Mais c'est ce que vous pensez. C'est ce que vous dites à l'empereur. Or, vous vous trompez. Je suis l'intendant de mon pays, monsieur, et si je me marie aujourd'hui dans une union bénie par Dieu, c'est pour avoir un fils d'elle.

— Mais il n'y a aucune garantie que Votre Majesté aura un fils. Ni aucun enfant vivant d'ailleurs.

— Et pourquoi pas ? » Henri rougit. Il est debout, il hurle, des larmes de colère coulent sur son visage. « Ne suis-je pas un homme comme les autres ? Non ? Non ? »

C'est un petit animal impétueux, l'homme de l'empereur, mais même lui sait que quand on a fait pleurer un roi, il est temps de battre en retraite. Comme il se dirige vers la sortie, il dit à Cromwell – tout en s'époussetant de son habituel petit geste humble :

« Il faut faire la distinction entre le bien-être du pays et le bien-être de la lignée Tudor. Ne croyez-vous pas ?

— Alors qui est votre candidat préféré pour le trône ? Courtenay ? Ou Pole ?

— Vous ne devriez pas railler les personnes de sang royal. » Chapuys secoue ses manches. « Au moins je suis désormais officiellement informé de l'état de la lady, alors qu'avant je ne pouvais que déduire à partir des scènes insensées auxquelles j'assistais… Savez-vous combien vous misez, Cremuel, sur le corps d'une seule femme ? Espérons qu'il ne lui arrivera rien de mal, hein ? »

Il saisit l'ambassadeur par le bras, le fait pivoter sur lui-même.

« Quel mal ? De quoi parlez-vous ?

— Lâchez-moi d'abord. Merci. Vous êtes prompt à malmener les gens, ce qui prouve, comme on dit, votre mauvaise éducation. » Ses paroles sont pleines de bravade, mais il tremble. « Regardez autour de vous et vous verrez comment elle offense vos nobles avec sa fierté et son arrogance. Même son oncle n'en peut plus de ses manigances. Les plus vieux amis du roi trouvent des prétextes pour ne plus venir à la cour.

— Attendez qu'elle soit couronnée, réplique-t-il. Vous les verrez revenir en courant. »

Le 12 avril, le dimanche de Pâques, Anne apparaît avec le roi à la grand-messe, et on prie pour la future reine d'Angleterre. Le projet de loi de Cromwell a été adopté par le Parlement la veille ; il s'attend à une modeste récompense, et avant que le cortège royal n'aille déjeuner, le roi lui fait signe d'approcher et lui confie l'ancien poste de lord Berners, chancelier de l'Échiquier.

« C'est Berners qui a suggéré votre nom », explique Henri en souriant.

Il aime donner ; comme un enfant, il aime anticiper la joie des autres.

Pendant la messe, son esprit a erré à travers la ville. Quel poulailler bruyant l'attend chez lui ? Quelles bagarres de rues, quels bébés abandonnés sur des marches d'églises, quels apprentis turbulents à qui on lui demandera d'avoir la gentillesse de dire un mot ?

Alice et Jo ont-elles peint des œufs ? Elles sont maintenant trop grandes, mais elles sont contentes d'être les enfants de la maison en attendant que la prochaine génération arrive. Il est temps qu'il commence à songer à leur trouver un mari. Anne, si elle avait vécu, serait peut-être mariée aujourd'hui, sans doute à Rafe, vu qu'il n'est toujours pas pris. Il pense à Helen Barre ; elle apprend vite à lire, et ils ne peuvent déjà plus se passer d'elle à Austin Friars. Il est désormais persuadé que son mari est mort, et il se dit, je dois lui parler, je dois lui dire qu'elle est libre. Elle aura trop de décence pour exprimer le moindre plaisir, mais quelle femme n'aimerait pas savoir qu'elle n'est plus sous le joug d'un tel homme ?

Tout le long de la messe, Henri n'a cessé de bavarder. Il trie des papiers et les tend à divers conseillers ; ce n'est qu'au moment de la consécration qu'il s'agenouille soudain avec une dévotion fiévreuse, tandis que le miracle a lieu et qu'une hostie devient Dieu. Dès que le prêtre dit : « *Ite, missa est* », il murmure, venez dans mon cabinet, seul.

Mais les courtisans assemblés doivent d'abord s'incliner devant Anne. Ses femmes reculent et la laissent seule dans un espace baigné de lumière. Il les observe, observe les gentilshommes et les courtisans, parmi lesquels, en ce jour de fête, se trouvent nombre d'amis d'enfance du roi. Il observe en particulier Nicholas Carew ; la révérence qu'il fait devant la nouvelle reine est en tout point parfaite, mais il ne peut réprimer une légère moue. Recompose ton visage, Nicholas Carew, ton vieux visage familier. Il se rappelle les paroles d'Anne : ce sont mes ennemis. Il ajoute Carew à la liste.

Derrière les chambres d'État se trouvent les appartements du roi, que seuls ses intimes fréquentent ; il y est servi par ses gentilshommes et n'y croise ni ambassadeur ni espion. C'est le domaine d'Henry Norris, qui félicite doucement Cromwell pour sa nouvelle nomination avant de s'éloigner à pas feutrés.

« Vous savez que Cranmer doit réunir un tribunal pour décréter la dissolution officielle de... » Henri a dit qu'il ne voulait plus entendre parler de son mariage, il refuse donc de prononcer le mot. « Je lui ai demandé de le réunir au prieuré de Dunstable, car c'est à, quoi, dix, douze miles d'Ampthill, où *elle* est logée – comme ça elle pourra envoyer ses avocats si ça lui plaît. Ou bien venir elle-même au tribunal. Si vous voulez aller la voir, faites-le secrètement, et ne parlez qu'à elle... »

Assurez-vous qu'elle ne nous réserve pas de surprises, voilà ce qu'il veut dire.

« Laissez Rafe auprès de moi quand vous serez parti. » Se sentant parfaitement compris, le roi retrouve sa bonne humeur. « Je peux compter sur lui pour dire ce que Cromwell dirait. C'est un brave garçon que vous avez là. Et il est plus doué que vous pour garder un visage impassible. Je vous vois, lors des réunions du Conseil, avec votre main devant votre bouche. Parfois, vous savez, j'ai moi-même envie de rire. » Il se laisse tomber sur une chaise, se couvre le visage comme s'il cherchait à se protéger les yeux. Il voit que, une fois de plus, le roi est sur le point de pleurer. « Brandon dit que ma sœur est mourante. Les médecins ne peuvent plus rien pour elle. Vous savez, ces cheveux clairs qu'elle avait avant, des cheveux comme de l'argent – ma fille avait les mêmes. À l'âge de sept ans elle était l'image de ma sœur, comme une sainte peinte sur un mur. Dites-moi, que suis-je censé faire avec ma fille ? »

Il attend, jusqu'à être certain que c'est une vraie question.

« Soyez bon avec elle, sir. Soyez conciliant. Inutile de la faire souffrir.

— Mais je dois faire d'elle une bâtarde. Je dois léguer l'Angleterre à mes enfants légitimes.

— Le Parlement s'en chargera.

— Oui. » Il renifle. Essuie ses larmes. « Après le couronnement d'Anne. Cromwell, une chose, et après nous petit-déjeunerons car j'ai réellement très faim. Ce projet d'alliance pour mon cousin Richard... »

Il passe rapidement en revue toute la noblesse d'Angleterre. Mais non, il parle bien de son Richard, Richard Cromwell.

« Lady Carey... » La voix du roi s'adoucit. « Eh bien, j'y ai longuement réfléchi, et je crois que non. Du moins, pas pour le moment. »

Il acquiesce. Il comprend ses raisons. Quand Anne les comprendra, elle sera folle de rage.

« Parfois c'est une consolation pour moi, poursuit Henri, de ne pas avoir à m'expliquer pendant des heures. Peut-être êtes-vous né pour me comprendre. »

C'est une façon d'envisager leur situation. Même s'il est né six ans avant Henri, six années dont il a pleinement profité. Henri ôte son chapeau brodé, le jette par terre, se passe les mains dans les cheveux. Comme la crinière dorée de Wyatt, sa chevelure commence à se dégarnir et laisse paraître la forme de son énorme crâne. Pendant un instant il ressemble à une statue, à une version simplifiée de lui-même, ou à l'un de ses ancêtres : l'un de ces géants qui peuplaient la Grande-Bretagne et qui n'ont laissé aucune trace de leur passage hormis dans les rêves de leurs minuscules descendants.

Il retourne à Austin Friars dès qu'il le peut. Il a sûrement droit à un jour de repos ? Les mendiants devant sa porte se sont dispersés car Thurston leur a distribué à manger. Il descend tout d'abord à la cuisine, pour lui donner une claque sur la tête et une pièce d'or.

« Cent gueules béantes, je le jure, déclare Thurston. Et à l'heure du souper, ils seront de retour.

— Quelle tristesse de voir tous ces mendiants.

— Mendiants mon cul ! Ce qui sort de cette cuisine est si bon qu'il y a des échevins parmi eux. Ils se cachent sous leur capuche pour qu'on ne les reconnaisse pas. Et j'ai toute une maisonnée à nourrir ici, que vous soyez ou non avec nous – il y a des Français, des Allemands, il y a des Florentins, ils prétendent tous vous connaître, et ils veulent tous que le dîner soit à leur goût, alors leurs servants descendent ici et ajoutent une pincée de ceci, un soupçon de cela. Nous devons nourrir moins de monde, ou bien construire une nouvelle cuisine.

— Je m'en occuperai.

— Maître Rafe affirme que vous avez acheté toute une carrière en Normandie pour la Tour. Il dit que les Français sont minés et qu'ils tombent dans des trous dans le sol. »

Une si belle pierre. De la couleur du beurre. Quatre cents ouvriers engagés pour travailler à la Tour, et celui qui n'a rien à faire est aussitôt envoyé sur le chantier d'Austin Friars.

« Thurston, ne laissez personne ajouter des pincées et des soupçons à notre dîner. » Il songe, c'est ainsi que l'évêque Fisher a failli mourir ; à moins qu'il ne se soit simplement agi d'un bouillon mal cuit. Impossible de prendre celui de Thurston en défaut. Il vérifie lui-même qu'il bout bien. « Savez-vous où est Richard ?

— En train de couper des oignons sur les marches de derrière. Oh, vous parlez de maître Richard ? En haut. Il mange. Où sont tous les autres ? »

Il monte. Il remarque que les œufs de Pâques sont tous peints à son image. Jo a dessiné son chapeau et ses cheveux sur l'un, si bien qu'il a l'air de porter une toque avec des rabats sur les oreilles. Elle l'a affublé d'au moins deux mentons.

« Eh bien, père, observe Gregory, il est vrai que vous avez pris de l'embonpoint. Quand Stephen Vaughan était ici, il n'en revenait pas.

— Mon maître le cardinal était rond comme la lune, dit-il. C'est un mystère, car il s'asseyait à peine pour dîner. Il devait constamment se lever pour régler quelque affaire urgente, et même quand il était à table il pouvait à peine manger tant il parlait. Je suis bien triste. Je n'ai pas avalé un morceau depuis hier soir. » Il rompt le pain, et ajoute : « Hans veut peindre mon portrait.

— J'espère qu'il court vite, dit Richard.

— Richard…

— Mangez votre dîner.

— Mon petit déjeuner. Non, qu'importe. Allons.

— L'heureux futur marié, raille Gregory.

— Toi, menace son père, tu vas aller dans le Nord avec Rowland Lee. Si tu te prends pour un homme, attends d'avoir rencontré Rowland. »

Dans son bureau, il demande : « Comment se passent tes entraînements à la joute ?

— Bien. Les Cromwell renverseront tous les adversaires. »

Il a peur pour son fils ; peur qu'il tombe, qu'il se fasse estropier, qu'il se fasse tuer. Il a aussi peur pour Richard ; ces garçons sont l'espoir de sa maison.

« Alors, le suis-je ? demande Richard. L'heureux futur marié ?

— Le roi s'y oppose. Ce n'est pas à cause de ma famille, ni de la tienne – il t'appelle son cousin. Il est, ces temps-ci, extrêmement bien disposé envers nous. Mais il a besoin de Mary. L'enfant doit naître à la fin de l'été et il n'ose pas toucher Anne. Et il ne veut pas reprendre sa vie d'abstinence. »

Richard lève les yeux. « Il a dit ça ?

— Il m'a laissé tirer mes propres conclusions, et je te les donne telles quelles. C'est stupéfiant, mais nous nous en remettrons.

— Je suppose que si les sœurs se ressemblaient plus, on pourrait le comprendre.

— Je suppose, convient-il, certes.

— Et il est le chef de l'Église. Pas étonnant que les étrangers se gaussent.

— S'il était un modèle de conduite dans sa vie privée, nous serions… surpris… Mais pour ma part, vois-tu, je ne me soucie que de sa façon de gouverner. S'il était tyrannique, s'il méprisait le Parlement, s'il ne tenait aucun compte des Communes et ne régnait que pour lui-même… Mais ce n'est pas le cas… je ne peux donc pas me soucier de son comportement avec les femmes.

— Mais s'il n'était pas roi…

— Oh, je suis d'accord. On le ferait enfermer. Mais je te le répète, Richard, si nous laissons Mary de côté, il s'est plutôt bien comporté. Il n'a pas une nursery pleine d'enfants illégitimes, contrairement aux rois d'Écosse. Il y a eu des femmes, mais qui peut les nommer ? À part la mère de Richmond, et les Boleyn. Il a été discret.

— Je parie que Catherine connaissait leur nom.

— Quel homme peut affirmer qu'il sera un mari fidèle ? Le peux-tu ?

— Je n'en aurai peut-être pas l'occasion.

— Au contraire, j'ai une épouse pour toi. La fille de Thomas Murfyn ? Une fille de maire, ce n'est pas une mauvaise perspective. Et ta fortune sera plus qu'égale à la sienne, je m'en assurerai. Et Frances t'aime bien. Je le sais parce que je le lui ai demandé.

— Vous avez demandé à ma femme de m'épouser ?

— Puisque je dînais là-bas hier – inutile de retarder les choses, n'est-ce pas ?

— Pas vraiment. » Richard éclate de rire. Il s'étire sur sa chaise. Son corps – son admirable corps puissant qui a tant impressionné le roi – frissonne de soulagement. « Frances. Soit. J'aime bien Frances. »

Mercy approuve. Il n'ose imaginer comment elle aurait réagi à lady Carey ; il n'a pas abordé le sujet avec les femmes.

« N'attendez pas trop longtemps pour marier Gregory, dit-elle. Il est très jeune, je le sais, mais certains hommes ne grandissent que quand ils ont un fils à eux. »

Il n'y avait pas songé, mais c'est peut-être vrai. Dans ce cas, il y a de l'espoir pour le royaume d'Angleterre.

Deux jours plus tard il retourne à la Tour. Le temps

passe vite entre Pâques et la Pentecôte, avec le couronnement d'Anne qui approche. Il inspecte ses nouveaux appartements et commande des braseros pour que le plâtre sèche plus vite. Il veut attaquer les fresques – il aimerait qu'Hans s'en charge, mais celui-ci est occupé à peindre Dinteville et il ne peut interrompre son travail, car l'ambassadeur ne cesse de se lamenter auprès de François pour qu'il le rappelle en France. Pour la nouvelle reine nous n'aurons pas ces scènes de chasse que l'on voit partout, ni ces sinistres saints virginaux représentés avec les instruments de leur torture, mais des déesses, des colombes, des faucons blancs, des voûtes de feuilles vertes. Au loin, des villes posées sur des collines : au premier plan, des temples, des bosquets, des colonnes écroulées et des ciels d'un bleu chaud entourés, comme par un cadre, de couleurs vitruviennes, vif-argent et cinabre, ocre brûlé, malachite, indigo et pourpre. Il déroule les croquis dessinés par les artisans. La chouette de Minerve déploie ses ailes en travers d'un panneau. Une Diane nu-pieds place une flèche dans son arc. Une biche blanche l'observe depuis les arbres. Il griffonne des instructions à l'intention du contremaître : *La flèche doit être rehaussée d'or. Toutes les déesses ont les yeux noirs.* Il sent une angoisse l'effleurer, comme la pointe d'une aile dans le noir : et si Anne meurt ? Henri voudra une autre femme. Il l'amènera dans ces pièces. Elle aura peut-être les yeux bleus. Nous devrons effacer les visages et les repeindre, avec en fond les mêmes villes, les mêmes collines violettes.

Dehors il s'arrête pour observer une bagarre. Un tailleur de pierres et le chef des maçons se tapent dessus avec des planches. Il se tient dans le cercle parmi les hommes équipés de truelles.

« Quel est le problème ?

— Rien. Les tailleurs sont obligés de se battre contre les maçons.

— Comme les Lancastre et les York ?

— Pareil.

— Avez-vous entendu parler du champ de bataille de Towton ? Le roi m'a dit que plus de vingt mille Anglais y avaient péri. »

L'homme le regarde, incrédule.

« Contre qui ils se battaient ?

— Entre eux. »

C'était le dimanche des Rameaux, en l'an 1461. Les armées de deux rois se sont rencontrées sous des rafales de neige. C'est le roi Édouard, le grand-père d'Henri, qui en est sorti vainqueur, pour autant qu'on puisse dire qu'il y ait eu un vainqueur. Les cadavres formaient un pont vacillant en travers de la rivière. Des milliers de soldats se sont enfuis en rampant, en se roulant, en titubant dans leur propre sang : certains aveuglés, d'autres défigurés, d'autres estropiés à jamais.

L'enfant qu'attend Anne est l'assurance qu'il n'y aura plus de guerre civile. Il est le début, le commencement de quelque chose, la promesse d'un nouveau pays.

Il s'approche des combattants, leur hurle d'arrêter. Il pousse les deux hommes, qui tombent à la renverse : deux Anglais croulants, avec leurs os cassants, leurs dents crayeuses. Les vainqueurs d'Azincourt. Il est heureux que Chapuys ne soit pas là pour voir ça.

Les arbres sont en feuilles quand il se rend à cheval

dans le Bedfordshire accompagné d'une petite escorte pour une affaire non officielle. Christophe, qui monte à côté de lui, le harcèle de questions : vous avez dit que vous me diriez qui est Cicéron, et qui est Reginald Pope.

« Cicéron était un Romain.

— Un général ?

— Non, il laissait ça à d'autres. Comme moi, par exemple, je pourrais laisser ça à Norfolk.

— Oh, Norferk. » Il aime déformer le nom du duc. « Celui qui pisse sur votre ombre.

— Doux Jésus, Christophe ! D'ordinaire on crache sur l'ombre de quelqu'un.

— Oui, mais nous parlons de Norferk. Et Cicéron ?

— Nous autres avocats essayons de mémoriser tous ses discours. Si un homme aujourd'hui avait toute la sagesse de Cicéron, il serait… » Il serait quoi ? « Cicéron serait du côté du roi », dit-il.

Christophe n'est pas franchement impressionné. « Pole, c'est un général ?

— Un prêtre. Enfin, ce n'est pas tout à fait vrai… Il a des charges au sein de l'Église, mais il n'a pas été ordonné.

— Pourquoi ?

— Sûrement pour qu'il puisse se marier. C'est son sang qui le rend dangereux. C'est un Plantagenêt. Ses frères sont ici dans ce royaume sous notre surveillance. Mais Reginald est à l'étranger et nous craignons qu'il ne complote avec l'empereur.

— Envoyez quelqu'un pour le tuer. Moi, j'irai.

— Non, Christophe, j'ai besoin de toi ici pour prendre soin de mes chapeaux.

— Comme vous voulez. » Christophe hausse les

épaules. « Mais je tuerai un Pole quand vous me le demanderez, ce sera un plaisir. »

Le manoir d'Ampthill, jadis fortifié, a des tours aériennes et un merveilleux corps de garde. Il se dresse sur une colline et offre des vues sur une campagne boisée ; c'est un endroit plaisant, le genre de demeure où l'on se rend après une maladie pour reprendre des forces. Il a été construit avec l'argent gagné lors des guerres contre la France, à l'époque où les Anglais les remportaient.

Maintenant que Catherine n'est plus que princesse douairière de Galles, Henri a réduit le nombre de ses gens, mais elle est toujours entourée de chapelains et de confesseurs, d'officiers assistés de leur propre cortège de domestiques, de majordomes et de coupeurs de viande, de médecins, de cuisiniers, de garçons de cuisine, de malteurs, de harpistes, de joueurs de luth, de garde-volailles, de jardiniers, de blanchisseuses, d'apothicaires, plus toute une suite de femmes de garde-robe, de femmes de chambre et de bonnes. Mais quand on fait entrer Cromwell, elle fait signe aux personnes qui l'entourent de sortir. Personne n'a prévenu Catherine de sa venue, mais elle doit avoir des espions sur la route. C'est pourquoi elle fait nonchalamment mine d'être occupée : un livre de prières sur les cuisses, plus un ouvrage de couture. Il s'agenouille devant elle, désigne de la tête le livre et l'ouvrage.

« Madame, vous devez sûrement choisir entre l'un ou l'autre ?

— En anglais, donc, aujourd'hui ? Levez-vous, Cromwell. Ne perdons pas notre temps comme la dernière fois à choisir quelle langue utiliser. Car ces temps-ci vous êtes un homme tellement occupé. »

Assez de formalités, dit-elle : « Premièrement. Je ne me présenterai pas devant votre tribunal de Dunstable. C'est ce que vous souhaitez savoir, n'est-ce pas ? Je ne reconnais pas ce tribunal. Mon affaire est à Rome, attendant que le Saint-Père s'y intéresse.

— Il prend son temps, non ? réplique-t-il en lui adressant un sourire perplexe.

— J'attendrai.

— Mais le roi souhaite régler ses affaires.

— Il a un homme disposé à le faire. Mais je ne le reconnais pas en tant qu'archevêque.

— Clément a publié les bulles.

— Clément a été induit en erreur. Le docteur Cranmer est un hérétique.

— Peut-être estimez-vous que le roi est un hérétique ?

— Non. Simplement un schismatique.

— Si un conseil général de l'Église était réuni, Sa Majesté se soumettrait à son jugement.

— Il sera trop tard, s'il est excommunié et exclu de l'Église.

— Nous espérons tous – je suis sûr que vous aussi, madame – que ce jour n'arrivera jamais.

— *Nulla salus extra ecclesiam.* Point de salut hors de l'Église. Même les rois sont jugés. Henri le sait, et il a peur.

— Madame, renoncez. Pour le moment. Demain, qui sait ? Ne rejetez pas toute chance de rapprochement.

— J'ai appris que la fille de Thomas Boleyn allait avoir un enfant.

— Certes, mais… »

Catherine, plus que toute autre, devrait savoir que

ça ne garantit rien. Elle comprend où il veut en venir, réfléchit, acquiesce.

« Je vois dans quelles circonstances il pourrait revenir vers moi. J'ai eu de nombreuses occasions d'étudier le caractère de cette femme, et elle n'est ni patiente ni douce. »

Aucune importance ; elle a simplement besoin d'un peu de chance.

« Au cas où ils n'auraient pas d'enfant, vous devriez penser à votre fille Marie. Soyez conciliante, madame. Il la désignera peut-être comme son héritière. Et si vous renoncez, il vous offrira tous les honneurs, et une magnifique propriété.

— Une magnifique propriété ! » Catherine se lève. Son ouvrage de couture glisse de ses cuisses, le livre de prières heurte le sol en produisant un bruit sourd, et son dé d'argent rebondit sur le parquet et roule jusqu'à un coin de la pièce. « Avant que vous ne me fassiez une nouvelle offre grotesque, maître Cromwell, laissez-moi vous raconter un chapitre de mon histoire. Après la mort de mon prince Arthur, j'ai vécu cinq ans dans la pauvreté. Nous achetions la nourriture la moins chère que nous trouvions, des aliments grossiers, rances, le poisson de la veille – n'importe quel petit marchand avait une meilleure table que la fille d'Espagne. Le défunt roi Henri ne m'autorisait pas à rejoindre mon père car il prétendait qu'on lui devait de l'argent – il me marchandait comme ces femmes qui venaient nous vendre des œufs pourris. J'ai placé ma foi en Dieu, je n'ai pas perdu espoir, mais j'ai ressenti la profondeur de l'humiliation.

— Alors pourquoi voulez-vous la ressentir de nouveau ? » Face à face. Ils se toisent du regard. « En

638

supposant, ajoute-t-il, que le roi se contente d'une humiliation.

— Dites les choses clairement.

— Si vous êtes convaincue de trahison, la justice suivra son cours avec vous comme avec n'importe quel sujet. Votre neveu menace de nous envahir en votre nom.

— Cela ne se produira pas. Pas en mon nom.

— Écoutez-moi, madame. » Son ton s'adoucit. « L'empereur est en effet occupé avec les Turcs, et il n'est pas attaché à sa tante – sauf votre respect – au point de lever une nouvelle armée. Mais d'autres disent, oh, taisez-vous, Cromwell, qu'en savez-vous ? Ils disent que nous devons fortifier nos ports, que nous devons lever des troupes et placer le pays en état d'alerte. Chapuys, comme vous le savez, mène constamment campagne pour bloquer nos ports et retenir nos marchandises et nos navires à l'étranger. Il en appelle à la guerre dans chacune de ses dépêches.

— Je n'ai nulle connaissance de ce que Chapuys met dans ses dépêches. »

C'est un mensonge si ahurissant qu'il est bien forcé de l'admirer. Mais Catherine semble désormais affaiblie ; elle se renfonce dans son fauteuil, et avant qu'il ait pu le faire à sa place, elle se penche en avant pour ramasser sa couture ; ses doigts sont bouffis, et son geste semble l'essouffler. Elle reste assise un moment, le temps de se remettre, et quand elle parle de nouveau elle est calme, posée.

« Maître Cromwell, je sais que je vous ai déçu. C'est-à-dire que j'ai déçu votre pays, qui est désormais aussi le mien. Le roi était un bon mari, mais je n'ai jamais réussi à faire ce qu'une femme doit faire par-dessus tout. Néanmoins, j'étais, je suis, une épouse – vous comprenez, n'est-ce pas, qu'il m'est impossible de croire que pendant vingt ans j'ai été une catin ? La vérité, c'est que j'ai fait peu de bien à l'Angleterre, mais que je n'ai aucune intention de lui nuire.

— Mais c'est ce que vous faites, madame. Peut-être malgré vous, mais le mal est fait.

— Mentir ne rendra pas service à l'Angleterre.

— C'est en effet ce que pense le docteur Cranmer. Il annulera donc votre mariage, que vous veniez au tribunal ou non.

— Le docteur Cranmer sera également excommunié. Cela ne fait-il naître aucun scrupule en lui ? A-t-il à ce point perdu son âme ?

— Cet archevêque est le meilleur gardien de l'Église, madame, que nous ayons eu depuis des siècles. » Il pense à ce que Bainham a dit avant d'être brûlé : en Angleterre il y a eu huit cents ans de mystification, et simplement six années de vérité et de lumière ; six années depuis que l'évangile est arrivé dans le royaume. « Cranmer n'est pas un hérétique. Il croit de la même manière que le roi. Il réformera ce qui doit l'être, c'est tout.

— Je sais comment cela se terminera. Vous volerez les terres de l'Église et les donnerez au roi. » Elle rit. « Oh, vous ne dites plus rien ? C'est la vérité. C'est ce que vous avez l'intention de faire. » Elle semble presque heureuse, comme le sont parfois les gens à l'annonce de leur mort prochaine. « Maître Cromwell, vous pouvez assurer le roi que je ne mènerai aucune armée contre lui. Dites-lui que je prie pour lui chaque jour. Certaines personnes, celles qui ne le connaissent pas autant que moi, disent : "Oh, il aura ce qu'il veut, il verra coûte que coûte ses désirs exaucés." Mais je sais qu'il a besoin d'être du côté de la lumière. Il n'est pas comme vous, qui rangez vos péchés dans vos sacoches de selle et les emportez de pays en pays, et quand elles sont trop lourdes, vous achetez une mule ou deux et vous retrouvez bientôt à la tête de tout un troupeau de mules et d'un cortège de muletiers. Henri a peut-être ses errements, mais il a besoin d'être pardonné. Je crois donc, et je continuerai de croire, qu'il reviendra dans le droit chemin pour être en paix avec lui-même. Car la paix est ce que nous désirons tous, j'en suis sûre.

— Quelle conclusion sereine, madame. "La paix est ce que nous désirons tous." Vous parlez comme une abbesse. Au fait, êtes-vous bien sûre de ne pas vouloir entrer au couvent ? »

Un sourire. Un sourire assez large.

« Je serais triste de ne plus vous revoir. Vous avez tellement plus de répartie que les ducs.

— Les ducs reviendront.

— Je suis parée. Avez-vous des nouvelles de madame de Suffolk ?

— Le roi dit qu'elle est mourante. Brandon n'a plus le cœur à rien.

— Je veux bien le croire, murmure-t-elle. Sa rente de reine douairière de France expirera avec elle, et elle constitue l'essentiel de ses revenus. Mais nul doute que vous lui arrangerez un prêt, à un taux d'intérêt inique. » Elle lève les yeux. « Ma fille sera intriguée de savoir que je vous ai vu. Elle dit que vous avez été bon avec elle. »

Il se rappelle seulement lui avoir donné un tabouret

sur lequel s'asseoir. Sa vie doit être bien morose si elle se souvient de ça.

« Pour respecter les convenances, elle aurait dû rester debout et attendre un signe de ma part », déclare Catherine.

Sa propre fille qui se tordait de douleur. Elle a un beau sourire, elle ne recule pas d'un centimètre. Jules César aurait eu plus de remords. Hannibal.

« Dites-moi, poursuit-elle, tâtant le terrain. Le roi lirait-il une lettre venant de moi ? »

Henri a pris l'habitude de déchirer ses lettres sans les lire, ou de les brûler. Il prétend qu'elles le dégoûtent avec tous leurs témoignages d'amour. Mais Cromwell n'a pas le cœur de le lui avouer.

« Alors reposez-vous une heure, dit-elle, pendant que je lui écris. À moins que vous ne souhaitiez rester souper avec nous ce soir ? Je serais ravie d'avoir votre compagnie.

— Merci, mais je dois rentrer. Le Conseil se réunit demain. De plus, si je restais, que ferais-je de mes mules ? Sans parler de mon escorte de muletiers.

— Oh, les écuries sont à moitié vides. Le roi fait en sorte que je sois à court de montures. Il croit que je vais fausser compagnie à mes gens et gagner la côte pour m'enfuir sur un navire en partance pour les Flandres.

— Et le ferez-vous ? »

Il a ramassé son dé à coudre ; il le lui tend ; elle le fait rebondir dans sa main comme si c'était un dé à jouer qu'elle s'apprêtait à lancer.

« Non. Je reste ici. Ou alors j'irai là où il m'enverra. J'obéirai à la volonté du roi. Comme doit le faire une épouse. »

Jusqu'à l'excommunication, songe-t-il. Alors vous serez libérée de tous vos liens, en tant qu'épouse et sujette.

« Ceci vous appartient également », dit-il.

Il ouvre la main ; sur sa paume, une aiguille, pointée vers elle.

La rumeur court en ville que Thomas More est ruiné. Il en rit avec le secrétaire Gardiner.

« Alice était une riche veuve quand il l'a épousée, dit Gardiner. Et il possède des terres ; comment peut-il être pauvre ? Et les filles, il les a bien mariées.

— Et il perçoit toujours sa pension du roi. »

Il passe en revue des documents pour Stephen, car celui-ci se prépare à représenter Henri à Dunstable. Il a écarté toutes les dépositions des audiences de Blackfriars, qui semblent remonter à une autre époque.

« Pour l'amour de Dieu, dit Gardiner, y a-t-il quoi que ce soit que vous ne conserviez pas ?

— Si nous allons jusqu'au fond de cette malle, je trouverai les lettres d'amour que votre père a envoyées à votre mère. » Il souffle sur la dernière liasse pour ôter la poussière. « Tenez. » Les papiers atterrissent sur la table. « Stephen, que pouvons-nous faire pour John Frith ? Il était votre élève à Cambridge. Ne l'abandonnez pas. »

Mais Gardiner secoue la tête et examine les documents, les feuilletant tout en fredonnant à voix basse.

« Ça alors, qui l'aurait cru ! » s'exclame Gardiner. Puis : « Voilà un point intéressant ! »

Il se rend à Chelsea en bateau. L'ancien chancelier est paisiblement installé dans son petit salon pendant que sa fille Margaret lui traduit du grec d'une voix monocorde à peine audible. En s'approchant, il entend More la reprendre sur une erreur.

« Laisse-nous, ma fille, dit More lorsqu'il aperçoit Cromwell. Je ne veux pas que ce diable s'approche de toi. »

Mais Margaret lève les yeux, sourit et reste assise. More se lève avec difficulté, comme s'il avait mal au dos, et tend la main.

C'est Reginald Pole, désormais exilé en Italie, qui prétend qu'il est un diable. Le fait est qu'il est sincère ; ce n'est pas une image pour lui, pas comme dans une fable, il le croit réellement, de la même manière qu'il croit à l'évangile.

« Eh bien, dit-il, il paraît que vous ne pouvez pas venir au couronnement parce que vous n'avez pas les moyens de vous offrir un nouveau manteau. L'évêque de Winchester vous en achètera un lui-même si vous vous montrez le jour venu.

— Stephen ? Vraiment ?

— Je le jure. » Il se délecte à l'idée de retourner à Londres et de demander dix livres à Gardiner. « Ou alors les hommes des guildes organiseront une collecte, si vous voulez, pour vous procurer un nouveau chapeau et un pourpoint.

— Et vous, comment apparaîtrez-vous ? » demande Margaret.

Elle parle à voix basse, comme si on lui avait demandé de surveiller deux enfants pendant l'après-midi. « On me prépare une tenue. Je laisse ça aux autres. Si je parviens seulement à ne pas déclencher l'hilarité, je serai satisfait. »

Anne a dit, vous ne devez pas porter votre tenue d'avocat pour mon couronnement. Elle a appelé Jane

Rochford, qui a pris des notes comme un clerc : Thomas doit porter du cramoisi.

« Madame Roper, dit-il, n'avez-vous pas envie d'assister au couronnement ? »

Son père répond à sa place : « C'est un jour de honte pour les femmes d'Angleterre. Elles disent partout que quand l'empereur arrivera, les femmes retrouveront leurs droits.

— Père, je suis sûre qu'elles prennent bien soin de ne pas dire ça quand maître Cromwell est à portée de voix. »

Il soupire. Ça ne suffit pas à Anne de savoir que toutes les joyeuses jeunes catins sont de son côté. Et toutes les femmes entretenues, et les filles fugueuses. Maintenant qu'elle est mariée, elle n'a de cesse de s'ériger en exemple. Lady Carey lui a confié qu'elle avait déjà giflé Mary Shelton, sous prétexte qu'elle avait noté une devinette dans son livre de prières. Et ce n'était même pas une devinette obscène. La reine se tient très droite ces jours-ci ; l'enfant remue dans son ventre, elle tient sa couture dans sa main, et quand Norris, Weston et leurs amis envahissent ses appartements, quand ils s'agenouillent à ses pieds pour la complimenter, elle les regarde comme s'ils lâchaient des araignées sur sa robe. À moins de s'approcher d'elle en récitant des passages de la Bible, mieux vaut ne pas s'approcher du tout.

« La nonne est-elle revenue vous voir ? demande-t-il. La prophétesse ?

— Oui, répond Meg, mais nous ne l'avons pas reçue.

— Je crois qu'elle est allée voir lady Exeter. À son invitation.

— Lady Exeter est une femme idiote et ambitieuse, déclare More.

— Je crois savoir que la nonne lui a dit qu'elle serait reine d'Angleterre.

— Je répète mon commentaire.

— Croyez-vous à ses visions ? Enfin, à leur nature sacrée ?

— Non, je crois que c'est une imposture. Elle fait ça pour attirer l'attention.

— Uniquement pour ça ?

— Vous ne savez pas ce que les jeunes femmes sont prêtes à faire. J'ai une maison remplie de filles.

— Vous êtes un heureux homme », observe-t-il après un silence.

Meg lève les yeux ; elle se souvient qu'il a perdu ses filles, même si elle ne sait pas qu'Anne Cromwell a demandé un jour : pourquoi Mlle More aurait-elle la prééminence ?

« Il y a eu d'autres jeunes femmes saintes avant elle, déclare-t-elle. Une à Ipswich. Une enfant de douze ans seulement. Elle venait d'une bonne famille, et on dit qu'elle accomplissait des miracles, et qu'elle n'en tirait rien, aucun profit personnel, et qu'elle est morte jeune.

— Et puis il y a eu la sainte de Leominster, renchérit More avec une joie sinistre. On dit qu'elle est aujourd'hui prostituée à Calais, et qu'elle rit avec ses clients après le souper quand elle se remémore tous les tours qu'elle a joués aux croyants. »

Donc il n'aime pas les femmes saintes. Contrairement à l'évêque Fisher, qui voit souvent la nonne. Qui a des contacts avec elle.

Comme s'il lisait dans son esprit, More déclare : « Bien sûr, Fisher voit les choses d'une autre manière.

— Fisher croit qu'elle a ressuscité un mort »,
explique Cromwell. More arque un sourcil. « Mais
juste assez longtemps pour que le cadavre puisse se
confesser et recevoir l'absolution. Après ça il s'est
écroulé par terre et est de nouveau mort.

— Vous parlez d'un miracle, dit More avec un
sourire.

— Peut-être que c'est une sorcière, suggère Meg.
Le croyez-vous ? Il y a des sorcières dans les Saintes
Écritures. Je pourrais vous citer les passages. »

Non, par pitié.

« Meg, t'ai-je montré où j'ai rangé la lettre ? »
demande More. Sa fille se lève, marque sa page avec
un fil dans le livre grec. « J'ai écrit à cette jeune
femme, Barton… Nous devons l'appeler dame Elizabeth, maintenant qu'elle est nonne professe. Je lui ai
conseillé de laisser le royaume tranquille, de cesser
d'importuner le roi avec ses prophéties, d'éviter la
compagnie des hommes et des femmes d'importance,
d'écouter ses conseillers spirituels, et, pour faire bref,
de rester chez elle et de dire ses prières.

— Comme chacun devrait le faire, sir Thomas. En
suivant votre exemple. » Il acquiesce, vigoureusement.
« Amen ! Et je suppose que vous en avez conservé
une copie ?

— Va la chercher, Meg. Sinon il risque de ne jamais
partir. »

More murmure quelques instructions rapides à sa
fille, mais il est clair qu'il ne lui ordonne pas de fabriquer une fausse lettre au pied levé.

« J'aurais bien fini par partir, dit Cromwell. Je
ne voudrais pas manquer le couronnement. J'ai mes

nouveaux habits à porter. Ne viendrez-vous pas nous tenir compagnie ?

— Vous vous tiendrez tous deux compagnie, en enfer. »

Voilà ce qu'on oublie à propos de More : sa véhémence ; son don pour asséner des plaisanteries tordues, sans toutefois accepter qu'on plaisante à son sujet.

« La reine a bonne mine, déclare Cromwell. Enfin, votre reine, pas la mienne. Elle semble très à l'aise à Ampthill. Mais vous le savez déjà, bien entendu. »

More dit, sans sourciller, je n'ai aucune correspondance avec... avec la princesse douairière. Tant mieux, répond-il, car je surveille actuellement deux moines qui ont porté ses lettres à l'étranger – je commence à croire que tout l'ordre des Franciscains œuvre contre le roi. Si je les arrête et si je ne parviens pas à les persuader – et vous savez que je suis très persuasif – de confirmer mes soupçons, je serai peut-être obligé de les pendre par les poignets et d'organiser un petit concours entre eux pour voir lequel des deux retrouvera en premier un peu de bon sens. Bien sûr, je préférerais les amener chez moi, leur offrir à manger et les abreuver de boissons fortes, mais voyez-vous, sir Thomas, je vous ai toujours admiré, et vous avez été mon maître en la matière.

Il doit dire ce qu'il a à dire avant que Margaret Roper ne revienne. Il tape des doigts sur la table pour que More lui accorde toute son attention. « John Frith, dit-il. Demandez à voir Henri. Il vous accueillera comme un enfant perdu. Parlez-lui et demandez-lui de rencontrer Frith en tête à tête. Je ne vous demande pas d'être d'accord avec John – vous pensez que c'est un hérétique, et peut-être avez-vous raison – je vous demande seulement de m'accorder cette faveur, et de dire au roi que Frith est une âme pure et un fin érudit, afin qu'il lui laisse la vie sauve. Si sa doctrine est fausse et que la vôtre est vraie, vous saurez le convaincre, vous êtes un homme éloquent, c'est vous qui êtes l'homme le plus persuasif de notre époque, pas moi – ramenez-le vers Rome, si vous pouvez. Mais s'il meurt vous ne saurez jamais si vous auriez pu le ramener dans le droit chemin. »

Les pas de Margaret se font entendre.

« Est-ce ceci, père ?

— Donne-la-lui.

— Vous en avez conservé une copie, je suppose ?

— Vous imaginez bien, répond la jeune femme, que nous avons pris nos précautions.

— Votre père et moi discutons de moines et d'ecclésiastiques. Comment peuvent-ils être de bons sujets du roi s'ils jurent allégeance aux chefs de leurs ordres, qui vivent dans d'autres pays et sont peut-être eux-mêmes sujets du roi de France, ou de l'empereur ?

— Je suppose qu'ils restent malgré tout anglais.

— J'en rencontre peu qui se comportent comme tels. Votre père vous en dira plus sur le sujet. »

Il s'incline devant elle. Il serre la main de More, sent ses tendons glisser sous sa paume ; bizarrement, ses cicatrices disparaissent, et soudain sa main est immaculée, une main de gentilhomme, la chair coulisse sans peine sur ses articulations alors qu'il croyait jusqu'alors que ses brûlures, ses marques de forgeron, ne disparaîtraient jamais.

À son retour chez lui, il tombe sur Helen Barre.

« Je suis allé à la pêche, dit-il. À Chelsea.

— Vous avez attrapé un More ?

— Pas aujourd'hui.

— Vos habits sont arrivés.

— Vraiment ?

— Cramoisis.

— Doux Jésus. » Il rit. « Helen… » Elle le regarde, semble attendre quelque chose. « Je n'ai pas retrouvé votre mari. »

Ses mains sont enfoncées dans les poches de son tablier. Elles s'agitent, comme si elle serrait quelque chose ; il s'aperçoit que l'une de ses mains agrippe l'autre.

« Donc vous supposez qu'il est mort ?

— Ça semble une hypothèse raisonnable. J'ai parlé à l'homme qui l'a vu tomber dans la rivière. Il a l'air d'un témoin fiable.

— Donc je pourrais me remarier. Si quelqu'un voulait de moi. »

Les yeux d'Helen se posent sur son visage. Elle ne dit rien. Elle se tient juste immobile. Le moment semble durer une éternité. Puis elle demande :

« Où est passée notre gravure ? Celle avec l'homme qui tient un cœur en forme de livre ? Ou était-ce un livre en forme de cœur ?

— Je l'ai donnée à un Génois.

— Pourquoi ?

— Je devais payer pour un archevêque. »

Elle prend congé, à contrecœur, lentement. Elle détourne les yeux de son visage.

« Hans est ici. Il vous attend. Il est en colère. Il dit que le temps, c'est de l'argent.

— Je lui revaudrai ça. »

Par sa faute, Hans a interrompu ses préparatifs pour le couronnement : il reconstitue un tableau vivant du mont Parnasse dans Gracechurch Street, et aujourd'hui il doit préparer ses neuf Muses. Il n'aime donc pas que Thomas Cromwell le fasse attendre. Il tourne bruyamment en rond dans la pièce d'à côté. On dirait qu'il déplace les meubles.

Frith est emmené au palais de Croydon pour être examiné par Cranmer. Le nouvel archevêque aurait pu le voir à Lambeth, mais le trajet jusqu'à Croydon est plus long et exige de traverser des bois. Alors qu'ils sont au beau milieu de ces bois, ses gardes lui disent, ce serait mauvais pour nous si vous décidiez de nous fausser compagnie ici. Voyez comme la forêt est dense du côté de Wandsworth. On pourrait y cacher une armée. Nous pourrions vous y chercher pendant deux jours, ou plus – et si vous alliez vers l'est, vers le Kent et la rivière, nous n'aurions aucune chance de vous rattraper.

Mais Frith sait où il va. Il va vers sa mort. Les gardes s'immobilisent sur le sentier, ils sifflotent, parlent de la pluie et du beau temps. L'un d'eux pisse tranquillement contre un arbre. L'autre suit du regard un geai qui vole à travers les branches. Mais quand ils se retournent, Frith est toujours là, attendant sereinement de se remettre en route.

Quatre jours. Une procession de cinquante barges fournies par les corporations de Londres ; deux heures pour aller de la ville à Blackwall ; les gréements ornés de clochettes et de drapeaux ; une brise légère mais vive, comme il l'a demandé à Dieu dans ses prières. Retour en arrière, ils jettent l'ancre aux marches du palais de Greenwich, récupèrent la future reine dans sa propre barge – celle de Catherine, dotée de nouveaux insignes et de vingt-quatre rames –, puis ses femmes de compagnie, sa garde, toutes les belles personnes de la cour du roi, toutes ces âmes nobles et fières qui avaient juré de saboter l'événement. Des bateaux remplis de musiciens ; trois cents petites embarcations sur l'eau, des bannières et des fanions qui flottent, la musique qui résonne d'une rive à l'autre, et les berges où se massent les Londoniens. Ils redescendent la rivière en suivant le courant, menés par un dragon marin qui crache du feu et accompagnés par des hommes déchaînés qui font exploser des fusées. Les navires qui s'apprêtent à prendre la mer font tonner leurs canons en guise de salut.

Quand ils atteignent la Tour, le soleil brille. La Tamise semble en feu. Henri accueille Anne lorsqu'elle touche terre. Il l'embrasse sans cérémonie, écarte les pans de sa cape et les plaque contre ses flancs pour montrer son ventre à l'Angleterre.

Puis Henri nomme des chevaliers : des Howard et des Boleyn, leurs amis et leurs partisans. Anne se repose.

L'oncle Norfolk rate les festivités. Henri l'a envoyé voir le roi François pour réaffirmer l'alliance très cordiale entre les deux royaumes. En tant que comte maréchal, il devrait être en charge du couronnement, mais il y a un autre Howard pour le remplacer, et de toute manière c'est lui, Cromwell, qui gère tout, y compris le temps qu'il fait.

Il s'est entretenu avec Arthur Plantagenêt, vicomte de Lisle, qui présidera au banquet : Arthur Plantagenêt, une douce relique d'un autre âge. Il est censé se rendre à Calais, sitôt la cérémonie terminée, pour remplacer lord Berners à son poste de gouverneur, et lui, Cromwell, doit lui donner des instructions avant son départ. Le vicomte a un long visage de Plantagenêt, et il est grand comme le roi Édouard. Celui-ci avait sans doute de nombreux enfants illégitimes, mais aucun n'avait la distinction de ce vieil homme tandis qu'il plie son genou craquant en signe d'obéissance devant la fille de Boleyn. Sa femme Honor, sa deuxième femme, qui a vingt ans de moins que lui, est une petite poupée délicate. Elle porte des soies fauves, des bracelets de corail avec des cœurs dorés, et arbore une expression insatisfaite qui frise l'acrimonie. Elle le scrute de la tête aux pieds.

« Je suppose que vous êtes Cromwell ? »

Si un homme vous parlait sur ce ton, vous l'inviteriez à sortir pour lui demander réparation.

Deuxième jour : Anne doit être menée à Westminster. Il est levé avant l'aube et regarde depuis les remparts les nuages légers se dissiper au-dessus de Bermondsey. La fraîcheur humide de la nuit est remplacée par une chaleur durable aux tons dorés.

La procession est menée par la délégation de l'ambassadeur français. Viennent ensuite les juges en écarlate, les chevaliers du Bain avec leur cape pourpre de coupe antique, puis les évêques, le lord-chancelier Audley et son escorte, les grands lords en velours cramoisi. Seize chevaliers portent Anne dans une chaise à porteurs blanche ornée de clochettes d'argent qui tintent à chaque pas, à chaque souffle. La reine est en blanc ; son corps chatoie dans cette peau étrange, son visage est figé dans un sourire solennel, ses cheveux flottent sous un cercle de joyaux. Après elle, des femmes sur des palefrois harnachés de velours blanc ;

et, dans leurs carrosses, des douairières hors d'âge au visage acidulé.

À chaque tournant il y a des spectacles et des statues vivantes, on énumère ses vertus et on lui tend de l'or provenant des coffres de la ville. Le faucon blanc couronné de son emblème étincelle. Les fleurs qui jonchent les rues sont écrasées par les pieds des seize robustes chevaliers, et leur parfum s'élève comme de la fumée. Partout il y a des tapisseries et des banderoles, et sur l'ordre de Cromwell les rues ont été couvertes de gravier pour que les chevaux ne glissent pas. Les badauds sont massés derrière des barrières pour éviter les émeutes et les bousculades ; tous les membres des forces de l'ordre que compte Londres sont mêlés à la foule pour que plus tard, quand on racontera l'événement à ceux qui n'y étaient pas, personne ne dise, oh, le couronnement de la reine Anne, c'est le jour où on m'a fait les poches. Fenchurch Street, Leadenhall, Cheapside, cimetière Saint-Paul, Fleet, Temple Bar, palais de Westminster. Tant de fontaines débordent de vin qu'il est difficile d'en trouver une qui soit remplie d'eau. Et tout cela sous le regard des autres Londoniens, ces monstres qui vivent dans les airs, la population innombrable d'hommes, de femmes et d'animaux de pierre, de choses qui ne sont ni humaines ni animales, de lapins à crocs et de lièvres volants, d'oiseaux à quatre pattes et de serpents ailés, de lutins aux yeux globuleux dotés de becs de canard, d'hommes enveloppés de feuilles ou affublés d'une tête de chèvre ou de bélier ; de créatures à la queue ondulante avec des ailes de cuir, des oreilles poilues et des pieds fourchus, cornues et rugissantes, à plumes et à écailles, certaines riant, d'autres chantant, certaines retroussant les lèvres pour montrer leurs dents ; lions et moines, ânes et oies, diables tenant dans leur gueule des enfants à moitié dévorés ; de calcaire ou de plomb, de métal ou de marbre, hurlant et ricanant au-dessus de la populace, grondant, grimaçant, vomissant depuis les piliers, les murs et les toits.

Ce soir-là, avec la permission du roi, il retourne à Austin Friars. Il décide de rendre visite à son voisin Chapuys, qui s'est isolé des événements de la journée en fermant ses volets et en se bouchant les oreilles pour ne pas entendre les trompettes et les coups de canon. Formant avec Thurston une petite procession ironique, il lui apporte des confiseries pour lui rendre sa bonne humeur, ainsi que du bon vin italien que le duc de Suffolk lui a envoyé.

Chapuys l'accueille sans un sourire.

« Eh bien, vous avez réussi là où le cardinal a échoué, Henri a enfin ce qu'il veut. J'ai dit à mon maître, qui est capable de considérer ces choses avec impartialité, quel dommage qu'Henri n'ait pas engagé Cromwell plus tôt. Ses affaires s'en seraient mieux portées. »

Il est sur le point de dire, c'est le cardinal qui m'a tout appris, mais Chapuys ne lui en laisse pas le temps :

« Quand le cardinal rencontrait une porte fermée, il la flattait – oh, quelle belle et gentille porte ! Puis il essayait de l'ouvrir en l'amadouant. Et vous, vous faites pareil, exactement pareil. » Il se verse un peu du vin du duc. « Mais en dernier recours, vous la défoncez à coups de pied. »

Le vin est l'un de ces grands breuvages nobles qu'affectionne Brandon, et Chapuys le déguste avec plaisir, puis il dit, je ne comprends pas, je ne comprends rien à ce pays obscurantiste. Cranmer est-il désormais pape ? Ou est-ce Henri qui est pape ? Peut-être êtes-vous vous-même pape ? Mes hommes qui étaient dans la foule aujourd'hui m'ont dit que rares étaient les voix qui s'élevaient en faveur de la concubine, et nombreuses celles qui imploraient Dieu de bénir Catherine, la reine légitime.

Ils ont dit ça ? Je me demande dans quelle ville ils étaient.

Chapuys fait la moue : ils ont dû se poser la même question. Ces temps-ci il n'y a que des Français autour du roi, et elle, Boleyn, est elle-même à moitié française, et elle a été élevée par des Français ; toute sa famille est dans la poche du roi François. Mais vous, Thomas, vous ne vous laissez pas embobiner par ces Français, n'est-ce pas ?

Il le rassure : mon cher ami, pas un instant.

Chapuys sanglote ; ça ne lui ressemble pas : mettons ça sur le compte du vin noble.

« J'ai échoué à servir mon maître l'empereur. J'ai échoué à servir Catherine.

— Qu'importe. »

Il songe, demain est une autre bataille, demain est un autre monde.

Il est à l'abbaye à l'aube. La procession se forme à six heures. Henri assistera au couronnement depuis une loge dotée d'une claire-voie, à l'abri des regards derrière les maçonneries peintes. Quand il passe la tête dans la loge vers huit heures, le roi est déjà là à attendre, assis sur un coussin de velours tandis qu'un serviteur agenouillé déballe son petit déjeuner.

« L'ambassadeur va me rejoindre », déclare Henri. En repartant, Cromwell le rencontre.

« On dit qu'on a peint votre portrait, maître Cremuel. Moi aussi, on a peint le mien. Avez-vous vu le résultat ?

— Pas encore. Hans est tellement occupé. » Même par cette belle matinée, sous les voûtes en éventail, l'ambassadeur a le teint bleuté. « Eh bien, dit-il, il semblerait qu'avec le couronnement de cette reine nos deux nations aient atteint une amitié parfaite. Comment améliorer la perfection ? Je vous le demande, monsieur. »

L'ambassadeur s'incline.

« Vous attendez-vous désormais à une dégradation des relations ?

— Essayons de nous aider mutuellement. Quand nos souverains se chercheront des noises.

— Une nouvelle rencontre à Calais ?

— Peut-être dans un an.

— Pas avant ?

— Je ne ferai pas prendre la mer à mon roi sans raison.

— Nous en reparlerons, Cremuel. »

L'ambassadeur lui donne une petite tape du plat de la main sur la poitrine, sur le cœur.

La procession d'Anne se forme à neuf heures. Elle porte une cape de velours pourpre bordée d'hermine. Elle a sept cents mètres à marcher sur le tapis bleu qui s'étire jusqu'à l'autel, et son visage est radieux. Loin derrière elle, la duchesse douairière de Norfolk porte sa traîne ; plus près, soulevant le bas de sa longue robe, l'évêque de Winchester d'un côté, l'évêque de Londres de l'autre. Gardiner et Stokesley ont l'un comme l'autre œuvré pour obtenir le divorce du roi ; mais on dirait désormais qu'ils préféreraient être loin de sa nouvelle épouse, qui a une fine pellicule de sueur sur le front et dont les lèvres serrées – lorsqu'elle atteint l'autel – semblent avoir disparu dans son visage. Qui a dit que deux évêques étaient censés soulever le bas de sa robe ? C'est écrit dans un livre somptueux, si ancien qu'on ose à peine le toucher, souffler dessus ; le vicomte de Lisle semble le connaître par cœur. Peut-être faudrait-il le recopier et l'imprimer, songe-t-il.

Il se promet de réfléchir à la question, puis se concentre sur Anne. Il ne faut pas qu'elle trébuche tandis qu'elle se penche vers le sol pour s'étendre à plat ventre devant l'autel ; les personnes qui l'entourent s'approchent pour la soutenir au moment crucial où son ventre s'apprête à toucher les dalles sacrées. Il se met à prier : cet enfant dont le cœur à demi formé bat désormais contre le sol de pierre, qu'il soit sanctifié par cet instant, et qu'il soit semblable au père de son père, semblable à ses oncles Tudor ; qu'il soit dur, alerte, opportuniste, qu'il sache tirer profit du moindre revirement de fortune. Si Henri vit vingt ans, lui qui est la création de Wolsey, puis laisse le trône à cet enfant, alors je pourrai construire mon propre prince : pour la glorification de Dieu et le bien de l'Angleterre. Car je ne serai pas trop vieux. Regardez Norfolk, il a déjà soixante ans, son père en avait soixante-dix quand il a combattu à Flodden. Et je ne serai pas comme Henry Wyatt qui dit, maintenant je me retire des affaires. Car qu'y a-t-il, à part les affaires ?

Anne, tremblante, est de nouveau sur ses pieds. Cranmer, dans un épais nuage d'encens, place le sceptre dans sa main, le bâton d'ivoire, et pose brièvement la couronne de saint Édouard sur sa tête avant de la remplacer par une couronne plus légère et confortable : un tour de prestidigitation, ses mains aussi agiles que si elles avaient escamoté des couronnes toute leur vie. Le prélat semble modérément excité, comme si quelqu'un lui avait offert une tasse de lait chaud.

Une fois bénie, Anna Regina se retire, avalée par les sombres volutes d'encens. Elle se rend dans une chambre qu'on lui a réservée, pour se préparer au banquet qui aura lieu à Westminster Hall. Il se fraie sans ménagement un chemin parmi les dignitaires – vous tous, vous tous qui aviez dit que vous ne viendriez pas – et aperçoit Charles Brandon, connétable d'Angleterre, monté sur son cheval blanc et s'apprêtant à se rendre au banquet avec eux. Sa silhouette est imposante et flamboyante, et Cromwell détourne le regard ; Charles, pense-t-il, ne me survivra pas non plus. Retour dans la pénombre, vers Henri. Mais quelque chose attire son regard, une silhouette qui disparaît à un angle, le bout d'une robe écarlate ; sans doute un des juges qui a échappé à sa procession.

L'ambassadeur vénitien bloque l'entrée de la loge d'Henri, mais le roi lui fait signe de s'écarter et lance : « Cromwell, ma femme n'avait-elle pas fière allure, n'était-elle pas belle ? Irez-vous la voir pour lui donner… » – il regarde autour de lui, cherchant un cadeau à offrir, puis ôte un diamant de son doigt – « pour lui donner ceci ? » Il embrasse la bague. « Et ceci également ?

— J'espère parvenir à lui transmettre votre sentiment », répond-il avant de soupirer comme le ferait Cranmer. Le roi rit. Son visage est rayonnant. « C'est le plus beau, déclare-t-il, le plus beau jour de ma vie.

— Jusqu'à la naissance, Majesté », nuance le Vénitien en faisant une révérence.

C'est Mary Howard, la fille de Norfolk, qui ouvre
la porte.

« Non, vous ne pouvez pas entrer, dit-elle. Absolument pas. La reine est dévêtue. »

Richmond a raison, songe-t-il ; elle n'a pas de poitrine. Mais elle n'a que quatorze ans. Je vais charmer
cette petite Howard, décide-t-il, et il se met à la sub-
merger de paroles, la complimentant sur sa robe et sur
ses bijoux, jusqu'à ce qu'il entende une voix résonner
à l'intérieur de la pièce, une voix étouffée qui semble
provenir d'un tombeau ; Mary Howard sursaute et dit,
oh, d'accord, si elle accepte de vous voir.

Les rideaux de lit sont tirés. Il les écarte. Anne est
allongée, vêtue d'une longue chemise. Elle est aussi
plate qu'un fantôme, si l'on excepte l'aberrante protu-
bérance de son enfant de six mois. Quand elle portait
sa tenue de cérémonie, son état se remarquait à peine,
et ce n'est qu'à l'instant sacré, quand elle s'est étendue
à plat ventre sur le sol, qu'il a pris conscience de son
corps, qui est désormais étalé sous ses yeux, comme
offert en sacrifice : ses seins gonflés sous le lin, ses
pieds nus enflés.

« Mère de Dieu, dit-elle. Ne pouvez-vous laisser les
femmes Howard tranquilles ? Pour un homme laid,
vous êtes bien sûr de vous. Laissez-moi vous regarder. » Elle soulève la tête. « Est-ce du cramoisi ? C'est
un cramoisi très sombre. Auriez-vous désobéi à mes
ordres ?

— Votre cousin Francis Bryan dit que je ressemble
à une ecchymose ambulante.

— Une contusion du corps politique, remarque Jane Rochford en riant.

— Y arriverez-vous ? demande-t-il, presque dubitatif, presque tendre. Vous êtes épuisée.

— Oh, je crois qu'elle y arrivera », déclare Mary. Il n'y a pas la moindre fierté fraternelle dans sa voix. « Elle est née pour ce jour, n'est-ce pas ? » Jane Seymour : « Le roi l'a-t-il regardée ? »

— Il est fier d'elle. » Il se tourne vers Anne, étendue sur son catafalque. « Il dit que vous n'avez jamais été plus belle. Il vous envoie ceci. »

Anne émet un petit son, un gémissement, à mi-chemin entre gratitude et ennui : oh, quoi, encore un diamant ?

« Et un baiser, dont j'ai jugé qu'il ferait mieux de vous le donner en personne. »

Elle ne semble pas décidée à prendre la bague. Il a la tentation presque irrésistible de la placer sur son ventre et de s'en aller. À la place, il la tend à sa sœur.

« Le banquet vous attendra, Votre Altesse. Venez uniquement quand vous vous sentirez prête. »

Elle se redresse, légèrement haletante.

« Je vais venir maintenant. »

Mary Howard se penche en avant et lui masse le creux des reins d'une main maladroite, un geste léger et virginal, comme si elle caressait un oiseau.

« Oh, laissez-moi ! » dit sèchement la reine consacrée.

Elle a l'air malade.

« Où étiez-vous hier soir ? demande-t-elle. Je voulais vous voir. Les rues m'acclamaient. Je les entendais. On dit que le peuple aime Catherine mais, en vérité, il n'y a que les femmes qui l'aiment, parce qu'elles ont pitié d'elle. Mais nous allons leur montrer quelque chose de mieux. Elles m'aimeront, quand cette créature sera sortie de moi. »

Jane Rochford : « Oh, mais madame, ils aiment Catherine parce qu'elle est la fille de deux souverains consacrés. Résignez-vous, madame – ils ne vous aimeront jamais, pas plus qu'ils n'aiment… Cromwell ici présent. Cela n'a rien à voir avec vos mérites. Inutile d'essayer d'y échapper.

— Peut-être l'aimeront-ils suffisamment », suggère Jane Seymour.

Il se tourne vers elle et une chose le surprend : elle a grandi.

« Lady Carey, reprend Jane Rochford, il est temps d'habiller votre sœur, alors ramenez maître Cromwell jusqu'à la sortie et profitez bien de votre petit conciliabule habituel. Ce n'est pas aujourd'hui que nous allons rompre avec la tradition. »

À la porte : « Mary ? » dit-il.

Il remarque les cernes noirs sous ses yeux.

« Oui ? »

Elle a l'air de vouloir dire, oui, qu'est-ce que vous me voulez encore ?

« Je suis désolé que le mariage avec mon neveu n'ait pas abouti.

— Non pas que j'aie demandé quoi que ce soit. » Elle esquisse un sourire crispé. « Je ne verrai jamais votre maison, dont on entend pourtant tellement parler.

— Qu'en dit-on ?

— Oh… on parle de malles débordant de pièces d'or.

— Nous ne permettrions jamais cela. Nous achèterions de plus grandes malles.

— On dit que c'est l'argent du roi.

— C'est toujours l'argent du roi. Il y a son image dessus. Mary, écoutez... » – il lui saisit la main – « je n'ai pas réussi à le dissuader de vous aimer. Il...

— Avez-vous vraiment essayé ?

— J'aurais aimé que vous soyez en sécurité avec nous. Même si bien sûr ce n'aurait pas été la grande alliance que vous étiez en droit d'espérer, en tant que sœur de la reine.

— Je doute qu'il y ait beaucoup de sœurs qui espèrent ce à quoi j'ai droit chaque nuit. »

Elle aura un autre enfant d'Henri, songe-t-il. Anne le fera étrangler dans son berceau.

« Votre ami William Stafford est à la cour. Du moins, je crois qu'il est toujours votre ami ?

— Imaginez comme ma situation lui plaît. Mais au moins j'ai reçu un mot agréable de mon père. Monseigneur s'aperçoit qu'il a encore besoin de moi. Il ne faudrait surtout pas que le roi monte une jument d'une autre écurie.

— Cela va cesser. Henri vous libérera. Il vous versera une rente. Une pension. Je parlerai en votre nom.

— Donne-t-on une pension à un torchon sale ? »

Mary vacille ; elle semble étourdie de malheur et de fatigue ; de grosses larmes lui montent aux yeux. Il les essuie, lui murmure à l'oreille pour l'apaiser. Il voudrait être ailleurs. En s'éloignant il lui jette un regard par-dessus son épaule tandis qu'elle se tient dans l'entrebâillement de la porte, éperdue. Il faut faire quelque chose pour elle, songe-t-il. Elle est en train de perdre sa beauté.

Henri observe depuis une galerie qui surplombe Westminster Hall tandis que la reine s'assied à la place d'honneur, entourée de ses femmes de compagnie, la fine fleur de la cour et de la noblesse d'Angleterre. Le roi a repris des forces plus tôt, et il picore de fines tranches de pomme qu'il trempe dans de la cannelle. Avec lui dans la galerie, *encore les ambassadeurs**, Jean de Dinteville, vêtu d'une fourrure pour se protéger de la froideur du mois de juin, et son ami de Selve, l'évêque de Lavaur, enveloppé dans une fine toge de brocart.

« Tout cela a été très impressionnant, Cremuel », déclare de Selve en le regardant de ses yeux marron perçants, observant chaque détail.

Lui aussi observe chaque détail : les coutures et les rembourrages, les clous et les teintures ; il admire la profonde couleur mûre du brocart de l'évêque. On dit que ces deux Français prônent l'évangile, mais cette attitude à la cour de François ne s'étend qu'à un petit cercle d'érudits que le roi, pour satisfaire sa vanité, se plaît à parrainer ; il n'a jamais vraiment réussi à avoir son Thomas More ni son Érasme, ce qui, naturellement, froisse son orgueil.

« Regardez mon épouse la reine. » Henri se penche par-dessus la balustrade. Il ferait aussi bien d'être en bas. « Elle vaut le coup d'œil, non ?

— J'ai fait remplacer toutes les vitres, dit-il. Pour qu'on la voie mieux.

— *Fiat lux*, murmure de Selve.

— Elle s'en est très bien tirée, déclare Dinteville. Elle a dû passer six heures debout aujourd'hui. Nous devons féliciter Votre Majesté d'avoir trouvé une reine aussi robuste qu'une paysanne. Sans vouloir lui manquer de respect, naturellement. »

À Paris, on brûle les luthériens. Il aimerait aborder le sujet avec les émissaires, mais les effluves de cygne et de paon rôtis qui montent jusqu'à eux l'en rendent incapable.

« Messieurs, demande-t-il tandis que la musique s'élève autour d'eux comme une faible marée, des ondoiements de son argentin, connaissez-vous un homme nommé Giulio Camillo ? J'ai entendu dire qu'il se trouvait à la cour de votre maître. »

De Selve et son ami échangent un coup d'œil. Ils ne s'attendaient pas à cette question.

« L'homme qui construit la boîte en bois, murmure Jean. Oh, oui.

— C'est un théâtre, dit-il.

— Dans lequel on est soi-même la pièce, précise de Selve.

— Érasme a écrit sur le sujet, lance Henri par-dessus son épaule. Il demande aux ébénistes de lui fabriquer de petites étagères et de petits tiroirs, emboîtés les uns dans les autres. C'est un système de mémorisation pour les discours de Cicéron.

— Avec votre permission, il compte en faire plus que ça. C'est un théâtre bâti d'après le vieux plan vitruvien. Mais il n'est pas conçu pour qu'on y joue des pièces. Comme le dit monseigneur l'évêque, en tant que propriétaire du théâtre, vous êtes censé vous tenir en son centre et lever les yeux. Autour de vous est déployé un système qui contient la connaissance humaine. Comme une bibliothèque, mais comme si... pouvez-vous imaginer une bibliothèque dans laquelle chaque livre contiendrait un autre livre, et ainsi de suite ? Eh bien, c'est encore plus que ça. »

Le roi se glisse une graine d'anis confite dans la bouche et la croque.

« Il y a déjà trop de livres dans le monde, déclare-t-il. Il y en a chaque jour un peu plus. Un homme ne peut espérer les lire tous.

— Je ne sais pas comment vous faites pour en savoir autant sur le sujet, maître Cremuel, observe de Selve. Vous avez d'autant plus de mérite que Giulio ne parle que son dialecte italien et, même dans cette langue, il bégaie.

— S'il plaît à votre maître de dépenser son argent, ironise Henri. Ce n'est tout de même pas un sorcier, ce Giulio, si ? Je n'aimerais pas que François tombe entre les mains d'un sorcier. Au fait, Cromwell, je renvoie Stephen en France. »

Stephen Gardiner. Donc les Français n'aiment pas avoir affaire à Norferk. Pas étonnant.

« Sa mission durera quelque temps ? »

De Selve croise son regard. « Mais qui occupera les fonctions du secrétaire ? demande-t-il.

— Oh, Cromwell s'en chargera. N'est-ce pas, Cromwell ? » dit Henri en souriant.

Il a à peine atteint le parterre de Westminster Hall que Wriothesley l'intercepte. C'est un grand jour pour les hérauts et leurs officiers, leurs enfants et leurs amis ; ils perçoivent de belles commissions. Il le dit, et Appelez-Moi réplique, c'est *vous* qui percevez de belles commissions. Le jeune homme l'entraîne à l'écart et déclare à voix basse, c'était prévisible, car Henri en a assez de l'opposition constante de Winchester. Il en a assez de se battre ; maintenant qu'il est marié il veut un peu plus de *douceur**. Avec Anne ? demande Cromwell, et Appelez-Moi éclate de rire : vous la connaissez mieux que moi, si elle a, comme on le prétend, la langue acérée, alors il aura d'autant plus besoin de ministres qui seront doux avec lui. Faites en sorte que Stephen reste à l'étranger, et il finira par vous confirmer à son poste.

Christophe, habillé pour l'occasion, se tient non loin et lui fait signe. Excusez-moi, dit Cromwell, s'apprêtant à le rejoindre, mais Wriothesley touche sa toge cramoisie comme si c'était un porte-bonheur et dit, vous êtes le maître de la maison et le maître des festivités, vous êtes à l'origine du bonheur du roi, vous avez fait ce que le cardinal a échoué à faire, et bien plus encore. Même ce banquet – il désigne du bras l'endroit où les nobles, après avoir ravalé leur parole, doivent avaler vingt-trois plats – même ce banquet a été superbement organisé. Personne n'a besoin de demander quoi que ce soit, chacun a tout ce qu'il désire avant même d'y penser.

Il incline la tête, Wriothesley s'éloigne, et Cromwell fait signe au garçon d'approcher. Christophe explique, Rafe m'a dit de ne rien dire de confidentiel devant Appelez-Moi, car il file au petit trot tout raconter à Gardineur. Maintenant, monsieur, j'ai un message pour vous, vous devez vite aller voir l'archevêque. Dès que le banquet sera terminé. Il lève les yeux vers l'estrade où l'archevêque est assis auprès d'Anne, sous un baldaquin. Ni lui ni elle ne mangent, même si Anne fait semblant ; tous deux parcourent la salle du regard.

« J'y filerai au petit trot », dit-il. L'expression l'amuse. « Où ?

— Dans son ancien logement qu'il prétend que vous connaissez. Il veut que vous soyez discret. Il dit que vous ne devez amener personne.

— Bon, tu peux venir, Christophe. Tu n'es pas une personne. »

Le garçon fait un grand sourire.

Il éprouve une certaine appréhension ; l'idée de se rendre seul à l'abbaye ne lui plaît pas vraiment, avec tous les ivrognes qui traînent au coucher du soleil. Quel dommage qu'on n'ait pas des yeux derrière la tête.

Ils ont presque atteint le logement de Cranmer quand la fatigue enveloppe ses épaules comme un manteau d'acier. « Arrêtons-nous un moment », dit-il à Christophe. Il a à peine fermé l'œil au cours des dernières nuits. Dans l'ombre, il prend une inspiration ; il fait froid, et lorsqu'il pénètre dans le cloître, il s'enfonce dans les ténèbres. Les pièces qui l'entourent sont désertes, tout paraît silencieux de l'autre côté des volets fermés. Derrière lui, un cri vague retentit dans les rues de Westminster, comme le hurlement des mourants après la bataille.

Cranmer lève les yeux ; il est déjà à son bureau.

« Nous n'oublierons jamais ces jours, commence l'archevêque. Les gens qui n'étaient pas là ne le croiront jamais. Le roi a fait votre éloge chaleureux aujourd'hui. Je crois qu'il voulait que je vous le fasse savoir.

— Je me demande pourquoi je me suis tant soucié du coût des briques pour la Tour. Ça semble si dérisoire désormais. Et demain, les joutes. Y serez-vous ? Mon fils Richard est inscrit pour le tournoi à pied, en combat singulier.

— Il va gagner, déclare Christophe. *Paf*, et en voilà un d'aplati qui ne se relèvera jamais.

— Chut, dit Cranmer. Tu n'es pas censé être ici, garçon. Cromwell, par ici. »

Cromwell ouvre une porte basse à l'arrière de la pièce. Il baisse la tête et, dans la faible lueur, distingue un tabouret sur lequel est assise une femme, jeune, paisible, la tête penchée au-dessus d'un livre. Elle lève les yeux.

« *Ich bitte Sie, ich brauch' eine Kerze.*

— Christophe, apporte-lui une bougie. »

Il reconnaît le livre qu'elle tient ; c'est un pamphlet de Luther.

« Je peux ? » demande-t-il, et il le saisit.

Il lit. Son esprit s'agite tandis que ses yeux suivent les lignes. Est-elle une fugitive que Cranmer abrite ? Sait-il ce qu'il lui en coûtera si elle se fait prendre ? Il a le temps de lire une demi-page avant que l'archevêque le rejoigne doucement, comme une excuse tardive.

« Cette femme est… ?

— Margarete, répond Cranmer. Mon épouse.

— Grands dieux ! » Il pose sèchement Luther sur la table. « Qu'avez-vous fait ? Où l'avez-vous trouvée ? En Allemagne, de toute évidence. C'est pour ça que vous avez mis si longtemps à rentrer. Je comprends maintenant. Mais pourquoi ?

— C'était plus fort que moi, répond Cranmer d'un air penaud.

— Savez-vous ce que le roi vous fera quand il découvrira ça ? Le bourreau de Paris a conçu un mécanisme, avec une poutre dotée d'un contrepoids – voulez-vous que je vous le dessine ? – qui permet de plonger les hérétiques dans le feu puis de les soulever hors des flammes, pour que les badauds puissent assister à chaque étape de leur agonie. Maintenant Henri voudra la même chose. Ou alors il voudra un mécanisme qui vous détachera lentement la tête des épaules sur une période de quarante jours. »

La jeune femme lève la tête.

« *Mein Onkel*...

— Qui est-ce ? »

Elle nomme un théologien, Andreas Osiander : un habitant de Nuremberg, un luthérien. Son oncle et ses amis, dit-elle, et les hommes cultivés de sa ville, ils pensent...

« C'est peut-être ce qu'on pense dans votre pays, madame, qu'un pasteur devrait se marier, mais pas ici. Le docteur Cranmer ne vous a-t-il pas prévenue ?

— Je vous en prie, implore Cranmer, dites-moi ce qu'elle dit. M'en veut-elle ? Regrette-t-elle de ne plus être chez elle ?

— Non. Non, elle dit que vous êtes gentil. Mais qu'est-ce qui vous a pris, mon vieux ?

— Je vous ai dit que j'avais un secret. »

En effet. Dans la marge de la page.

« Mais la garder ici, sous le nez du roi ?

— Je la tenais cachée à la campagne. Mais elle désirait tant assister aux célébrations...

— Elle est sortie dans la rue ?

— Pourquoi pas ? Personne ne la connaît. »

Vrai. C'était sa protection ; une jeune étrangère avec un bonnet et une robe de couleurs gaies, une paire d'yeux parmi les milliers d'yeux : on peut cacher un arbre dans la forêt. Cranmer s'approche de lui. Il tend ses mains qui étaient il y a encore si peu de temps tachées d'huile sacrée ; des mains fines, avec de longs doigts, les rectangles pâles de ses paumes sillonnés d'une multitude de lignes annonçant d'autres traversées, d'autres alliances.

« Je vous ai fait venir en tant qu'ami. Car je vous considère comme mon principal ami, Cromwell, dans ce monde. »

Donc il ne peut rien faire, par amitié, à part saisir ces mains osseuses dans les siennes.

« Très bien. Nous trouverons une solution. Nous garderons votre femme au secret. Je m'étonne que vous ne l'ayez pas laissée auprès de sa famille, en attendant que le roi voie les choses du même œil que nous. »

Margarete continue de les observer, ses yeux bleus passant d'un visage à l'autre. Elle se lève. Elle repousse la table qui se trouve devant elle ; il la regarde faire, et son cœur se serre. Car il a déjà vu une femme faire ça, sa propre femme, et il l'a vue poser ses mains à plat sur la surface pour se hisser. Margarete est grande, et le gonflement de son ventre apparaît au-dessus de la table.

« Doux Jésus, dit-il.

— J'espère que ce sera une fille, déclare l'archevêque.

— Pour quand ? » demande-t-il à Margarete.

Au lieu de répondre, elle lui prend la main. Elle la place sur son ventre, appuie dessus avec sa propre main. En ce jour de célébrations, l'enfant danse : espagnolette, estampie royale. Voici peut-être un pied ; et ici un poing.

« Tout homme a besoin d'un ami, dit-il. D'une femme auprès de soi. »

Cranmer le suit tandis qu'il quitte la pièce d'un pas lourd.

« À propos de John Frith…, commence l'archevêque.

— Quoi ?

— Depuis qu'il a été amené à Croydon, je l'ai vu
trois fois en privé. Un jeune homme estimable, une
créature parfaitement douce. J'ai passé avec lui des
heures dont je ne regrette pas une seconde, mais je
ne peux pas le détourner de sa voie.

— Il aurait dû s'enfuir dans les bois. Elle était là,
sa voie.

— Nous ne voyons pas tous… » Cranmer baisse
les yeux. « Pardonnez-moi, mais nous ne voyons pas
tous autant de voies que vous.

— Donc vous devez maintenant le livrer à Stokesley, puisqu'il a été arrêté dans son diocèse.

— Je ne pensais pas, quand le roi m'a confié cette
dignité, quand il a insisté pour que j'occupe ce siège,
que l'une de mes premières actions serait de m'opposer
à un jeune homme comme John Frith et de tenter de
le convaincre de renier sa foi. »

Bienvenue dans ce monde cruel.

« Je ne vais pas pouvoir repousser beaucoup plus
longtemps l'échéance, ajoute Cranmer.

— Votre femme non plus. »

Les rues autour d'Austin Friars sont presque
désertes. Des feux de joie brûlent à travers la ville et
les étoiles sont obscurcies par la fumée. Ses gardes
sont à la porte : sobres, remarque-t-il avec plaisir. Il
s'arrête pour leur dire un mot ; ne pas montrer qu'on
est pressé est un art. Puis il entre et dit : « Je veux
voir Mme Barre. »

La plupart des gens de sa maison sont allés voir

les feux de joie et danser, ils ne rentreront pas avant minuit. Ils ont la permission de le faire ; s'ils ne célèbrent pas la nouvelle reine, qui le fera ? John Page arrive : besoin de quelque chose, monsieur ? William Brabazon, plume à la main, l'un des anciens fidèles de Wolsey : les affaires du roi ne cessent jamais. Thomas Avery, qui vient de finir ses comptes : il y a toujours de l'argent qui rentre et de l'argent qui sort. Quand Wolsey est tombé en disgrâce, les gens de sa maison l'ont abandonné, mais les serviteurs de Thomas Cromwell ne lui font jamais défaut.

Une porte claque à l'étage. Rafe dévale l'escalier à la hâte. Il apparaît, cheveux dressés sur la tête. Il semble excité et confus.

« Sir ?

— Ce n'est pas toi que je veux voir. Sais-tu si Helen est ici ?

— Pourquoi ? »

À cet instant Helen apparaît. Elle attache ses cheveux sous un bonnet propre.

« J'ai besoin que vous fassiez vos bagages et que vous m'accompagniez.

— Pour combien de temps, sir ?

— Je ne saurais le dire.

— Nous quittons Londres ? »

Il songe, je vais m'organiser, je connais des femmes discrètes en ville qui lui trouveront des servantes, et une sage-femme, une personne compétente qui fera naître l'enfant de Cranmer.

« Peut-être pour quelque temps.

— Les enfants…

— Nous nous occuperons de vos enfants. »

Elle acquiesce. Sort à la hâte. On voudrait avoir à

673

son service des hommes aussi prompts qu'elle. Rafe lance à sa suite : « Helen… » Il a l'air furieux. « Où va-t-elle, sir ? Vous ne pouvez pas l'emmener en pleine nuit.

— Oh, si, je le peux, répond-il doucement.

— Je dois savoir.

— Crois-moi, tu ne veux pas savoir. » Il s'adoucit. « Ou alors, ce n'est pas le moment – Rafe, je suis fatigué. Je n'ai pas envie de discuter. »

Il pourrait peut-être charger Christophe et ses serviteurs les plus discrets d'emmener Helen à l'abbaye glaciale ; ou bien il pourrait attendre jusqu'au lendemain matin. Mais il pense à la solitude de la femme de Cranmer, à l'étrangeté de la ville *en fête**, aux rues désertes autour de l'abbaye où des voleurs pourraient se tapir. Même à l'époque du roi Richard, le quartier abritait des bandes de fripons qui erraient la nuit à leur guise, et qui à l'aube regagnaient leur sanctuaire, à coup sûr pour partager leur butin avec le clergé. Je vais nous débarrasser d'eux, songe-t-il. Mes hommes les traqueront comme des furets dans un terrier.

Minuit : la pierre exhale une odeur de mousse, les pavés sont glissants. Helen place sa main dans la sienne. Un serviteur les fait entrer, yeux baissés ; il lui donne une pièce pour qu'il ne les lève pas. Aucun signe de l'archevêque : tant mieux. Une lampe est allumée. Une porte entrouverte. La femme de Cranmer est étendue sur un petit lit. Il dit à Helen : « Voici une femme qui a besoin de votre compassion. Occupez-vous d'elle. Elle ne parle pas anglais. Vous ne devez en aucun cas lui demander son nom. »

Puis à la femme : « Voici Helen. Elle a elle-même deux enfants. Elle va vous aider. »

L'épouse de Cranmer, les yeux clos, se contente d'acquiescer en souriant. Mais quand Helen pose doucement une main sur elle, elle tend le bras et la caresse.

« Où est votre mari ?

— *Er betet.*

— J'espère qu'il prie pour moi. »

Le jour de l'exécution de Frith, il chasse avec le roi dans la campagne près de Guildford. Il pleut depuis l'aube, le vent en rafales fait ployer la cime des arbres : la pluie tombe sur toute l'Angleterre, inondant les récoltes. Henri est de mauvaise humeur. Il s'assied pour écrire à Anne, qui est restée à Windsor. Après avoir trituré la plume entre ses doigts, retourné sa feuille à maintes reprises, il abandonne : écrivez-la pour moi, Cromwell. Je vais vous dicter.

Un apprenti tailleur va au bûcher avec Frith : Andrew Hewitt.

Catherine se faisait apporter des reliques, explique Henri, pour ses accouchements. Une ceinture de la Sainte Vierge. C'est moi qui la louais.

Je ne crois pas que la reine voudra la même chose.

Et des prières à sainte Marguerite. Ce sont des choses de femmes.

Mieux vaut les leur laisser, sir.

Plus tard il apprendra que Frith et le garçon ont souffert, le vent éloignant à plusieurs reprises les flammes d'eux. La mort est facétieuse ; appelez-la, et elle ne vient pas. C'est une farceuse qui se tapit dans l'ombre, le visage recouvert d'un tissu noir.

On dénombre des cas de fièvre en ville. Le roi, qui incarne tous ses sujets, a chaque jour tous les symptômes.

Henri regarde la pluie tomber. Pour se redonner du courage il déclare, elle va peut-être cesser, Jupiter se lève. Maintenant, dites-lui, dites à la reine…

Il attend, plume en main.

Non, ça suffit. Donnez-moi la lettre, Thomas, je vais la signer.

Il attend de voir si le roi va dessiner un cœur. Mais le temps des frivolités est passé. Le mariage est une affaire sérieuse. *Henricus Rex.*

Je crois que j'ai une crampe d'estomac, dit le roi. Je crois que j'ai mal à la tête. J'ai la nausée, et des points noirs flottent devant mes yeux. C'est un signe, non ?

Si Votre Majesté se reposait un peu, dit-il. Et reprenait courage.

Vous connaissez le proverbe à propos de la fièvre. Gai au petit déjeuner, mort au dîner. Mais savez-vous qu'elle peut tuer en deux heures ?

Il répond, j'ai entendu dire que certaines personnes mouraient de peur.

En début d'après-midi le soleil perce péniblement. Henri galope en riant sous les arbres dégoulinants. À Smithfield, on ramasse à la pelle les restes de Frith ; sa jeunesse, sa grâce, son érudition et sa beauté : un tas de boue, de graisse, d'os calcinés.

Le roi a deux corps. Le premier est confiné aux limites de son enveloppe charnelle ; on peut le mesurer, et Henri le fait souvent – sa taille, son mollet, ses autres parties. Le second est son double princier qui flotte sans entraves, léger comme l'air, et qui peut être à plusieurs endroits à la fois. Henri peut chasser dans la forêt pendant que son double édicte des lois. L'un se bat, l'autre prie pour la paix. L'un est enveloppé du mystère de sa souveraineté ; l'autre mange un caneton avec des petits pois.

Le pape affirme que son mariage avec Anne est nul. Il l'excommuniera s'il ne retourne pas avec Catherine. La chrétienté le rejettera, corps et âme, et ses sujets se soulèveront et le renverseront, le couvrant d'ignominie et le forçant à l'exil ; aucun foyer chrétien ne l'accueillera, et à sa mort son cadavre sera enterré avec des ossements d'animaux dans une fosse commune.

Il a suggéré à Henri d'appeler le pape « l'évêque de Rome ». De rire quand son nom est prononcé. Et même si c'est un rire incertain, cela vaut mieux que ses anciennes génuflexions.

Cranmer a invité la prophétesse, Elizabeth Barton, à venir le voir dans sa maison du Kent. Marie, l'ancienne princesse, lui est apparue dans ses visions en tant que reine ? Oui. Gertrude, lady Exeter, également ? Oui. Il remarque doucement, elles ne peuvent être toutes les deux reines. La nonne répond, je ne rapporte que ce que je vois. Il écrit qu'elle respire la santé et est pleine de confiance ; elle a l'habitude des archevêques et elle le prend pour un nouveau Warham, elle croit qu'il boira ses paroles.

Elle est comme une souris sous la patte d'un chat.

La reine Catherine emménage avec un personnel restreint dans le palais de l'évêque de Lincoln à Buckden, une vieille bâtisse de briques rouges dotée d'un grand salon et de jardins qui se prolongent en champs et en taillis jusqu'aux marécages. Septembre lui apportera ses premiers fruits d'automne, et octobre les premières brumes.

Le roi exige que Catherine restitue les habits dans lesquels Marie a été baptisée pour les donner à l'enfant qui va naître. En entendant la réponse de Catherine, Thomas Cromwell éclate de rire. La nature lui a joué un mauvais tour, dit-il, en ne faisant pas d'elle un homme ; elle aurait surpassé tous les héros de l'Antiquité. Un document est présenté à Catherine dans lequel elle est désignée comme la « princesse douairière » ; elle biffe rageusement son nouveau titre et sa plume déchire le papier.

Des rumeurs surgissent durant les courtes nuits d'été. On les découvre à l'aube tels des champignons dans l'herbe humide. Des membres de la maison de Thomas Cromwell auraient cherché une sage-femme aux premières heures du jour. Il cacherait une femme dans une de ses maisons de campagne, une étrangère qui lui aurait donné une fille. Quoi que tu fasses, dit-il à Rafe, ne défends pas mon honneur. J'ai des femmes comme ça aux quatre coins du monde.

Ils le croiront, réplique Rafe. Le bruit court en ville que Thomas Cromwell a une prodigieuse...

Mémoire, dit-il. J'ai dans ma tête un très grand livre. Un énorme système de classification dans lequel sont consignées (par nom et par offense) toutes les informations sur ceux qui se sont mis en travers de mon chemin.

Tous les astrologues prédisent que le roi aura un fils. Mais mieux vaut ne pas avoir affaire à ces gens. Un homme est venu le voir il y a plusieurs mois, proposant de fabriquer une pierre philosophale pour le roi. Quand Cromwell lui a dit de filer, l'homme est devenu grossier et belliqueux, comme tous les alchimistes, et il prétend désormais que le roi mourra cette année. Il affirme que le fils aîné de feu le roi Édouard attend en Saxe. Vous pensiez que son squelette reposait sous les pavés de la Tour, dans un endroit connu de ses seuls assassins ; vous vous trompez, car c'est maintenant un homme adulte, et prêt à récupérer son royaume.

Il fait le calcul : le roi Édouard V, s'il était vivant, fêterait ses soixante-quatre ans en novembre. C'est un peu tard pour se battre, dit-il.

Il enferme l'alchimiste à la Tour pour qu'il revoie sa position.

Plus de nouvelles de Paris. Maître Giulio, quelles que soient ses activités du moment, se fait très discret.

Hans Holbein dit, Thomas, j'ai terminé vos mains mais je ne me suis pas beaucoup intéressé à votre visage. Je promets de vous achever cet automne.

Supposez que dans chaque livre il y ait un autre livre, et que chaque lettre sur chaque page révèle un autre ouvrage, ouvrage qui ne prendrait pas de place sur le bureau. Supposez que la connaissance puisse être réduite à la quintessence, contenue dans une image, un signe, dans un endroit qui n'en est pas un. Supposez que le crâne humain décuple sa capacité, que des espaces s'ouvrent à l'intérieur, des chambres aussi actives que des ruches.

Lord Mountjoy, le chambellan de Catherine, lui a envoyé une liste de tout ce dont une reine d'Angleterre confinée a besoin. Ça l'amuse, cette passation des pouvoirs polie et sans heurts ; la cour et ses cérémonies continuent, quel que soit le personnel, mais il est clair que lord Mountjoy estime désormais que c'est lui, Cromwell, qui a tout en main.

Il se rend à Greenwich et réaménage les appartements d'Anne. Des proclamations (sans date) sont rédigées pour annoncer au peuple d'Angleterre et aux souverains d'Europe la naissance d'un prince.

Laissez juste un petit espace, suggère-t-il, après le mot « prince », pour pouvoir ajouter quelques lettres au besoin... Mais on le regarde comme si c'était un traître, alors il n'insiste pas.

Quand une femme se retire pour accoucher, le soleil peut briller dehors, mais les volets de sa chambre sont fermés pour qu'elle puisse inventer le temps qu'il fait. On la laisse dans le noir pour qu'elle puisse rêver. Ses rêves l'emportent loin, depuis la *terra firma* jusqu'à une étendue marécageuse, jusqu'à un embarcadère sur une rivière où la brume recouvre la rive opposée et où ciel et terre sont indissociables ; là elle doit embarquer vers la vie et la mort, une silhouette vague à la poupe manœuvrant les rames. Dans ce vaisseau sont prononcées des prières qu'aucun homme n'a jamais entendues. Des marchés sont conclus entre une femme et son Dieu. La rivière est sujette aux marées et, entre deux coups de rame aussi légers que des plumes, le courant peut se retourner.

Le 26 août 1533, une procession escorte la reine jusqu'à ses appartements aux volets fermés de Greenwich. Son mari l'embrasse, *adieu** et *bon voyage**, et elle ne sourit ni ne répond. Elle est très pâle, très majestueuse, une minuscule tête ornée de bijoux posée en équilibre sur son corps chancelant, elle avance par petits pas circonspects, tenant un livre de prières entre ses mains. Sur le quai elle tourne la tête : un long regard. Elle le voit ; elle voit l'archevêque. Un dernier regard, puis, ses dames de compagnie la soutenant par les coudes, elle pose un pied dans l'embarcation.

II

Le crachat du diable

Automne et hiver 1533

C'est magnifique. Au moment de l'impact, les yeux du roi sont ouverts, il est prêt ; il encaisse le coup parfaitement, son armure absorbant la puissance du choc, son corps se déplaçant dans la bonne direction, à la bonne vitesse. Sa couleur ne change pas. Sa voix ne tremble pas.

« En bonne santé ? demande-t-il. Alors je remercie Dieu de nous accorder cette faveur. Tout comme je vous remercie, messieurs, de m'avoir porté cette agréable nouvelle. »

Il songe, Henri a répété. Je suppose que nous l'avons tous fait.

Le roi s'éloigne vers ses propres appartements, lance par-dessus son épaule : « Baptisez-la Élisabeth. Annulez les joutes. »

La voix chevrotante d'un Boleyn : « Les autres cérémonies comme prévu ? »

Pas de réponse. Cranmer dit, tout reste comme prévu,

jusqu'à ordre contraire. Je dois être le parrain de la... la princesse. Il bafouille. Il parvient à peine à le croire. Pour lui-même, il a demandé une fille, et il a eu une fille. Il suit du regard le dos d'Henri qui s'éloigne.

« Il n'a pas demandé pour la reine. Il n'a pas demandé comment elle se portait.

— Ça n'a pas vraiment d'importance, si ? » observe Edward Seymour, disant tout haut ce que tout le monde pense tout bas.

Henri interrompt alors sa longue marche solitaire, il se retourne. « Monseigneur l'archevêque. Cromwell. Vous deux seulement. »

Dans le cabinet d'Henri :

« Auriez-vous imaginé cela ? »

Certains souriraient. Pas Cromwell. Le roi se laisse tomber sur une chaise. Il a l'envie soudaine de lui poser la main sur l'épaule, comme on le ferait avec n'importe quelle personne inconsolable. Il se retient, se contente de replier les doigts, d'un geste protecteur, autour du cœur du roi qu'il tient dans sa main.

« Un jour nous lui offrirons un magnifique mariage.

— Pauvre gamine. Sa mère voudra se débarrasser d'elle.

— Votre Majesté est encore jeune, dit Cranmer. La reine est forte et sa famille est fertile. Vous pourrez bientôt avoir un autre enfant. Et peut-être Dieu vous accorde-t-Il une grâce particulière à travers cette princesse.

— Mon cher ami, je suis sûr que vous avez raison. »

Henri semble dubitatif, mais il balaie la pièce du regard pour tirer de la force de ce qui l'entoure, comme si Dieu avait rédigé un message amical sur le mur : même si tous les messages divins qu'il a reçus jusqu'alors ont été plutôt hostiles. Il prend une inspiration, se lève, agite ses manches. Il sourit : et on peut apercevoir au passage, tel un oiseau furtif, l'acte de volonté qui transformera un pauvre malheureux en guide de la nation.

Plus tard il murmure à Cranmer : « C'était comme voir Lazare ressusciter. »

Bientôt Henri arpente le palais de Greenwich, préparant les célébrations. Nous sommes encore jeunes, dit-il, et la prochaine fois ce sera un garçon. Un jour nous lui offrirons un magnifique mariage. Croyez-moi, Dieu nous accorde une grâce particulière à travers cette princesse.

Le visage de Boleyn s'illumine. C'est un dimanche, il est quatre heures de l'après-midi. Cromwell va se moquer un peu des clercs qui ont écrit « prince » sur leurs proclamations et qui doivent désormais insérer trois lettres supplémentaires, puis il s'en va calculer les dépenses afférentes à la domesticité de la nouvelle princesse. Il a suggéré que Gertrude, lady Exeter, soit la marraine de l'enfant. Pourquoi la prophétesse serait-elle la seule à avoir des visions d'elle ? Ça lui fera du bien d'être vue par toute la cour tandis qu'elle portera le bébé d'Anne aux fonts baptismaux en esquissant un sourire forcé.

La prophétesse, qui a été amenée à Londres, est gardée dans une demeure privée où les lits sont moelleux et où les voix autour d'elle, les voix des femmes de la maison Cromwell, perturbent à peine ses prières ; où la clé tourne dans la serrure huilée en produisant un petit clic aussi léger qu'un os d'oiseau se brisant. « Mange-t-elle ? » demande-t-il à Mercy, et celle-ci répond, elle mange avec autant d'appétit que vous : enfin, non, Thomas, peut-être pas tout à fait autant.

« Je me demande ce qui est arrivé à son projet de se nourrir uniquement d'hosties.

— Ils ne la voient plus manger, n'est-ce pas ? Ces prêtres et ces moines qui la conseillaient. »

Loin de leur surveillance, la nonne a commencé à se comporter comme une femme ordinaire, répondant aux exigences simples de son corps, comme toute personne qui veut vivre ; mais il est peut-être trop tard. Il aime le fait que Mercy ne s'écrie pas, Ah, la pauvre enfant inoffensive. Car quand ils l'emmènent à Lambeth Palace pour la questionner, il apparaît clairement qu'elle n'est pas si inoffensive que ça. On pourrait croire que le lord-chancelier Audley, avec sa chaîne reposant sur ses splendides épaules, saurait dompter n'importe quelle paysanne. Ajoutez l'archevêque de Canterbury, et on pourrait s'attendre à ce qu'une jeune nonne soit impressionnée. Pas le moins du monde. La nonne traite Cranmer avec condescendance – comme si c'était un novice. Dès qu'il l'interroge sur un point précis et demande : « Comment savez-vous cela ? », elle sourit comme s'il lui faisait pitié et répond : « Un ange me l'a dit. »

Audley amène Richard Riche à leur deuxième séance pour qu'il prenne des notes et fasse toutes les observations qui lui viendront à l'esprit. Il est désormais sir Richard, puisqu'il a été anobli et promu au poste d'avocat général. Quand il était étudiant, il était connu pour ses propos acerbes et calomnieux, pour son irrévérence envers ses aînés, pour son goût pour la boisson et pour le jeu. Mais qui oserait encore lever la tête, si nous étions jugés à l'aune de ce que nous étions à vingt ans ? Il s'avère que Riche est presque aussi doué que Cromwell pour rédiger des lois. Sous ses cheveux blonds et soyeux, ses traits crispés trahissent sa concentration ; les garçons l'appellent Lèvres pincées. On ne croirait jamais, en le voyant étaler ses papiers, qu'il était autrefois la honte de son école. Il le lui fait remarquer, à mi-voix, pendant qu'ils attendent que la fille soit amenée. Eh bien, maître Cromwell ! s'exclame Riche. Si nous parlions de vous et de cette abbesse à Halifax ?

Il se garde bien de nier cette fable ; comme toutes celles que le cardinal a colportées à son sujet.

« Oh, elle, répond-il. Ce n'était rien – c'est la coutume dans le Yorkshire. »

Il craint que la fille ait perçu la fin de leur échange, car aujourd'hui, en s'asseyant sur sa chaise, elle lui lance un regard particulièrement dur. Elle arrange ses jupes, croise les bras et attend qu'ils la divertissent. La nièce de Cromwell, Alice Wellyfed, est assise sur un tabouret près de la porte : juste au cas où la nonne s'évanouirait ou aurait un malaise quelconque. Même s'il suffit de lui jeter un coup d'œil pour comprendre qu'elle ne risque pas plus qu'Audley de s'évanouir.

« Puis-je commencer ? demande Riche.

— Oh, pourquoi pas ? répond Audley. Vous êtes jeune et plein d'entrain.

— Vos prophéties – vous changez toujours la date du désastre que vous annoncez, mais je crois comprendre que vous avez dit que le roi ne régnerait pas un mois après avoir épousé lady Anne. Or, des mois se sont écoulés, lady Anne a été couronnée, et elle a donné au roi une magnifique fille. Alors que dites-vous maintenant ?

— Je dis qu'aux yeux du monde il passe pour le roi. Mais qu'aux yeux de Dieu » – elle hausse les épaules – « il ne l'est plus. Il n'est pas plus le vrai roi que lui, dit-elle en désignant Cranmer, n'est le vrai archevêque. »

Riche ne se laisse pas détourner de son sujet :

« Donc il serait justifié d'organiser une rébellion contre lui ? De le détrôner ? De l'assassiner ? De placer quelqu'un d'autre à sa place ?

— Eh bien, qu'en pensez-vous ?

— Et parmi les prétendants votre choix s'est porté sur la famille Courtenay, pas sur les Pole. Sur Henry, marquis d'Exeter. Pas sur Henry, lord Montague.

— Ou bien, intervient-il d'un ton bienveillant, peut-être les confondez-vous ?

— Bien sûr que non. » Elle rougit. « J'ai rencontré ces deux gentilshommes. »

Riche prend une note.

Audley : « Courtenay, c'est-à-dire lord Exeter, descend d'une fille du roi Édouard. Lord Montague descend du frère du roi Édouard, le duc de Clarence. Comment comparez-vous leur légitimité ? Car si nous parlons de vrais rois et de faux rois, certains affirment qu'Édouard était le fils illégitime que sa mère a eu avec un archer. Pourriez-vous nous éclairer ?

— Pourquoi le ferait-elle ? » demande Riche.

Audley roule les yeux.

« Parce qu'elle parle aux saints dans le ciel. Ils doivent savoir. »

Il regarde Riche, et c'est comme s'il lisait ses pensées : le livre de Machiavel dit que le prince sage extermine les envieux, et si moi, Riche, j'étais roi, ces prétendants et leur famille seraient morts. La fille est prête pour la question suivante : comment se fait-il qu'elle ait vu deux reines dans ses visions ?

« Je suppose que la question se résoudra au combat ? suggère-t-il. Il est bon d'avoir quelques rois et reines en réserve, en cas de guerre civile.

— Une guerre n'est pas nécessaire », réplique la nonne.

Oh ? Lèvres pincées se redresse : c'est une nouveauté.

« Dieu enverra une peste sur l'Angleterre à la place. Henri sera mort dans six mois. Et elle aussi, la fille de Thomas Boleyn.

— Et moi ?

— Vous aussi.

— Et toutes les personnes présentes dans cette pièce ? À part vous, bien entendu ? Toutes y compris Alice Wellyfed, qui ne vous a jamais fait le moindre mal.

— Toutes les femmes de votre maison sont des hérétiques, et la peste les fera pourrir corps et âme.

— Et la princesse Élisabeth ? »

Elle se tourne sur sa chaise pour diriger ses paroles vers Cranmer.

« On dit que quand vous l'avez baptisée, vous avez réchauffé l'eau pour lui éviter un choc. Vous auriez dû la verser bouillante.

— Oh, Dieu du ciel », s'exclame Riche. Il pose sèchement sa plume. « C'est un jeune père délicat, avec une fille au berceau. »

Cromwell pose une main réconfortante sur celle de l'avocat général. On pourrait croire que c'est Alice qui aurait besoin d'être réconfortée ; mais quand la nonne l'a condamnée à mort, il a regardé sa nièce de l'autre côté de la pièce et a remarqué sur son visage une expression de parfaite dérision. Il dit à Riche : « Elle n'a pas trouvé ça toute seule, cette histoire d'eau bouillante. C'est une chose qu'on dit dans la rue. »

Cranmer se replie sur lui-même ; la nonne l'a atteint, elle a marqué un point.

Cromwell dit : « J'ai vu la princesse hier. Elle se porte merveilleusement bien, malgré tous ceux qui lui veulent du mal. »

Sa voix se veut apaisante : il ne faut pas que l'archevêque perde ses moyens. Il se tourne vers la prophétesse.

« Dites-moi : avez-vous localisé le cardinal ?

— Quoi ? demande Audley.

— Dame Elizabeth a dit qu'elle chercherait mon ancien maître, lors de l'une de ses excursions au paradis, en enfer et au purgatoire, et j'ai proposé de lui rembourser les frais du voyage. J'ai versé à ses gens un premier acompte – j'espère qu'il y a eu du progrès ?

— Wolsey aurait vécu quinze ans de plus », déclare la fille. Il acquiesce : il a lui-même dit la même chose. « Mais Dieu l'a abandonné, pour l'exemple. J'ai vu des diables se battre pour son âme.

— Connaissez-vous le résultat du combat ?

— Il n'y a pas de résultat. Je l'ai cherché partout. Je croyais que Dieu l'avait fait disparaître complètement. Et une nuit je l'ai vu. » Une longue hésitation tactique. « J'ai vu son âme parmi les non-nés. »

Il y a un silence. Cranmer se recroqueville sur son siège. Riche mordille doucement le bout de sa plume. Audley triture un bouton sur sa manche, le faisant tourner encore et encore jusqu'à ce que le fil soit sur le point de rompre.

« Je peux prier pour lui si vous voulez, reprend la nonne. Dieu exauce généralement mes requêtes.

— Avant, quand vous aviez vos conseillers autour de vous, le père Bocking, le père Gold, le père Risby et tous les autres, vous auriez commencé à négocier à ce stade. Je vous aurais proposé une certaine somme pour votre bonne volonté, et vos chefs spirituels auraient fait monter les enchères.

— Attendez. » Cranmer porte sa main à sa poitrine. « Pouvons-nous revenir en arrière ? Lord-chancelier ?

— Nous pouvons prendre toute direction qui vous plaira, monseigneur l'archevêque. Nous pouvons même aller au bois cueillir des cerises...

— Vous voyez des diables ? »

Elle acquiesce.

« Comment apparaissent-ils ?

— Sous forme d'oiseaux.

— Quel soulagement, observe sèchement Audley.

— Non, monsieur. Lucifer pue. Ses griffes sont difformes. Il vient sous les traits d'un jeune coq couvert de sang et de merde. »

Il lève les yeux vers Alice en songeant qu'il ferait peut-être bien de la renvoyer. Il se demande, qu'a-t-on fait à cette femme ?

Cranmer dit : « Ça doit être désagréable pour vous. Mais je crois que c'est une caractéristique des diables que de se montrer sous plusieurs formes.

— Oui. Ils font ça pour vous tromper. Il vient me voir sous les traits d'un jeune homme.

— Vraiment ?

— Un jour il a amené une femme. Dans ma cellule, la nuit. » Elle marque une pause. « Il la tripotait. »

Riche : « Tout le monde sait qu'il n'a honte de rien.

— Pas plus que vous.

— Et que s'est-il passé, dame Elizabeth ? Après qu'il l'a tripotée ?

— Il a soulevé ses jupes.

— Et elle n'a pas résisté ? demande Riche. Vous me surprenez. »

Audley : « Le prince Lucifer, je ne doute pas qu'il sache s'y prendre.

— Devant mes yeux, il l'a possédée, sur mon lit. »

Riche prend une note.

« Cette femme, demande-t-il, la connaissiez-vous ? » Pas de réponse. « Et le diable n'a pas essayé de faire la même chose avec vous ? Vous pouvez parler librement. Ça ne sera pas retenu contre vous.

— Il est venu pour me séduire. Se pavanant dans son manteau de soie bleue, c'est le plus beau qu'il ait. Et avec ses nouvelles chausses avec des diamants le long de ses jambes.

— Des diamants le long de ses jambes, répète-t-il. La tentation a dû être grande ? »

Elle secoue la tête.

« Mais vous êtes une jolie jeune femme – vous plairiez à n'importe quel homme, je suppose. »

Elle lève les yeux ; l'ombre d'un sourire.

« Je ne suis pas pour maître Lucifer.

— Qu'a-t-il fait quand vous vous êtes refusée à lui ?

— Il m'a demandée en mariage. » Audley se prend la tête à deux mains. « J'ai dit que j'avais fait vœu de chasteté.

— N'était-il pas furieux que vous ne consentiez pas ?

— Oh si. Il m'a craché au visage.

— Je n'en attendrais pas moins de lui, observe Riche.

— J'ai essuyé son crachat avec une serviette. Il était noir. Il avait la puanteur de l'enfer.

— À quoi cela ressemble-t-il ?

— À quelque chose en train de pourrir.

— Où est-elle désormais, cette serviette ? Je suppose que vous ne l'avez pas envoyée à la blanchisserie ?

— Dom Edward l'a.

— La montre-t-il ? Contre de l'argent ?

— Contre des offrandes.

— Contre de l'argent.

— Si nous faisions une pause ? demande Cranmer.

— Un quart d'heure ? » suggère Riche. Audley : « Je vous avais dit qu'il était jeune et plein d'entrain.

— Peut-être nous reverrons-nous demain, dit Cranmer. J'ai besoin de prier. Et un quart d'heure ne suffira pas.

— Mais demain, c'est dimanche, objecte la nonne. Il y a un homme qui est allé à la chasse un dimanche et il est tombé dans un puits sans fond jusqu'aux enfers. Imaginez ça.

— Comment le puits pouvait-il être sans fond, demande Riche, si l'enfer se trouvait au bout ?

— J'aimerais bien aller à la chasse, déclare Audley. Dieu sait que je prendrais le risque. »

Alice se lève de son tabouret et fait signe à son escorte d'approcher. La nonne se lève à son tour. Elle est tout sourire. Elle a fait flancher l'archevêque, donné froid dans le dos à Cromwell et quasiment fait pleurer l'avocat général avec ses histoires de bébé ébouillanté. Elle croit gagner ; mais elle perd, perd, perd tout le temps. Alice pose doucement la main sur son bras, mais la jeune femme la repousse sèchement.

Dehors, Richard Riche déclare : « Nous devrions la brûler. »

Cranmer réplique : « Même si nous n'aimons pas l'entendre évoquer les soi-disant apparitions de feu le cardinal, ni les diables dans sa chambre, elle parle ainsi parce qu'on lui a appris à singer les propos de certaines nonnes qui ont existé avant elle, des nonnes que Rome se plaît à reconnaître comme des saintes. Je ne peux pas les condamner pour hérésie rétrospectivement. Et je n'ai pas non plus les preuves suffisantes pour la juger pour hérésie.

— La brûler pour trahison, voilà ce que je voulais dire. »

Telle est la peine pour une femme ; alors qu'un homme est à moitié pendu et castré, avant d'être lentement éviscéré par le bourreau.

Il dit : « Il n'y a pas de délit manifeste. Elle n'a fait qu'exprimer une intention.

— L'intention d'organiser une rébellion, de détrôner le roi, cela ne devrait-il pas être considéré comme une trahison ? Des paroles ont été interprétées comme des trahisons, il y a des précédents, vous les connaissez.

— Je serais très étonné, dit Audley, qu'ils aient échappé à l'attention de Cromwell. »

C'est comme s'ils sentaient l'odeur du crachat du diable ; ils se bousculent presque pour retrouver l'air frais, qui est en fait doux et moite : un faible parfum de feuilles, une lumière frémissante d'un vert doré. Il voit bien que, dans les années à venir, la trahison prendra de nouvelles formes variées. Quand la dernière loi contre la trahison a été passée, personne ne pouvait la faire circuler sous forme de texte imprimé pour la bonne raison que l'imprimerie n'existait pas. Il se sent brièvement jaloux des morts, de ceux qui ont servi des rois à des époques plus lentes que celle-ci ; de nos jours, le produit d'un cerveau corrompu ou empoisonné peut être disséminé à travers l'Europe en un mois.

« Je crois que de nouvelles lois sont nécessaires, dit Riche.

— Je m'en charge.

— Et je crois que cette femme bénéficie de trop d'indulgence. Nous sommes trop mous. Nous ne faisons que jouer avec elle. »

Cranmer s'éloigne, épaules voûtées, la traîne de son habit soulevant les feuilles. Audley se tourne vers Cromwell, radieux et déterminé, un homme pressé de changer de sujet.

« Donc, dites-vous, la princesse se portait bien ? »

La princesse, désemmaillotée, a été placée sur des coussins aux pieds d'Anne : un petit bout de femme pleurnichard, pourpre et laid, avec une touffe de cheveux pâles dressés sur la tête et la fâcheuse habitude de retrousser sa robe à force de battre des jambes comme si elle voulait exhiber son attribut le plus infortuné. Il semble que le bruit court que la fille d'Anne est née avec des dents, six doigts à chaque main et un corps aussi poilu qu'un singe, si bien que son père l'a montrée nue aux ambassadeurs et que sa mère l'expose constamment pour faire taire les rumeurs. Le roi a choisi de l'installer à Hatfield, et Anne dit : « Il me semble que nous pourrions éviter des dépenses inutiles et rétablir notre préséance en dissolvant la maison de Marie l'Espagnole et en faisant entrer l'ancienne princesse au service de ma fille Élisabeth.

— En tant que… ? »

L'enfant est silencieuse ; uniquement, remarque-t-il, parce qu'elle a la main dans sa gueule et se cannibalise toute seule.

« En tant que servante de ma fille. Que serait-elle

d'autre ? Il ne peut y avoir nulle prétention à l'égalité. Marie est illégitime. »

Le bref répit est terminé ; la princesse pousse un hurlement qui réveillerait les morts. Le regard d'Anne glisse sur le côté, et un sourire plein d'affection envahit son visage. Elle se penche vers sa fille, mais les femmes se précipitent aussitôt et la créature hurlante est soulevée, enveloppée, emmenée, et les yeux de la reine la suivent pitoyablement tandis que le fruit de son ventre s'éloigne, en procession.

Il déclare doucement : « Je crois qu'elle avait faim. »

Samedi soir : souper à Austin Friars en l'honneur de Stephen Vaughan, si souvent en transit : William Butts, Hans, Kratzer, Appelez-Moi-Risley. La conversation est en plusieurs langues et Rafe Sadler traduit habilement, sans accrocs, sa tête pivotant d'un côté et de l'autre : des sujets élevés et d'autres dérisoires, talent politique et rumeurs, théologie de Zwingli, la femme de Cranmer. Il a été impossible d'empêcher les ragots sur cette dernière de se répandre dans le Steelyard.

Vaughan demande : « Henri peut-il savoir et ne pas savoir ?

— C'est parfaitement possible. C'est un prince aux talents multiples. »

De plus en plus multiples, observe Wriothesley en riant ; le docteur Butts déclare, il fait partie de ces hommes qui ont besoin d'être actifs, et récemment sa jambe l'a fait souffrir, cette vieille blessure ; mais songez-y, comment un homme qui ne s'est jamais économisé, que ce soit à la chasse ou à la joute, n'aurait-il pas quelque blessure quand il atteint l'âge du roi ? Il a quarante-trois ans, vous savez, et je serais heureux,

Kratzer, de savoir ce que vous disent les planètes sur les prochaines années d'un homme dont le thème est tellement dominé par l'air et le feu ; à ce propos, n'ai-je pas toujours mis en garde contre sa lune dans le Bélier (une planète imprévisible et néfaste) dans la maison du mariage ?

Il réplique, impatient, nous n'avons guère entendu parler de la lune dans le Bélier durant les vingt années qu'il a passées avec Catherine. Ce ne sont pas les étoiles qui nous font, docteur Butts, ce sont les circonstances et la *necessità*, les choix que nous faisons sous la pression ; nos vertus nous font, mais les vertus ne suffisent pas, nous devons parfois déployer nos vices. N'êtes-vous pas d'accord ?

Il fait signe à Christophe de venir remplir leurs verres. Ils parlent de la Monnaie, où Vaughan doit obtenir un poste ; de Calais, où Honor Lisle semble plus occupée que son mari le gouverneur. Il songe ensuite à Giulio Camillo à Paris, allant et venant nerveusement entre les murs en bois de sa machine à mémoire, tandis que la connaissance s'accumule toute seule dans ses cavités et ses compartiments cachés. Il songe à la prophétesse, la Sainte Pucelle – dont il a été établi qu'elle n'était ni sainte, ni pucelle –, qui est sans doute en ce moment même en train de souper avec ses nièces. Il songe à ses collègues interrogateurs : Cranmer agenouillé en prière, Lèvres pincées plissant les yeux au-dessus des transcriptions du jour, Audley – que peut bien faire le lord-chancelier ? Astiquer sa chaîne d'or, décide-t-il. Il songe à demander à Vaughan, en aparté, n'y avait-il pas chez vous une fille nommée Jenneke ? Que lui est-il arrivé ? Mais Wriothesley interrompt le fil de ses pensées.

« Quand verrons-nous le portrait de mon maître ? Vous y travaillez depuis un moment, Hans, il est temps que vous l'apportiez à la maison. Nous avons hâte de voir ce que vous avez fait de lui.

— Il est toujours occupé avec les émissaires français, déclare Kratzer. Dinteville veut emporter son tableau chez lui quand il sera rappelé... »

On rit un peu aux dépens de l'ambassadeur français qui passe son temps à faire et défaire ses valises selon le bon vouloir de son maître.

« En tout cas, j'espère qu'il ne l'emportera pas trop vite, dit Hans, car j'ai l'intention de le montrer pour obtenir des commandes. Je veux que le roi le voie, de fait, je veux peindre le roi, cela vous semble-t-il possible ?

— Je lui demanderai, répond Cromwell avec décontraction. Laissez-moi choisir le moment. »

Il regarde vers l'autre bout de la table et voit Vaughan rayonnant de fierté, comme Jupiter sur un plafond peint.

Après s'être levés de table, ses invités mangent du gingembre et des fruits confits, et Kratzer fait quelques dessins. Il représente la Lune et les planètes se déplaçant sur leurs orbites d'après le plan que lui a enseigné le père Copernic. Il montre comment le monde tourne sur son axe, et personne dans la pièce ne proteste. Ils sentent sous leur pied la traction et le poids du monde, les roches qui gémissent pour s'extirper de leur lit, les océans inclinés qui s'abattent sur les rives, le jaillissement vertigineux des cols alpins, les forêts d'Allemagne arrachant leurs racines pour se libérer. Le monde n'est plus ce qu'il était quand Vaughan était jeune, il n'est même plus ce qu'il était à l'époque du cardinal.

Les invités sont partis lorsque Alice rentre, passant devant les gardiens, enveloppée dans une grande cape ; elle est escortée par Thomas Rotherham, l'un des pupilles de Cromwell qui réside à Austin Friars.

« Ne craignez rien, sir, dit-elle. Jo est avec dame Elizabeth, et rien n'échappe à Jo. »

Vraiment ? L'enfant qui pleurait tout le temps devant ses ouvrages de couture ratés ? Cette petite fille sale qu'on retrouvait parfois en train de se rouler sous la table avec un chien mouillé, ou pourchassant un camelot dans la rue ?

« J'aimerais vous parler, poursuit Alice, si vous avez un moment à m'accorder ? »

Bien sûr, répond-il en lui prenant la main ; Thomas Rotherham blêmit – ce qui ne manque pas de l'intriguer – et s'éclipse.

Alice s'assied dans son bureau. Elle bâille.

« Excusez-moi, mais elle a un caractère de chien et les journées sont longues. » Elle enfonce une mèche de cheveux sous son bonnet. « Elle est sur le point de craquer, ajoute-t-elle. Elle joue les braves quand elle est face à vous, mais elle pleure la nuit parce qu'elle sait que ses visions sont une imposture. Mais même quand elle pleure, elle vous regarde sous cape pour voir l'effet qu'elle produit.

— Je veux que ça se termine, dit-il. Malgré tous les problèmes qu'elle a causés, il est parfaitement ridicule que trois ou quatre experts en droit et en religion se réunissent chaque jour dans l'espoir de faire vaciller cette gamine.

— Pourquoi ne pas l'avoir amenée ici plus tôt ?

— Je voulais qu'elle poursuive son commerce de prophétesse. Je voulais voir qui irait la consulter. Et lady Exeter y est allée, de même que l'évêque Fisher. Plus une dizaine de moines et de prêtres idiots que j'ai identifiés, et peut-être une centaine dont je ne connais pas encore le nom.

— Et le roi les fera-t-il tous exécuter ?

— Très peu, j'espère.

— Vous l'incitez à la pitié ?

— Je l'incite à la patience.

— Qu'arrivera-t-il à dame Elizabeth ?

— Nous l'inculperons.

— Elle ne finira pas dans un cachot ?

— Non, je presserai le roi de la traiter avec égards. Il montre toujours – enfin, généralement – du respect pour les membres des ordres religieux. » Il voit qu'elle est en train de fondre en larmes. « Mais je crois, Alice, que tout cela a été trop éprouvant pour toi.

— Non, pas du tout. Nous sommes les soldats de votre armée.

— Elle ne t'a pas effrayée, au moins, avec ses histoires de diables qui font des propositions indécentes ?

— Non, ce sont les propositions de Thomas Rotherham qui m'effraient… il veut m'épouser.

— C'est donc ça, son problème ! » Il est amusé. « Ne pouvait-il pas me demander directement ?

— Il pensait que vous le regarderiez bizarrement… comme si vous estimiez sa valeur. »

Comme une pièce rognée ?

« Alice, il possède une bonne partie du Bedfordshire, et ses manoirs prospèrent joliment depuis que je m'en occupe. Et si vous vous appréciez, comment pourrais-je m'y opposer ? Tu es une fille intelligente, Alice. Ta mère, dit-il doucement, et ton père, ils seraient très fiers de toi, s'ils pouvaient te voir. »

C'est pour ça qu'elle pleure. Parce qu'elle doit demander la permission à son oncle depuis qu'elle s'est retrouvée orpheline cette année. Le jour où sa sœur Bet est morte, il était à la campagne avec le roi. Henri ne recevait aucun messager de Londres par peur de la contagion, si bien qu'elle était morte et enterrée avant même qu'il apprenne qu'elle était malade. Quand la nouvelle lui est enfin parvenue, le roi lui a parlé tendrement, une main posée sur son bras ; puis il a parlé de sa propre sœur, la femme aux cheveux argentés comme une princesse de conte de fées, qui avait quitté cette vie pour aller aux jardins du paradis qui, prétendait-il, étaient réservés aux morts de sang royal ; car on ne peut imaginer, avait-il ajouté, cette femme dans un endroit laid, dans un endroit de ténèbres, dans le charnier du purgatoire avec ses cendres qui volent et sa puanteur de soufre, son goudron bouillonnant et ses nuages chargés de neige fondue.

« Alice, dit-il, sèche tes larmes, va retrouver Thomas Rotherham et abrège ses souffrances. Tu n'as pas besoin de retourner à Lambeth demain. Jo peut y aller, si elle est aussi formidable que tu le dis. »

Alice se retourne dans l'entrebâillement de la porte.

« Mais je la reverrai ? Elizabeth Barton ? J'aimerais la voir avant que... »

Avant qu'ils la tuent. Alice n'est pas innocente. Et c'est aussi bien comme ça. Regardez comment finissent les innocents ; abusés par les pécheurs et les cyniques, soumis à leur volonté et foulés aux pieds.

Il entend Alice courir à l'étage. Il l'entend appeler, Thomas, Thomas... La moitié des hommes de la maison vont précipitamment abandonner leurs prières ou quitter leur lit en croyant que c'est eux qu'elle appelle :

oui, vous me cherchez ? Il resserre sa cape en fourrure autour de lui et sort regarder les étoiles. Le parc de la maison est bien éclairé ; à la lueur des torches le jardin ressemble à un site d'excavation avec ses tranchées creusées dans le sol, la terre entassée dans des brouettes ou sur l'herbe. La grande charpente en bois d'une nouvelle aile se détache sur le ciel ; à une faible distance, ses nouvelles plantations, le verger où un jour Gregory cueillera des fruits, où Alice ira chercher ses fils. Il possède déjà des arbres fruitiers, mais il veut des cerises et des prunes comme celles qu'il a mangées à l'étranger, et des poires tardives, pour associer comme en Toscane leur chair croquante et métallique à de la morue salée. Et l'année prochaine il compte aménager un autre jardin dans le parc du pavillon de chasse qu'il possède à Canonbury pour en faire une retraite loin de la ville, une maison d'été au milieu des champs. Il agrandit aussi la maison de Stepney ; John Williamson surveille les ouvriers pour lui. C'est étrange, mais la prospérité de la famille semble l'avoir miraculeusement guéri de la toux qui le tuait à petit feu. J'aime John Williamson, songe-t-il, comment ai-je pu, avec sa femme… En dehors de la propriété, des cris et des hurlements résonnent. Londres n'est jamais calme ni silencieuse. Il y a tant de monde dans les cimetières, mais c'est un défilé permanent dans les rues ; les ivrognes qui se bagarrent et finissent dans la rivière, les bandits qui quittent discrètement leur sanctuaire pour aller voler, les prostituées de Southwark qui annoncent en beuglant leur prix comme des bouchers vendant de la chair morte.

Il retourne dans la maison. Son bureau l'attire. Dans une petite malle il conserve les livres de sa femme, son livre d'heures. Dedans, il trouve des feuilles volantes sur lesquelles elle a noté des prières. Prononcez mille fois le nom du Christ et vous serez protégé de la fièvre. Mais ça ne marche pas, n'est-ce pas ? La fièvre vous rattrape tout de même et vous tue. À côté du nom de son premier mari, Thomas Williams, elle a inscrit son nom à lui, mais elle n'a jamais rayé Thomas Williams. Elle a noté la date de naissance de ses enfants, et il a ajouté à côté la date du décès de ses filles. Il trouve encore un peu de place pour noter les mariages des enfants de sa sœur : Richard à Frances Murfyn, Alice à Thomas Rotherham.

Il se demande s'il s'est remis de la mort de Liz. Il semblait impossible que ce poids disparaisse de sa poitrine, mais il s'est suffisamment allégé pour lui permettre de poursuivre sa vie. Je pourrais me remarier, pense-t-il, mais n'est-ce pas là ce que tout le monde me dit tout le temps ? Je ne pense plus jamais à Johane Williamson : du moins pas telle qu'elle était pour moi. Son corps a eu une signification particulière, mais cette signification s'est effacée ; la chair qu'il sentait sous ses doigts, sanctifiée par le désir, est devenue la substance ordinaire d'une femme, une femme de plus en plus lointaine et sans beauté particulière. Il se dit qu'il ne pense plus jamais à Anselma ; qu'elle est simplement la femme de la tapisserie, la femme dans la trame.

Il attrape de quoi écrire. Je me suis remis de Liz, se répète-t-il. Vraiment ? Il hésite, tenant dans sa main sa plume alourdie par l'encre. Il pose la page à plat et raye le nom de son premier mari. Des années que je voulais faire ça.

Il est tard. À l'étage, la lune le regarde à travers la fenêtre de son œil creux, tel un ivrogne égaré dans la rue. Il ferme les volets.

Christophe, occupé à plier des habits, demande :
« Y a-t-il des *loups** dans ce royaume ?

— Je crois que les loups sont tous morts quand les grandes forêts ont été abattues. Ces hurlements que tu entends, ce sont simplement les Londoniens. »

Dimanche : dans l'aube rosée ils quittent Austin Friars. Ses hommes dans leur nouvelle livrée d'un gris marbré vont chercher les personnes qui se trouvent dans la maison de ville où est gardée la nonne. Ce serait pratique, songe-t-il, si j'avais la barge du secrétaire du roi au lieu de devoir trouver un arrangement de dernière minute chaque fois que nous avons besoin de traverser la rivière. Il a déjà entendu la messe ; Cranmer insiste pour qu'ils en entendent une autre ensemble. Il regarde la jeune femme et voit ses larmes couler. Alice a raison, elle est en train de craquer.

À neuf heures elle déroule les fils qu'elle a mis des années à embrouiller. Elle se confesse sans détour, si rapidement que Riche peine à suivre. Sa franchise plaît à ces hommes du monde, à ces gens qui ont beaucoup à faire.

« Vous savez comment c'est. Vous dites une chose et tout le monde se jette sur vous : comment ça, comment ça ? Vous expliquez que vous avez eu une vision et ils ne vous fichent plus la paix.

— Et vous ne pouvez pas décevoir les gens ? » demande-t-il.

Elle acquiesce, c'est ça, vous ne pouvez pas. Une fois que vous avez commencé, vous devez continuer. Si vous essayez de revenir en arrière, ils vous massacrent.

Elle avoue que ses visions sont des inventions. Elle n'a parlé à aucune personne céleste. Ni ressuscité de mort ; c'était une vaste imposture. Elle n'a jamais accompli le moindre miracle. La lettre de Marie Madeleine, c'est le père Bocking qui l'a écrite, et un moine a rehaussé d'or les caractères, son nom va lui revenir dans une minute. Les anges étaient le fruit de sa propre imagination, elle croyait les avoir vus mais elle sait maintenant que c'étaient juste des éclats de lumière sur le mur. Les voix qu'elle a entendues n'étaient pas leur voix, ce n'étaient d'ailleurs même pas des voix distinctes, rien que le son des sœurs qui chantaient dans la chapelle, ou d'une femme qui pleurait sur la route parce qu'elle s'était fait battre et détrousser, ou peut-être le fracas dénué de sens de la vaisselle dans la cuisine ; et ces gémissements et ces cris qui semblaient émaner de la gorge des damnés, c'était quelqu'un qui faisait glisser un tréteau sur le sol, un chien perdu qui geignait.

« Je sais désormais, messieurs, que ces saints n'étaient pas réels. Pas de la même manière que vous, vous êtes réels. »

Quelque chose s'est brisé en elle, et il se demande quoi.

Elle poursuit : « Y a-t-il une chance que je puisse un jour retourner dans le Kent ?

— Je verrai ce qu'on pourra arranger. »

Hugh Latimer est avec eux, et il lui lance un regard dur, comme s'il faisait de fausses promesses. Non, vraiment, insiste-t-il. Laissez-moi m'en occuper.

Cranmer lui dit doucement : « Avant que vous puissiez aller où que ce soit, vous allez devoir reconnaître publiquement votre imposture. Vous confesser en public.

— Elle n'a pas peur des foules, n'est-ce pas ? »

703

Des années qu'elle est sur la route, un vrai spectacle itinérant, et elle recommencera, mais cette fois la nature du spectacle sera différente ; il veut l'exhiber, repentante, à la croix de Saint-Paul, et peut-être aussi en dehors de Londres. Il sent qu'elle endossera son rôle de mystificatrice avec autant de délectation qu'elle a endossé son rôle de sainte.

Il dit à Riche, Machiavel nous explique que les prophètes désarmés échouent toujours. Il sourit et ajoute, je dis cela, Ricardo, car je sais que vous aimez avoir de solides références.

Cranmer se penche en avant et demande à la nonne, ces hommes autour de vous, Edward Bocking et les autres, lesquels d'entre eux étaient vos amants ?

Elle est abasourdie : peut-être parce que la question vient de lui, le plus doux de ses interrogateurs. Elle se contente de le regarder d'un air ahuri, comme s'il était idiot.

Elle pense peut-être qu'amants n'est pas le terme, murmure Cromwell.

Assez. À Audley, à Latimer, à Riche, il dit : « Je vais commencer à faire venir ses disciples et ses meneurs. Nous avons désormais de quoi provoquer la perte de bon nombre d'entre eux, si c'est ce que nous voulons. Fisher, certainement, Margaret Pole, peut-être, Gertrude et son mari, assurément. Lady Marie, la fille du roi, très probablement. Thomas More, non, Catherine, non, mais un bon paquet de franciscains. »

Le tribunal se lève, pour autant qu'on puisse appeler ça un tribunal. Jo se lève à son tour. Elle a passé son temps à coudre – ou plutôt, à découdre, ôtant les grenades qui ornaient le bord d'un ouvrage de broderie, autant de vestiges de Catherine, du royaume poussiéreux de Grenade, qui ont besoin d'être effacés[1]. Elle replie son ouvrage, enfonce ses ciseaux dans sa poche, pince sa manche et plante l'aiguille dans l'étoffe pour la réutiliser plus tard. Elle marche jusqu'à la prisonnière et lui pose la main sur le bras.

« Nous devons nous dire adieu.

— William Hawkhurst, déclare soudain la jeune femme. Le nom m'est revenu. Le moine qui a rehaussé d'or la lettre de Marie Madeleine. »

Richard Riche prend une note. « Ne dites rien de plus aujourd'hui, conseille Jo.

— M'accompagnerez-vous, madame ? Là où je vais ?

— Personne ne vous accompagnera, répond Jo. Je ne crois pas que vous ayez bien compris, dame Elizabeth. Vous allez à la Tour, et je rentre dîner chez moi.»

Cet été 1533 fut un été sans nuages, un été d'agapes de fraises dans les jardins de Londres, d'abeilles bourdonnant et de soirées chaudes, idéales pour flâner sous les tonnelles de roses et écouter dans les allées le bruit des hommes se disputant durant leurs parties de boules. La récolte de céréales est abondante, même dans le Nord. Les arbres ploient sous le poids des fruits mûrs. Comme s'il avait décrété que l'été devait continuer, la cour du roi flamboie tout au long de l'automne. Monseigneur le père de la reine brille comme le soleil, et autour de lui tournoie une planète plus petite mais tout aussi étincelante, son fils George Rochford. Mais c'est Brandon qui mène la danse, galopant dans

---

1. Le symbole personnel de Catherine d'Aragon était une grenade surmontée d'une couronne. *(N.d.T.)*

les couloirs vers sa nouvelle épouse, qui est âgée de quatorze ans. C'est une héritière, et elle était promise à son fils, mais Charles a estimé qu'un homme plus expérimenté en ferait meilleur usage.

Les Seymour ont laissé leur scandale familial derrière eux, et les choses commencent à s'arranger.

Jane Seymour lui dit, tout en regardant ses pieds : « Maître Cromwell, mon frère Edward a souri la semaine dernière.

— C'était bien audacieux de sa part, et comment cela se fait-il ?

— Il a appris que sa femme était malade. Celle que mon père… vous savez.

— Risque-t-elle de mourir ?

— Oh, très probablement. Alors il en aura une nouvelle. Mais il la gardera chez lui à Elvetham et ne la laissera jamais approcher à moins d'un mile de Wolf Hall. Et quand mon père ira à Elvetham, il l'enfermera dans la lingerie jusqu'à ce qu'il soit reparti. »

La sœur de Jane, Lizzie, est à la cour avec son mari, qui est un parent de la nouvelle reine. Lizzie arrive enveloppée de velours et de dentelle, ses traits aussi fermes que ceux de sa sœur sont indéfinis et flous, ses yeux noisette à la fois effrontés et éloquents. Jane murmure dans son sillage ; ses yeux ont la couleur de l'eau et laissent transparaître ses pensées, tels des poissons dorés trop petits pour être pris à l'hameçon ou au filet.

Jane Rochford – une femme qu'il juge trop oisive – le voit regarder les sœurs.

« Lizzie Seymour doit avoir un amant, déclare-t-elle, ça ne peut être son mari qui lui donne cette rougeur aux joues, vu que c'est un vieillard. Il était

706

déjà vieux quand il a participé aux guerres contre les Écossais. » Les deux sœurs ne se ressemblent guère, observe-t-elle ; elles ont juste la même manière de baisser vivement la tête et de se mordiller la lèvre. « Sinon, ajoute-t-elle avec un petit sourire narquois, on pourrait croire que leur mère s'est adonnée aux mêmes petits jeux que leur père. C'était une beauté en son temps, vous savez, Margery Wentworth. Et personne ne sait ce qui se passe dans le Wiltshire.

— Je suis surpris que vous l'ignoriez, lady Rochford. Vous semblez tout savoir sur tout le monde.

— Vous et moi, nous ouvrons l'œil. » Elle baisse la tête et dit, comme si ses paroles s'adressaient à elle-même : « Je peux ouvrir l'œil, si vous voulez, dans des endroits où vous ne pouvez vous rendre. »

Seigneur, que veut-elle ? Certainement pas de l'argent ? Il demande, plus froidement qu'il ne le voudrait : « Et que voudriez-vous en échange ? »

Elle lève les yeux et le regarde.

« J'aimerais votre amitié.

— Je l'accorde sans conditions.

— Je pensais pouvoir vous aider. Car votre alliée lady Carey est partie voir sa fille à Hever. On n'a plus besoin d'elle ici depuis qu'Anne a repris du service dans la chambre à coucher. Pauvre Mary. » Elle éclate de rire. « Dieu lui avait distribué de bonnes cartes, mais elle n'a jamais su comment les jouer. Dites-moi, que ferez-vous si la reine n'a pas d'autre enfant ?

— Il n'y a aucune raison qu'elle n'en ait pas. Sa mère avait un enfant par an. Boleyn se plaignait que ça le ruinait.

— Avez-vous remarqué que quand un homme a un fils, il s'attribue tout le mérite, et quand il a une fille, il blâme son épouse ? Et s'ils n'ont pas du tout d'enfant, on dit que c'est parce que le ventre de la femme est stérile. Jamais parce que la semence du mari est mauvaise.

— C'est la même chose dans les Évangiles. Tout est toujours à cause du sol aride. »

Les endroits pierreux, les terres sèches couvertes d'épines. Jane Rochford est toujours sans enfant après sept ans de mariage.

« Je crois que mon mari voudrait que je meure. » Elle dit ça d'un ton léger. Il ne sait pas quoi répondre. Il ne lui a pas demandé de confidences. « Si je meurs, poursuit-elle sur le même ton enjoué, faites ouvrir mon corps. Je vous le demande en tant qu'amie. Je crains le poison. Mon mari et sa sœur s'enferment pendant des heures, et Anne connaît toutes sortes de poisons. Elle s'est vantée qu'elle donnera à Marie un petit déjeuner dont elle ne se remettra pas. » Il attend. « Je parle de Marie la fille du roi. Même si je suis sûre que, si l'envie la prenait, Anne n'aurait aucun scrupule à se débarrasser de sa propre sœur. » Elle lève de nouveau les yeux. « Au fond de votre cœur, si vous êtes honnête, vous aimeriez savoir les choses que je sais. »

Il se dit qu'elle doit être seule, et qu'elle nourrit en elle un cœur féroce, comme Leontina dans sa cage. Elle s'imagine que tout est à propos d'elle, chaque regard, chaque conversation secrète. Elle craint que les autres femmes aient pitié d'elle, et elle déteste qu'on ait pitié d'elle.

« Que savez-vous de mon cœur ? demande-t-il.

— Je sais où vous l'avez laissé.

— C'est plus que je n'en sais moi-même.

— Ce n'est pas rare chez les hommes. Je peux

vous dire qui vous aimez. Pourquoi ne la demandez-vous pas en mariage, si vous l'aimez ? Les Seymour ne sont pas riches. Ils vous vendront Jane et serons ravis de faire affaire.

— Vous vous trompez quant à la nature de mes intérêts. J'ai de jeunes hommes chez moi, des pupilles, et c'est leur mariage qui me préoccupe.

— Oh, tralala, fait-elle. Changez de refrain. Allez chanter votre chanson aux bébés dans la nursery. Ou à vos collègues de la Chambre des communes, puisque vous avez l'habitude de leur mentir. Mais n'espérez pas m'abuser.

— Pour une femme qui offre son amitié, vous êtes sévère.

— Vous feriez bien de vous y habituer, si vous voulez mes informations. Quand vous entrez dans la chambre d'Anne ces temps-ci, que voyez-vous ? La reine à son prie-Dieu. Ou bien la reine cousant une robe pour une mendiante, avec autour du cou des perles grosses comme des pois chiches. »

Difficile de ne pas sourire. Le portrait qu'elle dresse est exact, et Cranmer est ravi : il considère Anne comme l'exemple même de la femme pieuse.

« Mais croyez-vous que c'est ce qui se passe réellement ? Croyez-vous qu'elle a cessé de recevoir de jeunes hommes fringants ? Les devinettes, les poèmes, les chansons à son sujet, croyez-vous qu'elle a abandonné tout ça ?

— Elle a le roi pour faire son éloge.

— Elle n'entendra pas une gentillesse de sa part tant qu'elle ne sera pas de nouveau enceinte.

— Et qu'est-ce qui empêcherait que ça se produise ?

— Rien. S'il se montre à la hauteur de la tâche.

— Faites attention. »

Il sourit.

« Je ne savais pas que c'était une trahison de dire ce qui se passe dans le lit d'un prince. Toute l'Europe a parlé de Catherine, quelle partie du corps est allée où, a-t-elle été pénétrée, et si c'est le cas, le savait-elle ? » Elle lâche un petit ricanement. « La jambe d'Henri le fait souffrir la nuit. Il craint que la reine lui donne un coup de pied pendant leurs ébats. » Elle se plaque la main sur la bouche, mais les mots s'échappent furtivement entre ses doigts. « Mais si elle reste allongée sans bouger sous lui il dit, quoi, madame, concevoir mon héritier vous intéresse donc si peu ?

— Je ne vois pas ce qu'elle est censée faire.

— Elle dit qu'elle n'a aucun plaisir avec lui. Et lui, comme il s'est battu sept ans pour l'avoir, il a du mal à accepter que les choses tournent déjà au vinaigre. Mais elles avaient tourné au vinaigre avant même qu'ils rentrent de Calais, voilà ce que je pense. »

C'est possible ; peut-être étaient-ils las de se battre, épuisés. Pourtant il lui offre de si magnifiques cadeaux. Et ils se disputent tellement. Se disputeraient-ils autant s'ils étaient indifférents ?

« Donc, poursuit-elle, entre les coups de pied, la jambe douloureuse, les piètres prouesses d'Henri et l'absence de désir d'Anne, ce sera un miracle si nous avons un jour un prince de Galles. Oh, il sait y faire, à condition d'avoir une nouvelle femme chaque semaine. Mais s'il a besoin de nouveauté, qui peut affirmer qu'elle n'en a pas elle aussi besoin ? Son propre frère est à son service. »

Il se tourne pour la dévisager.

« Dieu vous vienne en aide, lady Rochford, dit-il.

— Pour lui présenter ses amis, voyons ! Que croyiez-vous que je voulais dire ? »

Un petit rire grinçant.

« Savez-vous vous-même ce que vous voulez dire ? Vous êtes à la cour depuis assez longtemps pour savoir quels jeux on y joue. Qu'importe qu'une femme reçoive des poèmes et des compliments, même si elle est mariée. Elle sait que son mari écrit des poèmes ailleurs.

— Oh, c'est vrai. Du moins moi, je le sais. Il n'est pas une petite dévergondée à trente miles à la ronde qui n'ait reçu un poème de Rochford. Mais si vous croyez que la galanterie s'arrête à la porte de la chambre à coucher, alors vous êtes plus innocent que je ne le croyais. Vous êtes peut-être amoureux de la fille de Seymour, mais vous n'avez pas besoin d'imiter son esprit de mouton. »

Il sourit.

« Les moutons sont malins. Les bergers disent qu'ils se reconnaissent entre eux. Qu'ils répondent à leur nom. Qu'ils se font des amis pour la vie.

— Et je vais vous dire qui va et vient entre toutes les chambres ; c'est ce petit sournois de Mark. C'est lui l'intermédiaire entre eux tous. Mon mari le paie en boutons de nacre, en boîtes de dragées et en plumes pour son chapeau.

— Pourquoi, lord Rochford est-il à court d'argent ?

— Songeriez-vous à lui accorder un prêt ?

— Comment ne pas y songer ? » Au moins, se dit-il, il y a une chose que nous partageons : une antipathie irrépressible envers Mark. Dans la maison de Wolsey son travail était de diriger les enfants de la chorale. Ici, il ne fait rien à part être partout où la cour se trouve,

711

à plus ou moins grande proximité des appartements de la reine. « Eh bien, je ne vois pas ce que ce garçon fait de mal, dit-il.

— Il colle aux basques des gens qui valent mieux que lui. Il ne connaît pas sa place. C'est un moins que rien parvenu qui saisit sa chance parce que nous vivons une époque troublée.

— Je suppose que vous pourriez dire la même chose à mon sujet, lady Rochford. Et je suis certain que vous le faites. »

Thomas Wyatt arrive à Austin Friars cahin-caha à bord d'une charrette. Il apporte des corbeilles de noisettes et d'avelines, des boisseaux de pommes du Kent. « La venaison arrive, dit-il en sautant à terre. J'apporte les fruits frais, pas les carcasses. » Ses cheveux sentent la pomme, ses habits sont poussiéreux à cause du trajet. « Maintenant vous allez me dire, ajoute-t-il, que j'ai risqué un pourpoint qui vaut...

— Les revenus annuels du charretier. »

Wyatt semble soudain penaud.

« J'oublie que vous êtes mon père.

— Je t'ai réprimandé, maintenant nous pouvons parler de choses légères. »

Debout dans un carré de lumière d'automne hésitante, il tient une pomme dans sa main. Il l'épluche avec un couteau à fine lame, et les peaux se détachent de la chair en murmurant et tombent sur ses papiers, comme une ombre verte sur les feuilles blanches et l'encre noire.

« As-tu vu lady Carey pendant que tu étais à la campagne ?

— Mary Boleyn à la campagne. Quels plaisirs doux

comme la rosée viennent à l'esprit. Je suppose qu'elle est en train de copuler dans un fenil.

— C'est juste que je veux l'avoir sous la main pour la prochaine fois que sa sœur sera *hors de combat**. »

Wyatt s'assied parmi les dossiers, une pomme à la main.

« Cromwell, supposez que vous ayez passé sept ans hors d'Angleterre ? Que vous ayez vécu comme un chevalier dans un conte, comme dans un enchantement ? Vous regarderiez maintenant autour de vous et vous vous demanderiez, qui sont-ils, tous ces gens ? »

Cet été, Wyatt a juré qu'il resterait dans le Kent. Qu'il lirait et écrirait les jours pluvieux, et chasserait quand il ferait beau. Mais l'automne arrive, et les nuits se font plus sombres, et Anne l'attire ici encore et encore. Cromwell pense que Wyatt est sincère ; et si Anne est hypocrite, il est difficile de repérer les signes de son hypocrisie. On ne peut pas plaisanter avec elle ces temps-ci. On ne peut pas rire. Il faut la croire parfaite, sinon elle trouvera le moyen de vous punir.

« Mon vieux père parle du temps du roi Édouard. Il dit, tu vois maintenant pourquoi il n'est pas bon que le roi épouse une de ses sujettes, une Anglaise ? »

Le problème, c'est que bien qu'Anne ait remodelé la cour, il y a toujours des gens qui la connaissaient avant, à l'époque où elle est arrivée de France, quand elle s'est mise en tête de séduire Harry Percy. Ils rivalisent d'histoires censées prouver qu'elle n'est pas digne. Ou pas humaine. Qu'elle est un serpent. Ou un cygne. *Una candida serva.* Une biche blanche tapie parmi les feuilles argentées ; tremblante, elle se cache au milieu des arbres en attendant l'amant qui la transformera en déesse.

« Renvoyez-moi en Italie, demande Wyatt. Ses petits yeux sombres et brillants : elle me hante. Elle vient me voir dans mon lit pendant mes nuits solitaires.

— Solitaires ? Ça m'étonnerait. »

Wyatt éclate de rire.

« Vous avez raison. Je prends ce que je trouve.

— Tu bois trop. Mets de l'eau dans ton vin.

— Ç'aurait pu être différent.

— Tout aurait pu être différent.

— Vous ne pensez jamais au passé.

— Je n'en parle jamais. »

Wyatt supplie : « Envoyez-moi ailleurs.

— Je le ferai. Quand le roi aura besoin d'un ambassadeur.

— Est-il vrai que les Médicis ont fait une offre pour la main de la princesse Marie ?

— Pas la *princesse* Marie, tu veux dire *lady* Marie. J'ai demandé au roi d'y réfléchir. Mais ils ne sont pas assez prestigieux à son goût. Tu sais, si Gregory montrait le moindre intérêt pour la banque, j'irais lui chercher une femme à Florence. Ce serait agréable d'avoir une Italienne à la maison.

— Renvoyez-moi là-bas. Dépêchez-moi quelque part où je servirai à quelque chose, à vous ou au roi, car ici je suis inutile, je ne vaux rien, et personne n'a besoin de moi.

— Oh, s'écrie-t-il, par les os blanchis de Becket ! Cesse de t'apitoyer sur ton sort. »

Norfolk a sa propre opinion sur les amis de la reine. Tandis qu'il l'exprime, ses reliques qui s'entrechoquent produisent un léger bruit métallique et ses sourcils gris broussailleux se tordent au-dessus de ses yeux grands ouverts. Ces hommes, tonne-t-il, ces hommes qui traînent autour des femmes ! Norris, je me faisais une meilleure idée de lui ! Et le fils d'Henry Wyatt ! Toujours à écrire de la poésie. À chanter. À parler à n'en plus finir. « À quoi bon parler aux femmes ? demande-t-il le plus sérieusement du monde. Cromwell, vous ne parlez pas aux femmes, si ? Enfin quoi, quel serait le sujet de conversation ? Que trouveriez-vous à dire ? »

Je parlerai à Norfolk, décide-t-il, quand il reviendra de France ; je lui demanderai d'inciter Anne à la prudence. Les Français rencontrent le pape à Marseille, et à défaut d'être là en personne Henri sera représenté par le plus haut de ses pairs. Gardiner est déjà sur place. Pour moi chaque jour est un jour de vacances, dit-il à Tom Wyatt, quand ces deux-là sont loin.

Wyatt déclare : « Je crois qu'Henri aura une nouvelle femme en vue quand Norfolk rentrera. »

Au cours des jours suivants, il suit les yeux d'Henri chaque fois qu'ils se posent sur des femmes de la cour. Il n'observe rien de particulier dans son regard, hormis la curiosité propre à n'importe quel homme ; il n'y a que Cranmer pour croire que si on regarde deux fois une femme, on doit l'épouser. Il regarde le roi danser avec Lizzie Seymour, sa main s'attardant sur la taille de celle-ci. Il voit Anne qui les observe avec une expression froide, dédaigneuse.

Le lendemain, il prête un peu d'argent à Edward Seymour à un taux très avantageux.

Les matins d'automne pluvieux, les gens de sa maison sortent à l'aube dans les bois trempés. Pour avoir de la *torta di funghi*, il faut cueillir les matières premières.

Richard Riche arrive à huit heures, manifestement étonné et alarmé.

« On m'a arrêté à votre porte, sir, et on m'a demandé, où est votre sac de champignons ? Personne n'entre ici sans champignons. » Riche prend ça comme un affront à son rang. « Je ne crois pas qu'ils auraient demandé des champignons au lord-chancelier.

— Oh, si, Richard. Mais dans une heure vous les mangerez avec des œufs cuits dans de la crème, et pas le lord-chancelier. Si nous nous mettions au travail ? »

Il a passé le mois de septembre à réunir les prêtres et les moines qui ont été proches de la prophétesse. Lèvres pincées et lui passent les documents au crible et mènent les interrogatoires. À peine les ecclésiastiques sont-ils sous les verrous qu'ils commencent à la renier et à se renier mutuellement : je n'ai jamais cru en elle, c'est le père Untel qui m'a convaincu, je n'ai jamais voulu de problèmes. Quant à leurs contacts avec la femme d'Exeter, avec Catherine, avec Marie, chacun dément son implication et s'empresse d'impliquer son collègue. Les gens de l'entourage de la nonne ont été en contact constant avec la maison Exeter. La nonne elle-même s'est rendue dans de nombreuses maisons monastiques du royaume – abbaye de Syon, chartreuse de Sheen, maison des Franciscains à Richmond. Il le sait car il a de nombreux contacts parmi les moines défroqués. Dans chaque maison il y en a quelques-uns, et il recherche les plus intelligents d'entre eux. Catherine elle-même n'a pas rencontré la nonne. Pourquoi l'aurait-elle fait ? Elle a Fisher pour lui servir d'intermédiaire, et Gertrude, la femme de lord Exeter.

Le roi dit : « J'ai du mal à croire qu'Henry Courte-

716

nay puisse me trahir. Un chevalier de la jarretière, un grand combattant dans les joutes, mon ami d'enfance. Wolsey a essayé de nous séparer, mais je ne l'ai pas laissé faire. » Il rit. « Brandon, vous rappelez-vous Greenwich, à Noël, en quelle année était-ce ? Vous rappelez-vous la bataille de boules de neige ? »

C'est la difficulté qu'il y a à traiter avec eux, ces hommes qui évoquent constamment des lignées anciennes, des amitiés d'enfance, des choses qui se sont produites quand vous en étiez encore à vendre de la laine à la Bourse d'Anvers. Vous leur mettez les preuves sous le nez, et ils commencent à avoir la larme à l'œil pour une histoire de boules de neige.

« Écoutez, dit Henri, c'est la femme de Courtenay la responsable. Quand il saura tout ce qu'elle a fait, il voudra se débarrasser d'elle. Elle est volage et faible, comme toutes les personnes de son sexe, et elle se laisse aisément entraîner dans des manigances.

— Alors pardonnez-la, réplique-t-il. Écrivez-lui une lettre de grâce. Faites en sorte que ces gens vous soient redevables et reconnaissants si vous voulez qu'ils oublient leur attachement idiot à Catherine.

— Vous pensez pouvoir acheter les cœurs ? » demande Charles Brandon.

Tout indique qu'il serait triste si la réponse était oui.

Lui pense, le cœur est comme n'importe quel autre organe, on peut le peser sur une balance.

« Ce n'est pas de l'argent que nous offrons. J'ai de quoi faire juger la famille Courtenay, tous les Exeter. Si nous nous abstenons de le faire, nous leur offrons la liberté et leurs terres. Nous leur donnons une chance de laver leur honneur.

« — Son grand-père a abandonné Crookback[1] pour entrer au service de mon père, déclare Henri.

— Si nous leur pardonnons, ils se moqueront de nous, affirme Charles.

— Je ne crois pas, milord. Tout ce qu'ils feront à partir de maintenant, ils le feront sous ma surveillance.

— Et les Pole, lord Montague : que proposez-vous pour lui ?

— Il serait bon qu'il ne croie pas à une grâce.

— Lui donner des sueurs froides, hein ? dit Charles. Je ne suis pas sûr que j'apprécie votre manière de procéder avec les nobles.

— Ils ont ce qu'ils méritent, déclare le roi. Chut, milord, j'ai besoin de réfléchir. »

Une pause. La position de Brandon est intenable. Il voudrait dire, faites payer les traîtres, Cromwell, mais assurez-vous de les massacrer respectueusement. Soudain son visage s'illumine.

« Ah, maintenant je me rappelle Greenwich. Nous avons eu de la neige jusqu'au genou cette année-là. Ah, nous étions jeunes, Harry. De la neige comme ça, on n'en a plus. »

Il rassemble ses papiers et demande à prendre congé. Ils vont passer l'après-midi à ressasser leurs souvenirs, et il a du travail à faire.

« Rafe, rends-toi à West Horsley. Dis à la femme d'Exeter que le roi pense que toutes les femmes sont volages et faibles – même si j'aurais cru qu'il avait de nombreuses preuves du contraire. Dis-lui d'écrire à Henri qu'elle n'a pas plus d'esprit qu'une puce. Dis-lui de dire qu'elle est exceptionnellement crédule, même

---

1. Littéralement, le Bossu, surnom donné à Richard III. *(N.d.T.)*

pour une femme. Dis-lui de ramper à plat ventre. Conseille-la pour la formulation. Tu sais comment faire. Rien ne peut être trop humble pour Henri. »

C'est la saison de l'humilité. On dit qu'à Marseille le roi François s'est prosterné aux pieds du pape et a baisé sa mule.

Quand il apprend la nouvelle, Henri beugle une obscénité et déchire en lambeaux la dépêche qu'il tient dans sa main.

Il ramasse les morceaux, les étale sur la table et la lit.

« François a été fidèle à sa parole, remarque-t-il. Étonnamment. »

Il a persuadé le pape de suspendre sa bulle d'excommunication. L'Angleterre peut respirer.

« Je voudrais que le pape Clément soit dans son tombeau, déclare Henri. Dieu sait qu'il mène une vie abjecte, et il est toujours souffrant, il devrait donc mourir. Parfois, ajoute-t-il, je prie pour que Catherine trépasse. Est-ce mal ?

— Claquez des doigts, Majesté, et cent prêtres accourront pour vous dire ce qui est bien ou mal.

— Je crois que je préfère l'entendre de votre bouche. » Henri s'enfonce dans un silence maussade et agité. « Si Clément meurt, qui sera le coquin qui prendra sa place ?

— J'ai misé mon argent sur Alexandre Farnèse.

— Vraiment ? » Henri se redresse sur son siège. « On peut parier ?

— Mais sa cote est basse. Il a distribué tellement de pots-de-vin au peuple de Rome ces dernières années qu'ils terroriseront les cardinaux le moment venu.

— Rappelez-moi combien il a d'enfants.

— Quatre à ma connaissance. »

Le roi scrute la tapisserie sur le mur proche, où des femmes aux épaules blanches marchent pieds nus sur un tapis de fleurs printanières.

« J'aurai peut-être bientôt un autre enfant.

— La reine vous a parlé ?

— Pas encore. » Mais il voit, nous voyons tous, l'éclat sur les joues d'Anne, sa mine épanouie, le ton impérieux de sa voix tandis qu'elle prodigue services et récompenses aux gens qui l'entourent. Cette dernière semaine, il y a eu plus de récompenses que de regards noirs, et la femme de Stephen Vaughan, qui sert à la chambre de la reine, affirme qu'elle n'a pas eu ses écoulements. Le roi dit : « Elle n'a pas eu ses... », puis il s'arrête, rougissant comme un écolier. Il traverse la pièce, ouvre les bras en grand et étreint Cromwell, radieux comme une étoile, ses grosses mains ornées de bagues éclatantes saisissant par poignées le velours noir de sa veste. « Cette fois c'est sûr. L'Angleterre est à nous. »

Archaïque, ce cri du cœur : comme s'il se tenait sur le champ de bataille entre les bannières ensanglantées, la couronne gisant dans un buisson d'épines, ses ennemis morts à ses pieds.

Il se dégage doucement tout en souriant. Il défroisse le mémorandum qu'il a serré dans son poing quand le roi l'a agrippé ; car n'est-ce pas ainsi que les hommes s'étreignent, en se pétrissant avec leurs grosses pattes, comme s'ils cherchaient à se mettre par terre ? Henri lui serre le bras et dit :

« Thomas, c'est comme étreindre un mur de pierre. De quoi êtes-vous fait ? » Il saisit le document. Il reste bouche bée. « C'est ce que nous devons faire ce matin ? Cette liste ?

— Nous ne traiterons pas plus de cinquante questions. Nous en aurons bientôt fini. »

Pendant le restant de la journée, il ne peut s'empêcher de sourire. Qui se soucie de Clément et de ses bulles ? Il ferait tout aussi bien d'aller se planter dans Cheapside et de laisser la populace le bombarder de cailloux. Il ferait tout aussi bien de se tenir sous les guirlandes de Noël – sur lesquelles nous saupoudrons de la farine les années où il n'y a pas de neige – et de chanter, *Hé noni-no, Fa-la-la, Sous les arbres si verts*.

Par une froide journée de la fin du mois de novembre, la nonne et une demi-douzaine de ses principaux soutiens font pénitence à la croix de Saint-Paul. Ils se tiennent enchaînés et pieds nus dans un vent cinglant. La foule est nombreuse et turbulente, le sermon est animé. On explique ce que faisait la nonne durant ses expéditions nocturnes pendant que les autres sœurs dormaient, quelles épouvantables histoires sur le diable elle racontait à ses disciples pour les impressionner. On lit sa confession, à la fin de laquelle elle demande aux Londoniens de prier pour elle et implore la clémence du roi.

Elle n'a plus rien à voir avec la jolie fille qu'ils avaient à Lambeth. Elle a l'air hagard et paraît dix ans de plus. Non qu'elle ait été violentée, il n'accepterait pas un tel traitement pour une femme, et le fait est qu'ils ont tous parlé sans contrainte ; le plus dur a été de les empêcher d'embrouiller l'histoire en y ajoutant des rumeurs et des fantasmes qui auraient fini par impliquer la moitié de l'Angleterre. Le seul prêtre qui s'obstinait à mentir, le père Rich, il l'a fait enfermer avec un informateur soi-disant accusé de meurtre, et le prêtre s'est bientôt mis en tête de sauver son âme en interprétant pour lui les prophéties de la nonne et en cherchant à l'impressionner en lui énumérant le nom des personnages importants qu'il connaissait à la cour. Pitoyable, vraiment. Mais le spectacle qu'il organise aujourd'hui est nécessaire, et il compte bien les emmener ensuite à Canterbury pour que dame Elizabeth puisse se confesser dans sa ville. Il est indispensable de rompre l'emprise de ces gens qui parlent de la fin des temps et nous menacent de fléaux et de damnation. Il est indispensable de dissiper la terreur qu'ils propagent.

Thomas More est là, ballotté parmi les dignitaires ; il s'approche maintenant de lui tandis que les prisonniers descendent de la plateforme. More frotte ses mains gelées. Il souffle dessus.

« Son crime est qu'elle a été utilisée », déclare l'ancien lord-chancelier.

Cromwell se demande, pourquoi Alice vous a-t-elle laissé sortir sans vos gants ?

« Malgré tous les témoignages que j'ai obtenus, dit-il, je ne comprends toujours pas comment elle a fini ici, depuis les bords des marais du Kent jusqu'à un échafaud public à Saint-Paul. Car il ne fait aucun doute que tout ça ne lui a pas rapporté d'argent.

— Quels actes d'accusation retiendrez-vous ? »

Son ton est neutre, intéressé, une discussion d'avocat à avocat.

« La loi ne s'occupe pas des femmes qui disent qu'elles peuvent voler ou ressusciter les morts. Des charges de trahison pour les principaux responsables.

Pour les complices, emprisonnement à vie, confiscations, amendes. Le roi sera circonspect, je crois. Voire clément. Démêler le plan de ces gens m'intéresse plus qu'infliger de lourdes peines. Je ne veux pas d'un procès avec des dizaines d'accusés et des centaines de témoins qui engorgeront les tribunaux pendant des années. »

More hésite.

« Allons, dit-il, vous vous seriez vous-même débarrassé d'eux de cette manière quand vous étiez lord-chancelier.

— Vous avez peut-être raison. Je n'ai rien à voir avec eux de toute manière. » Une pause. More ajoute : « Thomas. Pour l'amour de Dieu, vous le savez !

— Tant que le roi le sait. Nous devons nous assurer qu'il ne l'oublie pas. Vous pourriez peut-être lui écrire pour vous enquérir de la princesse Élisabeth.

— Je peux faire ça.

— Pour dire clairement que vous acceptez ses droits et son titre.

— Ce n'est pas une difficulté. Le nouveau mariage a eu lieu et il doit être accepté.

— Ne pourriez-vous vous montrer un peu plus élogieux ?

— Pourquoi le roi veut-il que d'autres hommes fassent l'éloge de sa femme ?

— Supposez que vous deviez écrire une lettre ouverte dans laquelle vous affirmeriez reconnaître l'autorité naturelle du roi sur l'Église. » Il regarde en direction de l'endroit où les prisonniers sont chargés sur des charrettes. « Ils les ramènent à la Tour maintenant. » Une pause. « Vous ne devriez pas rester ici. Venez dîner chez moi.

— Non. » More secoue la tête. « Je préférerais être

poussé dans la rivière et rentrer chez moi affamé. Si je pouvais vous faire confiance pour ne m'offrir que de la nourriture – mais vous me gaveriez de paroles. »

Il le regarde se fondre dans la foule des conseillers qui rentrent chez eux. Il songe, More est trop fier pour revenir sur sa position. Il a peur de perdre sa crédibilité auprès des érudits d'Europe. Nous devons trouver un moyen de l'y pousser, sans avoir recours à l'humiliation. Le ciel s'est dégagé et est d'un lapis uniforme. Les jardins de Londres regorgent de baies. Un hiver obstiné les attend. Mais il sent une force prête à jaillir, comme le printemps jaillit des arbres morts. À mesure que la parole de Dieu se propage, les yeux des gens s'ouvrent sur de nouvelles vérités. Jusqu'à présent, comme Helen Barre, ils connaissaient Noé et le Déluge, mais pas saint Paul. Ils pouvaient dénombrer les douleurs de la Sainte Vierge et affirmer que les damnés finissaient en enfer. Mais ils ne connaissaient pas les multiples miracles et paroles du Christ, ni les mots et les actions des disciples, des hommes simples qui, comme les pauvres de Londres, vivaient de commerces silencieux. L'histoire est bien plus vaste qu'ils ne l'imaginaient. Il dit à son neveu Richard, on ne peut pas raconter aux gens le début d'un récit puis s'arrêter, ou leur raconter juste les parties que l'on choisit. Ils ont vu leur religion peinte sur les murs des églises, ou gravée dans la pierre, mais maintenant la plume de Dieu est prête à inscrire ses paroles dans le livre de leur cœur.

Mais, dans ces mêmes rues, Chapuys perçoit le frémissement de la sédition, une ville prête à ouvrir ses portes à l'empereur. Il n'a pas assisté au sac de Rome, mais il est des nuits où il en rêve comme s'il y avait été : les entrailles noires déversées sur les pavés antiques, les mourants gisant dans les fontaines, les cloches carillonnant à travers la brume marécageuse, et les flammes des torches des incendiaires bondissant le long des murs. Rome est tombée, ainsi que tout ce qu'elle contenait ; ce ne sont pas des envahisseurs mais le pape Jules lui-même qui a fait détruire l'ancienne basilique Saint-Pierre, qui s'était dressée pendant mille deux cents ans sur le site où l'empereur Constantin en personne avait creusé la première tranchée, douze coups de pelle, un pour chaque apôtre ; là où les martyrs chrétiens couverts de peaux de bêtes avaient été dévorés par les chiens. Pour bâtir les fondations, on a creusé jusqu'à sept mètres sous terre, à travers une nécropole, à travers douze siècles d'arêtes de poissons et de cendres, les pelles des ouvriers pulvérisant les crânes des saints. À l'endroit où les martyrs avaient saigné, se dressaient désormais des pierres aussi blanches que des fantômes : le marbre qui attendait Michel-Ange.

Dans la rue, il voit un prêtre portant l'hostie, sans doute pour un Londonien mourant ; les passants se découvrent et s'agenouillent, mais un garçon se penche à une fenêtre élevée et lance d'un ton railleur : « Montre-nous ton Christ ressuscité ! Montre-nous ton diable à ressort ! » Il lève les yeux : avant qu'il ne disparaisse, il distingue le visage plein de rage du garçon.

Il dit à Cranmer, ces gens veulent une autorité juste, une autorité à laquelle ils peuvent véritablement obéir. Pendant des siècles, Rome leur a demandé de croire à des choses auxquelles seuls des enfants pouvaient croire. Il leur semblera assurément plus naturel d'obéir à un roi anglais qui exercera ses pouvoirs sous l'égide du Parlement et de Dieu.

Deux jours après avoir rencontré More tremblant au sermon, il fait savoir à lady Exeter qu'elle est graciée. Mais sa grâce est accompagnée de quelques propos cinglants du roi à l'intention de son mari. C'est la Sainte-Catherine : en l'honneur de la sainte qui fut mise au supplice sur une roue, nous avançons en tournant sur nous-mêmes. Du moins, telle est la théorie. Il n'a jamais vu quelqu'un âgé de plus de douze ans le faire.

On sent planer une force potentielle, une force qui pénètre les os, comme le frémissement qu'on perçoit dans le manche d'une hache quand on le saisit dans sa main. On peut frapper, ou ne pas frapper, et si on choisit de retenir son coup, on sent toujours en soi la résonance de l'acte inaccompli.

Le lendemain, à Hampton Court, le fils du roi, le duc de Richmond, épouse la fille de Norfolk, Mary. C'est Anne qui a arrangé ce mariage pour honorer les Howard ; et également pour empêcher Henri de marier son bâtard à une princesse étrangère, ce qui aurait été à l'avantage du garçon. Elle a persuadé le roi de renoncer à la magnifique dot à laquelle il se serait attendu et, triomphante sur toute la ligne, elle participe aux danses. Son visage fin est rouge, ses tresses brillantes sont maintenues en place par des pointes de diamant. Henri ne peut détacher ses yeux d'elle, Cromwell non plus.

Richmond attire tous les autres regards, caracolant comme un poulain et exhibant sa parure de mariage. Il tournoie, bondit, rebondit, se pavane. Regardez-le, disent les femmes plus âgées, et vous verrez comment son père était jadis : cet éclat parfait, cette peau aussi fine que celle d'une jeune fille.

« Maître Cromwell, ordonne-t-il, dites au roi que je veux vivre avec ma femme. Il prétend que je dois retourner chez moi et que Mary doit rester avec la reine.

— Il se soucie de votre santé, monseigneur.

— J'aurai bientôt quinze ans.

— Il reste six mois avant votre anniversaire. »

La joie du garçon s'évanouit : une expression dure envahit son visage.

« Six mois ne sont rien. Un homme de quinze ans est compétent.

— À ce qu'il paraît, déclare lady Rochford, qui se tient négligemment à proximité. Le roi votre père a amené des témoins à la cour pour prouver que son frère pouvait faire la chose à quinze ans, et plus d'une fois par nuit.

— Nous devons aussi penser à la santé de votre épouse.

— La femme de Brandon est plus jeune que la mienne, et il la possède.

— Chaque fois qu'il la voit, dit lady Rochford, à en juger par sa mine effarouchée. »

Richmond est prêt pour une longue discussion, il se retranche derrière des précédents : exactement comme l'aurait fait son père.

« Ma grand-mère, lady Margaret Beaufort, n'a-t-elle pas donné naissance à treize ans au prince qui deviendrait Henri Tudor ? »

Bosworth, les étendards en lambeaux, le champ ensanglanté ; les draps tachés de la maternité. D'où venons-nous tous, songe-t-il, si ce n'est de ces

727

sempiternelles transactions clandestines : ma chérie, donne-toi à moi.

« Je n'ai jamais entendu dire que ça avait arrangé sa santé, réplique-t-il, ni son tempérament. Elle n'a plus eu d'enfants après. » Soudain il en a assez de cette discussion ; il y met un terme d'une voix lasse et plate. « Soyez raisonnable, milord. Une fois que vous l'aurez fait, vous voudrez tout le temps recommencer. Pendant environ trois ans. C'est ainsi que ça se passe. Et votre père a d'autres projets pour vous. Il pourrait vous envoyer à Dublin.

— Soyez tranquille, mon agneau, dit Jane Rochford. Il y a des moyens de parvenir à ses fins. Un homme peut toujours rejoindre une femme si elle est consentante.

— Puis-je vous parler en ami, lady Rochford ? Vous risquez de déplaire au roi si vous vous en mêlez.

— Oh, fait-elle d'un ton indifférent, Henri pardonnera n'importe quoi à une jolie femme. Ils cherchent seulement à faire ce qui est naturel. »

Le garçon demande : « Pourquoi devrais-je vivre comme un moine ?

— Un moine ? Ils font ça comme des lapins. Maître Cromwell vous le dira.

— Peut-être, suggère Richmond, est-ce madame la reine qui veut nous séparer. Elle ne veut pas que le roi devienne grand-père avant d'avoir un fils à lui.

— Mais ne savez-vous donc pas ? » Jane Rochford se tourne vers Cromwell. « N'est-il pas parvenu à vos oreilles que La Ana est *enceinte** ? »

Elle l'appelle par le nom que lui donne Chapuys. Il voit un désarroi absolu envahir le visage du garçon.

Jane ajoute : « Je crains que vous n'ayez perdu votre

728

place l'été prochain, mon cher. Une fois que l'enfant sera né, vous pourrez procréer autant qu'il vous plaira. Vous ne régnerez jamais, et votre descendance n'héritera jamais. »

Ce n'est pas souvent qu'on voit les espoirs d'un prince anéantis en aussi peu de temps qu'il n'en faut pour pincer la mèche d'une bougie entre ses doigts, et du même geste calculé, comme s'il était le fruit de l'habitude. Et elle ne s'est même pas léché le bout des doigts.

Richmond objecte, avec une mine décomposée : « Ce sera peut-être une autre fille.

— C'est presque une trahison que de l'espérer, réplique lady Rochford. Et si c'est le cas, elle aura un troisième enfant, puis un quatrième. Je croyais qu'elle ne concevrait plus, mais je me trompais, maître Cromwell. Elle a maintenant fait ses preuves. »

À Canterbury, Cranmer marche pieds nus sur un chemin de sable vers son intronisation en tant que primat d'Angleterre. Une fois la cérémonie achevée, il fait le ménage dans le prieuré de l'Église du Christ, dont les membres ont prodigué tant d'encouragements à la fausse prophétesse. Interroger chaque moine, décortiquer leurs histoires, pourrait s'avérer une longue tâche. Rowland Lee le rejoint aussitôt pour accélérer les choses, et Gregory l'accompagne. Cromwell est donc à Londres, en train de lire une lettre de son fils qui n'est pas plus instructive que celles qu'il envoyait quand il était écolier. *Et rien de plus faute de temps.*

Il écrit à Cranmer, soyez clément avec la communauté locale, car rien n'est pire que d'être abusé. Épargnez le moine qui a enluminé les lettres de Madeleine.

Je suggère qu'ils fassent un don en espèces au roi, trois cents livres le satisferont. Faites le ménage dans l'Église du Christ et dans tout le diocèse ; Warham a été archevêque pendant trente ans, sa famille est bien installée, son fils illégitime est archidiacre, donnez un coup de balai dans tout ça. Installez des gens de chez vous : vos tristes clercs de l'est des Midlands formés sous des cieux plus doux.

Il y a quelque chose sous son bureau, sous son pied, quelque chose qu'il a préféré ignorer jusqu'à présent. Il pousse sa chaise en arrière ; c'est une moitié de musaraigne, un cadeau de Marlinspike. Il la ramasse et songe à Henry Wyatt se nourrissant de vermine dans sa cellule. Il songe au cardinal, resplendissant à Cardinal College. Il jette la musaraigne dans les flammes. Le cadavre crépite et se ratatine, les os produisent de petits craquements. Il soulève sa plume et reprend sa lettre à Cranmer : renvoyez ces hommes d'Oxford de votre diocèse, et installez des hommes de Cambridge que nous connaissons.

Il écrit à son fils, rentre à la maison pour passer la nouvelle année avec nous.

Décembre : avec sa silhouette anguleuse et figée, et la lumière bleue qui se reflète sur la neige derrière elle, Margaret Pole a l'air d'avoir jailli d'un vitrail, des éclats de verre scintillant sur sa robe ; en fait, ces éclats sont des diamants. Il lui a demandé de venir le voir, et sous ses paupières lourdes les yeux de la comtesse dardent un regard qui longe son long nez de Plantagenêt pour venir se poser sur lui. Son salut, glacial, résonne dans la pièce. « Cromwell. » Juste ça.

Elle est venue pour affaires.

« La princesse Marie. Pourquoi doit-elle quitter la maison de l'Essex ?

— Monseigneur Rochford souhaite l'utiliser. C'est une bonne région pour la chasse, voyez-vous. Marie doit rejoindre la maison de la princesse Élisabeth à Hatfield. Elle n'aura pas besoin de son propre personnel là-bas.

— Je propose de conserver ma place à ses côtés à mes propres frais. Vous ne pouvez pas m'empêcher de la servir. »

Vous voulez parier ?

« Je ne fais que transmettre les désirs du roi, et je suppose que vous souhaitez autant que moi les voir exaucés.

— Il s'agit des désirs de la concubine. Nous ne croyons pas, ni la princesse ni moi, que ce soit ce que le roi veuille.

— Vous allez pourtant devoir le croire, madame. »

Elle baisse les yeux vers lui depuis son piédestal : elle est la fille du duc de Clarence, la nièce du roi Édouard. À son époque, les hommes comme lui s'agenouillaient pour s'adresser à des femmes comme elle.

« J'étais dans la suite de Catherine le jour de son mariage. Pour la princesse, je suis comme une deuxième mère.

— Par le sang du Christ, madame, vous croyez qu'elle en a besoin de deux ? La première la tuera. »

Ils se regardent fixement par-dessus l'abîme qui les sépare.

« Lady Margaret, si je puis me permettre… la loyauté de votre famille est suspecte.

— C'est vous qui le dites. C'est pour ça que vous me séparez de Marie, pour me punir. Si vous avez matière à m'inculper, alors envoyez-moi à la Tour avec Elizabeth Barton.

— Cela serait tout à fait contraire aux désirs du roi. Il vous révère, madame. Votre ascendance, votre grand âge.

— Il n'a aucune preuve.

— En juin dernier, juste après le couronnement de la reine, vos fils lord Montague et lord Geoffrey Pole ont dîné avec lady Marie. Puis, à peine deux semaines plus tard, Montague a de nouveau dîné avec elle. Je me demande de quoi ils ont parlé.

— Vraiment ?

— Non, répond-il avec un sourire. Le garçon qui a apporté les asperges à table était envoyé par moi. Celui qui a coupé les abricots aussi. Ils ont parlé de l'empereur, de la manière de le persuader d'envahir l'Angleterre. Donc vous voyez, lady Margaret, votre famille entière doit beaucoup à ma patience. J'espère qu'ils se rachèteront auprès du roi en se montrant à l'avenir plus loyaux. »

Il ne dit pas, je compte utiliser vos fils contre leur frère qui cause des troubles à l'étranger. Il ne dit pas, votre fils Geoffrey est désormais à ma solde. Geoffrey est un homme violent, instable. On ne sait jamais quel parti il prendra. Il l'a payé quarante livres cette année pour qu'il prenne le parti de Cromwell.

La comtesse esquisse une moue méprisante.

« La princesse ne quittera pas sa maison sans opposer de résistance.

— Monsieur de Norfolk compte se rendre à Beaulieu pour l'informer de ce changement. Elle risque de le défier, naturellement. »

Il a recommandé au roi, laissez Marie conserver

son train de vie de princesse, ne diminuez rien. Ne donnez pas à son cousin l'empereur une raison de partir en guerre.

Henri a hurlé : « Avez-vous l'intention d'aller voir la reine pour lui suggérer que Marie conserve son titre ? Car je vous le dis, maître Cromwell, je ne l'accepterai pas. Et si vous la tourmentez, comme vous le ferez certainement, et qu'elle tombe malade et fait une fausse couche, vous serez responsable ! Et je ne serai pas enclin à la clémence ! »

Une fois sorti de la salle d'audiences, il s'appuie contre le mur. Il roule les yeux et dit à Rafe :

« Seigneur Dieu, pas étonnant que le cardinal ait été vieux avant l'heure. S'il croit que son dépit suffira à déloger le bébé, c'est qu'il ne doit pas être bien accroché. La semaine dernière j'étais son frère d'armes, aujourd'hui il me menace d'une fin sanglante.

— C'est une bonne chose que vous ne soyez pas comme le cardinal », observe Rafe.

En effet. Le cardinal espérait de la reconnaissance de son prince, mais au lieu de cela il allait de déception en déception. Malgré tous ses talents, c'était un homme qui se laissait dominer et épuiser par ses émotions. Lui, Cromwell, n'est plus sujet aux sautes d'humeur, et il n'est presque jamais fatigué. Les obstacles seront écartés, les caractères adoucis, les nœuds dénoués. Ici, à la fin de l'année 1533, son énergie est inébranlable, sa volonté inflexible, son expression imperturbable. Les courtisans voient bien qu'il peut modeler les événements et leur donner un sentiment de stabilité dans un monde tremblant : ce peuple, cette dynastie, cette misérable île pluvieuse au bout du monde.

Pour se distraire en fin de journée, il passe en revue

les terres que possède Catherine, histoire de voir ce qu'il peut redistribuer. Sir Nicholas Carew, qui ne l'aime pas et n'aime pas Anne, est stupéfait de recevoir de sa part plusieurs concessions, dont deux grands manoirs dans le Surrey contigus aux terres qu'il possède déjà dans la région. Carew essaie d'obtenir un entretien pour le remercier ; il doit demander à Richard, qui gère désormais l'emploi du temps de Cromwell, et Richard lui trouve un créneau deux jours plus tard. Comme disait le cardinal, la déférence, c'est faire attendre les gens.

En entrant, Carew recompose son visage. Distant, hautain, le parfait courtisan. Il s'efforce de soulever le coin de ses lèvres et le résultat ressemble à un sourire affecté de jeune fille, incongru au-dessus de sa barbe abondante.

« Oh, je suis sûr que vous êtes méritant, déclare Cromwell d'un air indifférent. Vous êtes un ami d'enfance de Sa Majesté, et rien ne lui procure plus de plaisir que de récompenser ses vieux amis. Votre femme est en contact avec lady Marie, n'est-ce pas ? Elles sont proches ? Demandez-lui, dit-il doucement, de donner un bon conseil à la jeune femme. Recommandez-lui de se soumettre à tous les désirs du roi. Il est irascible ces temps-ci et je ne puis répondre des conséquences au cas où quelqu'un le défierait. »

Le Deutéronome nous dit, les cadeaux aveuglent les sages. Il ne pense pas que Carew soit particulièrement sage, mais le principe est toujours valable ; et s'il n'est pas exactement aveuglé, il semble au moins ébloui.

« Considérez ça comme un cadeau de Noël avancé », dit-il en souriant.

Il fait glisser les documents en travers de son bureau.

À Austin Friars, on nettoie les réserves et on construit des chambres fortes. Le festin aura donc lieu à Stepney. Les ailes d'ange y sont envoyées ; il veut les garder jusqu'à ce qu'il y ait dans la maison un autre enfant assez grand pour les mettre. Il les voit partir dans leur linceul de lin fin et regarde l'étoile de Noël qu'on charge sur une charrette.

Christophe demande : « Comment elle fonctionne, cette machine étrange avec toutes ces pointes ? »

Il ôte l'une des gaines en toile, lui montre les dorures.

« Jésus Marie ! s'exclame le garçon. L'étoile qui nous guide vers Bethléem. Je croyais que c'était un engin de torture. »

Norfolk se rend à Beaulieu pour informer lady Marie qu'elle doit déménager au manoir d'Hatfield, où elle servira la petite princesse et vivra sous l'autorité de lady Anne Shelton, la tante de la reine. Ce qui s'ensuit, il le relate d'un ton chagriné.

« La tante de la reine ? dit Marie. Il n'y a qu'une reine, et c'est ma mère.

— Lady Marie… », commence Norfolk, mais elle fond aussitôt en larmes et s'enfuit dans sa chambre où elle s'enferme à clé.

Suffolk va à Buckden pour convaincre Catherine de déménager dans une autre maison. Elle a entendu dire qu'ils comptaient l'envoyer dans un endroit encore plus humide que Buckden, et elle affirme que l'humidité la tuera, puis elle aussi s'enferme à double tour, actionnant violemment les verrous et hurlant en trois langues à Suffolk de partir. Elle n'ira nulle part, ajoute-t-elle, à moins qu'il ne soit prêt à défoncer la porte, à la ligoter et à la porter. Ce que Charles juge un peu excessif.

Brandon semble terriblement malheureux lorsqu'il écrit à Londres pour demander des instructions : un homme avec une femme de quatorze ans qui l'attend chez lui, obligé de passer les fêtes comme ça ! Quand sa lettre est lue à voix haute au Conseil, Cromwell éclate de rire. La joie parfaite que cette lettre lui procure le porte jusqu'à la nouvelle année.

Il y a une jeune femme qui arpente les routes du royaume en affirmant qu'elle est la princesse Marie et que son père l'a forcée à devenir mendiante. Elle est allée au nord jusqu'à York, et à l'est jusqu'à Lincoln, et les gens simples de ces comtés la logent, la nourrissent et lui donnent de l'argent pour qu'elle poursuive son voyage. Il a envoyé des hommes à sa recherche, mais ils ne l'ont pas encore trouvée. Il ne sait pas ce qu'il ferait s'ils finissaient par l'attraper. C'est un châtiment suffisant que d'endosser le fardeau d'une prophétie et d'errer sans protection sur les routes en plein hiver. Il se l'imagine : une silhouette brunâtre, chétive, marchant péniblement vers l'horizon à travers des champs plats et boueux.

III

Un œil de peintre

1534

Quand Hans apporte le portrait achevé à Austin Friars, Cromwell appréhende un peu. Il se rappelle quand Walter disait, regarde-moi dans les yeux, garçon, quand tu me mens.

Il regarde le bas du tableau et remonte lentement. Une plume, des ciseaux, des papiers, son sceau dans une petite bourse, et un épais volume à la reliure d'un vert noirâtre, doté d'un fermoir en or, avec des pages aux bords dorés. Hans avait demandé à voir sa bible, mais l'avait rejetée car elle lui paraissait trop banale, trop usée. Il avait fouillé partout et avait trouvé le plus beau volume de la maison sur le bureau de Thomas Avery : l'ouvrage du moine Pacioli, le traité de comptabilité que lui avaient envoyé ses bons amis de Venise.

Il voit sa main peinte, posée sur le bureau devant lui, tenant une feuille de papier entre ses doigts à peine serrés. C'est étrange de se découvrir progressivement, morceau par morceau, comme s'il avait été découpé. Hans a rendu sa peau aussi lisse que la peau d'une courtisane, mais le mouvement qu'il a capturé, ses doigts qui se replient, est aussi sûr que le geste du boucher qui saisit son couteau. Il porte la bague en turquoise du cardinal.

Il possédait sa propre bague en turquoise, autrefois, que Liz lui avait offerte à la naissance de Gregory. C'était une bague en forme de cœur.

Il lève les yeux pour voir son visage. Il n'est guère mieux que l'œuf de Pâques que Jo avait peint. Hans l'a représenté dans un petit espace, le coinçant derrière une lourde table. Il a eu le temps de réfléchir pendant que Hans le dessinait, et ses pensées l'ont emmené loin, dans un pays étranger. On ne peut cependant pas retracer le fil de ses pensées dans ses yeux.

Il avait demandé à être peint dans son jardin, mais Hans a objecté que cette idée lui donnait la chair de poule. Restons simples, d'accord ?

Il porte ses habits d'hiver. Dedans, il semble fait d'une substance plus imperméable que la plupart des hommes, plus compacte. Il pourrait tout aussi bien porter une armure. Il n'est d'ailleurs pas impossible qu'il ait un jour à le faire. Il y a des hommes dans ce royaume et à l'étranger (plus seulement dans le Yorkshire) qui seraient prêts à le poignarder à la première occasion.

Je doute, songe-t-il, qu'ils puissent atteindre mon cœur. Le roi m'a demandé, de quoi êtes-vous fait ?

Il sourit. Il n'y a pas l'ombre d'un sourire sur son visage peint.

« Bon. » Il se rend dans la pièce adjacente. « Vous pouvez venir voir. »

Ils entrent en se bousculant. Il y a un court silence tandis qu'on évalue l'œuvre. Le silence s'étire.

Alice dit finalement : « Il vous a fait paraître plutôt corpulent, mon oncle. Plus que nécessaire.

— Comme nous l'a démontré Léonard, observe Richard, une surface arrondie dévie mieux les boulets de canon.

— Je ne trouve pas ça ressemblant, déclare Helen Barre. Je reconnais bien vos traits, mais ce n'est pas votre expression.

— Non, Helen, réplique Rafe, c'est l'expression qu'il réserve aux hommes. »

Thomas Avery demande : « L'homme de l'empereur est ici, peut-il venir jeter un coup d'œil ?

— Il est le bienvenu, comme toujours. »

Chapuys arrive d'un pas sautillant. Il se positionne devant le tableau, s'avance vivement, fait un bond en arrière. Il porte une fourrure de martre sur de la soie.

« Doux Jésus, remarque Johane derrière sa main, on dirait un singe dansant. »

Eustache dit : « Oh, non, je crains que non. Oh, non, non, non, non, non. Votre peintre protestant est passé à côté cette fois. Car on ne vous imagine jamais seul, Cremuel, mais toujours accompagné, examinant le visage des autres, comme si vous vouliez vous-même les peindre. Avec vous on ne se demande pas "À quoi ressemble-t-il ?" mais "De quoi ai-je l'air ?"» Il s'écarte vivement puis pivote sur lui-même, comme s'il voulait saisir la silhouette peinte en plein mouvement. « Pourtant. En voyant ça, on se dit qu'on n'aimerait pas vous contrarier. À cet égard, je pense qu'Hans a atteint son but. »

Quand Gregory revient de Canterbury, il l'emmène voir le tableau avant même qu'il ait ôté son manteau de voyage tout couvert de boue ; il veut connaître l'opinion de son fils avant que le reste de la maison lui mette la main dessus.

Il dit : « Ta mère disait toujours qu'elle ne m'avait pas choisi pour ma beauté. J'ai été surpris, quand le tableau est arrivé, de découvrir que j'étais vaniteux. Je croyais que je ressemblais toujours à ce que j'étais à l'époque où j'ai quitté l'Italie, il y a vingt ans. Avant ta naissance. »

Gregory se tient près de lui. Ses yeux sont posés sur le tableau. Il ne dit rien.

Il est conscient que son fils est plus grand que lui : non pas que ce soit difficile. Il fait un pas sur le côté, mentalement, pour voir son fils avec un œil de peintre : un garçon à la peau blanche et délicate et aux yeux noisette, un ange élancé tel que celui qu'il a vu un jour à l'arrière-plan d'une fresque tachée d'humidité, dans une lointaine ville perchée sur une colline. Il se le représente tel un page chevauchant sur du vélin, ses boucles sombres se détachant nettement sous une étroite bande dorée, alors que les jeunes qui l'entourent quotidiennement, les jeunes hommes d'Austin Friars, sont musclés comme des chiens de combat et ont les cheveux coupés à ras et les yeux aussi perçants que des pointes d'épée. Il songe, Gregory est tel qu'il devrait être. Il est tout ce que j'ai le droit d'espérer : son ouverture d'esprit, sa douceur, sa réserve, sa manière de garder ses pensées pour lui tant qu'il ne les a pas parfaitement formulées dans sa tête. Il ressent une telle tendresse qu'il croit qu'il pourrait pleurer.

Il se tourne vers le tableau.

« Je crains que Mark ait dit vrai.

— Qui est Mark ?

— Un jeune imbécile qui court après George Boleyn. Je l'ai un jour entendu dire que je ressemblais à un assassin. » Gregory s'étonne : « Ne le saviez-vous pas ? »

Sixième partie

I

Suprématie

1534

Durant les jours joyeux qui séparent Noël du nouvel an, tandis que la cour festoie et que Charles Brandon est au milieu des marécages en train de cogner à la porte de Catherine, il relit Marsile de Padoue. En l'an 1324, celui-ci a émis quarante-deux propositions. Lorsque les fêtes de l'Épiphanie sont passées, il va voir Henri pour lui en suggérer quelques-unes.

Il est certaines de ces propositions que le roi connaît déjà, et d'autres qui lui sont parfaitement étrangères. Certaines sont séduisantes, dans sa situation présente ; d'autres lui ont été dénoncées comme des hérésies. C'est un matin lumineux et glacial, le vent qui souffle depuis la rivière vous lacère le visage comme un couteau. Nous sortons à nos risques et périls.

Marsile nous dit que quand le Christ est venu dans ce monde, il est venu non pas en tant que souverain ou que juge, mais en tant que sujet : sujet de l'État tel qu'il l'a trouvé. Il n'a pas cherché à gouverner, ni n'a commandé à ses disciples de gouverner. Il n'a privilégié aucun de ses partisans ; si vous croyez le contraire, relisez ce qu'il dit de Pierre. Le Christ n'a pas nommé de pape. Il n'a pas donné à ses disciples le pouvoir de créer des lois ou de lever des taxes, mais les hommes d'Église se sont octroyé ces droits.

Henri dit : « Je ne me rappelle pas le cardinal disant cela.

— Le feriez-vous si vous étiez cardinal ? »

Si le Christ n'a pas incité ses disciples à prendre le pouvoir sur terre, comment se fait-il que les princes d'aujourd'hui tiennent leur pouvoir du pape ? De fait, tous les prêtres sont des sujets, comme le Christ l'a voulu. C'est au prince de gouverner ses citoyens, de décider qui est marié et qui peut se marier, qui est un bâtard et qui est légitime.

D'où le prince tient-il ce pouvoir, et celui de faire respecter la loi ? Il le tient d'un corps législatif, qui agit au nom des citoyens. C'est de la volonté du peuple, exprimée au Parlement, qu'un roi tire sa souveraineté.

Lorsqu'il dit cela, Henri semble tendre l'oreille, comme s'il craignait d'entendre la foule approcher dehors, bien décidée à le chasser de son palais. Il le rassure sur ce point : Marsile n'accorde aucune légitimité aux rebelles. Les citoyens peuvent en effet se regrouper pour renverser un despote, mais lui, Henri, n'est pas un despote ; c'est un monarque qui gouverne dans le cadre de la loi. Henri aime que le peuple l'acclame quand il traverse Londres, mais le prince sage n'est pas toujours le prince le plus populaire ; il le sait bien.

Il a d'autres propositions à lui présenter. Le Christ n'a accordé à ses disciples ni terres, ni monopoles, ni fonctions, ni promotions. Toutes ces choses sont l'affaire des pouvoirs séculiers. Un homme qui a fait vœu de pauvreté, comment pourrait-il avoir des droits de propriété ? Comment les moines pourraient-ils être propriétaires terriens ?

Le roi dit : « Cromwell, avec votre talent pour les grands nombres... »

Il regarde au loin. Il pince du bout des doigts les lacets argentés de ses manchettes.

« Le corps législatif, poursuit-il, devrait pourvoir à l'entretien des prêtres et des évêques. Il serait ainsi en droit d'utiliser les richesses de l'Église pour le bien public.

— Mais comment les récupérer ? demande Henri. Je suppose que les sanctuaires pourraient être détruits. » Étant lui-même couvert de joyaux, il pense au genre de richesses que l'on peut peser sur une balance. « Si quelqu'un osait le faire. »

C'est caractéristique d'Henri, de se précipiter avant vous là où vous n'alliez pas vraiment. Il comptait le mener doucement vers une procédure légale complexe de désappropriation-réappropriation : réaffirmer des droits souverains anciens, récupérer ce qui vous a toujours appartenu. Il se souviendra que c'est Henri qui le premier a suggéré de saisir un burin et d'arracher leurs yeux de saphir aux saints. Mais il est disposé à aller dans le même sens que le roi.

« Le Christ nous a appris comment nous souvenir de lui. Il nous a laissé le pain et le vin, le corps et le sang. Que nous faut-il de plus ? Je ne vois pas où il a demandé que des sanctuaires soient bâtis, ou que soit institué un commerce de parties du corps, de cheveux et d'ongles, ou que l'on vénère des représentations en plâtre.

— Pourriez-vous estimer, demande Henri, même… non, je suppose que vous ne pourriez pas. » Il se lève. « Bon, le soleil brille, alors… »

Autant en profiter. Il rassemble les papiers du jour. « Je peux finir tout seul. »

Henri s'en va revêtir sa veste d'équitation doublement rembourrée. Il songe, nous ne voulons pas que notre roi soit l'homme pauvre d'Europe. L'Espagne et le Portugal croulent chaque année sous les trésors des Amériques. Où est notre trésor ?

Regarde autour de toi.

Il estime que le clergé possède un tiers de l'Angleterre. Un jour, bientôt, Henri lui demandera comment la couronne pourrait le reprendre. C'est comme avoir affaire à un enfant : un jour vous lui apportez une boîte, et l'enfant demande, qu'est-ce qu'il y a dedans ? Puis il va dormir et oublie, mais le lendemain il repose la question. Et il continue jusqu'à ce qu'on ouvre la boîte et qu'on lui donne ce qu'elle contient.

Le Parlement est sur le point de se réunir à nouveau. Il dit au roi, aucun Parlement dans l'histoire n'a travaillé aussi dur que ce que je compte faire travailler celui-ci.

Henri répond : « Faites ce que vous avez à faire. Vous aurez mon soutien. »

C'est comme entendre les paroles que vous avez attendues toute votre vie. C'est comme entendre un vers de poésie parfait, dans une langue que vous connaissiez avant même d'être né.

Il rentre chez lui heureux, mais le cardinal l'attend dans un coin. Il est dodu comme un coussin dans ses robes écarlates, et son visage a une expression martiale et défiante. Wolsey dit, vous savez qu'il s'octroiera le mérite de vos bonnes idées et vous blâmera pour ses mauvaises ? Quand la fortune se retournera contre vous, vous sentirez son fouet s'abattre sur vous : vous toujours, lui jamais.

Il répond, mon cher Wolsey. (Car maintenant que les cardinaux sont finis dans ce royaume, il lui parle comme à un collègue, pas comme à un maître.) Mon cher Wolsey, ce n'est pas tout à fait vrai – il n'a pas blâmé Charles Brandon quand celui-ci a brisé sa lance sur son casque, il s'en est voulu à lui-même de ne pas avoir baissé sa visière.

Le cardinal réplique, croyez-vous qu'il s'agisse d'une joute ? Croyez-vous qu'il y ait des règles, des protocoles, des juges pour s'assurer que tout se déroule à la loyale ? Un jour, alors que vous serez encore en train d'ajuster votre harnais, vous lèverez les yeux et le verrez charger sur vous.

Le cardinal disparaît en poussant un petit gloussement.

Avant même que les Communes se réunissent, ses adversaires se rassemblent pour mettre au point leur tactique. Ces rencontres ne sont pas secrètes. Des serviteurs vont et viennent, et la méthode qu'il a utilisée avec les Pole a fait ses preuves : il y a dans la maison de Cromwell des jeunes gens qui ne sont pas trop fiers pour porter un tablier et apporter une assiette de flétan ou un rôti de bœuf. Les gentilshommes d'Angleterre postulent désormais à des places dans sa maison, pour leurs fils, leurs neveux, leurs pupilles, pensant qu'ils apprendront la politique à ses côtés, comment rédiger des courriers ou traduire les documents étrangers, quels livres lire pour devenir courtisan. Il prend très au sérieux cette confiance qu'on place en lui ; il ôte doucement des mains de ces jeunes hommes bruyants leurs poignards et leurs plumes, et il leur parle afin de découvrir, derrière leur passion et leur fierté, ce que ces jeunes gens de quinze ou vingt ans valent vraiment, ce à quoi ils tiennent plus que tout. On n'apprend rien sur les hommes en les méprisant et en insultant leur fierté. Il faut leur demander ce qu'ils peuvent faire dans ce monde, ce qu'ils sont les seuls à pouvoir faire.

Les garçons sont étonnés par ses questions, et ils épanchent leur âme. Il est possible que personne ne leur ait jamais parlé jusqu'alors. En tout cas, pas leur père.

Vous faites découvrir à ces garçons, aussi violents et rustres soient-ils, des occupations humbles. Ils apprennent les psaumes. Ils apprennent l'utilisation du couteau à poisson et du couteau d'office ; et ce n'est qu'alors, pour leur autodéfense et de façon informelle, qu'ils apprennent l'*estoc**, le petit coup mortel sous les côtes, la simple torsion du poignet pour s'assurer que le travail est bien fait. Christophe se propose comme instructeur. Ces *messieurs**, dit-il, sont bien délicats. Ils sont contents de couper la tête d'un cerf ou la queue d'un rat, ou je ne sais quoi, pour l'envoyer à leur cher papa. Alors que vous et moi, maître, et Richard Cremuel, nous savons comment arrêter net un petit salopard et l'achever sans lui laisser le temps de broncher.

Avant l'arrivée du printemps, certains des pauvres qui font le pied de grue à sa porte trouvent le moyen d'entrer. Les yeux et les oreilles des illettrés sont aussi vifs que ceux des gentilshommes, et inutile d'être érudit pour avoir de l'esprit. Des palefreniers et des gardes-chiens surprennent les confidences des comtes. Un garçon portant du petit bois et un soufflet entend au petit matin des secrets murmurés d'une voix ensom-meillée tandis qu'il allume le feu.

Un jour où la lumière est vive, la chaleur soudaine et trompeuse, Appelez-Moi-Risley arrive à Austin Friars. Il lance : « Bien le bonjour, sir », ôte brusquement sa veste, s'assied à son bureau et avance son tabouret en le faisant traîner par terre. Il soulève sa plume et en inspecte la pointe.

« Bon, qu'avez-vous pour moi ? » demande Wriothesley. Ses yeux scintillent et la pointe de ses oreilles est rouge.

« Je pense que Gardiner doit être revenu, dit-il.

— Comment l'avez-vous appris ? » Appelez-Moi repose violemment sa plume. Il se lève d'un bond. Tourne en rond. « Pourquoi est-il comme ça ? Toutes ces chicaneries, toutes ces questions qu'il pose alors qu'il n'a que faire des réponses ?

— Ça vous plaisait quand vous étiez à Cambridge.

— Oh, à l'époque », dit Wriothesley. Il est clair qu'il méprise le jeune homme qu'il était alors. « C'était censé nous former l'esprit. Je ne sais pas.

— Mon fils affirme que la pratique des débats savants l'a épuisé. Il appelle ça la pratique des dis-cussions futiles.

— Peut-être que Gregory n'est pas complètement stupide.

— Je serais ravi de le croire. »

Appelez-Moi devient tout rouge.

« Je ne voulais pas vous vexer, sir. Vous savez que Gregory n'est pas comme nous. Il est trop bon pour ce monde. Mais personne n'a besoin d'être comme Gardiner.

— Quand nous autres conseillers du cardinal nous

réunissions, nous proposions des projets. Ils donnaient parfois lieu à des débats, mais nous allions jusqu'au bout de chaque discussion ; et ce n'est qu'alors que nous affinions nos projets et les mettions en œuvre. Le Conseil du roi ne fonctionne pas comme ça.

— Comment pourrait-il ? Norfolk ? Charles Brandon ? Ils s'opposeront à vous simplement à cause de ce que vous êtes. Même s'ils sont d'accord, ils s'opposeront à vous. Même s'ils savent que vous avez raison.

— Je suppose que Gardiner vous a menacé.

— De précipiter ma ruine. » Il serre son poing dans sa main. « Mais je n'y prête aucune intention.

— Au contraire, vous devriez. L'évêque de Winchester est un homme puissant, et s'il dit qu'il précipitera votre ruine, c'est qu'il a l'intention de le faire.

— Il me juge déloyal. Il dit que lorsque j'étais à l'étranger, j'aurais dû m'occuper de ses intérêts, et non des vôtres.

— D'après ce que je comprends, vous devez servir le secrétaire du roi, quelle que soit la personne qui occupe cette fonction. Si je… » Il hésite. « Si… Wriothesley, je vais vous faire une proposition ; si je suis confirmé dans cette fonction, je vous confierai la responsabilité du Sceau.

— Je serai greffier en chef ? »

Il voit Appelez-Moi additionner ses appointements.

« Donc maintenant, allez voir Gardiner, excusez-vous et incitez-le à vous faire une meilleure proposition. Couvrez vos arrières. »

Appelez-Moi hésite, visiblement inquiet.

« Courez, garçon. » Il soulève sa veste et la lui lance. « Il est toujours secrétaire. Il peut récupérer ses sceaux.

Mais dites-lui qu'il devra venir les chercher ici en personne. »

Appelez-Moi rit. Il se masse le front, abasourdi, comme s'il venait de se battre. Il enfile sa veste.

« Nous sommes incorrigibles, pas vrai ? »

Des querelleurs invétérés. Tels des loups se disputant une carcasse. Des lions se disputant des chrétiens.

Le roi le convoque avec Gardiner pour examiner le projet de loi qu'il propose de soumettre au Parlement afin d'assurer la succession des enfants d'Anne. La reine est avec eux ; nombre d'hommes voient moins souvent leur femme que le roi, songe-t-il. S'il est à cheval, Anne est à cheval. S'il chasse, Anne chasse. Elle prend ses amis et fait en sorte qu'ils deviennent ses amis à elle.

Elle a l'habitude de lire par-dessus l'épaule d'Henri, ce qu'elle fait en ce moment même, sa main curieuse glissant sur la charpente épaisse de son mari, s'insinuant sous les couches de vêtements, si bien qu'un de ses ongles minuscules s'accroche au col brodé de sa chemise et soulève légèrement l'étoffe, révélant la peau pâle du roi ; il lève sa grosse main et caresse celle d'Anne d'un geste absent, distrait, comme s'ils étaient seuls. Le projet fait à de multiples reprises référence à « *votre très chère et très aimée épouse la reine Anne* » – des termes manifestement appropriés.

L'évêque de Winchester les regarde avec stupéfaction. En tant qu'homme, il ne peut décoller les yeux du spectacle, mais, en tant qu'évêque, il est outré. Il se racle la gorge. Anne n'y prête aucune attention ; elle continue de caresser le roi tout en lisant le projet de loi, jusqu'au moment où elle lève les yeux, scandalisée : il mentionne ma mort ! « *Si votre très chère et très aimée épouse la reine Anne venait à décéder…* »

« Je ne peux exclure cette éventualité, dit-il. Le Parlement peut tout faire, madame, sauf aller à l'encontre de la nature. »

Elle s'empourpre.

« L'enfant ne me tuera pas. Je suis forte. »

Il ne se rappelle pas que Liz ait perdu la tête quand elle était enceinte. Au contraire, elle était encore plus posée et frugale, et passait son temps à faire l'inventaire des placards. La reine Anne arrache le projet de loi des mains d'Henri. Elle l'agite avec rage. Elle est furieuse après le papier, jalouse de l'encre.

Elle s'écrie : « Ce projet prévoit que si je meurs, disons que je meure maintenant, disons que je meure de la fièvre avant d'avoir eu mon enfant, alors il pourra me remplacer par une autre reine !

— Chérie, dit le roi, je ne puis imaginer une autre à ta place. C'est purement théorique. Il doit prévoir cette éventualité.

— Madame, intervient Gardiner, si je puis défendre Cromwell, il ne fait qu'envisager une situation habituelle. Vous ne condamneriez pas Sa Majesté à une vie de veuf perpétuel ? Personne ne sait combien de temps il lui reste à vivre, n'est-ce pas ? »

Anne ignore l'évêque de Winchester, c'est comme s'il n'avait pas parlé.

« Et s'il a un fils, il est dit que ce fils héritera. Il est écrit "*héritiers mâles engendrés légalement*". Alors qu'arrivera-t-il à ma fille ?

— Eh bien, répond Henri, elle est toujours princesse d'Angleterre. Si tu regardes plus bas, il est dit que… »

Le roi ferme les yeux. Dieu, donne-moi de la force. Gardiner s'empresse de lui venir en aide :

« Si le roi n'avait jamais de fils, dans le cadre d'un mariage légal avec une femme, alors votre fille serait reine. Voilà ce que Cromwell propose.

— Mais pourquoi cela doit-il être écrit ainsi ? Et où est-il dit que Marie l'Espagnole est une bâtarde ?

— Lady Marie est hors de la lignée de succession, explique Cromwell, la conclusion est donc claire. Inutile d'en dire plus. Vous devez pardonner la froideur des termes. Nous essayons d'écrire les lois de façon laconique. Et de les rendre impersonnelles.

— Doux Jésus, observe Gardiner avec délectation, si ça, ce n'est pas personnel, alors qu'est-ce qui l'est ? »

C'est comme si le roi avait invité Gardiner à cette conférence pour le snober. Demain, bien sûr, la situation pourrait être inversée ; il pourrait arriver et découvrir Henri et l'évêque de Winchester flânant bras dessus, bras dessous, parmi les perce-neiges.

« Nous devons sceller cette loi par un serment, dit-il. Les sujets de Sa Majesté doivent jurer de faire respecter la succession au trône, comme exprimé dans le texte et ratifié par le Parlement.

— Un serment ? demande Gardiner. Quelle sorte de législation doit être confirmée par un serment ?

— Vous en trouverez toujours qui prétendront que le Parlement a été induit en erreur, ou acheté, ou qu'il est d'une manière ou d'une autre incapable de représenter le peuple. Et puis il y a ceux qui affirmeront que le Parlement n'est pas compétent pour juger certaines affaires, qui diront qu'elles doivent être confiées à une autre juridiction – à Rome, de fait. Mais je crois que c'est une erreur. Rome n'a aucune voix légitime en

Angleterre. Dans mon projet de loi, je veux affirmer une position. C'est une position modeste. Je rédige la loi, il plaira peut-être au Parlement de l'accepter, au roi de la signer. Je demanderai ensuite au pays de l'approuver.

— Alors comment vous y prendrez-vous ? demande Stephen d'un ton railleur. Vous allez demander à vos garçons d'Austin Friars d'arpenter tout le pays et de faire prêter serment à chaque client de chaque taverne ? À chaque homme et à chaque femme ?

— Et pourquoi pas ? Croyez-vous que, sous prétexte qu'ils ne sont pas évêques, ce sont des brutes ? Tous les serments chrétiens se valent. Regardez chaque partie de ce royaume, monseigneur l'évêque, et vous trouverez de la déréliction, du dénuement. Il y a des hommes et des femmes sur les routes. Les éleveurs de moutons sont devenus si puissants que l'homme humble est chassé de ses terres et que le laboureur n'a plus de maison. En une génération ces gens peuvent apprendre à lire. Le laboureur peut lire un livre. Croyez-moi, Gardiner, l'Angleterre peut être différente.

— Je vous ai mis en colère, observe Gardiner. Vous sentant provoqué, vous vous trompez de question. Je ne vous ai pas demandé si leur parole était valable, mais à combien d'entre eux vous comptiez faire prêter serment. Mais naturellement, vous avez présenté aux Communes une loi contre les moutons...

— Contre les éleveurs de moutons, corrige-t-il en souriant.

— Gardiner, intervient le roi, c'est pour aider le petit peuple – aucun éleveur ne doit faire paître plus de deux mille animaux... »

L'évêque coupe son roi comme si c'était un enfant :

« Deux mille, oui, donc pendant que vos commissaires battent la campagne pour compter les moutons, peut-être pourraient-ils en profiter pour faire prêter serment aux bergers ? Et à ces laboureurs illettrés auxquels vous tenez tant ? Et à toutes les traînées qu'ils trouveront dans des fossés ? »

Il est bien obligé de rire. L'évêque est si véhément.

« Monseigneur, je ferai prêter serment à autant de personnes que nécessaire pour m'assurer que la succession est hors d'atteinte, et pour unir le pays derrière nous. Le roi a ses officiers, ses juges de paix – et les lords du Conseil mettront un point d'honneur à faire en sorte que tout se passe bien, et si ce n'est pas le cas je saurai pourquoi. »

Henri dit : « Les évêques prêteront serment. J'espère qu'ils se montreront accommodants.

— Nous voulons de nouveaux évêques », déclare Anne.

Elle nomme son ami Hugh Latimer. L'ami de Cromwell, Rowland Lee. On dirait qu'elle a une liste en tête. Liz faisait des conserves. Anne fait des religieux.

« Latimer ? » Stephen secoue la tête, mais il ne peut directement accuser la reine d'aimer les hérétiques. « Rowland Lee, d'après ce que je sais, n'est jamais monté à la chaire de sa vie. Certains hommes entrent dans la vie religieuse uniquement par ambition.

— Et ont à peine l'élégance de le cacher, observe-t-il.

— Je fais de mon mieux, réplique Stephen. On m'a placé sur cette voie. Bon sang, Cromwell, je la suis. »

Il lève les yeux vers Anne. Ses yeux étincèlent de jubilation. Elle ne perd pas une bribe de ce qui est dit.

« Monseigneur de Winchester, commence Henri,

vous avez passé beaucoup de temps à l'étranger, durant votre ambassade.

— J'espère que Votre Majesté juge qu'elle lui a été profitable.

— Certes, mais vous n'avez pas pu vous empêcher de négliger votre diocèse.

— En tant que pasteur, vous devez vous occuper de votre troupeau, déclare Anne. Compter vos ouailles, peut-être. »

Gardiner s'incline.

« Mon troupeau est bien à l'abri dans son enclos. »

À moins de renvoyer l'évêque à coups de pied dans le derrière, ou de le faire entraîner dehors par ses gardes, le roi ne peut pas faire grand-chose.

« Quoi qu'il en soit, n'hésitez pas à vous en occuper », murmure Henri.

Une puanteur animale se dégage d'un chien lorsqu'il est sur le point de se battre. C'est cette même puanteur qui flotte désormais dans la pièce. Il voit Anne se tourner sur le côté, lentement, et Stephen porter sa main à sa poitrine comme pour gratter sa fourrure, intimider son adversaire avant de montrer les crocs.

« Je reviendrai voir Votre Majesté dans la semaine », dit-il.

Son ton mielleux ressemble à un grondement féroce jailli du plus profond de ses entrailles.

Henri éclate de rire.

« En attendant, Cromwell nous plaît. Cromwell nous traite très bien. »

Une fois l'évêque de Winchester parti, Anne se penche de nouveau au-dessus du roi ; elle jette de petits coups d'œil sur le côté, comme si elle cherchait à entraîner Cromwell dans un complot. Son corset est fermement lacé, et seul le léger gonflement de sa poitrine trahit son état. Il n'y a pas eu d'annonce ; il n'y en a jamais, le corps des femmes est une chose incertaine et l'on peut se tromper. Mais toute la cour est certaine qu'elle porte l'héritier, et elle le dit elle-même ; il n'est plus question de pommes cette fois-ci, et tous les aliments dont elle avait un besoin insatiable quand elle portait la princesse la dégoûtent désormais : c'est bon signe, ce sera un garçon. Ce projet de loi qu'il présentera aux Communes n'est pas, comme elle le croit, l'anticipation d'un désastre, mais la confirmation de sa place dans le monde. Elle doit avoir trente-trois ans cette année. Pendant combien d'années s'est-il moqué de sa poitrine plate et de son teint jaunâtre ? Même lui voit désormais sa beauté, maintenant qu'elle est reine. Son visage ressemble à une sculpture aux lignes pures, son crâne est aussi petit que celui d'un chat ; sa gorge a un éclat minéral, comme si elle était saupoudrée de pyrite.

Henri dit : « Stephen est un ambassadeur déterminé, ça ne fait aucun doute, mais je ne peux pas le conserver à mes côtés. Je lui ai confié mes secrets les plus intimes, et maintenant il se retourne contre moi. » Il secoue la tête. « Je déteste l'ingratitude. Je déteste la déloyauté. C'est pour ça que j'estime un homme tel que vous. Vous êtes resté fidèle à votre maître quand il avait des problèmes. C'est à mes yeux votre meilleure recommandation. » Il parle comme s'il n'avait pas été lui-même à l'origine de ces problèmes ; comme si la chute de Wolsey avait été le fruit du hasard. « Un autre qui m'a déçu est Thomas More. »

Anne suggère : « Quand vous rédigerez votre décret

contre la fausse prophétesse Barton, incluez-y More, en plus de Fisher. »

Il secoue la tête.

« Ça ne passera pas. Le Parlement ne l'acceptera pas. Il y a de nombreuses preuves contre Fisher, et les députés des Communes ne l'aiment pas, il leur parle comme si c'étaient des Turcs. Mais More est venu me voir avant même que Barton soit arrêtée, et il m'a démontré qu'il n'avait rien à voir avec cette affaire.

— Mais ça lui fera peur, dit Anne. Je veux qu'il ait peur. La peur peut défaire un homme. Je l'ai déjà vu. »

Trois heures de l'après-midi : on apporte des bougies. Il consulte la main-courante de Richard : John Fisher attend. Le moment est venu d'être furieux. Il essaie de penser à Gardiner, mais il n'arrête pas de rire.

« Recomposez votre visage, conseille Richard.

— On a du mal à croire que Stephen me doive de l'argent. Mais il se trouve que j'ai payé pour son installation à Winchester.

— Exigez qu'il vous rembourse.

— Mais je lui ai déjà pris sa maison pour la reine. Il ne s'en est toujours pas remis. Mieux vaut ne pas le pousser à sa dernière extrémité. Je dois lui accorder un répit. »

L'évêque Fisher est assis, ses mains squelettiques posées sur une canne en ébène.

« Bonsoir, monseigneur, dit-il. Pourquoi donc êtes-vous si crédule ? »

L'évêque semble surpris qu'ils ne commencent pas par une prière. Il murmure néanmoins une bénédiction.

« Vous feriez mieux de demander la grâce du roi.

De l'implorer. De le supplier de tenir compte de votre âge et de vos infirmités.

— J'ignore quel est mon crime. Et, quoi que vous pensiez, je ne suis pas retombé en enfance.

— C'est pourtant ce que je crois. Sinon comment expliquer que vous ayez pu ajouter foi à cette Barton ? Si vous tombiez sur un spectacle de marionnettes dans la rue, vous applaudiriez en criant : "Regardez leur petites jambes de bois qui marchent, regardez comme ils agitent les bras. Entendez-les souffler dans leur trompette." N'est-ce pas ?

— Je ne crois pas avoir jamais assisté à un spectacle de marionnettes, répond tristement Fisher. Du moins, pas du genre dont vous parlez.

— Mais vous êtes en plein dedans, monsieur l'évêque ! Regardez autour de vous. Ce n'est qu'un vaste spectacle de marionnettes.

— Et pourtant tant de gens l'ont crue, dit doucement Fisher. Warham lui-même, l'ancien archevêque de Canterbury. Une dizaine, une centaine d'hommes pieux et cultivés. Ils ont attesté ses miracles. Et pourquoi n'aurait-elle pas dit à voix haute ce qu'elle savait, pourquoi n'aurait-elle pas dit qu'elle était inspirée ? Nous savons que, avant de se mettre à l'ouvrage, le Seigneur nous prévient à travers ses serviteurs, car le prophète Amos n'a-t-il pas dit...

— Pas de prophète Amos avec moi, mon vieux. Elle a menacé le roi. Elle a annoncé sa mort.

— Ce n'est pas parce qu'on annonce une chose qu'on la désire, et encore moins qu'on la complote.

— Ah, mais elle n'a jamais annoncé quoi que ce soit qu'elle n'espérait pas voir se réaliser. Elle s'est assise avec les ennemis du roi et leur a dit comment ça se passerait.

— Si vous parlez de lord Exeter, réplique l'évêque, il est déjà gracié, bien sûr, de même que lady Gertrude. S'ils étaient coupables, le roi les aurait fait condamner.

— Pas nécessairement. Henri souhaite une réconciliation. Il veut être clément. Comme il pourra l'être avec vous, mais vous devez avouer vos fautes. Exeter n'a pas écrit contre le roi, mais vous, si.

— Où ? Montrez-moi.

— Votre main était déguisée, monseigneur, mais je l'ai reconnue. Vous ne publierez plus. » Fisher regarde vivement vers le plafond. Délicatement, ses os bougent sous sa peau ; il agrippe sa canne, dont le pommeau sculpté représente un dauphin. « Vos imprimeurs à l'étranger travaillent désormais pour moi. Mon ami Stephen Vaughan leur a offert un meilleur prix.

— C'est à cause du divorce que vous vous acharnez sur moi, déclare Fisher. Il ne s'agit pas d'Elizabeth Barton. C'est parce que Catherine m'a demandé des conseils et que je les lui ai donnés.

— Vous dites que je m'acharne sur vous quand je vous demande simplement de rester dans le cadre de la loi ? N'essayez pas de m'éloigner du sujet de votre prophétesse, ou je vous enverrai la retrouver et vous ferai enfermer dans le cachot voisin du sien. Auriez-vous été aussi prompt à la croire si, dans une de ses visions, elle avait vu Anne couronnée avant que cela ne se produise, avec la bénédiction divine ? Dans ce cas, je vous l'affirme, vous l'auriez qualifiée de sorcière. »

Fisher secoue la tête ; il se dissimule derrière une mine confuse.

« Je me suis toujours demandé, vous savez, ça

m'a troublé pendant de nombreuses années, si dans les Évangiles Marie Madeleine était la même Marie que la sœur de Marthe. Elizabeth Barton m'a affirmé avec certitude que oui. Elle n'a pas hésité un instant. »

Il rit.

« Oh, elle connaît bien ces gens. Elle est toujours fourrée chez eux. Elle a de nombreuses fois partagé un bol de potage avec la Sainte Vierge. Écoutez, monseigneur, la sainte simplicité était acceptable fut un temps, mais cette époque est révolue. Nous sommes en guerre. Ce n'est pas parce que les soldats de l'empereur n'ont pas envahi nos rues que vous devez vous faire des illusions – c'est une guerre, et vous êtes dans le camp de l'ennemi. »

L'évêque reste silencieux. Il oscille légèrement sur son tabouret. Il renifle.

« Je comprends pourquoi Wolsey vous a gardé. Vous êtes une canaille, tout comme lui. J'ai été prêtre quarante ans, et je n'ai jamais vu des mécréants tels que ceux qui fleurissent aujourd'hui. Des conseillers aussi diaboliques.

— Tombez malade, dit-il. Alitez-vous. Voilà ce que je vous recommande. »

Le décret contre la nonne et ses alliés est présenté à la Chambre des lords le matin du samedi 21 février. Le nom de Fisher y figure ainsi que, sur l'ordre d'Henri, celui de More. Il rend visite à la Barton à la Tour, pour voir si elle a autre chose à dire pour soulager sa conscience avant que sa mort ne soit programmée.

Elle a survécu à l'hiver, péniblement parcouru le pays pour prononcer ses confessions publiques, debout sur des échafauds fouettés par le vent cinglant. Il entre avec une bougie à la main et la trouve avachie sur un tabouret comme un tas de loques mal ficelé. L'air est à la fois froid et fétide. Elle lève les yeux et dit, comme s'ils reprenaient une conversation en cours : « Marie Madeleine m'a dit que je devais mourir. »

Peut-être, songe-t-il, était-elle en train de lui parler dans sa tête.

« Vous a-t-elle donné une date ?

— Ça vous arrangerait ? » dit-elle. Il se demande si elle sait que le Parlement, indigné par l'inclusion de More au banc des accusés, pourrait repousser le décret jusqu'au printemps. « Je suis contente que vous soyez venu, maître Cromwell. Il ne se passe rien ici. »

Même ses interrogatoires les plus longs et les plus subtils ne sont pas parvenus à l'effrayer. Pour impliquer Catherine, il a essayé toutes les ruses qu'il connaissait : en vain.

Il demande : « On vous nourrit convenablement, n'est-ce pas ?

— Oh, oui. Et on lave mon linge. Mais le temps où j'allais voir l'archevêque à Lambeth me manque. J'aimais bien ça. Voir la rivière. Toute cette agitation, et les bateaux qu'on déchargeait. Savez-vous si je serai brûlée ? C'est ce qu'a dit lord Audley. »

Elle parle comme si Audley était un vieil ami.

« J'espère qu'on pourra vous épargner ça. C'est au roi de décider.

— Ces temps-ci, je vais en enfer la nuit, dit-elle. Maître Lucifer me montre une chaise. Elle est faite d'ossements humains et couverte d'un coussin de flammes.

— Est-elle pour moi ?

— Doux Jésus, non. Pour le roi. »

— Des visions de Wolsey ?

— Le cardinal est là où je l'ai laissé. Assis parmi les non-nés. » Elle marque une pause ; une longue pause contemplative. « On dit que ça peut prendre une heure avant que le corps soit complètement brûlé. Mais Marie m'exaltera. Je me baignerai dans les flammes comme on se baigne dans une fontaine. Elles me paraîtront fraîches. » Elle le regarde en face, mais détourne les yeux en voyant son expression. « Parfois ils mêlent de la poudre à canon au bois, n'est-ce pas ? Ça accélère le processus. Combien m'accompagneront au bûcher ? »

Six. Il les nomme.

« Il aurait pu y en avoir soixante. Savez-vous cela ? Votre vanité les a menés jusqu'ici. »

Tout en disant ça il pense, il est aussi vrai que leur vanité à eux l'a menée jusqu'ici : et il devine qu'elle aurait préféré que soixante personnes meurent, et voir la famille Exeter et les Pole tomber en disgrâce ; ça aurait scellé sa gloire. Dans ce cas, pourquoi a-t-elle refusé d'admettre que Catherine faisait partie du complot ? Quel triomphe pour un prophète que d'entraîner la perte d'une reine ! Il songe, j'aurais dû être moins subtil après tout ; j'aurais dû jouer sur sa soif de notoriété.

« Ne vous reverrai-je pas ? demande-t-elle. Ou serez-vous là quand je souffrirai ? »

« Ce trône, dit-il. Cette chaise faite d'ossements. Vous feriez aussi bien de garder ça pour vous. Inutile que le roi l'apprenne.

— Je crois qu'il doit savoir. Il doit être prévenu de ce qui l'attend après la mort. Et que peut-il me faire de pire que ce qu'il projette déjà ?

— Vous ne voulez pas prétendre que vous êtes enceinte ? » Elle rougit.

« Je n'attends pas d'enfant. Vous vous moquez de moi.

— Je conseillerais à quiconque de gagner quelques semaines de vie supplémentaires, par n'importe quel moyen. Dites que vous avez été abusée sur la route. Dites que vos gardes vous ont déshonorée.

— Mais alors je serais forcée de dire qui, et ils seraient menés devant un juge. »

Il secoue la tête avec pitié.

« Quand un garde abuse d'une prisonnière, il ne lui dit pas son nom. »

Elle n'aime pas son idée, c'est évident. Il la laisse. La Tour est comme une petite ville, et ses routines matinales résonnent autour de lui. Les gardiens et les hommes de la Monnaie l'accueillent, et le garde des bêtes du roi arrive au petit trot en expliquant que c'est l'heure du dîner – elles mangent tôt, les bêtes. Voudrait-il assister au repas ? Ç'aurait été avec plaisir, répond-il, déclinant l'invitation. Lui-même n'a pas pris son petit déjeuner, et il se sent légèrement nauséeux. Il flotte une odeur de vieux sang, et des cages proviennent des grondements sourds et des gémissements étouffés. Sur les remparts qui dominent la rivière, un homme invisible siffle une vieille mélodie et entonne le refrain : il chante qu'il est un joyeux forestier. Ce qui est très certainement un mensonge.

Il cherche ses bateliers du regard. Il se demande si la nonne est malade, si elle vivra jusqu'à son exécution. Aucun mal ne lui a été fait quand elle était sous sa garde, on l'a juste empêchée de dormir pendant une ou deux nuits. Mais les affaires du roi le tiennent éveillé tout aussi longtemps, et on n'attend pas de moi, songe-t-il, que je confesse quoi que ce soit. Il est neuf heures ; à dix heures il doit être avec Norfolk et Audley, qui, espère-t-il, hurleront et empesteront moins que les bêtes de la Tour. Un soleil glacial et hésitant flotte dans le ciel ; des torsades de vapeur ondoient au-dessus de la rivière, un gribouillis de brume.

À Westminster, le duc chasse ses serviteurs.

« Si je veux boire, je me servirai tout seul ! Allez, dehors, sortez tous. Et fermez la porte ! Le premier qui regarde par le trou de la serrure, je l'écorche vif et je le couvre de sel ! »

Il se retourne, marmonnant un juron, et attrape sa chaise en grognant.

« Et si je le suppliais ? demande Norfolk. Si je m'agenouillais et disais, Henri, pour l'amour de Dieu, retirez le nom de Thomas More du décret.

— Si nous le suppliions tous ? renchérit Audley. À genoux ?

— Oh, et Cranmer aussi, dit-il. Il viendra avec nous. Il ne va pas échapper à ce délicieux spectacle.

— Le roi jure, déclare Audley, que si le décret est rejeté, il viendra lui-même devant le Parlement, les deux chambres au besoin, et insistera.

— Il risque d'essuyer un échec, observe le duc. Et en public. Pour l'amour de Dieu, Cromwell, ne le laissez pas faire ça. Il savait que More était contre lui et il l'a laissé se retirer à Chelsea pour soulager sa conscience. Mais c'est ma nièce, je suppose, qui veut qu'il soit puni. Elle en fait une affaire personnelle. Les femmes sont ainsi.

— Je crois que le roi aussi en fait une affaire personnelle.

— Ce qui, d'après moi, est un signe de faiblesse, déclare Norfolk. Pourquoi se soucierait-il de ce que More pense de lui ? »

Audley esquisse un sourire hésitant.

« Vous qualifiez le roi de faible ?

— *Qualifier le roi de faible ?* » Le duc se précipite en avant et hurle à la face d'Audley, comme si c'était une pie parlante. « Qu'est-ce que c'est, lord-chancelier, vous parlez pour vous-même ? Vous attendez d'ordinaire que Cromwell ait parlé, et alors c'est cui-cui-cui, oui-monsieur-non-monsieur, comme vous voulez, Tom Cromwell. »

La porte s'ouvre et Appelez-Moi-Risley apparaît, partiellement.

« Bon Dieu, s'écrie le duc, si j'avais une arbalète, je vous arracherais la tête ! J'ai dit que personne ne devait entrer !

— Will Roper est ici. Il porte des lettres de son beau-père. More veut savoir ce que vous allez faire pour lui, sir, puisque vous avez admis que légalement il n'a à répondre de rien.

— Dites à Will que nous nous entraînons à supplier le roi de retirer le nom de More du décret. »

Le duc vide son verre d'un trait, celui qu'il s'est servi tout seul. Il le repose brutalement sur la table.

« Votre cardinal disait tout le temps, Henri préférerait donner la moitié de son royaume plutôt que voir ses plans contrecarrés, il refuse la moindre contradiction.

— Mais je pense que... ne croyez-vous pas, lord-chancelier...

— Oh, si, coupe le duc. Quoi que vous pensiez, Tom, il le pense aussi. Blablabla. »

Wriothesley a l'air surpris.

« Puis-je faire entrer Will ?

— Donc nous sommes d'accord ? Nous allons l'implorer à genoux ?

— Je ne le ferai pas à moins que Cranmer le fasse aussi, rétorque le duc. Pourquoi un laïque irait-il s'user les articulations ?

— Peut-être pourrions-nous aussi demander à Suffolk de se joindre à nous ? suggère Audley.

— Non. Son fils est mourant. Son héritier. » Le duc se passe la main sur la bouche. « Il est tout juste à un mois de son dix-huitième anniversaire. » Il triture ses médailles sacrées, ses reliques. « Brandon n'a qu'un fils. Comme moi. Comme vous, Cromwell. Et comme Thomas More. Juste un fils. Pauvre Charles, il va devoir recommencer à procréer avec sa nouvelle femme ; ça va être une épreuve, j'en suis sûr. » Il éclate d'un rire tonitruant. « Si je pouvais mettre ma femme au rebut, moi aussi je pourrais me trouver de la chair fraîche de quinze ans. Mais elle refuse de partir. »

C'en est trop pour Audley. Son visage s'empourpre.

« Milord, vous êtes marié, et bien marié, depuis vingt ans.

— Vous croyez que je ne le sais pas ? C'est comme être enfermé dans un vieux sac en cuir. » Le duc pose sa main osseuse sur l'épaule de Cromwell et la serre. « Obtenez-moi un divorce, vous voulez bien ? Vous et monsieur l'archevêque, trouvez-moi un bon motif. Je promets que personne ne se fera assassiner.

— Qui parle d'assassinat ? demande Wriothesley.

— Nous nous préparons à assassiner Thomas More, pas vrai ? Et le vieux Fisher, nous affûtons le couteau pour lui, hein ?

— Dieu nous en préserve. » Le lord-chancelier se lève, faisant tournoyer sa toge autour de lui. « Il n'y a aucune accusation qui puisse leur valoir une exécution. More et l'évêque de Rochester sont simplement complices.

— Ce qui, déclare Wriothesley, à vrai dire, est déjà grave. »

Norfolk hausse les épaules.

« Qu'on les tue maintenant ou plus tard. More ne prêtera pas serment. Fisher non plus.

— Je suis sûr du contraire, rétorque Audrey. Nous userons d'arguments persuasifs. Aucune personne raisonnable ne refusera d'approuver la succession pour la sécurité de ce royaume.

— Donc Catherine est censée prêter serment, demande le duc, et soutenir l'accession au trône de l'enfant de ma nièce ? Et Marie, va-t-elle aussi prêter serment ? Et si elles ne le font pas, que suggérez-vous ? Qu'on les emmène à Tyburn en les exhibant en chemin puis qu'on les pende haut et court pour que leur parent l'empereur les voie ? »

Cromwell et Audley échangent un regard.

« Milord, déclare Audley, vous ne devriez pas boire autant de vin avant midi.

— Oh, *cui-cui* », réplique le duc.

Il y a une semaine, il s'est rendu avec Gregory à Hatfield pour voir les deux filles du roi : la princesse Élisabeth et lady Marie.

« Assure-toi de ne pas t'emmêler dans leurs titres », a-t-il dit à Gregory en chemin.

À quoi Gregory a répondu : « Vous regrettez déjà de ne pas être accompagné de Richard. »

Il ne voulait pas quitter Londres durant une session parlementaire si chargée, mais le roi l'avait convaincu : deux jours et vous serez de retour, je veux votre avis sur la situation. La route à la sortie de la ville était couverte de gel fondu et, dans les taillis où le soleil ne pénétrait pas, les flaques étaient toujours glacées. Un soleil faible leur faisait des clins d'œil tandis qu'ils traversaient l'Hertfordshire, et ici et là un prunellier en fleurs semblait protester contre l'hiver interminable.

« J'avais l'habitude de venir ici il y a des années. C'était la maison du cardinal Morton, tu sais, et il quittait la ville à la fin de la session législative, quand il commençait à faire beau ; et quand j'avais neuf ou dix ans, mon oncle John m'entassait dans la charrette à victuailles avec les meilleurs fromages et les tourtes, au cas où quelqu'un tenterait de les voler à l'un de nos arrêts.

— N'aviez-vous pas de gardes ?

— C'était les gardes qu'il craignait.

— *Quis custodiet ipsos custodes ?*

— Moi, de toute évidence.

— Qu'auriez-vous fait ?

— Je ne sais pas. Je les aurais mordus ? »

La façade d'un jaune tendre est plus petite que dans son souvenir, mais c'est un tour que lui joue sa mémoire. Des pages et des gentilshommes arrivent en courant, des palefreniers emmènent leurs chevaux, du vin chaud les attend, on s'agite à grand bruit autour d'eux : ce n'est plus le même accueil qu'avant. Porter du bois et de l'eau, allumer les fourneaux, ces tâches étaient au-delà des forces ou des compétences d'un enfant, mais il refusait de les laisser à quiconque et travaillait avec les hommes, crasseux et affamé, jusqu'à ce que quelqu'un remarque qu'il était sur le point de s'écrouler ; ou jusqu'à ce qu'il s'écroule pour de bon.

Sir John Shelton est à la tête de cette étrange maison, mais il a choisi un moment où sir John est absent ; ce qu'il veut, c'est parler aux femmes, plutôt qu'écouter Shelton dégoiser sur les chiens, les chevaux et ses exploits de jeunesse. Mais au seuil de la maison, il change presque d'avis lorsqu'il voit, dévalant précipitamment les marches grinçantes, lady Bryan, la mère de Francis le Borgne, qui a désormais la charge de la minuscule princesse. C'est une femme de près de soixante-dix ans, une grand-mère aguerrie, et il voit sa bouche bouger avant même de pouvoir l'entendre : Son Altesse a dormi jusqu'à onze heures, puis braillé jusqu'à minuit ; elle s'est épuisée, pauvre petit poussin ! Dormi une heure, réveillée de mauvaise humeur, les joues toutes rouges, soupçon de fièvre, lady Shelton réveillée, le médecin tiré de son lit, elle fait déjà ses dents, un mauvais moment à passer ! Une potion apaisante, calmée au lever du soleil, réveillée à neuf heures, a mangé…

« Oh, maître Cromwell, s'exclame lady Bryan, ça ne peut pas être votre fils ! Dieu soit loué ! Quel beau et grand jeune homme ! Quel joli visage il a, il doit le tenir de sa mère. Quel âge cela lui fait-il maintenant ?

— L'âge de savoir parler, je suppose. »

Lady Bryan se tourne vers Gregory, le visage rayonnant, comme si elle s'apprêtait à lui réciter une comptine. Lady Shelton, la sœur de Thomas Boleyn, arrive soudain.

« Bonjour à vous, messieurs. » Une petite hésitation : la tante de la reine est-elle censée s'incliner devant le maître de la Maison des Joyaux ? Non, décide-t-elle. « Je suppose que lady Bryan vous a fait un compte rendu détaillé de ses fonctions.

— En effet, et peut-être pourrions-nous en avoir un des vôtres ?

— Vous ne comptez pas aller voir lady Marie en personne ?

— Si, mais un homme averti…

— Certes. Je ne me promène pas armée, mais ma nièce la reine me recommande d'utiliser mes poings. »

Elle le scrute rapidement de la tête aux pieds, le jauge ; la tension est palpable. Comment les femmes font-elles ça ? Ça doit pouvoir s'apprendre. Il sent, plus qu'il ne voit, son fils reculer, jusqu'au moment où il heurte le vaisselier sur lequel est exposée la collection déjà imposante d'assiettes d'or et d'argent de la princesse Élisabeth.

Lady Shelton reprend : « Ma fonction consiste, si lady Marie ne m'obéit pas, et je cite là les paroles de ma nièce, à la frapper et la rouer de coups comme la bâtarde illégitime qu'elle est.

— Oh, mère de Dieu ! gémit lady Bryan. J'ai aussi été la nurse de Marie, et elle était déjà têtue quand elle était toute petite, alors elle ne va pas changer maintenant, vous pouvez la battre autant que vous voudrez. Vous aimeriez voir le bébé d'abord, n'est-ce pas ? »

Elle saisit le coude de Gregory comme s'il était en état d'arrestation. Elle débite à toute allure : vous voyez, chez une enfant de cet âge, une fièvre pourrait être n'importe quoi. Ça pourrait être un début d'oreillons, Dieu nous en préserve. Ça pourrait être un début de variole. Chez une enfant de six mois, on ne sait pas le début de quoi ça va être… Une veine palpite sur la gorge de lady Bryan. Tout en parlant elle passe sa langue sur ses lèvres sèches et ravale sa salive.

Il comprend désormais pourquoi Henri a voulu qu'il vienne. Ce qui se passe ici ne peut être expliqué dans une lettre.

Il demande à lady Shelton : « Voulez-vous dire que la reine vous a écrit de battre lady Marie, dans ces termes ?

— Non. C'était une instruction verbale. » Elle passe devant lui. « Pensez-vous que je doive la mettre en pratique ?

— Nous en discuterons peut-être en privé », murmure-t-il. Elle tourne la tête vers lui.

« Oui, pourquoi pas ? » répond-elle, également dans un murmure.

La petite Élisabeth est emmaillotée dans plusieurs couches d'étoffe. Ses poings sont invisibles, ce qui n'est pas plus mal car elle semble bien disposée à vous frapper. De petits cheveux roux ressortent de sous son bonnet, et ses yeux sont à l'affût ; il n'a jamais vu un enfant au berceau avoir l'air si enclin à prendre la mouche.

« Trouvez-vous qu'elle ressemble au roi ? » demande lady Bryan.

Il hésite, soucieux de ne vexer personne.

« Autant qu'il est possible.

— Espérons qu'elle n'aura pas le même tour de taille, observe lady Shelton. Il s'étoffe, non ?

— George Rochford est le seul à dire qu'elle ne lui ressemble pas. » Lady Bryan se penche au-dessus du berceau. « Il dit que c'est une Boleyn tout craché.

— Nous savons que ma nièce Anne a vécu dans

la chasteté, observe lady Shelton, mais même à elle il n'est pas permis d'enfanter vierge.

— Mais les cheveux ! dit-il.

— Je sais, soupire lady Bryan. Sans vouloir offenser la princesse, et avec tout le respect que je dois à Sa Majesté, on pourrait l'exhiber à une foire et la faire passer pour un porcelet. »

Elle soulève doucement le bonnet de l'enfant et ses doigts s'affairent tandis qu'elle essaie de cacher les cheveux. L'enfant fait la grimace et hoquette en signe de protestation.

Gregory la regarde en fronçant les sourcils.

« Ça pourrait être la fille de n'importe qui. »

Lady Shelton porte la main à sa bouche pour dissimuler son sourire.

« Vous voulez dire, tous les enfants se ressemblent. Venez, maître Cromwell. »

Elle le saisit par la manche et l'entraîne hors de la pièce. Lady Bryan reste en arrière pour remmailloter la princesse qui semble s'être dégagée à certains endroits.

Par-dessus son épaule, il lance : « Pour l'amour de Dieu, Gregory ! »

On a fini à la Tour pour moins.

Puis, à l'intention de lady Shelton : « Je ne vois pas comment Marie pourrait être illégitime. Ses parents étaient de bonne foi quand ils l'ont eue. »

Elle se fige, un sourcil arqué.

« Diriez-vous cela à ma nièce la reine ? En face, s'entend ?

— Je le lui ai déjà dit.

— Et comment l'a-t-elle pris ?

— Eh bien, je vais vous dire, lady Shelton, si elle

avait eu une hache à portée de main, elle aurait essayé de me couper la tête.

— Je vais vous dire une chose en retour, et vous pourrez la rapporter à ma nièce si vous voulez. Si Marie était en effet illégitime, et la fille illégitime du gentilhomme le plus pauvre et sans terre d'Angleterre, elle ne recevrait rien que de l'affection de ma part, car c'est une gentille jeune femme, et il faudrait avoir un cœur de pierre pour ne pas plaindre sa situation. »

Elle marche vite, sa traîne balayant les dalles de pierre. Ils atteignent le cœur de la maison. Les anciens servants de Marie sont là, des visages qu'il a déjà vus ; l'emblème de Marie sur leur veste a été remplacé par celui du roi. Il regarde autour de lui et reconnaît tout. Il s'arrête au pied du grand escalier. Il n'a jamais été autorisé à le monter, il y avait un escalier de service pour les garçons comme lui qui portaient du bois ou du charbon. Un jour, il a enfreint les règles ; et quand il est arrivé en haut, un poing a jailli de l'obscurité et l'a atteint à la tempe. Le cardinal Morton en personne ?

Il touche la pierre, froide comme un tombeau : des vignes entrelacées à des fleurs sans nom. Lady Shelton le regarde en souriant, perplexe : pourquoi hésite-t-il ?

« Peut-être devrions-nous nous changer avant de rencontrer lady Marie. Elle pourrait être offensée si nous nous présentions dans nos habits de voyage…

— Elle le sera aussi si vous tardez. Elle fera toute une histoire dans un cas comme dans l'autre. Je dis que je la plains, mais elle n'est pas facile ! Elle n'honore notre table ni au dîner ni au souper sous prétexte qu'elle refuse de s'asseoir à une place inférieure à celle de la petite princesse. Et ma nièce la reine a décrété qu'on ne devait pas lui porter à manger dans sa chambre, hormis le petit pain que nous avons tous au petit déjeuner. »

Ils sont désormais devant une porte fermée.

« Cette pièce s'appelle-t-elle toujours la chambre bleue ?

— Ah, votre père est déjà venu ici, dit-elle à Gregory.

— Il est allé partout », répond le jeune homme.

Elle se retourne.

« Voyez comment vous vous entendrez, messieurs. Au fait, elle ne répondra pas si vous l'appelez "lady Marie". »

C'est une longue pièce, presque sans meubles, et un courant d'air froid, comme précédant un fantôme, les accueille au seuil. Les tapisseries bleues ont été décrochées et les murs de plâtre sont nus. Près d'un feu presque éteint, Marie est assise : recroquevillée sur elle-même, minuscule et pitoyablement jeune.

Gregory murmure : « Elle ressemble à Malekin. »

Pauvre Malekin, la jeune fille fée ; elle mange la nuit, vit de miettes et d'épluchures de pommes. Parfois, si vous descendez l'escalier de bonne heure et en silence, vous la trouvez assise dans les cendres.

Marie lève les yeux ; étonnamment, son petit visage s'illumine.

« Maître Cromwell. » Elle se lève, fait un pas vers lui et trébuche presque en se prenant les pieds dans le bas de sa robe. « À quand remonte la dernière fois que je vous ai vu à Windsor ?

— Je ne saurais dire, répond-il avec gravité. Les années vous vont à ravir, madame. »

Elle glousse ; elle a désormais dix-huit ans. Elle

cherche autour d'elle d'un air perplexe le tabouret sur lequel elle était assise.

« Gregory », dit-il, et son fils se précipite en avant pour rattraper l'ancienne princesse avant qu'elle ne s'assoie dans le vide. Il fait ça comme si c'était un pas de danse ; Gregory peut parfois être utile.

« Je suis désolée de ne pas avoir de chaise à vous proposer. Vous pouvez, dit-elle en agitant vaguement la main, vous asseoir sur cette malle.

— Je crois que nous sommes assez forts pour rester debout. Mais je ne crois pas que vous le soyez. » Il voit Gregory lui lancer un coup d'œil, comme s'il ne l'avait jamais entendu parler d'un ton aussi doux. « On ne vous force sûrement pas à rester assise seule auprès de ce misérable feu ?

— L'homme qui apporte le bois refuse de m'appeler par mon titre de princesse.

— Êtes-vous obligée de lui parler ?

— Non. Mais ce serait me dérober que de ne pas le faire. »

C'est vrai, songe-t-il : rendez-vous la vie aussi dure que possible.

« Lady Shelton m'a parlé du problème de… du problème des repas. Supposez que je vous envoie un médecin ?

— Nous en avons un ici. Ou plutôt, l'enfant en a un.

— Je pourrais en envoyer un qui serait plus utile. Il pourrait vous prescrire un régime pour votre santé, et exiger que vous preniez un petit déjeuner copieux, dans votre chambre.

— De la viande ? demande Marie.

— En quantité.

— Mais qui enverriez-vous ?

— Le docteur Butts ? »

Le visage de Marie s'adoucit. « Je l'ai connu à ma cour de Ludlow. Quand j'étais princesse de Galles. Ce que je suis toujours. Comment se fait-il que j'aie été écartée de la succession ? Comment cela peut-il être légal ?

— C'est légal si le Parlement le décide.

— Il y a une loi au-dessus du Parlement. C'est la loi de Dieu. Demandez à l'évêque Fisher.

— Les voies de Dieu me semblent impénétrables, et Dieu sait que Fisher me paraît incapable de les élucider. En revanche, les intentions du Parlement me semblent claires. »

Elle se mord la lèvre, détourne les yeux.

« J'ai entendu dire que le docteur Butts était un hérétique ces temps-ci.

— Il croit ce que votre père le roi croit. »

Il attend. Elle se tourne, ses yeux gris s'attardent sur son visage.

« Je ne dirai pas que mon père est un hérétique.

— Bien. Mieux vaut que vos amis soient les premiers à s'en assurer.

— Je ne vois pas comment vous pourriez être mon ami si vous êtes également l'ami de cette personne, la marquise de Pembroke. »

Elle refuse d'accorder à Anne son titre royal.

« Cette femme se trouve dans une situation où elle n'a pas besoin d'amis, seulement de serviteurs.

— Pole affirme que vous êtes Satan. Mon cousin Reginald Pole. Qui se trouve à Gênes. Il dit que quand vous êtes né, vous étiez comme n'importe quel chrétien, mais qu'à un moment le diable est entré en vous.

— Saviez-vous, lady Marie, que je venais ici quand

777

j'avais neuf ou dix ans ? Mon oncle était le cuisinier de Morton, et j'étais un pauvre morveux qui amassait les brindilles d'aubépine à l'aube pour allumer les fourneaux, et qui tuait les poulets pour la marmite avant le lever du soleil. » Il parle gravement. « Pensez-vous que ce soit à cette époque que le diable est entré en moi ? Ou bien était-ce plus tôt, vers l'âge où d'autres étaient baptisés ? Vous comprenez que ça m'intéresse. »

Marie l'observe, et elle le fait en le regardant de biais ; elle porte toujours une lourde coiffe à l'ancienne, et elle semble cligner des yeux, comme un cheval dont le bonnet aurait glissé.

Il ajoute doucement : « Je ne suis pas Satan. Votre père n'est pas un hérétique.

— Et je ne suis pas une bâtarde, je suppose.

— En effet. » Il lui répète ce qu'il a dit à Anne Shelton. « Vous avez été conçue de bonne foi. Vos parents croyaient être mariés. Ce qui ne signifie pas que leur mariage était valable. Vous voyez la différence, je pense ? »

Elle se frotte le dessous du nez avec l'index.

« Oui, je vois la différence. Mais le fait est que le mariage était valable.

— La reine va bientôt venir voir sa fille. Si vous acceptiez de la saluer respectueusement comme le mérite l'épouse de votre père...

— ... sauf que c'est sa concubine...

— ... alors votre père vous reprendrait à la cour, vous auriez tout ce qui vous manque ici, la chaleur et le réconfort d'une vie en société. Écoutez-moi, je parle pour votre bien. La reine n'espère pas votre amitié, elle veut seulement préserver les apparences. Mordez-vous la langue et faites-lui une révérence. Ça prendra une fraction de seconde, et ça changera tout. Trouvez un accord avec elle avant que le nouvel enfant naisse. Si elle a un fils, elle n'aura plus aucune raison de se montrer conciliante envers vous.

— Elle me craint, déclare Marie, et elle continuera de me craindre, même si elle a un fils. Elle a peur que je me marie et que mes fils soient une menace pour elle.

— Vous a-t-on parlé mariage ? »

Un petit rire sec et incrédule.

« J'étais encore au sein de ma mère qu'on m'avait déjà promise à la France. Puis à l'empereur, puis encore à la France, au roi, à son premier fils, à son second fils, à tous ses innombrables fils, et de nouveau à l'empereur, ou à l'un de ses cousins. J'ai été promise en mariage jusqu'à l'épuisement. Mais un jour je me marierai pour de bon.

— Mais vous n'épouserez pas Pole. »

Elle tressaille, et il devine que cela lui a été suggéré – peut-être par son ancienne gouvernante, Margaret Pole, ou peut-être par Chapuys, qui passe ses nuits à étudier les généalogies anglaises. Pour réaffirmer son droit, pour la rendre irréprochable, il suffirait de marier la Tudor à demi espagnole à un Plantagenêt.

« J'ai vu Pole, dit-il. Je le connaissais avant qu'il quitte le royaume. Ce n'est pas l'homme qu'il vous faut. Quel que soit le mari que vous vous trouverez, il devra être prêt à se battre épée au poing. Pole est comme une vieille femme assise près du feu, il sursaute en s'imaginant des croquemitaines et des monstres dans le coin de la pièce. C'est de l'eau bénite qui coule dans ses veines, et on dit qu'il pleure copieusement si son serviteur écrase une mouche. »

Elle sourit, mais se plaque une main sur la bouche comme si elle se bâillonnait.

« C'est vrai, ironise-t-il. Vous ne parlez à personne. »

Elle dit, à travers ses doigts : « Je ne vois pas assez bien pour lire.

— Quoi, vous prive-t-on de bougies ?

— Non, je veux dire que ma vue baisse. J'ai sans cesse mal à la tête.

— Vous pleurez beaucoup ? » Elle acquiesce. « Le docteur Butts vous apportera un remède. En attendant, demandez à quelqu'un de vous faire la lecture.

— C'est ce qu'ils font. Ils me lisent l'évangile de Tyndale. Savez-vous que, à eux deux, l'évêque Tunstall et Thomas More ont recensé deux mille erreurs dans son soi-disant Testament ? Il est plus hérétique que le livre sacré des musulmans. »

Elle le provoque. Mais il voit que les larmes lui montent aux yeux.

« Tout cela peut être arrangé », dit-il. Elle s'approche de lui en titubant et pendant un instant il croit qu'elle va s'oublier, se jeter dans ses bras et pleurer sur son manteau de voyage. « Le médecin sera ici dans une journée. Maintenant vous allez avoir droit à un feu digne de ce nom, et à votre souper. On vous le servira là où vous voudrez.

— Laissez-moi voir ma mère.

— Pour le moment, le roi ne peut le permettre. Mais ça changera peut-être.

— Mon père m'aime. C'est elle, cette misérable femme, qui empoisonne son esprit.

— Lady Shelton serait gentille avec vous si vous la laissiez faire.

— Qui est-elle pour décider d'être gentille ou non ? Je survivrai à Anne Shelton, croyez-moi. Et à sa nièce. Et à tous ceux qui s'opposent à mon titre. Qu'ils continuent leurs infamies. Je suis jeune. J'attendrai qu'ils disparaissent. »

Il prend congé. Gregory le suit, son regard fasciné s'attardant sur la jeune femme qui retourne s'asseoir près du feu presque éteint, joint les mains et recommence à attendre avec une expression déterminée.

« Toute cette fourrure de lapin dans laquelle elle est emmitouflée, dit Gregory. On dirait qu'elle a été rongée.

— C'est bien la fille d'Henri.

— Pourquoi, quelqu'un prétend-il le contraire ? »

Il rit.

« Ce n'est pas ce que je voulais dire. Imagine… si l'ancienne reine avait été convaincue d'adultère, il aurait été aisé de se débarrasser d'elle, mais comment prendre en défaut une femme qui n'a connu qu'un seul homme ? » Il s'interrompt. Même les plus proches soutiens du roi ont du mal à se souvenir que Catherine est censée avoir été la femme d'Arthur. « Connu deux hommes, devrais-je dire. » Il observe son fils. « Marie ne t'a pas regardé une seule fois, Gregory.

— Pensiez-vous qu'elle le ferait ?

— Lady Bryan te trouve si beau garçon. Ne serait-ce pas dans la nature d'une jeune femme ?

— Je ne crois pas qu'elle ait une nature.

— Trouve quelqu'un pour ranimer son feu. Je vais lui commander un souper. Le roi ne veut certainement pas qu'elle meure de faim.

— Elle vous aime bien, remarque Gregory. C'est étrange. »

Il voit que son fils est sérieux.

« Qu'y a-t-il d'étonnant à ça ? Mes filles m'aimaient bien, je crois. La pauvre petite Grace, je ne suis pas sûr qu'elle ait jamais su qui j'étais.

— Elle était contente quand vous lui avez fabriqué les ailes d'ange. Elle disait qu'elle les garderait toujours. » Son fils se retourne ; il parle comme s'il avait peur de lui. « Rafe dit que vous serez bientôt le deuxième homme le plus important du royaume. Il dit que vous l'êtes déjà, sauf en titre. Il dit que le roi vous placera au-dessus du lord-chancelier et de tous les autres. Au-dessus de Norfolk, même.

— Rafe met la charrue avant les bœufs. Écoute, fils, ne parle à personne de Marie. Pas même à Rafe.

— En ai-je entendu plus que je n'aurais dû ?

— Que crois-tu qu'il se passerait si le roi mourait demain ?

— Nous serions tous très tristes.

— Mais qui régnerait ? »

Gregory fait un geste de la tête en direction de lady Bryan et du bébé dans son berceau. « C'est ce que dit le Parlement. Ou alors l'enfant de la reine qui n'est pas encore né.

— Mais que se passerait-il ? En pratique ? Un enfant pas encore né ? Ou une fille qui n'a même pas un an ? Anne régente ? Ça ferait l'affaire des Boleyn, je te le concède.

— Alors Fitzroy.

— Il y a une Tudor qui est encore mieux placée. »

Les yeux de Gregory se tournent de nouveau vers lady Marie.

« Exactement, dit-il. Et écoute, Gregory, c'est bien joli de prévoir ce qu'on fera dans six mois, dans un an, mais ça ne sert à rien du tout si on n'a pas de projet pour demain. »

Après le souper il discute avec lady Shelton. Lady Bryan va se coucher, mais elle redescend pour les importuner. « Vous serez fatigués demain matin !

— Oui, répond Anne Shelton en lui faisant signe de les laisser tranquille. Nous ne serons bons à rien. Nous jetterons nos petits déjeuners par terre. »

Ils continuent de discuter jusqu'à ce que les serviteurs s'en aillent en bâillant et que les bougies soient consumées, puis ils se retirent dans une pièce plus petite et mieux chauffée. Vous avez donné un bon conseil à Marie, dit-elle, j'espère qu'elle en tiendra compte, mais je crains qu'une période difficile ne l'attende. Lady Shelton parle de son frère Thomas Boleyn, l'homme le plus égoïste qu'elle connaisse, pas étonnant qu'Anne soit si cupide, elle ne l'a jamais entendu parler que d'argent et du moyen de profiter des autres : il aurait vendu ses filles sur un marché d'esclaves de Barbarie s'il avait pensé pouvoir en tirer un bon prix.

Il s'imagine entouré de serviteurs armés de cimeterres, achetant Mary Boleyn aux enchères ; il sourit et porte de nouveau son attention sur la tante. Elle lui révèle les secrets des Boleyn ; lui ne dévoile aucun des siens, même si elle est persuadée qu'il en a.

Gregory est endormi quand il entre dans la chambre, mais il se retourne et demande : « Cher père, où étiez-vous, au lit avec lady Shelton ? »

Ces choses arrivent, mais pas avec les Boleyn.

« Quels rêves étranges tu dois faire. Lady Shelton est mariée depuis trente ans.

— J'ai pensé à aller voir Marie après le souper, murmure Gregory. En prenant soin de ne pas l'offenser.

Mais elle est si méprisante. Je ne pourrais pas discuter avec une fille aussi méprisante. »

Il se retourne vivement sur le lit de plumes et se rendort.

Quand Fisher retrouve ses esprits et demande à être gracié, le vieil évêque implore le roi de prendre en compte le fait qu'il est vieux et infirme. Le roi indique que le décret doit suivre son cours : mais il a l'habitude, dit-il, d'accorder la grâce à ceux qui admettent leurs fautes.

La nonne doit être pendue. Cromwell ne dit rien de la chaise d'ossements humains. Mais il explique à Henri qu'elle a cessé de prophétiser, et il espère qu'à Tyburn, quand elle aura la corde au cou, elle ne le fera pas passer pour un menteur.

Quand ses conseillers s'agenouillent devant le roi et le supplient d'ôter le nom de Thomas More du décret, Henri cède. Peut-être est-ce ce qu'il attendait : d'être persuadé. Anne n'est pas présente, sinon les choses se seraient sans doute passées différemment.

Ils se lèvent et sortent en s'époussetant. Il croit entendre le cardinal se moquer d'eux, depuis une partie invisible de la pièce. La dignité d'Audley n'a pas souffert, mais le duc semble agité : quand il a essayé de se relever, ses vieux genoux l'ont lâché, et Cromwell et Audley ont dû le soulever par les coudes pour le remettre sur pied.

« J'ai cru que j'allais rester là pendant une heure, dit-il. À implorer et implorer.

— Le plus drôle, explique Cromwell, c'est que More reçoit toujours une pension de la trésorerie. Je suppose qu'il est temps que ça cesse.

— Il peut respirer maintenant. Je prie Dieu pour qu'il entende raison. A-t-il arrangé ses affaires ?

— Il a cédé ce qu'il pouvait à ses enfants. C'est du moins ce que Roper m'a dit.

— Oh, vous autres avocats ! s'exclame le duc. Le jour où je partirai, qui s'occupera de moi ? »

Norfolk est en sueur ; il ralentit l'allure, Audley aussi, et Cranmer arrive derrière eux comme une arrière-pensée. Il se retourne et lui saisit le bras. Cranmer a assisté à chaque séance du Parlement : en dehors de sa présence, le banc des évêques est resté ostensiblement désert.

Le pape choisit ce mois, alors même que Cromwell présente ses grands projets de loi au Parlement, pour prononcer enfin son jugement sur le mariage de Catherine – un jugement si souvent repoussé qu'il pensait que Clément comptait mourir sans avoir pris de décision. Les dispenses originales, estime le pape, sont valables ; donc le mariage avec Catherine est valable. Les partisans de l'empereur font exploser des feux d'artifice dans les rues de Rome. Henri est dédaigneux, sarcastique. Il exprime son mépris en dansant. Anne peut toujours danser, bien que son ventre commence à être visible ; elle devra passer l'été au calme. Il se rappelle la main du roi sur la taille de Lizzie Seymour. Cela n'avait rien donné, la jeune femme n'étant pas idiote. Maintenant c'est autour de Mary Shelton qu'il tourbillonne, la soulevant et la chatouillant, la couvrant de compliments. Ces choses ne signifient rien ; il voit Anne lever le menton, détourner les yeux et se renfoncer dans son siège, murmurant un commentaire avec une expression condescendante ; son voile effleure furtivement la veste de cet ahuri de Francis

Weston. Il est clair qu'Anne estime que Mary Shelton doit être tolérée, voire cajolée. Il est plus sûr d'entourer le roi de cousines quand sa sœur n'est pas là. Où est Mary Boleyn ? À la campagne, rêvant peut-être, comme Cromwell, de températures plus douces.

Et l'été arrive soudain, sans laisser de place au printemps, un lundi matin, tel un nouveau serviteur au visage rayonnant. Ils sont à Lambeth – Audley, lui-même, l'archevêque – et le soleil brille de mille feux de l'autre côté de la fenêtre. Il regarde les jardins du palais en contrebas. C'est ainsi que débute le livre *L'Utopie* : des amis discutant dans un jardin. Dans les allées, Hugh Latimer et quelques-uns des chapelains du roi se chamaillent pour s'amuser, se bousculant comme des écoliers, Hugh accroché au cou de deux de ses camarades, ses pieds se balançant au-dessus du sol. Pour que la journée soit parfaite, il leur faudrait un ballon de football.

« Maître More, dit-il, pourquoi ne sortez-vous pas profiter du soleil ? Nous vous rappellerons dans une demi-heure pour vous redemander de prêter serment : et cette fois vous nous donnerez une réponse différente, d'accord ? »

Il entend les articulations de More craquer tandis que celui-ci se lève.

« Thomas Howard s'est mis à genoux pour vous ! », ajoute-t-il.

Il a l'impression que c'était il y a des semaines. Les séances tardives au Parlement et les querelles quotidiennes l'ont épuisé, mais elles ont également affûté ses sens, si bien qu'il a conscience que, dans la pièce derrière lui, Cranmer commence à être terriblement anxieux. Mieux vaut que More sorte avant qu'il explose.

« Je ne sais pas ce que vous croyez qu'une demi-heure changera pour moi, réplique More d'un ton décontracté, badin. Bien sûr, ça changera peut-être quelque chose pour vous. »

More a demandé à voir une copie de la loi de succession. Audley déroule le document ; More baisse ostensiblement la tête et commence à la lire, bien qu'il l'ait déjà lue une douzaine de fois.

« Très bien, dit-il lorsqu'il a fini sa lecture. Mais je crois m'être fait clairement comprendre : je ne peux pas jurer. Je m'engage cependant à ne pas critiquer votre démarche et ne pas essayer de dissuader qui que ce soit de prêter serment.

— Ça n'est pas suffisant. Et vous le savez. »

More acquiesce. Comme il se dirige vers la porte, il heurte le coin de la table. Cranmer sursaute, tend le bras pour rattraper de justesse son encrier. More sort, referme la porte derrière lui.

« Alors ? »

Audley enroule de nouveau le document. Il le tapote doucement sur la table tout en regardant l'endroit où se tenait More.

« Écoutez, j'ai une idée, dit Cranmer. Et si nous lui faisions prêter serment en secret ? Il jure, mais nous lui proposons de ne rien dire à personne ? Ou s'il ne peut pas accepter ce serment, nous lui demandons lequel lui conviendrait ? »

Cromwell rit.

« Ce n'est pas vraiment ce qu'attend le roi », soupire Audley en tapotant le document enroulé. Toc, toc, toc. « Après tout ce que nous avons fait pour lui, et pour Fisher. Son nom a été retiré du décret, Fisher a reçu une amende au lieu de passer sa vie derrière les barreaux, que peuvent-ils vouloir de plus ? Nos efforts nous reviennent en pleine face.

— Que voulez-vous ? Bénis soient les pacificateurs », dit-il.

Il voudrait étrangler quelqu'un.

Cranmer déclare : « Nous allons réessayer avec More. Au moins, s'il refuse, il devra nous donner ses raisons. »

Il jure à voix basse, se détourne de la fenêtre.

« Nous connaissons ses raisons. L'Europe entière les connaît. Il est opposé au divorce. Il ne croit pas que le roi puisse être à la tête de l'Église. Mais l'admettrat-il ? Pas lui. Je le connais. Savez-vous ce que je déteste ? Je déteste être acteur de cette pièce qui a été entièrement écrite par lui. Je déteste tout ce temps perdu qui pourrait être mieux utilisé, je déteste toute cette énergie gâchée, je déteste voir nos vies passer, car croyez-moi, nous serons vieux avant que cette farce s'achève. Et ce que je déteste le plus, c'est que maître More soit assis dans le public et ricane chaque fois que je bute sur une réplique, car c'est lui qui a écrit tous les rôles. C'est lui qui les écrit depuis des années. »

Cranmer, tel un serviteur, lui remplit une coupe de vin et la lui tend.

« Tenez. »

Dans la main de l'archevêque, la coupe revêt inévitablement un aspect sacramentel : elle ne contient plus du vin, mais une mixture équivoque, ceci est mon sang, ceci est semblable à mon sang, ceci est plus ou moins mon sang, buvez-le pour me commémorer. Il lui rend la coupe. Les Allemands du Nord produisent un alcool fort, l'*aquavitae* : un petit verre de ce breuvage lui serait plus utile.

« Faites revenir More », dit-il.

Quelques instants plus tard, More se tient dans l'entrebâillement de la porte, éternuant doucement.

« Allons, observe Audley en souriant, ce n'est pas une entrée digne d'un héros.

— Je vous assure que je ne cherche nullement à être un héros, réplique More. On a tondu la pelouse. »

Il se pince le nez pour retenir un nouvel éternuement et traîne les pieds vers eux, accrochant sa cape à son épaule ; il s'assied sur la chaise qui lui est réservée. Auparavant, il avait refusé de s'asseoir.

« C'est mieux, déclare Audley. Je savais qu'un peu d'air frais vous ferait du bien. » Il lève les yeux pour inviter Cromwell à les rejoindre, mais celui-ci fait signe qu'il restera là où il est, adossé près de la fenêtre. « Décidément, observe Audley d'un ton enjoué. D'abord c'est l'un qui refuse de s'asseoir. Et maintenant c'est l'autre. Regardez… » Il pousse un document vers More. « Voici le nom des prêtres que nous avons vus aujourd'hui, qui ont prêté serment et vous ont montré l'exemple. Et vous savez que tous les membres du Parlement feront de même. Alors pourquoi pas vous ? »

More lève les yeux.

« Aucun de nous n'a envie d'être ici, dit-il.

— C'est toujours mieux que là où vous allez, déclare Cromwell.

— Pas en enfer, réplique More avec un sourire. Certainement pas.

— Alors si prêter serment revient à damner votre âme, que pensez-vous de tous ceux-ci ? » Il s'écarte vivement du mur, arrache des mains d'Audley la liste de noms, l'enroule et tape avec sur l'épaule de More. « Sont-ils damnés ?

— Je ne puis parler en leur nom. Je sais seulement que, si je prêtais serment, je le serais.

— Ce sont ces mêmes gens qui admirent vos connaissances théologiques, dit-il. Mais bon, vous et Dieu avez toujours été en bons termes, n'est-ce pas ? Je me demande comment vous osez. Vous parlez de votre Créateur comme si c'était un voisin avec qui vous iriez pêcher le dimanche après-midi. »

Audley se penche en avant.

« Soyons clairs. Vous refusez de prêter serment car votre conscience vous l'interdit ?

— Oui.

— Pourriez-vous être un peu plus précis dans vos réponses ?

— Non.

— Vous objectez mais vous refusez de dire pourquoi.

— Oui.

— Est-ce la loi elle-même que vous rejetez, ou la forme du serment, ou le simple fait de devoir prêter serment ?

— Je préfère ne pas répondre.

— Quand c'est une question de conscience, avance Cranmer, il peut toujours demeurer un doute...

— Oh, mais ce n'est pas un caprice. J'ai bien réfléchi. Et j'entends clairement la voix de ma conscience. » Il penche la tête sur le côté tout en souriant. « N'en va-t-il pas de même pour vous, monsieur ?

— Il doit cependant demeurer une incertitude ? Car vous devez vous demander, puisque vous êtes érudit

790

et habitué à la controverse et au débat, comment se fait-il que tant de gens cultivés pensent une chose, et moi une autre ? Mais une chose est certaine, et c'est que vous devez une obéissance naturelle à votre roi, comme tout sujet. De plus, quand vous êtes entré au Conseil du roi, il y a longtemps de cela, vous avez promis de lui obéir. Refuserez-vous maintenant de le faire ? » Cranmer le regarde en clignant des yeux. « Laissez vos doutes de côté et jurez. »

Audley s'enfonce dans sa chaise. Yeux clos. Comme pour dire, on ne fera pas mieux.

More répond : « Quand vous avez été sacré archevêque, nommé par le pape, vous avez prêté serment à Rome, mais on dit que toute la journée, tout au long des cérémonies, vous avez serré dans votre main un petit papier plié sur lequel il était écrit que vous prêtiez serment contre votre gré. N'est-ce pas la vérité ? On dit que ce document avait été rédigé par maître Cromwell ici présent. »

Les yeux d'Audley s'ouvrent soudain : il pense que More vient de laisser passer sa dernière chance. Mais malgré son sourire, le visage de More est plein de malveillance.

« Je ne trahirai pas mes principes, déclare-t-il doucement. Je n'offrirai pas ce spectacle à mon Dieu, et encore moins aux croyants d'Angleterre. Vous dites que vous avez la majorité. Je dis que c'est moi qui l'ai. Vous dites que le Parlement vous soutient, et je dis que tous les anges et les saints me soutiennent, et toutes les générations de chrétiens morts depuis la fondation de l'Église du Christ, un seul corps, indivise…

— Oh, pour l'amour de Dieu ! s'exclame-t-il. Même vieux de mille ans, un mensonge reste un mensonge.

Votre Église indivise n'a rien tant aimé que persécuter ses membres dès qu'ils obéissaient à leur conscience, les brûler et les découper en morceaux, leur ouvrir le ventre et donner leurs entrailles à manger aux chiens. Vous appelez l'histoire à la rescousse, mais qu'est-ce que l'histoire pour vous ? C'est un miroir qui flatte Thomas More. Mais j'ai un autre miroir, et quand je le lève, il montre un homme vaniteux et dangereux, il montre un assassin, car Dieu sait combien d'hommes vous entraînerez avec vous, des hommes qui ne connaîtront que la souffrance et n'auront pas votre satisfaction de martyr. Vous n'êtes pas un homme simple, alors n'essayez pas de rendre les choses simples. Vous savez que je vous respecte ? Vous savez que je vous respecte depuis mon enfance ? Je préférerais voir mon propre fils mort, je préférerais le voir décapité plutôt que vous voir refuser de prêter serment et faire plaisir à tous les ennemis de l'Angleterre. »

More lève la tête. Pendant une fraction de seconde, leurs regards se croisent, puis il détourne les yeux avec affectation. Un murmure amusé ; Cromwell pourrait le tuer rien que pour ça.

« Gregory est un brave garçon. Ne souhaitez pas sa perte. S'il a mal agi, il agira mieux. Je dis la même chose de mon fils. À quoi sert-il ? Mais il ne mérite pas que vous vous serviez de lui pour me persuader.

— Personne ne se sert de lui, déclare Cranmer, affligé, en secouant la tête.

— Vous parlez de votre fils, reprend Cromwell. Que deviendra-t-il ? Et vos filles ?

— Je leur conseillerai de prêter serment. Je ne pense pas qu'ils partagent mes scrupules.

— Ce n'est pas ce que je veux dire, et vous le

savez. C'est la prochaine génération que vous trahissez. Vous voulez que l'empereur les foule aux pieds ? Vous n'êtes pas un Anglais.

— Vous en êtes à peine un vous-même, réplique More. Se battre pour les Français, hein, travailler dans des banques italiennes ? Vous avez à peine vécu dans ce royaume avant que vos transgressions d'enfance ne vous en chassent. Vous vous êtes enfui pour échapper à la prison, ou à la corde. Non, je vais vous dire ce que vous êtes, Cromwell, vous êtes italien jusqu'au bout des ongles, et vous avez tous leurs vices, toutes leurs passions. » Il s'enfonce dans sa chaise, pousse un petit éclat de rire sans joie. « Votre éternelle bonhomie. Je savais qu'elle vous userait à la fin. Vous êtes comme une pièce qui a tellement changé de main que l'argent s'est érodé et que le vulgaire métal apparaît en dessous. »

Audley esquisse un petit sourire narquois. « Vous ne semblez pas avoir remarqué les efforts de maître Cromwell à la Monnaie. Ses pièces sont solidement frappées. »

Le chancelier ne peut pas s'en empêcher ; c'est un homme qui aime esquisser de petits sourires narquois ; il faut bien que quelqu'un reste calme. Cranmer est pâle et en sueur. Il voit le pouls galopant sur la tempe de More.

« Nous ne pouvons pas vous laisser rentrer chez vous, déclare Cromwell. Il me semble cependant que vous n'êtes pas vous-même aujourd'hui, alors plutôt que de vous enfermer à la Tour, nous pourrions peut-être vous placer sous la garde de l'abbé de Westminster... Cela vous semblerait-il acceptable, monseigneur de Canterbury ? »

Cranmer acquiesce.

More dit : « Maître Cromwell, je ne me moquerais pas de vous, n'est-ce pas ? Vous vous êtes montré mon meilleur et plus tendre ami. »

Audley adresse un signe de tête au garde à la porte. More se lève sans hésitation, comme si l'idée d'être placé sous la garde de quelqu'un lui avait redonné de l'entrain ; mais l'effet est gâché par la manière qu'il a d'agripper ses vêtements et de piétiner mollement ; et, même alors, c'est comme s'il allait à reculons et écrasait ses propres pieds. Il songe à Marie à Hatfield se levant de son tabouret et oubliant où elle l'avait laissé. Tant bien que mal, More est entraîné hors de la pièce.

« Maintenant il a exactement ce qu'il veut », dit-il.

Il pose sa paume sur la vitre. Il voit la trace qu'elle laisse sur le vieux verre imparfait. Un amoncellement de nuages arrive de la rivière ; le meilleur de la journée est derrière eux. Audley traverse la pièce vers lui. Hésitant, il se tient à son côté.

« Si seulement More nous indiquait la partie du serment qu'il désapprouve ; il serait possible de la réécrire de sorte à le satisfaire.

— N'y comptez pas. S'il indique quoi que ce soit, il est fini. Le silence est son seul espoir, pour autant qu'on puisse appeler ça un espoir.

— Le roi accepterait peut-être un compromis, remarque Cranmer, mais probablement pas la reine. D'ailleurs, ajoute-t-il doucement, pourquoi le ferait-elle ? »

Audley lui pose la main sur le bras.

« Mon cher Cromwell. Qui peut comprendre More ? Son ami Érasme lui a recommandé de se tenir à l'écart du gouvernement, il lui a dit qu'il n'avait pas la hargne nécessaire et il avait raison. Il n'aurait jamais dû accepter la fonction que j'occupe désormais. Il ne l'a fait que pour contrarier Wolsey, qu'il détestait.

— Il lui a aussi dit de se tenir à l'écart de la théologie, observe Cranmer. À moins que je ne me trompe ?

— Comment le pourriez-vous ? More publie toutes les lettres de ses amis. Même quand ils le réprouvent, il feint l'humilité pour tourner les choses à son avantage. Il mène une vie publique. Chaque pensée qui traverse son esprit est couchée sur le papier. Il n'a jamais rien gardé pour lui, jusqu'à maintenant. »

Audley ouvre la fenêtre. Les notes liquides et fluides du chant des grives déferlent sur le rebord et se répandent dans la pièce.

« Je suppose qu'il est en ce moment même en train d'écrire ce qui s'est passé aujourd'hui, dit-il. Et qu'il va envoyer son compte rendu à l'étranger pour le faire imprimer. Soyez sûrs qu'aux yeux de l'Europe nous serons les idiots et les oppresseurs, et que lui sera la pauvre victime aux phrases bien tournées. »

Audley lui donne une petite tape sur le bras. Il veut le consoler. Mais qui peut le faire ? Il est l'inconsolable maître Cromwell ; l'inconnaissable, l'ininterprétable, le probablement inaliénable maître Cromwell.

Le lendemain le roi l'envoie chercher. Il suppose que c'est pour le réprimander d'avoir échoué à faire prêter serment à More. « Qui veut m'accompagner à cette petite fiesta ? demande-t-il. Monsieur Sadler ? »

Dès qu'il se retrouve en présence du roi, ce dernier, d'un geste péremptoire du bras, fait signe aux courtisans qui l'entourent de s'écarter. Son visage est rouge de colère.

« Cromwell, n'ai-je pas été bon avec vous ? »

Il commence à répondre… bienveillant, et plus que bienveillant… mon désolant manque de mérite… si j'ai failli de quelque manière que ce soit, j'implore votre généreux pardon…

Il pourrait faire ça toute la journée. Il l'a appris de Wolsey.

« Car monseigneur l'archevêque pense que je n'ai pas été bon avec vous, dit Henri. Mais, ajoute-t-il sur le ton de l'homme incompris, je suis un prince connu pour sa munificence. » Il semble sincèrement déconcerté. « Je vous nomme secrétaire principal du roi. Des récompenses suivront. J'aurais dû le faire depuis longtemps. Mais dites-moi : quand on vous a parlé des seigneurs Cromwell qui vivaient jadis en Angleterre, vous avez affirmé n'avoir aucun lien avec eux. Y avez-vous de nouveau réfléchi ?

— Pour être honnête, je n'y ai plus jamais pensé. Je ne voudrais pas porter le manteau d'un autre, ni ses armoiries. Il pourrait sortir de sa tombe et me chercher querelle.

— Monsieur de Norfolk affirme que vous êtes fier de vos origines modestes. Il dit que c'est un stratagème conçu par vous afin de le tourmenter. » Henri lui saisit le bras. « J'apprécierais que, partout où nous allions – même si nous n'irons pas très loin cet été étant donné l'état de la reine –, vous disposiez d'appartements proches des miens de sorte que nous puissions discuter chaque fois que j'aurai besoin de vous ; et, si possible, des appartements qui communiqueraient directement, afin que je n'aie pas besoin

d'intermédiaire. » Il sourit en direction des courtisans ;
ils reculent d'un seul mouvement, comme la marée.
« Que Dieu me frappe, ajoute Henri, si je vous ai
délibérément négligé. Je sais quand j'ai un ami. »

Dehors, Rafe dit : « Que Dieu le frappe… Quelle
terrible expression. » Il étreint son maître. « J'ai mis
trop longtemps à me décider. Mais écoutez, j'aurais
quelque chose à vous dire quand nous serons à la
maison.

— Dis-le-moi maintenant. Est-ce une bonne nouvelle ? »

Un homme s'approche et annonce : « Monsieur le
secrétaire, votre barge vous attend pour vous ramener
en ville.

— Je devrais avoir une maison au bord de la rivière,
observe-t-il. Comme More.

— Oh, et quitter Austin Friars ? Songez au court
de tennis, dit Rafe. Aux jardins. »

Le roi a tout préparé en secret. Les armoiries de
Gardiner ont été effacées. Un drapeau portant le blason
de Cromwell est hissé à côté du drapeau des Tudors.
Il monte à bord de la barge pour la première fois, et
lorsqu'ils sont sur la rivière, Rafe lui dit ce qu'il a à
lui dire. Le bateau tangue imperceptiblement sous eux.
Les drapeaux flottent mollement ; c'est une matinée
paisible et légèrement brumeuse ; lorsqu'elle atteint la
chair, ou l'étoffe, ou les feuilles des arbres, la lumière
produit un éclat semblable à celui d'une coquille d'œuf.
Le monde entier est lumineux, ses angles sont arrondis,
il flotte un parfum liquide et vert.

« Je suis marié depuis six mois, annonce Rafe, et
personne ne le sait, sauf vous maintenant. J'ai épousé
Helen Barre.

— Oh, par le sang du Christ ! s'exclame-t-il. Sous mon propre toit. Pourquoi as-tu fait ça ? »

Rafe reste muet et Cromwell poursuit : « Une charmante rien du tout, une femme pauvre qui ne peut rien t'apporter. Tu aurais pu épouser une héritière. Attends que ton père l'apprenne ! Il sera scandalisé, il dira que je n'ai pas veillé à tes intérêts. Et imagine qu'un jour son mari refasse surface !

— Vous lui avez dit qu'elle était libre, réplique Rafe, tremblant.

— Qui est jamais libre ? »

Il se rappelle ce qu'a dit Helen Barre : « Donc je pourrais me remarier ? Si quelqu'un voulait de moi ? » Il se rappelle le regard qu'elle lui a lancé, un regard long et lourd de sens, seulement il a préféré ne pas l'interpréter. Elle aurait tout aussi bien pu faire des galipettes sous son nez, il n'aurait rien remarqué tant il avait la tête ailleurs ; la conversation était terminée pour lui, et il était passé à autre chose. Si je l'avais voulue pour moi-même, et si je l'avais prise, qui aurait pu me reprocher d'épouser une blanchisseuse sans le sou, une mendiante, même ? On aurait dit, voilà donc ce que Cromwell voulait, une beauté à la chair souple ; pas étonnant qu'il ait dédaigné les veuves de la ville. Il n'a pas besoin d'argent, il n'a pas besoin de relations, il a les moyens d'assouvir ses envies : il est secrétaire du roi maintenant, et après, que sera-t-il ?

Il regarde fixement l'eau, parfois brune, parfois limpide quand la lumière la frappe, mais toujours en mouvement ; les poissons dans ses profondeurs, les algues, les hommes noyés aux mains osseuses. Dans la vase, au milieu des cailloux, il y a des boucles de ceinture abandonnées, des éclats de verre, de petites pièces tordues sur lesquelles le visage du roi a été effacé. Un jour, quand il était enfant, il a trouvé un fer à cheval. Un cheval dans la rivière ? À coup sûr un porte-bonheur. À quoi son père a répliqué, si les fers à cheval portaient bonheur, garçon, je serais le roi de Cocagne.

Il se rend d'abord aux cuisines pour annoncer à Thurston qu'il est nommé secrétaire principal.

« Eh bien, répond le cuisinier d'un ton décontracté, vous faisiez déjà le travail de toute manière. » Un petit gloussement. « L'évêque Gardiner va bouillir intérieurement. Ses entrailles vont rôtir dans sa graisse. » Il attrape un torchon ensanglanté sur un plateau. « Vous voyez ces cailles ? Il y a plus de viande sur une guêpe.

— Malvoisie ? suggère-t-il. Pour le bouillon.

— Quoi, trois douzaines ? Du gâchis de bon vin. J'en préparerai peut-être quelques-unes pour vous si vous voulez. C'est lord Lisle qui les envoie de Calais. Quand vous lui écrirez, dites-lui que s'il en renvoie, elles auront intérêt à être plus grasses, ou alors qu'il s'abstienne. Vous vous en souviendrez ?

— Je vais noter ça, répond-il d'un ton grave. J'ai songé que nous pourrions désormais réunir le Conseil ici de temps en temps, quand le roi n'est pas présent. Nous inviterons les conseillers à dîner.

— C'est ça. » Thurston lâche un petit éclat de rire. « Norfolk aurait bien besoin d'un peu de chair sur ses petites jambes maigrichonnes.

— Thurston, inutile de vous salir les mains – vous avez suffisamment de personnel. Vous pourriez revêtir une chaîne en or et vous pavaner.

— C'est ce que vous allez faire ? » Il pose sèchement

une volaille sur la table, puis il lève les yeux vers Cromwell tout en essuyant les plumes sur ses doigts. « Je crois que je préfère continuer de mettre la main à la pâte. Au cas où les choses tourneraient mal. Je ne dis pas que c'est ce qui va se passer. Mais rappelez-vous le cardinal. »

Il repense à Norfolk : dites-lui d'aller dans le Nord, ou c'est moi qui viendrai à lui, et je le taillerai en pièces avec mes dents.

Puis-je remplacer par le mot « mordre » ?

Le dicton lui revient : *homo homini lupus*, l'homme est un loup pour l'homme.

« Donc, dit-il à Rafe après le souper, tu t'es fait un nom. On te désignera comme l'exemple même de l'homme qui a gâché ses relations. Les pères te montreront à leurs fils.

— Je ne pouvais faire autrement, sir.

— Comment ça ? »

Rafe répond, d'un ton aussi neutre que possible : « Je suis violemment amoureux d'elle.

— Quel effet cela fait-il ? Est-ce comme être violemment en colère ?

— Je suppose. Peut-être. Dans le sens où on se sent plus vivant.

— Je ne crois pas que je pourrais me sentir plus vivant que je ne le suis. »

Il se demande si le cardinal a été amoureux. Mais bien sûr, comment a-t-il pu en douter ? La passion dévorante de Wolsey pour Wolsey était assez brûlante pour consumer l'Angleterre.

« Dis-moi, le soir après le couronnement de la reine… »

Il secoue la tête, retourne quelques papiers sur son bureau : des lettres du maire de Hull.

« Je répondrai à toutes vos questions, dit Rafe. Je ne sais pas comment j'ai pu ne pas être franc avec vous. C'est Helen, ma femme, qui pensait qu'il valait mieux garder le secret.

— Mais maintenant elle est enceinte, je suppose, vous devez donc tout révéler. »

Rafe rougit.

« La nuit où je suis venu la chercher à Austin Friars pour l'emmener auprès de la femme de Cranmer... elle est descendue... » Ses yeux bougent comme s'il revoyait la scène. « Elle est descendue sans son bonnet, et tu es arrivé derrière elle, les cheveux en bataille, furieux que je l'emmène...

— Eh bien, oui », dit Rafe. Il lève la main et aplatit ses cheveux, comme si ça allait arranger quoi que ce soit. « Tout le monde était au banquet. C'était la première fois qu'elle partageait mon lit. Mais il n'y avait pas de faute, elle s'était déjà promise à moi. »

Il songe, je suis heureux de ne pas avoir élevé dans ma maison un garçon sans cœur, qui ne songerait qu'à son avancement. Sans impulsions, on est, dans une certaine mesure, sans joie ; sous ma protection, Rafe peut se permettre de se laisser aller à ses impulsions.

« Écoute, Rafe, c'est une... eh bien, Dieu sait que c'est une folie, mais ce n'est pas un drame. Bien sûr, ton père sera fou de rage. Les pères servent à ça. Il hurlera, maudit soit le jour où j'ai laissé mon fils partir dans la maison de débauche de Cromwell. Mais nous le ramènerons à la raison. Petit à petit. »

Jusqu'à maintenant le garçon est resté debout ; il se laisse tomber sur un tabouret, les mains sur la tête, la tête rejetée en arrière ; le soulagement envahit tout son corps. Avait-il si peur ? De moi ?

« Écoute, quand ton père posera les yeux sur Helen, il comprendra, à moins qu'il soit... » À moins qu'il soit quoi ? Il faudrait être mort et enterré pour ne pas remarquer son corps hardi et magnifique, ses yeux doux. « Nous devons juste la débarrasser de ce tablier de toile qu'elle porte tout le temps et l'habiller en Mme Sadler. Et bien sûr il te faudra ta propre maison. Je vais t'aider. Ses enfants me manqueront, je me suis attaché à eux, et ils manqueront aussi à Mercy, nous nous sommes tous attachés à eux. Si tu veux que celui qu'elle attend soit le premier enfant de ta maison, nous pouvons les garder ici.

— C'est gentil de votre part. Mais elle refuserait de s'en séparer. Nous en avons déjà discuté. »

Donc je n'aurai plus d'enfants à Austin Friars, songe-t-il. À moins d'abandonner les affaires du roi pendant quelque temps pour aller faire la cour ; à moins de réellement écouter la prochaine fois qu'une femme me parlera.

« Ce qui amadouera ton père, et tu peux le lui dire, c'est qu'à partir de maintenant, quand je ne serai pas avec le roi, c'est toi qui seras avec lui. Maître Wriothesley tourmentera les diplomates et aura la charge des codes secrets, car c'est un travail sournois qui lui conviendra, et Richard sera ici pour diriger la maison en mon absence et gérer mes affaires. Quant à toi et moi, nous nous occuperons d'Henri, telles deux nurses attentionnées, et nous exaucerons tous ses caprices. » Il rit. « Tu es un gentilhomme-né. Il t'offrira peut-être un poste plus près de lui, dans la chambre privée. Ce qui pourrait m'être utile.

— Je n'ai pas voulu tout ça. Je ne l'ai pas planifié. » Rafe baisse vivement les yeux. « Je sais que je ne pourrai jamais emmener Helen à la cour avec moi.

— Pas dans le monde tel qu'il est. Et je ne crois pas qu'il changera de notre vivant. Mais bon, tu as fait ton choix. Tu ne dois jamais le regretter. »

Rafe s'écrie avec véhémence : « Comment ai-je pu songer à vous dissimuler quelque chose ? Vous voyez tout, sir.

— Ah. Seulement jusqu'à un certain point. »

Une fois Rafe parti, il s'attaque à son travail du soir, méthodiquement, rassemblant ses papiers. Ses lois sont votées, mais il y en a toujours de nouvelles. Quand vous rédigez des projets de loi, vous soupesez chaque mot pour trouver celui qui aura le plus de force. Comme des sortilèges, les lois doivent produire un effet dans le monde réel, et, comme les sortilèges, elles ne fonctionnent que si les gens y croient. Si votre loi entraîne une peine, vous devez être en mesure de la faire appliquer – que la personne condamnée soit riche ou pauvre, qu'elle vive aux frontières de l'Écosse ou dans les marais du Pays de Galles, en Cornouailles, dans le Sussex ou dans le Kent. Il a rédigé son serment pour tester la loyauté du peuple envers Henri, et il compte faire jurer les hommes à travers tout le pays, et toutes les femmes un tant soit peu importantes : les veuves héritières, les propriétaires terriennes. Ses hommes arpenteront les plaines et la lande, poussant ceux qui ont à peine entendu parler d'Anne Boleyn à approuver la succession de l'enfant dans son ventre. Si un homme sait que le roi s'appelle Henri, qu'il prête serment ; peu importe qu'il confonde ce roi avec son père ou avec un autre Henri qui a régné par le passé.

Car les princes, comme les autres hommes, s'effacent de la mémoire des gens du peuple ; leurs traits, sur ces pièces qu'il avait l'habitude de ramasser dans la vase de la rivière, n'étaient qu'une petite irrégularité sous ses doigts, et même quand il les rapportait chez lui et les nettoyait, il n'aurait pu dire qui était représenté dessus : est-ce le prince César ? avait-il un jour demandé. Walter avait répondu, voyons voir ; puis il avait lancé la pièce au loin d'un air dégoûté en disant, c'est une pièce sans valeur qui date de l'un de ces rois qui s'est battu contre les Français. Sors d'ici et va gagner ta vie, avait-il ajouté, oublie César. César était déjà vieux quand Adam était enfant.

Il chantait parfois : « *Quand Adam bêchait et Ève tissait, qui était le gentilhomme*[1] ? » Walter le pourchassait alors et le battait s'il arrivait à le rattraper : je t'en donnerais, des chansons de rebelles, tu vas voir comment on traite les rebelles ici. Ils sont enterrés dans des tombes de fortune, ces hommes des Cornouailles qui ont envahi le pays quand il était enfant ; mais il y a toujours d'autres hommes des Cornouailles. Et sous les Cornouailles, sous ce royaume d'Angleterre, sous les marais détrempés du Pays de Galles et sous le territoire âpre de la frontière écossaise, il y a un autre paysage ; il y a un empire enterré que ses commissaires, craint-il, risquent de ne pas pouvoir atteindre. Qui fera prêter serment aux lutins et aux gnomes qui vivent dans les haies et les arbres creux, et aux hommes sauvages qui se cachent dans les bois ? Qui fera prêter serment aux saints dans leur niche, et aux esprits qui

---

1. *When Adam delved and Eve span, Who was then the gentleman ?* Chant datant de la révolte paysanne de 1381. *(N.d.T.)*

se rassemblent dans les puits sacrés, bruissant comme des feuilles mortes, et aux enfants mort-nés enterrés dans des terres non consacrées : tous ces morts invisibles qui errent en hiver autour des forges et des cheminées des villages, tentant de réchauffer leurs os sans chair ? Car eux aussi sont ses compatriotes : les générations de morts indénombrables qui respirent à travers les vivants, leur volant la lumière, les fantômes exsangues des seigneurs et des fripons, des nonnes et des prostituées, les fantômes des prêtres et des moines qui se repaissent de l'Angleterre et vident l'avenir de sa substance.

Il regarde fixement les papiers sur son bureau, mais ses pensées sont loin d'ici. Ma fille Anne a dit : « Je choisi Rafe. » Il enfonce la tête entre ses mains et ferme les yeux ; Anne Cromwell se tient devant lui : dix ou onze ans, aussi large et déterminée qu'un cuirassier, ses petits yeux impassibles, sûre qu'elle tient son destin entre ses mains.

Il se frotte les yeux. Passe ses papiers en revue. Qu'est-ce que c'est que ça ? Une liste. Une écriture méticuleuse de greffier, lisible, mais sans grand intérêt.

Deux tapis. Un découpé en morceaux.
7 draps. 2 oreillers. 1 traversin.
2 plats. 4 assiettes. 2 soucoupes.
Une petite bassine, poids 12 livres à 4 pence la livre ; madame la prieure l'a achetée, a payé 4 shillings.

Il retourne la feuille, tentant de découvrir son origine. Il comprend alors qu'il a sous les yeux l'inventaire des biens qu'Elizabeth Barton a laissés derrière elle au couvent. Tout a été confisqué au profit du roi, les affaires personnelles d'une traîtresse : une planche qui faisait office de table, trois taies d'oreiller, deux cierges, un manteau estimé à cinq shillings. Une vieille mante a été donnée par charité à la plus jeune nonne du couvent. Une autre nonne, dame Alice, a reçu une couverture de lit.

Comme il l'a dit à More, ses prophéties ne l'ont pas rendue riche. Il prend une note : « Dame Elizabeth Barton doit avoir de l'argent pour le bourreau. » Il lui reste cinq jours à vivre. La dernière personne qu'elle verra lorsqu'elle gravira l'échelle sera l'homme chargé de l'exécuter en train de tendre la main. Si elle ne peut pas le payer, elle risque de souffrir plus longtemps que nécessaire. Elle s'est imaginée combien de temps il fallait pour brûler, mais pas combien de temps il fallait pour suffoquer au bout d'une corde. En Angleterre, il n'y a aucune pitié pour les pauvres. Il faut payer pour tout, même pour un cou brisé.

Les membres de la famille de Thomas More ont prêté serment. Il les a vus de ses yeux, et Alice ne lui a laissé aucun doute quant au fait qu'elle le jugeait personnellement responsable d'avoir échoué à convaincre son mari. « Demandez-lui, pour l'amour de Dieu, ce qu'il cherche ? Demandez-lui s'il trouve intelligent de laisser sa femme sans compagnie, son fils sans conseil, ses filles sans protection, de nous abandonner à la merci d'un homme tel que Thomas Cromwell ? »

« Ça vous ressemble bien », a murmuré Meg en esquissant un petit sourire. Tête baissée, elle a saisi ses mains entre les siennes. « Mon père a parlé très chaleureusement de vous. Du fait que vous avez été courtois avec lui, et aussi de votre véhémence – qu'il considère tout autant comme une faveur. Il dit qu'il croit que vous le comprenez. Comme lui vous comprend.

— Meg ? Ne pouvez-vous pas me regarder ? »

Encore un visage ployant sous le poids d'une lourde coiffe. Meg ajuste son voile autour de son visage, comme si elle se tenait dans la bourrasque et cherchait à se protéger.

« Je peux retarder le roi pendant un jour ou deux. Je ne crois pas qu'il souhaite voir votre père à la Tour, il attend à chaque instant un signe de...

— Capitulation ?

— Soutien. Et alors... il aurait droit à tous les honneurs.

— Je doute que le roi puisse lui offrir le genre d'honneurs qu'il désire, observe Will Roper. Malheureusement. Allons, Meg, rentrons à la maison. Nous devons ramener votre mère avant qu'elle ne se mette à hurler. » Roper tend la main. « Nous savons que vous ne cherchez pas la vengeance, sir. Même si Dieu sait qu'il n'a jamais été l'ami de vos amis.

— Fut un temps où vous-même croyiez à l'évangile.

— Les hommes changent d'avis.

— Je suis tout à fait d'accord. Dites-le à votre beau-père. »

C'est sur cette note amère qu'ils se séparèrent. Je ne laisserai jamais More, songe-t-il, ni sa famille, croire qu'ils me *comprennent*. Comment cela serait-il possible, quand mes mobiles me sont cachés à moi-même ?

Il prend une note : *Richard Cromwell se présentera à l'abbé de Westminster pour escorter sir Thomas More, en tant que prisonnier, à la Tour.*

Pourquoi hésité-je ?

Accordons-lui un jour de plus.

Nous sommes le 15 avril 1534. Il demande à un greffier de venir classer ses papiers pour qu'ils soient prêts demain, et reste un moment à discuter près du feu ; il est minuit et les bougies sont consumées. Il en prend une et monte à l'étage ; Christophe ronfle, étalé en travers de son grand lit solitaire. Seigneur, pense-t-il, ma vie est ridicule. « Réveille-toi », murmure-t-il. Comme le garçon ne réagit pas, il pose les mains sur lui et le fait rouler sur lui-même comme un rouleau à pâtisserie jusqu'à ce que le garçon se réveille en pro-testant dans son français de caniveau, « Par les couilles poilues du Christ ! » Il cligne violemment des yeux. « Mon bon maître, je ne savais pas que c'était vous, je rêvais que j'étais une pâtisserie. Pardonnez-moi, je suis complètement ivre, nous avons célébré l'union de la belle Helen à ce chanceux de Rafe. » Il lève l'avant-bras, serre le poing, fait un geste parfaitement obscène ; son bras retombe inerte en travers de son corps, ses paupières s'affaissent inéluctablement vers ses joues et, avec un dernier hoquet, il sombre de nouveau dans le sommeil.

Il porte le garçon jusqu'à sa paillasse. Christophe est lourd désormais, un petit bouledogue replet ; il grogne, il marmonne, mais il ne se réveille pas.

Il s'étend à côté de ses vêtements et dit ses prières. Il pose la tête sur son oreiller : *7 draps 2 oreillers 1 traversin*. Il s'endort dès que la bougie s'éteint. Mais sa fille Anne lui vient en rêve. Elle lève la main gauche d'un air triste pour lui montrer qu'elle ne porte pas d'alliance. Elle entrelace ses longs cheveux et les enroule autour de son cou comme une corde.

Milieu de l'été : les femmes se hâtent vers l'appartement de la reine les bras chargés de linges propres. Elles semblent frappées de stupeur et marchent si vite que mieux vaut ne pas essayer de les arrêter. Des feux sont allumés dans l'appartement de la reine pour brûler ce qui est couvert de sang. S'il y a quelque chose à enterrer, les femmes ne le disent à personne.

Cette nuit-là, recroquevillé dans l'embrasure de la fenêtre tandis que les étoiles transpercent le ciel comme des dagues, Henri lui dira, c'est Catherine la responsable. Je crois qu'elle me veut du mal. La vérité est que son ventre est malade. Toutes ces années elle m'a trompé – elle ne pouvait pas porter un fils, et elle et ses médecins le savaient. Elle prétend toujours m'aimer, mais elle me détruit. Elle vient la nuit avec ses mains froides et son cœur froid, et elle s'étend entre moi et la femme que j'aime. Elle pose sa main sur mon membre et sa main a une odeur de tombeau.

Les lords et les ladies donnent aux servantes et aux sages-femmes de l'argent pour qu'elles leur disent de quel sexe était l'enfant, mais les femmes donnent toutes des réponses différentes. D'ailleurs, qu'est-ce qui serait le pire : qu'Anne ait conçu une autre fille, ou qu'elle ait conçu et perdu un garçon ?

Milieu de l'été : des feux de joie sont allumés partout dans Londres, illuminant les courtes nuits. Des dragons arpentent les rues, soufflant de la fumée et faisant claquer leurs ailes métalliques.

II

La carte de la chrétienté

1534-1535

« Souhaitez-vous le poste d'Audley ? lui demande Henri. Il est à vous si vous voulez. »

L'été est fini. L'empereur n'est pas venu. Le pape Clément est mort, et ses jugements sont morts avec lui ; la partie doit être rejouée, et il a laissé la porte entrouverte, juste légèrement, pour que le prochain évêque de Rome puisse avoir une conversation avec l'Angleterre. Personnellement, il aurait préféré la lui claquer au nez ; mais ce n'est pas une affaire personnelle.

Maintenant il réfléchit soigneusement : aimerait-il être lord-chancelier ? Ce serait une bonne chose d'avoir une fonction dans la hiérarchie judiciaire, alors pourquoi pas la plus haute ?

« Je n'ai nulle intention de troubler Audley. Si votre Majesté est satisfaite de lui, je le suis aussi. »

Il se souvient que cette fonction retenait Wolsey à Londres quand le roi était ailleurs. Le cardinal était actif dans les tribunaux ; mais nous avons suffisamment d'avocats.

Henri déclare, dites-moi seulement ce qui vous semble le mieux. Mortifié, comme un amoureux, il ne sait quel cadeau choisir. Le roi ajoute, Cranmer me dit, écoutez Cromwell, et s'il a besoin d'un poste, d'une taxe, d'un impôt, d'une mesure au Parlement ou d'une proclamation royale, accordez-le-lui.

Le poste de maître des Rouleaux est vacant. C'est une fonction judiciaire ancienne, à la tête de l'un des grands secrétariats du royaume. Ses prédécesseurs sont ces hommes remarquablement cultivés, principalement des évêques, représentés gisant sur leur tombeau, avec la liste de leurs vertus gravée dessous en latin. Il ne se sent jamais plus vivant que lorsqu'il tord la tige d'un fruit mûr et l'arrache de sa branche.

« Vous aviez également raison à propos du cardinal Farnese, déclare Henri. Maintenant nous avons un nouveau pape (évêque de Rome, devrais-je dire) : mes paris ont été payants.

— Vous voyez, répond-il en souriant, Cranmer a raison. Laissez-moi vous conseiller. »

La cour est amusée d'entendre de quelle manière les Romains ont célébré la mort du pape Clément. Ils ont fracturé son tombeau et traîné son corps nu dans les rues.

La maison du maître des Rouleaux dans Chancery Lane est la maison la plus étrange dans laquelle il lui ait été donné d'entrer. Elle sent le rance, le moisi et le suif, et, derrière sa façade tordue, c'est un dédale de petits espaces dotés de portes basses – nos aïeux étaient-ils tous nains, ou bien ne savaient-ils pas trop comment soutenir un toit ?

Elle a été bâtie il y a trois cents ans, par le Henri de l'époque, pour servir de refuge aux juifs qui souhaitaient se convertir[1]. S'ils faisaient cette démarche – préférable s'ils voulaient se préserver de la violence –, ils cédaient toutes leurs possessions à la couronne. Aussi était-il juste que la couronne les loge et les nourrisse.

Christophe se précipite devant lui, s'enfonce dans les profondeurs de la maison. « Regardez ! » Il insère son doigt dans une grosse toile d'araignée.

« Tu viens de casser sa maison, espèce de garçon sans cœur. » Il examine la proie déchiquetée d'Ariane : une patte, une aile. « Allons-nous-en avant qu'elle revienne. »

Quelque cinquante ans après la création de la maison par Henri, tous les juifs ont été expulsés du royaume[2]. Pourtant le refuge n'a jamais été totalement vide ; même aujourd'hui, deux femmes y demeurent. Je vais leur rendre visite, dit-il.

Christophe tape sur les poutres et les murs avec l'air de savoir ce qu'il cherche.

« Ne prendrais-tu pas la fuite, demande Cromwell avec délectation, si quelqu'un tapait en retour ?

— Oh, Seigneur ! » Christophe fait le signe de croix. « Je suppose que cent hommes sont morts ici, des juifs comme des chrétiens. »

Sous les lambris, il sent bien la présence de minuscules

---

1. *Domus conversorum*, littéralement, maison des convertis, fondée en 1232 par Henri III. *(N.d.T.)*
2. En 1290, sous le règne d'Édouard Ier. *(N.d.T.)*

os de souris : cent générations, leurs pattes antérieures articulées repliées dans leur repos éternel. Il sent aussi dans l'air l'odeur de leur descendance florissante. Voici un travail pour Marlinspike, observe-t-il, si nous arrivons à lui mettre la main dessus. Le chat du cardinal est redevenu sauvage, errant à sa guise à travers les jardins de Londres, attiré par l'odeur des carpes qui se dégage des bassins des monastères de la ville. Ou peut-être traverse-t-il la rivière pour aller se blottir contre la poitrine flasque des prostituées, parfumée à l'ambre et aux pétales de rose. Il s'imagine Marlinspike se prélassant, ronronnant, refusant de rentrer à la maison. Il dit à Christophe : « Je me demande comment je peux être maître des Rouleaux si je ne suis même pas maître d'un chat.

— Les Rouleaux n'ont pas de pattes pour marcher. » Christophe donne un coup de pied dans une plinthe. « Mon pied passe à travers », déclare-t-il tout en en faisant la démonstration.

Quittera-t-il le confort d'Austin Friars pour ces minuscules fenêtres aux vitres gondolées, ces couloirs grinçants, ces courants d'air hors d'âge ? « Le trajet sera plus rapide pour se rendre à Westminster », dit-il. Son objectif est là – Whitehall, Westminster et la rivière, la barge du secrétaire principal jusqu'à Greenwich ou Hampton Court. Je reviendrai souvent à Austin Friars, se dit-il à lui-même, presque chaque jour. Il y construit une salle des trésors, un lieu où conserver tous les objets précieux que lui confie le roi ; tout ce qu'il y déposera pourra rapidement être transformé en argent. Son trésor arrive sur des charrettes ordinaires, afin de ne pas attirer l'attention, bien que celles-ci soient escortées par des cavaliers vigilants. Les coupes en or sont enfermées dans des écrins de cuir tendre fabriqués sur mesure. Les bols et les plats voyagent dans des sacs de toile, protégés par une étoffe de laine blanche à sept pence le mètre. Les bijoux sont enveloppés dans de la soie et placés dans des coffres dotés de fermoirs neufs et brillants : et il en possède la clé. Il y a de splendides perles qui chatoient comme l'océan, des saphirs brûlants comme l'Inde. Il y a des bijoux qui ressemblent aux fruits que l'on cueille l'après-midi à la campagne : des grenats comme des prunelles, des diamants roses comme des cynorrhodons.

« Pour une poignée de ces bijoux, dit Alice, je renverserais n'importe quelle reine de la chrétienté.

— Quelle chance que le roi ne t'ait jamais rencontrée, Alice.

— J'aimerais autant avoir des licences d'exportation, objecte Jo. Ou des contrats avec l'armée. Certains vont faire fortune grâce aux guerres en Irlande. Haricots, farine, malt, viande de cheval…

— Je verrai ce que je peux faire pour toi », répond-il.

Il détient le bail d'Austin Friars pour quatre-vingt-dix-neuf ans. Ses arrière-petits-enfants auront la maison : des Londoniens inconnus. Quand ils regarderont les documents, son nom figurera dessus. Ses armoiries seront gravées au-dessus des portes. Il pose la main sur la rampe du grand escalier, lève les yeux vers la lumière pleine de particules de poussière qui s'engouffre par une fenêtre en hauteur. Il a comme une sensation de déjà-vu : quand ai-je déjà fait ce geste ? À Hatfield, au début de l'année : quand il a levé les yeux et tenté de percevoir de nouveau les bruits de la maison du cardinal Morton, les bruits de son enfance. S'il est allé à Hatfield, pourquoi Thomas More n'y serait-il pas également retourné ? Peut-être était-ce son pas léger qu'il s'attendait à entendre à l'étage.

Il repense à ce poing jailli de nulle part.

Son idée initiale était de transférer les greffiers et les documents dans la Maison des Rouleaux, afin qu'Austin Friars redevienne une maison. Mais pour qui ? Il a sorti le livre d'heures de Liz, et sur la page où elle notait les noms des membres de la famille, il a fait des modifications, des ajouts. Rafe emménagera bientôt dans sa nouvelle maison d'Hackney ; et Richard fait bâtir dans le même quartier, avec sa femme Frances. Alice va épouser Thomas Rotherham. Son frère Christopher est ordonné et bénéficier. La tenue de mariage de Jo a été commandée ; elle s'est fait mettre la main dessus par son ami John ap Rice, un avocat, un érudit, un homme qu'il admire et sur qui il peut compter. Je me suis bien occupé des miens, songe-t-il : pas un seul d'entre eux n'est pauvre, ni malhonnête, ni incertain de sa position dans ce monde incertain. Il hésite tout en continuant de lever les yeux vers la lumière, parfois dorée, parfois bleutée lorsque passent des nuages. Si quelqu'un doit descendre et s'emparer de lui, qu'il le fasse maintenant. Sa fille Anne avec son pas bruyant : Anne, lui dirait-il, ne pourrais-tu mettre un peu de feutre sous tes sabots ? Grace voletant comme la poussière, entraînée dans une spirale, un tourbillon de vie... sans direction, se dispersant, disparue.

Liz, descend.

Mais Liz garde le silence ; elle ne reste ni ne part.

Elle est toujours avec lui et absente. Il se retourne. Donc cette maison sera dédiée aux affaires. Comme toutes ses maisons. Je serai chez moi là où se trouveront mes greffiers et mes papiers ; ou alors auprès du roi, où qu'il soit.

Christophe dit : « Maintenant que nous allons à la Maison des Rouleaux, je puis vous dire, *cher maître**, combien je suis heureux que vous m'emmeniez avec vous. Car en votre absence ils m'auraient traité de cervelle d'escargot ou de tête de navet.

— *Alors**... » Il examine Christophe. « Ta tête a en effet la forme d'un navet. Merci de me l'avoir fait remarquer. »

Une fois installé dans la Maison des Rouleaux, il considère sa situation : satisfaisante. Il a vendu ses deux manoirs dans le Kent, mais le roi lui en a donné un dans le Monmouthshire et il en achète un autre dans l'Essex. Il a des vues sur des terres à Hackney, et est en train d'acquérir les baux de propriétés autour d'Austin Friars, qu'il compte intégrer dans ses travaux avant de bâtir un grand mur autour de l'ensemble. Il a commandé des études pour faire construire un manoir dans le Bedfordshire, un autre dans le Lincolnshire, et deux propriétés dans l'Essex qu'il compte léguer à Gregory. Mais ce ne sont que des broutilles. Ce n'est rien comparé à ce qu'il compte avoir, ou à ce que le roi lui devra.

En attendant, ses dépenses effraieraient un homme moindre. Mais si le roi veut qu'une chose soit faite, il doit être en mesure de fournir le personnel et les fonds nécessaires. Il est difficile de surveiller les dépenses de ses conseillers, et il en est certains qui vivent au mont-de-piété et qui viennent le voir mois après mois pour qu'il rebouche les trous dans leurs comptes. Mais il sait quand laisser courir ces dettes ; il y a d'autres moyens de se faire rembourser. Il a la sensation de se trouver au cœur d'un immense filet, une toile de services rendus et de services reçus. Ceux qui veulent accéder au roi s'attendent à payer pour y parvenir, et personne n'a meilleur accès que lui. Et en même temps, tout le monde le sait : aidez Cromwell, et il vous aidera. Soyez loyal, soyez appliqué, utilisez son nom de façon intelligente : vous serez récompensé. Ceux qui s'engagent à le servir seront promus et protégés. C'est un bon ami et un bon maître ; voilà ce qu'on dit partout de lui. Sinon, ce sont les bassesses habituelles. Son père était forgeron, un brasseur véreux, c'était un Irlandais, c'était un criminel, c'était un juif, et lui-même n'était qu'un vendeur de laine, un tondeur de moutons, et maintenant c'est un sorcier : car si ce n'est pas un sorcier, comment expliquer qu'il tienne désormais les rênes du pouvoir ? Chapuys écrit à l'empereur à son sujet ; sa jeunesse demeure un mystère, mais il est d'excellente compagnie et entretient merveilleusement sa maison et son personnel. C'est un maître du langage, écrit Chapuys, un homme des plus éloquents ; bien que son français, ajoute-t-il, soit seulement *assez bien**.

Il songe, il est bien assez bon pour vous. Un hochement de tête et un clin d'œil vous suffisent.

Ces derniers mois, le Conseil n'a pas connu de répit. Un dur été de négociations a débouché sur le traité avec les Écossais. Mais c'est la révolte en Irlande. Seuls le château de Dublin et la ville de Waterford résistent au nom du roi, pendant que les seigneurs rebelles offrent leurs services et leurs ports aux troupes de l'empereur. De nos îles c'est le territoire le plus méprisable ; il ne paie pas au roi ce qu'il lui coûte d'y installer des garnisons. Mais Henri ne peut abandonner l'Irlande, de crainte que quelqu'un d'autre ne s'en empare. La loi est rarement respectée là-bas, car les Irlandais croient qu'on peut acheter un meurtre avec de l'argent, et, comme les Gallois, ils estiment le prix d'une vie humaine en têtes de bétail. Le peuple est maintenu dans un état de pauvreté par les impôts et les saisies, par les confiscations et les vols purs et simples ; les Anglais pieux s'abstiennent de manger de la viande le mercredi et le vendredi, mais la plaisanterie dit que les Irlandais sont si croyants qu'ils s'abstiennent également les autres jours. Leurs grands seigneurs sont des hommes brutaux et autoritaires, traîtres et inconstants, des querelleurs invétérés, des extorqueurs et des preneurs d'otages, et leur allégeance à l'Angleterre ne vaut pas grand-chose, car ils ne sont fidèles à rien et préfèrent la force des armes à la loi. Quant à leurs chefs autochtones, leurs revendications sont sans limites. Ils prétendent que sur leur terre la moindre colline couverte de fougères et le moindre lac leur appartiennent, de même que la bruyère, l'herbe des prairies et le vent qui les balaie ; ils disent que chaque bête et chaque homme sont à eux, et dans les périodes de disette ils donnent du pain à leurs chiens de chasse.

Pas étonnant qu'ils ne veuillent pas être anglais. Ça mettrait un terme à leur statut d'esclavagistes. Le duc de Norfolk a toujours des serfs sur ses terres, et même si les tribunaux ont l'intention de les affranchir, le duc attend un dédommagement en échange. Le roi suggère d'envoyer Norfolk en Irlande, mais Cromwell observe qu'il y a déjà passé suffisamment de temps pour rien, et que la condition pour qu'il y retourne serait de construire un pont pour qu'il puisse rentrer à la fin de chaque semaine sans se mouiller les pieds.

Norfolk et lui s'affrontent dans la chambre du Conseil. Le duc se lance dans une longue diatribe, et il reste assis bras croisés à le regarder divaguer. Vous auriez dû envoyer le jeune Fitzroy à Dublin, dit-il au Conseil. Un apprenti roi – sortir le grand jeu, leur offrir du spectacle, sans regarder à la dépense.

Richard suggère : « Peut-être est-ce nous qui devrions aller en Irlande, sir.

— Je crois que le temps des campagnes est fini pour moi.

— J'aimerais prendre les armes. Tout homme devrait être soldat au moins une fois dans sa vie.

— C'est ton grand-père qui parle à travers toi. Ap Evans l'archer. Pour le moment, concentre-toi sur les joutes. »

Richard s'est avéré un formidable combattant aux tournois. C'est plus ou moins comme l'a prédit Christophe : paf, et un d'aplati. On croirait que son neveu a ce sport dans le sang, comme les lords qu'il affronte. Il porte les couleurs de Cromwell, et le roi l'aime pour ça, comme il aime tout homme doté de flair, de courage et de force physique. Sa mauvaise jambe oblige de plus en plus souvent Henri à rester assis dans les tribunes. Quand il souffre il panique, on le voit dans ses yeux, et quand il ne souffre pas il est agité. L'incertitude quant à sa santé le rend moins enclin à organiser de grands tournois. Lorsqu'il prend part à une joute, avec son expérience, son poids et sa taille, ses chevaux superbes et son tempérament d'acier, il est presque imbattable. Mais pour éviter les accidents, il préfère se battre contre des adversaires qu'il connaît.

Henri dit : « L'empereur, il y a deux ou trois ans, quand il était en Allemagne, n'a-t-il pas eu une humeur maligne dans la cuisse ? On dit que le temps ne lui convenait pas. Mais son empire lui permet de changer de climat. Alors que d'un bout à l'autre de mon royaume, le climat est le même.

— Oh, je crois qu'il est pire à Dublin. »

Henri regarde avec désespoir la pluie battante.

« Et quand je sors à cheval, les gens crient après moi. Ils jaillissent des fossés et me hurlent de reprendre Catherine. Est-ce que ça leur plairait si je leur disais quoi faire avec leur maison, leur femme, leurs enfants ? »

Même quand le ciel se dégage, les peurs du roi ne diminuent pas.

« Elle va s'échapper et lever une armée contre moi, dit-il. Catherine. Vous ne savez pas de quoi elle est capable.

— Elle m'a dit qu'elle ne s'enfuirait pas.

— Et vous croyez qu'elle ne ment jamais ? Je sais qu'elle ment. J'en ai la preuve. Elle a menti sur sa virginité. »

Oh, ça, pense-t-il avec lassitude.

Il semblerait qu'Henri ne croie pas au pouvoir des gardes armés, des serrures et des clés. Il croit qu'un ange recruté par l'empereur va passer à travers. En voyage, il emporte un gros verrou de fer qui est fixé à la porte de sa chambre par un serviteur qui l'accompagne dans cet unique but. On goûte sa nourriture pour y déceler du poison, et on examine son lit juste avant qu'il se couche pour y chercher des armes cachées, comme des aiguilles ; mais même alors, il a peur d'être assassiné dans son sommeil.

Automne : Thomas More perd du poids ; un petit homme tout sec est en train d'émerger d'une carcasse qui n'était déjà pas bien charnue. Cromwell autorise Antonio Bonvisi à lui envoyer de la nourriture.

« Non que vous autres gens de Lucques sachiez comment manger. Je lui enverrais moi-même volontiers quelque chose, mais s'il tombait malade, vous savez ce qu'on dirait. Il aime les plats à base d'œufs. Je ne crois pas qu'il aime grand-chose d'autre. »

Soupir de Bonvisi.

« Les entremets au lait. »

Il sourit. Ces temps-ci on se nourrit de chair et de sang.

« Pas étonnant qu'il dépérisse.

— Je le connais depuis quarante ans, dit Bonvisi. Toute une vie, Tommaso. Vous ne lui feriez pas de mal, si ? S'il vous plaît, assurez-moi, si vous le pouvez, que personne ne lui fera de mal.

— Croyez-vous que je ne vaille pas mieux que lui ? Écoutez, je n'ai aucun besoin de le mettre sous pression. Sa famille et ses amis s'en chargent. N'est-ce pas ?

— Ne pouvez-vous pas le laisser tranquille ? L'oublier ?

— Bien sûr. Si le roi le décide. »

Il s'arrange pour que Meg Roper lui rende visite. Le père et la fille se promènent dans les jardins, bras dessus, bras dessous. Parfois il les observe par la fenêtre depuis le logement du lord lieutenant.

Quand arrive le mois de novembre, il est clair que

sa tactique a échoué. Elle se retourne contre lui ; c'est comme se faire mordre la main par un chien qu'on a généreusement voulu aider.

Meg déclare : « Il m'a dit, et il m'a demandé de le répéter à ses amis, qu'il ne veut plus entendre parler de quelque serment que ce soit, et que si nous apprenons qu'il a juré, nous devrons en conclure qu'il y a été contraint par la force et la violence. Et si un document portant sa signature est présenté au Conseil, nous devrons comprendre que celle-ci n'est pas de sa main. »

On demande désormais à More d'approuver sous serment l'Acte de suprématie, qui accorde officiellement à Henri tous les pouvoirs et titres qu'il a assumés au cours des deux dernières années. Il ne fait pas, contrairement à ce que prétendent certains, du roi le chef de l'Église. Il affirme que le roi est et a toujours été le chef de l'Église. Si les gens n'aiment pas les nouvelles idées, donnons-leur des idées anciennes. S'ils veulent des précédents, il leur trouvera des précédents. Un deuxième décret, qui entrera en vigueur à la nouvelle année, définit ce qu'est une trahison. Sera considéré comme traître quiconque niera les titres ou l'autorité d'Henri, quiconque parlera ou écrira de façon malveillante à son encontre, quiconque le qualifiera d'hérétique ou de schismatique. Tomberont sous le coup de cette loi les moines qui sèment la panique en disant que les Espagnols vont débarquer à la prochaine marée pour s'emparer du trône au nom de lady Marie. De même que les prêtres qui, dans leurs sermons, rejettent l'autorité du roi et affirment qu'il entraîne ses sujets en enfer avec lui. Est-ce trop de la part d'un roi que de demander à ses sujets de rester polis ?

C'est nouveau, lui dit-on, cette trahison par les mots, et lui réplique, non, je vous assure, c'est ancien. Cette loi fige sur le papier ce que les juges dans leur sagesse reconnaissent déjà comme un droit coutumier. C'est une mesure de clarification. Je suis tout à fait favorable à la clarté.

Face au refus de More d'approuver l'Acte de suprématie, un décret confisquant tous ses biens au profit de la couronne est promulgué. Il n'a plus aucun espoir de remise en liberté ; ou plutôt, l'espoir dépend de lui. Il incombe à Cromwell d'aller le voir pour l'informer qu'il n'aura plus le droit de recevoir de visiteurs ni de se promener dans les jardins.

« De toute manière, il n'y a rien à voir à cette saison, réplique More en jetant un coup d'œil en direction du ciel, une étroite bande de gris à travers la fenêtre en hauteur. Je peux toujours avoir mes livres ? Écrire des lettres ?

— Pour le moment.

— Et John Wood, mon serviteur, il reste avec moi ?

— Oui, naturellement.

— Il m'apporte quelques nouvelles de temps à autre. On dit que la fièvre a éclaté parmi les troupes du roi en Irlande. Ce n'est pourtant pas la saison. »

La peste s'est également déclarée ; mais il ne va pas le dire à More, ni que la campagne d'Irlande est une débâcle et un gouffre financier et qu'il regrette de ne pas être allé là-bas lui-même comme l'avait suggéré Richard.

« La fièvre emporte tant de monde, reprend More, et si rapidement, et dans la fleur de l'âge qui plus est. Et si vous y survivez, vous n'êtes plus en état de combattre ces sauvages d'Irlandais. Je me souviens quand Meg l'a contractée, elle a failli mourir. L'avez-vous attrapée ? Non, vous n'êtes jamais malade, n'est-ce pas ? » Il parle pour ne rien dire ; soudain il lève les yeux. « Dites-moi, quelles sont les nouvelles d'Anvers ? On dit que Tyndale est là-bas. On dit qu'il vit confiné. Qu'il n'ose pas sortir de la Maison des Marchands anglais. On dit qu'il est en prison, presque comme moi. »

C'est vrai, ou en partie vrai. Tyndale a toujours travaillé dans la pauvreté et dans l'ombre, mais maintenant son monde s'est réduit à une petite pièce ; tandis qu'en dehors de la ville, où les lois de l'empereur sont en vigueur, les imprimeurs sont brûlés au fer rouge et ont les yeux crevés, et les frères et les sœurs sont tués à cause de leur foi, les hommes décapités, les femmes enterrées vives. More possède toujours un réseau en Europe, un réseau qui dispose de beaucoup d'argent ; Cromwell pense que ses hommes ont suivi Tyndale ces derniers mois, mais ni son ingéniosité, ni la présence de Stephen Vaughan sur place, ne lui ont permis de démasquer les agents de More parmi les Anglais de passage dans cette ville animée.

« Tyndale serait plus en sécurité à Londres, poursuit More. Sous votre protection, vous, le défenseur de l'erreur. Regardez l'Allemagne aujourd'hui. Vous voyez, Thomas, où mène l'hérésie. Elle mène à Munster, n'est-ce pas ? »

Des sectaires, les anabaptistes, se sont emparés de Munster. Vos pires cauchemars – quand vous vous réveillez paralysé et croyez être mort – sont un pur bonheur en comparaison. Les bourgmestres ont été expulsés du Conseil, et des voleurs et des illuminés ont pris leur place, proclamant que la fin des temps était arrivée et que tout devait être rebaptisé. Les citoyens dissidents ont été conduits nus hors des murs de la ville, pour mourir de froid dans la neige. Maintenant Munster est assiégée par son propre prince-évêque, qui compte bien l'affamer. Les derniers à défendre la ville, paraît-il, sont les femmes et les enfants qui s'y trouvent encore ; ils vivent dans la terreur d'un tailleur nommé Bockelson qui s'est autoproclamé roi de Jérusalem. La rumeur dit que Bockelson et ses amis ont institué la polygamie, comme le recommande l'Ancien Testament, et que certaines femmes ont préféré être pendues ou noyées plutôt que de se soumettre au viol sous couvert de la loi d'Abraham. Ces prophètes se livrent au pillage sous prétexte de mettre les biens en commun. On dit qu'ils se sont emparés des maisons des riches, qu'ils ont brûlé leurs lettres, lacéré leurs tableaux, essuyé le sol avec des broderies délicates et déchiré en mille morceaux les registres qui indiquaient qui possédait quoi, de sorte qu'il est impossible de revenir en arrière.

« L'utopie, dit-il. N'est-ce pas ?

— Il paraît qu'ils brûlent les livres dans les bibliothèques de la ville. Érasme est parti en flammes. Quels diables brûleraient le doux Érasme ? Mais nul doute, nul doute, dit More en opinant du chef, que l'ordre sera restauré à Munster. Je suis sûr que Philippe le prince de Hesse prêtera à son bon ami Luther ses canons et ses canonniers, si bien qu'un hérétique sera anéanti par un autre. Les frères se battent entre eux, voyez-vous ? Comme des chiens enragés et écumants qui se déchirent les entrailles quand ils se croisent dans la rue.

« — Je vais vous dire ce qui se passera à Munster. Quelqu'un à l'intérieur de la ville capitulera.

— Vous croyez ? On dirait que vous me proposez un pari. Mais je n'ai jamais été très joueur. Et de plus c'est le roi qui a tout mon argent.

— Un homme comme ça, un tailleur, il ne durera qu'un mois ou deux...

— Et un marchand de laine, un fils de forgeron, il ne durera qu'un an ou deux... »

Il se lève, attrape sa cape : laine noire, doublure d'agneau. Les yeux de More brillent, ah, voyez, je vous mets en fuite. Maintenant il murmure, comme s'il était à un dîner, devez-vous partir ? Ne pouvez-vous rester un peu plus longtemps ? Il lève le menton. « Donc je ne reverrai plus Meg ? »

Le ton de sa voix, le vide, le désespoir : ça lui va droit au cœur. Il lui tourne le dos, pour lui répondre de façon calme et neutre. « Vous n'avez qu'à dire quelques mots. C'est tout.

— Ah. Juste des mots.

— Et si vous ne voulez pas les prononcer, je peux les noter par écrit. Vous n'aurez qu'à signer, et le roi sera content. J'enverrai ma barge pour vous ramener à Chelsea et la ferai amarrer à l'embarcadère au bout de votre jardin. Vous dites qu'il n'y a pas grand-chose à voir en cette saison, mais songez à l'accueil chaleureux qu'on vous réservera. Dame Alice qui vous attend – elle vous fait la cuisine, et rien que ça suffit à vous rendre la santé ; elle se tient à vos côtés et vous regarde manger, et à l'instant où vous vous essuyez la bouche elle vous prend dans ses bras et ôte la graisse de mouton avec ses baisers – oh, mon mari, comme vous m'avez manqué ! Elle vous porte jusqu'à la chambre, verrouille la porte et enfonce la clé dans sa poche, puis elle vous ôte vos vêtements jusqu'à ce que vous vous retrouviez en chemise avec vos petites jambes blanches à l'air – enfin, admettez-le, elle est dans son bon droit. Puis le lendemain – songez-y – vous vous levez avant l'aube, vous traînez des pieds jusqu'à votre cellule et vous vous flagellez, vous demandez qu'on vous apporte votre pain et votre eau, et à huit heures vous enfilez votre chemise de crin, et par-dessus votre vieille robe en laine, celle qui a la couleur du sang et qui est déchirée... les pieds sur un tabouret, et votre fils unique vous apporte vos lettres... vous arrachez le cachet de votre cher Érasme... Et quand vous avez lu vos lettres, vous pouvez sortir en clopinant – imaginons que ce soit une journée ensoleillée – et aller voir vos volières, et votre petit renard dans son enclos, et vous pouvez dire, moi aussi j'ai été prisonnier, mais c'est fini, car Cromwell m'a montré que je pouvais être libre... N'est-ce pas ce que vous voulez ? Ne souhaitez-vous pas sortir d'ici ?

— Vous devriez écrire une pièce de théâtre », dit More avec étonnement.

Il rit.

« Peut-être le ferai-je.

— C'est mieux que Chaucer. Des mots. Des mots. Rien que des mots. »

Il se retourne, regarde fixement More. On dirait que la lumière a changé. Qu'une fenêtre s'est ouverte sur un paysage étrange où souffle un vent froid qui lui rappelle son enfance.

« Ce livre... Était-ce un dictionnaire ?

— Je vous demande pardon ? demande More avec une moue perplexe.

— J'ai gravi les marches à Lambeth… attendez un moment… j'ai gravi en courant les marches, portant votre ration de petite bière et votre pain au froment, pour que vous n'ayez pas faim si vous vous réveilliez durant la nuit. Il était sept heures du soir. Vous lisiez, et quand vous avez levé les yeux, vous avez placé les mains sur le livre » – il imite la forme d'ailes – « comme pour le protéger. Je vous ai demandé, maître More, qu'y a-t-il dans ce magnifique livre ? Et vous avez répondu, des mots, des mots, rien que des mots. »

More incline la tête.

« C'était quand ?

— Je crois que j'avais sept ans.

— Oh, ne dites pas de bêtises ! s'exclame More d'un ton enjoué. Je ne vous connaissais pas quand vous aviez sept ans. Enfin, vous étiez… » Il fronce les sourcils. « Vous deviez être… et j'étais…

— Sur le point d'aller à Oxford. Vous ne vous en souvenez pas. Mais pourquoi vous en souviendriez-vous ? » Il hausse les épaules. « Je croyais que vous vous moquiez de moi.

— Oh, c'est très probable, répond More. Si une telle rencontre a vraiment eu lieu. Et maintenant, c'est vous qui venez ici pour vous moquer de moi. En me parlant d'Alice. Et de mes petites jambes blanches.

— Je crois qu'il devait s'agir d'un dictionnaire. Vous êtes certain de ne pas vous en souvenir ? Tant pis… ma barge m'attend, et je ne veux pas laisser les rames trop longtemps exposées au froid.

— Les journées sont longues ici, déclare More. Les nuits plus longues encore. Ma poitrine me fait souffrir. Je peine à respirer.

— Alors retournez à Chelsea, le docteur Butts passera

829

vous voir, allons, allons, Thomas More, dans quel état vous êtes-vous mis ? Pincez-vous le nez et buvez cette infâme mixture…

— Parfois il me semble que je ne verrai pas le matin. »

Il ouvre la porte.

« Martin ? »

Martin a trente ans, c'est un homme sec, et sous son chapeau ses cheveux blonds sont déjà clairsemés : il a une face agréable et un grand sourire qui lui plisse tout le visage. Il est natif de Colchester, son père est tailleur, et il a appris à lire grâce à l'évangile de Wycliffe, que son père cachait dans le toit sous le chaume. Mais c'est désormais une nouvelle Angleterre ; une Angleterre où Martin peut épousseter le vieux texte et le montrer à ses voisins. Il a des frères, tous croyants. Sa femme est en ce moment alitée, sur le point d'accoucher de leur troisième enfant, « dans la paille jusqu'au cou », comme il dit.

« Des nouvelles ?

— Pas encore. Mais accepterez-vous d'être le parrain ? Thomas si c'est un garçon. Et si c'est une fille, c'est vous qui choisissez son prénom, sir. »

Une petite tape de la main et un sourire.

« Grace », dit-il.

Un don d'argent a été convenu, pour les débuts dans la vie de l'enfant. Il se retourne vers le malade, qui est désormais voûté au-dessus de sa table.

« Sir Thomas dit que la nuit il a le souffle court. Apportez-lui des traversins, des coussins, tout ce que vous trouverez, rehaussez-lui la tête pour le soulager. Je tiens à ce qu'il reste en vie pour qu'il puisse reconsidérer sa position, témoigner de sa loyauté envers le roi et rentrer chez lui. Et maintenant je vous souhaite à tous deux une bonne fin de journée. »

More lève les yeux.

« Je veux écrire une lettre.

— Bien sûr. On va vous apporter de l'encre et du papier.

— Je veux écrire à Meg.

— Alors montrez-vous humain. »

Les lettres de More n'ont rien d'humain. Elles sont peut-être adressées à sa fille, mais elles sont écrites pour que ses amis en Europe les lisent.

« Cromwell... ? » La voix de More le rappelle. « Comment se porte la reine ? »

More est toujours correct, pas comme ceux qui ont la langue qui fourche et qui disent « la reine Catherine ». Comment se porte Anne ? Voilà ce qu'il veut dire. Mais que pourrait-il lui répondre ? Il se remet à marcher. Il franchit la porte. Dans l'étroite fenêtre, un crépuscule bleuté a remplacé le gris.

Il a entendu la voix d'Anne dans la pièce à côté : basse, implacable. Henri hurlant d'indignation : « Pas moi ! Pas *moi* ! »

Dans l'antichambre, Thomas Boleyn, Monseigneur, son étroit visage crispé. Quelques parasites de Boleyn, échangeant des regards : Francis Weston, Francis Bryan. Dans un coin, tentant de ne pas se faire remarquer, le luthiste Mark Smeaton : que fait-il ici ? Pas franchement une réunion de famille : George Boleyn est à Paris, en pleins pourparlers. L'idée a été suggérée que la princesse Élisabeth devrait épouser un fils de France ; les Boleyn y croient dur comme fer.

« Qu'est-ce qui a pu bouleverser la reine à ce point ? » demande-t-il.

Il semble stupéfait, comme si Anne était la plus placide des femmes.

Weston répond : « C'est lady Carey, elle est… c'est-à-dire qu'elle se retrouve…

— Avec un bâtard dans le ventre, grogne Bryan.

— Ah. Ne le saviez-vous pas ? » Il tire un certain plaisir à les voir tous si étonnés. « Je croyais que toute la famille était au courant. »

Le cache-œil de Bryan semble cligner dans sa direction ; aujourd'hui il est d'une teinte jaunâtre. « Vous devez la surveiller de très près, Cromwell.

— Ce que j'ai échoué à faire, déclare Boleyn. De toute évidence. Elle prétend que le père de l'enfant est William Stafford, et qu'elle l'a épousé. Vous connaissez ce Stafford, n'est-ce pas ?

— À peine. Bon, dit-il d'un ton enjoué, si nous entrions ? Mark, nous n'avons pas besoin de musique, alors allez là où vous pourrez vous rendre utile. »

Norris est avec le roi ; Jane Rochford, avec la reine. Le gros visage d'Henri est blême.

« Vous me blâmez, madame, dit-il, pour ce que j'ai fait avant de vous connaître. »

Les nouveaux arrivants se sont massés derrière Cromwell.

« Monsieur le comte de Wiltshire, demande Henri, ne pouvez-vous contrôler vos filles ?

— Cromwell savait », déclare Bryan avant de pousser un petit rire sarcastique.

Monseigneur commence à parler, bafouillant – lui, Thomas Boleyn, un diplomate célèbre pour sa finesse oratoire. Anne l'interrompt :

« Pourquoi aurait-elle un enfant de Stafford ? Je ne crois pas que ce soit le sien. Pourquoi accepterait-il de l'épouser si ce n'est par ambition – eh bien, il vient de commettre un faux pas, car il ne remettra plus les pieds à la cour, et elle non plus. Elle pourra ramper à genoux devant moi. Ça m'est égal. Qu'elle meure de faim. »

Si Anne était ma femme, songe-t-il, j'irais me promener pour le restant de l'après-midi. Elle a la mine défaite et ne tient pas en place ; encore heureux qu'elle n'ait pas un couteau à portée de main.

« Que pouvons-nous faire ? » murmure Norris.

Jane Rochford est adossée à la tapisserie, qui figure des nymphes entrelacées à des arbres ; le bas de sa jupe touche un fabuleux ruisseau, et son voile effleure un nuage, du haut duquel une déesse les observe furtivement. Elle relève la tête ; elle a une expression de triomphe mesuré.

Je pourrais faire venir l'archevêque, songe-t-il. Anne ne s'emporterait pas devant lui. Voilà qu'elle tire Norris par la manche ; que fait-elle ?

« Ma sœur a fait ça pour me contrarier. Elle croit qu'elle va se pavaner à la cour avec son gros ventre, et s'apitoyer sur mon sort, se moquer de moi, sous prétexte que j'ai perdu mon enfant.

— Je suis sûr que si l'affaire devait être considérée…, commence son père.

— Sortez ! ordonne-t-elle. Laissez-moi, et dites à cette Mme Stafford qu'elle n'a plus rien à voir avec ma famille. Je ne la connais pas. Ce n'est plus une Boleyn.

— Wiltshire, sortez, ajoute Henri sur le ton d'un

professeur promettant le fouet à un écolier. Je vous parlerai plus tard. »

Cromwell demande au roi, innocemment : « Majesté, ne traiterons-nous aucune affaire aujourd'hui ? » Henri éclate de rire.

Lady Rochford court à côté de lui. Il ne ralentit pas l'allure, si bien qu'elle est forcée de retrousser ses jupes.

« Étiez-vous vraiment au courant, monsieur le secrétaire ? Ou avez-vous simplement dit ça pour voir la tête qu'ils feraient ?

— Vous êtes trop perspicace pour moi. Vous percez à jour tous mes stratagèmes.

— Heureusement que je perce ceux de lady Carey.

— C'est vous qui avez découvert le pot aux roses ? » Qui d'autre ? songe-t-il. Maintenant que son mari George est en France, elle n'a personne d'autre à espionner.

Le lit de Mary est jonché de soies – rouge feu, orange, incarnat – comme si le matelas s'était embrasé. Sur les tabourets et les banquettes traînent des robes en linon, des rubans emmêlés et des gants désassortis. Sont-ce là les bas verts qu'elle a laissé voir quand elle s'est précipitée vers lui le jour où elle lui a demandé de l'épouser ?

« William Stafford, hein ? » demande-t-il depuis la porte.

Elle se redresse, les joues empourprées, une mule en velours à la main. Maintenant que le secret a été révélé, elle a desserré son corset. Ses yeux glissent sur Cromwell et se posent derrière lui.

« Merci, Jane, apportez-moi ça.

« — Excusez-moi, maître. »

C'est Jane Seymour qui passe furtivement devant lui, les bras chargés de linge plié. Puis un garçon la suit, poussant une malle en cuir jaune.

« Ici, Mark.

— Regardez, monsieur le secrétaire, dit Smeaton. Je me rends utile. »

Jane s'agenouille devant la malle et l'ouvre en grand.

« De la batiste pour la tapisser ?

— Oubliez la batiste. Où est mon autre chaussure ?

— Vous feriez mieux de partir, prévient lady Rochford. Si l'oncle Norfolk vous voit, il vous donnera des coups de bâton. Votre sœur la reine croit que le roi est le père de votre enfant. Elle dit, pourquoi est-ce que ce serait William Stafford ? »

Mary pousse un petit ricanement.

« Elle en sait, des choses. Comment Anne comprendrait-elle les hommes ? Vous pouvez lui dire qu'il m'aime. Vous pouvez lui dire qu'il se soucie de moi et qu'il est le seul à le faire. Absolument le seul. »

Il se penche en avant et murmure : « Mademoiselle Seymour, je ne pensais pas que vous étiez une amie de lady Carey.

— Personne d'autre n'accepte de l'aider. »

Elle a la tête baissée ; sa nuque rosit.

« Ces rideaux de lit m'appartiennent, déclare Mary. Décrochez-les. »

Il voit, brodées dessus, les armoiries de son mari Will Carey, mort depuis, quoi, sept ans ?

« Je peux découdre les emblèmes », dit Mary.

Bien sûr : à quoi servent un homme mort et sa devise ?

« Où est ma bassine d'or, Rochford, l'avez-vous ? »

Elle donne un coup de pied dans la malle jaune ; l'emblème d'Anne, un faucon, est estampé partout dessus. « S'ils me voient avec ça, ils vont la reprendre et renverser toutes mes affaires sur la route.

— Si vous pouvez attendre une heure, suggère-t-il, je vous ferai porter une autre malle.

— Sera-t-elle estampée avec le blason de Thomas Cromwell ? Que Dieu me vienne en aide, je n'ai pas une heure. Je le sais ! » Elle commence à arracher les draps du lit. « Faites des ballots !

— Quelle honte, dit Jane Rochford. Obligée de s'enfuir comme une servante qui a volé l'argenterie ? De plus, vous n'aurez pas besoin de ces choses dans le Kent. Stafford a une sorte de ferme, n'est-ce pas ? Un petit manoir ? Vous pouvez les vendre. Vous devrez le faire, je suppose.

— Mon cher frère m'aidera quand il rentrera de France. Il n'acceptera pas de me voir rejetée.

— Permettez-moi de ne pas être d'accord. Lord Rochford sera sensible, comme je le suis, au fait que vous avez déshonoré toute votre famille. »

Mary riposte, tendant soudain le bras en avant tel un chat montrant les griffes : « Ma situation vaut mieux que la vôtre, Rochford. C'est comme si j'étais comblée de cadeaux. Alors que vous, vous êtes incapable d'aimer, vous ne savez pas ce qu'est l'amour, et tout ce que vous pouvez faire, c'est envier ceux qui savent ce que c'est, et vous réjouir de leurs problèmes. Vous êtes une femme misérable et malheureuse, détestée par son mari, et j'ai pitié de vous, comme j'ai pitié de ma sœur. Je ne voudrais pas échanger ma place contre la sienne, je préfère être dans le lit d'un homme pauvre qui se soucie de moi plutôt qu'être comme la reine qui ne parvient à garder son homme qu'en se comportant comme une putain – oui, je le sais, il a dit à Norris ce qu'elle lui proposait, et ce n'est pas ainsi qu'on fait un enfant, je peux vous le dire. Et maintenant elle a peur de chaque femme à la cour – l'avez-vous regardée, l'avez-vous regardée dernièrement ? Elle a manigancé pendant sept ans pour être reine – que Dieu nous préserve des prières exaucées. Elle croyait que chaque jour serait comme son couronnement. » Mary, à bout de souffle, enfonce la main parmi ses affaires et en tire une paire de manches qu'elle lance à Jane Seymour. « Tenez, ma chère, avec ma bénédiction. Vous êtes la seule à avoir bon cœur à la cour. »

Jane Rochford sort et claque la porte.

« Laissez-la partir, murmure Jane Seymour. Oubliez-la.

— Bon débarras ! s'exclame Mary. « Encore heureux qu'elle n'ait pas passé mes affaires en revue et proposé un prix. »

Dans le silence qui s'ensuit, ses paroles se répercutent à travers la pièce comme des oiseaux piégés qui paniquent et chient sur les murs : le roi a dit à Norris ce qu'elle lui proposait. La nuit, ses ingénieux stratagèmes. Il a sûrement dû utiliser des termes différents. Je parie que Norris était tout ouïe. Doux Jésus, ces gens ! Le jeune Mark se tient, bouche bée, derrière la porte. « Mark, si vous restez là comme un poisson échoué, je vais vous faire découper en filets et frire. » Le garçon prend la fuite.

Quand Mlle Seymour a fermé les ballots, ils ressemblent à des oiseaux aux ailes brisées. Il les lui prend des mains et les ferme de nouveau, utilisant cette fois non pas des rubans de soie mais de la ficelle.

« Portez-vous toujours de la ficelle sur vous, monsieur le secrétaire ? »

Mary s'écrie : « Oh, mon recueil de poèmes d'amour ! C'est Shelton qui l'a. »

Elle quitte la pièce à la hâte.

« Elle va en avoir besoin, observe-t-il. Il n'y a pas de poèmes dans le Kent.

— Lady Rochford lui dirait que les sonnets ne tiennent pas chaud. Non pas, ajoute Jane, qu'on m'en ait jamais écrit. Je ne suis donc pas spécialiste. »

Liz, songe-t-il, écarte ta main morte de moi. Es-tu jalouse de cette jeune fille, si petite, si mince, si quelconque ? Il se retourne. « Jane…

— Monsieur le secrétaire ? »

Elle fléchit les genoux et se laisse tomber sur le matelas ; elle se redresse, tire ses jupes sous elle, trouve son équilibre : agrippant la colonne, elle se hisse sur ses pieds, tend une main au-dessus de sa tête, et commence à décrocher les rideaux de lit.

« Descendez ! Je vais le faire. J'enverrai un chariot à la suite de Mme Stafford. Elle ne peut pas porter toutes ses affaires.

— Je peux le faire. Le secrétaire du roi ne s'occupe pas de rideaux de lit.

— Le secrétaire du roi s'occupe de tout. Je suis surpris que ce ne soit pas moi qui couse les chemises du roi. »

Jane oscille au-dessus de lui, ses pieds enfoncés dans les plumes du matelas.

« C'est toujours la reine Catherine qui le fait.

— La douairière Catherine. Descendez. »

Elle bondit sur le sol couvert de joncs, secoue ses jupes.

« Même après tout ce qui s'est passé entre eux. Elle lui en a envoyé un nouveau lot la semaine dernière.

— Je croyais que le roi le lui avait interdit.

— Anne dit qu'elles devraient être déchirées et utilisées pour, eh bien, vous savez, sur le trône. Il était en colère. Peut-être parce qu'il n'aime pas qu'on parle ainsi.

— En effet. » Le roi désapprouve la grossièreté, et de nombreux courtisans se sont vu écarter après avoir raconté quelque histoire vulgaire. « Est-ce vrai, ce que prétend Mary ? Que la reine a peur ?

— Pour le moment il convoite Mary Shelton. Bon, vous le savez. Vous l'avez vu.

— Mais il ne pense sans doute pas à mal ? Un roi est obligé de se montrer galant, jusqu'à ce qu'il atteigne l'âge où il enfile une longue robe et reste assis auprès du feu avec ses chapelains.

— Allez expliquer ça à Anne, elle ne voit pas les choses de cet œil. Elle veut renvoyer Shelton. Mais son père et son frère s'y opposent. Parce que les Shelton sont leurs cousins, donc si Henri doit aller voir ailleurs, autant que ça reste dans la famille. L'inceste est tellement à la mode ces temps-ci ! L'oncle Norfolk a dit – je veux dire, monsieur le duc…

— C'est bon, dit-il d'un ton distrait, moi aussi je l'appelle ainsi. » Jane porte la main à sa bouche. C'est une main d'enfant, avec de minuscules ongles brillants.

« Je me rappellerai ça quand je serai à la campagne et que je n'aurai rien pour m'amuser. Et lui, est-ce qu'il dit, mon cher neveu Cromwell ?

— Vous quittez la cour ? »

Nul doute qu'elle a un mari en vue : quelqu'un à la campagne.

« J'espère que quand j'aurai servi une saison de plus, on me libérera. »

Mary fait irruption dans la pièce, furieuse. Elle tient deux coussins brodés posés sur son ventre, dont le gonflement est désormais évident ; de sa main libre elle porte sa bassine d'or, dans laquelle se trouve son recueil de poèmes. Elle lâche les coussins, ouvre la main et laisse tomber dans la bassine une poignée de boutons d'argent qui se mettent à rouler comme des dés.

« C'est Shelton qui les avait. Aussi voleuse qu'une pie.

— Ce n'est pas comme si la reine m'appréciait, poursuit Jane. Et ça fait longtemps que je n'ai pas revu Wolf Hall. »

Il commande à Hans une miniature sur vélin représentant Salomon sur son trône recevant la reine de Saba, pour l'offrir au roi à la nouvelle année. C'est censé être une allégorie, explique-t-il, du roi recevant les fruits de l'Église et les hommages de son peuple.

Hans lui lance un regard cinglant. « Je saisis », dit-il.

Hans prépare des croquis. Salomon est majestueusement assis. La reine de Saba, de dos, se tient devant lui, levant son visage invisible.

« Arrivez-vous à voir mentalement son visage, demande-t-il, bien qu'il soit dissimulé ?

— Vous payez pour l'arrière de la tête, c'est ce que vous avez ! » Hans se masse le front. Il se ravise. « C'est faux. J'arrive à la voir.

— Aussi clairement qu'une femme que vous rencontreriez dans la rue ?

— Pas tout à fait. C'est plutôt comme une personne dont on se souviendrait. Comme une femme qu'on aurait connue quand on était enfant. »

Ils sont assis devant la tapisserie que le roi lui a donnée. Les yeux du peintre se posent dessus.

« Cette femme sur le mur. Wolsey l'a possédée, Henri l'a possédée, et maintenant c'est vous.

— Je vous assure qu'elle n'a pas d'équivalent dans la vraie vie. »

À moins qu'il y ait à Westminster une catin très discrète et versatile.

« Je la connais. » Hans opine vigoureusement du chef, lèvres serrées, ses yeux luisants et moqueurs, tel un chien qui aurait volé un mouchoir pour que vous lui courriez après. « On en parle à Anvers. Pourquoi n'allez-vous pas la récupérer ?

— Elle est mariée. »

Il est interloqué d'apprendre que ses affaires privées sont un banal sujet de conversation.

« Vous croyez qu'elle ne partirait pas avec vous ?

— C'était il y a des années. J'ai changé.

— *Ja*. Maintenant vous êtes riche.

— Mais que dirait-on de moi si j'incitais une femme à quitter son mari ? »

Hans hausse les épaules. Ils ne respectent rien, ces Allemands. More affirme que les luthériens forniquent dans les églises.

« Et puis, dit Hans, il y a la question de…

— De quoi ? »

Hans hausse les épaules : de rien.

« De rien ! Vous allez me pendre par les mains jusqu'à ce que j'avoue ?

841

— Je ne fais pas ça. Je me contente de menacer de le faire.

— Je voulais seulement dire, reprend Hans d'un ton apaisant, qu'il y a la question de toutes les autres femmes qui veulent vous épouser. Les épouses d'Angleterre, elles ont toutes un livre secret dans lequel elles notent le nom de ceux qu'elles voudraient avoir quand elles auront empoisonné leur mari. Et vous arrivez à chaque fois en tête de liste. »

Durant ses moments d'oisiveté – il en a deux ou trois par semaine – il a décortiqué les registres de la Maison des Rouleaux. Bien que les juifs aient été bannis du royaume, on ne sait jamais quels débris humains seront rejetés sur le rivage par les vagues de la fortune, et à un seul moment, pendant un unique mois au cours des trois cents dernières années, la maison a été vide. Il parcourt du regard les comptes rendus des responsables successifs, et il manipule, curieux, les attestations d'hébergement laissées par les anciens occupants, écrites en caractères hébraïques. Certains ont passé cinquante ans entre ces murs, à l'abri des Londoniens. Quand il arpente les couloirs tordus, il sent leurs pas sous les siens.

Il va voir les deux personnes qui restent. Ce sont des femmes silencieuses et vigilantes, d'un âge indéterminé, qui se font appeler Katherine Wheteley et Mary Cook.

« Que faites-vous ? »

De votre temps, veut-il dire.

« Nous disons nos prières. »

Elles le scrutent pour deviner ses intentions, bonnes ou mauvaises. Leurs visages disent, nous sommes deux femmes qui n'avons plus rien que le récit de nos vies. Pourquoi devrions-nous vous en faire don ?

Il leur fait envoyer des volailles tout en se demandant si elles mangent la viande offerte par des non-juifs. Vers Noël, le prieur de l'Église du Christ à Canterbury lui envoie douze pommes du Kent, enveloppées dans du lin gris, d'une variété qui se marie particulièrement bien avec le vin. Il porte ces pommes aux converties, avec un vin de son choix.

« En l'an 1353, dit-il, il n'y avait qu'une personne dans cette maison. Je suis triste de penser qu'elle a vécu ici sans compagnie. Avant d'arriver ici, son dernier domicile avait été dans la ville d'Exeter, mais je me demande où elle avait vécu avant ça. Elle s'appelait Claricia.

— Nous ne savons rien d'elle, répond Katherine, ou peut-être Mary. Le contraire serait étonnant. »

Elle tâte du bout du doigt les pommes. Elle ne se doute peut-être pas de leur rareté, ne soupçonne pas que c'est le plus beau cadeau que le prieur ait trouvé. Si vous ne les aimez pas, dit-il, et même si vous les aimez, j'ai également des poires à cuire. Quelqu'un m'en a envoyé cinq cents.

« Un homme qui voulait se faire remarquer », observe Katherine ou Mary. Et l'autre de renchérir : « Cinq cents livres auraient mieux valu. »

Les femmes rient, mais leur rire est froid. Il voit bien qu'il ne s'entendra jamais avec elles. Il aime le prénom Claricia, et il regrette de ne pas l'avoir suggéré pour la fille du geôlier. C'est le nom d'une femme dont on rêverait : une femme qu'on comprendrait immédiatement.

Quand le cadeau du roi est achevé, Hans déclare :
« C'est la première fois que je fais son portrait.

— Vous en ferez bientôt un autre, j'espère. »

Hans sait qu'il a une bible en anglais, une traduction presque achevée. Il porte un doigt à ses lèvres : trop tôt pour en parler, l'année prochaine peut-être.

« Si vous deviez la dédier à Henri, demande Hans, pourrait-il désormais la refuser ? Je le dessinerais sur la page de titre, dans toute sa gloire, le chef de l'Église. » Hans tourne en rond, marmonnant des chiffres. Il songe au coût du papier et de l'imprimeur, évalue ses profits. Lucas Cranach dessine les pages de titre pour Luther. « Ces représentations de Martin et de sa femme, il en a vendu des reproductions à la pelle. Pourtant avec Cranach tout le monde ressemble à un cochon. »

Vrai. Même ses nus argentés ont de douces têtes de cochon, des pieds de laboureur et des oreilles grossières.

« Mais si je peins Henri, je dois le flatter, je suppose. Le montrer tel qu'il était il y a cinq ans. Ou dix.

— Limitez-vous à cinq. Ou il croira que vous vous moquez de lui. »

Hans passe un doigt en travers de sa gorge, fléchit les genoux, tire la langue comme un pendu ; il envisage manifestement tous les types d'exécution.

« Je vous recommanderais une décontraction majestueuse », dit-il.

Hans fait un sourire radieux.

« Ça, je peux le peindre. »

Avec la fin de l'année arrive le froid, et une lumière verte et aqueuse qui balaie la Tamise et la ville. Des lettres atterrissent doucement sur son bureau tels de gros flocons de neige : des théologiens en Allemagne, des ambassadeurs en France, Mary Boleyn depuis son exil dans le Kent.

Il brise le cachet.

« Écoute ça, dit-il à Richard. Mary veut de l'argent. Elle dit qu'elle sait qu'elle n'aurait pas dû partir si vite. Elle dit, l'amour a pris le dessus sur la raison.

— L'amour, avez-vous dit ? »

Il lit. Elle ne regrette à aucun instant d'avoir choisi William Stafford. Elle aurait pu avoir, dit-elle, d'autres maris, avec des titres et de la fortune. Mais, *« si j'avais la liberté de choisir, je vous assure, monsieur le secrétaire principal, ayant découvert tant d'honnêteté en lui, que je préférerais mendier mon pain avec lui plutôt qu'être la plus grande reine de la chrétienté. »*

Elle n'ose pas écrire à sa sœur la reine. Ni à son père, ni à son oncle, ni à son frère. Ils sont tous si cruels. Donc c'est à lui qu'elle écrit... Il se demande, Stafford était-il penché au-dessus de son épaule pendant qu'elle écrivait ? A-t-elle ricané et dit, Thomas Cromwell, je lui ai un jour donné à espérer.

Richard dit : « J'ai du mal à croire que Mary et moi ayons failli être mariés.

— Les temps étaient différents. »

Et Richard est heureux ; voyez comme tout est bien qui finit bien ; nous pouvons prospérer sans les Boleyn. Mais la chrétienté a été mise sens dessus dessous pour qu'Henri épouse la Boleyn, pour qu'il engendre la petite truie rousse ; et si c'était vrai, si Henri en avait assez, s'il était dit qu'il n'aurait jamais d'héritier ?

« Fais venir le comte de Wiltshire.

— Quoi, ici, aux Rouleaux ?

— Il viendra si je le siffle. »

Il va l'humilier – l'air de rien – et le forcer à verser une rente à Mary. Elle a travaillé pour lui, au lit, et maintenant il doit lui accorder une pension. Richard sera assis dans l'ombre et prendra des notes. Ça rappellera à Boleyn le bon vieux temps ; quand Wolsey l'a humilié il y a environ six ou sept ans. La semaine dernière, Chapuys lui a dit, dans ce royaume, vous êtes tout ce qu'était le cardinal, et plus encore.

Alice More vient le voir à la veille de Noël. La lumière est à la fois fine et éclatante, comme la lame d'un vieux couteau, et dans cette lumière Alice paraît vieille.

Il l'accueille comme une princesse et la mène à l'une des pièces dont il a fait refaire les boiseries et les peintures. Un grand feu flambe dans la cheminée restaurée. Dans l'air flotte une odeur de pin.

« Vous célébrerez les fêtes ici ? » demande Alice. Elle a fait un effort pour lui : ses cheveux sont férocement tirés en arrière et elle porte un bonnet orné de minuscules perles. « Ça alors ! Quand je suis venue ici, c'était un endroit décrépit qui sentait le renfermé. Mon mari disait » – il remarque qu'elle parle au passé – « mon mari disait, enfermez Cromwell dans un cachot le matin, et quand vous reviendrez le soir, il sera assis sur un confortable coussin en train de manger des langues d'alouette, et tous les geôliers lui devront de l'argent.

— Parlait-il souvent de m'enfermer dans un cachot ?

— Ce n'étaient que des paroles. » Elle est mal à l'aise. « J'ai pensé que vous pourriez peut-être m'arranger une entrevue avec le roi. Je sais qu'il est toujours courtois avec les femmes, et gentil. »

Il secoue la tête. S'il emmène Alice voir le roi, elle parlera du temps où il allait à Chelsea et flânait dans les jardins. Elle contrariera Henri ; elle le perturbera, le fera penser à More, chose qu'il ne fait pas pour le moment.

« Il est très occupé avec les émissaires français. Il compte entretenir une vaste cour cette saison. Vous devrez faire confiance à mon jugement.

— Vous avez toujours été bon avec nous, convient-elle à contre-cœur. Je me demande pourquoi. Vous avez toujours une idée derrière la tête.

— Retors de nature, dit-il. Je n'y peux rien. Alice, pourquoi votre mari est-il si obstiné ?

— Je ne le comprends pas plus que je ne comprends la Sainte Trinité.

— Alors, que sommes-nous censés faire ?

— Je crois qu'il confierait ses raisons au roi. En privé. Si le roi promettait de lever toutes les charges contre lui.

— Vous voulez dire, passer l'éponge sur sa trahison ? Le roi ne peut pas faire ça.

— Par sainte Agnès ! Thomas Cromwell, qui êtes-vous pour dire ce que le roi ne peut pas faire ! J'ai déjà vu des coqs parader dans la basse-cour, maître, jusqu'au jour où arrive une fille qui leur tord le cou.

— C'est la loi. La coutume de ce pays.

— Je croyais qu'Henri était au-dessus des lois.

— Nous ne vivons pas à Constantinople, dame Alice. Même si je n'ai rien contre les Turcs. Nous encourageons les infidèles, ces temps-ci. Tant qu'ils maintiennent l'empereur pieds et poings liés.

— Il ne me reste plus beaucoup d'argent, dit-elle. Je dois trouver quinze shillings par semaine pour entretenir mon mari. Je crains qu'il ait froid. » Elle renifle. « Il pourrait me le dire lui-même, mais il ne m'écrit jamais. Tout est pour elle, elle, sa chère Meg. Ce n'est même pas *ma* fille. Je voudrais que sa première femme soit encore ici pour me dire si elle a toujours été comme ça. Elle est renfermée, vous savez. Elle garde ses pensées pour elle, et aussi celles de son père. Elle me dit qu'il lui a donné ses chemises pour qu'elle nettoie le sang qu'il y a dessus, et qu'il portait une chemise de crin sous son lin. Il le faisait déjà quand nous nous sommes mariés, et je l'ai imploré d'arrêter, et je croyais qu'il l'avait fait. Mais comment aurais-je pu savoir ? Il dormait seul et fermait le verrou de sa porte. Si ça le démangeait, je ne l'ai jamais su, il devait se gratter tout seul. Quoi qu'il en soit, il n'y en avait que pour eux deux, et moi, j'étais exclue de tout.

— Alice...

— Ne croyez pas que je n'aie aucune tendresse pour lui. Il ne m'a pas épousée pour vivre comme un eunuque. Nous avons eu nos affaires, de temps à autre. » Elle rougit, plus de colère que de timidité. « Et dans ces circonstances, vous ne pouvez vous empêcher de sentir quand un homme a froid, quand il a faim, car sa chair et la vôtre ne font qu'une.

— Faites-le sortir, Alice, vous en avez le pouvoir.

— More vous appartient plus qu'à moi. » Elle sourit avec tristesse. « Votre fils Gregory est-il rentré à la maison pour les fêtes ? Il m'est arrivé de dire à mon mari, si seulement Gregory Cromwell était mon fils. Je le couvrirais de croûte de sucre et je le dévorerais tout entier. »

Gregory rentre à la maison pour Noël, avec une lettre de Rowland Lee qui dit que c'est un garçon adorable et qu'il sera toujours le bienvenu chez lui.

« Alors, est-ce que je dois repartir, demande Gregory, ou est-ce que mon éducation est achevée ?

— J'ai un projet pour la nouvelle année pour améliorer ton français.

— Rafe dit qu'on m'élève comme un prince.

— Pour le moment, je n'ai que toi sur qui m'entraîner.

— Mon cher père... » Gregory soulève sa petite chienne. Il la serre entre ses bras et gratte la fourrure sur sa nuque. Son père attend. « Rafe et Richard disent que quand mon éducation sera achevée, vous avez l'intention de me marier à quelque vieille douairière avec une belle rente et les dents noires, et qu'elle m'épuisera au lit et me commandera avec ses caprices, qu'elle déshéritera ses enfants, qui me détesteront et comploteront contre moi, et qu'un matin je finirai mort dans mon lit. »

L'épagneul pivote entre les bras du garçon, tourne vers lui ses yeux doux, ronds, curieux.

« Ils se moquent de toi, Gregory. Si je connaissais une telle femme, je l'épouserais moi-même. »

Gregory acquiesce.

« Elle ne vous commanderait jamais, père. Et j'imagine qu'elle aurait un grand parc plein de cerfs, ce qui serait pratique pour la chasse. Et ses enfants vous craindraient, même s'ils étaient adultes. » Il semble à demi consolé. « Que représente cette carte ? Les Indes ?

— C'est la frontière écossaise, répond-il doucement. Le pays d'Harry Percy. Regarde, laisse-moi te montrer. Voici les portions de ses propriétés qu'il a cédées à ses créanciers. Nous ne pouvons pas le laisser continuer, car nous ne pouvons pas mettre nos frontières en péril.

— On dit qu'il est malade.

— Malade ou fou, déclare-t-il d'un ton indifférent. Il n'a pas d'héritier, et lui et sa femme ne se voient jamais, il est donc peu probable qu'il en ait un jour. Il s'est brouillé avec ses frères, et il doit beaucoup d'argent au roi. Il serait donc logique qu'il désigne le roi comme son héritier, n'est-ce pas ? Nous le persuaderons de le faire. »

Gregory semble affligé.

« Vous allez lui reprendre son titre de comte ?

— Il peut conserver son mode de vie. Nous lui donnerons de quoi vivre.

— Est-ce à cause du cardinal ? »

Harry Percy a arrêté Wolsey à Cawood, alors qu'il se dirigeait vers le sud. Il est entré, les clés à la main et couvert de boue : monseigneur, je vous arrête pour haute trahison. Regardez mon visage, a dit le cardinal, je ne crains nul homme qui vive.

Il hausse les épaules.

« Gregory, va t'amuser. Emmène Bella et entraîne-toi à parler français avec elle ; c'est lady Lisle à Calais qui me l'a envoyée. Je n'en ai pas pour longtemps. Je dois régler les factures du royaume. »

Pour le prochain envoi en Irlande, des canons en cuivre et des boulets en fer, des refouloirs et des cuillers à charger, de la poudre serpentine et quatre cent quarante-huit livres de soufre, cinq cents arcs en bois d'if et deux tonneaux de cordes, deux cents bêches, pelles, leviers, pioches, peaux de cheval, cent haches, mille fers à cheval, huit mille clous. Le forgeron Cornelys n'a pas été payé pour le berceau qu'il a fabriqué pour le dernier enfant du roi, celui qui n'a jamais vu le jour ; il affirme avoir déboursé vingt shillings pour qu'Hans peigne Adam et Ève sur le berceau, et dit qu'on lui doit du satin blanc, des glands et des franges dorés, et l'argent dans lequel il a modelé les pommes du jardin d'Éden.

Il négocie avec des gens à Florence la location de cent arquebusiers pour la campagne irlandaise. Ces hommes ne rendent pas les armes, contrairement aux Anglais, s'ils doivent se battre dans les bois ou sur un terrain rocailleux.

Le roi lui dit, bonne chance pour cette année, Cromwell. Et plus encore pour l'avenir. Il songe, la chance n'a rien à voir avec tout ça. De tous les cadeaux qu'il a reçus, ceux qu'Henri préfère sont : la reine de Saba, une corne de licorne et un instrument pour presser les oranges orné d'un superbe H doré.

Au début de la nouvelle année, le roi lui accorde un titre qu'il est le premier à porter : vice-gérant des affaires spirituelles, à savoir son adjoint pour les questions religieuses. Depuis trois ans au moins, la rumeur circule que les monastères vont être dissous. Il a désormais le pouvoir de les visiter, de les inspecter et de les réformer ; et de les fermer au besoin. Il est à peine une abbaye dont il ne connaisse les affaires, grâce à ce qu'il a appris auprès du cardinal, et aussi aux lettres qui lui parviennent quotidiennement – des moines qui dénoncent des abus, des scandales, la déloyauté de leurs supérieurs, d'autres qui cherchent un poste au sein de l'Église et lui promettent, contre un mot glissé dans la bonne oreille, leur reconnaissance éternelle.

Il demande à Chapuys : « Êtes-vous déjà entré dans

la cathédrale de Chartres ? Vous marchez dans un labyrinthe qui est figuré sur le sol, et il ne semble faire aucun sens. Mais si vous suivez consciencieusement les lignes, il vous mène droit en son centre. Directement là où vous êtes censé être. »

Officiellement, l'ambassadeur et lui s'adressent à peine la parole. Officieusement, Chapuys lui envoie une jarre de bonne huile d'olive. Il répond en lui faisant porter des chapons. L'ambassadeur arrive en personne, suivi par un serviteur chargé d'une meule de parmesan.

Chapuys semble triste et transi.

« Votre pauvre reine passe des fêtes misérables à Kimbolton. Elle a tellement peur des conseillers hérétiques qui entourent son mari qu'elle fait cuire toute sa nourriture sur le feu de sa chambre. Et Kimbolton ressemble plus à une écurie qu'à une maison.

— Absurde ! » réplique-t-il sèchement. Il tend à l'ambassadeur un verre de vin épicé pour le réchauffer. « Nous lui avons simplement fait quitter Buckden parce qu'elle se plaignait que c'était humide. Kimbolton est une demeure très convenable.

— Ah, vous dites ça parce qu'elle a des murs épais et de larges douves. » Le parfum du miel et de la cannelle flotte à travers la pièce, les bûches crépitent dans l'âtre, les rameaux verts qui décorent la salle diffusent leur parfum résineux. « Et la princesse Marie est malade.

— Oh, lady Marie est toujours malade.

— Raison de plus pour se soucier d'elle ! » s'exclame Chapuys. Puis il s'adoucit : « Si sa mère pouvait la voir, ce serait un grand réconfort pour toutes les deux.

— Et un bon moyen de manigancer leur fuite.

— Vous êtes un homme sans cœur. » Chapuys boit une gorgée de vin. « Vous savez, l'empereur est disposé à être votre ami. » Une pause, lourde de sens ; l'ambassadeur soupire. « On dit que La Ana est affolée. Que le roi convoite une autre femme. »

Il prend une inspiration et répond. Henri n'a pas le temps pour une autre femme. Il est trop occupé à compter son argent. Il devient très avare, il ne veut pas que le Parlement connaisse ses revenus. J'ai des difficultés à le faire débourser quoi que ce soit pour les universités, ou payer ses maçons, ou même donner aux pauvres. Il ne pense qu'à l'artillerie. Aux munitions. À construire des navires. Des phares. Des forts.

Chapuys fait la moue. Il sait quand on lui raconte des sornettes ; mais s'il ne le savait pas, quel plaisir y aurait-il à le faire ?

« Donc, à vous entendre, je suis censé dire à mon maître que le roi d'Angleterre est tellement déterminé à faire la guerre qu'il n'a pas de temps pour l'amour ?

— Il n'y aura pas de guerre à moins que votre maître ne la déclare. Ce que, avec les Turcs qui le harcèlent, il n'a pas vraiment le temps de faire. Oh, je sais que ses réserves d'argent sont inépuisables. L'empereur pourrait tous nous ruiner s'il le voulait. » Il sourit. « Mais à quoi cela lui servirait-il ? »

Voici comment se décide le destin des peuples, deux hommes dans une petite pièce. Oubliez les couronnements, les conclaves de cardinaux, la pompe et les processions. Voici comment le monde change : un jeton poussé en travers d'une table, un coup de plume qui altère la force d'une phrase, le soupir d'une femme qui passe et laisse derrière elle un parfum de fleur d'oranger et d'eau de rose, sa main refermant les rideaux de lit, le murmure discret de la chair contre la chair. Henri – le prince des généralités – doit désormais apprendre à se pencher sur les détails pour assouvir intelligemment sa cupidité. Ayant hérité de la prudence de son père, il sait tout ce que détiennent les familles d'Angleterre. Il a mémorisé leurs possessions, jusqu'au moindre cours d'eau, jusqu'au moindre taillis. Mais maintenant que les biens de l'Église sont sous son contrôle, il doit connaître leur valeur. La loi qui établit qui possède quoi – la loi en général – est devenue si complexe qu'on ne la perçoit plus sous les parasites – elle est comme une coque de navire rongée par les coquillages, comme un toit dévoré par la mousse. Mais il y a assez d'avocats ; et est-il vraiment si difficile que ça de gratter là où on vous demande de gratter ? Les Anglais sont peut-être superstitieux, ils ont peut-être peur de l'avenir, ils ne savent peut-être pas ce qu'est l'Angleterre ; mais les personnes qui savent additionner et soustraire ne sont pas rares. Il y a des milliers de gratte-papiers à Westminster, mais ce dont Henri aura besoin, pense-t-il, ce sera de nouveaux hommes, de nouvelles structures, d'une nouvelle façon de penser. En attendant, lui, Cromwell, envoie ses commissaires sur les routes. *Valor ecclesiasticus*. Ça me prendra six mois, dit-il. Une telle entreprise n'a jamais été tentée jusqu'alors, certes, mais il a déjà fait beaucoup de choses que personne d'autre n'aurait imaginées.

Un jour au début du printemps, il revient de Westminster transi. Son visage le fait souffrir, comme si ses os étaient exposés aux intempéries, et il lui revient le souvenir désagréable du jour où son père l'a réduit en bouillie contre les pavés ; il revoit la botte de Walter. Il veut retourner à Austin Friars car il y a fait installer des poêles et la maison est bien chauffée ; alors que celle de Chancery Lane ne l'est qu'à certains endroits. De plus, il a envie d'être chez lui.

Richard déclare : « Vous ne pouvez pas continuer éternellement à travailler dix-huit heures par jour.

— C'est ce que le cardinal faisait. »

Cette nuit-là, durant son sommeil, il va dans le Kent. Il étudie les comptes de l'abbaye de Bayham, qui doit être fermée sur ordre de Wolsey. Se sentant observé par les moines hostiles, il jure et dit à Rafe, emballe ces livres et mets-les sur la mule, nous les examinerons pendant le souper en buvant un verre de bourgogne blanc. C'est le milieu de l'été. Montés sur leurs chevaux, la mule les suivant d'un pas lourd, ils traversent les vignes négligées du monastère et atteignent une forêt obscure, de larges feuilles vertes recouvrant le fond de la vallée. Il dit à Rafe, nous sommes comme deux chenilles rampant dans une salade. Puis c'est un flot de lumière, et devant eux se dresse la tour du château de Scotney ; ses murs de grès, de l'or moucheté de gris, chatoient au-dessus des douves.

Il se réveille. A-t-il rêvé du Kent, ou y est-il allé ? Il sent encore la caresse du soleil sur sa peau. Il appelle Christophe.

Rien ne se passe. Il reste immobile. Personne ne vient. Il est tôt : aucun son au rez-de-chaussée. Les volets sont fermés, et la lueur des étoiles qui peine à s'introduire dessine des pointes d'acier sur le bois fendillé. Il se dit qu'il n'a pas réellement appelé Christophe, qu'il a juste rêvé qu'il le faisait.

Les nombreux professeurs de Gregory lui ont présenté une liasse de factures. Le cardinal se tient au pied de son lit, vêtu de sa tenue pontificale complète. Le cardinal devient Christophe lorsqu'il ouvre les volets et que sa silhouette se dessine à contre-jour.

« Vous avez de la fièvre, maître ? »

Il doit bien avoir une idée ? Ou suis-je censé tout faire, tout savoir ?

« Oh, c'est la fièvre italienne, dit-il, comme si ça réglait la question.

— Devons-nous faire venir un médecin italien ? » demande Christophe, dubitatif.

Rafe est là. Toute la maisonnée est là. Charles Brandon est là, plus vrai que nature, puis arrive Morgan Williams, qui est mort, et William Tyndale, qui est dans la Maison anglaise à Anvers et n'ose pas mettre un pied dehors. Dans l'escalier il entend le claquement efficace et menaçant des bottes à pointe d'acier de son père.

Richard Cromwell hurle, on peut avoir un peu de silence ici ? Quand il hurle, on dirait un Gallois ; il songe, en temps normal je n'aurais jamais remarqué ça. Il ferme les yeux. Des femmes bougent derrière ses paupières : aussi transparentes que des petits lézards à la queue frétillante. Les reines-serpents d'Angleterre, avec leurs crocs noirs et leur attitude hautaine, traînant leurs linges tachés de sang et leurs jupes craquantes. Elles tuent et dévorent leurs propres enfants ; c'est bien connu. Elles leur sucent la moelle avant même qu'ils soient nés.

Quelqu'un lui demande s'il veut se confesser.

« Dois-je le faire ?

— Oui, sir, sinon vous serez considéré comme un sectaire. »

Mais mes péchés sont ma force, songe-t-il ; les péchés que j'ai commis, que les autres n'ont pas eu l'occasion de commettre. Je les serre tout contre moi ; ils m'appartiennent. De plus, le jour du jugement dernier, j'aurai un mémorandum à la main : je dirai à mon Créateur, voici une liste qui comporte cinquante articles, peut-être plus.

« Si je dois me confesser, je veux Rowland. »

L'évêque Lee est au Pays de Galles, lui répondent-ils. Ça pourrait prendre des jours.

Le docteur Butts arrive, accompagné d'une nuée d'autres médecins envoyés par le roi.

« C'est une fièvre que j'ai contractée en Italie, explique-t-il.

— Disons que ce soit ça, répond Butts en fronçant les sourcils.

— Si je suis mourant, faites chercher Gregory. J'ai des choses à lui dire. Mais si je ne le suis pas, n'interrompez pas ses études.

— Cromwell, dit Butts, je n'arriverais pas à vous tuer même en vous tirant dessus avec un canon. Si vous faisiez naufrage, la mer ne voudrait pas de vous et vous rejetterait sur le rivage. »

Ils parlent de son cœur ; il les entend. Il se dit qu'ils ne devraient pas : le livre de mon cœur est un livre intime, ce n'est pas un carnet de commandes qu'on abandonne sur le comptoir pour que le premier clerc venu puisse gribouiller dedans. On lui fait avaler une potion. Peu après il retourne à ses livres de comptes. Les lignes ne cessent de danser devant ses yeux, les chiffres s'emmêlent, et dès qu'il a additionné une colonne, le total disparaît et plus rien ne fait sens. Mais il continue d'essayer, il additionne encore et encore, jusqu'à ce que le poison ou le remède n'ait plus d'emprise sur lui. Alors il se réveille. Les pages des livres de comptes sont toujours devant ses yeux. Butts croit qu'il se repose comme il le lui a demandé, mais dans le secret de son esprit de petits chiffres avec des bras et des jambes d'encre jaillissent du livre et se promènent autour de lui. Ils portent du bois pour les fourneaux de la cuisine, mais le rôti de venaison redevient un cerf qui se frotte en toute innocence contre l'écorce des arbres. Les oiseaux chanteurs pour la fricassée retrouvent leurs plumes et sautillent sur les branches qui n'ont pas encore été coupées pour alimenter les fourneaux, et le miel pour la sauce a retrouvé l'abeille, et l'abeille a retrouvé la ruche. Il entend les bruits de la maison au rez-de-chaussée, mais c'est une autre maison, dans un autre pays : le tintement de pièces qui changent de mains, des malles en bois qu'on traîne sur des dalles de pierre. Il entend sa propre voix, qui raconte une histoire en italien de Toscane, en argot de Putney, en français de garnison et en latin de Barbare. Peut-être est-il en Utopie ? Au centre de ce lieu, qui est une île, il y a un endroit nommé Amaurote, la Ville des Rêves.

Il est fatigué d'essayer de déchiffrer le monde. Fatigué d'essayer de sourire à l'ennemi.

Thomas Avery arrive de la salle des comptables. Il s'assied près de lui et lui prend la main. Hugh Latimer arrive et dit des psaumes. Cranmer arrive et le regarde d'un air dubitatif. Peut-être craint-il qu'il lui demande, dans son délire, comment se porte votre femme Grete ces jours-ci ?

Christophe lui dit : « Je voudrais que votre ancien maître le cardinal soit ici pour vous réconforter, sir. C'était un homme bon.

— Que sais-tu de lui ?

— Je l'ai volé, sir. Ne le saviez-vous pas ? J'ai volé sa vaisselle d'or. »

Il se redresse péniblement.

« Christophe ? C'était toi, à Compiègne ?

— Bien sûr que c'était moi. Je montais les escaliers avec des seaux d'eau chaude pour le bain, et chaque fois que je redescendais il y avait une coupe en or dans le seau vide. J'étais désolé de le voler, car il était si *gentil**. "Quoi, c'est encore toi avec ton seau, Fabrice ?" Vous devez comprendre que Fabrice était mon nom à Compiègne. "Donnez à manger à ce pauvre enfant", qu'il a dit. C'est la première fois que j'ai goûté à des abricots.

— Mais on ne t'a pas attrapé ?

— Mon maître s'est fait attraper, un très grand voleur. On l'a marqué au fer. On a crié haro. Mais vous voyez, maître, j'étais destiné à de grandes choses. »

Je me souviens, dit-il, je me souviens de Calais, les alchimistes, la machine de mémorisation.

« Giulio Camillo la fabrique pour François, pour qu'il soit le roi le plus sage du monde, mais ce benêt ne saura jamais s'en servir. »

C'est un fantasme, déclare Butts, la fièvre qui monte, mais Christophe réplique, non, je vous assure, il y a un homme à Paris qui a fabriqué une âme. C'est un bâtiment, mais il est vivant. Il est totalement bordé de petites étagères. Sur ces étagères vous trouvez certains parchemins, des fragments d'écriture, ils sont comparables à des clés, qui mènent à une boîte qui contient une clé qui contient une autre clé, mais ces clés ne sont pas en métal, et les boîtes ne sont pas en bois.

Qu'est-ce que tu racontes, grenouille ? demande quelqu'un.

Elles sont faites d'esprit. Elles sont ce qui nous restera si tous les livres sont brûlés. Elles nous permettront de nous souvenir non seulement du passé, mais aussi de l'avenir, de voir toutes les formes et coutumes qui habiteront un jour la terre.

Butts dit, il est brûlant. Il pense au Petit Bilney laissant sa main dans la flamme d'une bougie la nuit qui a précédé sa mort, pour voir à quoi ressemblait la douleur. Sa peau a grillé ; il a passé la nuit à gémir comme un enfant tout en suçant sa chair à vif, et le lendemain matin les conseillers de la ville de Norwich l'ont traîné jusqu'à la fosse où leurs aïeux avaient brûlé des hérétiques. Alors même que son visage était consumé, ils continuaient de lui brandir sous le nez les emblèmes et les bannières de la papauté : le tissu était roussi, les franges étaient en flammes, et leurs vierges aux yeux vides, desséchées comme des harengs, se recroquevillaient dans la fumée.

Il demande, poliment et dans plusieurs langues, de l'eau. Pas trop, dit Butts, un petit peu à la fois. Il a entendu parler d'une île nommée Ormuz, le royaume le plus aride du monde, où il n'y a pas d'arbre et où l'on ne récolte que du sel. Tenez-vous en son centre, et vous ne verrez à trente miles à la ronde que de la plaine cendrée : et, au-delà, le rivage, incrusté de perles.

Sa fille Grace vient la nuit. Elle est enveloppée dans ses cheveux brillants et dégage sa propre lumière. Elle le regarde, immobile, sans ciller, jusqu'au matin, et quand on ouvre le volet, les étoiles commencent à disparaître et le soleil et la lune flottent côte à côte dans un ciel pâle.

Une semaine passe. Il va mieux et veut qu'on lui

apporte du travail, mais les médecins l'interdisent. Comment va-t-il avancer, demande-t-il, et Richard répond, sir, vous nous avez bien formés et nous sommes vos disciples, vous avez fabriqué une machine pensante qui avance comme si elle était vivante, vous n'avez pas besoin de vous en occuper à chaque minute du jour.

Pourtant, Christophe déclare, on dit que le roi gémit comme si c'était lui qui souffrait : oh, où est Cromwell ?

On lui apporte un message. Henri a écrit, je viens vous voir. C'est une fièvre italienne, je suis donc certain de ne pas l'attraper.

Il ordonne, envoyez-moi Thurston. On l'a mis au régime maigre, de la nourriture d'invalide comme de la dinde. Maintenant, dit-il, nous allons préparer – quoi ? – un porcelet, farci et rôti comme je l'ai un jour vu faire lors d'un banquet papal. Il vous faudra du poulet découpé, des lardons et un foie de chèvre finement haché. Il vous faudra des graines de fenouil, de la marjolaine, de la menthe, du gingembre, du beurre, du sucre, des noix, des œufs de poule et du safran. Certains y ajoutent du fromage, mais nous ne faisons pas le fromage qui convient ici à Londres, de plus, je pense personnellement que ce n'est pas nécessaire. Si vous rencontrez le moindre problème, faites venir le cuisinier de Bonvisi, il vous aidera.

Il dit : « Allez voir le prieur George à côté, dites-lui de ne pas laisser ses moines dans la rue quand le roi viendra, sinon il risque de les réformer trop tôt. » Son sentiment est que le processus doit être lent, lent, pour que les gens en perçoivent la justice ; inutile que les religieux inondent les rues. Les moines qui vivent à côté sont une honte pour leur ordre, mais ce sont de bons voisins. Ils ont abandonné leur réfectoire, et des fenêtres de leurs chambres, le soir, s'échappe le son de joyeux soupers. On peut chaque jour retrouver bon nombre d'entre eux en train de boire à la taverne voisine. L'église de l'abbaye ressemble plus à un marché, et un marché de la chair qui plus est. Le quartier est plein de jeunes hommes venus travailler un an à Londres chez les marchands italiens ; il les accueille souvent, et quand ils quittent sa table (délestés de leurs informations), il sait qu'ils se ruent chez les moines, où des Londoniennes entreprenantes s'abritent de la pluie en attendant de faire des rencontres agréables.

Le 17 avril, le roi lui rend visite. À l'aube, il y a des averses. À dix heures, l'air est doux comme du babeurre. Il est assis dans un fauteuil, dont il se lève. Mon cher Cromwell : Henri l'embrasse fermement sur les deux joues, le prend par le bras et (au cas où il se croirait le seul homme fort du royaume) le fait se rasseoir, résolument, dans son fauteuil.

« Restez assis et ne discutez pas, ordonne Henri. Pour une fois ne discutez pas, monsieur le secrétaire. »

Les femmes de la maison, Mercy et sa belle-sœur Johane, sont accoutrées comme des madones de Walsingham un jour de fête. Elles font une profonde révérence, et Henri oscille au-dessus d'elles. Il est vêtu de façon informelle : veste de brocart argenté, énorme chaîne en or en travers de la poitrine, émeraudes indiennes scintillant à ses doigts. Il n'a pas tout à fait saisi les relations familiales, ce dont on ne peut lui tenir rigueur.

« La sœur de monsieur le secrétaire ? demande-t-il à Johane. Non, pardonnez-moi. Je me souviens maintenant que vous avez perdu votre sœur Bet à peu près à l'époque où ma propre sœur adorée est morte. »

C'est une phrase si simple, si humaine de la part d'un roi ; à l'évocation de cette perte, les larmes montent aux yeux des deux femmes. Henri, se tournant vers l'une, puis vers l'autre, leur essuie les joues d'un index prudent et leur arrache un sourire. Quant aux jeunes mariées Alice et Jo, il les fait tournoyer dans les airs comme si c'étaient des papillons, tout en déclarant qu'il regrette de ne pas les avoir rencontrées quand il était jeune. La triste vérité, ne l'avez-vous pas remarqué, monsieur le secrétaire, c'est que plus on vieillit, plus les filles sont jolies.

La vie sera belle à quatre-vingts ans : la moindre souillon sera une perle. Mercy dit au roi, comme si elle parlait à un voisin, assez, sir, vous n'avez plus l'âge. Henri écarte grand les bras pour que tout le monde le voie bien.

« Quarante-cinq ans en juillet. »

Il remarque le silence incrédule. Ça fonctionne. Henri est satisfait.

Henri fait le tour de la pièce, regarde tous ses tableaux, demande qui sont ces gens. Il regarde Anselma, la reine de Saba, sur le mur. Il les fait rire lorsqu'il soulève Bella et lui parle en imitant le français atroce d'Honor Lisle.

« Lady Lisle a envoyé à la reine un chien encore plus petit. Il penche la tête sur le côté en dressant les oreilles, comme s'il demandait, pourquoi me parlez-vous ? Alors elle l'a appelé *Pourquoi**. » Quand il parle d'Anne, sa voix dégouline de dévotion : comme du miel clair. Les femmes sourient, ravies de voir leur roi montrer un tel exemple. « Vous le connaissez, Cromwell, vous l'avez vu sur son bras. Elle l'emmène partout. Parfois, ajoute-t-il en opinant judicieusement du chef, je crois qu'elle l'aime plus que moi. Oui, je passe après le chien. »

Il reste assis, souriant, sans appétit, tandis qu'Henri mange dans les plats d'argent qu'Hans a dessinés.

Henri parle gentiment à Richard, il l'appelle cousin. Il lui fait signe de se tenir près de lui pendant qu'il parle à son conseiller, et indique aux autres de s'écarter un peu. Et si le roi François ceci ou cela, devrai-je aller en France pour négocier à la hâte un traité, ferez-vous la traversée quand vous serez de nouveau sur pied ? Et si les Irlandais, et si les Écossais, et si tout devient incontrôlable et que nous nous retrouvons avec des guerres comme en Allemagne et des paysans qui se proclament rois, et si ces faux prophètes, et si Charles m'envahit et que Catherine entre en campagne, elle est d'un caractère fougueux et le peuple l'aime. Dieu sait pourquoi, car moi je ne l'aime pas.

Si cela se produit, répond-il, je me lèverai de cette chaise et j'irai me battre, épée au poing.

Lorsque le roi a terminé son dîner, il s'assied près de Cromwell et parle doucement de lui. Cette journée d'avril, fraîche et pluvieuse, lui rappelle le jour où son père est mort. Il parle de son enfance : je vivais dans le palais d'Eltham, j'avais un bouffon nommé Goose. Quand j'avais sept ans, les rebelles des Cornouailles sont arrivés, vous vous souvenez ? Mon père m'a envoyé à la Tour pour me mettre à l'abri. Je disais, laissez-moi sortir, je veux me battre ! Je n'avais pas peur d'un géant venu de l'ouest, mais j'avais peur de ma grand-mère Margaret Beaufort, car elle avait le visage de la mort, et quand elle me serrait le poignet, sa main était comme un squelette.

Quand nous étions jeunes, poursuit-il, on nous disait tout le temps, votre grand-mère a donné naissance à votre père alors qu'elle n'était qu'une petite créature de treize ans. Son passé était comme une épée de Damoclès. Quoi, Henri, vous riez pendant le carême ? Alors que moi, quand j'étais à peine plus âgée que vous, je donnais naissance au Tudor ? Quoi, Henri, vous dansez, quoi, Henri, vous jouez au ballon ? Sa vie n'était que devoirs. Elle logeait douze indigents dans sa maison de Woking, et un jour elle m'a fait agenouiller avec une bassine et nettoyer leurs pieds jaunes. Elle a de la chance que je n'ai pas vomi dessus. Elle commençait à prier chaque matin à cinq heures. Quand elle s'agenouillait à son prie-Dieu, elle hurlait à cause de la douleur dans ses genoux. Et chaque fois qu'il y avait une célébration, vous savez ce qu'elle faisait ? Chaque fois ? Sans faute ? Elle pleurait.

Et avec elle, il n'y en avait que pour le prince Arthur. La lumière de sa vie, son foutu saint. « Quand je suis devenu roi à sa place, elle s'est allongée et est morte de dépit. Et sur son lit de mort, vous savez ce qu'elle m'a dit ? » Henri pousse un petit ricanement. « Obéissez en tout à l'évêque Fisher ! Quel dommage qu'elle n'ait pas dit à Fisher de m'obéir ! »

Une fois le roi et son escorte repartis, Johane vient s'asseoir auprès de lui. Ils discutent à voix basse ; même si leur conversation n'a rien de secret.

« Bon, ça s'est bien passé, dit-elle.

— Nous devons offrir un cadeau au personnel de cuisine.

— Toute la maisonnée a été parfaite. Je suis contente de l'avoir vu.

— Est-il tel que tu l'espérais ?

— Je ne l'imaginais pas si tendre. Je comprends pourquoi Catherine s'est autant battue pour lui. Je veux dire, pas juste pour être reine, ce qu'elle considère comme son droit, mais pour l'avoir comme mari. Je dirais que c'est un homme tout à fait digne d'être aimé. »

Alice fait irruption : « Quarante-cinq ans ! Je lui donnais plus.

— Tu l'aurais mis dans ton lit pour une poignée de grenats, raille Jo. Tu l'as dit toi-même.

— Et toi, pour des licences d'exportation !

— Arrêtez ! intervient-il. Les filles ! Si vos maris vous entendaient.

— Nos maris savent comment nous sommes, réplique Jo. Nous sommes imbues de nous-mêmes, n'est-ce pas ? On ne vient pas à Austin Friars en quête de petites vierges effarouchées. Je m'étonne que notre oncle ne nous oblige pas à porter les armes.

— La coutume m'en empêche. Sinon je vous enverrais en Irlande. »

Johane regarde les deux filles déchaînées s'éloigner. Quand elles sont hors de portée, elle se tourne vers lui et murmure, tu ne vas pas croire ce que je vais te dire.

« Essaie toujours.

— Henri a peur de toi. »

Il secoue la tête. Qui effraie le Lion d'Angleterre ?

« Si, je te jure. Tu aurais dû voir sa tête quand tu as dit que tu te battrais épée au poing. »

Le duc de Norfolk vient lui rendre visite, ses pas résonnent dans la cour où ses serviteurs retiennent son cheval empanaché.

« Le foie, c'est ça ? Mon foie est foutu. Et ces cinq dernières années mes muscles se sont ratatinés. Regardez ça ! » Il tend un doigt comme une griffe. « J'ai essayé tous les médecins du royaume, mais ils ne savent pas de quoi je souffre. Pourtant ils ne manquent jamais de m'envoyer la note. »

Norfolk, il en est sûr, ne paierait jamais quelque chose d'aussi dérisoire qu'une note de médecin.

« Et les coliques et les maux de ventre, reprend le duc, ils font de ma vie sur terre un purgatoire. Parfois je passe toute la nuit à la selle.

— Votre Excellence devrait prendre son temps », dit Rafe.

Ne pas engloutir sa nourriture d'une bouchée, voilà ce qu'il veut dire. Ne pas courir jusqu'à l'épuisement comme un cheval de poste.

« C'est ce que je compte faire, croyez-moi. Ma nièce me fait bien comprendre qu'elle ne veut ni de ma compagnie ni de mes conseils. Je retourne chez moi à Kenninghall, et Henri pourra me trouver là-bas s'il veut me voir. Que Dieu vous rende la santé, monsieur le secrétaire. Saint Walter est utile, ai-je entendu dire, si un travail devient trop pesant pour vous. Et saint Ubald contre le mal de tête, ça marche pour moi. » Il farfouille dans sa veste. « Je vous ai apporté une médaille. Le pape l'a bénie. L'évêque de Rome, désolé. » Il la laisse tomber sur la table. « J'ai pensé que vous n'en aviez peut-être pas. »

Une fois Norfolk parti, Rafe soulève la médaille.

« Elle est probablement maudite. »

Ils entendent le duc dans l'escalier, sa voix forte, plaintive : « Je croyais qu'il était presque mort ! On m'avait dit qu'il était presque mort ! »

Il dit à Rafe : « Nous voilà débarrassés de lui. »

Rafe sourit : « De Suffolk aussi. »

Henri n'a jamais annulé l'amende de trente mille livres qu'il a imposée quand Suffolk a épousé sa sœur. De temps à autre Cromwell s'en souvient, comme en ce moment ; Brandon a dû se séparer de ses terres dans l'Oxfordshire et le Berkshire pour payer ses dettes, et maintenant il vit modestement à la campagne.

Il ferme les yeux. C'est un bonheur absolu de penser que les deux ducs le fuient.

Son voisin Chapuys arrive.

« J'ai dit à mon maître dans mes dépêches que le roi vous avait rendu visite. Mon maître est stupéfait que le roi se soit rendu dans une maison privée, et que celle-ci n'appartienne même pas à un lord. Mais je lui ai dit, vous devriez voir tout le travail que Cromwell abat pour lui.

— Il aurait bien besoin d'un serviteur aussi zélé, répond-il. Mais Eustache, vous êtes un vieil hypocrite, vous savez. Vous danseriez sur ma tombe.

— Mon cher Thomas, vous êtes comme toujours le seul adversaire à la hauteur. »

Thomas Avery lui fait passer en douce le traité d'échecs de Luca Pacioli. Il a bientôt résolu toutes les combinaisons, et dessiné certaines de sa propre composition sur les pages blanches à la fin du livre. On lui apporte ses lettres et il passe en revue les derniers désastres. On dit que le tailleur de Munster, le roi de

Jérusalem aux seize épouses, s'est disputé avec l'une d'elles et lui a tranché la tête sur la place du marché.

Il renaît à la vie. Terrassez-le, et il se relèvera. La mort est venue l'inspecter, elle l'a mesuré, lui a soufflé au visage : puis elle est repartie. Il est un peu plus mince, du moins à en croire ses vêtements ; pendant un moment il se sent léger, comme s'il était moins ancré dans le monde, comme si chaque jour était plein de possibilités. Les Boleyn le félicitent chaleureusement d'avoir recouvré la santé, et c'est bien normal, car sans lui seraient-ils là où ils sont aujourd'hui ? Cranmer, quand ils se rencontrent, ne cesse de se pencher en avant pour lui tapoter l'épaule et lui serrer la main.

Pendant qu'il se remettait, le roi s'est fait couper les cheveux à ras. Il a fait ça pour dissimuler sa calvitie croissante, mais ça ne marche pas, absolument pas. Ses fidèles conseillers l'ont imité, et ça devient bientôt une marque de camaraderie entre eux.

« Doux Jésus, sir, observe maître Wriothesley, si je n'avais pas déjà eu peur de vous, j'aurais peur maintenant.

— Mais, Appelez-Moi, répond-il, vous aviez déjà peur de moi. »

Il n'y a aucun changement dans l'aspect de Richard ; pour assouvir sa passion des joutes, il a toujours les cheveux suffisamment courts pour pouvoir mettre un casque. Une fois tondu, maître Wriothesley a l'air plus intelligent, pour autant que cela soit possible, et Rafe semble plus déterminé et alerte. Richard Riche a perdu les dernières marques de l'enfance. L'énorme visage de Suffolk a acquis une innocence étrange. Monseigneur semble trompeusement ascétique. Quant à Norfolk, personne ne remarque le changement. « Comment étaient ses cheveux avant ? » demande Rafe. Des bandes gris acier sillonnent son crâne, qui semblent avoir été placées là par un ingénieur militaire.

La mode se propage dans tout le pays. Quand Rowland Lee fait un beau jour irruption à la Maison des Rouleaux, il a l'impression que c'est un boulet de canon qui se précipite sur lui. Les yeux de son fils sont larges et calmes, d'une douce couleur dorée. Ta mère aurait pleuré tes boucles de bébé, dit-il en lui frottant affectueusement la tête. « Vraiment ? demande Gregory. Je me souviens à peine d'elle. »

Tandis que le mois d'avril s'achève, quatre moines traîtres sont jugés. On leur a proposé à plusieurs reprises de prêter serment, mais ils ont refusé. Ça fait un an que la fausse prophétesse a été exécutée. Le roi s'était alors montré clément avec ses disciples ; mais il n'est plus dans les mêmes dispositions. Les quatre moines viennent de la chartreuse de Londres, cette maison austère où les hommes dorment sur la paille ; c'est là que Thomas More s'est essayé à sa vocation, avant d'avoir la révélation que le monde avait besoin de ses talents. Lui, Cromwell, a visité la chartreuse, comme il a visité la communauté récalcitrante de Syon. Il a parlé gentiment, il a parlé fermement, il a menacé et tenté d'amadouer ; il a envoyé des ecclésiastiques éclairés défendre la cause du roi, et il s'est entretenu avec les membres mécontents de la communauté et les a montés contre leurs frères. En vain. Leur réponse est, allez-vous-en, allez-vous-en et laissez-moi à ma mort sanctifiée.

S'ils croient qu'ils vont conserver jusqu'à la fin le même sang-froid, ils se trompent, car la loi exige pour les traîtres le châtiment ultime : un petit tour au bout d'une corde, puis une lente éviscération publique pendant qu'un brasier flambant attend qu'on y jette les entrailles humaines. C'est la plus atroce des morts, la douleur, la rage et l'humiliation sont à leur comble, la peur est telle que le plus fort des rebelles perd tous ses moyens avant même que le bourreau se mette au travail avec son couteau ; avant de mourir, chaque homme assiste pendu à l'exécution de ses compagnons, et, une fois la corde coupée, il se met à ramper en rond tel un animal sur les planches ensanglantées.

Le comte de Wiltshire et George Boleyn sont censés représenter le roi pendant l'exécution, et Norfolk, à contrecœur, a été rappelé de la campagne pour préparer une ambassade en France. Henri songe à aller en personne voir les moines mourir, à se mêler aux juges qui porteront des masques lorsqu'ils se faufileront sur leurs chevaux à la foulée altière parmi les officiels et la populace déguenillée qui vient toujours en grand nombre pour assister à ce genre de spectacle. Mais, même masqué, le roi est aisément reconnaissable à sa carrure, et il craint des manifestations en faveur de Catherine, qui a toujours la préférence des plus pouilleux. Le jeune Richmond ira à ma place, décide Henri ; un jour il sera peut-être obligé de défendre arme au poing le titre de sa demi-sœur, il est temps qu'il découvre les images et les sons du massacre.

Le garçon vient voir Cromwell le soir, la veille du jour où sont prévues les exécutions : « Cher monsieur le secrétaire, prenez ma place.

— Prendrez-vous la mienne lors de ma réunion du matin avec le roi ? Voyez les choses sous cet angle, dit-il d'un ton ferme mais agréable. Si vous faites mine d'être malade, ou si vous tombez de votre cheval ou vomissez devant votre beau-père, il n'aura de cesse de vous le rappeler. Si vous voulez qu'il vous mène jusqu'au lit de votre future épouse, prouvez que vous êtes un homme. Observez le duc, et calquez votre comportement sur le sien. »

Mais Norfolk vient lui-même le voir, une fois l'exécution passée, et dit, Cromwell, je jure sur ma vie que l'un des moines a parlé alors qu'on lui avait arraché le cœur. Jésus, a-t-il crié, Jésus, sauve-nous, pauvres Anglais.

« Non, milord. C'est impossible.

— Qu'en savez-vous ?

— Je le sais par expérience. »

Le duc tremble. Autant qu'il croie qu'il est déjà arrivé à Cromwell d'arracher des cœurs.

« Vous avez sans doute raison. » Norfolk fait un signe de croix. « Ça devait être quelqu'un dans la foule. »

La nuit qui a précédé l'exécution des moines, il a signé un sauf-conduit pour Margaret Roper, le premier depuis des mois. Pour que Meg soit avec son père quand les traîtres seraient menés à la mort. Il pensait qu'elle reviendrait sûrement sur sa décision et dirait à son père, allons, le roi est d'humeur assassine, vous devez prêter serment comme je l'ai fait. Faites-le sans y croire, croisez les doigts dans votre dos ; demandez simplement à voir Cromwell ou n'importe quel officier, dites ce qu'ils veulent, et rentrez à la maison.

Mais sa tactique échoue. Meg et son père se sont tenus sans une larme à la fenêtre tandis que les traîtres étaient emmenés, vêtus de leur tenue de moine, vers

Tyburn. J'oublie toujours, songe-t-il, que More n'a pas plus de pitié pour lui-même qu'il n'en a pour les autres. Parce que j'aurais préservé mes filles d'un tel spectacle, je me suis imaginé qu'il ferait de même. Mais il se sert de Meg pour renforcer sa détermination. Si elle ne fléchit pas, il ne peut pas le faire non plus ; et elle ne fléchira pas.

Le lendemain il va lui-même voir More. La pluie éclabousse en sifflant les pierres sous ses pieds, on ne distingue plus les murs de l'eau, et à certains angles le vent gémit comme en plein hiver. Après s'être péniblement débarrassé de sa couche de vêtements humides, il reste un moment à discuter avec le geôlier Martin, demandant des nouvelles de sa femme et de son bébé. Comment est-il ? demande-t-il finalement, et Martin répond, avez-vous déjà remarqué qu'il a une épaule plus haute que l'autre ?

C'est à force d'écrire, dit-il. Un coude appuyé sur le bureau, l'épaule de l'autre côté qui retombe. Enfin, bref, reprend Martin : il ressemble à ces petits bossus qu'on voit sculptés aux extrémités des bancs.

More s'est laissé pousser la barbe ; il ressemble à l'image que l'on se fait des prophètes de Munster, même s'il détesterait la comparaison.

« Monsieur le secrétaire, comment le roi prend-il les nouvelles de l'étranger ? On dit que les troupes de l'empereur sont en mouvement.

— Oui, mais vers Tunis, je crois. » Il jette un coup d'œil à la pluie. « Si vous étiez l'empereur, ne choisiriez-vous pas Tunis plutôt que Londres ? Écoutez, je ne suis pas venu pour me quereller avec vous. Simplement pour voir si vous étiez confortablement installé.

— J'ai appris que vous aviez fait prêter serment à mon idiot, Henry Pattinson, déclare More, et il éclate de rire.

— Alors que les hommes qui sont morts hier avaient suivi votre exemple et refusé de jurer.

— Laissez-moi être clair. Je ne suis pas un exemple. Je suis seulement moi-même, un point c'est tout. Je ne dis rien contre la loi. Je ne dis rien contre les hommes qui l'ont faite. Je ne dis rien contre le serment, ni contre tous ceux qui s'y soumettent.

— Ah, certes » – il s'assied sur la malle dans laquelle More conserve ses affaires – « mais le fait de ne rien dire ne suffira pas à un jury, vous savez. Si nous devions en arriver là.

— Vous êtes venu pour me menacer.

— Les faits d'armes de l'empereur mettent le roi de mauvaise humeur. Il compte vous envoyer une commission, qui vous demandera de dire clairement ce que vous pensez de son titre.

— Oh, je suis certain que vos amis seront trop bons avec moi. Lord Audley ? Et Richard Riche ? Écoutez. Depuis que je suis arrivé ici, je me prépare à mourir, de votre fait – oui, vous – ou du fait de la nature. Tout ce que je demande, c'est de la paix et du silence pour mes prières.

— Vous voulez être un martyr.

— Non, ce que je veux, c'est rentrer chez moi. Je suis faible, Thomas. Je suis faible comme nous le sommes tous. Je veux que le roi m'accepte comme son serviteur, comme son sujet aimant, ce que je n'ai jamais cessé d'être.

— Je n'ai jamais compris où était la frontière entre sacrifice et suicide.

— Le Christ l'a tracée.

— Vous prenez-vous pour le Christ ? C'est vous qui l'avez tracée. »

Silence. Le silence bruyant et hostile de More. Il se répercute contre les murs. More dit qu'il aime l'Angleterre et qu'il craint que l'Angleterre entière soit damnée. Il offre une sorte de marché à son Dieu, son Dieu friand de massacres : « Il est nécessaire qu'un homme meure pour le peuple. » Eh bien, je vais vous dire, songe-t-il. Marchandez autant que vous voulez. Remettez-vous-en au bourreau si vous le devez. Le peuple s'en contrefout. Nous sommes le 5 mai. Dans deux jours la commission vous rendra visite. Nous vous demanderons de prêter serment, vous refuserez. Vous vous tiendrez tel un Père du désert face à nous, qui serons chaudement habillés pour nous protéger de la fraîcheur printanière. Je dirai ce que j'ai à dire. Vous direz ce que vous aurez à dire. Et peut-être vous concéderai-je la victoire. Puis je partirai et vous abandonnerai, vous, le bon sujet du roi, comme vous dites, jusqu'à ce que votre barbe atteigne vos genoux et que les araignées vous tissent des toiles sur les yeux.

Tel est son plan. Mais les événements prennent le dessus. Il demande à Richard, un satané évêque de Rome dans sa maudite juridiction a-t-il jamais pris une décision aussi inopportune que celle-ci ? Farnese a annoncé que l'Angleterre doit avoir un nouveau cardinal : l'évêque Fisher. Henri est fou de rage. Il promet d'envoyer la tête de Fisher de l'autre côté de la mer pour recevoir sa mitre.

Le 3 juin : il va à la Tour, en compagnie de Wiltshire pour représenter les Boleyn, et de Charles Brandon, dont l'expression indique qu'il préférerait être à la pêche. Riche pour prendre des notes ; Audley pour dire des plaisanteries. Il fait de nouveau humide, et Brandon déclare, ce doit être le pire été que nous ayons jamais eu, hein ? Oui, convient-il, une bonne chose que Sa Majesté ne soit pas superstitieuse. Ils rient ; Suffolk, d'un rire un peu incertain.

Certaines personnes ont annoncé la fin du monde en 1533. L'année passée a aussi eu ses partisans. Pourquoi pas cette année ? Il y a toujours quelqu'un pour clamer que le monde touche à sa fin et désigner son voisin comme l'antéchrist. On dit que le ciel est en train de tomber sur Munster. Les assiégeants exigent une capitulation sans conditions ; les assiégés menacent d'un suicide en masse.

Il ouvre la marche.

« Bon sang, quel endroit », dit Brandon. Des gouttes d'eau abîment son chapeau. « N'étouffez-vous pas ?

— Oh, nous sommes toujours ici, répond Riche d'un air indifférent. Pour une raison ou pour une autre. On a toujours besoin de monsieur le secrétaire à la Monnaie, ou à la Maison des Joyaux. »

Martin les fait entrer. More lève vivement la tête à leur arrivée.

« C'est oui ou non aujourd'hui ? demande Cromwell.

— Pas même un bonjour ni un comment allez-vous. » Quelqu'un a donné à More un peigne pour sa barbe. « Alors, quelles sont ces nouvelles qui me parviennent d'Anvers ? J'apprends que Tyndale a été arrêté ?

— Ça n'est pas le sujet, réplique le lord-chancelier.

Nous sommes ici pour le serment. Pour la loi. La loi est-elle légale ?

— Il paraît qu'il s'est aventuré dehors et que les soldats de l'empereur se sont emparés de lui. »

Il demande froidement : « Étiez-vous au courant ? »

Tyndale n'a pas été simplement arrêté, il a été trahi. Quelqu'un l'a attiré hors de son refuge, et More sait qui. Il se voit, un double de lui-même, par une matinée aussi pluvieuse que celle-ci, traversant la pièce, faisant se lever le prisonnier et le frappant jusqu'à ce qu'il révèle le nom de son agent.

« Allons, Votre Excellence, dit-il à Suffolk, vous semblez furieux. Je vous en prie, restez calme. »

Moi ? demande Brandon. Audley rit.

More déclare : « Le diable va quitter Tyndale maintenant. L'empereur va le brûler. Et le roi ne lèvera pas le petit doigt pour le sauver, car Tyndale n'a pas approuvé son mariage.

— Peut-être lui donnerez-vous pour une fois raison ? observe Riche.

— Vous devez parler », dit Audley, assez doucement. More est agité, les mots se bousculent dans sa bouche. Il ignore Audley, parle à Cromwell.

« Vous ne pouvez pas m'obliger à me mettre en danger. Car si j'étais opposé à l'Acte de suprématie, ce que je ne reconnais pas, alors votre serment serait une arme à double tranchant. En le rejetant je mettrais mon corps en péril, et en l'acceptant c'est mon âme que je mettrais en péril. Je ne dis donc rien.

— Quand vous interrogiez des hommes que vous qualifiez d'hérétiques, vous ne leur permettiez pas de se dérober. Vous les obligiez à parler, quitte à les torturer s'ils refusaient. Si eux devaient répondre, pourquoi pas vous ?

— Ce sont deux situations différentes. Quand j'arrache une réponse à un hérétique, j'ai toute la loi derrière moi, toute la puissance de la chrétienté. Ce qui me menace ici est une loi particulière, une dispense singulière récemment accordée, reconnue ici mais dans nul autre pays… »

Il voit Riche prendre une note. Il se retourne. « La fin est la même. Le feu pour eux. La hache pour vous.

— Si le roi vous accorde cette clémence », déclare Brandon.

More frémit ; ses doigts se resserrent sur la nappe. Cromwell le remarque avec détachement. Il est donc possible de l'atteindre en lui faisant craindre une mort plus lente. Alors même que cette pensée lui vient, il sait qu'il ne le fera pas ; l'idée même le répugne.

« Peut-être la majorité est-elle derrière vous. Mais avez-vous regardé une carte récemment ? La chrétienté n'est plus ce qu'elle était.

— Monsieur le secrétaire, dit Riche, Fisher a plus de cran que ce prisonnier devant nous, car Fisher se rebelle et accepte les conséquences. Sir Thomas, je crois que vous seriez ouvertement un traître si vous osiez. »

More répond doucement : « Faux. Ce n'est pas à moi de me jeter vers Dieu. C'est à Dieu de m'attirer à lui.

— Nous prenons acte de votre entêtement, déclare Audley. Nous n'aurons pas recours aux méthodes que vous avez utilisées sur d'autres. » Il se lève. « Le roi désire que vous soyez inculpé et jugé.

— Pour l'amour de Dieu ! Comment pourrais-je nuire depuis ici ? Je ne fais de mal à personne. Je ne dis rien de mal. Je ne pense rien de mal. Si cela ne suffit pas à rester en vie... »

Il l'interrompt, incrédule : « Vous ne faites de mal à personne ? Et Bainham, vous vous souvenez de Bainham ? Vous lui avez confisqué ses biens, vous avez envoyé sa pauvre femme en prison, vous l'avez fait torturer sous vos yeux, vous l'avez enfermé dans la cave de l'évêque Stokesley, vous l'avez ramené chez vous où vous l'avez laissé enchaîné deux jours durant à un poteau, puis vous l'avez renvoyé chez Stokesley et vous l'avez fait battre et maltraiter pendant une semaine, mais tout ça n'a pas suffi à apaiser votre haine : vous l'avez envoyé à la Tour où vous l'avez de nouveau fait torturer, après quoi il était en si mauvais état qu'il a fallu le porter sur une chaise pour l'emmener à Smithfield pour y être brûlé vif. Et vous dites, Thomas More, que vous ne faites pas de mal ? »

Riche commence à rassembler les papiers de More sur la table. On le soupçonne d'avoir fait passer des lettres à Fisher : ce qui n'est pas une mauvaise chose, si une collusion avec Fisher peut être prouvée. More pose la main sur la pile de feuilles, doigts écartés ; puis il hausse les épaules et ôte sa main.

« Prenez-les si vous le devez. De toute façon, vous lisez tout ce que j'écris. »

Il dit : « À moins que vous ne changiez bientôt d'avis, nous devons vous prendre votre plume et vos papiers. Et aussi vos livres. J'enverrai quelqu'un les récupérer. »

More semble rapetisser. Il se mord la lèvre.

« Si vous devez les emporter, prenez-les maintenant.

— Et puis quoi encore ! s'écrie Suffolk. Nous prenez-vous pour des porteurs, monsieur More ? »

Anne déclare : « Il ne s'agit que de moi. » Il fait une révérence. « Quand More vous avouera finalement ce qui trouble sa singulière conscience, vous découvrirez que le cœur du problème est qu'il refuse de me reconnaître en tant que reine. »

Elle est petite, pâle et en colère. Elle joint le bout de ses longs doigts, les plie en arrière ; ses yeux sont brillants.

Avant qu'ils aillent plus loin, il doit rappeler à Henri le désastre de l'année dernière ; lui rappeler qu'il ne peut pas toujours avoir ce qu'il veut sous prétexte qu'il le demande. L'été dernier, lord Dacre, l'un des seigneurs du Nord, a été arrêté pour trahison et accusé de collusion avec les Écossais. Derrière l'accusation se trouvait la famille Clifford, les ennemis héréditaires de Dacre ; derrière eux, les Boleyn, car Dacre avait ouvertement soutenu l'ancienne reine. Le procès devait se tenir à Westminster, Norfolk présidant les débats en tant que haut intendant du royaume : et Dacre devait être jugé, comme il en avait le droit, par vingt autres lords. Et alors… des erreurs ont été commises. Peut-être toute l'affaire avait-elle été un mauvais calcul, un complot mené trop vite et trop brutalement par les Boleyn. Peut-être Cromwell s'était-il trompé en ne se chargeant pas personnellement de l'accusation ; il avait pensé que mieux valait rester au second plan, car nombre d'hommes titrés lui en voulaient d'être ce qu'il était et n'auraient pas hésité à lui mettre des bâtons dans les roues. Ou alors le problème était le manque d'autorité de Norfolk… Quoi qu'il en soit, les accusations ont été rejetées, provoquant à la fois la stupéfaction et la colère d'Henri. Dacre a été ramené directement à la Tour par la garde du roi, et Cromwell y a été dépêché pour conclure un marché qui, il le savait, devait causer la perte de Dacre. Durant son procès, Dacre a parlé pendant sept heures pour assurer sa défense ; mais lui, Cromwell, peut parler pendant une semaine. Dacre a finalement reconnu ne pas avoir révélé un complot dont il avait eu connaissance, un crime moins grave qu'une trahison, et a obtenu sa grâce contre une amende de dix mille livres. Il a été libéré et est retourné dans le Nord, pauvre.

Mais la reine était malade de frustration ; elle voulait un exemple. Et les affaires en France ne vont pas comme elle voudrait ; d'aucuns prétendent qu'à la mention de son nom François ricane. Elle soupçonne, à juste titre, que son homme Cromwell est plus intéressé par l'amitié des princes allemands que par une alliance avec la France ; mais elle doit choisir le bon moment pour soulever cette question. Elle prétend qu'elle ne connaîtra pas la paix tant que Fisher ne sera pas mort, ainsi que More. Et la voici qui tourne en rond dans la pièce, au comble de l'agitation. Son attitude est indigne d'une reine, elle n'arrête pas de s'approcher d'Henri, de toucher sa manche, de toucher sa main, et il la repousse à chaque fois d'un geste vif, comme on repousserait une mouche. Lui, Cromwell, observe. Ils ne forment jamais le même couple d'un jour sur l'autre : parfois fous d'amour, parfois froids et distants. Dans l'ensemble, leurs roucoulades sont plus pénibles à observer.

« Fisher ne m'inquiète aucunement, dit-il, son crime est clair. More, en revanche… d'un point de vue moral, notre cause est irrécusable. Et personne ne doute de sa fidélité à Rome et de la haine que lui inspire le fait que Votre Majesté soit à la tête de l'Église. Du point de vue de la loi, cependant, notre dossier est mince, et More aura recours à tous les procédés légaux à sa disposition. Ça ne sera pas facile. »

Henri s'anime.

« Est-ce que je vous emploie pour vous occuper de ce qui est facile ? Pour l'amour de Dieu, je vous ai promu à un poste que personne, personne de votre milieu n'a jamais occupé de toute l'histoire de ce royaume. » Il baisse la voix. « Croyez-vous que je l'aie fait pour vos beaux yeux ? Pour le charme de votre présence ? Je vous emploie, maître Cromwell, parce que vous êtes aussi rusé qu'un serpent. Mais ne cherchez pas à me mordre. Vous connaissez ma décision. Exécutez-la. »

Lorsqu'il s'en va, il a conscience du silence qui s'installe derrière lui. Anne marchant vers la fenêtre. Henri regardant ses pieds.

Aussi quand Riche arrive, tremblant, il est tenté de le repousser comme si c'était une mouche ; mais il se ravise et se frotte les mains à la place : l'homme le plus joyeux de Londres.

« Alors, Lèvres pincées, avez-vous emporté ses livres ? Et comment était-il ?

— Il a baissé son volet. Je lui ai demandé pourquoi, et il a répondu, on emporte mes affaires, alors maintenant je ferme boutique. »

L'idée de More assis dans le noir lui est presque intolérable.

« Écoutez, sir, reprend Riche, qui tient une feuille pliée à la main, nous avons eu une discussion. Je l'ai notée.

— Répétez-la-moi. » Il s'assied. « Je suis More. Vous êtes Riche. » Riche le dévisage. « Voulez-vous que je ferme le volet ? Est-ce que ce sera plus facile dans le noir ?

— Je n'ai pas pu me résoudre, déclare Riche d'un ton hésitant, à l'abandonner sans tenter une fois de plus...

— Très bien. Vous devez vous faire votre place. Mais pourquoi vous parlerait-il s'il refuse de me parler ?

— Parce qu'il n'a que faire de moi. Il estime que je ne compte pas.

— Et dire que vous êtes avocat général, réplique-t-il, moqueur.

— Alors nous avons émis des hypothèses.

— Quoi, comme deux avocats discutant après le souper ?

— À vrai dire, il me faisait pitié. Il a un terrible besoin de conversation, et vous savez à quel point il est bavard. Je lui ai dit, supposez que le Parlement vote une loi stipulant que moi, Richard Riche, je sois censé devenir roi. Ne m'accepteriez-vous pas comme roi ? Et il a éclaté de rire.

— Eh bien, vous devez admettre que ça n'est guère probable.

— Alors j'ai insisté ; et il a répondu, si, Votre Majesté Richard, je vous accepte, car le Parlement est compétent, et étant donné ce qu'il a déjà fait je ne serais guère surpris de me réveiller un matin sous le règne du roi Cromwell, car si un tailleur peut être roi de Jérusalem, je suppose qu'un fils de forgeron peut être roi d'Angleterre. »

Riche marque une pause : l'a-t-il vexé ? Il lui fait un grand sourire.

« Quand je serai le roi Cromwell, je vous ferai duc. Bon, au fait, Lèvres pincées... ou bien en êtes-vous restés là ?

— More a dit, bien, vous avez émis une hypothèse, je vais maintenant vous en soumettre une autre. Supposez que le Parlement vote une loi décrétant que Dieu n'est pas Dieu ? J'ai répondu, celle-ci serait sans effet, car le Parlement n'a aucun pouvoir en la matière. Alors il a dit, oui, jeune homme, au moins vous savez reconnaître une absurdité. Puis il s'est tu et il m'a regardé, comme pour dire, occupons-nous maintenant du monde réel. Je lui ai dit, vous savez que le roi a été nommé par le Parlement à la tête de l'Église. N'accepterez-vous pas ce vote, alors que vous avez accepté celui qui m'a fait monarque ? Et il a répondu – comme s'il instruisait un enfant – ce sont deux choses différentes. Car l'une relève de l'autorité temporelle, et le Parlement est compétent. L'autre est spirituelle, et le Parlement est impuissant, car l'autorité compétente est hors de ce royaume. »

Il regarde fixement Riche et dit : « Nous devons le pendre en tant que papiste.

— Oui, sir.

— Nous savons que c'est ce qu'il est, même s'il ne l'a jamais avoué.

— Il a dit qu'une loi supérieure gouvernait ce royaume et tous les autres, et que si le Parlement outrepassait la loi de Dieu...

— Ou la loi du pape, voilà ce qu'il veut dire – car il considère que c'est une seule et même chose, il ne pourrait pas le nier, n'est-ce pas ? Pourquoi examinet-il constamment sa conscience si ce n'est pour s'assurer jour et nuit qu'elle est en accord avec l'Église de Rome ? Elle est son réconfort, elle est son guide. Il me semble que, en reniant clairement la compétence du Parlement, il renie le titre du roi. Ce qui constitue une trahison. Pourtant, ajoute-t-il avec un haussement d'épaules, qu'est-ce que cela nous apporte ? Pouvons-nous prouver qu'il y ait intention de nuire ? Il dira, je suppose, que ce n'étaient que des paroles, histoire de tuer le temps. Que vous lui soumettiez des hypothèses, et que tout ce qui a été dit dans ce contexte ne peut être retenu contre lui.

— Un jury ne comprendra pas ça. Il estimera qu'il était sincère. Après tout, sir, il savait que ce n'était pas une simple discussion d'étudiants.

— Certes. Les étudiants ne viennent pas discuter à la Tour. »

Riche lui tend ses notes.

« J'ai tout retranscrit aussi fidèlement que possible.

— Vous n'avez pas de témoin ?

— Ils allaient et venaient, emportant les livres dans des caisses, il avait beaucoup de livres. Vous ne pouvez pas m'accuser de négligence, sir, car je ne pouvais pas prévoir qu'il me parlerait.

— Je ne vous accuse pas. » Il soupire. « De fait, Lèvres pincées, je tiens à vous comme à la prunelle de mes yeux. Vous répéterez tout ça au tribunal ? »

Richard acquiesce, dubitatif.

« Dites-moi si vous le ferez ou non, Richard. Mettons les choses au clair. Ayez la bonté de me le dire maintenant si vous pensez que le courage vous manquera. Car si nous perdons un autre procès, nous pouvons dire au revoir à notre gagne-pain. Et tout notre travail aura été vain.

— Vous voyez, je n'ai pas pu m'en empêcher, c'était ma chance de me rattraper, explique Riche. Il me ressasse constamment ma jeunesse. Il se sert de moi dans ses sermons. Eh bien, qu'il fasse son prochain sermon sur l'échafaud. »

Le soir qui précède l'exécution de Fisher, il rend visite à More. Il emmène avec lui une garde conséquente, mais la fait attendre hors de la cellule et entre seul.

« Je me suis habitué au volet tiré, déclare More d'un ton presque joyeux. L'obscurité ne vous dérange pas ?

— Inutile de craindre le soleil. Il n'y en a pas.

— Wolsey prétendait pouvoir changer le temps. » Il lâche un petit éclat de rire. « C'est gentil de venir me voir, Thomas, maintenant que nous n'avons plus rien à nous dire. Ou reste-t-il quelque chose ?

— Les gardes viendront chercher l'évêque Fisher demain aux premières heures. Je crains qu'ils ne vous réveillent.

— Je serais un piètre chrétien si je ne pouvais veiller avec lui. » Son sourire s'est effacé. « J'ai entendu dire que le roi avait fait preuve de clémence concernant la méthode de mise à mort.

— C'est un vieil homme fragile. »

More dit, d'un ton plaisant teinté d'aigreur : « Je fais tout mon possible, vous savez. Mais un homme ne peut dépérir plus vite que la nature l'impose.

— Écoutez. » Il tend le bras par-dessus la table, saisit sa main, la serre, plus fort qu'il n'en a l'intention. Ma poigne de forgeron, songe-t-il. Il voit More tressaillir, sent ses doigts, la peau aussi sèche que du papier qui recouvre les os. « Écoutez. Quand vous serez devant le tribunal, demandez la clémence du roi. »

More s'étonne : « Qu'est-ce que ça me vaudra ?

— Ce n'est pas un homme cruel. Vous le savez.

— Vraiment ? Avant, il ne l'était pas. Il avait un tempérament doux. Mais alors il a changé son entourage.

— Il est toujours sensible à un appel à la clémence. Je ne dis pas qu'il vous laissera la vie sauve tant que vous n'aurez pas prêté serment. Mais il vous accordera peut-être la même faveur qu'à l'évêque Fisher.

— Ce qui arrive au corps n'est pas si important que ça. J'ai vécu, à certains égards, une vie bénie. Dieu a été bon avec moi et ne m'a pas mis à l'épreuve. Maintenant qu'il le fait, je ne peux pas me défiler. J'ai toujours examiné mon cœur, et je n'ai pas toujours aimé ce que j'y ai vu. S'il termine entre les mains du bourreau, qu'il en soit ainsi. Il sera bien assez tôt entre les mains de Dieu.

— Me trouverez-vous sentimental si je vous dis que je ne veux pas vous voir massacré ? » Pas de réponse. « Ne craignez-vous pas la douleur ?

— Oh, si, j'ai très peur, je ne suis pas aussi hardi et robuste que vous, je ne peux pas m'empêcher de me passer la scène dans ma tête. Mais je ne souffrirai qu'un moment, et Dieu ne me laissera pas m'en souvenir après.

— Je suis content de ne pas être comme vous.

— Sans aucun doute. Sinon vous seriez à ma place.

— Je veux dire, je suis content de ne pas être obsédé

par l'autre monde. Je m'aperçois que vous ne voyez aucune possibilité d'améliorer celui-ci.

— Et vous en voyez une ? »

Une question presque désinvolte. Une rafale de grêle vient heurter violemment la fenêtre. Ils sursautent tous les deux ; il se lève, agité. Il préférerait voir ce qui se passe dehors, voir les ravages de l'été, plutôt que trembler derrière le volet en se demandant quelle est l'étendue des dégâts.

« J'avais autrefois grand espoir, dit-il. Mais le monde m'a corrompu, je crois. Ou peut-être est-ce juste le temps. Il me désespère et me pousse à penser comme vous ; je finis par croire que chacun devrait se replier sur lui-même, jusqu'à ne plus être qu'un petit point de lumière, une âme solitaire telle une flamme protégée par du verre. La douleur et la disgrâce que je vois autour de moi, l'ignorance, le vice aveugle, la pauvreté et l'absence d'espoir, et oh, la pluie – cette pluie qui tombe sur l'Angleterre et fait pourrir les céréales, qui éteint la lumière dans les yeux des hommes et aussi la lumière de la connaissance, car qui peut raisonner si Oxford est une gigantesque flaque et si Cambridge est emportée par les eaux, et qui fera respecter la loi si les juges passent leur temps à lutter contre la noyade ? La semaine dernière le peuple s'est rebellé à York. Et pourquoi ne le ferait-il pas, avec le blé qui est si rare et deux fois plus cher que l'année dernière ? Je vais devoir pousser les juges à faire des exemples, je suppose, sinon tout le Nord se soulèvera en brandissant des serpettes et des piques, et ils finiront par tous s'entretuer. Je pense sincèrement que je serais un homme meilleur si le temps était meilleur. Je serais un homme meilleur si je vivais quelque part où le soleil brille et où les citoyens sont riches et libres. Et alors, maître More, vous ne seriez pas obligé de prier pour moi autant que vous le faites.

— Quel beau parleur », dit More. Des mots, des mots, rien que des mots. « Je prie pour vous, évidemment. Je prie pour que vous compreniez que vous êtes dans l'erreur. Quand nous nous retrouverons au paradis, comme j'espère que nous le ferons, toutes nos différences seront oubliées. Mais pour le moment, nous ne pouvons les effacer. Votre tâche est de me tuer. La mienne est de rester en vie. C'est mon rôle et mon devoir. Tout ce qu'il me reste, c'est le sol sur lequel je me tiens ; ce sol est Thomas More. Si vous le voulez, vous allez devoir me le prendre. Vous ne pouvez pas raisonnablement espérer que je vais vous le céder.

— Il vous faudra une plume et du papier pour rédiger votre défense. Je vous en ferai parvenir.

— Vous ne baissez jamais les bras, n'est-ce pas ? Non, monsieur le secrétaire, ma défense est ici » – il se tapote le front – « hors de votre portée. »

Comme la pièce est étrange, comme elle est vide sans les livres de More : elle se remplit d'ombres.

« Martin, une bougie », lance-t-il.

More demande : « Serez-vous ici demain ? Pour l'évêque ? »

Il acquiesce. Mais il n'assistera pas à l'exécution de Fisher. Le protocole exige que les spectateurs fléchissent le genou et ôtent leur chapeau pour marquer le passage de l'âme.

Martin apporte une bougie.

« Autre chose ? » demande le geôlier.

Ils se taisent pendant qu'il pose la bougie. Lorsqu'il

est reparti, ils restent silencieux : le prisonnier est voûté, il regarde la flamme. Comment savoir si More va se murer dans le silence, ou se remettre à parler ? Il y a un silence qui précède la parole ; et il y a un silence qui remplace la parole. Inutile de le briser avec une affirmation, mais on peut le briser avec une hésitation : *si... peut-être... si c'était possible...*

« Vous savez, dit-il, je vous aurais laissé la vie sauve. Pour que vous vous repentiez de vos boucheries. Si j'avais été roi. »

La lumière diminue. C'est comme si le prisonnier avait quitté la pièce ; il reste à peine une ombre à l'endroit où il devrait être. Un courant d'air agite la flamme. La table qui les sépare, désormais débarrassée des gribouillis fiévreux de More, ressemble à un autel ; et à quoi sert un autel, si ce n'est à un sacrifice ? More brise enfin le silence :

« Si, à la fin, quand j'aurai été jugé, si le roi ne m'accorde pas, si la peine dans toute sa rigueur... Thomas, comment font-ils ? On pourrait croire qu'un homme qui a eu le ventre ouvert mourrait dans une grande effusion de sang, mais ce n'est apparemment pas le cas... Ont-ils un instrument spécial pour l'éventrer tout en le maintenant en vie ?

— Je suis triste que vous puissiez me considérer comme un expert. » Mais n'a-t-il pas dit à Norfolk, ou du moins laissé entendre, qu'il avait arraché le cœur d'un homme ? « C'est le mystère du bourreau. C'est le secret qu'il garde, pour nous inspirer de la crainte.

— Faites en sorte que je sois tué proprement. Je ne demande rien, sauf ça. »

Entre deux battements de cœur, il est pris d'une agitation soudaine ; il oscille sur son tabouret ; il gémit, frissonne de la tête aux pieds. Sa main cogne, faiblement, sur la nappe propre.

Quand Cromwell le laisse – « Martin, apportez-lui du vin » – More est toujours en train de gémir, frissonnant, cognant du poing sur la table.

La prochaine fois qu'il le verra, ce sera à Westminster Hall.

Le jour du procès, les rivières débordent ; la Tamise elle-même monte, bouillonnant comme un fleuve en enfer, et rejette ses débris sur les quais.

C'est l'Angleterre contre Rome, dit-il. Les vivants contre les morts.

Norfolk présidera. Il lui explique comment les choses vont se dérouler. Les premiers chefs d'accusation seront rejetés : ils concernent diverses opinions émises, à diverses périodes, sur l'Acte de suprématie et le serment, ainsi que le complot avec Fisher – des lettres ont été échangées entre les deux hommes, mais il semblerait qu'elles aient été détruites. « Puis, pour le quatrième chef d'accusation, nous entendrons les preuves de l'avocat général. À cet instant, Votre Excellence, More sera distrait, car il ne peut voir Riche sans s'exciter à propos de ses erreurs de jeunesse… » Le duc hausse un sourcil. « Boisson. Bagarres. Femmes. Jeu. »

Norfolk frotte son menton mal rasé.

« J'ai en effet remarqué que, malgré son air doux, il aime se battre. Quand il s'agit de bien se faire comprendre, vous voyez. Alors que nous autres vieux barbons mal dégrossis qui sommes pourtant nés avec une armure, nous ne cherchons pas à nous faire comprendre.

— Tout à fait, convient-il. Nous sommes les plus pacifiques des hommes. Milord, écoutez-moi maintenant. Nous ne voulons pas commettre la même erreur qu'avec Dacre. Nous n'y survivrions peut-être pas. Les premiers chefs d'accusation seront rejetés. Au suivant, le jury sera sur le qui-vive. Et je vous ai concocté un magnifique jury. »

More fera face à ses pairs ; des Londoniens, les marchands des corporations. Ce sont des hommes d'expérience, avec tous les préjugés des gens de la ville. Ils connaissent bien, comme tous les Londoniens, la rapacité et l'arrogance de l'Église, et ils n'aiment pas s'entendre dire qu'ils ne sont pas aptes à lire l'évangile dans leur propre langue. Ce sont des hommes qui connaissent More, et ce depuis vingt ans. Ils savent que Lucy Petyt est veuve par sa faute. Ils savent qu'il a anéanti le commerce d'Humphrey Monmouth sous prétexte que Tyndale avait logé chez lui. Ils savent qu'il a installé des espions chez eux, parmi les apprentis qu'ils traitent comme des fils, parmi les serviteurs si intimes qu'ils entendent chaque soir leur maître prier avant d'aller se coucher.

Un nom fait tiquer Audley : « John Parnell ? Ça pourrait être mal interprété. Vous savez qu'il en a après More depuis qu'il a prononcé un jugement contre lui à la chancellerie…

— Je connais cette affaire. More l'a bâclée, il n'a pas lu les documents, il était trop occupé à envoyer des billets doux à Érasme ou à enfermer quelque pauvre chrétien dans ses cachots à Chelsea. Que voulez-vous, Audley, vous voulez que j'aille chercher un jury au Pays de Galles, ou à Cumberland, ou dans un endroit où More est mieux considéré ? Je dois faire avec les hommes de Londres et, à moins de constituer un jury de nouveau-nés, je ne peux pas effacer leur mémoire. » Audley secoue la tête. « Je ne sais pas, Cromwell.

— Oh, c'est un malin, intervient le duc. Quand Wolsey est tombé, j'ai dit, faites attention à lui, c'est un malin. Il faudrait se lever tôt pour prendre Cromwell au dépourvu. »

La nuit qui précède le procès, tandis qu'il passe ses papiers en revue à Austin Friars, une tête apparaît à la porte : une petite tête étroite de Londonien, avec un crâne rasé de près et un visage jeune et inexpérimenté.

« Dick Purser. Entre. » Dick Purser parcourt la pièce du regard. Il s'occupe des mastiffs qui gardent la maison la nuit et n'est jamais venu ici. « Entre et assieds-toi. N'aie pas peur. » Il verse un peu de vin dans un fin verre vénitien qui appartenait au cardinal. « Goûte ça. C'est Wiltshire qui me l'a envoyé. Personnellement, je n'en raffole pas. »

Dick saisit le verre, jongle dangereusement avec. Le liquide est aussi pâle que de la paille à la lumière d'été. Il boit une gorgée.

« Sir, puis-je vous accompagner au procès ?

— La blessure est toujours cuisante, n'est-ce pas ? » Dick Purser est le garçon que More a fouetté devant toute la maisonnée à Chelsea sous prétexte qu'il avait affirmé que l'hostie était un morceau de pain. Il était alors enfant, et n'est guère plus aujourd'hui. Quand il est arrivé à Austin Friars, on dit qu'il a pleuré dans son sommeil. « Trouve-toi une livrée, dit-il. Et n'oublie pas de te laver les mains et le visage demain matin. Je ne veux pas que tu me fasses honte. »

C'est le mot « honte » qui pousse le garçon à parler :

« Je n'avais que faire de la douleur, explique-t-il. Nos pères, si je puis me permettre, nous en ont à tous infligé au moins autant.

— Vrai, dit-il. Mon père me battait comme si j'avais été une plaque de métal.

— C'est le fait qu'il ait exposé ma chair. Et les femmes regardaient. Dame Alice. Les jeunes filles. Je croyais que l'une d'elles prendrait ma défense, mais quand elles m'ont vu déculotté, elles n'ont éprouvé que du dégoût. Ça les a fait rire. Pendant que lui me fouettait, elles riaient. »

Dans les histoires, ce sont toujours les jeunes filles, les filles innocentes, qui affermissent la main de l'homme qui tient le bâton ou la hache. Mais il semblerait qu'il s'agisse ici d'une autre histoire : les fesses maigres d'un enfant frissonnant dans le froid, ses petites bourses fripées, son sexe timide ratatiné comme un petit bouton, et les femmes de la maison qui ricanent, les serviteurs qui se moquent, les zébrures qui apparaissent sur sa peau et se mettent à saigner.

« C'est du passé. Ne pleure pas. »

Il s'approche du garçon. Dick Purser enfonce sa tête rasée dans son épaule et se met à pleurer, de honte, de soulagement, de bonheur à l'idée qu'il survivra bientôt à son tortionnaire. More a tourmenté son père, John Purser, jusqu'à la mort, le harcelant sous prétexte qu'il possédait des livres allemands. Il serre le garçon, sent son pouls rapide, ses tendons raides, ses muscles tendus, et il émet des sons réconfortants, comme il le faisait avec ses propres enfants quand ils étaient petits, ou comme il le fait lorsqu'un épagneul s'est fait marcher sur la queue. Il a appris que prodiguer

894

du réconfort vous valait souvent d'attraper une puce ou deux.

« Je vous suivrai jusqu'à la mort », déclare le garçon. Ses bras, ses poings serrés, étreignent son maître : les jointures de ses doigts s'enfoncent dans sa nuque. Il renifle. « Je crois qu'une livrée m'ira bien. À quelle heure partons-nous ? »

Tôt. Avec son personnel il arrive à Westminster Hall avant tous les autres et entreprend de tout vérifier pour qu'il n'y ait pas de problème de dernière minute. La cour se réunit autour de lui, et quand More est amené, l'assemblée est manifestement choquée par son apparence. On sait que la Tour ne fait de bien à personne, mais il les surprend tout de même avec sa maigreur et sa barbe blanche broussailleuse. On lui donnerait soixante-dix ans.

Audley murmure : « On dirait qu'il a été maltraité.

— Si c'était arrivé, je le saurais.

— Bon, alors j'ai la conscience tranquille, déclare le lord-chancelier d'un ton enjoué. Il a eu droit à tous les égards. »

John Parnell adresse un signe de tête à Cromwell. Richard Riche, à la fois officiel de la cour et témoin, lui sourit. Audley fait apporter une chaise pour le prisonnier. More s'assied sur le bord, tendu, combatif.

Cromwell regarde autour de lui pour s'assurer que quelqu'un prend des notes pour lui.

Des mots, des mots, rien que des mots.

Il songe, je me souvenais de vous, Thomas More, mais vous ne vous souveniez pas de moi. Vous ne m'avez pas vu arriver.

III

Wolf Hall

Juillet 1535

Le soir qui suit l'exécution de More, le temps s'éclaircit, et il se promène dans le jardin avec Rafe et Richard. Le soleil se montre, une brume argentée parmi des lambeaux de nuages. Les parterres d'herbes aromatiques dévastés ne sentent plus rien, et un vent capricieux tire sur leurs vêtements, leur fouettant le dos et la nuque, puis changeant de direction pour leur gifler le visage.

Rafe dit, c'est comme être en mer. Ils marchent de chaque côté de Cromwell, tout près, comme s'ils risquaient de rencontrer des baleines, ou des pirates, ou des sirènes.

Le procès a eu lieu il y a cinq jours. Depuis, les affaires ont été calmes, mais ils ne peuvent s'empêcher de se remémorer les événements, échangeant entre eux les images qui leur reviennent à l'esprit : le procureur général qui ajoute une dernière note à la mise en accusation ; More qui ricane quand un greffier bafouille son latin ; le visage froid et impassible des Boleyn, père et fils, sur le banc des juges. More n'a jamais élevé la voix ; il est resté assis sur la chaise qu'Audley lui a fournie, attentif, la tête légèrement inclinée sur la gauche, tirant sur sa manche.

La surprise de Riche, quand More s'en est pris à lui, a donc été visible ; il a fait un pas en arrière et a pris appui contre la table.

« Je vous connais depuis longtemps, Riche, pourquoi vous aurais-je ouvert mon âme ? » More debout, sa voix dégoulinant de mépris. « Je vous connais depuis votre jeunesse, un joueur, un homme à la mauvaise réputation jusque dans votre propre maison…

— Par saint Julien ! » s'est exclamé le juge Fitzjames ; ç'a toujours été son juron favori. Puis à voix basse, à Cromwell : « Est-ce que ça va lui profiter ? »

Le jury n'a pas apprécié ; on ne sait jamais ce qu'appréciera un jury. L'animation soudaine de More a été attribuée au choc et à la culpabilité, au fait qu'il était confronté à ses propres paroles. Évidemment, ils connaissaient tous la réputation de Riche. Mais, en règle générale, n'est-il pas plus naturel pour un jeune homme de boire, de jouer et de se battre que de jeûner, de prier et de se flageller ? C'est Norfolk qui a interrompu la tirade de More en déclarant d'une voix sèche : « Oubliez son caractère. Que dites-vous de la question qui nous occupe ? Avez-vous prononcé ces paroles ? »

Est-ce alors que maître More a tenté la ruse de trop ? Il a repris contenance, a relevé sa cape sur son épaule ; une fois la cape attachée, il a marqué une pause, s'est calmé, a serré son poing dans sa main.

« Je n'ai pas dit ce que Riche prétend. Ou si je l'ai

dit, je n'avais aucune intention de nuire, je n'ai donc rien à me reprocher. »

Cromwell a vu une expression moqueuse traverser le visage de Parnell. Il n'y a rien de plus dur qu'un bourgeois de Londres qui croit qu'on le prend pour un idiot. Audley ou n'importe lequel des avocats auraient pu apaiser le jury : c'est ainsi que nous autres avocats avons l'habitude de débattre. Mais ils ne veulent pas d'un débat d'avocats, ils veulent la vérité : l'avez-vous dit, oui ou non ? George Boleyn se penche en avant : le prisonnier peut-il nous faire part de sa version de la conversation ?

More se retourne, souriant, comme pour dire, un bon point, jeune maître George. « Je ne l'ai pas notée. Je n'avais rien pour écrire, voyez-vous. On m'avait déjà tout pris. Car si vous vous rappelez bien, monsieur de Rochford, c'est précisément la raison pour laquelle Riche est venu me voir, pour me priver de tout moyen de consigner quoi que ce soit. »

Et il a marqué une nouvelle pause, puis a regardé le jury comme s'il s'attendait à des applaudissements ; ils lui ont retourné son regard, des visages de pierre.

Était-ce le tournant ? Ils auraient pu croire More, puisqu'il avait jadis été lord-chancelier, alors que Riche était, comme tout le monde le sait, un bon à rien. Mais on ne sait jamais ce que pensera un jury ; même si, quand il a réuni les jurés ce matin-là, il s'est naturellement montré persuasif : je ne sais pas quelle sera sa défense, mais je ne perds pas espoir que nous en ayons fini à midi ; j'espère que vous avez tous pris un bon petit déjeuner ? Quand vous vous retirerez pour délibérer, vous devrez prendre votre temps, bien entendu, mais si vous êtes absents plus de vingt minutes, je viendrai vous voir. Au cas où vous auriez besoin d'éclaircissements sur certains points de droit.

Quinze minutes leur ont suffi.

Maintenant, ce soir dans le jardin, le 6 juillet, le jour de sainte Godelieve (une jeune épouse irréprochable de Bruges que son mari diabolique noya dans sa mare), il lève les yeux vers le ciel, sentant un changement dans l'air, une brise humide évoquant l'automne. La brève apparition du soleil est terminée. Des nuages venus de l'Essex forment des tours et des remparts à mesure qu'ils s'amassent au-dessus de la ville, avant d'être poussés par les vents à travers les larges champs détrempés, à travers les pâturages gorgés d'eau et les rivières gonflées, à travers les forêts dégoulinantes à l'ouest, jusqu'à la mer, puis jusqu'en Irlande. Richard récupère son chapeau sur un parterre de lavande et l'égoutte en jurant. Une pluie légère leur frappe le visage.

« Rentrons. J'ai des lettres à écrire.

— Vous ne travaillerez pas jusqu'à une heure indue ce soir.

— Non, grand-père Rafe. Je prendrai mon pain et mon lait et je dirai mes prières, et puis au lit. Est-ce que je peux prendre ma chienne avec moi ?

— Certainement pas ! Pour vous entendre galoper au-dessus de nos têtes jusqu'au petit matin ? »

Il est vrai qu'il n'a pas beaucoup dormi la nuit dernière. Il lui est soudain venu à l'esprit, très tard, que More dormait sans doute, sans se douter que c'était sa dernière nuit sur terre. Le condamné n'est généralement prévenu que le matin de son exécution ; si je veille pour lui, avait-il songé, je serai le seul à le faire.

Ils se précipitent à l'intérieur ; le vent fait claquer la

porte derrière eux. Rafe lui saisit le bras. Il demande, ce silence de More, ce n'était pas vraiment un silence, n'est-ce pas ? Il résonnait comme une trahison, était plein de chicaneries, d'objections et d'ergotages, de mielleuses ambiguïtés. Il disait sa peur des mots simples, ou sa certitude que les mots simples se pervertissent d'eux-mêmes ; c'était le dictionnaire de More contre notre dictionnaire. Un silence peut être plein de mots. Un luth retient, dans sa caisse, les notes qu'il a jouées. La viole, dans ses cordes, des harmoniques. Un pétale racorni peut conserver son odeur, une prière peut être lourde de jurons ; une maison vide, quand ses propriétaires sont partis, peut toujours résonner de fantômes.

Quelqu'un – probablement pas Christophe – a posé sur son bureau un vase d'argent rempli de bleuets. Le bleu mat à la base des pétales froissés lui rappelle la lumière de ce matin-là ; une aube tardive pour juillet, un ciel maussade. À cinq heures, le lieutenant de la Tour a dû aller voir More.

En bas, il entend un flot de messagers pénétrer dans la cour. Il y a beaucoup à faire, il va falloir nettoyer les traces laissées par le mort ; après tout, songe-t-il, c'est ce que je faisais quand j'étais enfant, quand je faisais le ménage derrière les gentilshommes de Morton ; et je ne le referai jamais plus. Il se revoit à l'aube, versant dans une jarre en cuir les restes de petite bière, pinçant la mèche des bougies pour les rapporter à la chandellerie afin qu'elles soient refondues.

Il entend des voix dans la grande salle ; qu'importe, il retourne à ses lettres. L'abbé de Rewley sollicite un poste vacant pour un ami. Le maire de York lui écrit à propos de barrages et de pièges à poissons ; la rivière Humber est propre, lit-il, de même que la rivière Ouse. Une lettre de lord Lisle à Calais, pleine de justifications confuses : il a dit, puis j'ai dit, alors il a dit.

Thomas More se tient devant lui, plus robuste dans la mort qu'il ne l'était dans la vie. Peut-être sera-t-il toujours là désormais : aussi agile d'esprit et ferme qu'il l'a été à la fin de sa vie devant le tribunal. Audley était si heureux du verdict coupable qu'il a commencé à prononcer la sentence sans demander au prisonnier s'il avait quelque chose à déclarer : Fitzjames a dû tendre la main et lui tapoter le bras, et More lui-même s'est levé de sa chaise pour l'interrompre. Il avait bien des choses à déclarer, et sa voix était animée, son ton mordant, et ses yeux et ses gestes étaient à peine ceux d'un condamné, ceux d'un homme déjà mort au regard de la loi.

Mais il n'y avait rien de neuf dans son discours : du moins rien de neuf pour Cromwell. J'obéis à ma conscience, a dit More, vous devez obéir à la vôtre. Ma conscience me dit – et maintenant je vais parler sans détours – que votre loi est mauvaise (rugissement de Norfolk) et que votre autorité ne repose sur rien (nouveau rugissement de Norfolk : « Votre malveillance apparaît enfin clairement »). Parnell est parti à rire, et les jurés ont échangé des coups d'œil en opinant du chef ; et tandis que tout Westminster Hall murmurait, More a de nouveau asséné, par-dessus la rumeur de la foule, son calcul perfide. Ma conscience est en accord avec la majorité, c'est pourquoi je sais qu'elle dit vrai. « Au royaume d'Henri, j'oppose tous les royaumes de la chrétienté. À un seul de vos évêques, j'oppose cent saints. À votre Parlement, j'oppose les conciles généraux de l'Église, qui remontent à mille ans. »

Norfolk a dit, emmenez-le. C'est fini.

Maintenant nous sommes mardi, il est huit heures. La pluie tambourine sur la fenêtre. Il brise le cachet d'une lettre du duc de Richmond. Le garçon se plaint que dans le Yorkshire, où il se trouve, il n'y a pas de parc avec des cerfs, si bien qu'il ne peut pas divertir ses amis. Oh, pauvre duc minuscule, songe-t-il, comment puis-je apaiser votre douleur ? La douairière aux dents noires de Gregory, celle qu'il va épouser, elle a un parc rempli de cerfs ; alors peut-être le petit prince pourrait-il divorcer de la fille de Norfolk et l'épouser à la place ? Il écarte la lettre de Richmond, tenté de la jeter par terre ; il passe aux lettres suivantes. L'empereur a quitté la Sardaigne avec sa flotte, en route vers la Sicile. Un prêtre de Ste Mary Woolchurch affirme que Cromwell est un sectaire et qu'il n'a pas peur de lui : l'imbécile. Harry Morley lui envoie un lévrier. On parle de réfugiés fuyant la région de Munster, certains en direction de l'Angleterre.

Audley a dit : « Prisonnier, la cour demandera au roi d'être clément quant à la manière de votre mise à mort. » Puis il s'est penché en avant : monsieur le secrétaire principal, lui avez-vous promis quoi que ce soit ? Sur ma vie, non : mais le roi sera sûrement bon envers lui. Norfolk : Cromwell, l'inciterez-vous dans cette direction ? Il acceptera si c'est vous ; et s'il refuse, j'irai moi-même l'implorer. Quelle chose merveilleuse : Norfolk demandant la miséricorde. Il a levé les yeux pour voir More être emmené, mais il avait déjà disparu, les grands hallebardiers refermant les rangs derrière lui : le bateau pour la Tour attend au bas des marches. Ça doit être comme rentrer à la maison : la pièce familière avec sa fenêtre étroite, la table sans papiers, le bougeoir, le volet tiré.

La fenêtre vibre ; il sursaute et songe, je ferais bien de fermer le volet. Il se lève pour le faire quand Rafe arrive avec un livre à la main.

« C'est son livre de prières, celui que More a eu sur lui jusqu'à la fin. »

Il l'examine. Par chance, nulle éclaboussure de sang. Il le tient à l'envers et le secoue.

« Je l'ai déjà fait », dit Rafe.

More a inscrit son nom à l'intérieur. Il y a des passages soulignés : *Ne te souviens pas des péchés de ma jeunesse*. « Quel dommage qu'il se soit souvenu de ceux de Richard Riche.

— Dois-je le faire envoyer à dame Alice ?

— Non. Elle pourrait croire qu'elle est l'un de ces péchés. » Elle a assez souffert comme ça. Dans sa dernière lettre, More ne lui a même pas dit au revoir. Il referme le livre. « Envoie-le à Meg. Il lui était probablement destiné de toute manière. »

Toute la maison bouge autour de lui ; le vent dans les avant-toits, le vent dans les cheminées, un courant d'air cinglant sous chaque porte. Il fait assez froid pour allumer un feu, dit Rafe, voulez-vous que je m'en occupe ? Il fait non de la tête.

« Dis à Richard d'aller demain matin à London Bridge et de voir le maître du pont. Mme Roper va le supplier de récupérer la tête de son père pour l'enterrer. Qu'il accepte ce que Meg offrira, et qu'il s'assure qu'on ne l'en empêchera pas. Et qu'il n'en parle à personne. »

Un jour, en Italie, quand il était jeune, il a enterré

quelqu'un. Ce n'est pas une chose qu'on fait de soi-même ; c'est une chose qu'on vous dit de faire. Ils se sont couvert la bouche de tissu et ont enterré leur camarade dans une terre non consacrée ; puis ils sont repartis avec l'odeur de la putréfaction sur leurs bottes.

Qu'est-ce qui est le pire, se demande-t-il, de voir vos filles mourir avant vous, ou de les obliger à disposer de vos restes ?

« Il y a quelque chose… » Il regarde ses papiers en fronçant les sourcils. « Qu'ai-je oublié, Rafe ?

— Votre souper ?

— Plus tard.

— Lord Lisle ?

— Je me suis occupé de lord Lisle. » Occupé de la rivière Humber. Du prêtre calomniateur de Ste Mary Woolchurch ; enfin, il ne s'est pas encore occupé de lui, mais il est dans la pile des lettres en attente. Il rit. « Tu sais ce qu'il me faudrait ? Il me faudrait une machine de mémorisation. »

Giulio a quitté Paris. Il est retourné à la hâte en Italie et a abandonné sa machine inachevée. On dit qu'avant sa fuite il a passé plusieurs semaines sans parler ni manger. Ses bienfaiteurs pensent qu'il est devenu fou, terrorisé par les capacités de sa propre créature : qu'il est tombé dans l'abîme du divin. Ses opposants soutiennent que des démons se sont échappés des fentes et des crevasses de sa machine et que, pris de panique, il s'est enfui en pleine nuit et en chemise, sans même un quignon de pain ni un morceau de fromage pour son voyage, abandonnant tous ses livres derrière lui ainsi que ses robes de mage.

Il n'est pas impossible que Giulio ait laissé ses écrits en France. Contre de l'argent, il pourrait peut-être se les procurer. Il serait également possible de le faire suivre jusqu'en Italie ; mais à quoi bon ? Nous ne saurons probablement jamais, pense-t-il, ce qu'était exactement son invention. Une presse typographique qui peut imprimer ses propres livres ? Un esprit qui réfléchit à lui-même ? Au moins, si je ne l'ai pas, le roi de France ne l'a pas non plus.

Il attrape sa plume. Il bâille, la repose, la saisit de nouveau. On me trouvera mort à mon bureau, songet-il, comme le poète Pétrarque. Le poète a écrit de nombreuses lettres qui n'ont jamais été envoyées : il a écrit à Cicéron, qui est mort mille deux cents ans avant sa naissance ; il a écrit à Homère, qui n'a peut-être jamais existé ; mais moi, j'ai assez à faire avec lord Lisle, et les pièges à poissons, et les galions de l'empereur qui tanguent sur la mer du milieu. Entre le moment où je trempe ma plume, écrit Pétrarque. « Entre le moment où je trempe ma plume et celui où je la trempe de nouveau, le temps passe : et je me dépêche, je me hâte, je me précipite vers la mort. Nous mourons sans cesse – moi tandis que j'écris ceci, vous tandis que vous me lisez, et les autres tandis qu'ils écoutent ou se bouchent les oreilles ; tout le monde meurt. »

Il soulève le paquet de lettres suivant. Un homme nommé Batcock veut une licence pour importer cent tonneaux de guède. Harry Percy est encore malade. Les autorités du Yorkshire ont attrapé les émeutiers et les ont divisés en deux groupes : d'un côté ceux qui seraient accusés d'agitation et d'homicide, et de l'autre ceux qui seraient accusés de meurtre et de viol. Viol ? Depuis quand les émeutes de la faim donnent-elles lieu à des viols ? Mais j'oublie, c'est le Yorkshire.

« Rafe, apporte-moi l'itinéraire du roi. Je vais le vérifier, puis j'en aurai fini pour ce soir. Je crois que nous aurons un peu de musique avant d'aller au lit. »

La cour voyage vers l'est cet été, jusqu'à Bristol. Le roi est prêt à se mettre en route malgré la pluie. Ils partiront de Windsor, puis ce sera Reading, Missenden, Abingdon, la traversée de l'Oxfordshire, et espérons qu'ils retrouveront un peu de gaieté à mesure qu'ils s'éloigneront de Londres ; il dit à Rafe, si l'air de la campagne fait son ouvrage, la reine reviendra le ventre gros. Rafe répond, je m'étonne que le roi ne perde pas espoir. Un homme moindre aurait abandonné.

« Si nous quittons Londres le 18, nous pouvons espérer les rejoindre à Sudely. Est-ce que ça te semble possible ?

— Mieux vaudrait partir la veille. Songez à l'état des routes.

— Il n'y aura pas de raccourcis, n'est-ce pas ? »

Il empruntera les ponts au lieu de traverser les rivières à gué, et il ira contre son penchant naturel en s'en tenant aux routes principales ; de meilleures cartes seraient utiles. Il y pensait déjà à l'époque du cardinal. Celles dont ils disposent ne sont pas fiables ; des châteaux au milieu de champs, leurs remparts joliment dessinés à l'encre, leurs chasses et leurs parcs délimités par des lignes d'arbres touffus, des cerfs et des sangliers hirsutes gambadant ici et là. Pas étonnant que Gregory ait pris la Northumbrie pour les Indes, car ces cartes sont déficientes à tous les égards ; par exemple, elles ne donnent pas la direction du nord. Et il serait utile de savoir où se trouvent les ponts, et d'avoir une indication de la distance qui les sépare. Et il serait également bon de savoir à quelle distance de la mer on se trouve. Mais le problème, c'est que les cartes remontent toujours à l'année précédente. L'Angleterre se remodèle constamment, ses falaises s'érodent, ses rives sablonneuses dérivent, des fontaines jaillissent au milieu d'un sol mort. Les paysages que nous avons traversés, et aussi nos histoires passées, se rassemblent dans notre sommeil ; les visages des morts se fondent dans d'autres visages, comme la crête des collines dans la brume.

Quand il était petit, vers l'âge de six ans, l'apprenti de son père avait fabriqué des clous à partir de résidus de métal : de banals clous à tête plate, avait-il expliqué, pour fixer le couvercle des cercueils. Les tiges brillaient d'un orange vif dans le feu.

« Pourquoi cloue-t-on les morts ? »

Le garçon avait à peine marqué une pause, aplatissant chaque tête de deux coups de marteau précis.

« C'est pour que les horribles vieux salopards ne ressortent pas et ne nous courent pas après. »

Il sait maintenant que c'est faux. Ce sont les vivants qui courent après les morts. Les longs os et les crânes sont arrachés à leur linceul, et des paroles sont placées tels des cailloux dans leur bouche squelettique : nous modifions leurs écrits, nous réécrivons leur vie. Thomas More avait fait courir la rumeur que le Petit Bilney, enchaîné sur le bûcher, avait abjuré tandis qu'on allumait le feu. Ça ne lui suffisait pas de prendre la vie de Bilney ; il devait aussi lui voler sa mort.

Aujourd'hui, More a été escorté jusqu'à l'échafaud par Humphrey Monmouth qui officiait en tant que shérif de Londres. Monmouth est un homme trop bon pour se réjouir d'un revers de fortune. Mais peut-être pouvons-nous nous réjouir à sa place ?

More est à l'échafaud, il le voit maintenant. Il est enveloppé d'une grossière cape grise dont il se souvient qu'elle appartenait à son serviteur John Wood. Il parle au bourreau, semble lui lancer un quolibet tout en essuyant la bruine sur son visage et sa barbe. Il ôte la cape, dont le revers est trempé d'eau de pluie. Il s'agenouille devant le billot, ses lèvres bougent tandis qu'il murmure une ultime prière.

Comme tous les autres témoins, il enroule son manteau autour de lui et s'agenouille. En entendant le bruit ignoble de la hache sur la chair, il lève vivement les yeux. Le cadavre semble avoir fait un bond en arrière et s'est replié sur lui-même comme un tas de vieux vêtements, à l'intérieur duquel, il le sait, bat toujours son cœur. Il fait le signe de croix. Le passé remue lourdement en lui, le sol tremble.

« Donc, le roi, reprend-il. De Gloucester, il se rend à Thornbury. Puis chez Nicholas Poynz à Iron Acton : Poynz sait-il à quoi il s'expose ? De là, direction Bromham… »

L'année dernière, un érudit, un étranger, a écrit une chronique de la Grande-Bretagne qui omet le roi Arthur au motif qu'il n'a jamais existé. Un motif valable, s'il peut être prouvé ; mais Gregory dit, non, il se trompe. Parce que s'il a raison, qu'adviendra-t-il d'Avalon ? Qu'adviendra-t-il de l'épée dans la pierre ?

Il lève les yeux. « Rafe, es-tu heureux ?

— Avec Helen ? » Rafe rougit. « Oui, sir. Nul homme n'a jamais été plus heureux.

— Je savais que ton père changerait d'avis après l'avoir vue.

— C'est uniquement grâce à vous, sir. »

De Bromham – nous sommes désormais début

septembre – vers Winchester. Puis Bishop's Waltham, Alton, d'Alton à Farnham. Il trace l'itinéraire à travers la campagne. Le but est de faire revenir le roi à Windsor pour le début du mois d'octobre. Il a sa carte dessinée sur la page, l'Angleterre dans un crachin d'encre ; son emploi du temps, rapidement noté à côté. « Il semblerait que j'aie quatre ou cinq jours pour moi. Ah, bien. Qui dit que je n'ai jamais de vacances ? »

Devant « Bromham », il trace un point dans la marge et dessine une longue flèche en travers de la page.

« Alors, avant d'aller à Winchester, nous aurons un peu de temps pour nous, et ce que je pense, c'est que nous devrions rendre visite aux Seymour. »

Il note.

Début septembre. Cinq jours. Wolf Hall.

Note de l'auteur

Dans certaines parties de l'Europe médiévale, la nouvelle année commençait officiellement le 25 mars, *Lady Day*, jour où un ange était censé avoir annoncé à Marie qu'elle portait l'enfant Jésus. Dès 1522, Venise adopta le 1er janvier comme début de la nouvelle année, et d'autres pays européens suivirent peu après, mais l'Angleterre ne rattrapa les autres qu'en 1752. Dans ce livre, comme dans la plupart des histoires, les années sont datées à partir du 1er janvier, qui était célébré comme l'un des douze jours de Noël et était celui où l'on échangeait des cadeaux.

L'huissier George Cavendish, après la mort de Wolsey, se retira à la campagne et, en 1554, quand Marie accéda au trône, commença à écrire un livre, *Thomas Wolsey, late Cardinal, his Life and Death*. Celui-ci a été publié dans de nombreuses éditions et peut être trouvé en ligne dans l'une d'elles, avec l'orthographe originale. Il n'est pas toujours précis, mais c'est un compte rendu très touchant, immédiat et lisible de la carrière de Wolsey et du rôle qu'y a joué Thomas Cromwell. Son influence sur Shakespeare est évidente. Cavendish mit quatre ans à achever ce livre, et il mourut alors qu'Élisabeth accédait au trône.

Remerciements

J'aimerais remercier Delyth Neil pour le gallois, Leslie Wilson pour l'allemand et une femme de Norfolk pour le flamand. Guada Abale de m'avoir prêté une chanson. Judith Flanders de m'avoir aidée quand je ne pouvais pas me rendre à la British Library. Le Dr Christopher Haigh de m'avoir invitée à un splendide dîner dans le Wolsey Hall de l'université de Christ Church. Jan Rogers d'avoir partagé un pèlerinage à Canterbury et un verre au *Cranmer Arms* à Aslockton. Gerald McEven de m'avoir promenée en voiture et d'avoir supporté mes préoccupations. Mon agent Bill Hamilton et mes éditeurs pour leur soutien et leurs encouragements. Par-dessus tout, le Dr Mary Robertson ; ses recherches ont porté sur les faits de la vie de Cromwell, mais elle m'a encouragée et a partagé son savoir tout au long de la production de cette fiction, tout en tolérant mes spéculations hasardeuses et en ayant la gentillesse de reconnaître le portrait que j'ai dressé. Ce livre lui est dédié, avec mes remerciements et toute mon affection.

L'Arithmétique de la romancière

par Hilary Mantel

Thomas Cromwell est une énigme. Son enfance à Putney était si obscure que nous n'aurions jamais entendu parler de sa famille si Walter ne s'était pas si souvent retrouvé devant le tribunal local pour ivresse, violence et escroquerie envers ses voisins. Nous ne connaissons même pas le nom de sa mère. Il a un jour dit à Chapuys, l'ambassadeur d'Espagne et de l'empereur, qu'elle avait 52 ans à sa naissance. C'était peut-être vrai, ou bien c'était peut-être l'une de ses étranges plaisanteries de mauvais goût.

Il semble que Thomas Cromwell parlait rarement de lui-même. Il est censé avoir dit à Thomas Cranmer, « j'étais une canaille dans ma jeunesse », mais il y a dans sa vie d'énormes blancs qu'il n'a jamais pris la peine de combler. Les débuts de sa carrière sont très difficiles à reconstituer. Pour l'auteur élisabéthain John Foxe, Cromwell était un héros et un martyr de la cause protestante. Il raconte quelques anecdotes bizarres et amusantes à son sujet dans *Actes and Monuments ;* elles ne sont pas vraiment cohérentes les unes avec les autres.

Mais il est vrai que nos propres souvenirs ne sont pas souvent cohérents les uns avec les autres non plus, et j'ai essayé de montrer dans ce livre à quel point ils peuvent être incomplets et sporadiques. Cromwell ne tenait pas de journal, et ses nombreuses lettres sont des lettres d'affaires. Elles sont strictement pragmatiques, si l'on excepte un élan passionné occasionnel, ce qui suggère qu'il n'était pas un homme dénué de sentiments, mais plutôt un homme qui se maîtrisait avec une volonté inébranlable. Du début des années 1530 à la fin de la décennie, les affaires qui sont passées sur son bureau peuvent être comprises grâce à la principale source disponible à quiconque étudie le règne d'Henri VIII, ses *Letters & Papers, Foreign and Domestic* (recueil de lettres et de documents relatifs aux affaires nationales et internationales). Les lettres de Cromwell ont été publiées en 1902 par l'universitaire Roger Bigelow Merriman sous forme de recueil en préservant l'obscure orthographe originale et accompagnées de commentaires d'une stupidité rare. Ses lettres ne contiennent presque rien de personnel. Le biographe ne peut se baser sur rien. Il n'y a pas de bonne biographie de Thomas Cromwell, mais il y a de nombreuses études consacrées à sa politique, et l'historien G. R. Elton a passé une grande partie de sa vie à essayer de comprendre ce qu'a fait Cromwell et pourquoi.

Pour un romancier, cette absence de matériel intime est à la fois un problème et une chance. J'ai dû me contenter d'allusions et de possibilités. A-t-il vraiment rencontré Thomas More quand il était enfant ? Il y a une coïncidence de temps et de lieu qui devient (dans l'arithmétique du romancier) une opportunité ; son oncle, John Cromwell, était bien cuisinier à Lambeth Palace quand More, alors âgé de 14 ans, était page dans la maison. Cromwell aimait-il ses filles, qui sont mortes jeunes ? Nous n'en savons rien, mais nous voyons qu'il était attaché à son fils, et il aurait sûrement fourni une éducation à Anne et Grace si elles avaient vécu ; il évoluait dans les mêmes cercles que More, et la mode était à l'éducation des jeunes filles. Quelques remarques de Cromwell ici et là montrent qu'il admirait les femmes fortes et intelligentes. Mais aimait-il vraiment – cela semble improbable – les petits chiens ? Une lettre de 1534 envoyée à lord Lisle à Calais par son homme d'affaires en Angleterre suggère qu'offrir un « joli chien au secrétaire principal » devrait être l'une de ses priorités.

Tous ceux qui ont écrit sur Cromwell nous disent que George Cavendish, l'huissier du cardinal Wolsey, est entré dans la grande salle d'Esher « le matin de la Toussaint… où [il a] trouvé maître Cromwell penché à la grande fenêtre, avec un livre d'heures à la main, récitant les matines de la Vierge… il priait avec tant de ferveur que les larmes coulaient de ses yeux ». Quand il lui a demandé pourquoi il pleurait, Cromwell a répondu : « Je risque de perdre tout ce pour quoi j'ai travaillé chaque jour de ma vie. » C'est logique ; son protecteur Wolsey était tombé en disgrâce, et Cromwell s'attendait à subir le même sort, et peut-être même à perdre plus que son gagne-pain. Les historiens ne cherchent pas plus loin. En tant que romancière, je me demande si les gens pleurent pour une seule raison. Je remarque la date ; c'est le début du mois de novembre, le moment de l'année où les âmes mortes franchissent la barrière entre l'autre monde et celui-ci. Inutile d'être superstitieux pour les sentir dans l'air froid. Cromwell avait perdu sa femme et ses deux filles en moins d'un an. Sa situation ce jour-là était effroyablement sinistre. J'en ai déduit son état d'esprit, et je remarque avec admiration son sursaut et sa résilience, qui lui font dire : « Je compte bien (si Dieu le veut), cet après-midi, quand monseigneur aura dîné, me rendre à Londres et à la cour, où je connaîtrai le succès ou la ruine avant mon retour. »

Ce roman me mène seulement au milieu de l'ascension de Cromwell au pouvoir. Je l'admire pour sa ténacité, son endurance et ses fantastiques talents de politicien. C'était un visionnaire, mais un visionnaire pragmatique ; l'une de ces rares personnes qui peuvent avoir à la fois une vision d'ensemble et le sens du détail. En écrivant ce livre, j'ai jonglé avec une quantité considérable d'éléments historiques. Il est difficile de plaire et à l'historien et au critique littéraire. Les premiers se demandent pourquoi vous n'incluez pas tous les détails – ne savez-vous pas cela ? – et les seconds se demandent pourquoi vous n'êtes pas plus audacieux ; ne pourriez-vous donner à l'histoire une forme plus dramatique ? L'art, s'il y en a un, consiste à comprendre pourquoi les choses se sont produites puis à oublier les raisons. Contrairement à l'historien, le romancier n'opère pas avec du recul. Il vit à l'intérieur de la conscience de ses personnages, qui ne connaissent pas l'avenir. Comme ils agissent toujours en fonction d'informations incomplètes et ont, comme nous, seulement à moitié conscience de leurs propres motivations, ils doivent se frotter à l'inconnu. Il revient à l'historien d'analyser leurs actions et de prononcer un jugement *a posteriori*. Le romancier accepte de simplement avancer avec ses personnages, de s'enfoncer dans le noir.

PREMIER CHAPITRE DU TOME 2 :
LE POUVOIR

I

Faucons

Wiltshire, 1535

Ses filles tombent du ciel. Il les regarde depuis sa
monture, des acres d'Angleterre s'étirant derrière lui ;
elles tombent avec leurs ailes dorées, leur regard plein
de sang. Grace Cromwell voltige dans l'air raréfié. Elle
est silencieuse lorsqu'elle saisit sa proie, silencieuse
tandis qu'elle se pose sur son bras et glisse jusqu'à son
poing. Mais les sons qu'elle émet alors, le bruissement
de plumes et le petit cri aigu, le soupir et le battement
d'ailes, le petit clic-clic qui jaillit de sa gorge, disent
qu'elle le reconnaît, ce sont des sons intimes, d'une
fille à son père, presque désapprobateurs. Sa poitrine
est sillonnée de sang et des lambeaux de chair sont
accrochés à ses serres.

Plus tard, Henri dira : « Vos filles ont bien volé
aujourd'hui. » Le faucon Anne Cromwell rebondit sur
le gant de Rafe Sadler, qui monte à côté du roi tout
en discutant avec décontraction. Ils sont fatigués ; le
soleil décline, et ils retournent vers Wolf Hall, leurs

rênes reposant mollement sur la nuque de leur monture. Demain ce sera au tour de sa femme et de ses deux sœurs. Ces femmes mortes, dont les os ont depuis longtemps été engloutis par l'argile de Londres, ont désormais transmigré. Aussi légères que des plumes, elles planent sur les courants supérieurs de l'air. Elles n'ont pitié de personne. Elles ne répondent à personne. Leur vie est simple. Quand elles regardent vers le bas, elles ne voient rien que leur proie, et les plumets empruntés des chasseurs : elles voient un univers fuyant, vacillant, un univers rempli de leur dîner.

Tout l'été a été ainsi, une débauche de démembrement, un jaillissement de fourrure et de plumes ; les chiens de meute s'élançant puis revenant à la hâte, les chevaux las choyés, les contusions, entorses et ampoules soignées par les gentilshommes. Et pendant au moins quelques jours, le soleil a brillé sur Henri. Un peu avant midi, les nuages sont soudain arrivés de l'ouest et de grosses gouttes de pluie parfumée sont tombées ; mais un soleil de plomb est réapparu, et maintenant le ciel est si clair qu'on peut voir jusqu'au paradis et espionner les saints.

Tandis que ses compagnons mettent pied à terre, confient leurs chevaux aux palefreniers et sont aux petits soins avec le roi, lui commence déjà à penser à son travail : aux dépêches pour Whitehall qui fileront sur les routes de poste aménagées pour la cour. Durant le souper avec les Seymour, il écoutera toutes les histoires que ses hôtes souhaiteront raconter : se soumettra à tout ce que le roi ébouriffé voudra faire, car il semble heureux et de bonne humeur ce soir. Et quand le roi sera au lit, sa nuit de travail commencera.

Bien qu'il se fasse tard, Henri semble réticent à

rentrer. Il regarde autour de lui, inhalant l'odeur des chevaux en sueur, un large coup de soleil rouge brique barrant son front. Plus tôt dans la journée, il a perdu son chapeau, aussi, comme le veut la coutume, tous les chasseurs qui l'accompagnaient ont été obligés d'ôter le leur. Le roi a refusé tous les chapeaux qu'on lui a proposés en remplacement. Et tandis que le crépuscule glisse au-dessus des bois et des champs, des serviteurs sont dehors en train de chercher la plume noire s'agitant dans l'herbe sombre, ou le scintillement de son insigne de chasseur, un saint Hubert en or avec des yeux de saphir.

On sent déjà l'automne. On sait qu'il n'y aura plus de journée comme celle-ci ; alors attardons-nous là, tandis que les palefreniers de Wolf Hall grouillent autour de nous, que le Wiltshire et les comtés de l'Ouest s'enfoncent dans une brume bleutée ; attardons-nous là, tandis que la main du roi se pose sur son épaule, et qu'Henri se remémore avec enthousiasme les paysages de la journée, les taillis verts et les ruisseaux rapides, les aulnes au bord de l'eau, la brume matinale qui s'est élevée vers neuf heures ; la brève averse, la petite brise qui s'est dissipée ; l'immobilité, la chaleur de l'après-midi.

« Sir, comment se fait-il que vous n'ayez pas attrapé de coup de soleil ? » demande Rafe Sadler.

Comme il est aussi roux que le roi, sa peau a viré à un rose marbré moucheté de taches de rousseur, et même ses yeux semblent le faire souffrir. Lui, Thomas Cromwell, hausse les épaules ; il passe un bras autour de celles de Rafe tandis qu'ils pénètrent dans la maison. Il a traversé toute l'Italie – les champs de bataille aussi bien que la pénombre des salles comptables – sans jamais perdre sa pâleur londonienne. Son enfance de canaille, les jours sur la rivière, les jours dans les champs : il est toujours resté aussi blanc que Dieu l'a créé.

« Cromwell a un teint de lis, déclare le roi. C'est la seule chose en lui qui ressemble à une fleur. »

Tout en badinant de la sorte, ils marchent d'un pas tranquille vers le souper.

Le roi a quitté Whitehall la semaine de la mort de Thomas More, une misérable semaine pluvieuse de juillet, l'équipage royal laissant de profondes traces de sabots dans la boue tandis qu'il se dirigeait vers Windsor. Depuis, leur périple a couvert une bonne partie des comtés de l'Ouest ; Cromwell et ses assistants, après avoir réglé les affaires du roi à Londres, ont rejoint le cortège royal à la mi-août. Le roi et ses compagnons dorment confortablement dans de nouvelles maisons de briques rosées, dans de vieilles maisons dont les fortifications se sont effritées ou ont été abattues, dans des châteaux de conte de fées qui ressemblent à des jouets, des châteaux sans fortifications, avec des murs qu'un boulet de canon transpercerait aussi aisément que du papier. L'Angleterre vient de connaître cinquante ans de paix. C'est l'engagement des Tudors ; la paix est ce qu'ils offrent. Chaque maisonnée s'efforce de montrer son meilleur visage au roi, et ces dernières semaines du plâtre a été appliqué dans la panique, des pierres ont été posées à la hâte, tandis que les hôtes s'empressaient d'exhiber la rose Tudor à côté de leurs propres emblèmes. Ils débusquent et effacent toute trace de Catherine, l'ancienne reine, brisant à coups de marteau les grenades d'Aragon, fendant leurs quartiers et faisant voler en éclats leurs pépins. À la place – s'ils n'ont pas le temps de le sculpter – le faucon d'Anne Boleyn est grossièrement peint sur des écus.

Hans les a rejoints durant leur périple, et il a dessiné Anne ; mais le dessin n'a pas plu à la reine ; comment faire ces temps-ci pour lui plaire ? Il a dessiné Rafe Sadler, avec sa petite barbe nette et sa bouche figée, son chapeau à la mode : un disque orné d'une plume posé dans un équilibre précaire sur sa tête rasée.

« Vous m'avez fait un nez très plat, maître Holbein », observe Rafe.

Et Hans répond : « Et comment, maître Sadler, aurais-je le pouvoir d'arranger votre nez ?

— Il l'a cassé quand il était enfant, explique-t-il, en participant à un tournoi. Je l'ai récupéré moi-même sous les sabots du cheval, et il était en sale état, il pleurait comme un bébé. » Il serre l'épaule du garçon. « Allons, Rafe, remets-toi. Je te trouve très beau. Rappelle-toi ce qu'Hans m'a fait. »

Thomas Cromwell a désormais environ cinquante ans. Il a un corps de laboureur, trapu, utile, avec un début d'embonpoint. Il a des cheveux noirs qui commencent à virer au gris, et, à cause de sa peau pâle et imperméable, qui semble conçue pour résister à la pluie autant qu'au soleil, les gens affirment d'un ton méprisant que son père était irlandais, alors qu'il était en fait brasseur et forgeron à Putney, et aussi tondeur de moutons, un homme qui se mêlait de tout, un bagarreur invétéré, un ivrogne et une brute, un escroc habitué des tribunaux. Comment le fils d'un tel homme a-t-il pu atteindre une position aussi éminente que celle qu'il occupe à présent ? C'est une question que toute l'Europe se pose. Certains disent qu'il s'est élevé en même temps que les Boleyn, la famille de la reine. D'autres affirment qu'il a réussi uniquement grâce à feu le cardinal Wolsey, son protecteur ; Cromwell avait sa confiance et gagnait de l'argent pour lui, et il connaissait ses secrets. D'autres encore prétendent qu'il fréquente des sorciers. Il a quitté le royaume durant sa jeunesse pour être mercenaire, marchand de laine, banquier. Personne ne sait où il a été ni qui il a rencontré, et il n'est pas pressé de le révéler. Il ne s'économise jamais pour servir le roi, il connaît sa valeur et ses mérites et s'assure d'être récompensé à leur hauteur : fonctions, gratifications et titres de propriété, manoirs et fermes. Il sait obtenir ce qu'il veut, il a une méthode : il charmera un homme ou le soudoiera, l'amadouera ou le menacera, il lui expliquera où se trouve son intérêt, et il lui fera découvrir des aspects de lui-même qu'il ne soupçonnait pas. Chaque jour le secrétaire du roi a affaire à de grands personnages qui, s'ils le pouvaient, l'anéantiraient d'un geste vengeur, comme on écrase une mouche. Sachant cela, il se distingue par sa courtoisie, son calme et son infatigable attention aux affaires de l'Angleterre. Il n'a pas pour habitude de s'expliquer. Il n'a pas pour habitude de discuter de ses succès. Mais chaque fois que la chance s'est présentée à lui, il était là, campé sur le seuil, prêt à lui ouvrir la porte en grand quand elle frappait timidement.

Chez lui, dans sa maison de ville d'Austin Friars, son portrait trône sur le mur ; il est enveloppé de laine et de fourrure, sa main resserrée autour d'un document comme s'il l'étranglait. Hans l'a coincé derrière une table et a dit, Thomas, vous ne devez pas rire ; et ils ont procédé sur cette base, Hans fredonnant tout en peignant tandis que lui regardait férocement dans le vide. En voyant le portrait achevé il s'est exclamé, bon sang, je ressemble à un assassin ; à quoi son fils Gregory a répliqué, ne le saviez-vous pas ? Des copies sont en train d'être réalisées pour ses amis et ses admirateurs évangélistes allemands. Il ne se séparera pas de l'original – pas maintenant que je m'y suis habitué, dit-il –, aussi, quand il rentre chez lui, il peut se voir à différents stades d'avancement : un contour hésitant, partiellement repassé à l'encre. Par où commencer avec Cromwell ? Certains commencent par ses petits yeux vifs, certains par son chapeau. D'autres esquivent la question et peignent son sceau et ses ciseaux, d'autres encore choisissent sa bague en turquoise, qui lui a été donnée par le cardinal. Quoi qu'il en soit, l'impact final est le même : vous ne voudriez pas le rencontrer dans une ruelle obscure. Son père Walter avait coutume de dire : « Mon fils Thomas, regardez-le de travers et il vous arrachera l'œil. Faites-lui un croche-pied et il vous coupera la jambe. Mais si vous ne vous mettez pas en travers de son chemin, c'est un vrai gentilhomme. Et il offrira à boire à n'importe qui. »

Hans a dessiné le roi, bienveillant dans ses soies légères, assis après le souper avec ses hôtes, les fenêtres ouvertes laissant entrer le chant tardif des oiseaux tandis qu'on apporte les premières bougies et les fruits confits. À chaque étape de son périple, Henri loge dans la maison principale avec la reine Anne ; son entourage couche chez les nobles de la région. L'habitude veut que les hôtes du roi, au moins une fois durant sa visite, divertissent ses compagnons en guise de remerciement, ce qui met la maison sous pression. Il a compté les charrettes de provisions, il a observé les cuisines sens dessus dessous, et a vu dans la lueur gris-vert qui précède l'aube les fours en briques être nettoyés avant d'accueillir les premières miches de pain, les carcasses être embrochées, les marmites placées sur des trépieds, les volailles plumées et découpées. Son oncle était le cuisinier d'un archevêque, et quand il était enfant il traînait dans les cuisines de Lambeth Palace ; il connaît ce métier sur le bout des doigts, et lorsqu'il s'agit du confort du roi, rien ne doit être laissé au hasard.

Ce sont des jours parfaits. La lumière claire et sereine fait chatoyer chaque baie dans les haies. Dans les arbres, chaque feuille illuminée par le soleil ressemble à une poire dorée. Tandis que nous chevauchions vers l'est au cœur de l'été, nous nous sommes enfoncés dans des chasses sylvestres et avons franchi des collines dénudées, émergeant dans une région haute où, même à travers deux comtés, on sent la présence mouvante de la mer. Dans cette partie de l'Angleterre, nos ancêtres les géants ont laissé leurs ouvrages en terre, leurs tumulus et leurs pierres levées. Nous avons toujours, chaque Anglais et chaque Anglaise, quelques gouttes du sang de ces géants dans nos veines. En ces temps anciens, sur une terre que les moutons et la charrue n'avaient pas encore abîmée, on chassait le sanglier et l'élan. La forêt s'étirait pendant des jours. Quelques armes antiques ont été déterrées : des haches qui, brandies à deux mains, pouvaient couper en deux et le cheval et son cavalier. Imaginez les gigantesques membres de ces hommes morts remuant sous le sol. La guerre était leur nature, et la guerre est toujours prête à revenir. Ce n'est pas juste au passé qu'on pense quand on traverse ces champs à cheval. C'est à ce qui est latent sous le sol, ce qui se multiplie ; c'est aux jours à venir, aux guerres futures, aux blessures et aux morts que le sol d'Angleterre garde au chaud comme des graines. On pourrait croire, à voir Henri rire, à voir Henri prier, à le voir mener ses hommes sur le sentier à travers la forêt, qu'il est aussi fermement installé sur son trône qu'il l'est sur son cheval. Mais les impressions peuvent être trompeuses. La nuit, il ne dort pas ; il fixe du regard les poutres sculptées du plafond ; il compte les jours. Il dit : « Cromwell, Cromwell, que vais-je faire ? » Cromwell, sauvez-moi de l'empereur. Cromwell, sauvez-moi du pape. Puis il fait venir l'archevêque de Canterbury, Thomas Cranmer, et il lui demande : « Mon âme est-elle damnée ? »

À Londres, l'ambassadeur de l'empereur, Eustache Chapuys, attend chaque jour d'apprendre que le peuple d'Angleterre s'est soulevé contre son roi cruel et impie. Voilà ce qu'il rêve d'entendre, et il serait prêt à fournir bien des efforts et à dépenser beaucoup d'argent pour que cela se produise. Son maître, l'empereur Charles, est le seigneur des Pays-Bas, en plus de l'Espagne et de ses territoires au-delà des mers ; Charles est riche et, de temps en temps, il est furieux qu'Henri ait osé répudier sa tante, Catherine, pour épouser une femme que les gens de la rue traitent de catin aux yeux exorbités. Dans ses dépêches urgentes, Chapuys exhorte son maître à envahir l'Angleterre, à rejoindre les rebelles du royaume, les prétendants et les malcontents, et à conquérir cette terre profane où le roi, grâce à une loi du Parlement, a prononcé son propre divorce et s'est auto-proclamé Dieu. Le pape n'apprécie pas qu'on se moque de lui en Angleterre et qu'on l'appelle simplement l'« évêque de Rome », il n'apprécie pas que ses revenus soient saisis et finissent dans les coffres d'Henri. Une bulle d'excommunication, rédigée mais pas encore promulguée, plane au-dessus d'Henri, faisant de lui un paria parmi les rois chrétiens d'Europe ; rois qui sont invités, et même encouragés, à traverser la mer étroite ou la frontière écossaise pour s'emparer de tout ce qui lui appartient. Peut-être l'empereur viendra-t-il. Peut-être le roi de France viendra-t-il. Peut-être viendront-ils ensemble. Nous aimerions dire que nous les attendons de pied ferme, mais la réalité est autre. En cas d'invasion armée, nous serons peut-être obligés de déterrer les os des géants pour leur cogner sur la tête avec, car nous sommes à court d'artillerie, à court de poudre, à court d'acier. Ce n'est pas la faute de Thomas Cromwell ; comme le dit Chapuys en faisant la grimace, le royaume d'Henri serait en meilleur ordre si Cromwell en avait eu la charge il y a cinq ans.

Si vous voulez défendre l'Angleterre, et c'est ce qu'il voudrait – car il irait lui-même se battre, épée au poing –, vous devez savoir ce qu'est l'Angleterre. Dans la chaleur d'août, il s'est tenu tête nue près des tombes surmontées des statues des ancêtres, des hommes armés de pied en cap, couverts de plaques d'acier et de cottes de mailles, leurs mains gantelées jointes et dressées au-dessus de leur surcot, leurs pieds maillés reposant sur des lions, des griffons, des lévriers en pierre ; des hommes de pierre, des hommes d'acier, leurs douces femmes enchâssées auprès d'eux comme des escargots dans leur coquille. Nous pensons que le temps ne peut toucher les morts, mais il touche leurs monuments, érodant les nez et les doigts. Un minuscule pied démembré (comme celui d'un chérubin agenouillé) émerge de sous une étoffe ; le bout d'un pouce tranché repose sur un coussin de pierre. « Nous devons faire réparer nos ancêtres l'année prochaine », disent les seigneurs des comtés de l'Ouest ; mais leurs blasons et leurs tenants, leurs écus et leurs armoiries, sont toujours fraîchement peints, et ils embellissent en paroles les actes de leurs ancêtres, leur personnalité et leurs possessions : les armes que mon aïeul portait à Azincourt, la coupe que Jean de Gand a donné de sa main à mon aïeul. Si lors des guerres passées entre York et Lancastre leurs pères et leurs grands-pères ont choisi le mauvais camp, ils le tiennent sous silence. Une génération plus tard, les fautes doivent être pardonnées, les réputations rétablies ; sinon l'Angleterre ne peut avancer, elle retournera sans cesse à son sale passé.

Lui n'a pas d'ancêtres, naturellement : du moins pas le genre d'ancêtres dont on se vante. Il y a eu autrefois une famille noble nommée Cromwell, et quand il est entré au service du roi, les hérauts lui ont vivement conseillé, pour sauver les apparences, d'adopter ses armoiries ; mais je ne suis pas un des leurs, a-t-il poliment répondu, et je ne veux pas de leurs emblèmes. Il a fui les poings de son père alors qu'il n'avait pas plus de quinze ans ; il a traversé la Manche, s'est engagé dans l'armée du roi de France. Il se bat depuis qu'il sait marcher ; quitte à se battre, pourquoi ne pas se faire payer ? Mais il est des commerces plus lucratifs que la guerre, et il les a trouvés. Il a donc décidé de prendre son temps avant de rentrer chez lui.

Et maintenant, quand ses hôtes titrés veulent des conseils sur l'emplacement d'une fontaine, ou d'une représentation des Trois Grâces en train de danser, le roi leur dit, Cromwell est votre homme ; Cromwell, il a vu comment ils font en Italie, et ce qui est bon pour eux sera bon pour le Wiltshire. Parfois le roi quitte un endroit accompagné seulement de ses cavaliers, laissant la reine derrière lui avec ses femmes de compagnie et ses musiciens, pour aller, avec ses favoris, chasser ardemment à travers la campagne. Et c'est ainsi qu'ils arrivent à Wolf Hall, où le vieux John Seymour attend de les accueillir parmi sa famille florissante.

« Je ne sais pas, Cromwell », dit le vieux sir John. Il lui saisit le bras, avenant. « Tous ces faucons qui portent le nom de femmes mortes… cela ne vous déprime-t-il pas ?

— Je ne suis jamais déprimé, sir John. La vie est trop bonne avec moi.

— Vous devriez vous remarier, et fonder une nouvelle famille. Vous trouverez peut-être une femme pendant votre séjour parmi nous. Dans la forêt de Savernake il y a de nombreuses jeunes femmes fraîches. »

J'ai toujours Gregory, dit-il en regardant par-dessus son épaule à la recherche de son fils ; il s'en fait toujours un peu pour Gregory.

« Ah, fait Seymour, c'est bien beau les garçons, mais un homme a aussi besoin de filles, les filles sont une consolation. Regardez Jane. Elle est si gentille. »

Il regarde Jane Seymour, comme son père l'y invite. Il la connaît bien pour l'avoir vue à la cour, puisqu'elle était l'une des dames de compagnie de Catherine, l'ancienne reine, et d'Anne, la reine actuelle ; c'est une jeune femme quelconque à la pâleur argentée, avec un penchant pour le silence, et le don de regarder les hommes comme s'ils représentaient une surprise désagréable. Elle porte des perles et un brocart blanc sur lequel sont brodés de petits œillets rigides. Il devine une dépense considérable ; sans compter les perles, sa tenue vaut au moins trente livres. Pas étonnant qu'elle marche prudemment, comme un enfant à qui on a dit de ne pas se salir.

Le roi dit : « Jane, maintenant que nous vous voyons chez vous, parmi les vôtres, êtes-vous moins timide ? » Il saisit sa menotte aussi petite qu'une patte de souris dans son énorme main. « À la cour nous ne l'entendons jamais dire un mot. »

Jane lève les yeux vers lui, rougissant depuis son cou jusqu'à la naissance de ses cheveux.

« Avez-vous déjà vu quelqu'un rougir ainsi ? demande Henri. On dirait une enfant de douze ans.

— Je ne puis prétendre avoir douze ans », répond Jane.

Lors du souper le roi est assis à côté de lady Margery, son hôtesse. C'était une beauté en son temps, et à voir l'attention exquise que lui porte le roi, on croirait que c'en est toujours une ; elle a eu dix enfants, dont six sont toujours en vie, et trois sont dans la pièce. Edward Seymour, l'héritier, a une longue tête, une expression sérieuse, un profil net et féroce : un bel homme. Il est cultivé, voire savant, se consacre avec sagesse à toute fonction qui lui est confiée ; il est allé à la guerre et, en attendant de se battre de nouveau, il excelle à la chasse et à la joute. Le cardinal, en son temps, avait remarqué qu'il valait mieux que le Seymour ordinaire ; et lui-même, Thomas Cromwell, l'a sondé et a découvert qu'il était en tout point fidèle au roi. Tom Seymour, le jeune frère d'Edward, est bruyant et turbulent et il intéresse plus les femmes ;

quand il entre dans une pièce, les vierges gloussent, et les jeunes matrones baissent la tête et l'observent sous cape.

Le vieux sir John est connu pour son attachement à sa famille. Il y a deux ou trois ans, on ne parlait à la cour que du fait qu'il avait couché avec l'épouse de son fils, non pas une fois, dans l'ardeur de la passion, mais de façon répétée depuis qu'elle était mariée. La reine et ses confidents avaient propagé la rumeur. « Nous sommes arrivés à un total de cent vingt fois, avait ricané Anne. Enfin, c'est Thomas Cromwell qui est arrivé à ce total, et il est doué pour les chiffres. Nous supposons qu'ils s'abstenaient le dimanche par souci de bienséance, et ralentissaient pendant le carême. » La femme traîtresse a donné naissance à deux fils, et quand sa conduite a été révélée au grand jour, Edward les a reniés puisqu'il ne pouvait savoir avec certitude si c'étaient ses propres fils ou bien ses demi-frères. La femme adultère a été enfermée dans un couvent et n'a pas tardé à lui faire la courtoisie de mourir ; maintenant il a une nouvelle épouse, qui cultive des manières sévères et garde un stylet dans sa poche au cas où son beau-père s'approcherait de trop près.

Mais c'est pardonné, c'est oublié. La chair est faible. Cette visite royale scelle le pardon du vieux bonhomme. John Seymour possède mille trois cents acres, parc à cerfs compris, le reste étant principalement consacré à l'élevage de moutons et lui rapportant deux shillings par acre chaque année, soit le quart de ce que cette même surface lui rapporterait si elle était labourée. Ce sont de petits animaux à tête noire croisés avec des moutons des montagnes du Pays de Galles, qui donnent une viande coriace, mais une laine convenable. Quand ils arrivent, le roi (qui est d'humeur bucolique) demande : « Cromwell, combien pèse cette bête d'après vous ? » et lui répond, sans la soulever : « Trente livres, Majesté. »

Francis Weston, un jeune courtisan, déclare d'un air railleur : « Maître Cromwell était tondeur de moutons. Il ne risque pas de se tromper. »

Le roi réplique : « Notre pays serait pauvre sans le commerce de la laine. Que maître Cromwell connaisse ce métier n'est pas un déshonneur. »

Mais Francis Weston ricane sous cape.

Demain Jane Seymour doit chasser avec le roi.

« Je croyais que c'était réservé aux gentilshommes, entend-il Weston chuchoter. La reine serait furieuse si elle l'apprenait. »

Lui murmure en retour, alors assurez-vous qu'elle ne l'apprenne pas, mon brave.

« À Wolf Hall nous sommes tous de grands chasseurs, se vante sir John, mes filles aussi. Vous croyez que Jane est timorée, mais mettez-la sur une selle et je vous assure, messieurs, qu'elle est la déesse Diane incarnée. Je n'ai jamais importuné mes filles en les forçant à étudier, vous savez. Sir James ici présent leur a appris tout ce qu'elles avaient besoin de savoir. »

Le prêtre au bout de la table acquiesce avec un grand sourire : un vieil imbécile au crâne blanc et à l'œil chassieux. Cromwell se tourne vers lui :

« Et est-ce vous qui leur avez appris à danser, sir James ? Toutes mes félicitations. J'ai vu Elizabeth, la sœur de Jane, à la cour, dansant avec le roi.

— Ah, elles avaient un maître pour ça, glousse le vieux Seymour. Un maître pour la danse, un maître pour la musique, ça leur suffit. Pas besoin de langues étrangères. Elles ne vont nulle part.

— Je ne suis pas de cet avis, sir, objecte-t-il. J'ai fait éduquer mes filles de la même manière que mon fils. »

Parfois il aime parler d'elles, Anne et Grace : mortes il y a maintenant sept ans. Tom Seymour éclate de rire.

« Quoi, vous les avez envoyées à la joute avec Gregory et le jeune maître Sadler ?

— Ça excepté », répond-il avec un sourire.

Edward Seymour dit : « Il n'est pas rare que les filles de la ville apprennent les lettres et même un peu plus. On pourrait même leur enseigner la comptabilité. C'est ce qu'on entend dire. Ça les aiderait à trouver de bons maris, une famille de marchands apprécierait une telle éducation.

— Imaginez les filles de maître Cromwell, dit Weston. Je n'ose pas. Je doute qu'une salle de comptables aurait pu les contenir. Elles auraient été plus habiles avec une hache, je suppose. Un homme n'aurait eu qu'à les regarder pour sentir ses jambes se défiler sous lui. Et je ne dis pas que c'est l'amour qui l'aurait frappé. »

Gregory s'agite. Il a tellement l'air rêveur qu'on penserait qu'il n'a pas suivi la conversation, mais il déclare d'un ton offensé :

« Vous insultez mes sœurs et leur mémoire, sir, et vous ne les connaissiez même pas. Ma sœur Grace... »

Il voit Jane Seymour tendre sa petite main et toucher le poignet de Gregory : pour le sauver, elle est prête à s'attirer l'attention de la compagnie.

« J'ai récemment, dit-elle, appris un peu la langue française.

— Vraiment, Jane ? » demande Tom Seymour avec un sourire. Jane baisse la tête.

« C'est Mary Shelton qui m'enseigne.

— Mary Shelton est une brave jeune femme », déclare le roi. Et du coin de l'œil il voit Weston donner un coup de coude à son voisin ; on dit que Shelton a été gentille avec le roi au lit.

« Donc vous voyez, dit Jane à ses frères, nous autres femmes, nous ne passons pas notre temps à calomnier oisivement et à provoquer des scandales. Pourtant, Dieu sait que nous avons assez de ragots pour occuper toute une ville de femmes.

— Vraiment ? dit-il.

— Nous parlons de qui est amoureux de la reine. Qui lui écrit des poèmes. » Elle baisse les yeux. « Je veux dire, qui est amoureux de nous toutes. Tel ou tel gentilhomme. Nous connaissons tous nos soupirants et nous les inspectons de la tête aux pieds, ils rougiraient s'ils savaient. Nous parlons de leurs terres et de ce qu'elles leur rapportent chaque année, et alors nous décidons de les autoriser à nous écrire des poèmes ou non. Si nous ne les trouvons pas assez riches, nous raillons leurs rimes. C'est cruel, laissez-moi vous le dire. »

Il déclare, un peu mal à l'aise, il n'y a pas de mal à écrire des poèmes aux femmes, même à celles qui sont mariées, c'est l'habitude à la cour. À quoi Weston répond, merci pour ces bonnes paroles, maître Cromwell, nous pensions que vous alliez essayer de nous en empêcher.

Tom Seymour se penche en avant tout en riant.

« Et qui sont tes soupirants, Jane ?

937

Si tu veux le savoir, tu vas devoir enfiler une robe, et te mettre à la couture, et te joindre à nous.

— Comme Achille parmi les femmes, observe le roi. Vous devrez raser votre jolie barbe, Seymour, pour découvrir leurs petits secrets coquins. » Il rit, mais il n'est pas content. « À moins que nous trouvions quelqu'un de plus efféminé pour cette tâche. Gregory, vous êtes beau garçon, mais je crains que vos grandes mains ne vous trahissent.

— Le petit-fils de forgeron, ironise Weston.

— Ce jeune Mark, poursuit le roi. Le musicien, vous le connaissez ? En voilà un qui est aussi doux qu'une femme.

— Oh, fait Jane, Mark est déjà avec nous. Il est toujours dans les parages. Nous le considérons à peine comme un homme. Si vous voulez connaître nos secrets, demandez-lui. »

La conversation part dans une autre direction ; il songe, je ne savais pas que Jane avait une langue ; il songe aussi, Weston me cherche, il sait qu'en présence d'Henri je ne le châtierai pas ; il s'imagine la forme que pourrait prendre ce châtiment, le moment venu. Rafe Sadler l'observe du coin de l'œil.

« Donc, lui demande le roi, comment pourrons-nous rendre demain meilleur qu'aujourd'hui ? » Il explique à la tablée : « Maître Cromwell ne trouve pas le sommeil tant qu'il n'a pas rectifié quelque chose.

— Je corrigerai le comportement du chapeau de Votre Majesté. Et tous ces nuages, avant midi…

— Cette averse était la bienvenue. La pluie nous a rafraîchis.

— Que Dieu ne nous en envoie pas une pire », déclare Edward Seymour.

Henri frotte le coup de soleil qui lui barre le front.

« Le cardinal, il croyait pouvoir changer le temps. Une agréable matinée, disait-il, mais à dix heures le soleil brillera encore plus. Et il avait raison. »

Parfois Henri fait ça ; il lance le nom de Wolsey dans la conversation, comme si ce n'était pas lui, mais quelque autre monarque, qui avait provoqué la mort du cardinal.

« Certains hommes ont l'œil pour le temps, observe Tom Seymour. Ce n'est rien de plus. Ce n'est pas un don propre aux cardinaux. »

Henri acquiesce en souriant.

« C'est vrai, Tom. Je n'aurais jamais dû l'admirer, n'est-ce pas ?

— Il était trop fier, pour un sujet », déclare le vieux sir John.

Le roi regarde en direction de Thomas Cromwell. Il adorait le cardinal. Tout le monde le sait. Son expression est aussi prudemment neutre qu'un mur fraîchement repeint.

Après le souper, le vieux sir John raconte l'histoire d'Edgar le Pacifique. Il régnait sur ces contrées, il y a bien des siècles de cela, avant que les rois aient des numéros : quand les jeunes filles étaient jolies et les chevaliers galants, quand la vie était simple et violente, et généralement brève. Edgar avait une épouse en vue, et il envoya un de ses comtes auprès d'elle pour savoir ce qu'il en pensait. Le comte, qui était à la fois hypocrite et fourbe, lui fit savoir que sa beauté avait grandement été exagérée par les poètes et les peintres ; en vérité, prétendit-il, elle boitait et louchait. Son but était d'avoir la tendre demoiselle pour lui-même, il la séduisit et l'épousa. En découvrant la trahison du comte, Edgar lui tendit une embuscade, dans un bosquet non loin d'ici, et le transperça de son javelot, le tuant du premier coup.

« Quel fripon, ce comte ! s'exclame le roi. Il a eu ce qu'il méritait.

— Un noble ignoble », observe Tom Seymour. Son frère soupire, comme s'il n'approuvait pas cette réflexion. « Et qu'a dit la femme ? demande-t-il, lui, Cromwell. Quand elle a découvert le comte embroché ?

— La demoiselle épousa Edgar, répond sir John. Ils se marièrent dans une forêt verdoyante et vécurent heureux.

— Je suppose qu'elle n'avait pas le choix, soupire lady Margery. Les femmes doivent s'adapter.

— Et les gens de la campagne affirment, ajoute sir John, que le comte hypocrite erre toujours dans les bois en grognant et en essayant d'extraire la lance de son ventre.

— Imaginez ça, dit Jane Seymour. Dès que la lune brille, on pourrait regarder par la fenêtre et le voir errer en gémissant. Par chance, je ne crois pas aux fantômes.

— Tu as tort, sœur, dit Tom Seymour. Ils ramperont jusqu'à toi, ma fille.

— Un seul coup », observe Henri. Il mime un lancer de javelot, mais en retenant son geste, car ils sont à table. « Il devait avoir un bon bras, le roi Edgar. »

Il dit – lui, Cromwell : « J'aimerais savoir si cette histoire a été consignée par écrit, et si oui, par qui, et s'il avait prêté serment. »

Le roi déclare : « Cromwell aurait traîné le comte devant un tribunal.

— Très chère Majesté, glousse sir John, je ne crois pas qu'il y en avait à l'époque.

— Cromwell en aurait trouvé un, déclare le jeune Weston en se penchant en avant pour bien se faire comprendre. Il aurait déniché des jurés, il les aurait déterrés de sous un champ de champignons. Et c'en aurait été fini du comte, ils l'auraient jugé et lui auraient tranché la tête. On dit que, lors du jugement de Thomas More, le secrétaire principal ici présent a suivi les jurés durant leurs délibérations, et quand ils ont été assis, il a refermé la porte derrière lui et leur a exposé la loi. "Laissez-moi vous ôter tout doute, a-t-il dit aux jurés. Votre tâche est de déclarer sir Thomas coupable, et vous ne dînerez pas tant que vous ne l'aurez pas fait." Puis il est ressorti et a fermé la porte, et il est resté derrière avec une hachette à la main, au cas où ils seraient sortis pour aller chercher quelque chose à manger ; et comme ce sont des Londoniens, ils se soucient de leur estomac plus que de tout le reste, et dès que leur ventre s'est mis à gronder, ils se sont écriés : "Coupable ! Il est on ne peut plus coupable !" »

Tous les yeux se tournent vers Cromwell. Rafe Sadler, à côté de lui, se crispe.

« C'est une bien jolie histoire, dit Rafe à Weston, mais je vous demande à mon tour, où a-t-elle été consignée par écrit ? Je crois que vous découvrirez que mon maître se comporte toujours comme il convient dans un tribunal.

— Vous n'y étiez pas, réplique Francis Weston. Je l'ai entendu de la bouche de l'un des jurés. Ils se sont écriés : "Finissez-en avec lui, emmenez le traître et apportez-nous un gigot de mouton." Et Thomas More a été emmené à l'échafaud.

— On dirait que vous le regrettez, observe Rafe.

— Pas moi. » Weston lève les mains. « La reine Anne dit que l'exécution de More soit un avertissement pour tous les traîtres. Leur réputation ne sera jamais assez grande, leur déloyauté jamais assez masquée, pour que Thomas Cromwell ne les débusque pas. »

Un murmure d'approbation retentit ; l'espace d'un instant, il pense que la compagnie va se tourner vers lui et l'applaudir. Mais lady Margery porte un doigt à ses lèvres et désigne de la tête le roi. Assis au bout de la table, il commence à pencher sur la droite ; ses paupières fermées tremblotent et sa respiration est paisible et profonde.

Les convives échangent des sourires.

« Ivre d'air frais », murmure Tom Seymour.

Ça change d'ivre de boisson ; le roi, ces temps-ci, demande le pichet de vin plus souvent que quand il était jeune et athlétique. Lui, Cromwell, regarde Henri incliner sur sa chaise. D'abord en avant, comme s'il allait poser son front sur la table. Puis il sursaute et se penche vivement en arrière. Un filet de bave coule sur sa barbe.

C'est maintenant qu'on aurait besoin d'Henry Norris, le gentilhomme principal de sa chambre privée ; Henry au pas silencieux et à la main douce et indulgente, murmurant à l'oreille de son souverain pour le réveiller. Mais Norris traverse en ce moment le pays, portant la lettre d'amour que le roi a écrite à Anne. Alors que faire ? Henri n'a pas l'air d'un enfant fatigué, comme il aurait pu l'avoir il y a cinq ans. Il ressemble à n'importe quel homme d'âge mûr sombrant dans la torpeur après un repas trop lourd ; il a l'air ballonné, il a des veines éclatées ici et là, et même à la lueur des bougies on voit que ses cheveux commencent à devenir gris. Cromwell adresse un geste de tête au jeune Weston.

« Francis, nous avons besoin de votre main experte. »

Weston fait mine de ne pas l'entendre. Ses yeux sont posés sur le roi et son visage laisse malgré lui paraître une expression de dégoût.

Tom Seymour murmure : « Je crois que nous devrions faire du bruit. Pour le réveiller en douceur.

— Quel genre de bruit ? » demande tout doucement son frère Edward.

Tom mime en se tenant les côtes.

Edward hausse les sourcils.

« Ris si tu oses. Il croira que tu te moques de lui parce qu'il bave. »

Le roi se met à ronfler. Il se déporte brusquement sur la gauche. Il penche dangereusement par-dessus l'accoudoir de sa chaise.

Weston dit : « Faites-le, Cromwell. Personne ne sait y faire aussi bien que vous avec lui. »

Il fait non de la tête en souriant.

« Dieu sauve Sa Majesté, déclare pieusement sir John. Il n'est plus aussi jeune qu'avant. »

Jane se lève. Le bruissement sec des tiges d'œillets. Elle se penche au-dessus de la chaise du roi et lui tapote le dos de la main : vivement, comme si elle tâtait un fromage. Henri sursaute et ses yeux s'ouvrent.

« Je ne dormais pas, dit-il. Vraiment. Je me reposais simplement les yeux. »

Une fois le roi monté se coucher, Edward Seymour déclare : « Monsieur le secrétaire, c'est le moment de ma revanche. »

Il se penche en arrière, verre à la main. « Que vous ai-je fait ?

— Une partie d'échecs. Calais. Je sais que vous vous en souvenez. »

La fin de l'automne, l'année 1532 : la nuit où le roi a pour la première fois couché avec la reine. Avant de se donner à lui Anne l'a fait jurer sur la Bible qu'il l'épouserait dès qu'ils seraient de nouveau sur le sol anglais ; mais la tempête les a retenus au port, et le roi a tiré profit de ce temps pour tenter d'avoir un fils d'elle.

« Vous m'avez mis échec et mat, maître Cromwell, poursuit Edward. Mais uniquement parce que vous m'avez distrait.

— Comment ça ?

— Vous m'avez questionné sur ma sœur Jane. Son âge, et ainsi de suite.

— Vous croyiez que je m'intéressais à elle.

— Et vous y intéressiez-vous ? » Edward sourit, pour atténuer la grossièreté de sa question. « Elle n'est pas encore prise, vous savez.

— Préparez l'échiquier, répond-il. Voulez-vous que les pièces soient disposées comme elles l'étaient quand vous avez perdu le fil de vos réflexions ? »

Edward le regarde, prenant soin de ne laisser paraître aucune expression. On raconte des choses incroyables à propos de la mémoire de Cromwell. Il sourit intérieurement. Il pourrait disposer les pièces à l'identique, il en est quasiment certain ; il sait comment joue un homme comme Seymour.

« Repartons de zéro, suggère-t-il. Le monde tourne. Les règles italiennes vous conviennent-elles ? Je n'aime pas que ces parties s'éternisent pendant une semaine. »

Edward fait preuve d'une certaine audace dans son ouverture. Mais alors, un pion coincé entre les doigts, il se penche en arrière en fronçant les sourcils, et il se met en tête de parler de saint Augustin ; puis, de saint Augustin, il passe à Martin Luther.

« C'est un enseignement qui fait naître la terreur dans les cœurs, déclare Seymour. Que Dieu nous ait créés uniquement pour nous damner. Que ses pauvres créatures, à quelques rares exceptions près, soient nées uniquement pour lutter dans ce monde avant de finir dans les flammes de l'enfer. Parfois je crains que ce soit vrai. Mais j'espère que non.

— Le gros Martin a revu sa position. C'est du moins ce que j'ai entendu dire. Et à notre avantage.

— Quoi, nous serons plus nombreux à être sauvés ? Ou alors nos bonnes actions ne sont pas totalement inutiles aux yeux de Dieu ?

— Je ne parlerai pas en son nom. Vous devriez lire Philipp Melanchthon. Je vous enverrai son nouveau livre. J'espère qu'il viendra nous voir en Angleterre. Nous sommes en pourparlers avec ses gens. » Edward porte la petite tête ronde du pion à ses lèvres. On dirait qu'il va se tapoter les dents avec.

« Le roi le permettra-t-il ?

— Il ne laisserait pas entrer frère Martin. Il n'aime pas qu'on mentionne son nom. Mais Philipp est un homme plus facile, et ce serait bon pour nous si nous devions conclure quelque alliance utile avec les princes allemands qui soutiennent l'évangile. Ça effraierait l'empereur si nous avions des amis et des alliés sur son territoire.

— Et c'est tout ce que ça signifie pour vous ? » Le

cavalier d'Edward bondit au-dessus des cases. « La diplomatie ?

— Je vénère la diplomatie. Elle ne coûte pas cher.

— Pourtant on dit que vous-même aimez l'évangile.

— Ce n'est pas un secret. » Il fronce les sourcils. « Allez-vous vraiment faire ça, Edward ? Je vois un moyen de prendre votre reine. Et je n'aimerais pas profiter de vous une fois de plus et vous entendre dire que j'ai gâché votre partie en vous parlant de l'état de votre âme. »

Un sourire de travers.

« Et comment se porte votre reine ces temps-ci ? demande Seymour.

— Anne ? Elle est brouillée avec moi. Je sens ma tête chanceler sur mes épaules quand elle me regarde durement. Elle a entendu dire que j'avais parlé à une ou deux reprises favorablement de Catherine, l'ancienne reine.

— Et est-ce vrai ?

— Uniquement pour louer son courage. Qui est, il faut bien l'admettre, inébranlable dans l'adversité. Et aussi, la reine me croit trop favorable à la princesse Marie – je voulais dire, à lady Marie, comme il faut désormais l'appeler. Le roi aime toujours sa fille aînée, il dit qu'il n'y peut rien – ce qui chagrine Anne, car elle veut que la princesse Élisabeth soit la seule fille qu'il reconnaisse. Elle nous trouve trop doux envers Marie et estime que nous devrions la forcer à admettre que sa mère n'a jamais été mariée légalement au roi, et qu'elle est donc illégitime. »

Edward triture le pion blanc entre ses doigts, le regarde d'un air dubitatif, le repose sur sa case.

« Mais n'est-ce pas déjà le cas ? Je croyais que vous le lui aviez fait reconnaître ?

— Nous avons résolu la question en ne la soulevant pas. Elle sait qu'elle a été écartée de la succession, et je ne crois pas qu'il soit nécessaire de la tourmenter plus. Comme l'empereur est le neveu de Catherine et le cousin de lady Marie, j'essaie de ne pas le provoquer. Charles nous tient dans la paume de sa main, voyez-vous ? Mais Anne ne comprend pas qu'il puisse être nécessaire d'apaiser les gens. Elle croit que si elle parle gentiment à Henri, ça suffira.

— Alors que vous, vous devez parler gentiment à l'Europe. »

Edward rit. Son rire a un son de crécelle. Ses yeux disent, vous faites preuve d'une grande franchise, maître Cromwell : pourquoi ?

« De plus » – ses doigts hésitent au-dessus du cavalier noir – « j'ai acquis trop d'importance au goût de la reine depuis que le roi a fait de moi son adjoint pour les questions religieuses. Elle déteste qu'Henri écoute qui que ce soit à part elle, son frère George et Monseigneur son père, et même son père a droit à quelques sarcasmes de sa part ; elle le traite de foie jaune, lui dit qu'il leur fait perdre leur temps.

— Comment prend-il ça ? » Edward baisse les yeux vers l'échiquier. « Oh.

— Maintenant regardez bien, conseille-t-il. Voulez-vous aller jusqu'au bout ?

— J'abandonne. Je crois. » Un soupir. « Oui. J'abandonne. »

Cromwell balaie les pièces d'un geste de la main, réprimant un bâillement.

« Et je n'ai pas mentionné votre sœur Jane, n'est-ce pas ? Alors quelle est votre excuse cette fois ? »

Lorsqu'il monte à l'étage, il trouve Rafe et Gregory en train de chahuter à côté de la grande fenêtre. Ils sautillent et semblent se débattre avec une chose invisible à leurs pieds. Il croit d'abord qu'ils jouent au football sans ballon. Mais ils se redressent alors d'un bond tels des danseurs et se mettent à talonner la chose, et il voit qu'elle est longue et mince, comme un homme à terre. Ils se penchent en avant pour la pincer et taper dessus, ils la tordent.

« Du calme, dit Gregory, ne lui brise pas encore le cou, je veux qu'il souffre. »

Rafe lève les yeux et fait mine de s'essuyer le front. Gregory, les mains posées sur les genoux, reprend son souffle, puis pousse la victime du bout du pied.

« C'est Francis Weston, explique-t-il. Vous croyez qu'il est dans la chambre du roi, mais en fait il est ici sous la forme d'un fantôme. Nous nous sommes cachés dans un coin et l'avons attendu avec un filet magique.

— Nous le punissons, déclare Rafe en se baissant. Ho, sir, regrettez-vous maintenant ? » Il crache dans ses mains. « Qu'est-ce qu'on lui fait maintenant, Gregory ?

— On le soulève et on le jette par la fenêtre.

— Attention, observe-t-il. Le roi apprécie Weston.

— Alors il l'appréciera quand il aura la tête aplatie », réplique Rafe.

Ils se débattent et se poussent mutuellement, tentant d'être le premier à aplatir Francis. Rafe ouvre la fenêtre et tous deux se baissent pour l'attraper, puis ils hissent le fantôme sur le rebord. Gregory le fait passer par-dessus, tirant sur sa veste lorsqu'elle s'accroche à la fenêtre, et d'un geste il le projette tête la première sur les pavés. Ils regardent en contrebas.

« Il rebondit », observe Rafe. Puis ils s'époussettent les mains et lui sourient. « Bonne nuit à vous, sir », dit Rafe.

Plus tard, Gregory est assis au pied du lit, en chemise, les cheveux ébouriffés, ses chaussures ôtées, l'un de ses pieds nus frottant négligemment le tapis : « Alors, vais-je être marié ? Vais-je être marié à Jane Seymour ?

— Au début de l'été tu croyais que j'allais te marier à une vieille douairière avec un parc à cerfs. »

Tout le monde taquine Gregory : Rafe Sadler, Thomas Wriothesley, les autres jeunes hommes de sa maison ; son cousin, Richard Cromwell.

« Oui, mais pourquoi venez-vous de passer une heure à parler à son frère ? Au début il s'agissait de jouer aux échecs, puis vous n'avez plus rien fait que parler, parler, parler. On dit que vous-même aimiez bien Jane.

— Quand ?

— L'année dernière. Vous l'aimiez bien l'année dernière.

— Si c'était le cas, j'ai oublié.

— C'est la femme de George Boleyn qui me l'a dit. Lady Rochford. Elle a dit, vous aurez peut-être une jeune belle-mère de Wolf Hall, que diriez-vous de ça ? Donc si vous aimez bien Jane, déclare Gregory en fronçant les sourcils, mieux vaut qu'elle ne devienne pas ma femme.

— Crois-tu que je te volerais ton épouse ? Comme le vieux sir John ? »

Lorsque sa tête est sur l'oreiller, il dit : « Chut, Gregory. » Il ferme les yeux. Gregory est un bon garçon, même si tout le latin qu'il a appris – tous les passages éclatants des grands auteurs – a ricoché dans sa tête comme des cailloux avant d'en ressortir aussitôt. Pourtant, pensez au fils de Thomas More : le rejeton d'un érudit que toute l'Europe admirait, et le pauvre petit John est à peine fichu de bafouiller son Pater noster. Gregory est bon archer, bon cavalier, il brille aux tournois, et ses manières sont irréprochables. Il parle avec respect à ses supérieurs, sans traîner les pieds et sans se tenir sur une jambe, et il est doux et poli avec ceux qui sont en dessous de lui. Il sait comment s'incliner devant les diplomates étrangers à la manière de leur pays, il reste assis à table sans s'agiter et sans donner à manger aux épagneuls, il sait découper n'importe quelle volaille si on lui demande de servir ses aînés. Il ne reste pas affalé avec sa veste qui lui glisse de l'épaule, il ne passe pas son temps à regarder autour de lui à l'église, il n'interrompt pas les vieillards et n'achève pas leurs anecdotes à leur place. Si quelqu'un éternue, il dit : « À vos souhaits ! »

À vos souhaits, monsieur ou madame.

Gregory lève la tête.

« Thomas More, dit-il. Le jury. Ça s'est vraiment passé comme ça ? »

Son père a reconnu l'histoire du jeune Weston : dans ses grandes lignes, même s'il n'est pas d'accord sur les détails. Il ferme les yeux.

« Je ne possède pas de hachette », répond-il.

Il est fatigué : il parle à Dieu ; il dit : Dieu, guide-moi. Parfois, quand il est au bord du sommeil, l'imposante silhouette écarlate du cardinal lui apparaît. Il aimerait que le défunt prophétise. Mais son ancien protecteur ne parle que de questions domestiques, de travail. Où ai-je mis cette lettre du duc de Norfolk ? demandera-t-il au cardinal ; et le lendemain, tôt, la lettre réapparaîtra miraculeusement.

Il parle intérieurement : pas à Wolsey, mais à l'épouse de George Boleyn. « Je n'ai aucun désir de me marier. Je n'ai pas le temps. J'étais heureux avec ma femme, mais Liz est morte, et cette partie de ma vie est morte avec elle. Qui, pour l'amour de Dieu, vous a donné, lady Rochford, le droit de spéculer sur mes intentions ? Madame, je n'ai pas le temps de faire la cour. J'ai cinquante ans. À mon âge, on est forcément le perdant d'un contrat à long terme. Si je veux une femme, autant que je la loue à l'heure. »

Pourtant il essaie de ne pas dire « à mon âge » : pas dans sa vie éveillée. Les bons jours, il se dit qu'il lui reste vingt ans. Il pense souvent qu'il survivra à Henri, mais penser ce genre de chose est strictement illégal ; il y a une loi qui interdit de spéculer sur la fin de la vie du roi, même si Henri semble avoir passé sa vie à rechercher de nouvelles manières de trouver la mort. Il y a eu plusieurs accidents de chasse. Quand il était encore mineur, le Conseil lui interdisait les joutes, mais il y participait tout de même, le visage dissimulé sous un casque, portant une armure sans emblème, prouvant à maintes reprises qu'il était l'homme le plus fort dans la lice. Il est sorti avec les honneurs des batailles contre les Français, car il est, comme il le dit souvent, de nature guerrière ; nul doute qu'on l'appellerait Henri le Vaillant si Thomas Cromwell ne l'empêchait pas de faire la guerre, faute d'argent. Le coût n'est d'ailleurs pas la seule considération : que devient l'Angleterre si Henri meurt ? Il a été marié pendant vingt ans à Catherine, ça en fera cet automne trois qu'il a épousé Anne, et tout ce que ça lui a rapporté, c'est une fille avec chacune et suffisamment de bébés morts pour remplir un cimetière, certains à moitié formés et baptisés dans le sang, d'autres nés vivants mais morts au bout de quelques heures, quelques jours, quelques semaines au plus. Tout ce tumulte, tout ce scandale pour obtenir le second mariage, et pourtant. Pourtant Henri n'a pas de fils pour lui succéder. Il a un fils illégitime, Henry, le duc de Richmond, un beau garçon de seize ans : mais à quoi lui sert un fils illégitime ? À quoi lui sert l'enfant d'Anne, la petite Élisabeth ? Il faudra peut-être recourir à un stratagème pour qu'Henry puisse régner, au cas où il arriverait malheur à son père. Lui, Thomas Cromwell, est bien vu du jeune duc ; mais cette dynastie, qui est encore récente, n'est pas suffisamment établie pour survivre à une telle tactique. Les Plantagenêts ont régné autrefois, et ils croient qu'ils régneront de nouveau ; ils croient que les Tudors sont un interlude. Les anciennes familles d'Angleterre sont en ébullition et prêtes à revendiquer le trône, surtout depuis qu'Henri a rompu avec Rome ; elles fléchissent le genou devant le roi, mais elles complotent. Il les entend presque, cachées au milieu des arbres.

Vous trouverez peut-être une femme dans la forêt, a dit le vieux Seymour. Quand il ferme les yeux, elle glisse derrière ses paupières, enveloppée de toiles d'araignée et éclaboussée de rosée. Ses pieds sont nus, emmêlés aux racines, sa chevelure légère comme une plume s'élève parmi les branches ; son doigt qui lui fait signe est une feuille recourbée. Elle le pointe vers lui tandis que le sommeil le gagne. Sa voix intérieure se moque désormais de lui : tu croyais que tu serais en vacances à Wolf Hall. Tu croyais qu'il n'y aurait rien à faire hormis les affaires habituelles, la guerre et la paix, la famine, les traîtres qui manigancent ; une récolte médiocre, une populace entêtée ; l'épidémie qui ravage Londres, et le roi qui perd sa chemise aux cartes. Tu étais prêt pour ça.

Au bord de sa vision intérieure, derrière ses yeux fermés, il sent quelque chose d'imminent. Quelque chose qui arrivera avec la lumière du matin ; qui bougera et respirera, qui se dissimulera dans un taillis ou un bosquet.

Avant de s'endormir, il se représente le chapeau du roi sur un arbre nocturne, perché tel un oiseau de paradis.

Le lendemain, afin de ne pas fatiguer les femmes, ils écourtent leur journée de chasse et retournent de bonne heure à Wolf Hall.

Pour lui, c'est l'occasion d'ôter sa tenue de chasse et de se plonger dans les dépêches. Il espère que le roi lui accordera une heure et écoutera ce qu'il a à lui dire. Mais Henri demande : « Lady Jane, voulez-vous vous promener dans le jardin avec moi ? »

Elle se lève aussitôt ; mais fronce les sourcils, comme si elle essayait de comprendre. Ses lèvres bougent, mais elle ne fait que répéter les paroles d'Henri : Promener... Jane ?... Dans le jardin ?

Oh oui, bien sûr, honorée. Sa main, un pétale, hésite au-dessus de la manche du roi ; puis elle s'abaisse, et la chair effleure la broderie.

Il y a trois jardins à Wolf Hall, qu'on appelle le grand jardin enclos, le jardin de la vieille femme et le jardin de la jeune femme. Quand il demande qui elles étaient, personne ne s'en souvient ; la vieille femme et la jeune femme sont depuis longtemps poussière, plus rien ne les distingue désormais. Il se rappelle son rêve : la jeune femme faite de fibres de racine, la jeune femme faite de moisissure.

Il lit. Il écrit. Quelque chose attire son attention. Il se lève et regarde depuis la fenêtre les allées en contrebas. Les carreaux sont petits et il y a du jeu entre eux, si bien qu'il doit tendre le cou pour voir convenablement. Il songe, je pourrais envoyer mes vitriers ici, pour aider les Seymour à avoir une vision plus claire du monde. Il a une équipe d'Hollandais qui travaillent pour lui dans ses diverses propriétés. Avant lui, ils travaillaient pour le cardinal.

Henri et Jane se promènent. Henri est une énorme silhouette et Jane est comme une marionnette articulée. Sa tête n'atteint pas l'épaule du roi. Henri est large, il est grand, il domine chaque pièce dans laquelle il se trouve ; ce serait le cas même si Dieu ne lui avait accordé le don de la royauté.

Maintenant Jane est derrière un buisson. Henri acquiesce en la regardant ; il lui parle ; il lui explique quelque chose ; et lui, Cromwell, observe en se grattant le menton : la tête du roi est-elle devenue plus grosse ? Est-ce possible, en plein âge adulte ?

Hans l'aura remarqué, songe-t-il, je lui demanderai quand je rentrerai à Londres. C'est plus probablement moi qui me trompe ; sans doute une déformation du verre.

Des nuages arrivent. Une grosse goutte de pluie

heurte le carreau ; il cligne des yeux ; la goutte s'étale, s'élargit, s'écoule le long des croisillons. Jane disparaît de son champ de vision. Henri maintient la main de la jeune fille sur son bras, la coinçant sous son autre main. Il voit la bouche du roi qui continue de bouger.

Il retourne s'asseoir. Il lit que les maçons qui bâtissent les fortifications de Calais ont cessé le travail et demandent six pence par jour. Que son nouveau manteau de velours vert arrivera dans le Wiltshire par le prochain courrier. Qu'un cardinal de la famille des Médicis a été empoisonné par son propre frère. Il bâille. Il lit que des personnes qui font des réserves sur l'île de Thanet font délibérément monter le prix du blé. Personnellement, il les pendrait, mais leur meneur pourrait être un petit lord bien décidé à créer une famine pour engranger un beau profit, alors mieux vaut avancer avec précaution. Il y a deux ans, à Southwark, sept Londoniens sont morts piétinés en se battant pour une ration de pain. C'est une honte pour l'Angleterre que les sujets du roi soient affamés. Il saisit sa plume et prend une note.

Très bientôt – la maison n'est pas grande, on entend tout – une porte claque au rez-de-chaussée, et la voix du roi retentit, puis c'est le chuchotement des domestiques autour de lui… Pieds mouillés, Majesté ? Il entend le pas lourd d'Henri approcher, mais on dirait que Jane s'est volatilisée sans un bruit. Nul doute que sa mère et ses sœurs l'ont emmenée à l'écart pour lui demander ce que le roi avait à lui dire.

Quand Henri entre dans la pièce, dans son dos, il repousse sa chaise pour se lever. Henri agite la main : continuez.

« Majesté, les Moscovites se sont emparés de trois

cents miles de territoire polonais. On dit que cinquante mille hommes sont morts.

— Oh, fait Henri.

— J'espère qu'ils épargneront les bibliothèques. Et les érudits. Il y a de très grands érudits en Pologne.

— Mm ? Moi aussi. »

Il retourne à ses dépêches. Épidémie en ville… le roi a toujours très peur de la contamination… Lettres de souverains étrangers, qui veulent savoir s'il est vrai qu'Henri a prévu de couper la tête à tous ses évêques. Certainement pas, note-t-il, nous avons désormais d'excellents évêques ; tous se soumettent aux désirs du roi et le reconnaissent à la tête de l'Église d'Angleterre ; et puis, quelle question impolie ! Comment osent-ils laisser entendre que le roi d'Angleterre doive rendre des comptes à quelque puissance étrangère ? Comment osent-ils contester son jugement souverain ? L'évêque Fisher, certes, est mort, et Thomas More aussi, mais Henri les avait traités, avant qu'ils ne le poussent à prendre des mesures extrêmes, avec une bienveillance excessive ; s'ils n'avaient pas fait preuve d'un entêtement perfide, ils seraient encore en vie, comme vous et moi.

Il a écrit beaucoup de lettres semblables depuis juillet. Il n'est pas parfaitement convaincant, pas même à ses propres oreilles ; il a le sentiment de toujours répéter les mêmes choses au lieu de mener l'argument sur un autre terrain. Il a besoin de nouvelles expressions… Henri tourne en rond derrière lui.

« Majesté, l'ambassadeur impérial Chapuys demande s'il peut rendre visite à votre fille, lady Marie ?

— Non », répond Henri.

Il écrit à Chapuys, *Attendez, attendez simplement que je sois rentré à Londres, et tout sera arrangé…*

Pas un mot de la part du roi : juste sa respiration, le bruit de ses pas, un buffet qui craque quand il s'appuie dessus.

« Majesté, on dit que le maire de Londres quitte à peine sa maison tant il est affligé par la migraine.

— Mm ? fait Henri.

— On lui fait des saignées. Est-ce ce que Votre Majesté recommanderait ? »

Une pause. Henri se concentre sur lui, au prix de quelque effort.

« Des saignées, pardonnez-moi, des saignées pour quoi ? »

C'est étrange. Même s'il déteste qu'on évoque l'épidémie devant lui, Henri aime toujours entendre parler des maux bénins des autres. Dites-lui que vous avez un rhume ou des coliques, et il vous concoctera de ses mains une potion à base de plantes, et il se tiendra au-dessus de vous pendant que vous l'avalerez.

Il repose sa plume. Se tourne pour regarder le monarque de face. Il est clair que l'esprit d'Henri est toujours dans le jardin. Le roi arbore une expression qu'il a déjà vue, mais sur des bêtes plutôt que sur des humains. Il paraît abasourdi, comme un veau assommé par le boucher.

C'est censé être leur dernière nuit à Wolf Hall. Il descend de très bonne heure, les bras chargés de papiers. Quelqu'un s'est levé avant lui. Parfaitement immobile dans le grand salon, une silhouette pâle dans la lueur laiteuse. Jane Seymour porte sa raide parure.

Elle ne tourne pas la tête pour le saluer, mais l'aperçoit du coin de l'œil.

S'il a eu le moindre sentiment pour elle, il n'en trouve plus trace désormais. Les mois s'éloignent de vous comme des feuilles d'automne caracolant vers l'hiver ; l'été est fini, la fille de Thomas More a récupéré la tête de son père à London Bridge et la conserve, Dieu sait où, sur un plat ou dans un saladier, et elle lui adresse ses prières. Il n'est plus l'homme qu'il était l'année dernière, et il ne reconnaît plus les sentiments de cet homme-là ; il repart de zéro, toujours de nouvelles idées, de nouveaux sentiments. Jane, commence-t-il à dire, vous pourrez quitter votre robe d'apparat, serez-vous heureuse de nous voir partir… ?

Jane est tournée vers la fenêtre, comme une sentinelle. Les nuages se sont dissipés pendant la nuit. Nous aurons peut-être une nouvelle belle journée. Le soleil du petit matin confère aux champs des tons rosés. Les vapeurs de la nuit se dispersent. Les silhouettes des arbres se détachent peu à peu. La maison se réveille. Dehors les chevaux piétinent et hennissent. Une porte claque à l'arrière de la maison. Des bruits de pas grincent au-dessus d'eux. Jane semble à peine respirer. Il ne distingue aucun mouvement de sa poitrine plate. Il sent qu'il devrait reculer, se retirer, se fondre dans la nuit, et la laisser là, plongée dans ses pensées, scrutant l'Angleterre au-dehors.

Imprimé en Espagne par
Black Print CPI Iberica
à Barcelone
en avril 2014

POCKET – 12, avenue d'Italie – 75627 Paris cedex 13

Dépôt légal : mai 2014
S24036/01